제9판

재료공학개론

Introduction to Materials Science for Engineers

제9판

재료공학개론

Introduction to Materials Science for Engineers

James F. Shackelford 지음

유상임 • 김미영 • 안철희 • 한흥남 옮김

Pearson

자유아카데미

Pearson Education South Asia Pte Ltd
63 Chulia St
#15-01
Singapore 049514

Pearson Education offices in Asia: *Bangkok, Beijing, Ho Chi Minh City, Hong Kong, Jakarta, Kuala Lumpur, Manila, Seoul, Singapore, Taipei, Tokyo*

3 2 1
24 23 22

Cover Art: Bicycle image by graf/Alamy and Honeycomb image by Baki Çirkin/Alamy

발행일: 2022년 2월 21일
공급처: 자유아카데미(031-955-1321/main@freeaca.com)
ISBN: 978-981-3137-54-7(93570)
가격: 40,000원

Pearson

http://pearsonapac.com/

역자 서문

이 책은 James F. Shackelford의 《Introduction to Materials Science for Engineers》(9th edition)를 우리말로 옮겨 《재료공학개론》(제9판)이라는 제목으로 출판된 번역서이다.

재료공학은 물리, 화학 등 자연과학의 기본 원리를 고분자, 금속, 세라믹 및 하이브리드 재료 등 다양한 재료와 연관시켜 재료의 특성을 규정하는 요인을 고찰하는 학문이다. 이로써 원하는 새로운 성질을 갖는 새로운 재료 개발을 위한 기초지식을 부여하고, 기존의 재료에 대한 성질을 이해하여 설계에 응용하도록 한다. 재료공학 분야의 연구는 모든 공학 시스템에 필수적인 소재와 부품이 개발될 수 있도록 도움으로써 자연과학과 공학 시스템의 가교 역할을 한다. 인류는 현재 로봇이나 인공지능을 통해 실제와 가상을 통합하여 사물을 자동적, 지능적으로 제어할 수 있는 차세대 4차 산업혁명 시대에 돌입하고 있다. 이를 가능하게 하는 공학 시스템의 설계 및 제조는 새로운 고기능의 소재와 부품 개발을 기반으로 실현될 수 있으므로, 재료공학의 중요성이 더욱더 강조되고 있다.

이 책은 이러한 재료과학 및 공학(약칭으로 재료공학)의 기초적인 내용을 크게 1부의 기본 이해와 2부의 재료와 응용으로 나누어, 체계적이고도 명료하게 잘 설명하고 있어서 재료공학에 입문하는 학생들에게 매우 유익하다. 전공자는 물론 다른 공학 분야를 공부하는 학생들에게도 재료공학 분야를 이해하는 기초를 제공하여 모든 공학 분야의 공통교과목 교재로 자리 잡았다.

역자들은 좋은 우리말 책을 만들기 위해 많은 노력을 기울였으나 여전히 부족한 점이 있을 것으로 생각된다. 이 책을 교재로 사용하시는 교수님들과 학생들께서 미비한 점을 지적해주신다면 수정을 통해 더 좋은 번역서가 될 수 있을 것으로 기대한다.

끝으로, 이 책을 출판하는 데 적극적으로 협조해주신 Pearson Education Korea와 많이 애써주신 편집부 여러분께 감사의 뜻을 표한다.

2022년 2월

역자 일동

저자 서문

이 책은 공업재료에 관한 입문용 강의의 교재로 구성되었다. 공학에서 이러한 공업재료를 다루는 분야를 '재료과학 및 공학'이라고 한다. 저자는 이 명명이 두 가지 중요한 기능을 제공한다고 생각한다. 첫째, 이는 과학적 원리와 실제 사이의 균형을 정확하게 표현하는 것으로서, 현대 기술에 적합한 재료를 선택하는 데 필요하다. 둘째, 이 책을 구성하는 지침을 제공한다. 짧은 소개로 이루어진 1장 이후에 '과학'에 대한 기본적인 원리를 다루는 제1부의 표제는 '기본 이해'이다. 1부인 2~10장은 응용물리학 및 화학의 다양한 주제를 다루는데, 이는 재료과학의 원리를 이해하는 기초가 된다. 일부 학생들은 1학년이나 2학년 수준에서 이 과정을 선택하지만, 아직 화학 및 물리학의 필수 과정을 수강하지 않았을 수도 있다. 그래서 제1부는 독립적으로 구성되어 있다. 화학이나 물리학처럼 앞서 선택했던 과정이 확실히 도움이 되지만 필수는 아니다. 만약 1학년 화학 과정을 마쳤다면, 2장(원자 결합)은 선택적으로 읽고 넘어갈 수도 있지만, 공업재료의 기본 유형을 정의하는 결합의 역할을 간과하지 않는 것이 중요하다. 제1부의 남은 부분은 재료과학의 핵심 주제에 대해 설명한다. 3장은 공업재료의 이상적인 결정 구조를, 4장은 순수 공업재료 구조에 나타나는 구조적인 결함을 소개한다. 이런 구조적 결함은 고체 확산(5장)과 금속의 소성 변형(6장)을 설명하는 기반이 된다. 6장은 여러 공업재료의 광범위한 기계적 거동을 포함한다. 마찬가지로, 7장에서는 재료의 열적 거동을 다룬다. 여러 기계적 및 열적 공정에 쓰이는 재료는 파괴로 이어질 수 있는데, 이는 8장에서 다룬다. 또한 재료의 파괴에 대한 체계적인 분석으로 재해를 사전에 예방할 수 있다. 9장과 10장에서는 '재료과학'과 '재료공학'을 연결하는 다리를 제공한다. 상태도(9장)는 실용적인 공업재료의 평형 미세구조를 설명하는 효과적인 도구이다. 강의자는 이 주제가 서술적이고 경험적인 방식으로 다루어졌음을 알 수 있다. 열역학을 배우지 않은 학생도 일부 있을 수 있으므로 자유 에너지 특성은 다루지 않았다. 속도론(10장)은 공업재료 열처리의 기초 이론이다.

'재료공학'을 주제로 한 제2부의 표제는 '재료와 응용'으로, 첫째, 다섯 종류의 구조 재료로서 금속, 세라믹, 유리(11장), 고분자와 복합재료(12장)에 관하여 논의한다. 이 두 장에서 여러 구조 재료를 제시하며, 재료 공정 과정과 제조 기술에 관해 소개한다. 13장에서는 전자 재료를 논의하고 여섯 번째 범주인 반도체를 소개하는데,

이는 결합 분류 시스템이 아닌 전기적 분류 시스템을 기반으로 한 것이다. 금속은 일반적으로 전도체인 반면에 세라믹, 유리, 고분자는 절연체이며, 반도체는 중간 정도를 나타낸다. 비교적 높은 온도에서 초전도성을 나타내는 특정 세라믹 재료의 예외적인 발견은 매우 낮은 온도에서 오랫동안 사용되어온 특정 금속의 초전도성을 부각시킨다. 14장은 전통적인 유리창에서 최신 통신기술에 이르기까지, 많은 소재의 응용을 결정하는 광학적 거동을 다룬다. 또한 물질의 다양성에 관해서도 논의한다. 기존의 금속과 세라믹 자석에 초전도체 금속과 세라믹에 대한 내용을 더했는데, 이는 이러한 물질의 자기적 성질에 기반을 둔 새로운 설계에 응용할 수 있다. 마지막 15장(공학설계 재료)에는 앞선 장에서 다루었던 특성들이 '설계 변수'로 나와 있다. 여기에 현대 공학설계에서 재료과학의 원리와 이런 재료의 사용을 연결하는 마지막 다리가 놓이게 된다. 화학적인 퇴화 현상, 방사능 손실, 마모, 재활용 등은 재료 응용을 최종 판단할 때 반드시 고려해야 한다.

공학에 대한 주요 분야의 제목을 중심으로 명확하고 읽기 쉬운 교과서를 만들기 위해 노력했음을 학생과 강의자 모두 알아주기를 바란다. 재료는 동시대의 과학과 공학의 폭넓은 영역에서 중요한 역할을 하고 있음을 주목해야 한다. 미국과학장려협회(American Association for the Advancement of Science)의 보고서 〈Science: The End of the Frontier?〉에서 경제 성장을 주도하는 것으로 밝혀진 25가지 기술 중 10가지는 여러 형태의 첨단재료이다. 각 장에 관련된 예제와 연습문제를 제시하였고, 각 장 끝에는 과제로 풀 수 있는 문제를 통해 연관성을 더욱 높였다(문제의 난이도 표시). 공학설계 과정 시 재료의 역할을 다루는 문제는 설계 아이콘 **D**를 사용하여 표시하였다. 이 책을 저술하는 동안 가장 즐거웠던 시간은 재료과학과 공학의 기본 개념이 한 사람의 이름과 직접 연관된 경우 그분들의 이름에 각주를 달 때였다. 저자와 마찬가지로 대부분의 독자가 과학과 공학에 위대한 공헌을 한 과거의 위대한 과학자들에게 매료될 것이라고 생각한다. 유용한 데이터를 보강한 것 외에 부록에 재료 특성과 주요 용어 해설을 수록하였다.

이 책의 지난 여러 판은 재료과학과 공학 분야의 기본적인 변화가 있을 때 발간되었다. 이런 변화의 한 예로서 American Society for Metals의 1986년 가을 학회에서 학회명이 ASM International, 즉 재료(material)에 관한 학회로 변환되었는데, 이는 더 이상 금속만의 학회가 아니라는 것을 의미한다. 재료공학에 대한 소개로서 비금속 재료와 물리 야금의 처리만 소개하는 것은 이제 적절하지 않다. 제1판은 모든 분야의 공업재료를 균형 있게 소개하였다.

그 후의 판은 시간적으로 맞는 새로운 재료를 더하여 균형적인 방법으로 접근하였고, 이러한 재료는 21세기 경제에 중요 역할을 하는 재료로서, 경금속 합금, 고차원 구조 응용에 쓰이는 '첨단' 세라믹, 우주항공용 첨단 복합재료, 대폭 소형화된 반도체 기기, 고온 세라믹 초전도체, 풀러렌 카본, 그라펜, 공학적 생체재료 등이다. 초판 이후로 우리는 재료 특성 분석에서의 고분해 투과 전자현미경(HRTEM)의 발전이나 재료 공정 분야에서의 더하기 공정(AM)과 같은 획기적인 발전을 보아왔다. 최근 개정판부터는 '재료의 세계'가 도입되어 각 장마다 1~2쪽 분량으로 제시되어 있으며, 자연적이거나 공학적으로 설계된 재료 모두에 대한 실제 세계에서의 매력적인 주제에 초점을 맞춘다. 7판 이후로 계속된 특성은 '10의 거듭제곱(Powers of Ten)'의 개념을 강조한 것이다. 1장에서는 재료과학의 기초가 되는 원리에 대해 설명하는데, 공학적으로 설계된 재료(실생활 스케일)의 거동을 이해한다는 것은 철강의 열처리와 관계된 탄소의 원자 단위의 확산에서처럼 다양한 크기의 수준에서 발생하는 메커니즘을 관찰함으로써 얻어진다는 것이다. 일반적인 원자의 크기와 전형적인 공학 생산품의 크기 차이는 10^{10}(100억)배 정도이다. 많은 현대 공학 연구는 집적 회로의 트랜지스터와 같은 마이크로미터 수준 구조에 기반을 둔 공학적 설계를 따른다. 흥미롭게도 공학자들은 나노미터 수준을 포함하는 시스템을 설계한다. 교재 전반에서 이런 구조와 특성 간의 관계를 보여주는 논의를 강조하기 위해 'Powers of Ten' 아이콘이 자주 사용된다.

9판의 새로운 점

이전 판들이 그러했듯이 공업재료에서 전보다 진보한 주요 내용을 추가하였으며, 기존 교재를 사용했던 사람들이 추가사항으로 추천한 내용을 반영하기 위해 노력하였다. 그 결과는 다음과 같다.

- 학생들에게 습득해야 할 지식에 대한 보다 명확한 목표를 제공하기 위해 각 장에 학습목표를 추가하였다.
- 책 전체에서 장 말미에 개념 문제를 포함시켰다.
- 책 전체에서 시각적 정보를 보다 생동감 있게 표현하기 위해 적절한 경우 이미지를 업그레이드하였다.
- 스마트폰과 태블릿에서 공업재료의 역할에 대한 논의를 갱신하였다.
- 통신에서 광섬유의 특성에 대한 토론 수준을 향상하였다.
- 지속 가능성의 역할에 대한 강조를 포함하여 현대 공학설계에서 동시대의 재료에 대한 모든 논의를 새롭게 하였다.

관련 대규모 공개 온라인 과정(MOOC)

이 책을 기반으로 하는 MOOC, '재료 과학: 모든 엔지니어가 알아야 하는 10가지'는 coursera.org에서 공개 액세스로 제공된다. 이 과정에서 저자는 공학전공 학생과 실무 전문가 모두에게 실용적인 주제에 대한 10개의 짧은 강의를 제공한다.

감사의 글

마지막으로, 이 책이 발간되는 데 직접 도움을 준 여러 분들께 감사를 표한다. 가족들은 깊은 '인내와 이해'를 보여주었고 재료의 세계를 넘어 저자에게 풍족한 삶을 제공해주었다. 편집자 Peter Gordon(제1판), David Johnstone(제2, 3판), Bill Stenquist(제4, 5판), Dorothy Marrero(제6판), Holly Stark(제7, 8, 9판)에게 감사드린다. 프로그램 매니저 Erin Ault는 이 판이 완성되어 나오도록 이끄는 데 없어서는 안 될 역할을 하였다. 캘리포니아대학교 머세드 캠퍼스의 Lillian Davila는 컴퓨터로 결정 구조 이미지를 만들어냈다. UC Davis의 많은 동료들과 책의 감수자들 D. J. Montgomery, John M. Roberts, D. R. Rossington, R. D. Daniels, R. A. Johnson, D. H. Morris, J. P. Mathers, Richard Fleming, Ralph Graff, Ian W. Hall, John J. Kramer, Enayat Mahajerin, Carolyn W. Meyers, Ernest F. Nippes, Richard L. Porter, Eric C. Skaar, E. G. Schwartz, William N. Weins, M. Robert Baren, John Botsis, D. L. Douglass, Robert W. Hendricks, J. J. Hren, Sam Hruska, I. W. Hull, David B. Knoor, Harold Koelling, John McLaughlin, Alvin H. Meyer, M. Natarajan, Jay Samuel, John R. Schlup, Theodore D. Taylor, Ronald Kander, Alan Lawley, Joanna McKittrick, Kathleen R. Rohr, James F. Fitz-Gerald. Valery Bliznyuk, David Bahr, K. Srinagesh, Stacy Gleixner, Raj Vaidyanathan. Jeffrey Fergus, Christoph Steinbruchel, Wayne Elban, Giovanni Zangari, Guanshui Xu, Atin Sinha, Yu-Lin Shen, Qiuming Wei, Blair London, and James Chelikowsky에게 특히 감사드린다.

캘리포니아 데이비스에서

James F. Shackelford

저자 소개

James F. Shackelford는 워싱턴대학교에서 세라믹 공학 학사와 석사 학위를, 캘리포니아대학교 버클리 캠퍼스에서 재료공학 분야 박사학위를 받았다. 캐나다 맥마스터대학교에서 박사후 과정을 밟은 후에 캘리포니아대학교 데이비스 캠퍼스에 합류하여 현재 재료공학과 명예교수로 있다. 수년 동안 공과대학 학부생들을 담당하는 부학장을 지낸 뒤에는 다양한 분야의 학생들에게 서비스를 제공하는 대학 명예 프로그램의 소장으로 일했다. 또한 NSF(National Science Foundation)가 자금을 지원하는 CBST(Centre for Biophotonics Science and Technology)의 교육 부소장과 UC Davis의 McClellan 핵 연구 센터(MNRC) 소장의 교수 보조원을 역임했다. 그는 유리 및 생체 재료에 중점을 두고, 재료의 구조적 특성 해석 및 공정에 대해 가르치고 연구를 수행한다. 현재 그의 강의의 주안점은 온라인 기술을 통한 것이다. American Ceramic Society 및 ASM International의 회원으로, 1992년 American Ceramic Society의 Fellow, 2011년 ASM International의 Fellow로 명명되었다. 1996년 American Ceramic Society의 Outstanding Educator Award와 2019년 ASM International이 주는 Albert Easton White Distinguished Teacher Award를 수상했다. 또한 2003년에는 캘리포니아대학교 데이비스 캠퍼스의 Academic Senate로부터 Distinguished Teaching Award, 2012년에는 UC Davis 공과대학의 Outstanding Teaching Award, 2014년에는 UC Davis Extension에서 Outstanding Service Award를 수상하기도 했다. 2016년에는 캘리포니아대학교 버클리 캠퍼스에서 열린 북미 재료교육심포지엄(NAMES)에서 재료 교육에 대한 탁월한 공헌을 인정받아 첫 상을 받았다. 그는 현재 9판까지 출판되어 중국어, 독일어, 이탈리아어, 일본어, 한국어, 포르투갈어 및 스페인어로 번역되어온 《Introduction to Materials Science for Engineers》를 포함하여 150편 이상의 논문과 책을 저술했다.

차례

CHAPTER 1

재료공학

미래의 교통 분야는 새로운 재료의 개발과 함께 발전할 것이다. 위의 유리판은 실시간 교통상황과 도로 관련 소식을 안내해준다. (Courtesy of Corning Glass Works.)

학습목표

1. 역사적으로 인류 문화의 발전에 기여한 재료의 역할을 설명한다.
2. 재료과학과 재료공학에서 사용하는 용어를 구별한다.
3. 공업재료의 여섯 가지 범주, 구조 재료의 다섯 가지 유형, 전자 재료의 일종인 반도체 재료를 이해한다.
4. (a) 공학적으로 사용되는 재료의 성질을 이해하도록 도와주는 원자 및 마이크로 단위에서 재료 구조를 설명한다.
   (b) 재료의 구조-성질 관계 및 공학 설계 분야에서 구조-성질 관계가 재료 성형과 최종 물성에 미치는 영향을 이해한다.
5. 재료과학 및 공학에서 사용되는 크기를 이해한다.
   (a) 원자 크기: 1×10^{-10} 미터
   (b) 나노 크기: 1×10^{-9} 미터
   (c) 마이크로 크기: 1×10^{-6} 미터
   (d) 밀리미터 크기: 1×10^{-3} 미터
   (e) 인간 크기: 1 미터

1.1 재료의 세계

우리는 물질적 재산이 우리의 사회적 관계와 삶의 경제적 질을 결정해주는 세계에 살고 있다. 우리 조상들의 물질적 재산은 아마도 연장과 무기가 전부였을 것이다. 그 시대에 연장과 무기를 만드는 데 어떠한 물질을 이용했는가로 고대 인류 문명 시대를 구분하는 방법이 가장 보편적이다. **석기 시대**(Stone Age)는 250만 년 전으로 거슬러 올라가며 그때 인류의 조상은 돌을 쪼아서 사냥에 필요한 무기를 만들었다(그림 1.1). B.C. 2000년부터 B.C. 1000년까지의 기간에 걸친 **청동기 시대**(Bronze Age)에 야금술의 토대를 이루었다. 즉 구리와 주석 **합금**(alloys)으로 우수한 연장과 무기를 생산할 수 있었다는 것이 발견되었다. (**합금**은 두 가지 이상의 원소로 이루어진 금속이다.)

당대의 고고학자들은 주석이 이용되기 이전에 상대적으로 순수한 구리만 사용했던 '구리 시대'가 유럽에서 B.C. 약 4000년에서 B.C. 3000년 사이에 존재했었다고 본다. 그때의 구리 제품은 사용 범위가 제한되어서 적절한 합금 첨가물의 중요성을 일찍이 깨닫게 했다. **철기 시대**(Iron Age)는 BC. 1000년부터 B.C. 1년까지의 시기를 말한다. B.C. 500년에 이르러서는 유럽에서 연장과 무기 제조에 쓰였던 청동을 대부분 철 합금이 대체했다.

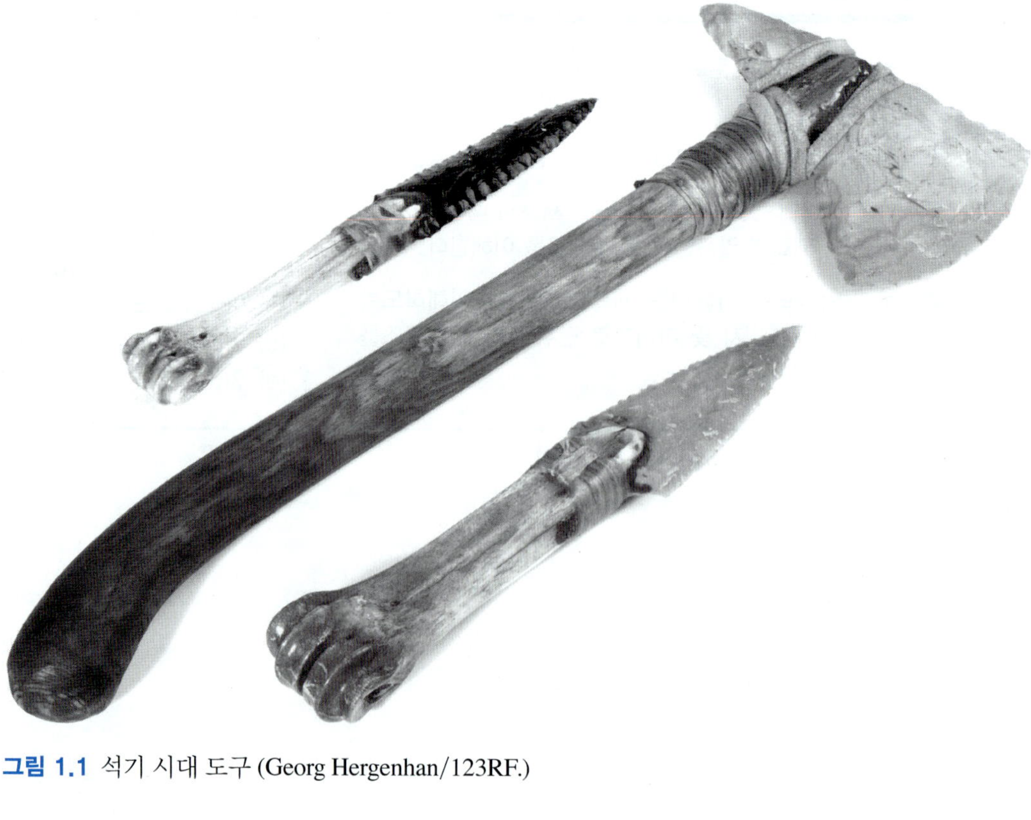

그림 1.1 석기 시대 도구 (Georg Hergenhan/123RF.)

고고학자들이 '토기 시대'라고 부르지는 않지만, 진흙을 구워 만든 가정용 그릇의 존재는 수천 년에 걸친 인류 문명을 잘 설명해준다. 또한 메소포타미아에서 발견된 유리 제품의 기원은 B.C. 4000년경까지 거슬러 올라간다.

20세기 후반의 근대 문명은 '플라스틱 시대'라고도 하는데 플라스틱이란 단어가 수많은 제품에 쓰인 가볍고 경제적인 고분자 재료를 완벽하게 기술하는 것은 아니다. 한편 이 시기에는 주로 실리콘 기술에 토대를 둔 근대 전자공학의 엄청난 효과가 있었으므로 어떤 비평가들은 이 시기를 '실리콘 시대'로 불러야 한다고 제안했다.

1.2 재료과학과 공학

1960년대 이후, 재료를 다루는 공학 분야를 명명하는 데 쓰인 일반적 용어는 **재료과학과 공학**(materials science and engineering)이다. 이 분야가 기초적인 자연과학과 실용적인 공학의 진정한 의미의 합성이라는 관점에서 볼 때 이 이름은 정확한 것이다. 그 후로 이 분야는 계속 성장하여 야금학, 세라믹공학, 고분자화학, 고체물리학, 물리화학 등의 전통적인 분야도 포함하게 되었다.

이 책에서 '재료과학과 공학'이라는 용어는 특별한 기능을 한다. 이 용어는 책의 구성을 위한 토대를 제공할 것이다. 첫째로, **과학**(science)이란 주제는 제1부인 2~10장까지 기본적인 구조와 분류, 특성이 무엇인가를 다룬다. 둘째로, **재료**(materials)라는 주제는 11~13장에서 다루는데, 다섯 가지 유형의 구조 재료(11~12장)와 여러 전자 재료, 특히 반도체(13장), 광학, 자성 물질(14장)을 다룬다. 마지막으로 **공학**(engineering)이란 주제하에 15장에서는, 실제 산업 응용 시 적재적소에 올바른 재료를 선택하는 과정에서 고려되는 주된 사항과 수반되는 환경 문제에 관해 논의한다.

1.3 세상을 바꾼 6가지 재료

재료 분야에 처음 입문하는 공학도들이 틀림없이 갖는 첫 번째 질문은 "우리가 이용할 수 있는 재료에는 어떤 종류가 있는가?"이다. 이 질문에 답하기 위해 여러 가지 분류체계가 사용될 수 있다. 이 책에서는 공학자가 이용할 수 있는 재료를 총망라하여 다음과 같이 6가지로 분류한다. 즉 금속, 세라믹, 유리, 고분자, 복합재료, 반도체이다. 이 6가지 종류의 재료를 각각의 예와 함께 소개한다.

강으로 만든 다리: 금속 재료 소개

현대 공업 사회에서 대중에게 인식된 가장 '전형적인' 재료가 있다면 그것은 구조용 강(steel)이다. 이 다용도 구조용 재료는 **금속성**(metallic)으로 간주할 수 있는 몇 가

그림 1.2 캘리포니아주 샌프란시스코 북쪽에 있는 금문교는 강으로 만든 다리 가운데 가장 유명하고 아름답다. (ⓒ LOOK Die Bildagentur der Fotografen GmbH/Alamy.)

지 가정 혹은 특성을 가지고 있다. 첫째로, 강은 강하며 우리가 원하는 모양으로 변형시킬 수 있다. 둘째로, 폭넓고 영속적인 변형성 또는 **연성**(ductility)을 가지고 있어서 갑작스런 심한 하중에도 항복이 적게 생기는 중요한 특징을 가진다. 예를 들어 캘리포니아에 사는 주민들은 어지간한 지진에 창문[비교적 **취약**(brittle)한 유리, 즉 연성이 부족한]이 깨어져 나가도 강철 지지체는 여전히 창틀을 지지하는 것을 볼 수 있다. 셋째로, 잘린 지 얼마 안 된 강철 표면은 금속광택의 특성을 가지며, 넷째로 강철봉은 다른 금속과 같이 금속 재료의 기본적인 특성을 갖고 있고, 전기적으로 좋은 도체이다.

구조강을 사용하는 가장 친근한 예는 다리이다. 금문교(Golden Gate Bridge)는 가장 유명하고 아름다운 다리 중 하나이며, 캘리포니아 샌프란시스코와 북쪽의 마린 카운티를 연결한다(그림 1.2). 1937년 5월 27일에 개통되었을 때, 인근에 사는 주민 20여만 명이 상징적인 이 다리를 걸어서 건너갔다. 다음 날 개통식에서 80년간 샌프란시스코 베이에서의 삶의 중요한 일부가 되어온 자동차 교통의 개시를 알렸다. 오랜 세월 동안 금문교는 '세계에서 가장 긴 현수교'(2,737 미터)라는 명칭을 얻었다. 새로운 다리를 만드는 기술로 인해 기록은 갱신되었지만 금문교는 여전히 역사가들에 의해 '강(steel)의 심포니'라는 새로운 명칭을 부여받았다.

캘리포니아 레딩에 있는 선다이얼 브리지는 강으로 만든 다리로서 기능과 아름다

그림 1.3 캘리포니아주 레딩에 있는 선다이얼 브리지는 현대 교량 설계의 걸작품이다.

움을 겸한 훌륭한 예이다(그림 1.3). 스페인의 유명 건축가인 Santiago Calatrava가 건축한 이 다리에는 66 미터 길이의 보행자 통행로가 있다. 이 다리의 도보 코스 체계는 터틀베이 탐사공원과 연결되어 있다. 이 같은 새로운 다리는 단순히 예술 조형 프로젝트로만 평가되지 않는다. 100여 년 전 건축된 수많은 다리를 포함한 오래된 기반시설물은 공학자들에게 도전 의식과 이러한 중대한 구조물의 유지와 보수에 대한 필요를 불러일으킨다.

2장에서는 금속의 성질을 정의하고, 다른 범주에 속한 재료와 비교하며 전체적인 관점에서 살펴볼 것이다. 이는 현재 알려져 있는 화학 원소 범위에서 금속성 거동의 규모를 고려하는 데 유용하다. 그림 1.4는 주기율표의 화학 원소 중 본질적으로 금속성인 원소를 강조하여 보여준다. 물론 여기에 속하는 원소는 매우 많다. 색으로 강조한 원소들은 다양한 공업 합금의 토대가 되며, 여기에는 철과 강(Fe로부터), 알루미늄 합금(Al), 마그네슘 합금(Mg), 타이타늄 합금(Ti), 니켈 합금(Ni), 아연 합금(Zn), [황동(Cu, Zn)을 포함한]구리 합금(Cu) 등이 있다.

투명 산화물: 세라믹 재료 소개

알루미늄(Al)은 잘 알려진 금속이지만, 알루미늄과 산소의 화합물인 알루미늄 산화물(oxide), 예를 들면 Al_2O_3는 근본적으로 다른 분류인 **세라믹**(ceramic)이다. 산화알

IA	IIA	IIIB	IVB	VB	VIB	VIIB	VIII	VIII	VIII	IB	IIB	IIIA	IVA	VA	VIA	VIIA	0
1 H																	2 He
3 Li	4 Be											5 B	6 C	7 N	8 O	9 F	10 Ne
11 Na	12 Mg											13 Al	14 Si	15 P	16 S	17 Cl	18 Ar
19 K	20 Ca	21 Sc	22 Ti	23 V	24 Cr	25 Mn	26 Fe	27 Co	28 Ni	29 Cu	30 Zn	31 Ga	32 Ge	33 As	34 Se	35 Br	36 Kr
37 Rb	38 Sr	39 Y	40 Zr	41 Nb	42 Mo	43 Tc	44 Ru	45 Rh	46 Pd	47 Ag	48 Cd	49 In	50 Sn	51 Sb	52 Te	53 I	54 Xe
55 Cs	56 Ba	57 La	72 Hf	73 Ta	74 W	75 Re	76 Os	77 Ir	78 Pt	79 Au	80 Hg	81 Tl	82 Pb	83 Bi	84 Po	85 At	86 Rn
87 Fr	88 Ra	89 Ac	104 Rf	105 Db	106 Sg												
		58 Ce	59 Pr	60 Nd	61 Pm	62 Sm	63 Eu	64 Gd	65 Tb	66 Dy	67 Ho	68 Er	69 Tm	70 Yb	71 Lu		
		90 Th	91 Pa	92 U	93 Np	94 Pu	95 Am	96 Cm	97 Bk	98 Cf	99 Es	100 Fm	101 Md	102 No	103 Lw		

그림 1.4 원소의 주기율표. 본질적으로 금속성을 갖는 원소를 색으로 강조했다.

루미늄(알루미나, Al_2O_3)은 금속인 알루미늄(Al)에 비해 두 가지 주요한 이점을 갖는다. 첫째, 알루미늄은 산화(15장에서 자세히 설명)될 수 있는 반면에 알루미나는 화학적으로 안정하다. 실제로 알루미늄의 화학 침식에 의해 생겨나는 일반 반응생성물은 화학적으로 더 안정한 산화물이다. 둘째, 세라믹인 알루미나는 금속인 알루미늄(660°C)보다 매우 높은 융점(2,020°C)을 가지고 있다. 이 때문에 (공업로 제작에 광범위하게 사용되는 고온 단열재인) **내화물 재료**(refractory)로 널리 쓰이며, 그

그림 1.5 다양한 종류의 알루미나 세라믹 제품은 고온 내화물로 응용된다. (Courtesy of AdValue Technology.)

림 1.5에 나와 있다.

이 Al_2O_3는 뛰어난 화학 및 단열성을 지니고 있으면서도 왜 금속 알루미늄 대신 자동차 엔진과 같은 분야에 이용되지 않는 걸까? 이 질문에 대한 대답은 세라믹의

재료의 세계

구조가 재료를 이끈다

공업재료의 특성과 관찰 가능한 고유의 성질을 이해하기 위해서는 그 구조를 이해해야 한다. 이 장에서 언급한 6가지 재료 범주의 주요 특성은 대체로 작은 규모(보통 원자 혹은 미세 규모)에서 일어나는 메커니즘과 직접 관련된 것을 보여준다.

세라믹 재료 소개에서 논의했지만, 큰 규모의 특성에 미세 규모의 구조가 주는 극적인 효과는 투명한 재료를 개발함으로써 잘 설명된다. 전통적으로 제조된 알루미나 세라믹스는 기공을 통해 빛이 산란되어 가시광선의 투과 손실(즉 투명도 손실)을 가져온다. 기공 표면에서 알루미나(Al_2O_3)와 공기의 경계면이 빛 굴절의 원인이 된다(방향의 변화). 기공이 약 0.3%가 되면 알루미나를 반투명하게 할 수 있으며(분산상을 전달할 수 있다), 기공이 3%가 되면 알루미나를 불투명하게 할 수 있다. Lucalox 특허에서 제시된 방법(0.1 wt % MgO 첨가)으로 기공을 제거하면 거의 투명한 재료가 만들어지며, 거기에 더해 이 재료는 중요한 부가 성질로서 고온 나트륨 증기에 의한 화학 침식에 대해 뛰어난 저항성을 갖게 된다.

방금 인용한 예는 공업재료의 특성이 구조와 어떻게 연관되어 있는가에 대한 전형적이고 중요한 실증을 보여준다. 이 책 전체를 통해 공학자에게 중요한 모든 재료에 대해 이러한 상관관계의 실증을 계속적으로 제시할 것이다. 아래에 나온 실례는 바이오메디컬 분야에서 사용되는 하이드록시아파타이트 세라믹의 미세구조와 결과물인 반투명 원반이다. 10장의 '재료의 세계'에서 소개할 FAST 기법을 이용하여, 최소한의 기공을 가지는 재료[아래 그림 (a)의 조밀한 나노 규모의 알갱이를 주목하라]를 제작했고, 그 결과물로 재료를 투과하여 원반 아래의 글씨를 볼 수 있을 정도의 투명도를 가지게 되었다[아래 그림 (b)]. 빛 투과도에 대해 기공이 미치는 영향은 14장(예: 그림 14.8과 14.9)에서 더 상세히 논의하며, 정형외과 보철물로서의 하이드록시아파타이트의 응용은 15장에서 논의한다.

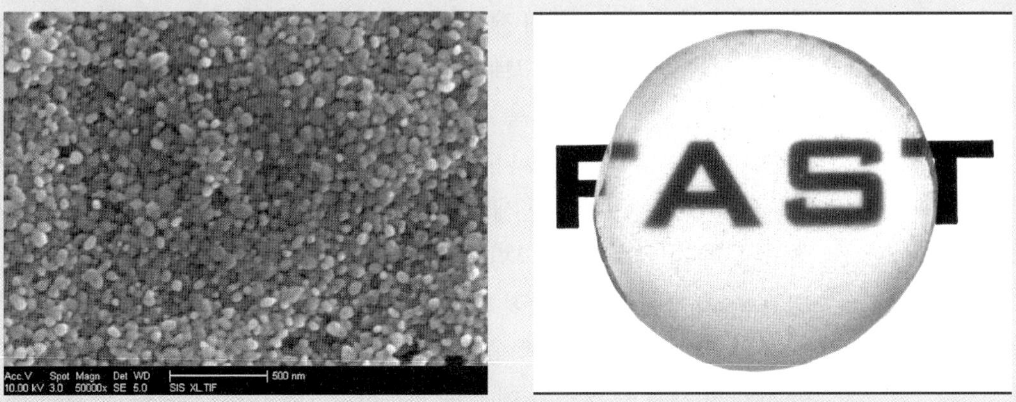

(a) (b)

(Courtesy of T. B. Tran and J. R. Groza, University of California, Davis.)

그림 1.6 레이저 로드(laser rod)로 사용되기 위해 21일 동안 성장시킨 이트륨 알루미늄 가닛($Y_3Al_5O_{12}$ 또는 YAG) 결정 (James L. Amos/Science Source.)

가장 취약점인 취성(brittleness)에 있다. 알루미늄과 다른 금속은 바람직한 성질인 연성을 갖고 있어 비교적 심한 충격 하중에서도 파괴되지 않는 반면에, 알루미늄 산화물과 다른 세라믹은 그렇지 못하다. 이러한 취성 때문에 세라믹이 많은 구조 응용에서 제외된다.

최근 수십 년간 재료 기술의 발달로 인한 중요한 성과는 투명 세라믹의 개발인데, 이것은 새로운 제품을 생산할 수 있게 했으며, (상업 조명 같은)다른 제품에도 실질적인 개선을 가져왔다. 알루미늄 산화물(Al_2O_3)과 같은 전형적인 불투명 세라믹을 투명한 재료로 바꾸기 위해서는 미시규모 구조에서 근본적인 변화가 요구된다. 보통 상업용 세라믹은 결정 분말을 비교적 강하고 밀도가 높은 가공물이 될 때까지 높은 온도에서 열처리함으로써 얻는다. 이와 같이 제조된 전통적인 세라믹은 잔여 기공이 상당한 양으로 남아 있는데(재료의 세계 글상자 '구조가 특성을 이끈다' 참고), 이 기공은 간단한 발명[1)]인 적은 양의 불순물(0.1 wt % MgO)을 첨가함으로써 제거되며, 이로써 알루미나(Al_2O_3) 분말의 고온 치밀화 과정이 완성된다. 원통형 투명 알루미나는 고온(1,000°C) 나트륨 증기 조명을 설계하는 데 핵심이 되었으며, 통상의 백열전구보다 더 높은 조명도를 제공한다(15 lumens/W에 대해 100 lumens/W).

투명 알루미늄 산화물의 발명과 이것을 이용한 조명 기술의 발전 후에 세라믹 과학자와 공학자는 유사한 방법을 광범위한 분야로의 응용으로 확대했고, 레이저 기술에 이용되는 세라믹 산업으로 발전시켜 왔다. 관련된 연구는 14장에서 더 자세히 논의할 것이다. 가장 대표적인 조성은 이트륨 알루미늄 가닛($Y_3Al_5O_{12}$ 또는 YAG)으로, 고용체에서 아주 적은 양의 네오디뮴(Nd)과 함께 레이저 성질을 제공한다. 이 Nd:YAG 레이저는 의료 부문과 공학 응용에 광범위하게 사용되고 있다. 그림 1.6에 나타낸 바와 같이 이러한 투명 레이저 재료는 거대한 단결정을 용융(melt) 상태에서 성장시킴으로써 제조되고 있다는 점은 주목할 만하다.

알루미늄 산화물은 마그네슘 산화물(MgO), **실리카**(silica, SiO_2)와 함께 전형적인 세라믹스의 일종이다. 더욱이 실리카는 점토와 점토성 광물이 속하는 넓고 복잡한 **규산**(silicate)족의 기본이 되는 재료이다. 실리콘 질화물(Si_3N_4)은 앞에서 설명한 바와 같이 중요한 비산화물 세라믹스이다. 상업적으로 중요한 세라믹스 대다수는 적어도 한 가지 금속 원소(그림 1.4 참조)와 다섯 가지 **비금속**(nonmetallic) 원소(C, N, O, P, S) 중 하나와의 화학적 화합물이다. 그림 1.7은 여러 가지 금속(옅은 색)과 다섯 가지 주요 비금속(짙은 색)을 예시한 것으로 이들 간의 다양한 조합으로 생성 가능한 세라믹 재료의 영역은 매우 광범위하다. 상품화된 금속 합금처럼 상품화된 많은

1) R. L. Coble, U.S. Patent 3,026,210, March 20, 1962.

IA	IIA	IIIB	IVB	VB	VIB	VIIB	VIII	VIII	VIII	IB	IIB	IIIA	IVA	VA	VIA	VIIA	0
1 H																	2 He
3 Li	4 Be											5 B	6 C	7 N	8 O	9 F	10 Ne
11 Na	12 Mg											13 Al	14 Si	15 P	16 S	17 Cl	18 Ar
19 K	20 Ca	21 Sc	22 Ti	23 V	24 Cr	25 Mn	26 Fe	27 Co	28 Ni	29 Cu	30 Zn	31 Ga	32 Ge	33 As	34 Se	35 Br	36 Kr
37 Rb	38 Sr	39 Y	40 Zr	41 Nb	42 Mo	43 Tc	44 Ru	45 Rh	46 Pd	47 Ag	48 Cd	49 In	50 Sn	51 Sb	52 Te	53 I	54 Xe
55 Cs	56 Ba	57 La	72 Hf	73 Ta	74 W	75 Re	76 Os	77 Ir	78 Pt	79 Au	80 Hg	81 Tl	82 Pb	83 Bi	84 Po	85 At	86 Rn
87 Fr	88 Ra	89 Ac	104 Rf	105 Db	106 Sg												

58 Ce	59 Pr	60 Nd	61 Pm	62 Sm	63 Eu	64 Gd	65 Tb	66 Dy	67 Ho	68 Er	69 Tm	70 Yb	71 Lu
90 Th	91 Pa	92 U	93 Np	94 Pu	95 Am	96 Cm	97 Bk	98 Cf	99 Es	100 Fm	101 Md	102 No	103 Lw

그림 1.7 하나 이상의 금속 원소(옅은 색)와 하나 이상의 비금속 원소(짙은 색)의 조합으로 이루어지는 세라믹 화합물의 주기율표. 그림 1.4에서 금속으로 분류되지 않았던 규소(Si)와 게르마늄(Ge)이 금속으로 분류되어 있다는 데 유의하라. 이것은 Si와 Ge 원소는 반도체 물성을 보이기 때문이다(그림 1.16). 주석(Sn) 원소는 결정 구조에 따라 금속이나 반도체로 분류된다.

세라믹스도 화합물과 둘 이상의 원소로 된 고용체를 포함한다는 것을 명심하라.

스마트폰과 태블릿: 유리 재료 소개

금속과 세라믹스는 원자 배열 구조에서 비슷한 구조적 특징을 가진다. 즉 **결정체**(crystalline)로서 구성 원자가 규칙적이고 반복적인 형태로 쌓여 있다. 금속과 세라믹 형태 재료 간의 구별은 많은 세라믹스가 단순한 가공 기술에 의해 **비정질**(noncrystalline) 형태로 만들어진다는 것이며(즉 구성 원자가 불규칙적이고 무질서한 형태로 적층됨) 이를 그림 1.8에 나타내었다. 결정체 세라믹스와 비교되는 조성을 가지는 비정질 고체에 대한 일반 용어는 **유리**(glass, 그림 1.9)이다. 가장 일반적

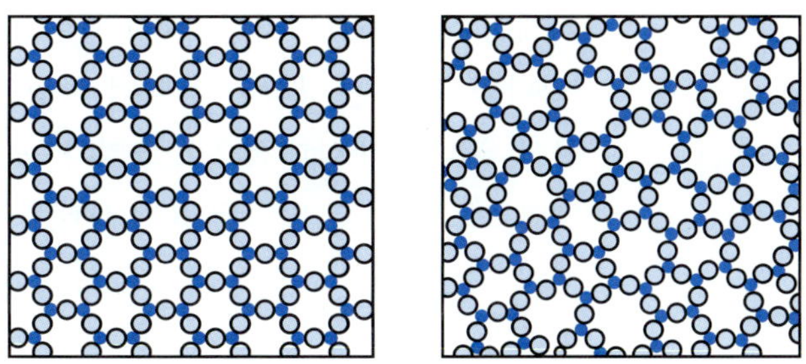

(a) (b)

그림 1.8 (a) 세라믹(결정질)과 (b) 유리(비정질)에서 원자 구조의 개략적인 비교도. 검은 테두리의 원은 비금속 원소를, 파란색 원은 금속 원소를 나타낸다.

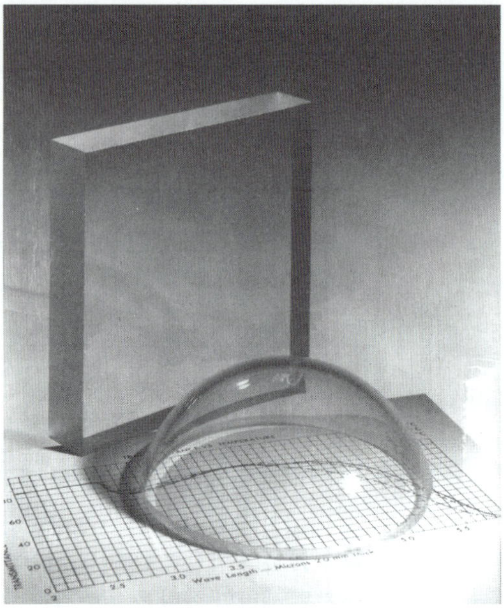

그림 1.9 산업용 규산염 유리 부품. 이 재료는 선명한 이미지 투과와 화학 부식적인 환경에 대한 내성 같은 중요한 특성을 갖는다. (Courtesy of Corning Glass Works.)

인 유리는 규산염이며, 보통 창유리는 중량비로 약 72%의 규산질(SiO_2)과 그 외에 주로 산화나트륨(Na_2O), 산화칼슘(CaO) 등으로 이루어진다. 유리는 결정체 세라믹스처럼 취성을 갖는다. 유리는 가시광선 영역에서의 투광성(자외선, 적외선 방사를 포함)과 화학적 불활성 같은 성질 때문에 중요한 공업재료로 간주된다.

2007년에 애플 아이폰이 소개된 후 10년간 스마트폰의 연간 판매량은 1억 2,200만 대에서 2017년 15억 대로 증가했다. 휴대전화 누적 가입자 수는 2025년까지 60억 명으로 예상되며 이는 전 세계 인구의 약 70%에 해당한다. 2010년 애플 아이패드의 등장은 태블릿 기기의 일상생활로의 확대를 가져왔다. 이제는 흔히 볼 수 있는 이러한 기기의 커버글라스는 대중에게 범용되는 가장 흔한 최첨단 유리 소재이다. 모바일 기기 사용자에게 이러한 재료는 투명성이라는 장점과 함께 만족스럽지 못한 기계적 강도(스크래치나 파손)라는 단점으로 인식되고 있다. 6.6절에서 자세히 다룰 '화학적 강화'는 향상된 기계적 물성을 제공하는 실질적인 기술이다. 하나의 예로 규산 유리 내의 상대적으로 크기가 큰 칼륨 이온을 크기가 작은 나트륨 이온으로 교체함으로써 좀 더 밀집된 표면 상태를 제공하고, 이는 기계적 물성을 효과적으로 증진시키는 방법으로 이용되고 있다. 그림 1.10은 현재 사용되고 있는 몇 가지 예를 보여준다.

나일론 낙하산: 고분자 재료 소개

고분자(polymers)로 알려진 부류의 재료는 근대 공업기술이 일상생활에 큰 영향을

(a)

(b)

그림 1.10 (a) 랩톱 컴퓨터와 함께 스마트폰과 태블릿은 현재 일상과 사업 생활에서 필수적인 아이템으로 인식되고 있다. (© wavebreakmedia/Shutterstock) (b) 내충격성 커버글라스는 아이폰 11의 주요 부품이다. (Courtesy of Apple Inc.)

미치는 데 중요한 역할을 했다. 이 부류의 재료는 다른 말로 **플라스틱**(plastics)이라 하는데, 이 단어는 제조과정 중에 고분자의 폭넓은 성형성을 나타낸다. 이 합성 재료는 유기화학의 한 특별한 분야로서 값싼 기능성 고분자 재료를 이용한 여러 종류의

그림 1.11 고분자는 소비재의 범용되는 기본 재료로서, 재활용이 중요한 화두로 인식되고 있다. (PBWPIX/Alamy.)

IA	IIA	IIIB	IVB	VB	VIB	VIIB	VIII	VIII	VIII	IB	IIB	IIIA	IVA	VA	VIA	VIIA	0
1 H																	2 He
3 Li	4 Be											5 B	**6 C**	**7 N**	**8 O**	**9 F**	10 Ne
11 Na	12 Mg											13 Al	**14 Si**	15 P	16 S	17 Cl	18 Ar
19 K	20 Ca	21 Sc	22 Ti	23 V	24 Cr	25 Mn	26 Fe	27 Co	28 Ni	29 Cu	30 Zn	31 Ga	32 Ge	33 As	34 Se	35 Br	36 Kr
37 Rb	38 Sr	39 Y	40 Zr	41 Nb	42 Mo	43 Tc	44 Ru	45 Rh	46 Pd	47 Ag	48 Cd	49 In	50 Sn	51 Sb	52 Te	53 I	54 Xe
55 Cs	56 Ba	57 La	72 Hf	73 Ta	74 W	75 Re	76 Os	77 Ir	78 Pt	79 Au	80 Hg	81 Tl	82 Pb	83 Bi	84 Po	85 At	86 Rn
87 Fr	88 Ra	89 Ac	104 Rf	105 Db	106 Sg												

58 Ce	59 Pr	60 Nd	61 Pm	62 Sm	63 Eu	64 Gd	65 Tb	66 Dy	67 Ho	68 Er	69 Tm	70 Yb	71 Lu
90 Th	91 Pa	92 U	93 Np	94 Pu	95 Am	96 Cm	97 Bk	98 Cf	99 Es	100 Fm	101 Md	102 No	103 Lw

그림 1.12 상용 고분자 재료와 관련된 원소를 색으로 강조한 주기율표

제품이 있다(그림 1.11). 고분자에서 '단위체(mer)'는 에틸렌(C_2H_4)과 같은 탄화수소 단분자이다. 고분자는 많은 단위체가 결합한 긴 사슬 분자이다. 가장 일반적인 상용 고분자는 **폴리에틸렌**(polyethylene, $-(C_2H_4)_n-$)인데 여기서 n은 대개 100~1,000 정도이다. 주기율표에서 상용 고분자와 연관된 부분은 비교적 한정되어 있는데 그림 1.12에 표시되었다. 폴리에틸렌을 포함하여 대부분의 중요한 고분자는 탄소와 수소의 화합물인데 산소(예: 아크릴), 질소(나일론), 불소(불소플라스틱), 규소(실리콘)를 포함하는 것도 있다.

나일론(nylon)은 상당히 친숙한 고분자이다. 나일론은 폴리헥사메틸렌 아디파마이드인데 1935년 DuPont Company에서 개발되었으며, 폴리아마이드로 알려진 합성수지의 일종이다. 나일론은 첫 상품화에 성공한 고분자로 칫솔모(1938년)에 처음 사용되었고, 실크 스타킹을 대체하는 나일론 스타킹(1940년)이 뒤를 이었다. 나일론이 실크를 대용할 수 있도록 개발되면서 제2차 세계대전 초기에는 낙하산과 다른 군수 용품에 쓰였던 아시아 실크(Asian silk)를 대체하기 위해 온 힘을 기울였다. 또한 자연 재료인 목면과 양모 같은 원료가 섬유 산업을 지배했다. 말기에는 합성 섬유가 시장 점유율의 약 25% 정도를 차지했다. 당대의 한 예로 나일론 낙하산의 모습을 그림 1.13에서 보여준다. 오늘날 나일론은 인기가 있는 섬유재료일 뿐 아니라 기어나 베어링 같은 응용 부품에 확고히 쓰이고 있다.

명칭이 의미하듯이 **플라스틱**은 금속과 같이 연성이라는 바람직한 기계적 성질을 갖고 있다. 고분자는 깨지기 쉬운 세라믹스와는 달리 가볍고 값도 저렴해서 구조 설계 응용에서 종종 금속을 대신한다. 고분자 재료의 화학 결합성은 2장에서 다룰 것이다. 결합과 관련된 고분자의 중요한 성질은 금속에 비해서는 강도가 낮고, 세라믹

그림 1.13 제2차 세계대전 중에 개발된 나일론 천은 낙하산 설계에서 여전히 가장 인기 있는 재료이다. (Courtesy of Stringer/Agence France Presse/Getty Images.)

스와 유리에 비해서는 융점이 낮고 화학 반응성이 높다는 것이다. 이러한 제한에도 불구하고 고분자는 매우 융통성 있는 유용한 재료이다. 지난 수십 년간 고분자 공업 재료의 개발이 크게 진전되어 충분히 높은 강도와 딱딱한 특성을 지닌 고분자가 개발되었는데, 이 재료는 종래의 구조용 금속을 대체할 수 있게 되었다.

케블라® 강화 타이어: 복합재료 소개

지금까지 다룬 구조용 공업재료(금속, 세라믹/유리, 고분자) 외에 또 다른 중요한 재료는 여러 가지 원소와 화합물로 되어 있는데 이런 원소의 화합물은 화학 결합에 의해 분류될 수 있다. 금속은 금속 결합과 관련 있고, 세라믹/유리는 이온 결합, 고분자는 공유 결합과 관련이 있다. 이러한 분류는 2장에서 다룰 것이다. 이 외에 또 다른 중요한 재료는 앞에서 분류한 각각의 재료를 적절히 조합하여 만든 재료이다. 이러한 네 번째 분류가 **복합재료**(composites)이며, 이것의 가장 전형적인 예는 **유리섬유**(fiberglass)이다. 이 복합재료는 고분자 기지(matrix)에 유리섬유가 박혀 있는 것으로 흔히 사용하는 재료가 되었다(그림 1.14). 좋은 복합체의 특성을 가진 유리섬유는 양쪽의 장점을 모두 갖고 있다. 즉 유리섬유는 각 구성 재료의 탁월한 특성을 갖고 있어서 각각의 구성 재료의 특성보다 월등히 뛰어난 제품을 만들 수 있다. 작은

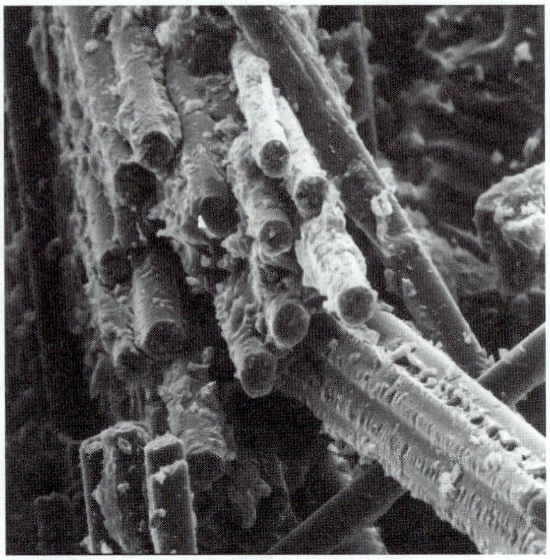

그림 1.14 고분자 기지 내에 마이크로 규모의 강화 유리섬유로 구성된 섬유 유리 복합재료 (Courtesy of Owens-Corning Fiberglas Corporation.)

지름의 유리섬유가 갖는 고강도와 고분자 기지의 연성을 결합해서 구조용 재료로서 요구되는 표준 하중에 견딜 수 있는 강한 재료를 만들어낸다. 복합재료는 불활성 기체(0족)를 제외한 주기율표상의 모든 영역을 포함하기 때문에 복합재료를 구성하는 원소의 영역을 주기율표에 도시할 필요는 없다.

케블라(Kevlar) 섬유 강화재는 전통적으로 **고분자 기지 복합재료**(polymer-matrix composites)에서 사용되어왔던 유리섬유와 비교하여 월등히 우수한 물성의 재료를 만들어낸다. 케블라는 DuPont의 등록상표 명칭으로, 파라아라마이드의 일종인 폴리 *p*-페닐렌테레프탈아마이드(PPD-T)이다. 폴리에테르에테르케톤(PEEK)이나 폴리페닐렌술파이드(PPS)와 같은 새로운 고분자 기지가 꾸준히 개발되어왔다. 이러한 재료는 인성이 증가되었고 재활용성을 가지고 있다. 케블라가 보강된 고분자는 압력 용기에 사용되며, 케블라 강화재는 타이어에 널리 사용되고 있다(그림 1.15). 케블라는 1965년에 처음 개발되었고, 1970년대 초반 이후로 상업적으로 사용되고 있다. 강도 대 무게 비가 구조강의 5배여서 여러 응용 분야에서 인기가 있다. 현대의 자동차용 타이어가 특히 좋은 예이다.

실리콘 칩: 반도체 재료 소개

고분자가 현시대에 큰 영향을 준 공업재료로서 눈에 잘 띄는 반면에 반도체는 상대적으로 눈에 잘 띄지는 않지만 비교적 일상생활에 큰 변화를 가져왔다. 기술은 분명히 사회를 개혁해왔지만, 고체전자공학은 기술 그 자체를 개혁하고 있다. 비교적 적은 수의 원소와 화합물이 **반도체성**(semiconduction)이라는 중요한 성질을 갖

그림 1.15 케블라 강화재는 현대 고성능 타이어로 유용하다. 케블라 강화재로 만들어진 타이어를 장착한 자동차가 빗길 미끄러짐 시험을 하고 있다. (© Culture-images GmbH/Alamy.)

고 있다. 즉 좋은 전기 전도체(conductor)도 아니고 좋은 전기 절연체(insulator)도 아니다. 대신 전기 전도를 할 수 있는 능력은 중간쯤 된다. 이러한 재료를 **반도체**(semiconductor)라 하며, 일반적으로 원자 결합에 기반한 네 가지 구조용 재료 분류에는 속하지 않는다. 앞에서 말한 것처럼 금속은 본질적으로 좋은 전기 전도체이고, 세라믹스와 고분자(비금속)는 본질적으로 나쁜 전기 전도체이나 좋은 전기 절연체이다. 주기율표의 중요 부분이 그림 1.16에서 짙은 색으로 도시되었다. IV A족인 이러한 3개의 반도성 원소(Si, Ge, Sn)는 금속 원소와 비금속 원소 사이에서 일종의 경계선 역할을 한다. 규소(Si)와 게르마늄(Ge)은 널리 사용되는 기본 반도체로서 이 분류의 재료에서 가장 대표적인 것이다. 화학적 순도를 정확히 조절함으로써 전기적 성질을 정확히 조절할 수 있다. 기술의 발달과 함께 화학적 순도를 좁은 영역에서 변화시킬 수 있게 되면서 한층 정밀해진 초미세 전자 회로가 생산되고 있다(그림 1.17). 이러한 **미세회로**(microcircuitry)는 오늘날 전자 기술 혁명의 기본이 된다.

그림 1.16에서 일단의 원소들이 옅은 색으로 칠해져 있는데 이러한 원소는 반도체성 화합물을 형성한다. 그 예로 갈륨비소(GaAs)와 황화카드뮴(CdS)이 있는데, 갈륨비소는 고온 정류기와 레이저 재료로 사용되며, 황화카드뮴은 비교적 값싼 태양 전지에 사용되어 태양에너지를 유용한 전기에너지로 전환해준다. 이러한 원소로 형성된 여러 화합물은 세라믹 화합물과 유사한 점을 많이 가지고 있다.

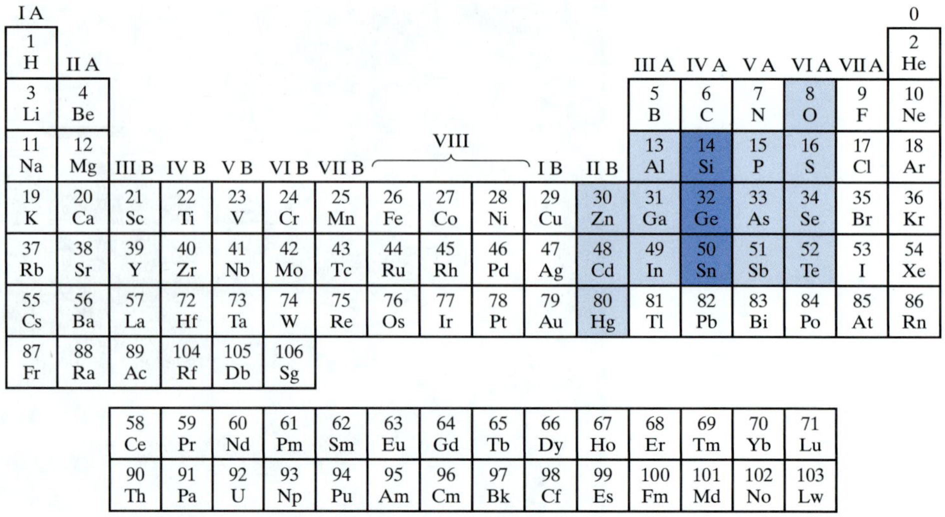

그림 1.16 짙은 색의 반도체 원소와 옅은 색의 화합물 반도체를 표시한 주기율표. 화합물 반도체는 III족과 V족(예: GaAs) 또는 II족과 VI족(예: CdS)의 원소의 쌍으로 이루어져 있다.

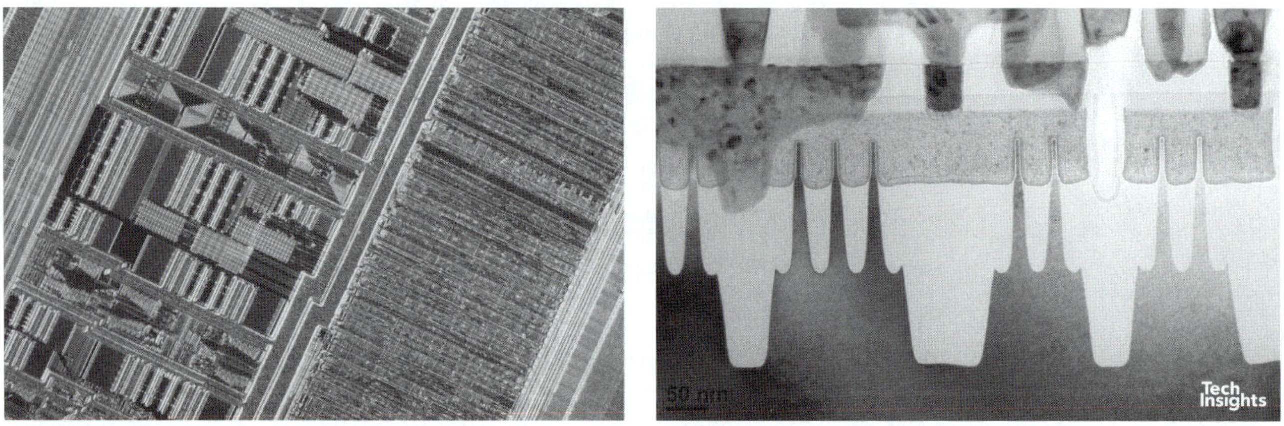

(a) (b)

그림 1.17 (a) 복잡한 반도체 부분 배열을 보이고 있는 전형적인 미세회로 (Michael W. Davidson/Science Source.) (b) 최첨단 미세회로는 마이크로에서 나노 규모로 집적화되고 있다. '8 나노미터 세대' 기기의 단면을 보여주는데, 8 나노미터 '게이트'는 뾰족한 실리콘 부분 위에 위치하고 있다. (Micrograph courtesy of TechInsights.)

1.4 재료의 공정과 선택

근대 기술에서 재료의 이용은 궁극적으로 그러한 재료를 생산할 수 있는 능력에 따라 좌우된다. 이 책의 11~13장에서 6가지 유형의 재료가 각각 어떻게 만들어지는가를 논의한다. 재료 **공정**(processing)이라는 주제는 두 가지 기능을 한다. 첫째, 각 유형의 재료의 특성을 좀 더 완벽하게 이해하도록 도와주고, 둘째, 공정 이력

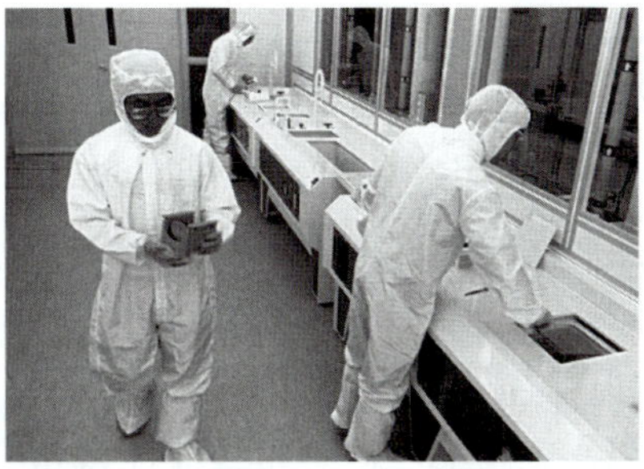

그림 1.18 근대 집적 회로 가공공장은 재료 가공의 가장 최신식 기술이다. (Courtesy of the College of Engineering, University of California, Davis.)

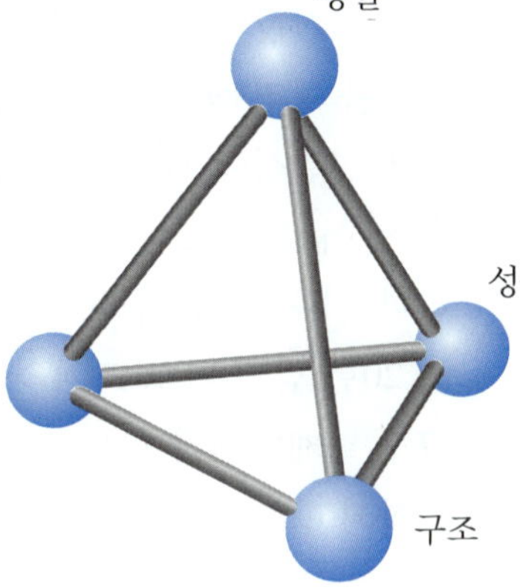

그림 1.19 어떻게 '공정' 기술이 성질에 영향을 미치는가와 어떻게 공학 설계의 '성능'이 궁극적으로 그러한 관계로부터 생겨나는지뿐만 아니라 재료 사면체는 이 장의 글상자 '재료의 세계'에서 소개한 재료의 '구조'와 '성질'의 기본적인 관계를 설명한다.

(processing history)이 재료의 특성에 미치는 영향의 중요성을 인식하게 해준다.

우리는 전통적인 금속 주조 기술에서부터 가장 동시대의 기술인 전자 미세회로 가공(그림 1.18)에 이르기까지 공정 기술에 대해 배울 것이다. 1.3절에서의 질문 "우리가 이용할 수 있는 재료에는 어떤 종류가 있는가?"에 이어 이제 우리는 새롭고 분명한 질문을 마주하게 된다. "특수 응용에 필요한 재료를 어떻게 선택하는가?" **재료 선택**(materials selection)은 공학 설계과정에서 실질적이고 최종적인 결정이며, 그 설계의 궁극적인 성공과 실패를 결정한다. 그림 1.19는 재료과학 및 공학 분야의 전반적인 특성인 재료 사면체에 대한 간단하고 일반적인 시각적 요약을 보여준다. 이 장의 '재료의 세계'에 소개된 '구조가 성질을 제어한다'라는 개념이 기본적인 개념이지만, '구조'와 '성질'은 이 사면체의 두 모서리에 불과하다. 방금 논의한 바와 같이, '공정' 기술 또한 재료의 성질에 지대한 영향을 미칠 수 있다. 마지막으로 '성능'은 재료의 적절한 선택이 성공적인 공학 설계에 기여한다는 것을 나타낸다.

1.5 10의 거듭제곱에 의한 재료 살펴보기

이 아이콘은 책 전반에서 미세 조직과 재료 성질 간 관계에 관한 논의를 강조하기 위한 것이다.

이 장에서 '구조가 특성을 이끈다'는 재료과학과 공학의 중요 원리를 다루었고, 이는 아주 미세한 규모의 재료 구조의 메커니즘을 관찰하여 (인간 규모에 의한) 공학 설계 시 사용하는 재료의 거동을 말한다. 이런 중요한 관점은 1977년에 디자이너인 Charles와 Ray Eames가 만든 "10의 거듭제곱(Powers of Ten)"이라는 밝고, 짧은 다큐멘터리 영화를 떠올리게 하는데, 물리학자인 Phillip Morrison이 내레이션을 맡았다. 이 영화는 인간의 경험이 우주 규모 이하의 여러 단계, 원자 규모 이상의 여러 단계를 야기한다는 관점으로 인기를 끌었다.

다음 여러 장을 통해, 인간 크기에서부터 미세 규모 구조 메커니즘에 걸친 재료 특성의 연관성에 관한 여러 예를 볼 것이다. 원자 규모(5장에서 확산을 설명하는 점 결함)의 재료 구조, 현미경에 의한 규모(6장에서 소성변형을 설명하는 전위), 혹은 밀리미터 규모(8장에서 재앙적 파괴를 야기하는 구조 결함)의 메커니즘을 다룬다. 최근 20년 넘게 나노 크기의 중요성이 널리 강조되었다. 그림 1.17의 예를 들면, 마이크로 스케일에서 나노 스케일로 전자회로가 소형화됨에 따라 속도가 빨라지고, 소형화되고 휴대가 가능한 전자 기기의 제작이 가능하게 되었다. 따라서 이 책에서 논의하는 '10의 거듭제곱'의 적절한 범위는 다음과 같다.

인간 크기: 1 미터
밀리미터 크기: 1×10^{-3} 미터
마이크로 크기: 1×10^{-6} 미터
나노 크기: 1×10^{-9} 미터
원자 크기: 1×10^{-10} 미터

밀리미터, 마이크로, 나노 크기는 SI 단위 체계를 따른다. 인간 크기와 원자 크기는 이 세 가지 SI 단위보다 크거나 작다. 전형적인 원자 결합 길이(약 2×10^{-10} m)는 일반인의 신장(약 2 m)보다 10승 작은 크기이다.

요약

공학자가 이용할 수 있는 재료는 크게 6가지 분류로 나눌 수 있다. 금속, 세라믹, 유리, 고분자, 복합재료, 반도체이다. 처음 네 가지는 각기 독특한 원자 결합의 유형과 연관되어 있으며, 복합재료는 앞의 네 가지 분류 중 둘 혹은 그 이상의 재료의 결합으로 이루어진다. 앞의 다섯 가지는 구조용 재료이지만, 반도체는 그것의 독특한 성질인 반도체성에 의해 구분되어 전자 재료라는 분리된 분류로 취급한다. 이러한 여러 재료의 인간 규모의 성질을 이해하기 위해서는 일부 미시적 또는 원자 규모에서 구조의 관찰이 필요하다. 예를 들어 투명 세라믹스를 개발하기 위해서는 미시 규모의 구조를 주의 깊게 조절해야 한다. 일단 재료의 성질을 이해하면 주어진 응용 분야에 대한 적절한 공정과 선택이 이

루어진다고 할 수 있다. 이제 공학의 한 지류를 정의하기 위해 재료과학 및 공학이 제공하는 용어와 함께 교재 본문으로 이동할 것이다. 또한 이러한 용어는 본문의 다양한 부분을 설명하는 키워드를 제공한다: 2~10장(과학 → 기본 원칙), 11~14장(재료 → 구조용, 전자, 광학, 자성 재료), 15장(공학 → 공학 설계에 사용되는 재료).

주요 용어

현재 많은 전문 잡지에서 각 항목마다 주요 용어를 목록으로 싣고 있다. 이러한 단어는 실질적인 정보 검색의 용도로 사용될 뿐만 아니라 해당 간행물의 중요 개념에 대한 편리한 요약을 제공한다. 이런 정신에 입각하여 각 장 끝에 주요 용어의 목록을 제시한다. 이 목록은 해당 장에서 알아야 할 주요 개념에 대한 편리한 길잡이 역할을 할 수 있다. 포괄적인 용어 해설은 모든 장에 실린 주요 용어를 정의하는 책 뒷부분의 '용어 해설'에서 제공한다.

결정체(crystalline)
고분자(polymer)
고분자 기지 복합재료(polymer-matrix composite)
공정(processing)
규산(silicate)
금속성(metallic)
나일론(nylon)
내화물 재료(refractory)
미세회로(microcircuitry)
반도체(semiconductor)
복합재료(composite)
비금속(nonmetallic)
비정질(noncrystalline)
석기 시대(Stone Age)
세라믹(ceramic)
실리카(silica)
연성(ductility)
유리(glass)
유리섬유(fiberglass)
재료 선택(materials selection)
철기 시대(Iron Age)
청동기 시대(Bronze Age)
취약한(brittle)
케블라(Kevlar)
폴리에틸렌(polyethylene)
플라스틱(plastic)
합금(alloy)

참고문헌

다른 책을 참고하고 싶은 학생들을 위해 관련 정보의 원문 출처를 각 장 끝에서 간략한 목록으로 소개한다. 1장의 경우 참고문헌은 재료과학 분야에서 일반적인 교과서 가운데 일부를 제시한다.

Askeland, D. R. and **W. J. Wright,** *The Science and Engineering of Materials,* 7th ed., Cengage, Independence, KY, 2016.

Callister, W. D. and **D. G. Rethwisch,** *Materials Science and Engineering—An Introduction,* 10th ed., John Wiley & Sons, Inc., Hoboken, NJ, 2018.

Smith, W. and **J. Hashimi,** *Foundations of Materials Science and Engineering,* 6th ed., McGraw-Hill Higher Education, Boston, MA, 2019.

PART 1

기본 이해

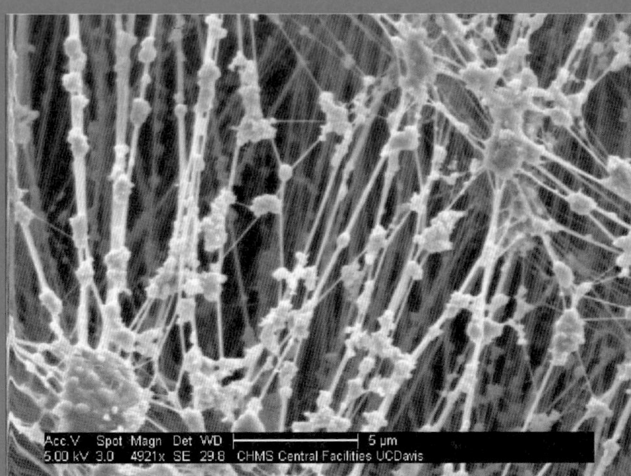

Acc.V Spot Magn Det WD 5 µm
5.00 kV 3.0 4921x SE 29.8 CHMS Central Facilities UCDavis

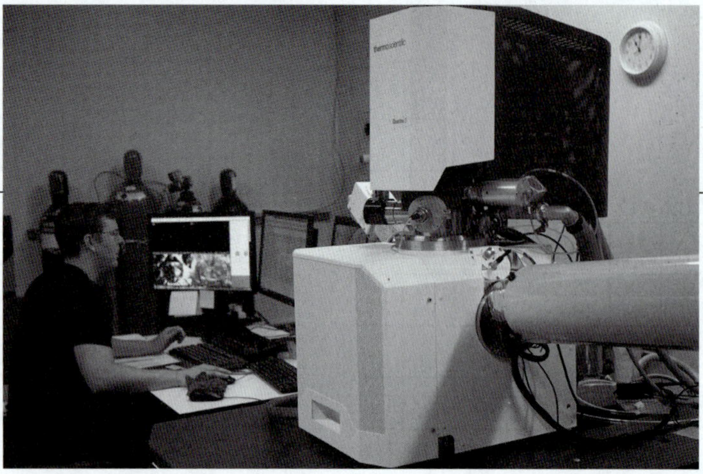

재료과학의 중심 원리는 재료의 구조를 소규모로 조사함으로써 공학적 응용에 적합한 재료의 속성을 이해하는 것이다. 위 사진에 보이는 장비는 주사전자현미경으로 광학현미경의 필드 깊이보다 깊고, 높은 배율을 제공한다. 주사현미경을 이용하여 얻은 재료의 구조 사진이 앞면에 나와 있는데, 2001년 9·11 테러 당시 세계무역센터 근처의 공기 필터에 걸려 있던 입자의 이미지이다. 이러한 분석은 테러 현장 부근 공기 입자에 의한 오염도와 인체 건강에 미치는 영향을 조사하는 데 사용된다 (Courtesy of the Department of Materials Science and Engineering University of California, Davis.)

재료과학과 공학 분야의 탐험은 재료과학에 초점을 맞춤으로써 시작한다. 2~10장에서는 물리와 화학에서의 다양한 근본 주제를 다룬다. 2장(원자 결합)에서 독자는 이미 친숙한 많은 개념을 다시 보게 될 것이다. 재료과학 분야의 특별한 관심사는 재료에 대한 분류 체계를 제공하는 원자 결합의 역할이다. 금속, 이온, 공유 결합은 대체로 구조용 소재 범주인 금속, 세라믹/유리 및 고분자에 해당한다. 반도체는 전자 재료의 중요한 범주로 일반적으로 공유 결합에 해당한다. 3장에서는 여러 공업재료의 결정 구조를 소개하는데, 중요한 결정 구조를 결정하는 도구인 X선 회절에 대한 소개도 포함한다. 4장에서는 3장에서 살펴본 결정 구조와 관련하여 발생할 수 있는 여러 가지 불완전한 결함을 확인한다. 5장에서는 이러한 구조적 결함이 고상 확산에 미치는 중심 역할을 알아보고, 6장에서는 재료의 기계적 거동 일부의 원인이 되는 다른 결함에 대해 살펴본다. 7장에서는 재료의 열적 거동을 소개하고, 8장에서는 재료의 파괴를 초래할 수 있는 어떤 기계적 및 열적 공정(가공, 용접 등)을 알아본다. 9장에서는 평형을 이루며 서서히 변하는 재료의 미세 구조를 예측할 수 있는 유용한 도구인 상태도를 소개한다. 10장의 속도론에서는 빠른 열처리로 다른 미세 구조를 유도하는 효과를 알아본다. 1부에서는 물리와 화학의 기본 원리가 공업재료의 실제 거동에 기초한다는 것을 알게 될 것이다.

CHAPTER 2

원자 결합

원자 규모에서 재료 구조의 컴퓨터 모형은 인접 원자 간 결합에 대한 정확한 지식을 요한다. 유기 광전 재료에서 중요한 역할을 하는 이 분자 모형에서 원자는 공유 결합에 의해 이어진 구 형태로 나타난다. (Courtesy of Roland Faller, Adam Moule, and Varuni Dantanarayana, University of California, Davis.)

학습목표

1. (a) 원자의 기본 구성요소를 확인하고 원자량 단위, 에너지 준위, 에너지 궤도와 같은 관련 용어를 이해한다.
(b) 결합력과 결합에너지 곡선을 도식화하고 두 곡선 간 관계를 이해한다.
(c) 원소 주기율표와 원자 구조 간 관계를 설명한다.

2. (a) 결합력과 결합길이의 계산을 포함하여 음이온과 양이온 간 이온 결합의 성질을 설명한다.
(b) 양이온 주변 음이온의 배위수와 반경비를 계산한다.

3. 높은 방향성을 가지는 공유 결합의 성질과 고분자 분자 형성에서의 그 역할을 설명한다.

4. 금속의 특징인 높은 전기 전도도를 부여하는 금속 결합의 비방향성 전자 공유의 성질을 설명한다.

5. 2차 또는 van der Waals 결합의 성질 및 1차 결합과의 차이를 설명한다.

6. 원자 결합의 다양한 유형의 역할과 공업재료의 범주를 관련지어 설명한다.

1장에서는 공학도에게 유용한 재료의 기본적인 유형을 소개했다. 그 분류체계의 기본이 되는 것 중 하나는 재료의 원자 결합의 성질에서 발견된다. 원자 결합은 두 가지 일반적인 범주로 나뉜다. 1차 결합(primary bonding)은 전자의 이동 또는 공유를 수반하며 이웃 원자들과 비교적 강한 결합을 만든다. 이온, 공유 및 금속 결합이 이 범주에 속한다. 2차 결합(secondary bonding)은 원자들 사이의 비교적 약한 인력을 수반하며, 전자의 이동이나 공유는 일어나지 않는다. Van der Waals 결합이 이 범주에 속한다. 공업재료(금속, 세라믹, 유리, 고분자, 반도체)의 다섯 가지 기본 유형 각각은 특정한 형태(또는 형태들)의 원자 결합과 관련이 있다. 물론 복합재료는 이러한 기본 유형의 조합물이다.

2.1 원자 구조

원자들 간의 결합을 이해하기 위해서는 각 원자 내의 구조를 이해해야 한다. 이를 위해 비교적 간단한 원자 구조의 행성 모델—즉 **전자**(electrons)(행성)가 **핵**(nucleus)(태양) 주위 궤도를 돈다—을 사용하여 이해하자.

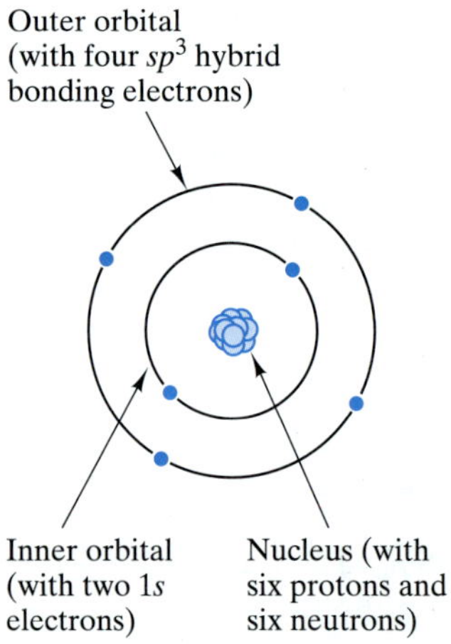

그림 2.1 ^{12}C 원자의 행성 모델의 모식도

물리학자들이 핵에 대한 광범위한 수의 미립자를 목록화했지만, 이러한 원자핵의 상세한 구조를 고려할 필요는 없다. 우리는 단지 주어진 원자를 화학적으로 규명하기 위한 토대로서, 핵 내의 **양성자**(protons)와 **중성자**(neutrons)의 수만 생각하면 된다. 그림 2.1은 탄소 원자의 행성 모델을 예시한 것이다. 이 예시는 도식적이며, 치수는 실제와 다르다. 핵이 비록 원자 질량의 거의 대부분을 차지할지라도 실제 핵의 크기는 그림에 나타낸 것보다 훨씬 작다. 양성자와 중성자의 질량은 대체로 1.66×10^{-24} g이다. 이 값을 **원자량 단위**(atomic mass unit, amu)라고 부르며, 이 단위로 원소의 질량을 표시하면 편리하다. 예를 들면 탄소의 가장 일반적인 동위원소는 ^{12}C(그림 2.1 참조)이며, 그 핵은 6개의 양성자와 6개의 중성자를 가지고, 12 amu의 **원자량**(atomic mass)을 갖는다. 또한 1 g당 0.6023×10^{24} amu가 있다는 것을 알아두는 것이 편리하다. 이 큰 값은 **아보가드로**[1)]**수**(Avogadro's number)라고 하며 1 g의 질량을 만드는 데 필요한 양성자 또는 중성자의 수를 나타낸다. 주어진 원소에서 아보가드로수의 원자를 **그램-원자**(gram-atom)라고 한다. 화합물에서 이에 상응하는 용어는 **몰**(mole)이다. 즉 NaCl 1몰은 Na 원자의 아보가드로수와 Cl 원자의 아보가드로수만큼을 가진다.

^{12}C 원자의 아보가드로수는 12.00 g의 질량을 가진다. 자연 상태로 있는 탄소는 실제로는 12.011 amu의 원자량을 갖고 있는데, 이는 모든 탄소 원자가 핵 안에 6개

1) Amadeo Avogadro(1776~1856)는 이탈리아 물리학자로 분자라는 단어를 다른 학자들과 함께 사용했다. 불행히도 "(주어진 온도와 압력에서)모든 기체는 단위 체적당 같은 수의 분자를 갖는다"는 가설을 그가 죽은 뒤에야 인정받았다.

IA	IIA	IIIB	IVB	VB	VIB	VIIB	VIII			IB	IIB	IIIA	IVA	VA	VIA	VIIA	0
1 H 1.008																	2 He 4.003
3 Li 6.941	4 Be 9.012											5 B 10.81	6 C 12.01	7 N 14.01	8 O 16.00	9 F 19.00	10 Ne 20.18
11 Na 22.99	12 Mg 24.31											13 Al 26.98	14 Si 28.09	15 P 30.97	16 S 32.06	17 Cl 35.45	18 Ar 39.95
19 K 39.10	20 Ca 40.08	21 Sc 44.96	22 Ti 47.90	23 V 50.94	24 Cr 52.00	25 Mn 54.94	26 Fe 55.85	27 Co 58.93	28 Ni 58.71	29 Cu 63.55	30 Zn 65.38	31 Ga 69.72	32 Ge 72.59	33 As 74.92	34 Se 78.96	35 Br 79.90	36 Kr 83.80
37 Rb 85.47	38 Sr 87.62	39 Y 88.91	40 Zr 91.22	41 Nb 92.91	42 Mo 95.94	43 Tc 98.91	44 Ru 101.07	45 Rh 102.91	46 Pd 106.4	47 Ag 107.87	48 Cd 112.4	49 In 114.82	50 Sn 118.69	51 Sb 121.75	52 Te 127.60	53 I 126.90	54 Xe 131.30
55 Cs 132.91	56 Ba 137.33	57 La 138.91	72 Hf 178.49	73 Ta 180.95	74 W 183.85	75 Re 186.2	76 Os 190.2	77 Ir 192.22	78 Pt 195.09	79 Au 196.97	80 Hg 200.59	81 Tl 204.37	82 Pb 207.2	83 Bi 208.98	84 Po (210)	85 At (210)	86 Rn (222)
87 Fr (223)	88 Ra 226.03	89 Ac (227)	104 Rf (261)	105 Db (262)	106 Sg (266)												

58 Ce 140.12	59 Pr 140.91	60 Nd 144.24	61 Pm (145)	62 Sm 150.4	63 Eu 151.96	64 Gd 157.25	65 Tb 158.93	66 Dy 162.50	67 Ho 164.93	68 Er 167.26	69 Tm 168.93	70 Yb 173.04	71 Lu 174.97
90 Th 232.04	91 Pa 231.04	92 U 238.03	93 Np 237.05	94 Pu (244)	95 Am (243)	96 Cm (247)	97 Bk (247)	98 Cf (251)	99 Es (254)	100 Fm (257)	101 Md (258)	102 No (259)	103 Lw (260)

그림 2.2 원자 번호와 원자량(amu 단위)을 나타내는 원소의 주기율표

의 중성자를 갖고 있는 게 아니기 때문이다. 대신 어떤 탄소 원자들은 7개의 중성자를 갖고 있다. 중성자의 수(6 또는 7)가 다른 원소를 **동위 원소**(isotopes)라고 한다. 동위원소는 한 원소의 여러 형태로서 핵 안의 중성자의 수가 다르다. 천연 탄소 원자의 1.1%는 동위원소 ^{13}C이다. 그러나 모든 탄소 원자의 핵에는 6개의 양성자가 있다. 일반적으로 핵에 있는 양성자의 수는 원소의 **원자 번호**(atomic number)로 알려져 있다. 우리가 잘 알고 있는 화학 원소의 주기성은 **주기율표**(periodic table)에서 화학적으로 유사한 **그룹**(groups)(세로 열)으로 배열한 원소의 원자 번호와 원자량의 체계에 근거한다(그림 2.2).

화학적 규명은 핵과 관련하여 이루어지는 반면에 원자 결합은 전자 및 **전자 궤도**(electron orbitals)와 관계가 있다. 0.911×10^{-27} g의 질량을 갖는 전자는 원소의 원자량과 거의 상관이 없다. 그러나 이 입자는 0.16×10^{-18} 쿨롱(C)의 음(−)전하를 가지며, 이것은 하나의 양성자가 갖고 있는 전하, $+0.16 \times 10^{-18}$ C와 같은 크기이다. (물론 중성자는 전기적으로 중성이다.)

전자는 파동과 입자의 이중성을 갖는 좋은 예이다. 즉 전자는 파동성과 입자성을 갖는 원자 규모의 실체이다. (전자의 파동성에 기초한)전자 궤도의 성질을 규명하는 양자역학의 원리를 다루는 것은 이 책의 범위를 넘어선다. 그러나 전자 궤도의 성질을 간단히 요약하는 것은 도움이 된다. 그림 2.1에 대략적으로 나타낸 것처럼, 전자는 핵 주위의 고정된 궤도에 있다. 또한 각각의 궤도 반경은 전자와 핵 간의 고정된 결합에너지, 즉 **에너지준위**(energy level)로 특징지어진다. 그림 2.3은 ^{12}C 원자의

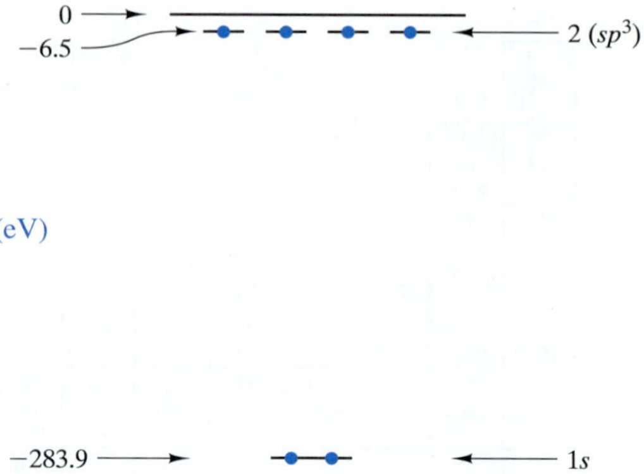

13.2절에서 에너지준위도표가 에너지대 간격(energy band gap)을 이해하는 데 중요하다는 사실을 배우는데, 이는 반도체 기술의 핵심이다.

그림 2.3 ^{12}C 원자에서 궤도 전자의 에너지준위도. 부호 규약에 유의하라. 친화에너지는 음수이다. 1*s* 전자는 핵에 가깝고(그림 2.1 참조) 더 강하게 응집되어 있다(응집에너지 = −283.9 eV). 바깥 궤도 전자는 −6.5 eV의 응집에너지를 갖는다. 응집에너지가 0인 준위는 전자가 친화 포텐셜에서 완전히 벗어난 상태에 해당한다.

전자에 대한 **에너지준위도표**(energy-level diagram)를 나타낸 것이다. 주목할 점은 핵 주위의 전자는 특정한 에너지준위를 차지하며, 중간의 에너지준위는 가질 수 없다는 것이다. 금지된 에너지는 양자역학적으로 허락될 수 없는 조건에 해당된다. 즉 정상파가 형성될 수 없다.

주기율표의 원소에 대한 상세한 전자 배열의 목록을 여러 가지 유용한 수치와 함께 부록 1에 나타내었다. 주기율표(그림 2.2)의 배열은 대체로 부록 1에 요약된 바와 같이 전자 궤도에 전자를 체계적으로 채우는 목록이다. 전자 궤도를 나타내는 기호는 파동역학의 양자수로부터 연유한다. 이 정수는 상황에 맞는 파동방정식의 해와 관련이 있다. 이 책에서는 이 계수체계에 대해 상세히 다루지 않는다. 기본적인 명명체계를 아는 것만으로도 충분하다. 부록 1에서 알 수 있듯이, 1*s* 궤도에는 2개의 전자가 있다. 1은 주양자수이고 1*s* 궤도가 첫 번째 에너지준위임을 의미한다. 2*s*와 2*p* 궤도에도 각각 2개의 전자가 있다. *s*, *p* 등의 기호는 부가적인 양자수를 나타낸다. 이러한 복잡한 문자기호는 초기 분광사진학자들이 사용한 용어에서 유래한다. ^{12}C 원자에서 6개의 전자는 $1s^22s^22p^2$로 나타낸다. 즉 1*s* 궤도에 2개, 2*s*에 2개, 2*p*에 2개의 전자가 있다. 실제로는 ^{12}C 원자의 최외각 전자각에 4개의 전자가 재배열하여 탄소 원자와 이웃 원자들(일반적으로 $1s^22s^12p^3$로 표현됨) 간에 독특한 기하학적인 결합을 만든다. 탄소의 2차 에너지준위의 sp^3 배열을 **혼성화**(hybridization)라고 하며, 그림 2.1과 2.3에 나타내었다. 그리고 2.3절에서 보다 더 자세히 논의할 것이다(그림 2.19 참조).

이웃 원자들 간의 결합은 본질적으로 전자의 이동이다. 강한 **1차 결합**(primary bonds)은 최외각 전자들이 두 원자 간에 이동되거나 공유될 때 형성된다. 약한 **2차 결합**(secondary bonds)은 실질적인 전자 이동이나 공유 없이 양(+)과 음(−)전하 사

재료의 세계

새로운 화학 원소 이름 붙이기

주기율표는 현대 과학을 본격적으로 시작할 때 일반적으로 접하는 첫 번째 항목이다. 물론 이런 화학 원소의 체계적인 배열은 여러 화학 원소의 유사성이나 차이점의 시각적인 이해를 제공하는 데 유용하다. 이런 중요한 정보의 영구적인 기록으로서 주기율표의 역할은, 때로 어떤 관점에서 말하자면 원소에 이름을 붙이는 경우 사실의 혼돈을 가져온다. *Iron*은 초기의 언어에서 발생하였다(고대 고지 독일어에서 *isarn*이 나와 고대 영어에서 *iren*으로 바뀌었고, 화학적 표기인 Fe는 라틴어인 *ferrum*에서 나왔다).

IA	IIA	IIIB	IVB	VB	VIB	VIIB	VIII	VIII	VIII	IB	IIB	IIIA	IVA	VA	VIA	VIIA	0
1 H																	2 He
3 Li	4 Be											5 B	6 C	7 N	8 O	9 F	10 Ne
11 Na	12 Mg											13 Al	14 Si	15 P	16 S	17 Cl	18 Ar
19 K	20 Ca	21 Sc	22 Ti	23 V	24 Cr	25 Mn	26 Fe	27 Co	28 Ni	29 Cu	30 Zn	31 Ga	32 Ge	33 As	34 Se	35 Br	36 Kr
37 Rb	38 Sr	39 Y	40 Zr	41 Nb	42 Mo	43 Tc	44 Ru	45 Rh	46 Pd	47 Ag	48 Cd	49 In	50 Sn	51 Sb	52 Te	53 I	54 Xe
55 Cs	56 Ba	57 La	72 Hf	73 Ta	74 W	75 Re	76 Os	77 Ir	78 Pt	79 Au	80 Hg	81 Tl	82 Pb	83 Bi	84 Po	85 At	86 Rn
87 Fr	88 Ra	89 Ac	104 Rf	105 Db	106 Sg												

58 Ce	59 Pr	60 Nd	61 Pm	62 Sm	63 Eu	64 Gd	65 Tb	66 Dy	67 Ho	68 Er	69 Tm	70 Yb	71 Lu
90 Th	91 Pa	92 U	93 Np	94 Pu	95 Am	96 Cm	97 Bk	98 Cf	99 Es	100 Fm	101 Md	102 No	103 Lw

어떤 원소가 발견되면, 그 원소가 발견되거나 합성된 나라를 기리기 위해 이름이 붙여진다(예: Germany를 따라 이름 붙여진 *germanium*). 20세기 들어 물리와 화학의 발전으로 자연에서 발견되지 않음에도 새로운 원소의 합성이 가능해지면서 우라늄(uranium, 92) 이상의 원자 번호를 갖게 되었다. 이런 초우라늄 원소의 명칭은 과거 유명한 과학자의 이름을 따라 붙여졌다(예: *mendelevium*은 19세기 러시아 화학자이며 주기율표를 고안했던 Dmitri Mendeleev의 이름을 따랐다). UC 버클리의 화학과 교수였던 Glenn Seaborg(1913~1999) 박사는 초우라늄 원소의 합성에 선구자적인 역할을 했다(주요 주기율표의 아랫부분인 악티늄족 계열을 해체하여 Mendeleev의 원래 주기율표를 재구성한 것은 Seaborg의 아이디어였다). Seaborg와 그의 연구팀은 플루토늄과 다른 9가지 초우라늄 원소를 발견했는데, 원자 번호 106번인 *seaborgium*은 그의 이름에서 유래한 것이다.

생존하는 인물로서 원소에 이름이 붙여진 경우는 Seaborg 교수가 최초이다. 그는 위대한 업적을 남겨 1951년 노벨 화학상을 받았다. Seaborgium은 미량의 합성만을 하여 재료과학과 공학에 중대한 업적을 남기지는 않았지만, Seaborg 교수는 이 분야의 큰 후원자가 되었다. 그는 재료에 대한 열정으로 원자에너지위원회(현 Department of Energy의 전신)의 위원장직에 오래 재직했다. Seaborg는 《ASM News》의 1980년 1월호에 "미래

에너지원의 문제를 해결하는 데 재료과학과 공학이 필수이다"라는 글을 기고하기도 했다. Seaborg 교수는 40년도 더 전에 오늘날의 비전을 정확히 예견한 것이다.

이의 미세한 작은 인력에서 비롯된다. 다음 절에서는 이온 결합을 시작으로 하여, 여러 가지 가능한 결합을 체계적으로 살펴볼 것이다.

예제 2.1

재료과학 연구실에서 화학 분석을 할 때는 대체로 주사 전자현미경(scanning electron microscope)을 사용한다. 이 기구는 전자 빔이 화학적 원소를 구분하는 데 사용할 수 있는 특성 엑스선을 발생시킨다. 이 기구는 고체 표면의 실린더(cylinder) 모양의 일부를 조사하게 된다. 고체 구리 표면에 지름 1 μm, 깊이 1 μm인 실린더 속 원자의 수를 계산하시오.

풀이

부록 1에 따르면

$$\text{Cu의 밀도} = 8.93 \text{ g/cm}^3$$
$$\text{Cu의 원자량} = 63.55 \text{ amu}$$

원자량으로부터 다음을 알 수 있다.

$$\frac{63.55 \text{ g Cu}}{\text{Cu 원자의 아보가드로수}}$$

조사하는 실린더의 부피는

$$\begin{aligned} V_{\text{sample}} &= \left(\frac{1\ \mu\text{m}}{2}\right)^2 \times 1\ \mu\text{m} \\ &= 0.785\ \mu\text{m}^3 \times \left(\frac{1\text{ cm}}{10^4 \mu\text{m}}\right)^3 \\ &= 0.785 \times 10^{-12} \text{ cm}^3. \end{aligned}$$

그러므로 실린더 속의 원자 수는 다음과 같다.

$$N_{\text{sample}} = \frac{8.93\ \text{g}}{\text{cm}^3} \times 0.785 \times 10^{-12}\ \text{cm}^3 \times \frac{0.602 \times 10^{24}\ \text{atoms}}{63.55\ \text{g}}$$
$$= 6.64 \times 10^{10}\ \text{atoms}.$$

예제 2.2

1몰의 고체 MgO의 부피는 한 변의 길이가 22.37 mm인 입방체와 같다. MgO의 밀도 (g/cm³)를 계산하시오.

풀이

부록 1에 따르면

$$\text{MgO 1몰의 질량} = \text{Mg의 원자량} + \text{O의 원자량}$$
$$= 24.31\ \text{g} + 16.00\ \text{g} = 40.31\ \text{g}.$$
$$\text{밀도} = \frac{\text{질량}}{\text{부피}}$$
$$= \frac{40.31\ \text{g}}{(22.37\ \text{mm})^3 \times 10^{-3}\ \text{cm}^3/\text{mm}^3}$$
$$= 3.60\ \text{g/cm}^3.$$

예제 2.3

1몰의 고체 마그네슘과 같은 부피의 입방체 크기를 계산하시오.

풀이

부록 1에 따르면

$$\text{Mg의 밀도} = 1.74\ \text{g/cm}^3$$
$$\text{Mg의 원자량} = 24.31\ \text{amu}$$
$$\text{1몰의 부피} = \frac{24.31\ \text{g/mol}}{1.74\ \text{g/cm}^3}$$
$$= 13.97\ \text{cm}^3/\text{mol}$$
$$\text{입방체의 모서리} = (13.97)^{1/3}\ \text{cm}$$
$$= 2.408\ \text{cm} \times 10\ \text{mm/cm}$$
$$= 24.08\ \text{mm}$$

여기서부터 풀이된 예제 바로 뒤에 '연습문제'라는 이름으로 기초 문제를 몇 개 실었다. 이러한 연습은 여러 새로운 분야에서 계산이 처음 시도될 때 좋은 길잡이 역할을 할 것이다. 각 장의 끝에는 좀 더 독립적이고 도전적인 복습문제를 실었다. 연습문제의 일부 해답은 부록 뒤에 나와 있다.

연습문제 2.1

길이와 지름이 각각 1 μm인 실린더 내의 (a) 마그네슘, (b) 납(Pb)의 원자 수를 계산하시오(예제 2.1 참조).

연습문제 2.2

예제 2.2에서 계산된 MgO의 밀도를 사용해서 50 mm × 100 mm × 200 mm의 크기를 갖는 MgO 내화물(내열성) 벽돌의 질량을 계산하시오.

연습문제 2.3

(a) 1몰의 구리가 들어 있는 정육면체의 크기와, (b) 1몰의 납이 들어 있는 정육면체의 크기를 계산하시오(예제 2.3 참조).

2.2 이온 결합

이온 결합(ionic bond)은 한 원자에서 다른 원자로 **전자가 이동**(electron transfer)함으로써 생긴다. 그림 2.4는 나트륨과 염소 사이의 결합으로 이러한 전자의 이동을 설명하고 있다. 나트륨으로부터 전자가 떨어져 나오는 것은 그 과정을 통해 나트륨이 보다 더 안정된 전자 배열을 갖기 때문에 가능하다. 즉 결과적으로 Na^+는 가득 찬 **최외각 전자각**(orbital shell)을 가지며, 이는 주어진 궤도에 있는 전자쌍으로 정의된다. 마찬가지로 염소는 전자를 쉽게 받아들여서 가득 찬 최외각 전자각을 갖는 안정한 Cl^-가 된다. 하전된 원자(Na^+와 Cl^-)를 **이온**(ion)이라고 하며, 이것이 이온 결합이라고 이름을 붙인 이유이다. 양의 전하를 갖는 원자(Na^+)가 **양이온**(cation)이고, 음의 전하를 갖는 원자(Cl^-)가 **음이온**(anion)이다.

이온 결합은 **비방향성**(nondirectional)이라는 것을 알아두는 것이 중요하다. 양으로 하전된 Na^+는 이웃한 Cl^-를 모든 방향으로 동등하게 끌어당긴다. 그림 2.5는 Na^+와 Cl^- 이온이 염화나트륨(소금)에서 어떻게 적층되는지를 보여준다. 이 구조에 대한 자세한 내용은 3장에서 설명할 것이다. 우선은 이것이 이온적으로 결합된 재료의 좋은 예이고, Na^+와 Cl^- 이온이 서로 적층될 때 주어진 이온에 대해 그 이웃한 반대로 하전된 이온의 수가 최대가 되도록 적층된다는 것을 아는 것만으로도 충분하다. NaCl에서는 6개의 Na^+가 각각의 Cl^-를 둘러싸고, 6개의 Cl^-가 각각의 Na^+를 둘러싼다.

이 결합은 반대로 하전된 이온들 간의 **쿨롱[2] 인력**(coulombic attraction)의 결과이

2) Charles Augustin de Coulomb(1736~1806)은 프랑스 물리학자로 식 (2.1)과 (2.2)의 물리적 의미를

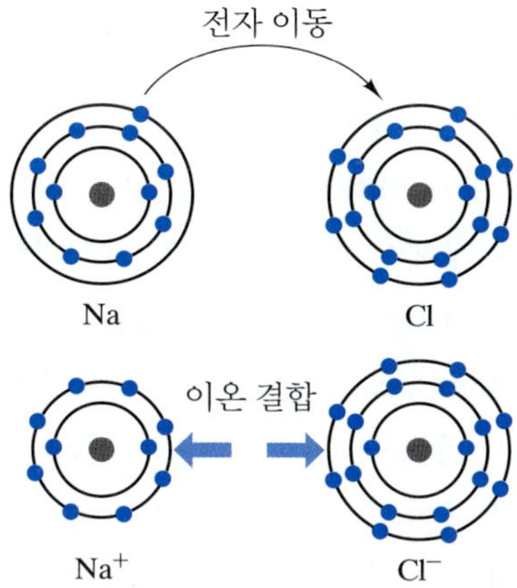

그림 2.4 나트륨 원자와 염소 원자의 이온 결합. Na로부터 Cl로 전자가 이동하여 양이온(Na^+)과 음이온(Cl^-)이 형성된다. 이온 결합은 반대의 전하를 가진 이온 사이의 정전기력에 의한 결합이다.

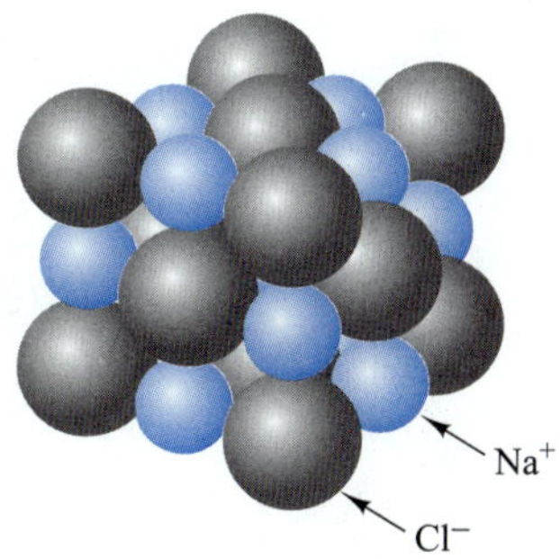

그림 2.5 고체 NaCl에서의 Na^+와 Cl^- 이온의 규칙적인 배열. 이러한 배열은 이온 결합이 방향성이 없기 때문에 가능하다.

다. 쿨롱 인력은 아래와 같은 간단하고 잘 알려진 관계식을 따르기에 이온 결합에 대한 결합력의 성질을 설명하기에 편리하다.

$$F_c = \frac{-K}{a^2} \tag{2.1}$$

여기서 F_c는 반대로 하전된 두 이온 간의 쿨롱 인력이고, a는 이온 **중심**(center) 사이의 분리된 거리이며, K는 다음과 같이 주어진다.

$$K = k_0(Z_1q)(Z_2q) \tag{2.2}$$

여기서 Z는 하전된 이온 **원자가**(valence)이고(예: Na^+는 +1이며, Cl^-는 −1이다), q는 전자의 전하량(0.16×10^{-18} C)이며, k_0는 비례 상수(9×10^9 $V \cdot m/C$)이다.

식 (2.1)을 도표로 나타낸 것이 그림 2.6이다. 이것은 쿨롱 인력이 이웃한 이온 중심(a) 간의 분리거리가 감소함에 따라 극적으로 증가한다는 것을 보여준다. 다시 말하면, 이것은 **결합길이**(bond length) a는 이상적으로 0이 됨을 의미한다. 그러나 실제로 결합길이는 정확하게 0이 될 수 없다. 그 이유는 쿨롱 인력을 증가시키기 위해 반대로 하전된 2개의 이온을 근접시키는 것은 **반발력**(repulsive force), F_R에 의해 방해를 받기 때문이며, 이 반발력은 양으로 하전된 2개의 핵을 근접시키는 것뿐만 아니라 각 이온으로부터 유사하게 음으로 하전된 전기장이 중첩되기 때문에 생긴다. 반발력은 결합길이 a의 함수로서 지수 함수의 관계를 따른다.

최초로 실험적으로 증명했다(이온이 아닌 큰 구에 대해). 전자기학의 이해에 관한 큰 공헌 외에도 응용기계학의 영역(특히 마찰과 뒤틀림의 분야)에서 중요한 개척자였다.

$$F_R = \lambda e^{-a/\rho} \tag{2.3}$$

여기서 λ와 ρ는 주어진 이온쌍에 대해 실험적으로 결정되는 상수이다. **결합력**(bonding force)은 2개의 원자 또는 이온 간 거리의 함수로 나타낸 순인력(또는 반발력)이다. 이온쌍에 대해서 이온 간 거리 a에 대한 순결합력, $F(= F_c + F_R)$를 표시하는 **결합력 곡선**(bonding force curve)을 그림 2.7에 나타냈다. **평형 결합길이**(equilibrium bond length), a_0는 인력과 척력이 정확하게 균형을 이루는 지점에서 일어난다($F_c + F_R = 0$). 쿨롱 인력은 a의 값이 클 때 지배적이며[식 (2.1)], 척력은 a의 값이 작을 때 지배적임[식 (2.3)]을 알아야 한다. 지금까지는 반대로 하전된 두 이온 간의 쿨롱 인력에 대해 중점적으로 알아보았다. 물론 동일하게 (같은 부호로) 하전된 두 이온을 가까이 가져오면 (F_R과는 별개로) 쿨롱 **반발력**(repulsive force)이 발생한다. 그림 2.5와 같은 이온성 고체 내에서 동일하게 하전된 이온은 이러한 '쿨롱 반발력'을 받는다. 고체의 순결합력은, 주어진 어떤 이온은 쿨롱 항[식 (2.1)과 (2.2)]이 양수인 반대 부호의 이온에 의해 즉각적으로 둘러싸인다는 사실에 의해 결정된다. 이것은 좀 더 멀리 떨어진 같은 부호의 이온에 의해 생기는 작은 반발력 항을 압도한다.

이온을 더 밀접하게(즉 a_0보다 더 가깝게) 미는 데는 외부적으로 압축력이 필요하다는 것 또한 알아야 한다. 마찬가지로 이온을 분리하는 데에는 외부적으로 인장력이 필요하다. 이것은 고체의 기계적 성질에 대해 큰 의미가 있으며, 뒤에서 자세히 설명할 것이다(6장 참조).

결합에너지(bonding energy), E를 미분하면 결합력을 얻는다.

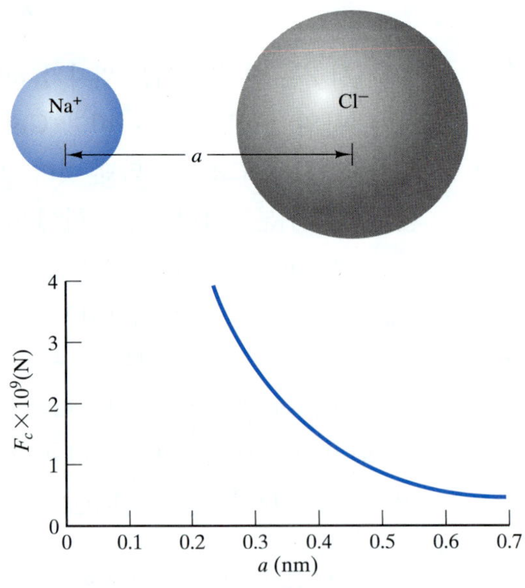

그림 2.6 $Na^+ - Cl^-$ 쌍의 정전기력[식 (2.1)] 도표

POWERS OF 10

아래의 원자 규모 결합력과 에너지 곡선은 6.2절의 탄성 변형의 성질을 이해하는 데 도움이 된다.

$$F = \frac{dE}{da} \tag{2.4}$$

이 관계에 의해, 그림 2.7의 순결합력 곡선은 결합에너지 곡선의 도함수이다. 이러한 관계는 그림 2.8에 나타나 있으며, $F = 0$과 일치하는 평형 결합길이 a_0는 에너지 곡선에서의 최솟값과 일치한다는 것을 설명하고 있다. 이것은 식 (2.5)의 결과이다. 즉 최솟값에서 에너지 곡선의 기울기는 0이다.

$$F = 0 = \left(\frac{dE}{da}\right)_{a=a_0} \tag{2.5}$$

이것은 재료과학에서 중요한 개념이고, 이 책에서 여러 번 보게 될 것이다. 안정된

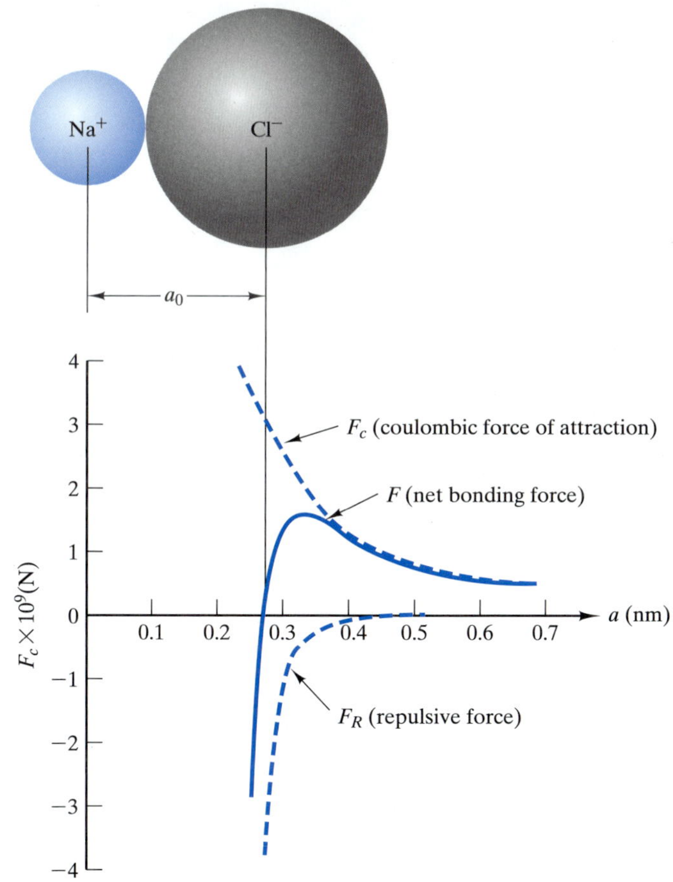

그림 2.7 평형 결합길이 $a_0 = 0.28$ nm인 $Na^+ - Cl^-$ 쌍의 총결합력 곡선

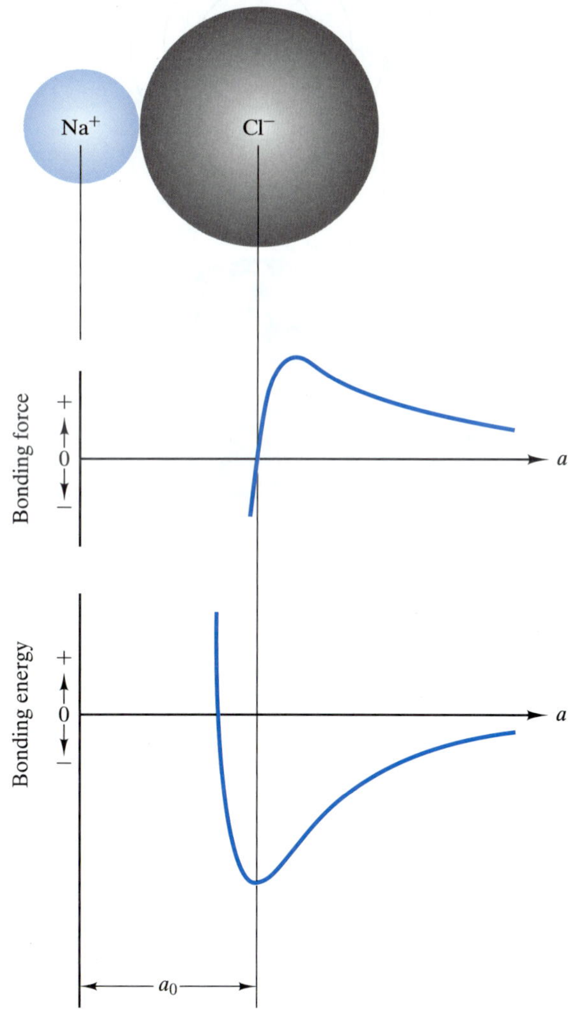

그림 2.8 $Na^+ - Cl^-$ 쌍의 결합력 곡선과 결합에너지 곡선의 비교. $F = dE/da$이므로 평형 결합길이(a_0)는 $F = 0$이고 E가 최소인 길이에서 결정된다[식 (2.5) 참조].

이온의 위치는 에너지가 최소인 점이다. 그들의 평형공간에서 이온을 이동시키기 위해서는 (압축 또는 인장 하중으로) 이 계에 에너지가 부가되어야 한다.

평형 결합길이 a_0가 설정되면 이 결합길이는 두 이온 반경의 합이다. 즉 NaCl의 경우는,

$$a_0 = r_{Na^+} + r_{Cl^-} \tag{2.6}$$

이것은 두 이온이 한 점에서 접촉하는 딱딱한 구라는 것을 의미한다. 2.1절에서 전자 궤도는 고정된 반경에서 궤도를 도는 입자로 제시되었으며, 전자 전하는 이 반

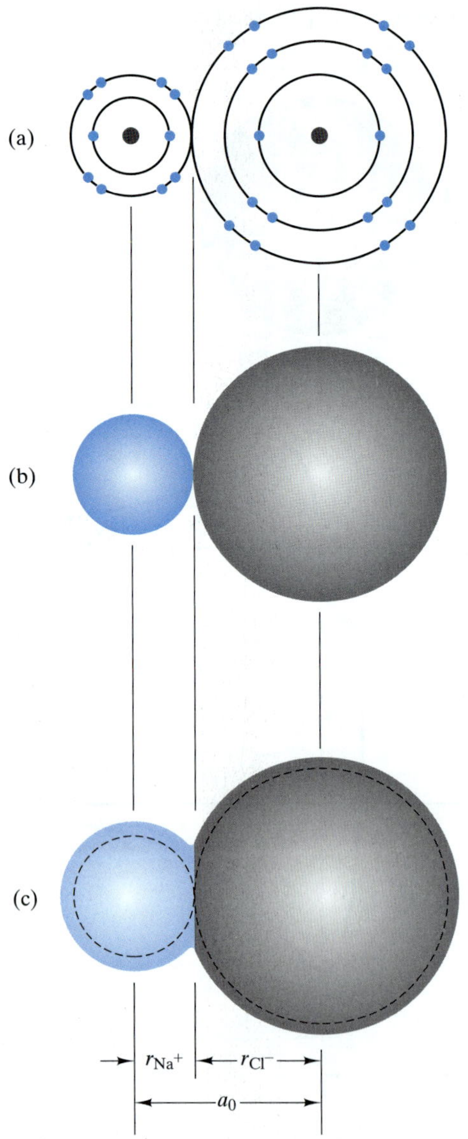

그림 2.9 $Na^+ - Cl^-$ 쌍의 (a) 행성 모델과 (b) 딱딱한 구 모델, (c) 연한 구 모델의 비교

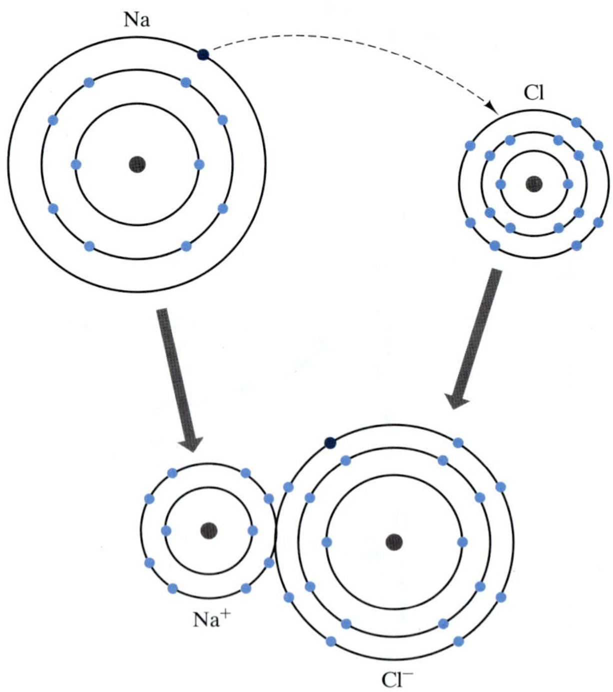

그림 2.10 나트륨과 염소 간 이온 결합 형성에서 이온화가 원자 반경에 미치는 영향을 보여주는 그림. 양이온(Na^+)은 중성원자(Na)보다 작고, 음이온(Cl^-)은 중성원자(Cl)보다 크다.

경 범위 내에서 발견된다는 것을 알았다. 이것은 중성원자뿐만 아니라 이온에도 적용된다. **이온** 또는 **원자 반경**(ionic or atomic radius)은 최외각 전자 궤도에서 평균 전자밀도와 일치하는 반경이다. 그림 2.9는 $Na^+ - Cl^-$ 이온쌍의 세 가지 모델을 비교하고 있다. (a)는 두 이온의 간단한 행성 모델을 보여준다. (b)는 이온쌍의 **딱딱한 구**(hard-sphere) 모델을 나타낸 것이다. (c)는 **연한 구**(soft-sphere) 모델로서, 실제 Na^+와 Cl^-의 최외각 궤도에서의 전자밀도는 딱딱한 구 모델에서 보여준 것보다 훨씬 더 멀리 퍼져 있다. 실제 결합길이 a_0의 정확한 성질은 이 책의 나머지 부분에 걸쳐 거의 전적으로 딱딱한 구 모델을 사용하게 된다. 부록 2는 많은 수의 이온 종류에 대해 계산된 이온 반경의 상세한 목록을 제시한다.

이온화는 원자의 실질적인 (딱딱한 구) 반경에 중요한 영향을 미친다. 그림 2.4는 이러한 인자를 나타내지는 않을지라도, 중성의 원자가 전자를 잃거나 얻음으로써 그 원자 반경은 변한다. 그림 2.10은 Na^+와 Cl^- 간 이온 결합의 형성을 다시 보여준다(이것을 그림 2.4와 비교하라). 이 경우의 원자와 이온의 크기는 정확한 치수 비율로 나타낸 것이다. 나트륨 원자에서 1개의 전자를 잃게 되면 나머지 10개의 전자는 11개의 양성자를 얻음으로써 17개의 양성자를 갖는 핵 주위에 18개의 전자를 가지게 되어, 그 결과 실제 원자 반경은 더 커지게 된다.

배위수

이 절의 앞부분에서 이온 결합이 갖는 비방향적 성질을 소개했다. 그림 2.5는 6개의 Na^+가 Cl^-를 둘러싸고, 6개의 Cl^-가 각 Na^+를 둘러싸는 NaCl 구조를 나타낸 것이다(반대의 경우도 마찬가지). **배위수**(coordination number, CN)란 어떤 이온(또는 원자)을 둘러싸고 있는 인접한 이온(또는 원자)의 수이다. 그림 2.5의 각 이온에 대한 CN은 6이다. 즉 각각은 6개의 최인접 이웃 원자를 갖는다.

이온 화합물의 경우 작은 이온의 배위수는 작은 이온과 접촉할 수 있는 또는 배위할 수 있는 (반대 전하의) 큰 이온의 최대수를 고려하는 체계적인 방법으로 계산할 수 있다. 이 배위수(CN)는 반대로 하전된 이온의 상대적인 크기와 직접 관계된다. 이 상대적인 크기는 **반경비**(radius ratio, r/R)에 의해 특정되며, 여기서 r는 작은 이온의 반경이고, R는 큰 이온의 반경이다.

반경비에 대한 CN의 의존도를 설명하기 위해 $r/R = 0.20$인 경우를 고려해보자. 그림 2.11은 작은 이온과 배위할 수 있는 큰 원자의 최대수가 3인 것을 보여준다. 작은 이온에 4개의 큰 원자를 접촉시키기 위한 시도로 인해 큰 이온이 서로 겹치게 된다. 이것은 큰 반발력 때문에 매우 불안정한 상태이다. 3배위수($r/R = 0.155$)를 만들 수 있는 r/R의 최솟값이 그림 2.12에 나타나 있다. 즉 큰 이온이 서로 접촉할 뿐만 아니라 작은 이온과 접촉하고 있다. 그림 2.11에서 4배위가 불안정한 것과 마찬가지로 0.155보다 작은 r/R값은 3배위를 허용할 수 없다. r/R가 0.155보다 증가하면 3배

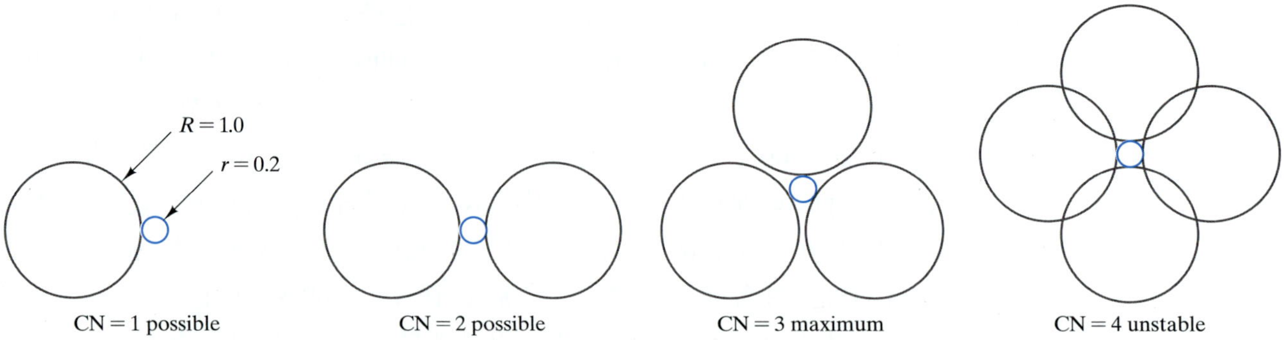

그림 2.11 반경비가 $r/R = 0.2$일 때 반경 R의 이온은 반경 r의 이온을 최대 3개 배위할 수 있다. (주: CN = 4의 경우 3차원적 동일 면상의 배위로 인한 불안정성은 감소될 수 있지만 완전히 제거되지는 않는다.)

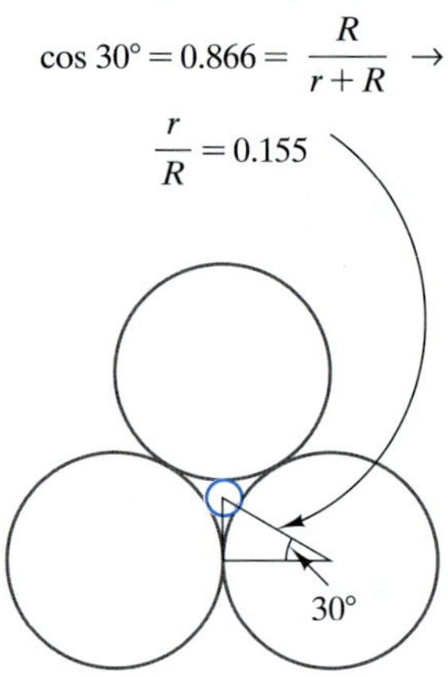

그림 2.12 3배위할 수 있는 최소 반경비 r/R는 0.155이다.

위는 안정하고(예: $r/R = 0.20$에 대한 그림 2.11), $r/R = 0.225$에서 4배위가 가능하게 된다. 표 2.1은 배위수와 반경비의 관계를 요약한 것이다. r/R가 1.0으로 증가하면 배위수는 12까지도 될 수 있다. 예제 2.8에서 알 수 있듯이 표 2.1에 근거한 계산은 길잡이 역할은 하지만 완벽한 답을 주지는 않는다.

"표 2.1에는 원자 반경비가 1보다 큰 것은 왜 포함되어 있지 않을까?"라는 명백한 의문이 생길 것이다. 분명히 12개 이상의 작은 이온이 1개의 큰 이온과 동시에 접촉할 수는 있다. 그러나 주기적이고 3차원적인 구조로 결합하는 표 2.1의 배위 그룹과 연관시키는 데는 실제적인 무리가 있으며, 큰 이온의 배위수는 12보다 작은 경향이 있다. 그 좋은 예가 그림 2.5이며, Na^+의 배위수는 r/R값($= 0.098$ nm/0.181 nm $=$ 0.54)에 의해 예상된 6이고, 또한 6배위인 Na^+의 규칙적인 적층은 Cl^-의 배위수가 6이 되도록 만든다. 이러한 구조적인 문제는 3장에서 보다 더 상세하게 논의할 것이다. 또한 5, 7, 9, 10, 11의 배위수는 왜 존재하지 않는가라는 질문을 할지도 모른다. 그와 같은 배위는 3장에서 설명하듯이 반복적이고 결정성의 구조로 결합하는 데 어려움이 있기 때문에 일어나지 않는다.

예제 2.4

(a) 그림 2.4에 있는 원자와 이온의 전자 배열을 비교하시오.

(b) 그림 2.4의 이온과 동등한 전자 배열을 갖는 불활성 기체 원자는 어떤 것인가?

풀이

(a) 부록 1에서

$$\text{Na: } 1s^2 2s^2 2p^6 3s^1$$

$$\text{Cl: } 1s^2 2s^2 2p^6 3s^2 3p^5$$

Na는 바깥 궤도($3s$)의 전자를 잃어 Na^+가 되므로

표 2.1 이온 결합에 대한 배위수

배위수	반지름비, r/R	배위 기하구조
2	$0 < \frac{r}{R} < 0.155$	
3	$0.155 \le \frac{r}{R} < 0.225$	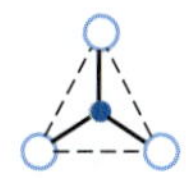
4	$0.225 \le \frac{r}{R} < 0.414$	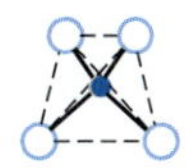
6	$0.414 \le \frac{r}{R} < 0.732$	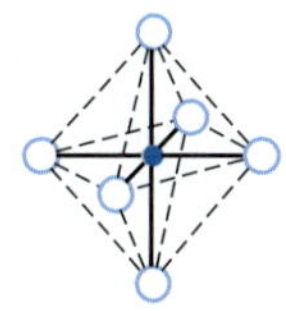
8	$0.732 \le \frac{r}{R} < 1$	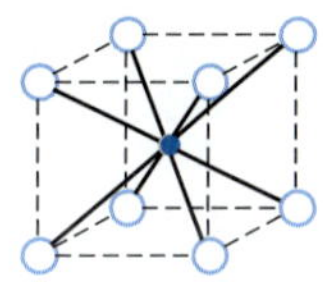
12	1	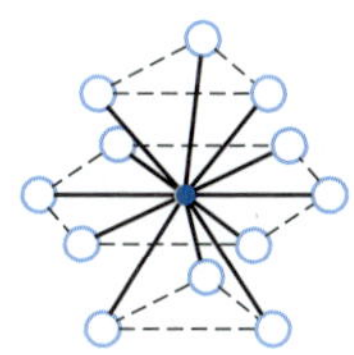 또는[a] 

[a] 왼쪽 그림은 육방 조밀 충진(hcp) 구조에 대한 것이고, 오른쪽 그림은 면심 입방(fcc) 구조에 대한 것이다. 이러한 결정 구조는 3장에서 다룬다.

$$Na^+: 1s^2 2s^2 2p^6$$

Cl은 바깥 궤도에 전자를 얻어 Cl^-가 되므로 $3p$ 궤도가 채워진다.

$$Cl^-: 1s^2 2s^2 2p^6 3s^2 3p^6$$

(b) 부록 1에서

$$Ne: 1s^2 2s^2 2p^6$$

Na^+와 동등하고(물론 Ne와 Na^+의 핵은 다르다)

$$Ar: 1s^2 2s^2 2p^6 3s^2 3p^6$$

Cl^-와 동등하다(역시 핵은 다르다).

예제 2.5

(a) 부록 2의 이온 반지름 수치를 이용하여 NaCl에서 Na^+와 Cl^-의 쿨롱 인력을 계산하시오.

(b) 이 경우에 반발력은 얼마인가?

풀이

(a) 부록 2에서

$$r_{Na^+} = 0.098 \text{ nm}$$
$$r_{Cl^-} = 0.181 \text{ nm}$$

그러므로

$$a_0 = r_{Na^+} + r_{Cl^-} = 0.098 \text{ nm} + 0.181 \text{ nm}$$
$$= 0.278 \text{ nm}$$

식 (2.1)과 (2.2)로부터

$$F_c = -\frac{k_0(Z_1q)(Z_2q)}{a_0^2}$$

이 식에는 평형 상태의 결합길이를 사용했다. 수치를 대입하면

$$F_c = -\frac{(9\times10^9 \text{ V}\cdot\text{m/C})(+1)(0.16\times10^{-18}\text{ C})(-1)(0.16\times10^{-18}\text{ C})}{(0.278\times10^{-9}\text{ m})^2}.$$

그리고 $1 \text{ V}\cdot\text{C} = 1 \text{ J}$이므로 다음과 같다.

$$F_c = 2.98\times10^{-9}\text{ N}$$

주: 이 결과를 그림 2.6, 2.7과 비교해보자.

(b) $F_c + F_R = 0$이므로 다음과 같다.

$$F_R = -F_c = -2.98\times10^{-9}\text{ N}$$

예제 2.6

예제 2.5를 Na_2O에 대해서 쓰시오. Na_2O는 많은 세라믹과 유리에 들어 있는 산화 성분이다.

풀이

(a) 부록 2에서

$$r_{Na^+} = 0.098 \text{ nm}$$
$$r_{O^{2-}} = 0.132 \text{ nm}$$

그러므로

$$a_0 = r_{Na^+} + r_{O^{2-}} = 0.098 \text{ nm} + 0.132 \text{ nm}$$
$$= 0.231 \text{ nm}$$

수치를 대입하면

$$F_c = -\frac{k_0(Z_{1q})(Z_{2q})}{a_0^2}$$
$$= -\frac{(9 \times 10^9 \text{ V}\cdot\text{m/C})(+1)(0.16 \times 10^{-18} \text{ C})(-2)(0.16 \times 10^{-18} \text{ C})}{(0.231 \times 10^{-9} \text{ m})^2}$$
$$= 8.64 \times 10^{-9} \text{ N}$$

(b) $F_C = F_R = 0$이므로 다음과 같다.

$$F_R = -F_c = -8.64 \times 10^{-9} \text{ N}$$

예제 2.7

배위수 8에 대한 최소 반지름비를 계산하시오.

풀이

표 2.1로부터 이온이 체대각선을 따라 붙어 있는 것을 볼 수 있다. 입방체의 모서리 길이를 l이라 하면

$$2R + 2r = \sqrt{3}l$$

최소 반지름비 배위인 경우에 큰 이온도 서로 모서리를 따라 접해 있어야 한다. 그러므로

$$2R = l$$

두 식을 결합하면

$$2R + 2r = \sqrt{3}(2R)$$

따라서

$$2r = 2R(\sqrt{3} - 1)$$
$$\frac{r}{R} = \sqrt{3} - 1 = 1.732 - 1$$
$$= 0.732$$

주: 이런 유형의 3차원 구조를 시각화하는 데 지름길은 없다. 표 2.1에서 입방체의 이온을 제 크기(full scale)로 그리는 것이 도움이 될 것이다. 더 많은 연습은 3장에서 할 수 있다.

예제 2.8

다음 세라믹 산화물의 양이온에 대한 배위수를 계산하시오: Al_2O_3, B_2O_3, CaO, MgO, SiO_2, TiO_2.

풀이

부록 2에 따르면, $r_{Al^{3+}} = 0.057$ nm, $r_{B^{3+}} = 0.02$ nm, $r_{Ca^{2+}} = 0.106$ nm, $r_{Mg^{2+}} = 0.078$ nm, $r_{Si^{4+}} = 0.039$ nm, $r_{Ti^{4+}} = 0.064$ nm, $r_{O^{2-}} = 0.132$ nm.

Al_2O_3에 대해서는

$$\frac{r}{R} = \frac{0.057 \text{ nm}}{0.132 \text{ nm}} = 0.43,$$

그러므로 표 2.1에서

$$\text{CN} = 6$$

B_2O_3에 대해서는

$$\frac{r}{R} = \frac{0.02 \text{ nm}}{0.132 \text{ nm}} = 0.15, \text{ CN} = 2^{3)}$$

CaO에 대해서는

$$\frac{r}{R} = \frac{0.106 \text{ nm}}{0.132 \text{ nm}} = 0.80, \text{ CN} = 8$$

MgO에 대해서는

$$\frac{r}{R} = \frac{0.078 \text{ nm}}{0.132 \text{ nm}} = 0.59, \text{ CN} = 6$$

SiO_2에 대해서는

$$\frac{r}{R} = \frac{0.039 \text{ nm}}{0.132 \text{ nm}} = 0.30, \text{ CN} = 4$$

TiO_2에 대해서는

$$\frac{r}{R} = \frac{0.064 \text{ nm}}{0.132 \text{ nm}} = 0.48, \text{ CN} = 6$$

연습문제 2.4

(a) MgO 내의 Mg와 O의 원자 및 이온에 대해 그림 2.4와 유사한 그림을 그리시오. (b) 문제 (a)에서 도시된 원자와 이온에 대한 전자 배열을 비교하시오. (c) 문제 (a)에서 도시된 전자 배열과 동등한 전자 배열을 한 비활성 기체 원자는 어느 것인지 보이시오(예제 2.4 참조).

---

3) B_2O_3의 실제적인 배위수(CN)는 3이고 CaO의 배위수는 6이다. 이러한 불일치는 이온 반경 계산의 불확실성과 부분적인 공유 결합 특성에 의한 결합 방향성의 두 가지에서 기인한다.

연습문제 2.5

(a) 부록 2에 주어진 이온 반지름에 대한 수치를 이용하여 $Mg^{2+} - O^{2-}$ 이온쌍 간의 쿨롱 인력을 계산하시오. (b) 이 경우에 척력은 얼마인가? (예제 2.5와 2.6 참조)

연습문제 2.6

(a) 4배위수와, (b) 6배위수에 대해 최소 반지름비를 계산하시오(예제 2.7 참조).

연습문제 2.7

3장에서 보겠지만 MgO, CaO, FeO, NiO가 모두 공통된 NaCl 결정 구조를 갖는다. 그러므로 모든 경우에 금속 이온은 같은 배위수(6)를 갖는다. MgO와 CaO에 대해서는 예제 2.8에서 이미 다루었다. 반지름비 계산법을 이용하여 FeO와 NiO에 대해 CN = 6이 되는지를 확인하시오.

2.3 공유 결합

이온 결합은 비방향성인 반면에 **공유 결합**(covalent bond)은 본질적으로 방향성을 갖고 있다. '공유'라는 명칭은 두 이웃 원자 사이에 원자가 전자를 공유한 데서 유래한다. **원자가 전자**(valence electrons)란 결합에 참여하는 최외각 궤도의 전자를 말한다.[4] 그림 2.13은 염소 가스(Cl_2) 분자에 대한 결합 형태를 (a)의 행성 모델과 (b)의 실제 **전자밀도**(electrondensity)를 비교하여 보여주고 있으며, 전자밀도는 두 염소 원자핵 사이의 직선을 따라서 명확하게 집중되어 있다. 일반적인 전자점과 결합선의 속기표기방법은 (c)와 (d)에 나타냈다.

그림 2.14(a)는 또 다른 공유 분자 에틸렌(C_2H_4)의 결합선 모양을 보여주고 있다. **이중 결합**(doublebond) 또는 두 쌍의 원자가 전자를 공유하는 것을 의미하는 두 탄소 원자 사이의 이중선에 주목해야 한다. 이중 결합을 2개의 단일 결합으로 변환시킴으로써 이웃한 에틸렌 분자는 **폴리에틸렌**(polyethylene)의 긴 사슬구조 분자를 만들며 공유적으로 결합될 수 있다[그림 2.14(b)]. 이와 같은 **고분자 분자**(polymeric molecules)(C_2H_4 단위는'mer'이다)는 고분자의 기본 구조이다. 12장에서 이 재료들에 대해 더 자세히 다룰 것이다. 지금은 이러한 형태의 긴 사슬 분자들의 복잡한 코일 구조로 인해 3차원 공간을 채우기에 충분한 유연성을 가진다는 것을 아는 것만으로도 충분하다. 그림 2.15는 그와 같은 '스파게티 모양' 구조의 2차원적인 모식도이

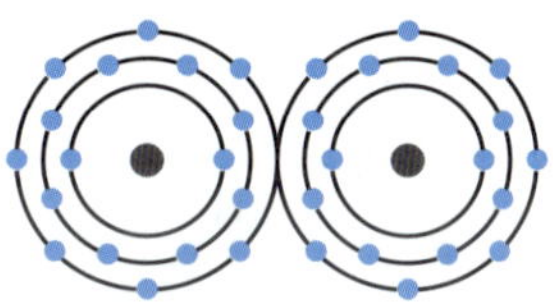

(a)

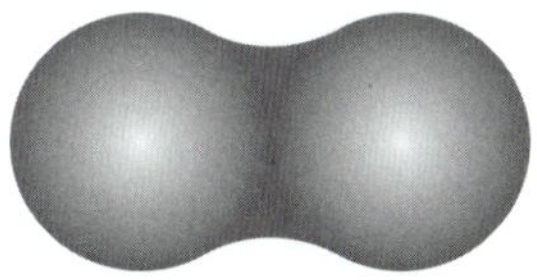

(b)

:C̤̈l:C̤̈l:

(c)

Cl — Cl

(d)

그림 2.13 염소 가스 Cl_2 분자의 공유 결합을 (a) 행성 모델, (b) 전자밀도, (c) 개략적인 전자점, (d) 개략적인 결합선으로 도시했다.

4) 이온 결합에서 Na^+의 원자가 전자는 하나의 전자가 음이온으로 이동하기 때문에 Na^+의 가전자는 +1이라는 것을 기억하라.

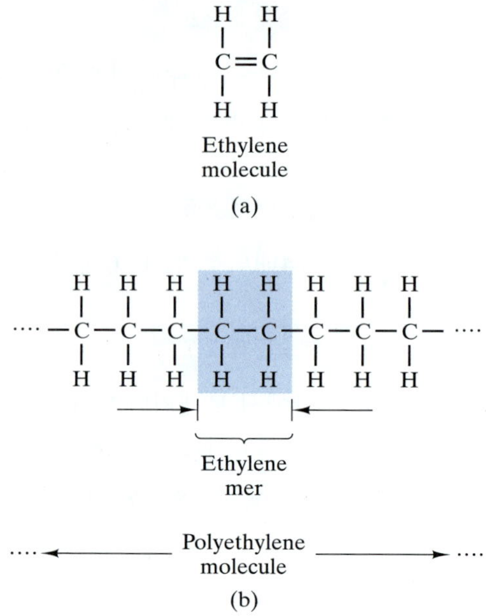

그림 2.14 (a) 에틸렌 분자(C_2H_4)와 (b) C=C 이중 결합이 2개의 $-(C_2H_4)-_n$ 단일 결합으로 변환되면서 생긴 폴리에틸렌을 비교한 것이다.

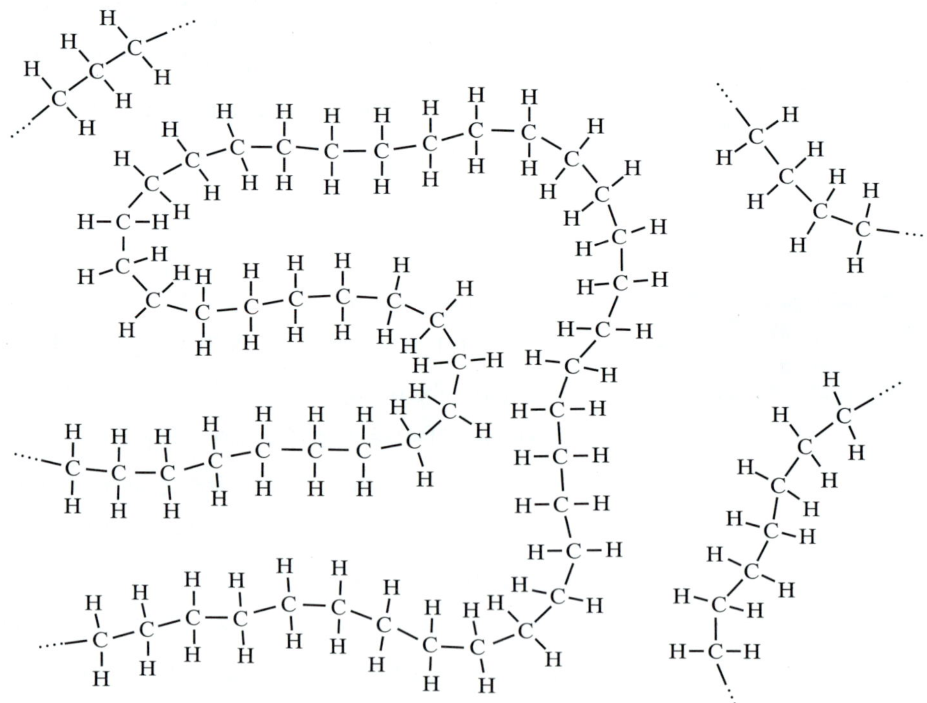

그림 2.15 고체 폴리에틸렌 구조의 '스파게티' 형태를 2차원적으로 나타낸 그림

다. C와 C 사이, C와 H 사이의 직선은 강한 공유 결합을 나타내고 있다. 약한 2차 결합은 이웃한 긴 분자 사슬 사이에서 일어난다. 고분자가 낮은 강도와 저융점의 특성을 갖는 것은 이러한 2차 결합의 '약한 결합(weak link)' 때문이다. 이와는 대조적으로 예외적으로 높은 경도와 3,500°C 이상의 고융점을 갖는 다이아몬드는 이웃 탄소 원자쌍 사이에 공유 결합을 갖는다(그림 2.16).

공유 결합은 이온 결합에서 반경비를 고려함으로써 예측되는 배위수보다 실질적으로 보다 더 작은 배위수를 만들 수 있음을 아는 것이 중요하다. 다이아몬드의 경우에는 동일한 크기의 탄소 원자의 반경비 r/R는 1.0이나, 그림 2.16은 배위수가 표 2.1에 의해 예측된 12보다 훨씬 작은 4라는 것을 보여준다. 이 경우에는 탄소에 대한 배위수는 그것의 특정한 sp^3 혼성 결합에 의해 결정되며, 이 혼성 결합은 탄소 원자에서 4개의 최외각 전자가 동등한 방향으로 이웃 원자와 공유된 결합을 말한다(2.1절 참조).

어떤 경우에는 표 2.1의 효과적인 적층은 공유 결합의 기하학적인 모양과 잘 일치한다. 예를 들면 규산염 광석과 많은 상업적인 세라믹과 유리에서의 기본적인 구조 단위는 그림 2.17에 나타낸 SiO_4^{4-} 사면체 구조이다. 규소는 주기율표의 IV A족의 탄소 원자 바로 아래에 있으며, 탄소와 비슷한 화학적 거동을 나타낸다. 규소는 4배위수를 갖는 많은 화합물을 형성한다. SiO_4^{4-} 단위는 이러한 결합 배열을 유지하며, 동시에 표 2.1과 잘 일치하는 강한 이온적 특성을 갖는다. 반경비($r_{Si^{4+}}/r_{O^{2-}}$ = 0.039 nm/0.132 nm = 0.295)는 CN = 4인 이온 배위의 최대 효율을 만드는 정확한 범위($0.225 < r/R < 0.414$) 안에 있다. 사실상 Si − O 결합은 이온 결합성(전자 이동)과 공유 결합성(전자 공유)을 대략적으로 반반씩 갖는다.

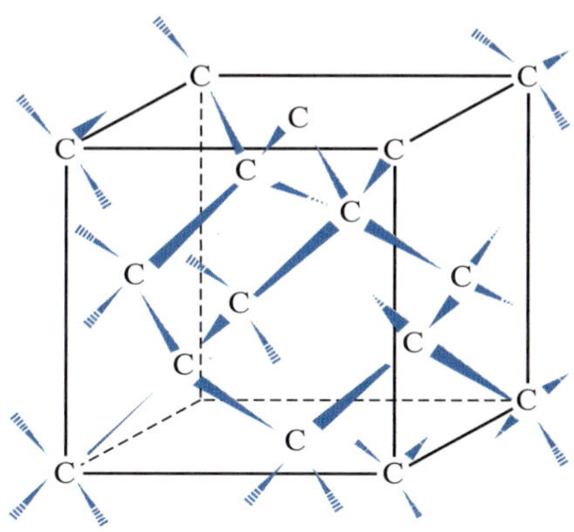

그림 2.16 고체 탄소(다이아몬드)의 3차원적 공유 결합 구조. 각 탄소 원자(C)는 4개의 다른 탄소 원자와 공유 결합을 이루고 있다(이 도형적 배열은 그림 3.20의 다이아몬드 입방체 구조와 비교할 수 있다). 이 예시에서는 결합하고 있는 탄소 원자의 공간 배열을 강조하기 위해 공유 결합의 결합선으로 도시했다.

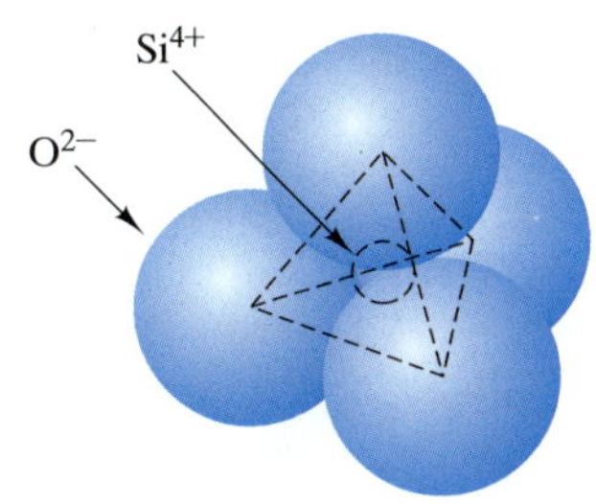

그림 2.17 SiO_4^{4-} 사면체는 이온의 뭉침으로 나타낼 수 있다. Si − O 결합은 이온 결합과 공유 결합 성질을 보인다.

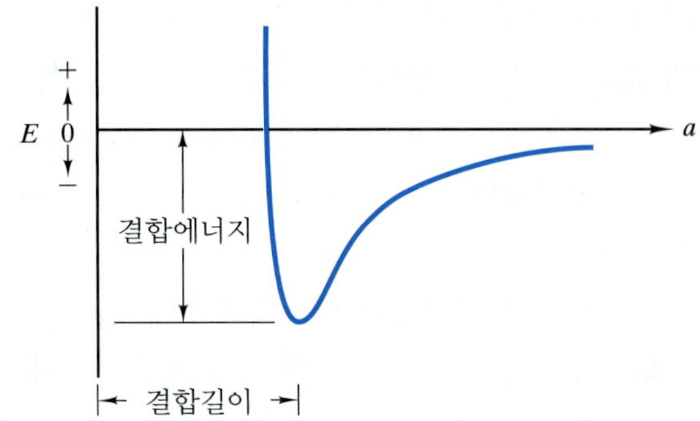

그림 2.18 결합에너지 곡선의 일반적인 형태와 이와 관련된 용어를 나타낸 그림으로, 공유 결합과 이온 결합에 같이 적용된다(금속과 2차 결합에서도 이와 같다).

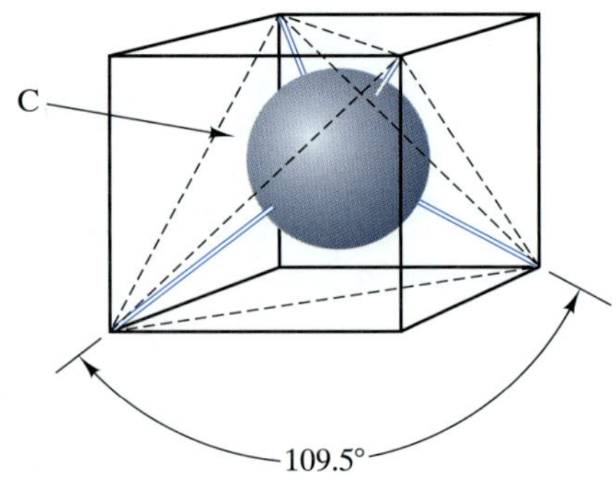

그림 2.19 탄소 결합의 사면체 결합각은 109.5°이다.

공유 결합에 대한 결합력과 결합에너지 곡선은 이온 결합에 대해서 그림 2.8에 나타낸 것과 유사함을 보여준다. 물론 두 가지 결합 형태의 다른 성질은 이온 결합력 방정식[식 (2.1), (2.2)]이 적용되지 않는다는 것이다. 그럼에도 불구하고 결합에너지와 결합길이의 일반적인 용어는 두 가지 경우 모두에 적용된다(그림 2.18). 표 2.2는

표 2.2 대표적인 공유 결합에 대한 결합에너지와 결합길이

	결합에너지[a]		결합길이
결합	kcal/mol	kJ/mol	nm
C−C	88[b]	370	0.154
C=C	162	680	0.130
C≡C	213	890	0.120
C−H	104	435	0.110
C−N	73	305	0.150
C−O	86	360	0.140
C=O	128	535	0.120
C−F	108	450	0.140
C−Cl	81	340	0.180
O−H	119	500	0.100
O−O	52	220	0.150
O−Si	90	375	0.160
N−H	103	430	0.100
N−O	60	250	0.120
F−F	38	160	0.140
H−H	104	435	0.074

[a] 근사치. 이 값은 이웃에 있는 결합의 형태에 따라 변한다. 예를 들어 C—H 결합을 보면 메탄(CH_4)인 경우에는 표에 있는 값을 갖지만 C—H 결합에너지는 CH_3Cl에서는 5% 적고 $CHCl_3$에서는 15% 적다.

[b] 모든 수치는 결합이 형성되는 경우에는 부(에너지 방출)이고 결합이 끊어지는 경우에는 정(에너지 요구)이다.

출처: L. H. Van Vlack, *Elements of Materials Science and Engineering*, 4th ed., Addison-Wesley Publishing Co., Inc., Reading, MA, 1980.

주요한 공유 결합에 대한 결합에너지와 결합길이 값을 요약한 것이다.

공유 결합을 갖는 고체의 또 다른 중요한 특성은 공유되는 원자가 전자 공유의 방향성에 의해 결정되는 **결합각**(bond angle)이다. 그림 2.19는 전형적인 탄소 원자에 대한 결합각을 예시한 것으로서 4개의 동일한 간격을 갖는 결합을 형성하려는 경향이 있다. 이러한 정사면체 배열(그림 2.17 참조)은 109.5°의 결합각을 가지고 있다. 결합각은 이중 결합과 같은 다른 종류의 결합 등에 따라서 약간 변할 수 있다. 일반적으로 탄소를 포함하는 결합각은 이상적인 109.5°에 가깝다.

예제 2.9

PVC(polyvinyl chloride)에 대한 중합 과정을 그리시오. 염화 비닐 분자는 C_2H_3Cl이다.

풀이

그림 2.14와 유사하게 염화 비닐 분자는 다음과 같다.

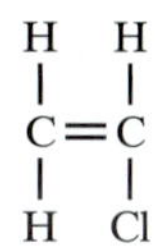

여러 개의 이웃하고 있는 염화 비닐 분자를 연결함으로써 이중 결합이 단일 결합으로 변환될 때 중합이 일어난다.

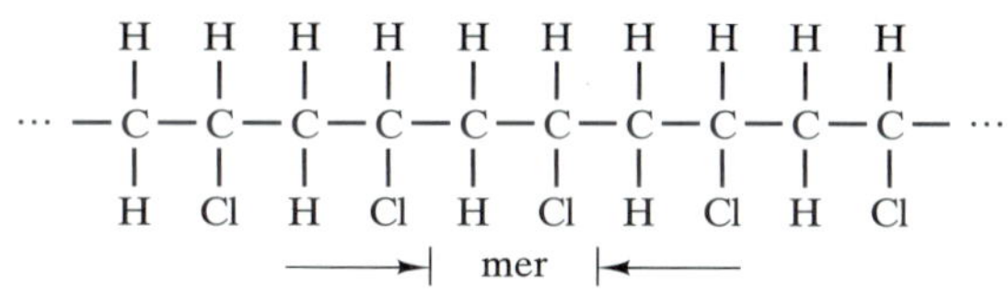

예제 2.10

예제 2.9의 PVC의 중합 반응 에너지를 계산하시오.

풀이

일반적으로 각 C$=$C 결합이 깨져서 2개의 C$-$C 결합을 형성한다.

$$C{=}C \rightarrow 2C{-}C$$

표 2.2를 이용하여 이 반응에 관련된 에너지가 다음과 같음을 알 수 있다.

$$680\ \text{kJ/mol} \rightarrow 2(370\ \text{kJ/mol}) = 740\ \text{kJ/mol}$$

그러므로 반응 에너지는 다음과 같다.

$$(740 - 680)\ \text{kJ/mol} = 60\ \text{kJ/mol}$$

주: 표 2.2의 각주로부터 이러한 반응 에너지는 중합 과정 중에 방출됨을 알 수 있다. 이로 인해 이 과정은 자발적인 반응이고, 이 과정 중에 생성물인 PVC는 각 염화 비닐 분자에 비해 안정하다. 고분자의 골격을 형성하는 탄소 원자는 보조역이 아니라 주역이므로, 이러한 반응 에너지는 폴리에틸렌(그림 2.14)이나 다른 '비닐'형의 고분자에도 적용된다.

예제 2.11

폴리에틸렌 분자, $-(C_2H_4)-_n$의 길이를 계산하시오. 여기서 $n = 500$이다.

풀이

고분자 사슬의 골격에 있는 탄소 원자만 보면 고유 결합각이 109.5°라는 것을 알 수 있다.

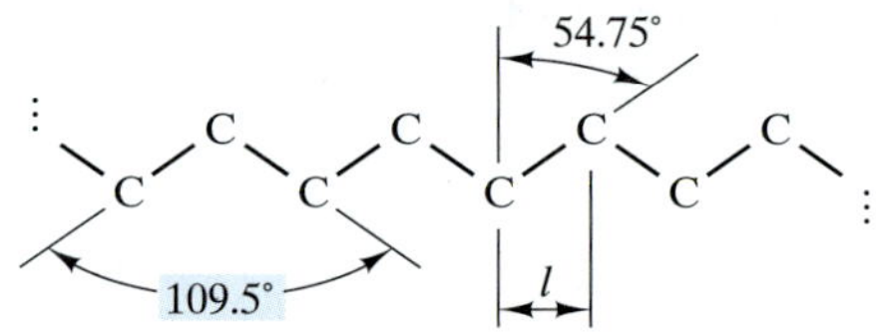

그림으로부터 유효 결합길이 l은 다음과 같이 주어진다.

$$l = (\text{C — C 결합길이}) \times \sin 54.75°$$

표 2.2를 이용하면 다음을 얻는다.

$$\begin{aligned} l &= (0.154\ \text{nm})(\sin 54.75°) \\ &= 0.126\ \text{nm} \end{aligned}$$

구조 단위당 2개의 결합길이가 있고, 500 구조 단위이므로 전체 분자 길이 L은 다음과 같다.

$$\begin{aligned} L &= 500 \times 2 \times 0.126\ \text{nm} \\ &= 126\ \text{nm} \\ &= 0.126\ \mu\text{m} \end{aligned}$$

주: 이와 같이 긴 선형 분자의 꼬임 정도는 12장에서 계산할 것이다.

연습문제 2.8

그림 2.14는 폴리에틸렌 $-(C_2H_4)-_n$의, 예제 2.9는 PVC $-(C_2H_3Cl)-_n$의 중합을 예시한 것이다. 위와 비슷하게 폴리프로필렌 $-(C_2H_3R)-_n$의 중합 과정을 그림으로 나타내시오. 여기서 R는 CH_3군이다.

연습문제 2.9

폴리스티렌 $-(C_2H_3R)_n$의 중합 과정을 그림으로 나타내시오. 여기서 R는 벤젠 그룹 C_6H_5이다.

연습문제 2.10

(a) 프로필렌(연습문제 2.8 참조), (b) 스티렌(연습문제 2.9 참조)의 중합에 대한 반응 에너지를 계산하시오.

연습문제 2.11

상품화된 투명한 플라스틱 랩에 들어 있는 폴리에틸렌 분자의 평균 길이는 0.2 μm이다. 이 재료에 대한 평균 중합도(n)는 얼마인가? (예제 2.11 참조)

2.4 금속 결합

이온 결합은 전자 이동을 수반하며 비방향성을 갖는다. 공유 결합은 전자 공유를 수반하며, 방향성을 갖는다. 1차 결합의 세 번째 형태인 **금속 결합**(metallic bond)은 전자를 공유하며 비방향성이다. 이 경우 원자가 전자를 **비편재화된 전자**(delocalized electrons)라고 한다. 즉 많은 이웃 원자의 어느 것과도 동일하게 관련될 가능성을 갖는다. 전형적인 금속의 비편재화는 모든 재료와 연관이 있으며, 전자구름 또는 전자가스 형태를 만든다(그림 2.20). 이 이동하는 '가스'는 금속에서 높은 전기 전도도에 대한 기본이 된다(금속의 전도 전자를 생산하는 데 전자적 구조의 역할은 13장에서 논의할 것이다).

여기에서 다시, 그림 2.18에 나타낸 결합의 개념의 **에너지 우물**(energy well) 또는 **샘**(trough)의 개념이 적용된다. 이온 결합에서와 같이, 결합각과 배위수는 주로 효율적인 적층이 이루어지도록 결정되며, 따라서 배위수는 높아지려는 경향이 있다. 결합에너지 곡선과 관련하여, 원소에 대한 상세한 원자 반경의 목록을 부록 2에 제시했고, 거기에는 중요한 금속 원소가 포함되어 있다. 또한 부록 2에는 이온 반경이 나와 있다. 이러한 이온 가운데 일부는 중요한 세라믹과 유리에서 발견된다. 부록 2를 살펴보면, 금속 결합에서 금속 이온 중심의 반경과(그림 2.20) 원자가 전자가 이동된 금속 이온 반경에는 실질적으로 차이가 있다는 것을 알 수 있다.

표 2.2에서의 공유 결합에 대한 것과 비슷한, 금속과 세라믹에 대한 결합에너지의 간단한 목록은 부록 2나 이 장에서 도표화되지 않았다. 고립된 원자(또는 이온)쌍에서보다도 내부고체와 연관된 에너지를 나타내는 데이터가 더 유용하다. 예를 들면 표 2.3은 몇몇 일반 금속과 그 산화물(일반 세라믹 화합물 중 일부)에 대한 승화열을

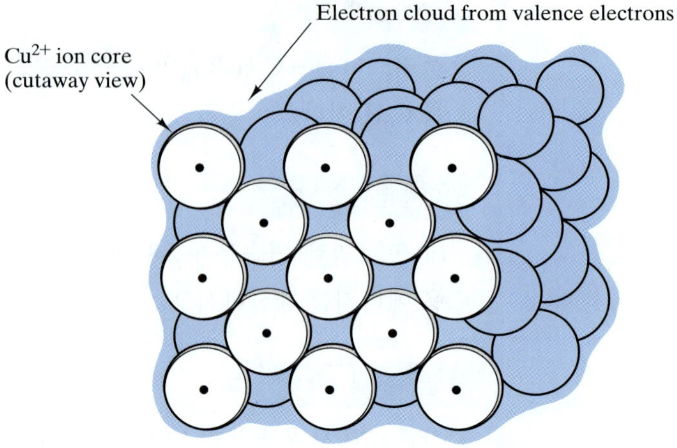

그림 2.20 금속 결합은 전자 '구름' 또는 '가스'로 이루어진다. 구리 결정 구조에서 앞면의 가상 단면도를 보여주는 그림으로, 비편재화된 원자가 전자로 둘러싸여 있음을 볼 수 있다.

나타낸다. 승화열은 일정한 온도에서 1몰의 고체를 직접적으로 기체로 변환하는 데 필요한 열에너지의 양을 의미한다. 이것은 고체에서 상대적인 결합강도의 좋은 척도이다. 그러나 특정한 원자쌍과 상응하는 표 2.2의 결합에너지와의 직접적인 비교는 각별한 주의가 요구된다. 그럼에도 불구하고 표 2.2와 2.3에 있는 에너지의 크기는 어느 정도의 범위에서 비교할 만하다.

이 장에서는 같은 원소의 원자들 간의 화학적 결합과 서로 다른 원소들 간의 화학적 결합의 성질은 이웃한 원자들 간의 전자 이동 또는 공유에 의해 지배된다는 사실을 알았다. 미국의 화학자 Linus Pauling은 **전기음성도**(electronegativity)를 원자가 전자를 자기 쪽으로 끌어당길 수 있는 능력으로 정의했다. 그림 2.21은 주기율표의 원소에 대한 Pauling의 전기음성도를 정리해놓은 것이다. 주기율표에 있는 대부분의 원소는 본질적으로 금속성이라는 것을 1장에서 이미 배웠다(그림 1.4). 일반적으로 전기음성도는 주기율표에서 왼쪽으로부터 오른쪽으로 갈수록 점점 커진다. Cs과

표 2.3 금속과 산화물의 승화열(25°C)

	승화열			승화열	
금속	kcal/mol	kJ/mol	금속 산화물	kcal/mol	kJ/mol
Al	78	326			
Cu	81	338			
Fe	100	416	FeO	122	509
Mg	35	148	MgO	145	605
Ti	113	473	α - TiO	143	597
			TiO_2 (rutile)	153	639

출처: Data from *JANAF Thermochemical Tables*, 2nd ed., National Standard Reference Data Series, Natl. Bur. Std. (U.S.), 37 (1971), and Supplement in *J. Phys. Chem. Ref. Data* 4(1), 1–175 (1975).

I A	II A	III B	IV B	V B	VI B	VII B	VIII			I B	II B	III A	IV A	V A	VI A	VII A	0
1 H 2.1																	2 He –
3 Li 1.0	4 Be 1.5											5 B 2.0	6 C 2.5	7 N 3.0	8 O 3.5	9 F 4.0	10 Ne –
11 Na 0.9	12 Mg 1.2											13 Al 1.5	14 Si 1.8	15 P 2.1	16 S 2.5	17 Cl 3.0	18 Ar –
19 K 0.8	20 Ca 1.0	21 Sc 1.3	22 Ti 1.5	23 V 1.6	24 Cr 1.6	25 Mn 1.5	26 Fe 1.8	27 Co 1.8	28 Ni 1.8	29 Cu 1.9	30 Zn 1.6	31 Ga 1.6	32 Ge 1.8	33 As 2.0	34 Se 2.4	35 Br 2.8	36 Kr –
37 Rb 0.8	38 Sr 1.0	39 Y 1.2	40 Zr 1.4	41 Nb 1.6	42 Mo 1.8	43 Tc 1.9	44 Ru 2.2	45 Rh 2.2	46 Pd 2.2	47 Ag 1.9	48 Cd 1.7	49 In 1.7	50 Sn 1.8	51 Sb 1.9	52 Te 2.1	53 I 2.5	54 Xe –
55 Cs 0.7	56 Ba 0.9	57-71 La-Lu 1.1-1.2	72 Hf 1.3	73 Ta 1.5	74 W 1.7	75 Re 1.9	76 Os 2.2	77 Ir 2.2	78 Pt 2.2	79 Au 2.4	80 Hg 1.9	81 Tl 1.8	82 Pb 1.8	83 Bi 1.9	84 Po 2.0	85 At 2.2	86 Rn –
87 Fr 0.7	88 Ra 0.9	89-102 Ac-No 1.1-1.7															

그림 2.21 원소의 전기음성도 (From Linus Pauling, *The Nature of the Chemical Bond and the Structure of Molecules and Crystals; An Introduction to Modern Structural Chemistry*, 3rd ed., Cornell University Press, Ithaca, NY, 1960.)

Fr(I A족)은 가장 낮은 값(0.7)을 갖고, F(VII A족)은 가장 높은 값(4.0)을 갖는다. 분명히 금속 원소는 낮은 전기음성도를 가지려는 경향이 있고, 비금속 원소는 높은 값을 가지려는 경향이 있다. Pauling의 전기음성도는 구체적으로 분자에 대한 열화학적 데이터에 근거한 것이지만, 그림 2.21의 데이터는 금속합금의 성질을 예측하는 데 유용하다는 것을 4.1절에서 배울 것이다.

예제 2.12

α-Fe와 같은 몇 가지 금속은 체심 입방 결정 구조를 가지며, 이 경우 배위수는 8이다. 표 2.1에 따른 예측을 참고로 하여, 같은 크기의 구가 비방향성 결합을 할 때 배위수가 12가 되어야 한다는 사실을 논의하시오.

풀이

주로 금속 결합을 하고 있는 재료에 약간의 공유 결합성이 있으면 배위수는 예측된 값보다 작아질 수 있다(예제 2.8 참조).

연습문제 2.12

Si와 같은 단원소 고체가 흔히 갖는 다이아몬드 입방 구조에 대해서 배위수(CN = 4)가 낮아지는 이유를 논의하시오(예제 2.12 참조).

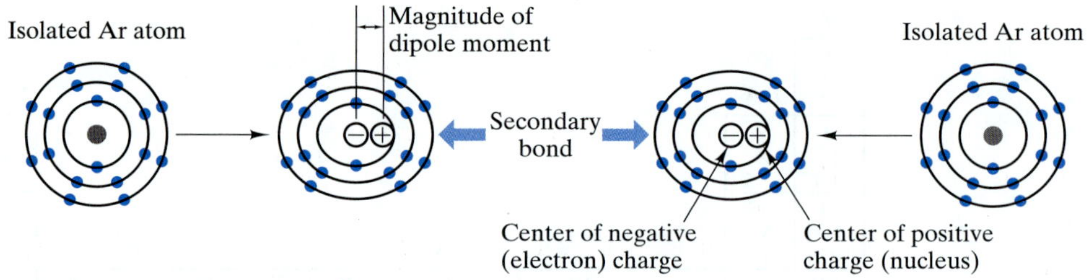

그림 2.22 이웃하는 아르곤 원자에 유발된 쌍극자에 의해 약한 2차 결합이 생겨난다. 여기서 보이는 전하 뒤틀림 정도는 과장되어 있다.

2.5 2차 결합 또는 van der Waals 결합

앞서 언급한 세 가지 1차 결합은 주어진 공업재료의 내부 결합력의 주요한 원천이다. 표 2.2에서 보여주는 것처럼, 전형적인 1차 결합에너지는 200~700 kJ/mol(≈50~170 kcal/mol)의 범위를 갖는다. 전자 이동이나 공유 없이 약간의 원자 결합(실질적으로 보다 더 작은 결합에너지를 가지는)을 얻는 것은 가능하다. 이것은 2차 결합(secondary bonding) 또는 **van der Waals[5] 결합**(van der Waals bonding)으로 알려져 있다. 2차 결합의 메커니즘은 반대 전하들 사이의 인력인 이온 결합과 어느 정도 비슷하다. 주요한 차이점은 전자 이동이 없다는 것이다.[6]

그림 2.22는 중성의 두 원자가 그들의 전하 분포의 조그만 뒤틀림에 의해 그들 사이의 약한 결합력이 생기는 것을 설명하고 있다. 그 예는 불활성 기체인 아르곤(argon)이며, 이것은 안정하고 최외각 전자가 가득 차 있기 때문에 1차 결합을 형성하는 경향은 없다. 고립된 아르곤 원자에서는 양전하 핵 주위에 음전하가 완전한 구의 형태로 위치하고 있다. 그러나 또 다른 아르곤 원자가 근접하게 되면, 음전하는 이웃 원자의 양전하 핵 쪽으로 약간 끌려가게 된다. 이러한 전하 분포의 조그만 뒤틀림은 두 원자에서 동시에 일어난다. 그 결과가 **유도쌍극자**(induced dipole)이다. 유도쌍극자와 관련된 전하 뒤틀림의 정도가 작기 때문에 결과적으로 쌍극자는 작아져 상대적으로 작은 결합에너지(0.99 kJ/mol 또는 0.24 kcal/mol)를 갖는다.

POWERS OF 10

6.6절에서는 인접한 고분자 사이의 2차 결합이 유기 고분자 내 집단성 변형성의 이해에 중요 역할을 한다.

2차 결합에너지는 **영구쌍극자**(permanent dipole)를 갖는 분자 단위가 포함되었을

5) Johannes Diderik van der Waals(1837~1923)는 네덜란드 과학자로 2차 결합력의 효과를 고려함으로써 기체의 상태방정식을 개선했다. 그의 훌륭한 연구는 비정규 물리학 과정의 학위논문으로 처음 발표되었다. 이 연구에 대한 공로를 인정받아 그는 중학교 교장에서 암스테르담대학교의 교수로 가게 되었다.

6) 때때로 1차 결합을 화학적 결합(chemical bonds), 2차 결합을 물리적 결합(physical bonds)이라 부른다. 인력은 결합된 각각의 원자나 분자의 단위 내에서 양과 음전하의 비대칭적인 분포에 의존한다. 그와 같은 전하의 비대칭을 **쌍극자**(dipole)라고 부른다. 쌍극자가 (1) 일시적이냐, (2) 영구적이냐에 따라서 2차 결합은 두 가지 유형일 수 있다.

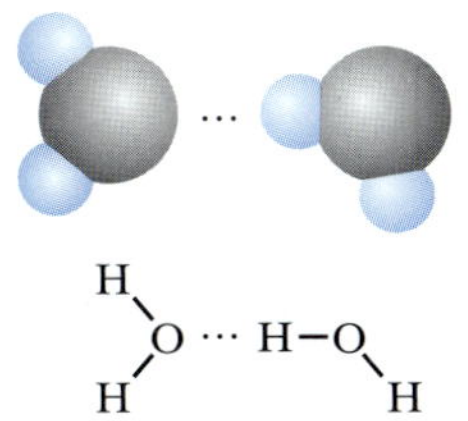

그림 2.23 수소 가교 2차 결합은 이웃하는 물 분자의 두 영구쌍극자 사이에 형성된다.

때 어느 정도 더 커진다. 이것의 가장 좋은 예는 물(H_2O)(그림 2.23) 분자를 연결하는 **수소 가교**(hydrogen bridge)이다. O—H 공유 결합에서 전자 공유의 방향성 때문에 H_2O 분자에 대해 H 원자는 양전하의 중심이 되고, O 원자는 음전하의 중심이 된다. 영구적으로 전하가 분리되어 있는 **극성분자**(polar molecule)에서 전하 분리가 크면 더 큰 **쌍극자 모멘트**(dipole moment)(양전하와 음전하 중심 사이의 전하와 분리거리의 곱)를 가지게 되며, 그 결과로 더 큰 결합에너지를 가지게 된다(21 kJ/mol 또는 5 kcal/mol). 폴리에틸렌과 같은 고분자에서 이웃한 고분자 사슬 간의 2차 결합이 이러한 형태이다.

물의 중요하고 비교적 독특한 특성 중의 하나가 수소 가교로부터 기인한다는 것을 아는 것은 매우 중요하다. 물이 얼 때의 부피 팽창은 그림 2.23에 나타낸 것처럼 인접한 H_2O 분자의 규칙적이고 반복적인 정렬에 기인한다. 이것은 빈 공간이 더 많은 구조를 만든다. 녹을 때 인접한 H_2O 분자는 수소 가교를 유지하면서 좀 더 불규칙적이고 밀집된 배열로 결합한다.

예제 2.13

2차 결합에 대한 결합에너지 곡선(그림 2.18)을 보통 '6-12' 퍼텐셜이라 하며, 다음과 같은 수식으로 나타낸다.

$$E = -\frac{K_A}{a^6} + \frac{K_R}{a^{12}}$$

여기서 K_A와 K_R는 각각 인력과 척력에 대한 상수이다. 이러한 간단한 수식은 비교적 간단한 형태의 결합에 대한 양자역학적 계산 결과이다. $K_A = 10.37 \times 10^{-78}$ $\text{J} \cdot \text{m}^6$와 $K_R = 16.16 \times 10^{-135}$ $\text{J} \cdot \text{m}^{12}$일 때 아르곤의 결합에너지와 결합길이를 계산하시오.

풀이

(평형)결합길이는 $dE/da = 0$일 때의 길이이므로

$$\left(\frac{dE}{da}\right)_{a=a_0} = 0 = \frac{6K_A}{a_0^7} - \frac{12K_R}{a_0^{13}}.$$

이것을 정리하면

$$a_0 = \left(2\frac{K_R}{K_A}\right)^{1/6}$$

$$= \left(2 \times \frac{16.16 \times 10^{-135}}{10.37 \times 10^{-78}}\right)^{1/6} \text{m}$$

$$= 0.382 \times 10^{-9}\ \text{m} = 0.382\ \text{nm}$$

결합에너지 $= E(a_0)$이므로

$$E(0.382\text{ nm}) = -\frac{K_A}{(0.382\text{ nm})^6} + \frac{K_R}{(0.382\text{ nm})^{12}}$$

$$= -\frac{(10.37 \times 10^{-78}\text{ J} \cdot \text{m}^6)}{(0.382 \times 10^{-9}\text{ m})^6} + \frac{(16.16 \times 10^{-135}\text{ J} \cdot \text{m}^{12})}{(0.382 \times 10^{-9}\text{ m})^{12}}$$

$$= -1.66 \times 10^{-21}\text{ J}$$

아르곤 1몰에 대해서는 다음과 같다.

$$E_{\text{bonding}} = -1.66 \times 10^{-21}\text{ J/bond} \times 0.602 \times 10^{24}\,\frac{\text{bonds}}{\text{mole}}$$

$$= -0.999 \times 10^3\text{ J/mol}$$

$$= -0.999\text{ kJ/mol}$$

주: 이 결합에너지는 표 2.2에 나와 있는 어떠한 주 결합(공유 결합)과 비교해도 1%에 지나지 않는다. 표 2.2의 각주에서 말한 결합에너지는 음수라는 규약과 일치함에 유의하라.

연습문제 2.13

예제 2.13에서 ('6-12' 퍼텐셜을 가정하여) 아르곤의 결합에너지와 결합길이를 계산했다. a가 0.33~0.80 nm의 영역에서 E를 a의 함수로 그리시오.

연습문제 2.14

예제 2.13에 주어진 정보를 이용하여 연습문제 2.13과 같은 a의 범위에서 아르곤의 van der Waals 결합력, 즉 F를 a의 함수로 그리시오.

2.6 재료: 결합 분류

이 장에 나와 있는 여러 유형의 결합의 상대적인 결합에너지는 용융점을 비교함으로써 가장 효과적으로 나타낼 수 있다. 고체의 **용융점**(melting points)은 고체의 결합을 끊는 데 필요한 열에너지를 공급하기 위해 재료가 가열되어야 하는 온도를 나타낸다. 표 2.4는 이 장에서 사용된 몇 가지 대표적인 예이다. 특별히 주의해야 할 것은 폴리에틸렌으로서, 이것은 혼합된 결합의 성질을 가진다. 2.3절에서 언급했듯이 2차 결합은 매우 약한 고리로서 이것 때문에 대략 120°C 이상에서는 재료의 구조적 강성(rigidity)이 사라지게 된다. 이것은 정확한 용융점은 아니나 이 온도 이상에서 재료는 온도에 따라 급격히 연화된다. 고분자 구조의 불규칙성(그림 2.15)으로 인해 2차 결합길이가 서로 다르고 따라서 서로 다른 결합에너지가 생겨나게 된다. 결합에

표 2.4 대표적인 재료의 용융점 비교

재료	결합 형태	용융점(°C)
NaCl	이온	801
C (다이아몬드)	공유	~3,550
$-(C_2H_4)-_n$	공유, 2차	~120[a]
Cu	금속	1,084.87
Ar	2차(유도쌍극자)	−189
H_2O	2차(영구쌍극자)	0

[a] 폴리에틸렌의 고분자 구조의 불규칙성 때문에 폴리에틸렌은 명확한 용융점이 없다. 대신 폴리에틸렌은 120°C 이상에서 연화된다. 120°C라는 수치는 용융점이 아니라 '유용한 온도'이다.

표 2.5 기본적인 다섯 가지 유형의 공업재료의 결합 특성

재료 형태	결합 특성	예
금속	금속	Iron (Fe) and the ferrous alloys
세라믹과 유리	이온/공유	Silica (SiO_2): crystalline and noncrystalline
고분자	공유와 2차	Polyethylene $-(C_2H_4)-_n$
반도체	공유 또는 공유/이온	Silicon (Si) or cadmium sulfide (CdS)

너지의 다양성보다 더 중요한 것은 평균 크기이며 이 평균 크기는 비교적 작다. 폴리에틸렌과 다이아몬드는 각각 비슷한 C—C 공유 결합을 갖고 있지만 다이아몬드에서는 2차 결합의 약한 고리가 없기 때문에 폴리에틸렌보다 3,000°C 이상에서도 큰 구조적인 강성을 유지한다.

지금까지 세 가지의 1차 결합(이온, 공유, 금속 결합)과 2차 결합으로 구성된 네 종류의 주요한 원자 결합 형태를 살펴보았다. 세 가지 기본적인 구조 재료(금속, 세라믹/유리, 고분자)를 세 가지 형태의 1차 결합(각각 금속, 이온, 공유 결합)과 직접적으로 관련지어 구별하는 것은 전통적이다. 이것은 유용한 개념이나 2.3절과 2.5절에서 이미 보았듯이, 고분자는 그들의 거동이 공유와 2차 결합성을 갖는다. 2.3절에서 가장 중요한 세라믹과 유리는 약간의 이온 결합 특성뿐만 아니라 강한 공유 결합 특성을 갖는다는 것을 알았다. 표 2.5에 대표적인 예와 공업재료의 네 가지 기본적인 형태와 연관된 결합 특성을 요약했다. 세라믹의 경우 혼합 결합 특성은 주어진 결합

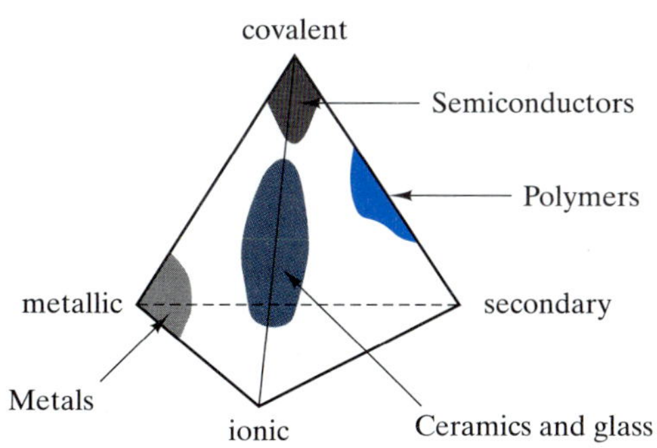

그림 2.24 기본적인 다섯 가지 유형(네 가지 구조 유형과 반도체)의 공업재료에서 각 결합의 상대적인 기여를 나타낸 사면체이다.

(예: Si—O)에 대해 이온과 공유 결합 특성을 가지며, 반면에 고분자의 경우 혼합 결합 특성은 공유 결합, 예를 들면 C—H와 2차 결합(예: 사슬 사이) 특성을 갖는다. 다른 결합 형태의 상대적인 기여는 결합 형태의 사면체(그림 2.24) 모양의 도표로 나타낼 수 있으며, 사면체의 각 꼭짓점은 순수한 결합 형태를 나타낸다. 13장에서 재료 분류에 대한 또 다른 관점(전기 전도도)을 더할 것이다. 이것은 결합의 성질로부터 직접적으로 유래할 것이고, 특히 반도체의 독특한 특성을 정의하는 데 도움이 된다.

요약

공업재료를 분류하는 기본 중 하나는 원자 결합이다. 각각의 원자에서 화학적인 성질은 핵 내부의 양성자와 중성자 수에 의해 결정되는 반면에 원자 결합의 본성은 원자핵 주위를 도는 전자들의 거동에 의해 결정된다.

고체 결합에는 세 가지 종류의 강한 1차 결합이 있다. (1) 이온 결합은 전자 전이를 포함하고 비방향성이다. 전자 전이는 반대의 전하를 갖는 한 쌍의 이온을 생성한다. 이온들 간의 인력은 본질적으로 쿨롱 힘이다. 평형 이온 간격은 두 원자 중심을 중복되게 만드는 것과 관련된 강한 반발력에 의해 설정된다. 이온 결합의 비방향성은 이온 배위수가 기하학적 충전 효율에 의해 결정되게 만든다(반지름비에 의해). (2) 공유 결합은 전자 공유를 포함하며 큰 방향성을 갖는다. 이것은 비교적 낮은 배위수를 갖도록 하며, 더욱더 빈 공간이 많은 원자 구조를 가지게 한다. (3) 금속 결합은 비국소화된 전자의 공유를 포함하며 비방향성의 결합을 갖는다. 결과적으로 발생하는 전자구름 또는 가스가 높은 전기 전도도를 갖도록 만든다. 이온 결합에서와 같이 비방향성 특성은 비교적 높은 배위수를 갖도록 한다. 전자 전이나 공유 없이 더 약한 결합 형태가 가능하다. 이러한 2차 결합은 일시적이거나 영구적인 전기 쌍극자 사이에서의 인력의 결과이다.

공업재료의 분류는 각각의 종류가 특별한 결합 형태 또는 결합 형태의 조합을 가진다는 것을 알게 해준다. 금속은 금속 결합을 포함한다. 세라믹과 유리는 보통 강한 공유 결합 특성을 지니면서 이온 결합을 포함한다. 고분자는 전형적으로 고분자 사슬을 따라서 강한 공유 결합을 가지며, 이웃 사슬 간의 약한 2차 결합을 갖는다. 2차 결합은 구조에서 약한 결합으로 작용하며, 특별히 낮은 강도와 용융점을 갖게 한다. 반도체는 본질적으로 공유 결합이 지배적이며, 일부 반도체 화합물은 중요한 이온 결합 특성을 갖는다. 공업재료에서 이들 다섯 가지 결합이 기본적인 결합 형태이다. 복합재료는 여섯 번째 결합 형태로, 처음 네 가지 기본 결합 형태의 단순한 조합이며 구성물에 대해 적절한 결합 특성을 가지고 있다.

주요 용어

결합각(bond angle)
결합길이(bond length)
결합력(bonding force)
결합에너지(bonding energy)
고분자 분자(polymeric molecule)
공유 결합(covalent bond)
그램-원자(gram-atom)
그룹(group)
극성분자(polar molecule)
금속 결합(metallic bond)
동위원소(isotope)
딱딱한 구(hard sphere)
몰(mole)
반경비(radius ratio)
반발력(repulsive force)
배위수(coordination number)
비편재화된 전자(delocalized electron)
수소 가교(hydrogenbridge)
쌍극자(dipole)
쌍극자 모멘트(dipole moment)
아보가드로수(Avogadro's number)
양성자(proton)
양이온(cation)
에너지 샘(energy trough)

에너지 우물(energy well)
에너지준위(energy level)
연한 구(softs phere)
원자가(valence)
원자가 전자(valence electron)
원자 반경(atomic radius)
원자 번호(atomic number)
원자량(atomic mass)
원자량 단위(atomic mass unit)
용융점(melting point)
음이온(anion)
이온(ion)
이온 결합(ionic bond)
이온 반경(ionic radius)
이중 결합(double bond)
전기음성도(electro negativity)
전자(electron)
전자 궤도(electron orbital)
전자밀도(electron density)
주기율표(periodic table)
중성자(neutron)
최외각 전자각(orbital shell)
쿨롱 인력(coulombic attraction)
핵(nucleus)
혼성화(hybridization)
van der Waals 결합(van der Waals bond)
1차 결합(primary bond)
2차 결합(secondary bond)

참고문헌

대학 수준 화학에 대한 거의 모든 입문 교과서가 이 장의 내용을 이해하는 데 유용하다. 추천하는 문헌은 다음과 같다.

Brown, T.E., H.E. LeMay, Jr., B.E. Bursten, C. Murphy, P. Woodward, and **M.E. Stoltzfus,** *Chemistry: The Central Science with Mastering Chemistry®*, 14th ed., Pearson, Upper Saddle River, NJ, 2018.

Oxtoby, D. W., H. P. Gillis, and **A. Campion,** *Principles of Modern Chemistry,* 7th ed., Cengage, Independence, KY, 2011.

Petrucci, R. H., F. G. Herring, J. D. Madura, and **C. Bissonnette,** General *Chemistry—Principles and Modern Applications with Mastering Chemistry®*, 11th ed., Pearson, Upper Saddle River, NJ, 2016.

복습문제

이 장을 시작으로, 각 장 끝에 일련의 문제를 제시할 것이다. 문제 구성에서 몇 가지 유의할 사항이 있다. 모든 문제는 관련 절과 긴밀히 연관되어 있다. 또한 각 절에 등장하는 연습문제의 일부는 해당 절에 풀이와 함께 제시된 예제를 참조하여 풀 수 있게 했다. 문제는 새로운 분야에 도전하는 학생들이 스스로 공부하며 계산해볼 수 있도록 세심히 구성했다. 대부분의 연습문제에 대한 해답이 부록 뒤에 수록되어 있다. 연습문제 전체에 대한 해답은 관련 웹사이트에서 이용할 수 있다. 아래에 제시되는 문제는 점점 난이도가 높아진다. 불릿 기호(•)가 표시되지 않은 문제는 상대적으로 쉬운 편이나 예제와 직접 연관이 없다. 불릿 기호가 있는 문제는 상대적으로 난이도가 높다. 홀수 번호 문제에 대한 해답이 부록 뒤에 수록되어 있다.

2.1 _ 원자 구조

2.1 금으로 된 오링(O-ring)이 고진공 챔버의 기밀성 봉합에 사용된다. 오링은 100 mm 길이에 1.5 mm 지름을 가진 선으로 이뤄진다. 이때 오링의 금 원자 개수를 계산하시오.

2.2 보통의 가정에서 사용되는 알루미늄 포일은 거의 순수한 알루미늄이다. 일반 상점에서는 이 알루미늄 포일을 상자에 담아 파는데 7 m^2(75 ft^2)를 담았다고 광고한다(304 mm 너비에 22.8 m 길이의 롤이다). 포일이 0.5 mil(12.7 μm) 두께일 때 이 롤에 있는 알루미늄 원자 개수를 계산하시오.

2.3 MOS(metal-oxide-semiconductor) 장치에는 단일 실리콘 반도체 칩 위에 얇은 SiO_2층(밀도 = 2.20 Mg/m^3)이 올려져 있다. mm^2 단위당 산화물층에 있는 실리콘과 산소 원자 개수를 계산하시오. 층의 두께는 150 nm로 가정한다.

2.4 가정용 투명 비닐 랩에는 폴리에틸렌 $+(C_2H_4)_n$이 0.910 Mg/m^3 밀도로 사용된다. 이 비닐 랩 한 상자

에 100 ft^2가 담겨 있다(304 mm 너비에 30.5 m 길이의 롤이다). 랩이 0.5 mil(12.7 μm) 두께일 때 이 롤에 있는 탄소와 수소 원자 개수를 계산하시오.

2.5 Al_2O_3 단결정은 금속-매트릭스 복합물을 강화하는 작은 단일 결정이다. 실린더 형태가 주어졌다고 하고, 지름이 1 μm, 길이가 25 μm인 단결정에 있는 알루미늄과 산소 원자 개수를 계산하시오(Al_2O_3 밀도는 3.97 Mg/m^3이다).

2.6 통신용 광섬유는 SiO_2 유리로 만들어진다(밀도 = 2.20 Mg/m^3). 지름 10 μm인 광섬유의 mm 단위당 실리콘과 산소 원자 개수를 계산하시오.

2.7 실험실의 실연에서 30 g의 마그네슘이 산화되었다. (a) 이 실연에서 소모된 산소 분자 개수는 얼마인가? (b) 산소 분자의 몰값을 계산하시오.

2.8 자연 상태의 구리는 63.55의 원자 중량을 갖는다. 이것의 주 동위원소는 ^{63}Cu와 ^{65}Cu이다. 각 동위원소의 존재도를 원자 비율로 나타내시오.

2.9 10원짜리 동전 하나가 2.60 g의 중량을 가진다고 하자. 이 동전이 순수하게 구리로만 이뤄졌다면 이 동전을 구성하는 (a) 구리 핵의 중성자 개수와, (b) 전자 개수를 구하시오.

2.10 원자의 궤도 전자는 전자기 복사 빔 노출에 의해 튀어나온다. 엄밀히 말하면, 전자는 광양자의 에너지가 전자의 구속력보다 크거나 같을 때 튀어나온다. 광양자의 에너지(E)가 hc/λ와 같이 주어졌고, 여기서 h는 플랑크 상수, c는 빛의 속도, λ는 파장이다. 이때 ^{12}C 원자의 1s 전자를 튀어나가게 하는 복사의 (최소 에너지에 대응하는)최대 파장을 구하시오(그림 2.3 참조).

2.11 그램-원자와 몰의 차이는 무엇인가?

2.12 주기율표에서 IV A족 원소의 전자 구성의 공통된 특징은 무엇인가?

2.2_이온 결합

2.13 Mg^{2+}–O^{2-} 쌍에 대한 F_c 대 a를 정확히 도시하시오(그림 2.6 참조). a의 범위는 0.2~0.7 nm이다.

2.14 $Mg^{2+}-O^{2-}$ 이온 결합을 형성하는 데 관여하는 전자 전이를 기술하시오.

2.15 지금까지 이온 간에 서로 당기는 쿨롱 힘에 집중해 왔다. 그림 2.5에서 Na^+ 이온의 가장 가까운 쌍은 $\sqrt{2}a_0$의 거리만큼 떨어져 있으며, a_0는 그림 2.7에 정의되어 있다. 이러한 이온쌍 간에 반발하는 쿨롱 힘을 계산하시오.

2.16 NaCl 형태의 구조를 가진 CaO에 있는 Ca^{2+}와 O^{2-} 간에 서로 당기는 쿨롱 힘을 계산하시오.

2.17 NaCl 형태의 구조를 가진 CaO에 있는 Ca^{2+} 이온과 가장 가까운 이웃 간에 반발하는 쿨롱 힘을 계산하시오(복습문제 2.15, 2.16 참조).

2.18 CaO에 있는 O^{2-} 이온과 가장 가까운 이웃 간에 반발하는 쿨롱 힘을 계산하시오(복습문제 2.15, 2.16, 2.17 참조).

2.19 결합력과 결합에너지의 관계는 무엇인가?

2.20 양전하를 띤 양이온의 반지름이 상응하는 중성원자의 반지름보다 작은 이유는 무엇인가?

2.21 SiO_2는 유리 형성체로 알려져 있는데, 이는 SiO_4^{4-}사면체(그림 2.17)가 비결정체 네트워크와 결합하려는 경향이 있기 때문이다. Al_2O_3 역시 중개 유리 형성체로 알려졌는데, 비록 그 자체가 비결정체가 되려는 성질은 없지만 유리 네트워크에서 Si^{4+}를 Al^{3+}로 대체할 수 있는 능력을 가졌기 때문이다. 반지름비의 측면에서 Al^{3+}가 Si^{4+}를 대체하는 것을 논하시오.

2.22 음전하를 띤 음이온의 반지름이 상응하는 중성원자의 반지름보다 큰 이유는 무엇인가?

2.23 유리의 색은 흔히 산소 이온에 의한 양이온의 조합에 따라 나타나는데, 예를 들어 Co^{2+}는 이산화규소 네트워크를 특징으로 하는 사면체와 결합하면 청자색을 띠고, 육면체와 결합하면 분홍색을 띤다. 반지름비로 예상되는 Co^{2+}의 색깔은 무엇이겠는가?

2.24 비산화 물질로서 처음 유리로 만들어진 것이 BeF_2다. 이것은 SiO_2와 많은 면에서 닮았는데, Be^{2+}와 F^-의 반지름비를 계산하고 논하시오.

2.25 고열 세라믹 초전도체의 공통된 성질은 초전도 비행기를 만드는 데 쓰이는 Cu-O 시트이다. 이러한 시트에 있는 Cu^{2+}와 O^{2-} 사이에 서로 당기는 쿨롱 힘을 계산하시오.

2.26 문제 2.25에서 논의된 초전도 Cu-O 시트의 계산과 비교하여 Cu^{2+}와 O^{2-} 사이에 서로 당기는 쿨롱 힘을 계산하시오.

• **2.27** NaCl 같은 이온 결정에서 쿨롱 순결합력은 이웃하는 이온쌍의 당기는 힘의 단순 비례이다. 이제 가상적이며 1차원적인 결정체가 다음과 같을 때 이 개념을 표현하시오.

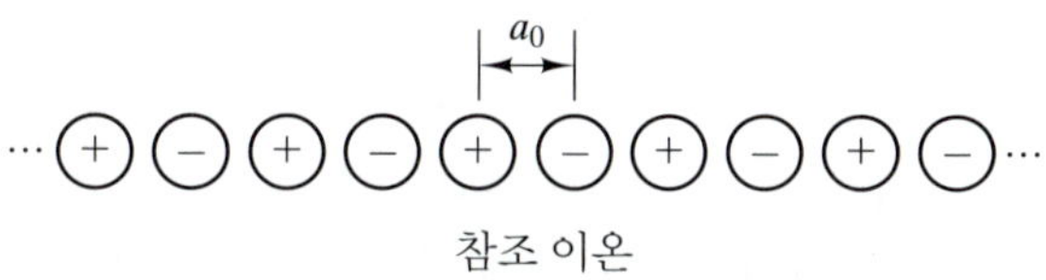

(a) 결정체의 참조 이온과 다른 이온 간의 쿨롱 순인력은 $F = AF_C$임을 보이시오. 여기서 F_c는 이웃한 이온쌍[식 (2.1) 참조]의 당기는 힘이고, A는 연쇄 팽창이다.

(b) A의 값을 결정하시오.

2.28 이온 결합은 방향성이 없다는 것은 무엇을 의미하는가?

2.3_공유 결합

2.29 공유 결합은 방향성이 있다는 것은 무엇을 의미하는가?

2.30 천연 고무는 폴리이소프렌(polyisoprene)이다. 중합 반응은 다음과 같이 묘사될 수 있는데, 중합 반응에 필요한 (1몰당) 반응 에너지를 계산하시오.

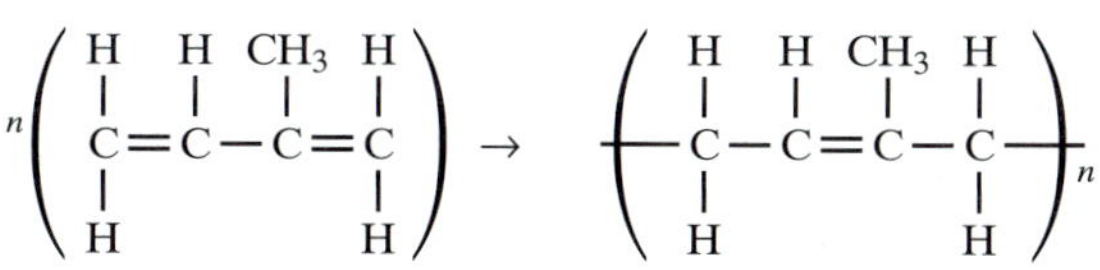

2.31 이온 결합과 비교하여 공유 결합에서의 원자가 전자의 역할을 구별하여 설명하시오.

2.32 아세탈(acetal) 중합체는 공학적 응용에 많이 사용되며, 다음의 포름알데히드(formaldehyde) 중합 반응으로 표현될 수 있다. 이 중합 반응에 필요한 반응 에너지를 계산하시오.

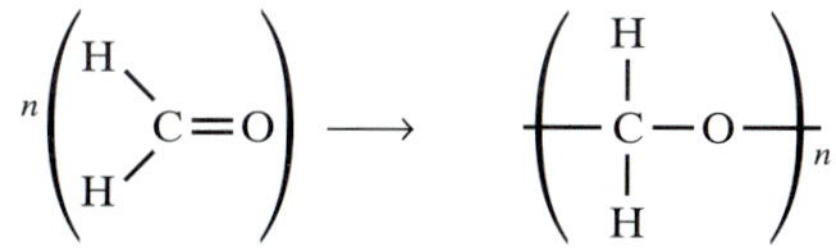

2.33 보통의 페놀 중합체인 페놀포름알데히드 형성의 첫 단계가 그림 12.6에 나온다. 이 단계에서의 전체 중합 반응에 필요한 (1몰당) 순수 반응 에너지를 계산하시오.

2.34 n = 500일 때 폴리에틸렌 분자의 분자량을 계산하시오.

2.35 보통 아크릴 고분자 중 하나인 폴리메틸 메타크릴레이트(polymethyl methacrylate)의 단량체 구조는 다음과 같다.

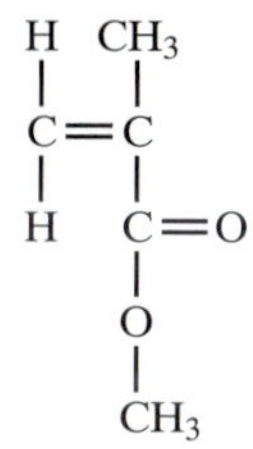

n = 600일 때 폴리메틸 메타크릴레이트 분자의 분자량을 계산하시오.

2.36 정형외과에서 사용되는 뼈 시멘트(bone cement)는 인공적으로 엉덩이 부분에 임플란트를 심는 것인데, 외과수술 중 폴리메틸 메타크릴레이트를 중합해서 시술한다. 그 결과로 나온 고분자는 상대적으로 다양한 분자량 분포를 가진다. $200 < n < 700$일 때 그 고분자의 분자량 분포를 계산하시오(복습문제 2.35 참조).

2.37 정형외과의는 폴리메틸 메타크릴레이트 뼈 시멘트가 수술 도중에 상당한 양의 열을 방출한다는 것을 알고 있다. 외과의가 20 g의 폴리메틸 메타크릴레이트를 엉덩이 임플란트로 사용할 때의 반응 에너지를 계산하시오(복습문제 2.35와 2.36 참조).

2.38 보통의 불소 수지인 폴리테트라플루오로에틸렌(polytetrafluoroethylene)에 대한 단량체는 다음과 같다.

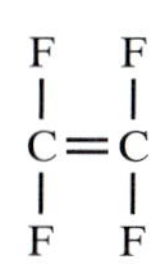

(a) 폴리테트라플루오르에틸렌의 중합 과정을 설명하시오. (b) 이 중합 과정에 필요한 (1몰당) 반응 에너지를 계산하시오. (c) $n = 500$일 때 생성 고분자의 분자량을 계산하시오.

2.39 이온 결합 및 공유 결합과 비교하여 금속 결합에서의 원자가 전자의 역할을 구별하여 설명하시오.

2.40 그림 2.17에 표시된 실리카 사면체는 이온 결합과 공유 결합 모두와 어떻게 일치하는가?

2.4_금속 결합

2.41 표 2.3에서 승화열이 금속 결합에너지 크기를 나타내는 데 쓰였는데, 그 자료에는 유의해서 볼 에너지 값이 있다. 부록 1의 용융점 자료는 그 결합의 강도를 우회적으로 나타내기도 한다. 표 2.3에서 5개의 금속을 골라 그 승화열 대 용융점 사이의 상관관계를 설명하고 도시하시오.

2.42 주기율표 내의 흐름을 살펴보기 위해 II A족 금속(Be~Ba)의 결합길이를 원자 수에 대한 함수로 도시하시오(필요한 데이터는 부록 2 참조).

2.43 문제 2.42의 도시에 같은 원소 범위에서의 금속-산화물 결합길이를 덧붙여 그리시오.

2.44 또 다른 주기율표 내의 흐름을 살펴보기 위해 금속 Na~Si의 결합길이를 원자 수에 대한 함수로 도시하시오(학습 목적상 Si는 반금속으로 간주).

2.45 금속의 전기 전도도에서 금속 결합의 원자가 전자가 하는 역할에 대해 논의하시오.

2.46 금속 원소의 긴 열의(K~Ga) 결합길이를 도시하시오.

2.47 금속 산화물의 결합길이가 일반적으로 해당 순금속의 결합길이보다 짧은 이유는 무엇인가?

• **2.48** 표 2.3에 소개된 금속의 승화열은 2.2절에 나온 금속 복합물의 이온 결합에너지와 관련이 있다. 특히 이러한 일련의 반응 에너지는 다음과 같이 도시된 Born–Haber 순환으로 요약된다. 단순한 예로서 NaCl은 소듐의 승화열이 100 kJ/mol로 주어졌을 때 염화 소듐의 이온 결합에너지를 계산하시오. (추가 자료: 소듐과 염소의 이온 결합에너지는 각각 496 kJ/mol과 −361 kJ/mol이며, 2원자 염소 가스에 대한 해리 에너지는 243 kJ/mol이고, 염화 소듐의 형성 열 ΔH_f°는 −411 kJ/mol이다.)

$$\begin{array}{ccccc} \text{Na (solid)} + \frac{1}{2}\text{Cl}_2\text{ (g)} & \longrightarrow & \text{Na (g)} & + & \text{Cl (g)} \\ \downarrow \Delta H_f^\circ & & \downarrow & & \downarrow \\ \text{NaCl (solid)} & \longleftarrow & \text{Na}^+\text{ (g)} & + & \text{Cl}^-\text{ (g)} \end{array}$$

2.5_2차 결합 또는 van der Waals 결합

2.49 고체 표면에 대한 기체 분자의 2차 결합은 삼투성 물질의 표면적을 측정하는 메커니즘에 쓰인다. 실온보다 낮은 온도로 고체 온도를 낮추면 일정량의 기체는 삼투성 표면에서 압축되어 단분자층을 형성한다. 100 g의 융합 구리 촉매에 대해 압축으로 인한 단분자층을 형성하려면, 질소 9×10^3 mm^3가 필요하다(표준 온도와 압력, 즉 0°C와 1기압에서 측정되었다). 이때 촉매의 표면적을 m^2/kg 단위로 계산하시오. (표면이 질소 분자 0.162 nm^2로 싸여 있고, n이 기체의 몰값일 때 이상 기체가 $pV = nRT$ 임을 상기하시오.)

2.50 유도쌍극자와 영구쌍극자의 차이는 무엇인가?

2.51 작은 지름의 비싼 기체인 헬륨은 규산염 유리의 상대적으로 열린 그물망 조직에 쉽게 용해된다[그림 1.8(b) 참조]. 유리질 규소에서 헬륨의 2차 결합은 −3.96 kJ/mol인 용액의 열 ΔH_s로 나타난다. S_0는 상수, R는 기체상수, T는 절대온도(단위: K)일 때 용액의 열과 용해도 S의 관계는 다음과 같다.

$$S = S_0 e^{-\Delta Hs/(RT)}$$

유리질 규소에서 헬륨의 용해도가 25°C에서 5.51×10^{23} atoms/($m^3 \cdot$ atm)일 때 250°C에서의 용해도를 계산하시오.

2.52 물이 얼면 팽창한다는 일반적인 관찰에서 2차 결합의 역할은 무엇인가?

CHAPTER 3

결정질 구조: 완전결정

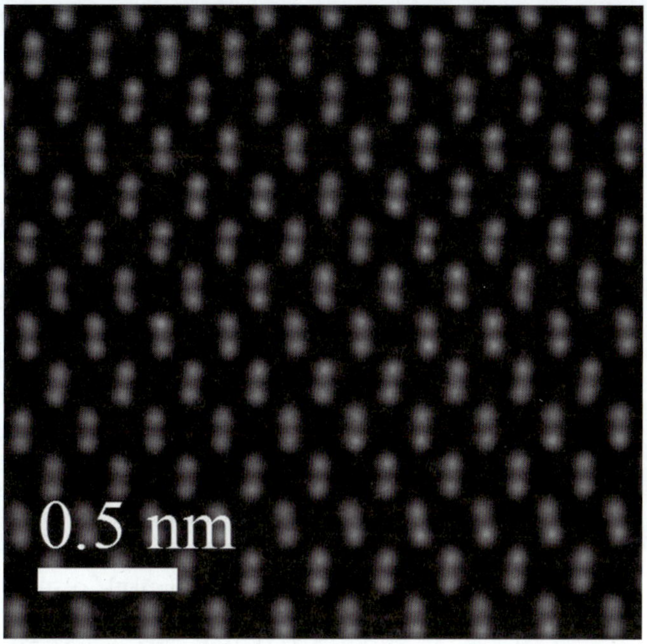

이 고해상의 전자현미경 사진은 실리콘 결정 원자의 규칙적인 배열을 보여준다. (Courtesy of Klaus van Benthem and Andrew Thron, University of California, Davis.)

학습목표

1. 결정학의 주요한 특징으로 작용하는 7가지 결정계와 14가지 결정격자를 확인한다.

2. 금속의 세 가지 가장 일반적인 결정 구조인 체심 입방(bcc), 면심 입방(fcc), 육방 조밀 충진(hcp)의 유사점과 차이점을 설명한다.

3. (a) 염화나트륨형, 형석형, 홍연석, 알루미나 같은 세라믹의 몇몇 일반적인 구조의 유사점과 차이점을 설명한다.
(b) 흑연, 풀러렌, 그래핀 같은 다양한 탄소 형태의 분자기하학적 특징의 유사점과 차이점을 설명한다.

4. 일반적인 고분자 구조, 특히 폴리에틸렌을 규명한다.

5. 일반적인 반도체 구조, 특히 다이아몬드 입방 실리콘(Si)과 섬아연광(ZnS)을 규명한다.

6. 결정학의 보편적인 용어로 격자 위치, 방향, 면을 정의한다.

7. 특별히 Bragg 방정식을 사용하여 결정 구조와 치수를 결정하는 엑스선 회절 실험 기법을 설명한다.

확립된 공업재료의 분류를 토대로 이제 재료를 특성화할 수 있다. 대부분의 공업재료는 결정질 구조, 즉 재료의 원자가 규칙적이고 반복적인 방식의 배열 구조를 나타내므로 먼저 재료의 원자 단위 구조부터 알아보자.

결정기하학의 기본 원칙이 모든 결정질 재료에 공통적으로 적용된다. 우리는 7가지의 결정계와 14가지의 결정격자를 규명해야 한다. 자연적이고 인위적으로 합성된 재료에서 발견되는 수많은 결정 구조는 이런 한정된 계와 격자로 이루어져 있다.

대부분 금속의 결정 구조는 세 가지 비교적 간단한 형태 가운데 하나로 되어 있다. 세라믹 화합물은 화학적 조성이 다양하고 결정 구조 또한 다양하다. 어떤 것은 비교적 간단하지만, 많은 경우 규산염과 같이 꽤 복잡한 구조를 갖는다. 유리는 비정질이며 그 구조와 특성은 4장에서 논의한다. 고분자는 세라믹과 유리의 두 가지 특징을 갖는데, 첫째는 결정질의 구조가 비교적 복잡하다는 것이고, 둘째는 이 같은 복잡성 때문에 쉽게 결정화되지 않는다는 것이다. 일반적인 고분자는 부피의 50~100% 정도가 비정질 부분으로 되어 있다. 실리콘 같은 단원소로 되어 있는 반도체는 특별한 구조(다이아몬드 입방체)를 갖는 데 반해 화합물 반도체는 간단한 구조를 갖는 몇몇 세라믹 화합물과 유사한 구조를 갖는다.

어떤 구조가 주어지면 그 구조 안에서 원자의 위치, 결정 방향, 결정면을 기술하는 법을 알아야 한다. 이러한 정량적인 기본 규칙을 터득한 후, 결정 구조를 알아내기 위한 표준 실험 도구인 엑스선 회절에 대한 간단한 소개로 이 장을 마무리한다.

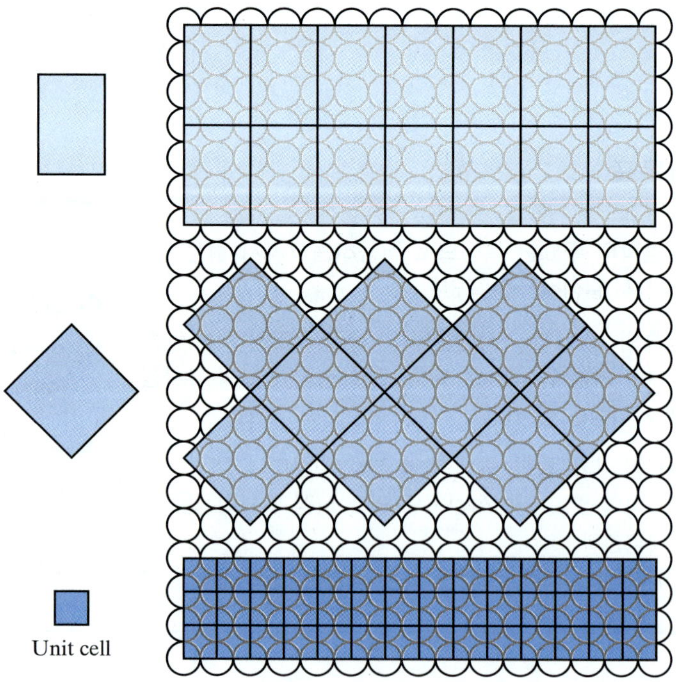

그림 3.1 개략적인 결정 구조를 나타내는 여러 종류의 구조적 단위. 가장 간단한 구조적 단위가 단위정이다.

3.1 7가지 결정계와 14가지 결정격자

결정 구조의 주요한 특징은 규칙성과 반복성이다. 이러한 반복성은 원자 결정 배열의 전형적인 모형으로 관찰해보면 명백해진다. 이와 같은 반복성을 정량화하기 위해서는 어떤 구조적 단위가 반복되는지를 알아야 한다. 실제로 어떠한 결정 구조라도 반복되는 여러 가지 구조적 단위로 형성된 모형으로 기술할 수 있다(그림 3.1). 일반적으로 구조의 단위로 사용할 수 있는 것 중에서 가장 간단한 것을 골라낼 수 있는데, 이 가장 간단한 구조의 단위를 **단위정**(unit cell)이라고 한다. 그림 3.2는 대표적인 단위정을 나타낸다. 단위정의 모서리 길이와 결정축 간의 각은 **격자 상수**(lattice constant) 또는 **격자 변수**(lattice parameter)라고 한다. 단위정의 중요한 특징은 전체적인 구조를 완전히 표시할 수 있다는 것인데, 인접한 단위정을 3차원 공간을 통해 주기적으로 쌓으면 전체 구조가 되기 때문이다.

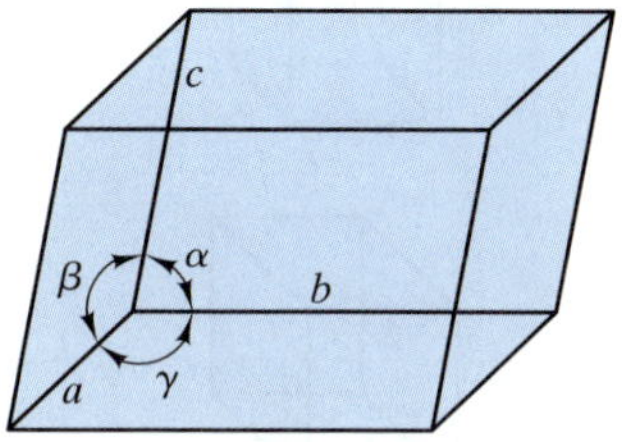

그림 3.2 일반적 단위정의 형태

단위정을 이용해서 결정 구조를 나타내면 매우 편리하다. 가능한 모든 구조는 몇 개의 기본적인 단위정으로 나타낼 수 있다. 이것은 두 가지 방법으로 설명할 수 있다. 첫째, 차곡차곡 쌓아서 3차원 공간을 채울 수 있는 단위정의 형태는 7가지뿐으로, 이것을 7가지 **결정계**(crystal system)라고 하며 표 3.1에 정의되어 있다. 이러한 공간 채움 쌓기의 일반적인 예는 그림 3.3에 나타낸 신발 상자 배열에서 볼 수 있다. 단위정은 원자 규모에서 유사한 방식으로 단순하게 쌓인다.

둘째, 주어진 단위정 안에서 원자(딱딱한 구로 생각함)를 쌓는 방법에 대해 고려해보아야 한다. 이것을 일반적인 방법으로 하려면 실제적인 원자 또는 구보다 주기적이고 3차원적으로 배열되어 있는 이론적인 점, 즉 **격자점**(lattice point)을 우선 고

그림 3.3 신발 상자 쌓기는 동일한 모양의 반복적인 쌓기가 공간을 채우므로 단위정의 쌓기와 유사하다.

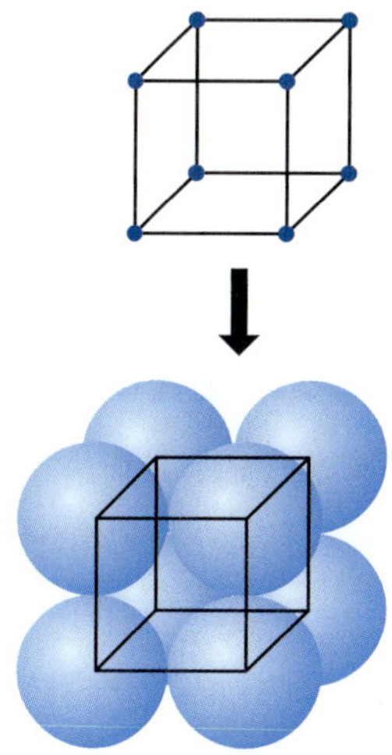

그림 3.4 단순 입방 격자점에 원자를 놓으면 격자는 단순 입방 결정 구조가 된다.

표 3.1 7가지 결정계

계	축 길이와 각도[a]	단위정 형태
입방정	$a = b = c, \alpha = \beta = \gamma = 90°$	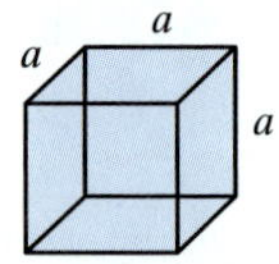
정방정	$a = b \neq c, \alpha = \beta = \gamma = 90°$	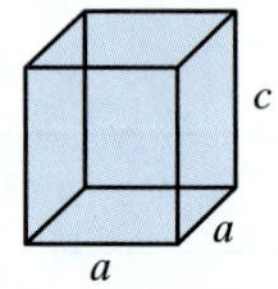
사방정	$a \neq b \neq c, \alpha = \beta = \gamma = 90°$	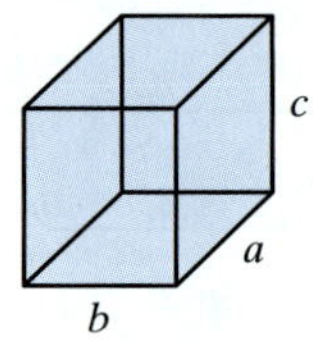
능방정	$a = b = c, \alpha = \beta = \gamma \neq 90°$	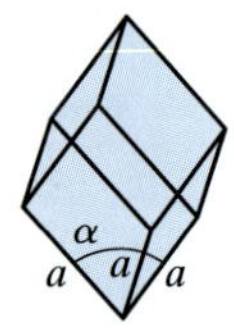
육방정	$a = b \neq c, \alpha = \beta = 90°, \gamma = 120°$	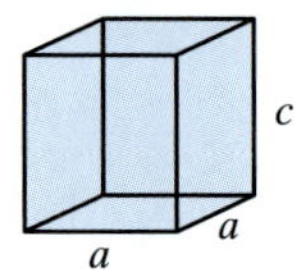
단사정	$a \neq b \neq c, \alpha = \gamma = 90° \neq \beta$	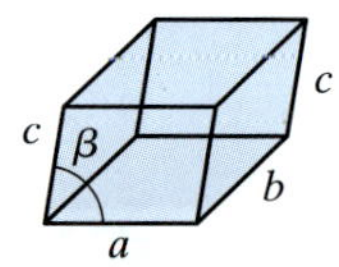
삼사정	$a \neq b \neq c, \alpha \neq \beta \neq \gamma \neq 90°$	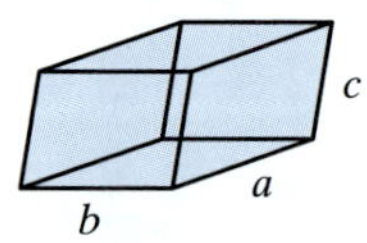

[a] 격자 상수 a, b, c는 단위정의 길이이고, 격자 상수 α, β, γ는 단위정 축 간 각도이다. 여기서 α는 a축 방향의 각이다(즉 b축과 c축 사이의 각). 부등호(≠)는 두 값이 같아야 할 필요가 없음을 의미한다. 어떤 구조에서는 같은 값을 갖는 경우도 있다.

려해야 한다. 그러면 14가지 **Bravais**[1] **격자**(Bravais lattice)로 불리는 것만 나올 수 있다(표 3.2 참고). 표 3.2의 단위정을 주기적으로 쌓으면 3차원 공간에서 똑같은 주

1) Auguste Bravais(1811~1863)는 프랑스의 결정학자로서 식물학, 천문학, 물리학을 포함한 매우 다양한 영역에서 많은 업적을 남겼다. 그의 많은 업적 중에 세인에게 잘 알려져 있는 것은 공간에서 가능한 14가지 점의 배열을 찾아낸 것이다. 이것은 우리가 원자 구조를 이해하는 기초를 제공했다.

표 3.2 14가지 결정 (Bravais) 격자

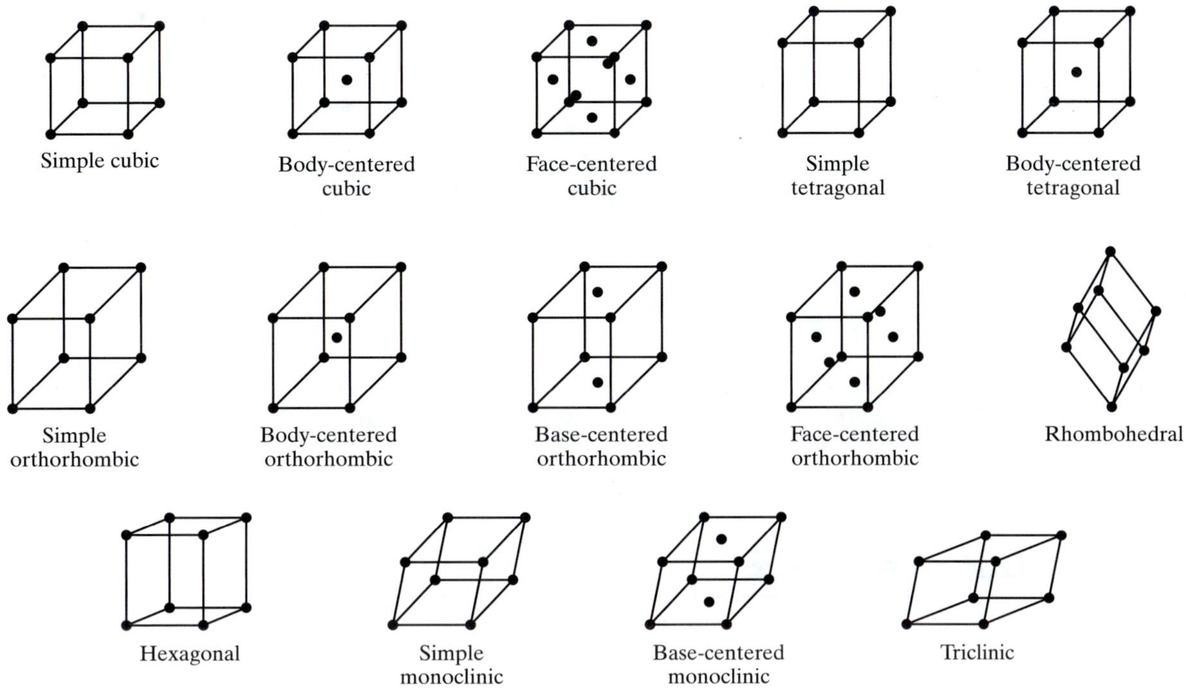

위를 갖는 점의 배열인 **점격자**(point lattice)가 생긴다. 이와 같은 점격자는 격자점 또는 격자점 근처에 원자를 놓음으로써 만들어지는 결정 구조의 골격이다. 그림 3.4와 같이 가장 간단한 방법은 각 격자점에 원자 하나를 두는 것이다. 간단한 금속 구조의 일부는 이러한 형태를 갖지만 많은 수의 결정 구조가 존재하는 것으로 알려져 있다. 결정 구조의 대부분이 주어진 격자점에 2개 이상의 원자를 갖고 있다. 일반적인 세라믹과 고분자(3.3절과 3.4절)의 결정 구조에서 많은 예를 찾을 수 있다.

예제 3.1

2차원 결정 구조에 대해 5가지 점격자를 그리시오.

풀이

단위정의 기하학은 (i) 단순 정사각형, (ii) 단순 직사각형, (iii) 면중심 직사각형(혹은 마름모), (iv) 평행사변형, (v) 면중심 육각형이다.

주: 이 5가지 기본적인 유형과 대등한 다른 가능한 형태를 작도해보면 유용한 연습이 된다. 예를 들면 면중심 사각형은 단순 사각형 격자로 분해될 수 있다(45° 기울이면).

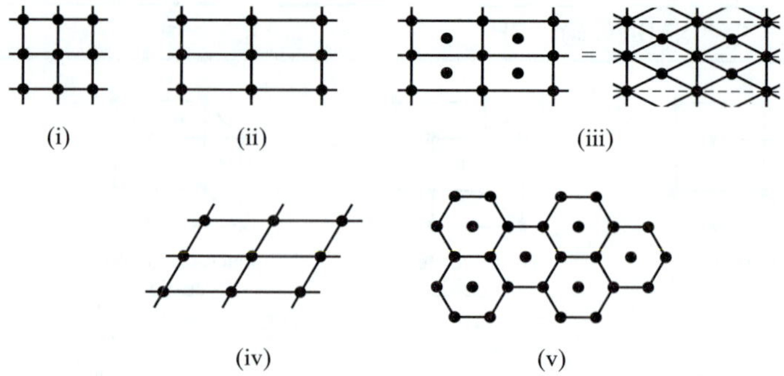

연습문제 3.1

예제 3.1에 있는 주를 보면 하나의 면중심 사각형 격자는 단순 사각형 격자로 분해될 수 있다. 이러한 등가성을 그림으로 보이시오.

3.2 금속 구조

구조적인 기본 법칙을 토대로, 중요한 공업재료와 연관된 주요 결정 구조를 열거할 수 있다. 우리가 첫 번째 그룹으로 나눈 금속에서는 이 목록이 매우 간단하다. 부록 1을 보면 잘 알 수 있듯이, 대부분 단원소로 된 금속은 상온에서 세 가지 결정 구조 중 하나를 갖는다.

그림 3.5는 **체심 입방**(body-centered cubic, bcc) 구조를 보여준다. 이 구조는 각 격

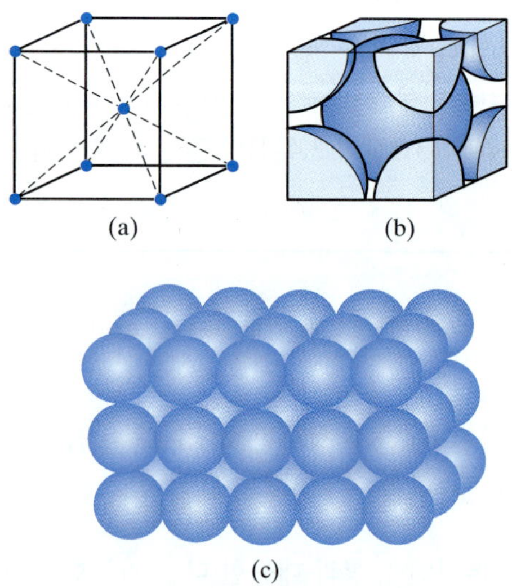

구조: 체심 입방정(bcc)
Bravais 격자: bcc
원자수/단위정: $1 + 8 \times \frac{1}{8} = 2$
전형적인 금속: α-Fe, V, Cr, Mo, W

그림 3.5 체심 입방(bcc) 구조의 금속에 대한 (a) 단위정의 격자점의 배열 (b) 단위정 내 원자의 충진(단단한 구로 표시) (c) 이웃하는 단위정과 동등한 체심 입방 구조의 반복 [Part (c) courtesy of Accelrys, Inc.]

자점의 중심에 한 원자를 갖고 있는 체심 입방 Bravais 격자이다. 단위정의 중심에 1개의 원자, 8개의 꼭짓점에 1/8개의 원자가 있다(각 꼭짓점의 원자는 인접한 8개의 단위정에 의해 공유된다). 이와 같이 각각의 bcc 단위정에는 2개의 원자가 있다. 이 구조의 **원자 충진도**(atomic packing factor, APF)는 2개의 원자가 차지하는 부피를 단위정의 부피로 나눈 값이고 이 값은 0.68이다. 이 구조를 가진 대표적인 금속은 α-Fe(상온에서 안정한 형태), V, Cr, Mo, W 등이 있다. 이 금속 중 하나를 주성분으로 하는 합금 역시 이 구조를 갖는 경향이 있다. 그러나 합금 원소가 있으면 결정의 완전성이 떨어지는데, 이 점에 대해서는 4장에서 논의할 것이다.

그림 3.6은 **면심 입방**(face-centered cubic, fcc) 구조를 보여주며, 이것은 격자점마다 원자 하나를 갖고 있는 fcc Bravais 격자이다. 이 구조에는 6개의 면에 1/2개의 원자(두 단위정 사이에 공유하는 한 원자), 8개의 꼭짓점에 1/8개의 원자가 있으므로 각각의 fcc 단위정에는 4개의 원자가 있다. 이 구조의 원자 충진도는 0.74이고 이 값은 bcc 금속의 원자 충진도 0.68보다 약간 큰 값이다. 실제 0.74의 원자 충진도는 동일한 크기의 단단한 구(hard sphere)를 쌓음으로써 공간을 채워 얻을 수 있는 가장 큰 값이다. 이 때문에 fcc 구조는 **입방 조밀 충진**(cubic close packed, ccp) 구조라고도 한다. fcc 구조를 가진 전형적인 금속에는 γ-Fe(912~1,394°C에서 안정), Al, Ni, Cu, Ag, Pt, Au 등이 있다.

우리가 처음 접하는 **육방 조밀 충진**(hexagonal close packed, hcp) 구조(그림 3.7)는 Bravais 격자(육방 정계)보다 좀 더 복잡한 구조이다. 이 구조는 각각의 Bravais

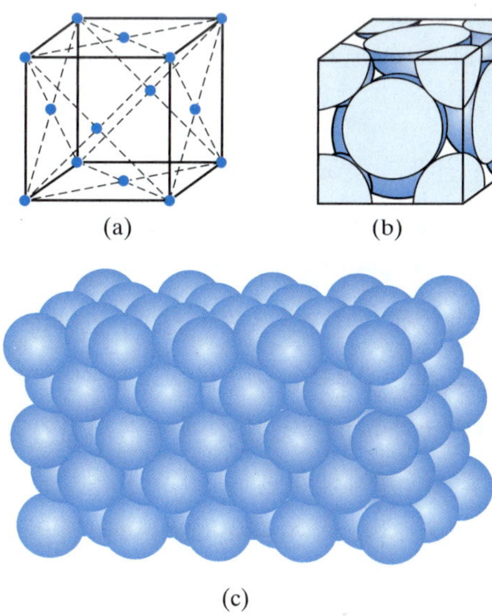

그림 3.6 면심 입방(fcc) 구조의 금속에 대한 (a) 단위정의 격자점의 배열 (b) 단위정 내 원자의 충진 (c) 이웃하는 단위정과 동등한 면심 입방 구조의 반복 [Part (c) courtesy of Accelrys, Inc.]

구조: 면심 입방정(fcc)
Bravais 격자: fcc
원자수/단위정: $6 \times \frac{1}{2} + 8 \times \frac{1}{8} = 4$
전형적인 금속: γ-Fe, Al, Ni, Cu, Ag, Pt, Au

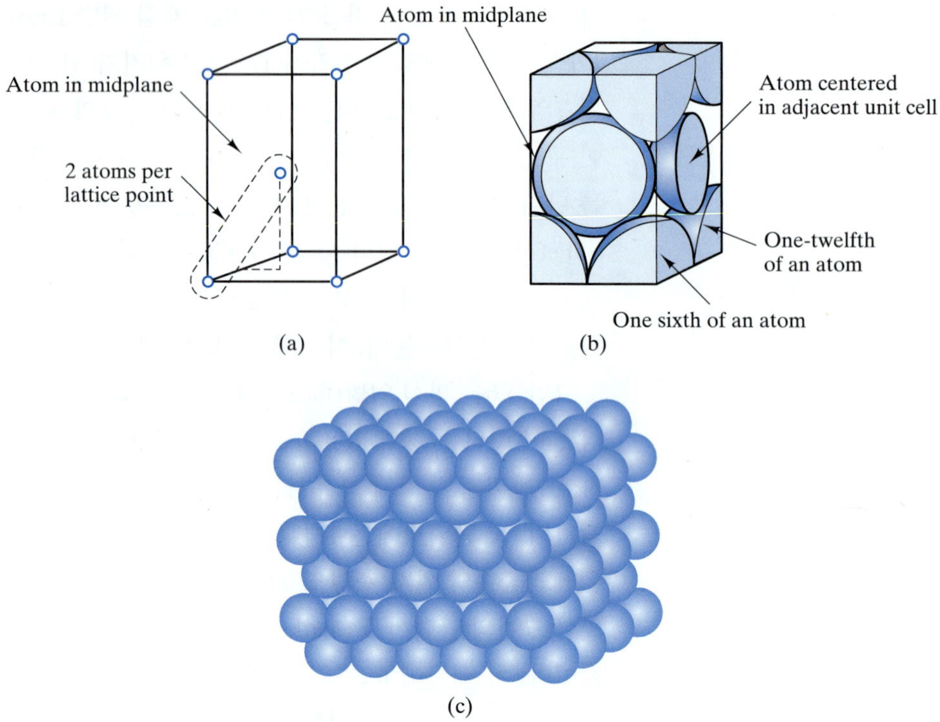

구조: 육방 조밀 충진(hcp)
Bravais 격자: 육방정
원자수/단위정: $1 + 4 \times \frac{1}{6} + 4 \times \frac{1}{12} = 2$
전형적인 금속: Be, Mg, α-Ti, Zn, Zr

그림 3.7 육방 조밀 충진(hcp) 구조의 금속에 대한 (a) 단위정 격자점의 배열. 여기서는 각 격자점마다 2개의 원자가 있다. (b) 단위정 내 원자의 충진. 중심 위치의 원자는 단위정 경계를 지나 확장되었음에 유의하라. (c) 이웃하는 단위정과 동등한 육방 조밀 충진 구조의 반복 [Part (c) courtesy of Accelrys, Inc.]

격자점에 2개의 원자를 갖고 있다. 또한 각 단위정마다 단위정의 중심에 1개의 원자를 갖고 있고 단위정의 모서리에 여러 종류의 부분적인 원자(4개의 $\frac{1}{6}$원자와 4개의 $\frac{1}{12}$원자)를 갖는다. 즉 단위정마다 2개의 원자를 갖고 있다. **조밀 충진**(close-packed)이라는 용어가 내포하듯이, 이 구조는 fcc 구조만큼 구를 효과적으로 쌓을 수 있다. hcp와 fcc 두 구조 모두 0.74의 원자 충진도를 갖는다. 이것은 다음의 두 가지 의문점을 제기한다. (1) fcc와 hcp는 어떤 점에서 유사한가? (2) 어떤 점에서 다른가? 이 두 질문의 대답은 그림 3.8에서 찾을 수 있다. 이 두 구조는 조밀 충진면을 각각의 규칙을 갖고 쌓아서 만든 것이다. 이 두 구조의 차이점은 층을 쌓는 순서에 있다. fcc 구조는 네 번째 층이 첫 번째 층 위에 놓여 있고, hcp 구조는 세 번째 층이 첫 번째 층 위에 놓여 있다. fcc의 적층은 ABCABC 순서로 되어 있고, hcp의 적층은 ABAB 순서로 되어 있다. 6.3절에서 볼 것처럼 이와 같은 미묘한 차이는 재료의 특성에 매우 중요한 차이를 가져온다. hcp 구조를 가진 전형적인 금속은 Be, Mg, α-Ti, Zn, Zr 등이 있다.

표 3.3 일반 금속 구조의 단위정 크기(변 길이)와 원자 반지름

결정 구조	모서리 길이 a와 원자 반지름 r 사이의 관계
체심 입방(bcc)	$a = 4r/\sqrt{3}$
면심 입방(fcc)	$a = 4r/\sqrt{2}$
육방 조밀 충진(hcp)	$a = 2r$

비록 단원소로 된 금속의 대부분은 앞에서 언급한 세 가지 구조 중 하나를 갖지만 몇몇 금속은 특이한 구조를 보인다. 이와 같은 경우를 자세히 다루지는 않겠지만, 부록 1을 보면 알 수 있다.

이 절에서 소개한 금속 구조를 분석하는 과정을 배우다 보면 표 3.3에 주어진 것과 같은 단위정의 크기와 원자 반지름 간의 유용한 관계식을 자주 접하게 될 것이다. 우리가 처음으로 발견한 이러한 관계식의 유용성은 다음 예제와 연습문제를 통해 알 수 있다.

POWERS OF 10

금속의 소성 변형을 이해하는 데 중요한 이러한 원자 규모의 충진 배열이 표 6.8에 나와 있다.

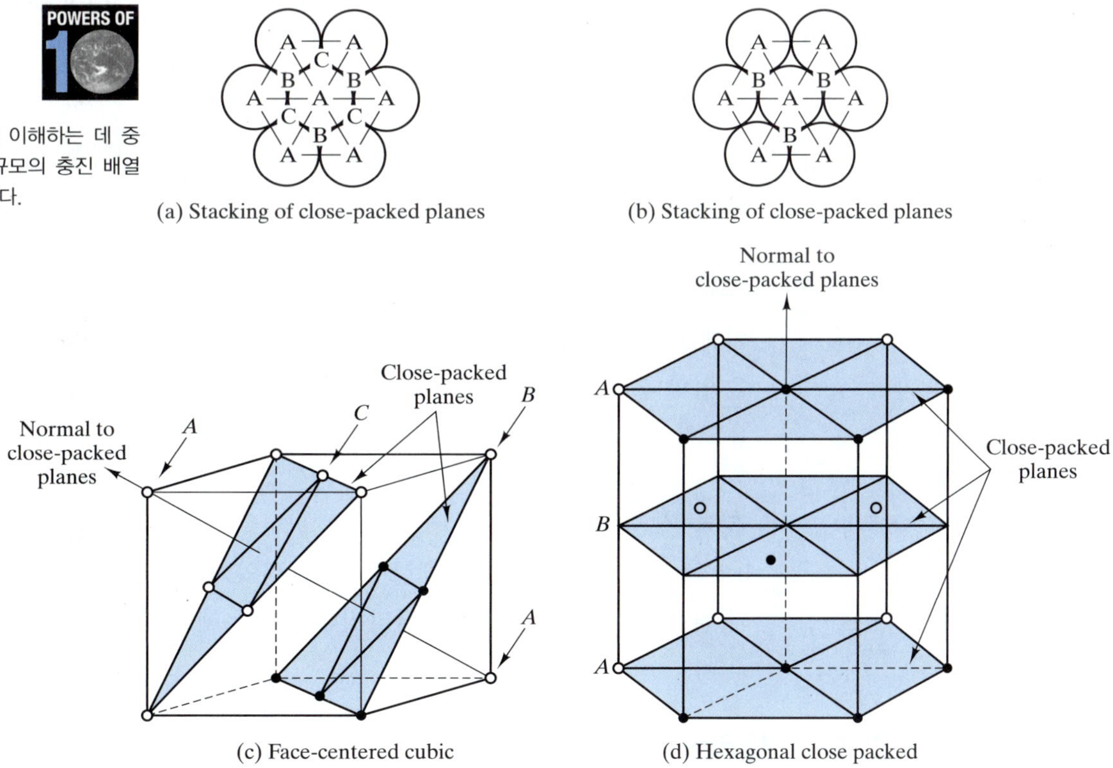

그림 3.8 면심 입방정 구조와 육방 조밀 충전 구조의 비교. 이들은 모두 밀집면을 효율적으로 적층하고 있다. 차이점은 적층 순서가 다르다는 것이다. (From B. D. Cullity and S. R. Stock, *Elements of X-Ray Diffraction*, 3rd ed., Prentice Hall, Upper Saddle River, NJ, 2001.)

예제 3.2

부록 1과 2를 이용하여 구리의 밀도를 계산하시오.

풀이

부록 1을 보면 구리는 fcc 금속이다. 단위정(그림 3.6)의 면대각선 길이가 l이면

$$l = 4r_{\text{Cu atom}} = \sqrt{2}a$$

또는 표 3.3에 주어진 바와 같이

$$a = \frac{4}{\sqrt{2}} r_{\text{Cu atom}}$$

부록 2의 자료를 이용하면

$$a = \frac{4}{\sqrt{2}}(0.128\text{ nm}) = 0.362\text{ nm}$$

(4개의 원자를 포함해서)단위정의 밀도는

$$\begin{aligned}\rho &= \frac{4\text{ atoms}}{(0.362\text{ nm})^3} \times \frac{63.55\ g}{0.6023 \times 10^{24}\text{ atoms}} \times \left(\frac{10^7\text{ nm}}{\text{cm}}\right)^3 \\ &= 8.89\text{ g/cm}^3\end{aligned}$$

이 값은 부록 1의 8.93 g/cm^{3}와 비슷하다. 이 차이는 더 정확한 $r_{\text{Cu atom}}$ 값을 사용하면 없앨 수 있다(즉 적어도 유효 숫자 하나를 더 고려한 경우).

연습문제 3.2

예제 3.2에서 fcc 금속의 격자 상수 a와 원자 반지름 r의 관계는 ($a = (4/\sqrt{2})r$임을 알았다. 표 3.3에서 이와 비슷한 관계식을 (a) bcc 금속과 (b) hcp 금속에 대해 유도하시오.

연습문제 3.3

bcc 금속인 α-Fe의 밀도를 계산하시오. (주의: 결정 구조가 달라지면 격자 상수 a와 원자 반지름 r의 관계식도 달라진다. 연습문제 3.2와 표 3.3 참고)

3.3 세라믹 구조

세라믹 화학 조성의 다양성은 결정 구조에 잘 반영되어 있다. 모든 세라믹 구조를 전부 목록화하는 것으로 설명을 시작할 수 없으므로 가장 중요하고 대표적인 몇 개를 골라 체계적으로 열거하고자 한다. 이 목록도 매우 길기 때문에 대부분의 구조를 간

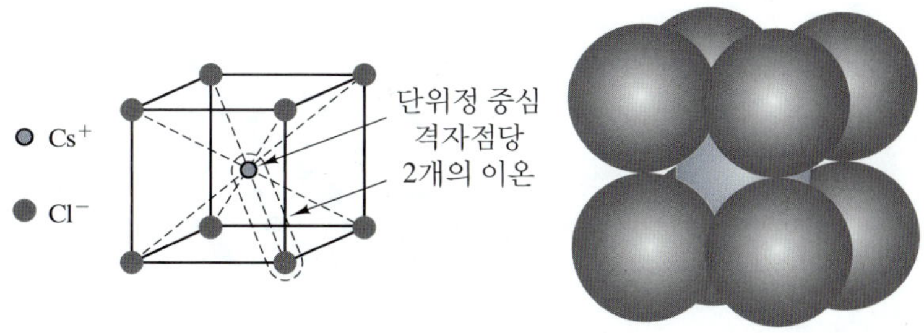

(a) (b)

구조: 염화세슘형
Bravais 격자: 단순 입방정
이온수/단위정: $1Cs^+ + 1Cl^-$

그림 3.9 (a) 이온 위치와 각 격자점당 2개의 이온 (b) 실제 크기의 이온을 보여주는 염화세슘(CsCl) 단위정. 격자점에서 $Cs^+ - Cl^-$ 쌍은 분자가 아님에 유의하라. 이온 결합은 방향성이 없고, Cs^+ 이온은 주위의 8개의 Cl^- 이온과 또는 그 역으로도 동등하게 결합되어 있다. [Part (b) courtesy of Accelrys, Inc.]

단히 기술할 것이다. 이러한 세라믹 구조 중에 금속 간 화합물 구조와 같은 것이 많다는 것은 주목할 만하다. 금속 구조에 대한 원자 충진도(APF)를 정의한 것처럼 세라믹 구조에 대해서는 **이온 충진도**(ionic packing factor, IPF)를 정의할 수 있다. IPF는 단위정의 부피 중 여러 가지 양이온과 음이온이 차지하는 분율(fraction)이다.

이제 가장 간단한 화학식 MX를 가진 세라믹을 살펴보자. 여기서 M은 금속 원소이고, X는 비금속 원소이다. 첫 번째 예로 그림 3.9에서 보여주는 **염화세슘**(cesium chloride, CsCl) 구조를 들 수 있다. 언뜻 보기에는 그림 3.5와 유사한 모양을 갖고 있기 때문에 체심 입방 구조라고 할 수 있지만, 사실 CsCl 구조는 각 격자점에 2개의 이온(하나의 Cs^+와 하나의 Cl^-)을 갖고 있는 단순 입방 Bravais 격자이다. 즉 이 구조는 단위정마다 2개의 이온(하나의 Cs^+와 하나의 Cl^-)을 갖는다.

염화세슘은 화합물 구조의 좋은 예이지만 상업적으로 중요한 세라믹은 아니다. 이와는 대조적으로 그림 3.10에서 보여주는 **염화나트륨**(sodium chloride, NaCl) 구조는 많은 중요한 세라믹 물질과 같은 구조를 갖고 있다. 이 구조는 2개의 fcc 구조가 얽혀 있는 형태인데, 하나는 Na^+ 이온의 fcc 구조이고, 다른 하나는 Cl^- 이온의 fcc 구조이다. hcp와 염화세슘 구조의 경우처럼 염화나트륨 구조도 각 격자점에 2개의 이온(1개의 Na^+와 1개의 Cl^-)을 갖는 fcc Bravais 구조이다. 즉 이 구조의 각 단위정에는 8개의 이온(4개의 Na^+와 4개의 Cl^-)이 있다. 이 구조를 갖는 중요한 세라믹 산화물에는 MgO, CaO, FeO, NiO 등이 있다.

많은 중요한 세라믹 구조는 화학식 MX_2로 나타낼 수 있다. 그림 3.11은 **형석**(fluorite, CaF_2) 구조를 보여준다. 이것은 각 격자점당 3개의 이온(1개의 Ca^{2+}와 2개의 F^-)을 갖는 fcc Bravais 격자로 되어 있다. 1개의 단위정에는 12개의 이온(4개의 Ca^{2+}와 8개의 F^-)이 있다. 이 구조를 가진 전형적인 세라믹에는 UO_2, ThO_2, TeO_2

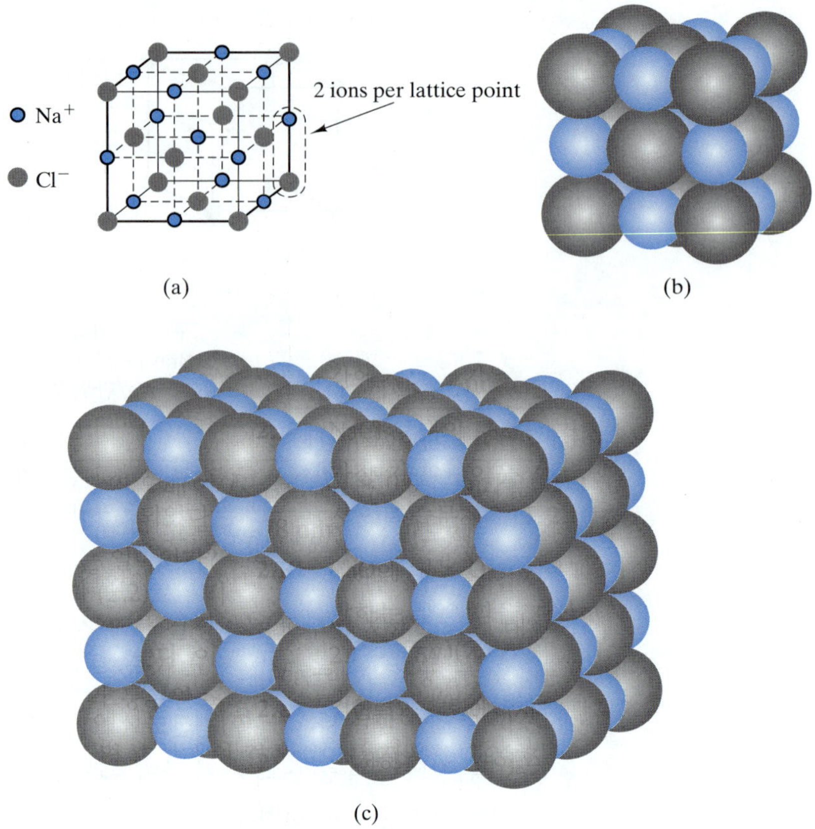

구조: 염화나트륨형
Bravais 격자: fcc
이온수/단위정: $4Na^+ + 4Cl^-$
전형적인 세라믹: MgO, CaO, FeO, NiO

그림 3.10 염화나트륨(NaCl)의 (a) 단위정의 이온 위치 (b) 실제 크기의 이온 (c) 단위정의 배열 [Parts (b) and (c) courtesy of Accelrys, Inc.]

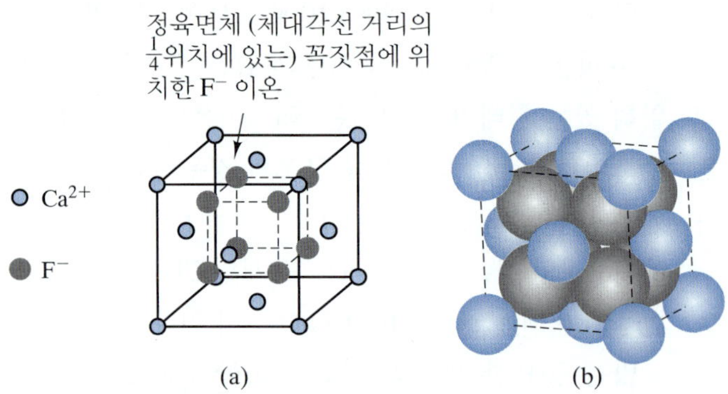

구조: 형석(CaF_2)형
Bravais 격자: 면심 입방정
이온수/단위정: $4Ca^{2+} + 8F^-$
전형적인 세라믹: UO_2, ThO_2, TeO_2

그림 3.11 형석(CaF_2)의 (a) 단위정의 이온 위치 (b) 전체 크기의 이온 [Part (b) courtesy of Accelrys, Inc.]

등이 있다. 형석 단위정에는 중심부에 비어 있는 공간이 있는데 이 비어 있는 공간은 핵연료 기술에서 매우 중요한 역할을 한다. 이산화우라늄(UO_2)은 헬륨 가스와 같은 핵분열 생성물을 부풀림(swelling) 없이 적당하게 수용할 수 있는 반응로 연료로 사용할 수 있다. 헬륨 원자는 형석 단위정의 비어 있는 공간에 수용된다.

MX_2의 부류에 속하는 것 중 가장 중요한 세라믹 화합물은 아마도 **실리카**(silica, SiO_2)일 것이다. 이것은 지각에 존재하는 천연 재료에서 쉽게 구할 수 있다. 실리카는 그 자체로 또는 다른 산화물과 화학적인 조합[즉 규산염(silicates) 형성]으로 공학자들에게 유용한 많은 세라믹 물질을 형성한다. 이 때문에 SiO_2의 구조는 매우 중요하다. 그러나 불운하게도 이 구조는 간단하지 않다. 사실상 이 구조는 하나의 구조로 기술할 수 없고 (온도나 압력이 변함에 따라) 여러 가지 구조로 기술해야 한다. 대표적인 예로 그림 3.12에서 보여주는 **홍연석**(cristobalite, SiO_2) 구조를 들 수 있다. 홍연석 구조는 각 격자점에 6개의 이온(2개의 Si^{4+}와 4개의 O^{2-})을 가진 fcc Bravais 격자로 되어 있고, 각 단위정은 24개의 이온(8개의 Si^{4+}와 16개의 O^{2-})을 갖고 있다. 이 구조를 기술하기 위해서는 큰 단위정이 필요하지만 SiO_2의 여러 결정학적 형태 중 가장 간단한 것이다. 모든 SiO_2 구조의 일반적인 특징은 SiO_4^{4-} 사면체 구조(2.3절 참고)가 연속적으로 연결되어 그물 모양을 갖는다는 것이다. 인접한 사면체가 O^{2-} 이온을 공유하므로 전체적인 화학식을 SiO_2로 쓴다.

이미 살펴본 것과 같이(3.2절) 철(Fe)은 온도 영역이 바뀌면 서로 다른 안정한 결정 구조를 갖는다. 실리카(SiO_2)도 동일한 현상을 나타낸다. 비록 기본적인 SiO_4^{4-} 사

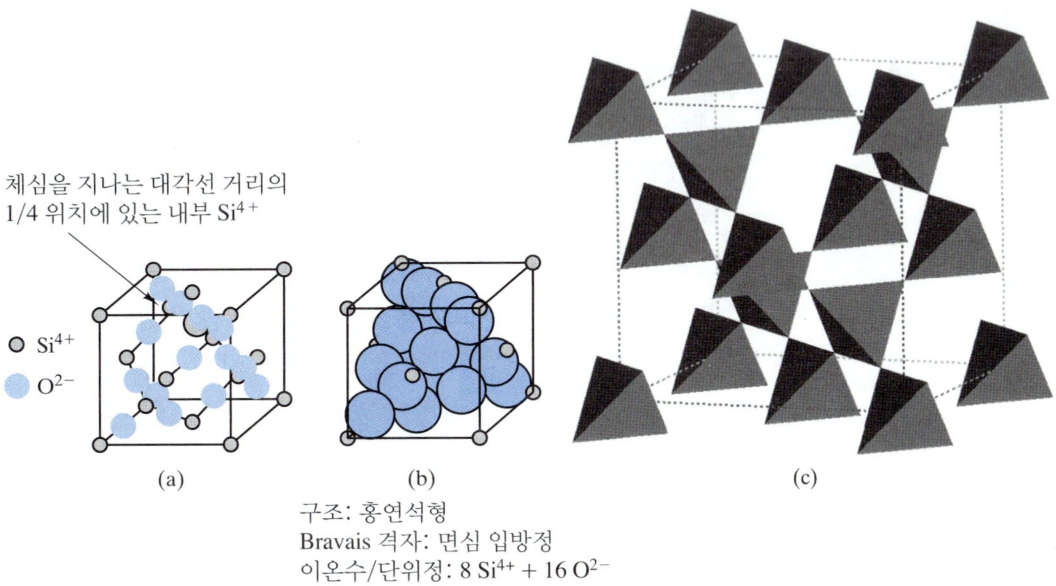

그림 3.12 홍연석(SiO_2) 단위정의 (a) 이온 위치 (b) 실제 크기의 이온 (c) SiO_4^{4-} 사면체의 연결 형태. 이 개략도로 보면 각 사면체의 중심에 Si^{4+} 이온이 위치해 있고, 각 꼭짓점에 O^{2-} 이온이 위치하여 이웃 사면체와 공유하고 있다. [Part (c) courtesy of Accelrys, Inc.]

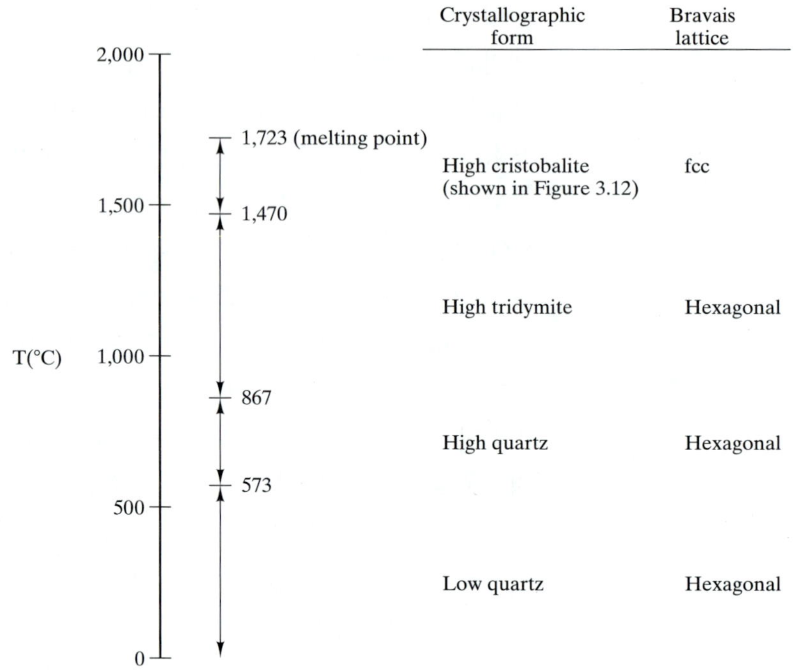

그림 3.13 상온에서 용융점까지 가열될 때 안정한 여러 가지 SiO_2의 결정학적 형태. 각각의 형태를 보면 SiO_4^{4-} 사면체가 이웃과 연결되는 방법이 다른 것을 나타낸다.

면체 구조가 모든 SiO_2 결정 구조에서 나타난다고 해도, 연결된 사면체 구조의 배열은 변화한다. 상온에서 용융점까지의 SiO_2 평형 구조가 그림 3.13에 요약되어 있다. 이와 같은 종류의 상 변태를 하는 재료를 사용할 때는 항상 주의해야 한다. 실리카 세라믹을 573°C 부근에서 냉각 또는 가열시키면 '저온' 안정형 석영에서 '고온' 안정형 석영으로, 비교적 민감한 상 변태가 일어나므로 실리카 세라믹은 구조적으로 매우 급격한 구조적 손상을 초래할 수 있다.

그림 3.14에서 보여주는 **코런덤**(corundum, Al_2O_3) 구조는 화학식 M_2X_3에 속한다. 이것은 능방정 Bravais 격자에 속하지만 육방 격자에 매우 가까운 모양을 갖고 있다. 그리고 이 구조는 격자점당(단위정당) 30개의 이온을 가진다. 화학식 Al_2O_3에 따르면 이 30개의 이온은 12개의 Al^{3+}와 18개의 O^{2-}이다. 또 이 구조는 3.2절의 hcp 구조와 비슷하게 복잡한 구조를 나타낸다. Al_2O_3 구조는 대체로 조밀 충진된 O^{2-} 면으로 되어 있고 이 면 사이에 있는 작은 침입형 위치의 2/3가 Al^{3+}로 채워져 있다. Cr_2O_3와 α-Fe_2O_3는 모두 커런덤 구조를 가진다.

SiO_2 구조의 복잡성을 논의할 때 SiO_2와 다른 세라믹 산화물이 화학적으로 반응해서 만들어진 많은 규산염 재료의 중요성을 언급했다. 이러한 구조의 일반적인 성질은 부가적인 산화물 SiO_4^{4-} 사면체의 연결성을 파괴하려는 경향을 갖는다는 것이다. 나머지 사면체의 연결은 규산염 사슬이나 판 형태로 되어 있다. 비교적 간단한 예로는 그림 3.15에 나타낸 **고령토**(kaolinite) 구조이다. 고령토[$2(OH)_4Al_2Si_2O_5$]는

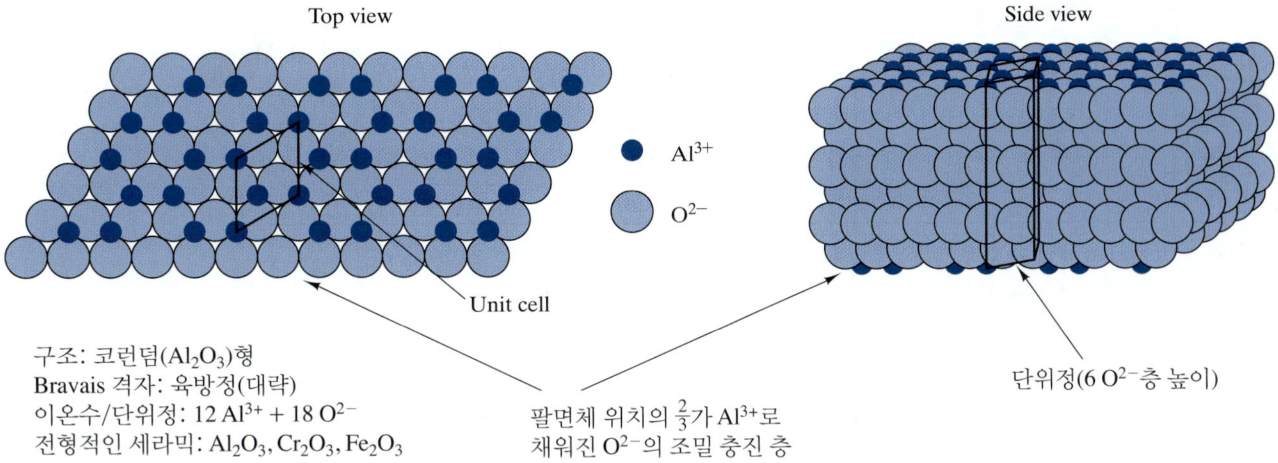

그림 3.14 코런덤(Al_2O_3) 단위정으로 밀집된 O^{2-} 이온의 반복된 적층 위에 겹침을 나타냈다. Al^{3+} 이온은 층과 층 사이의 팔면체 빈틈의 2/3를 채운다.

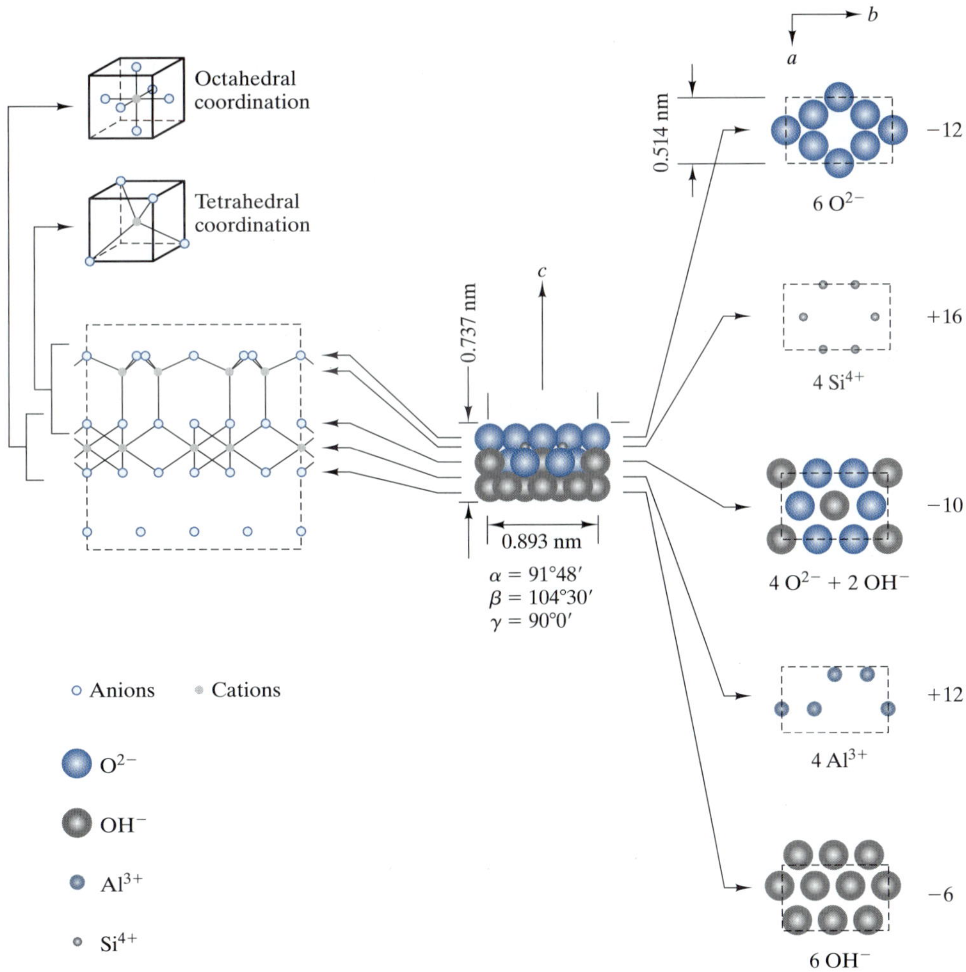

그림 3.15 고령토[$2(OH)_4Al_2Si_2O_5$] 단위정의 분해도 (From F. H. Norton, *Elements of Ceramics*, 2nd ed., Addison-Wesley Publishing Co., Inc., Reading, MA, 1974.)

그림 3.16 점토판의 구조를 나타내는 주사 전자현미경 사진. 이 미세구조는 그림 3.15에서 보여준 층상 구조를 나타낸다. 육방정 형상의 면은 측면 길이가 수 나노미터이다. (Nano Creative/Science Source.)

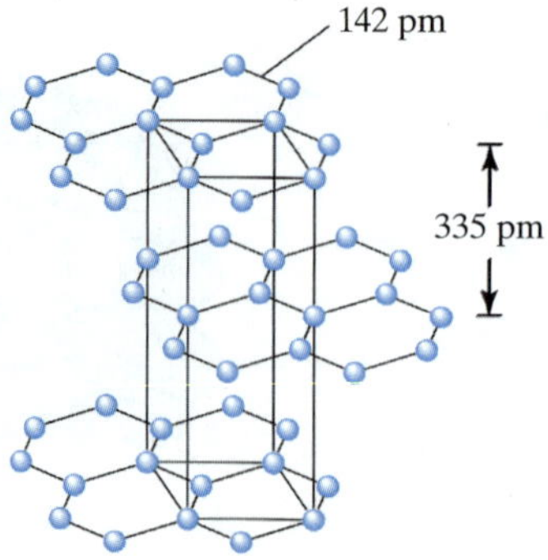

그림 3.17 흑연(C) 단위정의 상세도 (From Petrucci, R. H., F. G. Herring, J. D. Madura, and C. Bissonnette, *General Chemistry—Principles and Modern Applications with Mastering Chemistry®*, 10th ed., Prentice-Hall, Upper Saddle River, NJ, 2011.)

수화 규산알루미늄이며, 점토광물의 좋은 예이다. 이 구조는 판상 규산염의 전형적인 구조이며, 단위정당 2개의 고령토 분자를 갖는 삼사 Bravais 격자이다. 미시적 규모에서 살펴보면 많은 점토광물이 판상 또는 편상 구조를 가지고 있는 것을 알 수 있다(그림 3.16 참고). 이러한 형상은 그림 3.15에 나타낸 결정 구조를 직접적으로 보여준다.

이 절에서는 여러 가지 세라믹 화합물의 결정 구조를 살펴보았다. 세라믹 구조는 화학적으로 복잡해질수록 점점 복잡해진다. 염화세슘(그림 3.9)과 고령토(그림 3.15)는 크게 대조된다.

세라믹에 대한 논의를 마치기 전에 세라믹을 화합물로 취급하지 않는, 예외적으로 중요한 몇 가지 재료를 살펴보자. 그림 3.17은 상온에서 안정한 형태인 탄소, 즉 흑연의 층상 구조를 보여준다. 흑연은 비록 한 원자로 되어 있지만 금속보다는 세라믹과 비슷하다. 탄소 원자의 육각형 고리는 강한 공유 결합으로 되어 있다. 그러나 층간 결합은 약한 van der Waals 결합(2.5절)을 하고 있어 이러한 약한 결합이 흑연으로 하여금 기계적으로 약한 성질을 나타내도록 한다. 또한 이 성질은 흑연이 '건조' 윤활제로 이용되도록 한다. 반도체 실리콘이 이러한 구조를 가지므로 솔리드 스테이트 기술에서 중요한 역할을 하는 고압 안정화 형태인 다이아몬드 입방체와 흑연 구조를 대조해보는 것은 흥미롭다(그림 3.20 참조).

좀 더 흥미로운 것은 흑연 구조와 다이아몬드 구조를 근래에 우주화학 분야의 연구 부산물로 1980년대에 발견된 탄소의 또 다른 형태와 비교해보는 것이다. 그림 3.18은 C_{60} 분자의 구조를 예시한 것이다. 독특한 구조는 헬륨과 같은 운반 기체 안에서 탄소의 레이저 기화에 대한 실험 중에 발견되었다. 이 실험의 원래 의도는 탄소로 이루어진 별에서 탄소 고리의 합성을 모의하는 것이었다. 그러나 그 실험결과로 얻은 것은 측지적 돔 형태의 분자 크기의 축소판이었으며, 이 재료의 이름은 발명자의 이름을 따서 **벅민스터풀러렌**(buckminsterfullerene)[2] 또는 단순히 **풀러렌**(fullerene)

2) Richard Buckminster Fuller(1895~1983)는 20세기의 가장 영향력 있고 유명한 미국의 건축가이자 발명가이다. 예술에서 과학에 이르기까지 광범위한 주제를 담았던 그의 창조적 논의(미래의 경향도 자주 언급함)는 그 명성을 뒷받침하는 데 도움을 주었다. 사실 그의 카리스마적인 성향은 그의 독특한 여러 건축 설계와 공학 설계만큼 기념비적인 것이었다.

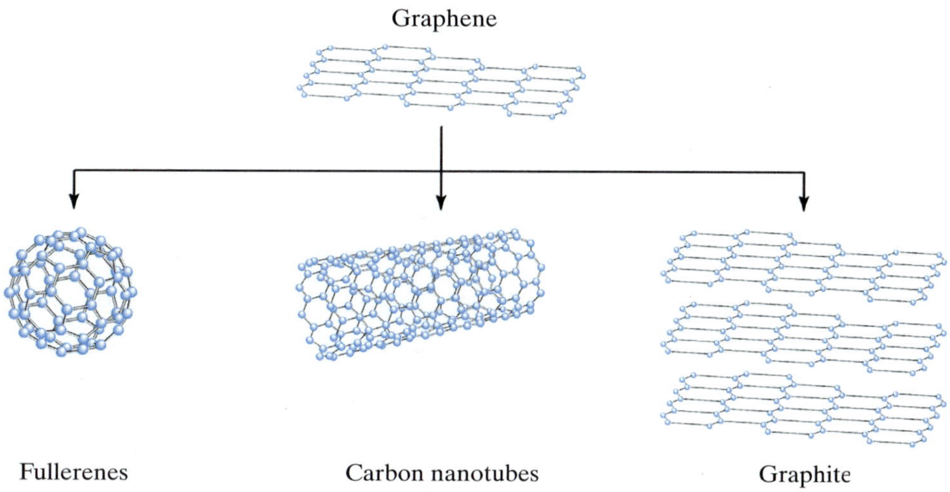

그림 3.18 그라펜은 단일 흑연 층(그림 3.17과 비교)과 펼쳐진 탄소 나노 튜브(혹은 버키 튜브)에 해당하는 것으로 보인다. (From Petrucci, R. H., F. G. Herring, J. D, Madura, and C. Bissonnettre, *General Chemistry—Principles and Modern Applications with Mastering Chemistry*®, 10th ed., Prentice-Hall, Upper Saddle River, NJ, 2011.)

이라고 명명하게 되었다. 그림 3.18에 나타낸 구조를 자세히 살펴보면 구에 가까운 분자는 실제로 변이 5 또는 6인 면으로 형성된 다면체라는 것을 알 수 있다.

버키볼은 '나노 크기' 이해에 도움이 된다. 축구공과 지구의 지름 비(오각형과 육각형 버키볼의 같은 기하학적 분포)는 축구공과 버키볼의 지름 비와 같다(두 경우 모두에서 약 10^8).

20개의 육각형 사이에 12개 오각형의 균일한 분포는 축구공 모양과 같아서 그 구조에 대한 별명이 **버키볼**(buckyball)이 되었다. 흑연(그림 3.17)에서의 구성원이 6개인 고리의 평탄한 판상 구조와는 반대로 버키볼에서는 이 5개 고리가 있음으로써 표면이 양의 곡률을 가지게 된다. 그 후 계속된 연구결과로 넓은 영역의 풀러렌에 대한 다양한 구조를 합성하게 되었다. 실제로 *n*이 예를 들어 240과 540 같은 여러 가지 큰 짝수 값인 식 C_n인 버키볼을 합성했다. 그 구조는 육각형의 배열을 연결하는 균일하게 분포되어 있는 12개의 오각형으로 이루어져 있다. 버키볼의 대체적인 구형의 곡률을 얻으려면 오각형이 필요하지만 이 독특한 재료에 대한 근래의 폭넓은 연구결과로 단순히 육각의 흑연판을 말아서 원통형의 곡률을 얻을 수 있다는 것을 알게 되었다. 그 결과로 얻은 **버키 튜브**(buckytube)를 그림 3.18에 나타냈다.

아직은 초기 연구단계이지만, 이러한 재료는 화학과 물리 분야뿐만 아니라 재료과학과 공학 분야에서도 상당한 흥미를 끌고 있다. 이러한 재료의 분자 구조는 매우 흥미로우며, 독특한 화학적 및 물리적 특성을 갖고 있다(예를 들면 개개의 C_n 버키볼은 nm 크기의 독특한 비활성 표현으로 이루어져 있다). 마찬가지로 버키 튜브는 이론적으로 12장에서 논의할 첨단 복합재료를 가능하게 하는 고강도 강화 섬유질일 것으로 예측된다. 이 구조는 실질적인 연구개발 대상이고, 일반적으로 **탄소 나노 튜브**(carbon nanotubes, CNT)라고 한다. 나노기술에서 점차 널리 사용되고 있는 CNT에 대해서는 15장의 '재료의 세계'에서 설명한다. 끝으로 그림 3.18의 분자 구조는 흥미로우나 넓은 범위의 결정학적 구조와는 연관되어 있지 않다는 것을 인지해야 한다. 그럼에도 불구하고 버키볼과 버키 튜브는 재료기술과 의료기술 분야에서 중요한 응용을 제공할 수 있는 독특한 특성에 해당되는 흥미로운 원자 규모의 구조를 갖는다.

지난 20년 내에 탄소 재료는 다시 주요 과학적 발견인 **그라펜**(graphene)의 원천이 되었다. 그림 3.18에 나타낸 대로 그라펜은 단순히 흑연의 단 하나의 원자층이다(그림 3.17과 비교). 놀랍게도 단순한 실험으로 이 흥미로운 재료가 만들어졌다. 연구자들은 흑연 위에 테이프 한 조각을 올려놓고, 익히 알고 있는 육방정 흑연층의 탄소 원자로 된 단층을 끌어당겼다. 비록 그라펜은 수십 년 동안 알려져 왔고 몇몇 난해한 환경에서 관찰되어왔었지만, 지금은 유명한 '스카치테이프' 실험 때까지 과학자들은 합성을 하지 못했었다. 들러붙는 테이프와 그라펜 층의 결합에너지가 층간 van der Waals 결합력보다 강해서 단층 분리가 되었다. 이 방법으로 풍부한 양의 그라펜을 얻을 수 있으므로 다른 제조기술을 탐구하거나 이 특이한 재료의 기술적 가능성을 모색하는 폭발적인 연구개발 노력이 행해져 왔다. 이러한 단원자층 재료는 예외적으로 강하다. 만일 1 m^2의 그라펜 '천(fabric)'을 만들 수 있으면(비록 고양이 털 하나의 무게밖에 되지 않지만) 이것으로 만든 해먹으로 무게 4 kg 고양이를 버틸 수 있다는 것이 흥미로운 예이다. 그라펜의 전기적 특성은 집적 회로를 좀 더 소형화할 수 있는 가능성을 제공한다. 높은 광학적 투명성과 더불어 높은 전도도는 투명 전극으로 응용될 가능성도 제시한다. 그라펜은 2004년 일반 흑연에서 상대적으로 쉽게 추출할 수 있다는 것이 발견된 이래 세계에서 가장 광범위하게 연구되는 물질 중 하나이다. 이러한 높은 수준의 연구 노력은 기초적인 물성과 응용 가능성 모두에 집중되어왔다. 복합재료, 코팅, 분말 등의 초기 상용화에 이어 전자, 에너지, 생체의학 분야에서 광범위하게 사용될 것으로 기대된다.

예제 3.3

NaCl 구조(그림 3.10)를 가지고 있는 MgO의 이온 충진도(IPF)를 계산하시오.

풀이

$a = 2r_{Mg^{2+}} + 2r_{O^{2-}}$와 부록 2로부터

$$a = 2(0.078\text{ nm}) + 2(0.132\text{ nm}) = 0.420\text{ nm}$$

그러면

$$V_{\text{unit cell}} = a^3 = (0.420\text{ nm})^3 = 0.0741\text{ nm}^3$$

단위정당 4개의 Mg^{2+} 이온과 4개의 O^{2-} 이온이 있으므로 전체 이온 부피는

$$4 \times \frac{4}{3}\pi r^3_{Mg^{2+}} + 4 \times \frac{4}{3}\pi r^3_{O^{2-}}$$

$$= \frac{16\pi}{3}[(0.078\text{ nm})^3 + (0.132\text{ nm})^3]$$
$$= 0.0465\text{ nm}^3$$

그러므로 이온 충진도는

$$\text{IPF} = \frac{0.0465\text{ nm}^3}{0.0741\text{ nm}^3} = 0.627$$

예제 3.4

부록 1과 2를 이용하여 MgO의 밀도를 계산하시오.

풀이

예제 3.3으로부터 $a = 0.420$ nm이다. 따라서 단위정의 부피는 0.0741 nm^3이고 단위정의 밀도는 다음과 같다.

$$\rho = \frac{[4(24.31\text{ g}) + 4(16.00\text{ g})]/(0.6023 \times 10^{24})}{0.0741\text{ nm}^3} \times \left(\frac{10^7\text{ nm}}{\text{cm}}\right)^3$$
$$= 3.61\text{ g/cm}^3$$

연습문제 3.4

(a) CaO, (b) FeO, (c) NiO의 이온 충진도를 계산하시오. 이 화합물은 NaCl 결정 구조를 갖고 있다. (d) NaCl형 구조는 독특한 이온 충진도를 갖는가? 설명하시오. (예제 3.3 참고)

연습문제 3.5

CaO의 밀도를 계산하시오. (예제 3.4 참고)

3.4 고분자 구조

1장과 2장에서 긴 고분자 사슬 모양의 구조로 고분자의 부류를 정의했다(예: 그림 2.15). 금속과 세라믹에서 개개의 원자 또는 이온이 쌓여 있던 것과 비교해볼 때, 고분자에서는 이러한 긴 분자를 갖고 있어 규칙적이고 반복적인 모양으로 배열되기 어렵다. 이 때문에 대부분의 상업용 플라스틱은 대체로 비정질로 되어 있다. 결정질의 미세구조를 가진 부분조차 그 구조가 매우 복잡하다. 일반 고분자의 단위정은 이 책의 범위를 넘는다. 그래서 비교적 간단한 두 가지 예만 제시하겠다.

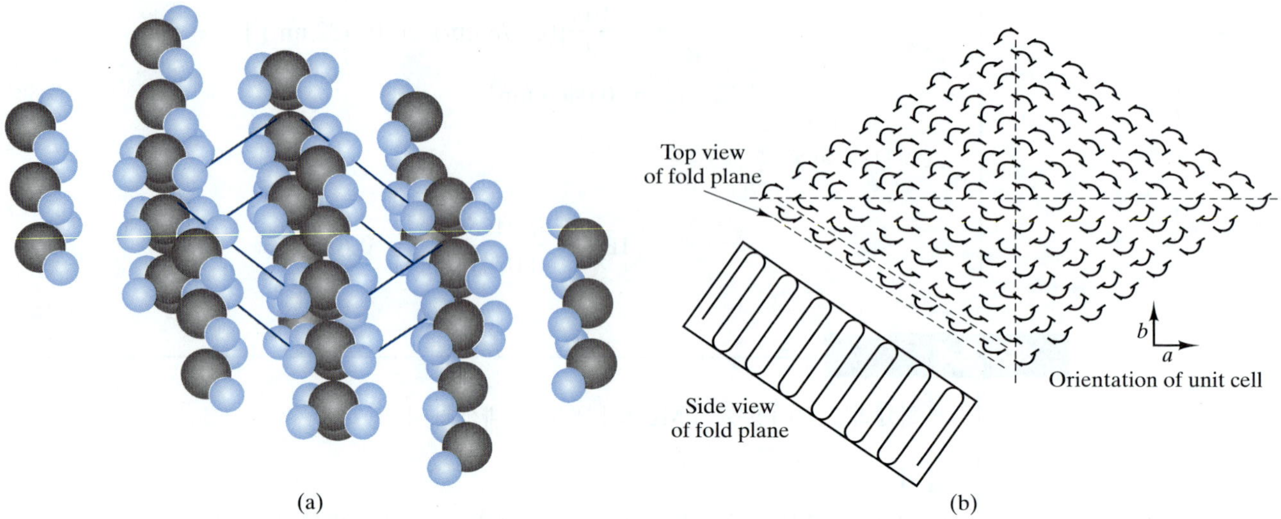

그림 3.19 (a) 폴리에틸렌 단위정의 고분자 사슬의 배열. 어두운 구는 탄소 원자를, 밝은 구는 수소 원자를 나타낸다. 단위정의 크기는 0.255 nm × 0.494 nm × 0.741 nm이다. (Courtesy of Accelrys, Inc.) (b) 폴리에틸렌 결정 박판에서 보이는 접혀진 고분자 사슬의 직조형 무늬 (From D. J. Williams, *Polymer Science and Engineering*, Prentice-Hall, Inc., Englewood Cliffs, NJ, 1971.)

폴리에틸렌(polyethylene, $-(C_2H_4)_n-$)은 화학적으로 매우 간단하다. 그러나 그 구조는 그림 3.19(a)와 그림 3.19(b)에서 보이는 것처럼 긴 사슬 분자를 앞뒤로 접어놓은 것 같은 비교적 복잡한 모양을 갖는다. 그림 3.19(a)는 고분자 결정의 일반적인 결정계인 사방 단위정이다. 금속과 세라믹의 경우 단위정 구조에 대한 정보를 알면 많은 부피를 차지하는 결정 구조에 대한 정보를 알 수 있었지만, 고분자에서는 더욱 주의를 기울여야 한다. 폴리에틸렌의 단결정은 성장시키기 어렵다. (묽은 용액에서 냉각시킴으로써)단결정을 만들 때, 이 단결정은 약 10 nm 두께의 얇은 판형을 가지려는 경향이 있다. 고분자 사슬의 길이는 수백 나노미터이므로, 단결정에서 고분자 사슬은 원자 크기로 뜨개질한 것처럼 앞뒤로 접혀 있다[그림 3.19(b) 참고].

예제 3.5

밀도가 0.9979 g/cm^{3}인 폴리에틸렌 단위정[그림 3.19(a)] 내의 C와 H 원자의 수를 계산하시오.

풀이

그림 3.19(a)에 있는 단위정의 치수를 이용하여 부피를 계산할 수 있다.

$$V = (0.741\text{ nm})(0.494\text{ nm})(0.255\text{ nm}) = 0.0933\text{ nm}^3$$

한 단위정 내에 아래와 같은 원자량을 가진 C_2H_4 단위체가 여러 개(n) 들어 있을 것이다.

$$m = \frac{n[2(12.01) + 4(1.008)]\ \text{g}}{0.6023 \times 10^{24}} = (4.66 \times 10^{-23}n)\ \text{g}$$

그러므로 단위정의 밀도는

$$\rho = \frac{(4.66 \times 10^{-23}n)\ \text{g}}{0.0933\ \text{nm}^3} \times \left(\frac{10^7\ \text{nm}}{\text{cm}}\right)^3 = 0.9979\ \frac{\text{g}}{\text{cm}^3}$$

n에 대해 풀면

$$n = 2.00$$

따라서 단위정 내에 있는 원자의 수는

$$4(= 2n)\text{개의 C 원자} + 8(= 4n)\text{개의 H 원자}$$

연습문제 3.6

결정질이 50 vol %이고 제품의 밀도가 0.940 Mg/m³인 상업용 폴리에틸렌 제품 1kg 안에 있는 단위정의 수는 얼마인가? (예제 3.5 참고)

3.5 반도체 구조

반도체 산업은 단결정을 성장시키기 위한 기술을 발전시켜 왔고, 이러한 기술은 매우 높은 완전성을 갖는 결정을 얻게 해주었다. 이 장에서 보여준 모든 결정 구조는 구조적으로 완전하다. 하지만 모든 구조는 4장에서 논의할 여러 가지 불완전성을 갖고 있다. 다른 부류에 속하는 것보다 이 절에서 다루는 재료는 훨씬 더 완전성에 가깝다.

반도체 산업에서 가장 지배적인 구조는 그림 3.20에서 보여주는 **다이아몬드 입방정**(diamond cubic) 구조이고, 단원소로 된 반도체(Si, Ge, 회색 Sn)가 이러한 구조를 갖는다. 이것은 단위정당 8개의 원자를 가지고 각 격자점마다 2개의 원자를 가진 fcc Bravais 격자 구조이다. 이 구조의 중요한 특징은 IV A족 원소들이 정사면체 결합 형태를 하고 있다는 것이다.

IV A족에 인접한 원소들은 반도성 화합물을 형성한다. 이 원자들은 조합해서 평균 4가의 원자가를 가지고 MX 화합물이 되려는 경향이 있다. 예를 들면 GaAs는 갈륨의 3가와 비소의 5가가 합해져 있고, CdS는 카드뮴의 2가와 황의 6가가 합해져 있는 것이다. GaAs와 CdS는 각각 **III–V 화합물**(III–V compound)과 **II–VI 화합물**(II–VI compound)의 예이다. 이러한 MX 화합물 대부분은 다이아몬드 입방에 밀접하게 관련된 구조로 결정화된다. 그림 3.21은 **섬아연광**(zinc blende, ZnS) 구조를 보여

재료의 세계

(거의) 완벽한 결정 성장

현대 집적 회로에 근거한 수많은 제품에 의해 창출된 기술적 및 문화적 혁명은 화학적 순도와 구조적 완전성이 예외적으로 높은 단결정에서 출발했다. 이 장에 기술된 이러한 결정은 다른 상업적으로 제조된 어떤 재료들보다 이상적이라고 할 수 있다. 집적 회로의 대부분은 얇은 조각 웨이퍼의 **실리콘**(silicon) 단결정 위에 제작된다[기술적 수준을 보여주는 반지름 300 mm(12 in.)인 웨이퍼의 사진 참조]. 이러한 웨이퍼 위에 미세 전자 회로를 제조하는 체계적인 과정을 13장에서 좀 더 자세히 논의한다.

아래 오른쪽 그림에서 보는 바와 같이 용융된 실리콘이 들어 있는 용기로부터 작은 '종자' 결정을 당겨서 하나의 큰 실리콘 결정을 만들어낸다. 실리콘의 용융점(T_m = 1,414°C)이 높기 때문에 고순도의 SiO_2 유리로 제작된 용기가 필요하다. 가열은 고주파 유도 가열 코일로 한다. 종자 결정을 용탕에 담가 천천히 끌어올린다. 종자 결정 가까이에 있는 액체 실리콘이 응고하면서 결정이 성장한다. 이때 개개의 원자가 종자 결정에 있는 원자에 적층된다. 고체-액체 계면에서 원자층이 계속 누적된다. 성장 속도는 대략 10 μm/s이다. 이렇게 해서 얻은 큰 결정을 괴(ingot) 또는 불(boule)이라고 한다. 이런 전반적인 공정을 *Czochralski* **방법**(Czochralski technique) 혹은 *Teal-Little* **방법**(Teal-Little technique)이라고 한다. 13장에 나와 있듯이 단결정 웨이퍼 위에 회로를 제조할 때 경제성 때문에 결정 생산자들은 큰 지름의 결정을 생산하도록 종용받고 있다. 지난 수년 동안에 결정과 웨이퍼의 지름에 대한 산업 표준은 현재의 300 mm로 증가했다.

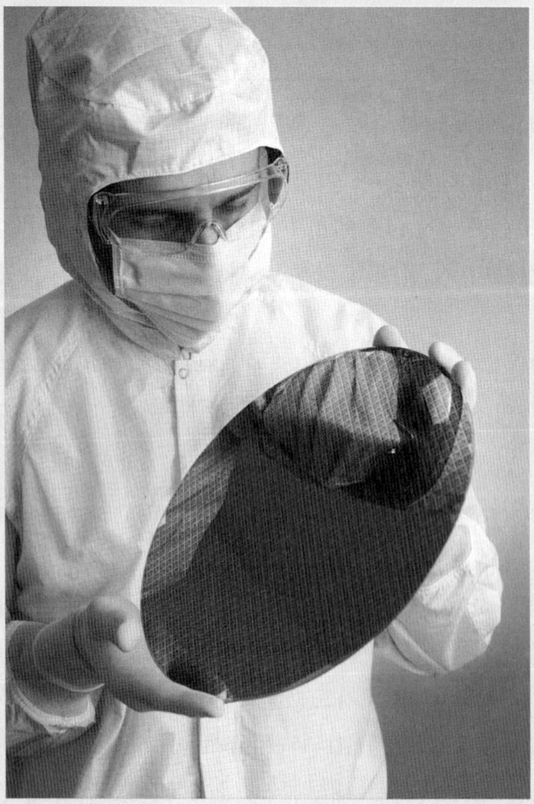

(Zone3/Alamy)

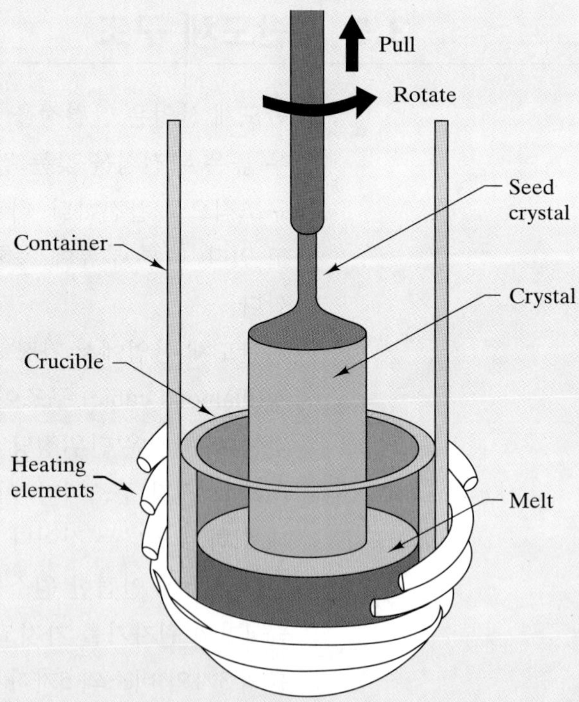

Czochralski 방법에 의한 단결정 성장의 개략도 (From J.W. Mayer and S. S. Lau, *Electronic Materials Science: For Integrated Circuits in Si and GaAs*, Macmillan Publishing Company, New York, 1990.)

여기에 예시된 바와 같이 결정 성장 장치와 공정상의 여러 가지 사양을 조절하는 데에는 단결정 성장과 연관된 기초과학과 기술에 상당한 '기교'가 추가되었다. 회로 제조와는 별도로 결정을 성장시키는 고도로 전문화된 공정에 업체들의 초점이 맞춰져 있다. Czochralski 방법으로 얻은 구조적 완전성은 9장과 13장에서 논의할 구역 정제 기술(zone refining technique)로 성장시킨 결정을 화학적으로 정제할 수 있는 능력과 결합되어 있다.

준다. 이 구조는 근본적으로 Zn^{2+}와 S^{2-} 이온을 번갈아가며 쌓음으로써 얻어지는 다이아몬드 입방 구조이다. 다시 말해서 이 구조는 각 격자점에 2개의 같은 원자가 아니라 2개의 반대 전하를 띤 이온을 갖고 있는 fcc Bravais 격자 구조이고, 각 단위정에는 8개의 이온(4개의 Zn^{2+}와 4개의 S^{2-})이 있다. III–V 화합물(예: GaAs, AlP, InSb)과 II–VI 화합물(예: ZnSe, CdS, HgTe)은 이 구조를 갖고 있다.

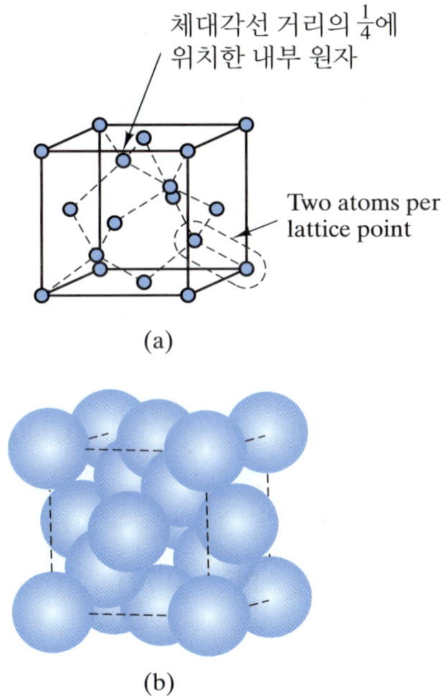

구조: 다이아몬드 입방
Bravais 격자: 면심 입방정
원자수/단위정: $4 + 6 \times \frac{1}{2} + 8 \times \frac{1}{8} = 8$
전형적인 반도체: Si, Ge, gray Sn

그림 3.20 다이아몬드 입방정의 (a) 원자 위치. 격자점(점선으로 표시)에 2개의 원자가 있다. 각 원자는 4면체로 정렬되어 있다. (b) 단위정에서의 실제 크기의 원자 [Part (b) courtesy of Accelrys, Inc.]

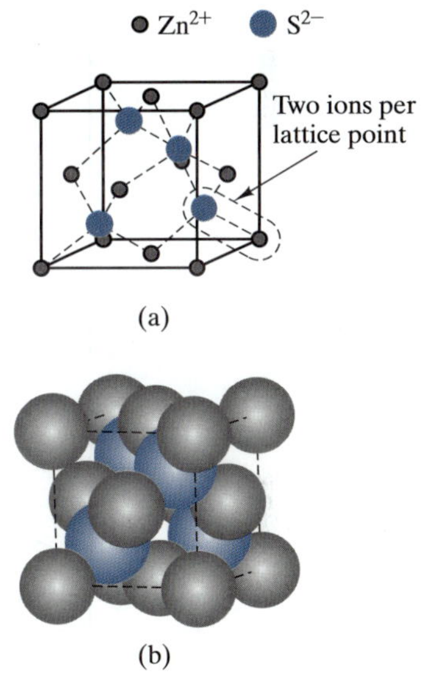

구조: 섬아연광(ZnS)형
Bravais 격자: 면심 입방정
이온수/단위정: $4Zn^{2+} + 4S^{2-}$
전형적인 반도체: GaAs, AlP, InSb(III–V 화합물), ZnS, ZnSe, CdS, HgTe(II–VI 화합물)

그림 3.21 섬아연광(ZnS) 단위정의 (a) 이온 위치. 각 격자점(점선으로 표시)에 2개의 이온이 있다. 다이아몬드 입방정 구조와 비교하라[그림 3.20(a)]. (b) 실제 크기의 이온 [Part (b) courtesy of Accelrys, Inc.]

예제 3.6

다이아몬드 입방 구조(그림 3.20)의 원자 충진도(APF)를 계산하시오.

풀이

다이아몬드 입방 구조에서 결합이 정사면체 모양을 형성하므로, 원자는 체대각선을 따라 누운 방향으로 놓여 있다. 그림 3.20을 살펴보면, 원자가 이와 같은 배열을 한 경우에는 다음과 같은 등식이 성립함을 알 수 있다.

$$2r_{\text{Si}} = \frac{1}{4}(\text{체대각선}) = \frac{\sqrt{3}}{4}a$$

또는

$$a = \frac{8}{\sqrt{3}}r_{\text{Si}}$$

그러면 단위정의 부피는

$$V_{\text{unit cell}} = a^3 = (4.62)^3 r_{\text{Si}}^3 = 98.5 r_{\text{Si}}^3$$

단위정 내 8개의 Si 원자의 부피는

$$V_{\text{atoms}} = 8 \times \frac{4}{3}\pi r_{\text{Si}}^3 = 33.5 r_{\text{Si}}^3$$

따라서 원자 충진도는

$$\text{APF} = \frac{33.5 r_{\text{Si}}^3}{98.5 r_{\text{Si}}^3} = 0.340$$

주: 이 결과는 3.2절의 꽉 채워진 금속 구조에 비해 매우 빈자리가 많은 구조를 나타낸다(예: fcc와 hcp 금속에 대해 APF = 0.74).

예제 3.7

부록 1과 2를 이용하여 실리콘(Si)의 밀도를 계산하시오.

풀이

예제 3.6으로부터

$$\begin{aligned} V_{\text{unit cell}} &= 98.5 r_{\text{Si}}^3 = 98.5\,(0.117\text{ nm})^3 \\ &= 0.158\text{ nm}^3 \end{aligned}$$

따라서 밀도는

$$\begin{aligned} \rho &= \frac{8\text{ atoms}}{0.158\text{ nm}^3} \times \frac{28.09\text{ g}}{0.6023 \times 10^{24}\text{ atoms}} \times \left(\frac{10^7\text{nm}}{\text{cm}}\right)^3 \\ &= 2.36\text{ g/cm}^3 \end{aligned}$$

앞의 예제에서 본 바와 마찬가지로 여기서도 계산결과와 부록 1에 나와 있는 수치(예: $\rho_{Si} = 2.33$ g/cm^3)가 약간 다른 것은 부록 2에 나와 있는 원자 반지름 수치의 유효 숫자 자릿수가 작아서 생긴 결과이다.

연습문제 3.7

예제 3.6에서 Si의 원자 충진도는 보통 금속 구조에 비해 매우 낮다는 것을 알았다. 이 사실과 Si 반도체의 결합 특성의 연관성에 대해 논의하시오.

연습문제 3.8

부록 1과 2에 주어진 수치를 이용하여 게르마늄(Ge)의 밀도를 계산하시오(예제 3.7 참고).

3.6 격자 위치, 방향, 면

단위정과 주위의 기하학적 표시에는 몇 가지 기본적인 법칙이 있다. 이 법칙과 기호는 결정학자, 지질학자, 재료과학자, 결정성 재료를 취급하는 다른 사람들도 공통적으로 사용한다. 이제 결정 구조에 관해 의견을 교환할 수 있는 용어에 대해 알아보자. 이러한 용어는 책 뒷부분에서 구조에 민감한 특성을 다룰 때 매우 유용하다는 것을 알 수 있을 것이다.

그림 3.22는 **격자 위치**(lattice position)를 표시하기 위해 단위정 모서리 길이의 분수 또는 배수로 표현된 기호를 설명한다. 예를 들면 단위정에 체심 입방 위치는 단위정 세 모서리의 각각 중앙 위치에 있고, 이것은 $\frac{1}{2}\frac{1}{2}\frac{1}{2}$로 표시한다. 결정 구조의 한 가지 특징은 주어진 단위정의 격자 위치가 같은 구조의 다른 모든 단위정의 같은 자리와 구조적으로 동등하다는 것이다. 이러한 동등한 위치는 결정축에 평행한 방향의 격자 상수를 정수배한 **격자 병진**(lattice translation)으로 연결되어 있다(그림 3.23).

그림 3.24는 **격자 방향**(lattice direction)을 표시하는 기호를 보여준다. 이 방향은 항상 정수의 집합으로 표현되며, 이 정수는 결정축의 원점으로부터 그은 선이 만나는 **가장 작은 정수 위치**를 찾아서 결정한다. 위치에 대한 기호와 방향에 대한 기호를 구별하기 위해 방향 정수를 각 괄호 안에 쓴다. 각 괄호의 사용은 중요하며 특별한 격자 방향에 대한 표준 기호이다. 다른 기하학적 특징을 나타내기 위해서는 다른 기호를 사용한다. 그림 3.24를 보면 원점에서부터 체심 입방 위치 $\frac{1}{2}\frac{1}{2}\frac{1}{2}$을 통과하는 선은 단위정의 꼭짓점 위치인 111까지 연장할 수 있다. 이것을 더 연장하면 다른 정수의 집합(예: 222, 333 등)과 연결할 수 있지만, 가장 작은 집합은 111이다. 결국 이 방향은 [111]로 표시한다.

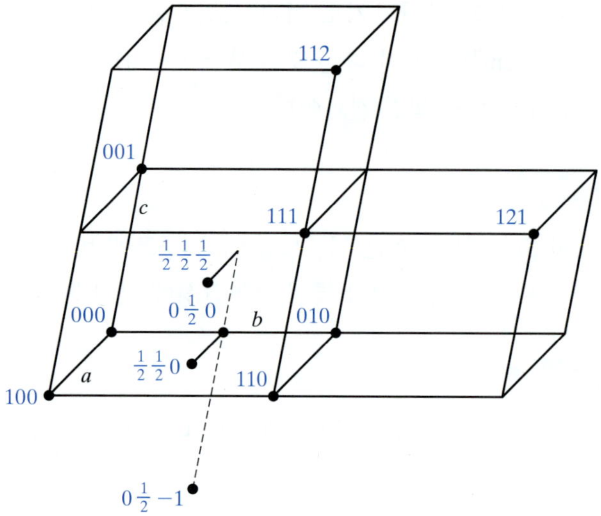

그림 3.22 격자 위치의 표기

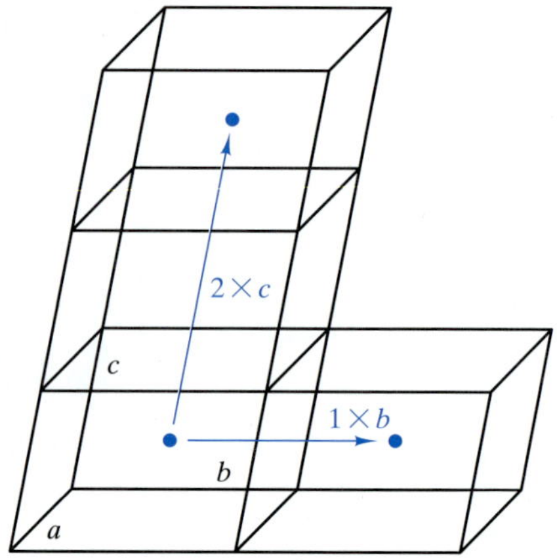

그림 3.23 다양한 단위정에서 격자점을 전이하면 각 단위정에서 동등한 위치(예: 체심)가 된다.

음의 방향을 나타내는 기호는 다음과 같다. 예를 들면 그림 3.24에서 방향의 끝 숫자 위의 짧은 선은 원점으로부터 $[11\bar{1}]$ 위치를 통과하는 선을 가리키는 것이다. [111]과 $[11\bar{1}]$의 두 방향은 구조적으로 매우 유사함을 알 수 있다. 이 두 가지 모두 같은 단위정을 통과하는 체대각선이다. 사실상 입방정계와 관련된 모든 체대각선은 공간에서의 방향은 다르지만(그림 3.25) 구조적으로 동일하다. 결정축 방향을 다르게 선택했다면, $[11\bar{1}]$ 방향은 [111]이 될 것이다. 구조적으로 등가인 방향의 집합을 **방향 집합**(family of direction)이라고 하고 홑화살괄호(⟨⟩)로 표시한다. 입방정계의 체대각선의 예는 다음과 같다.

$$\langle 111 \rangle = [\bar{1}11], [1\bar{1}1], [11\bar{1}], [\overline{111}], [1\overline{11}], [\bar{1}1\bar{1}], [\overline{11}1] \tag{3.1}$$

뒤에 볼 다른 장에서, 특히 기계적 성질을 다룰 때 방향 사이의 각을 아는 것은 도움이 된다. 일반적으로 주의 깊은 시각효과와 삼각함수의 계산을 통해 이러한 각을 얻을 수 있다. 자주 접하게 되는 입방계에서의 각은 두 벡터에 대한 스칼라곱의 비교적 간단한 계산으로 구할 수 있다. 벡터 $\mathbf{D} = u\mathbf{a} + v\mathbf{b} + w\mathbf{c}$와 $\mathbf{D}' = u'\mathbf{a} + v'\mathbf{b} + w'\mathbf{c}$는 방향 $[uvw]$와 $[u'v'w']$로 쓰이고, 이 두 방향 사이의 각 δ는 다음과 같은 식으로 구할 수 있다.

$$\mathbf{D} \cdot \mathbf{D}' = |\mathbf{D}||\mathbf{D}'|\cos\delta \tag{3.2}$$

또는

$$\cos\delta = \frac{\mathbf{D} \cdot \mathbf{D}'}{|\mathbf{D}||\mathbf{D}'|} = \frac{uu' + vv' + ww'}{\sqrt{u^2 + v^2 + w^2}\sqrt{(u')^2 + (v')^2 + (w')^2}} \tag{3.3}$$

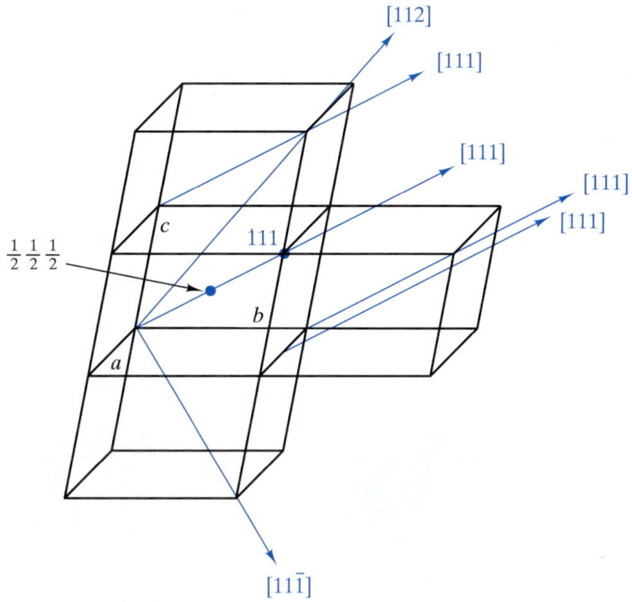

그림 3.24 격자 방향의 표기. [uvw]에 평행한 방향(예: [111])은 원점만 이동했으므로 같은 표기를 사용한다.

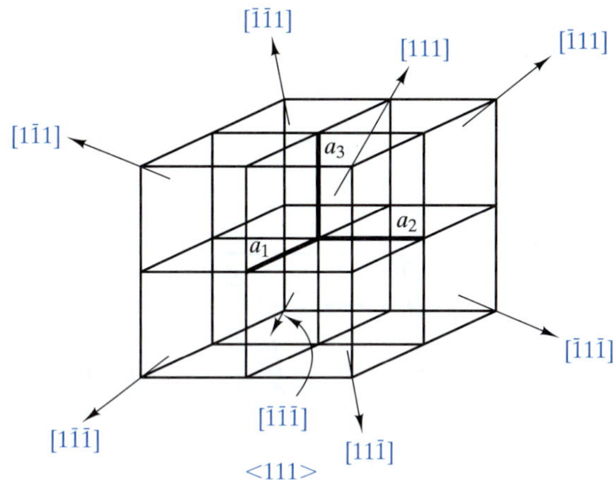

그림 3.25 입방 구조에서 이웃하는 단위정의 모든 체대각선 방향을 나타내는 ⟨111⟩ 방향 집합

식 (3.2)와 (3.3)은 입방정계에서만 적용될 수 있다는 데 주의해야 한다.

앞으로의 계산에서 관심을 가져야 하는 수치는 주어진 방향에서 원자의 **선밀도**(linear density)이다. 앞에서 설명했듯이 이러한 계산은 잘 시각화하고 삼각함수를 이용하여 구할 수 있다. 주어진 방향에 따라 원자가 일정한 간격을 갖는 경우, 인접 원자 사이의 반복 거리 r가 결정되고, 선밀도는 간단히 반복 거리의 역수 r^{-1}로 나타낸다. 선밀도를 계산할 때, 원자의 중심이 방향선상에 있는 원자만 계산하고 원자의 중심이 방향선상에서 벗어난 원자는 계산하지 않음을 명심하자.

그림 3.26은 **격자면**(lattice plane), 즉 결정학적인 격자 내의 면을 표시하는 기호를 예시한다. 앞에서의 방향과 마찬가지로 면 역시 **Miller**[3] **지수**(Miller indices)라고 하는 정수의 집합으로 표시된다. 이 정수를 얻는 것은 방향을 얻는 것보다 복잡한 과정을 거친다. 이 정수는 축 교차점의 역수로 나타낸다. 예를 들어 그림 3.26(a)의 (210) 면을 살펴보자. 방향을 나타내는 기호는 각괄호인 데 반해 면을 나타내는 표준 기호로는 괄호를 사용한다. (210)면은 a축과 $\frac{1}{2}a$에서 만나고, b축과 b에서 만나고, c축에는 평행하다(다시 말해 ∞에서 만난다). 축 교차점의 역수는 각각 $1\frac{1}{2}$, 1/1, $1/\infty$이다. 이들 역수의 교차점은 2, 1, 0의 정수이고 (210)의 기호로 나타낸다. 처음에는 Miller 지수를 사용하는 것이 번거롭게 느껴지기도 하지만, 사실 결정면을 나타내는 효과적인 방법을 제공하고 회절 실험을 다루는 데 쓰이는 식에서 중요한 역할을

3) William Hallowes Miller(1801~1880)는 영국의 결정학자로서 19세기 결정학에서 Bravais와 함께 주요한 역할을 했던 사람이다. 결정면을 표시하는 효과적인 체계는 그의 많은 업적 중 하나이다.

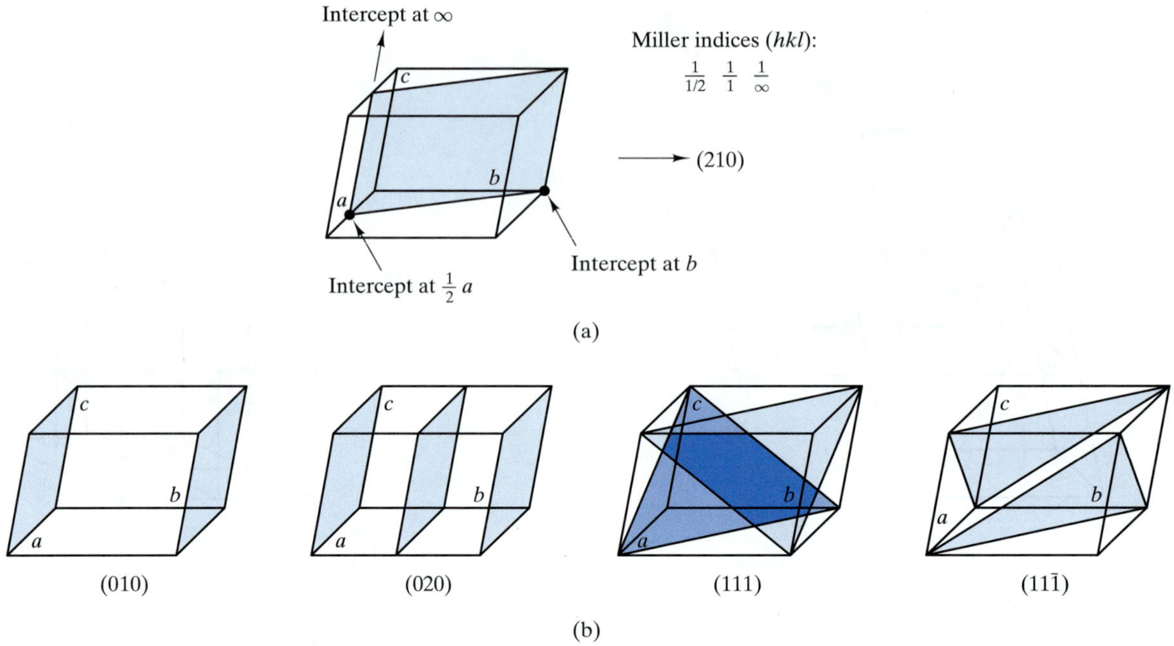

그림 3.26 격자면의 표기 (a) Miller 지수(hkl)를 예시한 (210)면 (b) 부가적인 예

한다(3.7절). Miller 지수의 일반적 기호는 (*hkl*)이고 7개 결정계 모두에서 사용할 수 있다. 육방정계는 4개의 축으로 나타낼 수 있기 때문에, 그림 3.27에서 보이는 것처럼 4개의 숫자로 이루어진 **Miller-Bravais 지수**(Miller-Bravais indices, hkil)를 사용한다. 결정의 3차원적인 기하를 정의하는 데는 3개의 축만 필요하기 때문에 Miller-Bravais 계인 정수 중에서 하나는 남는 것이다. 일단 한 면이 단위정의 바닥에 있는 기저면(그림 3.27에서 a_1, a_2, a_3축을 포함하는)에서 어느 두 축과 교차하면 기저면의 나머지 세 번째 축과의 교차점은 결정된다. 그래서 육방정계의 모든 면에 대해 $h + k = -i$라는 것을 알 수 있다. 따라서 육방정계의 면은 Miller-Bravais 지수(hkil) 또는 Miller 지수(*hkl*)로 나타낼 수 있다. 그림 3.27에서 보여주는 면은 $(01\bar{1}0)$ 또는 (010)으로 표기할 수 있다.

구조적으로 등가인 **면 집합**(family of planes)은 괄호 안에 Miller 지수 또는 Miller-Bravais 지수를 써넣음으로써 {*hkl*} 또는 {*hkil*}을 나타낼 수 있다. 그림 3.28은 입방정계 단위정의 {100}면의 집합을 나타낸다.

$$\{100\} = (100), (010), (001), (\bar{1}00), (0\bar{1}0), (00\bar{1}) \tag{3.4}$$

이제 앞에서 언급했던 선밀도와 유사하게 **면밀도**(planar density, 단위 면적당 수)를 계산해야 한다. 선밀도에서와 마찬가지로 면에 원자의 중심이 있는 원자만 고려해야 한다.

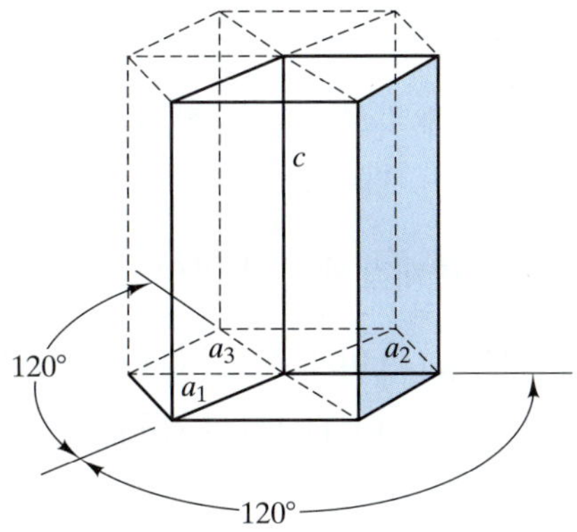

Miller-Bravais 지수$(hkil)$: $\frac{1}{\infty}, \frac{1}{1}, \frac{1}{-1}, \frac{1}{\infty} \rightarrow (01\bar{1}0)$
참고: $h + k = -i$

그림 3.27 육방정계에서의 Miller-Bravais 지수 $(hkil)$

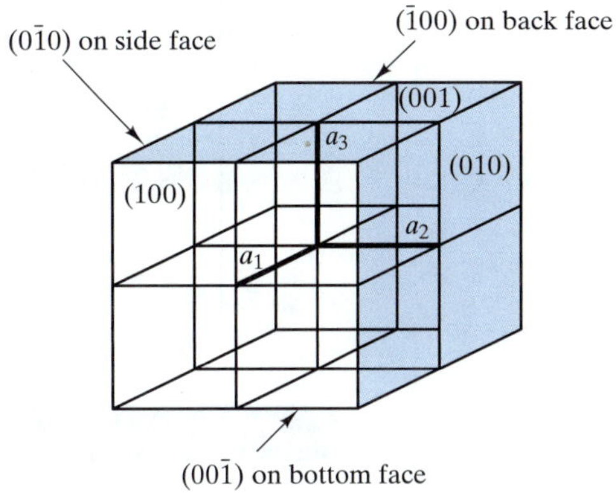

{100}

그림 3.28 면 집합 {100}은 입방정계 단위정의 모든 면을 나타낸다.

예제 3.8

표 3.2를 이용하여 (a) 면심 입방정(fcc) Bravais 격자와 (b) 면심 사방정(fco) 격자에 대한 격자점의 위치를 나열하시오.

풀이

(a) 면심 위치: $\frac{1}{2}\frac{1}{2}0, \frac{1}{2}0\frac{1}{2}, 0\frac{1}{2}\frac{1}{2}1, \frac{1}{2}1\frac{1}{2}, 1\frac{1}{2}\frac{1}{2}$이다.

(b) 답은 (a)와 같다. 격자 상수는 격자 위치에 대한 표기에 들어 있지 않다.

예제 3.9

표 3.2에 있는 fcc와 fco 단위정에서 [110] 방향에 놓여 있는 격자점은 어떤 것인가?

풀이

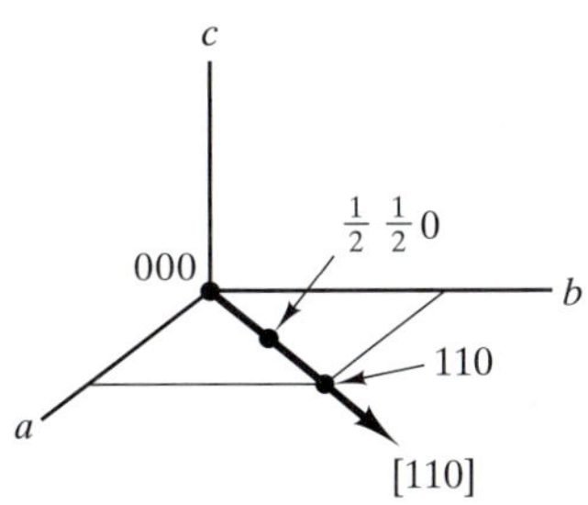

이 경우를 도시하면 격자점은 000, $\frac{1}{2}\frac{1}{2}0$, 110이다. 이것은 fcc 또는 fco에 대해서도 마찬가지이다.

예제 3.10

입방계에서 〈110〉 방향 집합에 속하는 각 방향을 나열하시오.

풀이

방향 집합은 단위정의 모든 면대각선과 각 면의 그러한 대각선 2개로 총 12개이다.

$$\langle 110 \rangle = [110], [1\bar{1}0], [\bar{1}10], [\bar{1}\bar{1}0], [101], [10\bar{1}], [\bar{1}01], [\bar{1}0\bar{1}], [011], [01\bar{1}], [0\bar{1}1], [0\bar{1}\bar{1}].$$

예제 3.11

입방계에서 [110]과 [111] 방향의 사이각은 얼마인가?

풀이

식 (3.3)으로부터

$$\begin{aligned}\delta &= \arccos\frac{uu' + vv' + ww'}{\sqrt{u^2 + v^2 + w^2}\sqrt{(u')^2 + (v')^2 + (w')^2}}\\ &= \arccos\frac{1 + 1 + 0}{\sqrt{2}\sqrt{3}}\\ &= \arccos 0.816\\ &= 35.3°\end{aligned}$$

예제 3.12

$(3\bar{1}1)$면이 각 축과 만나는 곳을 구하시오.

풀이

a축의 경우 교차지점 $= \frac{1}{3}a$, b축의 경우 교차지점 $= \frac{1}{-1}b = -b$, c축의 경우 교차지점 $= \frac{1}{1}c = c$

예제 3.13

입방정계에서 {110}면의 집합에 속한 각 면을 나열하시오.

풀이

$$\{110\} = (110), (1\bar{1}0), (\bar{1}10), (\bar{1}\bar{1}0), (101), (10\bar{1}), (\bar{1}01), (\bar{1}0\bar{1}), (011), (01\bar{1}), (0\bar{1}1), (0\bar{1}\bar{1}).$$

(이 답과 예제 3.10의 답을 비교하라.)

예제 3.14

(a) bcc 텅스텐과 (b) fcc 알루미늄에 대해 [111] 방향으로 원자의 선밀도를 계산하시오.

풀이

(a) bcc 구조에서는(그림 3.5) [111] 방향을 따라 원자가 접촉해 있다(체대각선). 그러므로 반복되는 거리는 한 원자의 지름과 같다. 부록 2로부터 반복 거리는

$$r = d_{\text{W atom}} = 2r_{\text{W atom}}$$
$$= 2(0.137\text{ nm}) = 0.274\text{ nm}$$

따라서

$$r^{-1} = \frac{1}{0.274\text{ nm}} = 3.65\text{ atoms/nm}$$

(b) fcc 구조에서는 단위정에 체대각선 방향으로 단 하나의 원자만 있다. 면대각선의 길이는 두 원자의 지름과 같으므로(그림 3.6 참고), 부록 2를 이용하여 체대각선의 길이는 다음과 같이 구할 수 있다.

$$\text{면대각선의 길이} = 2d_{\text{Al}}\text{ atom}$$
$$= 4r_{\text{Al}}\text{ atom} = \sqrt{2}a$$

또는 격자 상수는

$$a = \frac{4}{\sqrt{2}}r_{\text{Al atom}} \quad (\text{또한 표 3.3 참고})$$
$$= \frac{4}{\sqrt{2}}(0.143\text{ nm}) = 0.404\text{ nm}$$

반복되는 거리는

$$r = \text{체대각선의 길이} = \sqrt{3}a$$
$$= \sqrt{3}(0.404\text{ nm})$$
$$= 0.701\text{ nm}$$

선밀도는

$$r^{-1} = \frac{1}{0.701\text{ nm}} = 1.43\text{ atoms/nm}$$

예제 3.15

(a) bcc 텅스텐과 (b) fcc 알루미늄에 대해 (111)면에서의 원자 면밀도를 계산하시오.

풀이

(a) bcc 구조(그림 3.5)에서 (111)면은 단위정 내 모서리 원자만 가로지른다.

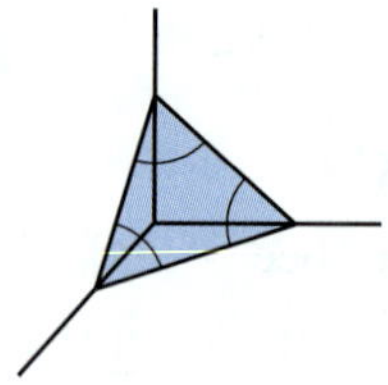

예제 3.14(a)와 같은 방법으로

$$\sqrt{3}a = 4r_{\text{W atom}}$$

또는

$$a = \frac{4}{\sqrt{3}} r_{\text{W atom}} = \frac{4}{\sqrt{3}}(0.137 \text{ nm}) = 0.316 \text{ nm}$$

따라서 면대각선의 길이 l은

$$l = \sqrt{2}a = \sqrt{2}(0.316 \text{ nm}) = 0.447 \text{ nm}$$

단위정 (111)면의 면적은

$$A = \frac{1}{2}bh = \frac{1}{2}(0.447 \text{ nm})\left(\frac{\sqrt{3}}{2} \times 0.447 \text{ nm}\right)$$
$$= 0.0867 \text{ nm}^2$$

단위정의 (111)면으로 형성된 정삼각형의 각 꼭짓점에 $\frac{1}{6}$ 원자(즉 원주의 $\frac{1}{6}$)가 있다. 그러므로

$$\text{원자 밀도} = \frac{3 \times \frac{1}{6} \text{ atom}}{A}$$
$$= \frac{0.5 \text{ atom}}{0.0867 \text{ nm}^2} = 5.77 \frac{\text{atoms}}{\text{nm}^2}$$

(b) fcc 구조(그림 3.6)에서 (111)면은 단위정 내 3개의 꼭짓점에 있는 원자와 3개의 면중심에 있는 원자를 자른다.

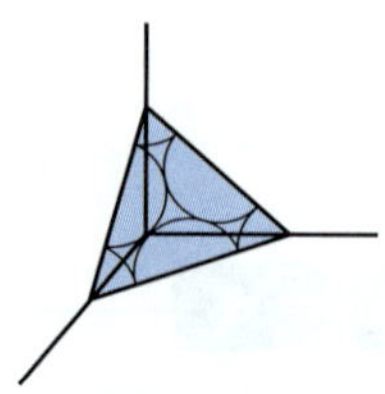

예제 3.14(b)와 같은 방법으로 계산하면, 면대각선의 길이는

$$l = \sqrt{2}a = \sqrt{2}(0.404 \text{ nm}) = 0.572 \text{ nm}$$

단위정 내 (111)면의 면적은

$$A = \frac{1}{2}bh = \frac{1}{2}(0.572 \text{ nm})\left(\frac{\sqrt{3}}{2}0.572 \text{ nm}\right)$$
$$= 0.142 \text{ nm}^2$$

이 면적 내에 $3 \times \frac{1}{6}$ 모서리 원자와 $3 \times \frac{1}{2}$ 면심 원자가 있으므로

$$\text{원자 밀도} = \frac{3 \times \frac{1}{6} + 3 \times \frac{1}{2} \text{ atoms}}{0.142 \text{ nm}^2} = \frac{2 \text{ atoms}}{0.142 \text{ nm}^2}$$
$$= 14.1 \text{ atoms/nm}^2$$

예제 3.16

MgO에서 [111] 방향의 이온 선밀도를 구하시오.

풀이

그림 3.10을 보면 단위정의 체대각선은 하나의 Mg^{2+}와 하나의 O^{2-}를 가로지름을 알 수 있다. 예제 3.3과 같은 방법으로 계산하면, 체대각선의 길이는

$$l = \sqrt{3}a = \sqrt{3}(0.420 \text{ nm}) = 0.727 \text{ nm}$$

그러므로 이온 선밀도는

$$\frac{1 \text{ Mg}^{2+}}{0.727 \text{ nm}} = 1.37 \text{ Mg}^{2+}/\text{nm}$$

마찬가지로

$$1.37 \text{ O}^{2-}/\text{nm}$$

따라서 아래와 같은 값을 얻는다.

$$(1.37 \text{ Mg}^{2+} + 1.37 \text{ O}^{2-})/\text{nm}$$

예제 3.17

MgO에서 (111)면의 이온 면밀도를 계산하시오.

풀이

이 문제의 답은 사실 2개로 분리되어 있다. 그림 3.10의 단위정을 보면 fcc 금속과 비

슷한 배열을 볼 수 있다.

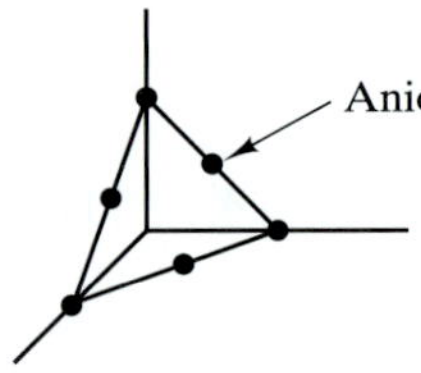

그러나 같은 방법으로 단위정의 기준점을 양이온 자리에 잡을 수도 있다(그림 3.10에서 보여준 음이온을 잡은 것과는 달리). 이 경우에는 (111)면에 양이온이 위에 상응하는 배열을 하고 있을 것이다.

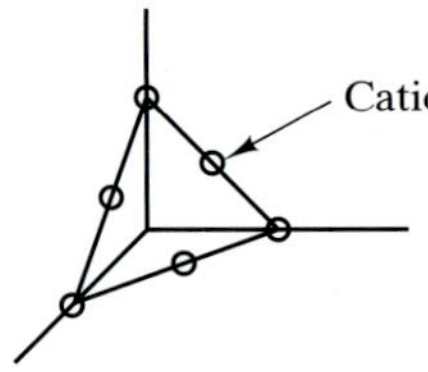

두 경우 모두 (111) '삼각형'마다 2개의 이온이 있다. 예제 3.3으로부터 $a = 0.420$ nm임을 이미 알고 있으므로, (111) 삼각형 각 변의 길이는

$$l = \sqrt{2}a = \sqrt{2}(0.420 \text{ nm}) = 0.594 \text{ nm}$$

그러므로 면의 면적은

$$A = \frac{1}{2}bh = \frac{1}{2}(0.594 \text{ nm})\left(\frac{\sqrt{3}}{2}0.594 \text{ nm}\right) = 0.153 \text{ nm}^2$$

따라서

$$\text{이온 밀도} = \frac{2 \text{ ions}}{0.153 \text{ nm}^2} = 13.1 \text{ nm}^{-2}$$

$$13.1(\text{Mg}^{2+} \text{ 또는 } \text{O}^{2-})/\text{nm}^2$$

예제 3.18

Si에서 [111] 방향의 원자 선밀도를 계산하시오.

풀이

이 문제는 좀 주의해야 한다. 그림 3.20을 살펴보면, [111] 방향(체대각선)으로 원자가 균일하게 배열되어 있지 않다. 그러므로 예제 3.14에서와 같은 r^{-1} 계산은 적절하지 않다.

예제 3.6의 주를 참고하면, 체대각선을 따라 2개의 원자가 놓여 있음을 알 수 있다(예: 000에 $\frac{1}{2}$원자, $\frac{1}{4}\frac{1}{4}\frac{1}{4}$에 1원자, 111에 $\frac{1}{2}$원자). 단위정에서 체대각선의 길이를 1로 하면

$$2r_{\text{Si}} = \frac{1}{4}l$$

$$l = 8r_{\text{Si}}$$

부록 2로부터

$$l = 8(0.117\ \text{nm}) = 0.936\ \text{nm}$$

그러므로 선밀도는

$$\text{선밀도} = \frac{2\ \text{atoms}}{0.936\ \text{nm}} = 2.14\frac{\text{atoms}}{\text{nm}}$$

예제 3.19

Si의 (111)면의 원자 면밀도를 계산하시오.

풀이

그림 3.20을 자세히 보면 다이아몬드 입방 구조 내에 있는 내부 원자는 (111)면에 놓여 있지 않음을 알 수 있다. 결국은 이 면의 원자 배열은 fcc 금속과 똑같은 배열을 하고 있다[예제 3.15(b) 참고]. 물론 다이아몬드 입방 구조에서 [110] 방향으로 배열된 원자는 fcc 금속처럼 서로 접촉하고 있는 것은 아니다.

예제 3.15(b)에서 계산해본 바와 같이, 한 변의 길이가 $\sqrt{2}a$인 정삼각형 내에는 2개의 원자가 있다. 예제 3.6과 부록 2로부터

$$a = \frac{8}{\sqrt{3}}(0.117\ \text{nm}) = 0.540\ \text{nm}$$

$$\sqrt{2}a = 0.764\ \text{nm}$$

따라서 삼각형의 넓이는

$$A = \frac{1}{2}bh = \frac{1}{2}(0.764\ \text{nm})\left(\frac{\sqrt{3}}{2}0.764\ \text{nm}\right)$$

$$= 0.253\ \text{nm}^2$$

그리고 원자 면밀도는

$$\frac{2\ \text{atoms}}{0.253\ \text{nm}^2} = 7.91\frac{\text{atoms}}{\text{nm}^2}$$

연습문제 3.9

표 3.2를 이용하여 (a) bcc Bravais 격자, (b) 체심 정방 격자, (c) 체심 사방 격자에 대한 체심 격자점의 위치를 나열하시오(예제 3.8 참고).

연습문제 3.10

개략도를 그려서 표 3.2의 (a) bcc, (b) 체심 정방정, (c) 체심 사방정의 단위정에서 [111] 방향에 있는 격자점을 결정하시오(예제 3.9 참고).

연습문제 3.11

예제 3.10에서 결정한 〈110〉 방향 집합의 12개 구성원을 그림으로 나타내시오(하나 이상의 그림이 필요할 것이다).

연습문제 3.12

(a) 입방계에서 〈100〉 방향 집합을 결정하고, (b) 이 군의 구성원을 그림으로 나타내시오(예제 3.10, 연습문제 3.11 참고).

연습문제 3.13

입방계에서 (a) [100]과 [110] 방향, (b) [100]과 [111] 방향 사이의 각을 구하시오(예제 3.11 참고).

연습문제 3.14

$(3\bar{1}1)$면과 이 면이 각 축과 만나는 점을 그림으로 나타내시오(예제 3.12, 그림 3.26 참고).

연습문제 3.15

예제 3.13에서 결정한 면의 집합 {110}의 12개 구성원을 그림으로 나타내시오(하나 이상의 그림이 필요할 것이다).

연습문제 3.16

(a) bcc 철과 (b) fcc 니켈에 대해 [111] 방향으로 원자 선밀도를 계산하시오(예제 3.14 참고).

연습문제 3.17

(a) bcc 철과 (b) fcc 니켈에 대해 (111)면에서의 원자 면밀도를 계산하시오(예제 3.15 참고).

연습문제 3.18

CaO에 대해 [111] 방향의 이온 선밀도를 계산하시오(예제 3.16 참고).

연습문제 3.19

CaO에 대해 (111)면의 이온 면밀도를 계산하시오(예제 3.17 참고).

연습문제 3.20

Ge에 대해 [111] 방향의 원자 선밀도를 계산하시오(예제 3.18 참고).

연습문제 3.21

Ge에 대해 (111)면의 원자 면밀도를 계산하시오(예제 3.19 참고).

3.7 엑스선 회절

이 장에서는 여러 가지 다양한 결정 구조를 소개했다. 이제 강력한 실험 도구인 **엑스선 회절**(x-ray diffraction)에 대해 간단히 설명하고 마치겠다.

엑스선 회절은 여러 가지 방법으로 공업재료의 결정 구조를 측정하는 데 이용된다. 새로운 재료의 구조를 결정하는 데 이용되거나 흔한 재료의 이미 알려진 구조를 응용하여 화학적 규명을 하는 데 쓰인다.

회절(diffraction)은 입사광의 파장과 같은 간격으로 규칙적으로 배열되어 있는 산란 중심부에 의해 입사광이 산란되기 때문에 일어나는 것이다. 예를 들면 1 μm 간격으로 평행하게 그어져 있는 줄은 가시광선(파장이 1 μm에 약간 못 미치는 전자파)을 회절시킨다. 이러한 **회절격자**(diffraction grating)는 몇 개의 특정한 방향으로 강한 강도가 나타나도록 빛을 산란시킨다(그림 3.29). 관찰된 산란의 정확한 방향은 회절격자에 있는 선 사이 간격에 대한 입사광 파장의 상대적인 값의 함수이다. 부록 2에서 보여주듯이 원자와 이온은 대체로 크기가 0.1 nm 정도이다. 그래서 결정 구조를 나노미터 이하(subnanometer) 규모의 회절격자로 생각할 수 있다. 그림 3.30에서 보는 바와 같이 이와 같은 영역의 파장을 갖는 전자기 스펙트럼은 **엑스선 복사**(x-radiation)이다(1,000 nm 범위를 가진 가시광선과 비교해보자). 그 결과로 엑스선 회절이 결정 구조를 직접적으로 알아낼 수 있는 방법이 되는 것이다.

엑스선에서 산란의 중심은 원자이다. 산란의 특별한 기구(mechanism)는 원자의

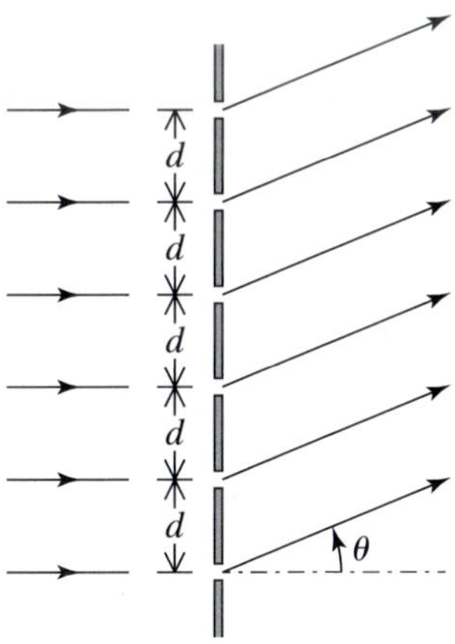

그림 3.29 가시광선의 회절격자. 판의 일정한 간격으로 낸 구멍(slit)이 빛 산란 중심 역할을 한다. (From H. D. Young and R. A. Freedman, *University Physics*, 11th ed. Pearson/Addison Wesley, New York, 2004.)

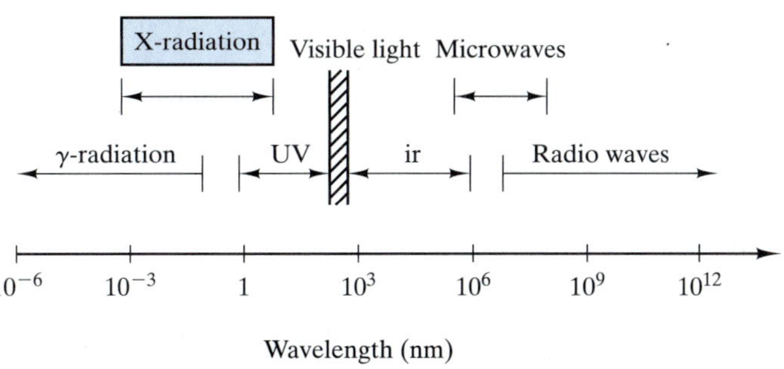

그림 3.30 전자기 복사 스펙트럼. 엑스선 복사는 0.1 nm 정도의 파장을 가지는 것으로 나타나 있다.

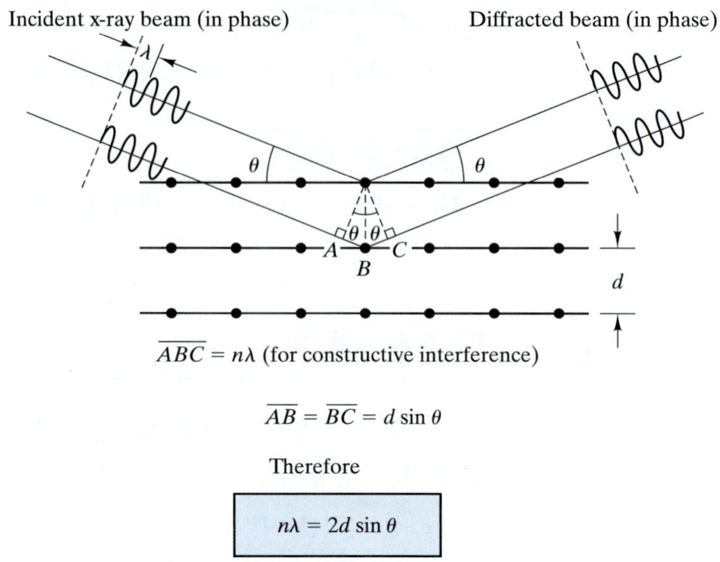

그림 3.31 엑스선 복사의 회절 기하. 결정 구조는 3차원적인 회절격자이다. Bragg 법칙($n\lambda = 2d \sin\theta$)은 회절 조건을 나타낸다.

궤도 전자와 전자기 입사파의 광양자 사이의 상호작용에 의해 일어난다. 결정 구조는 3차원 회절격자이다. 그림 3.29에서와 같이 연속적으로 쌓여 있는 결정면을 평행하게 그어진 선과 마찬가지로 적용한다. 간단한 결정격자에서 회절이 일어나기 위한 조건은 그림 3.31과 같다. 회절이 일어나기 위해서는 이웃한 결정면에서 산란된 엑스선은 같은 위상을 가지고 있어야 한다. 그렇지 않으면 파는 상쇄 간섭을 일으켜 산란된 파는 관찰되지 않는다. 보강 간섭(면에서의 산란된 파)이 일어날 때에는 2개의 엑스선 간의 경로차가 입사광 파장(λ)의 정수배(n)여야 한다. 이 조건을 수식화한 식이 **Bragg**[4] **방정식**(Bragg equation)이다.

$$n\lambda = 2d\sin\theta \tag{3.5}$$

d는 인접한 결정면 사이의 거리이고, θ는 그림 3.31에서 정의한 산란각이다. 각 2θ는 흔히 **Bragg 각**(Bragg angle)이라고 하고, 2θ는 **회절각**(diffraction angle)이라고 하는데 그 이유는 실험으로 이 각을 측정하기 때문이다(그림 3.32).

면간 간격(interplanar spacing)의 크기는(식 3.5에서 d) 면에 대한 Miller 지수의 직접적인 함수이다. 입방체에 대해서 이 관계식은 매우 간단하다. 인접한 hkl 면 사이의 간격은 다음과 같다.

4) William Henry Bragg(1862~1942)와 William Lawrence Bragg(1890~1971)는 영국 물리학자로서 천부적인 재능을 지닌 부자였다. 그들은 엑스선을 사용해 NaCl 같은 알칼리 할로겐 화합물의 결정 구조를 결정함으로써 식 (3.5)의 유용성을 처음으로 증명해냈다. 1912년 이 같은 업적이 이루어진 이후 100만 개가 넘는 재료의 결정 구조가 분류되었다(각주 5 참고).

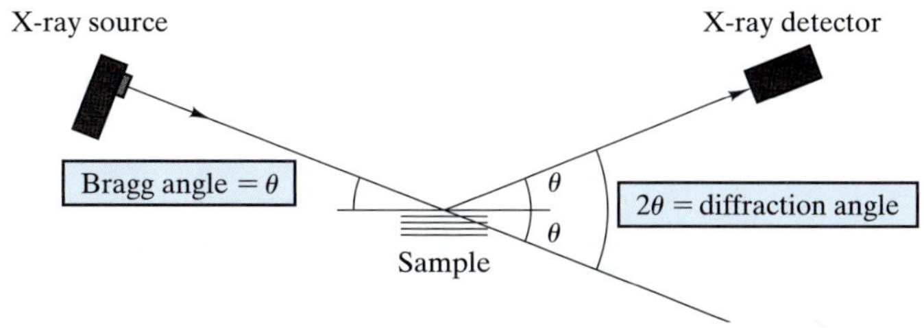

그림 3.32 Bragg 각(θ)과 실험으로 측정되는 회절각(2θ)의 관계

$$d_{hkl} = \frac{a}{\sqrt{h^2 + k^2 + l^2}} \tag{3.6}$$

여기서 a는 격자 상수(단위정의 모서리 길이)이다. 좀 더 복잡한 모양의 단위정에 대해 이 관계식은 복잡해진다. 육방정계(hexagonal system)에 대해서

$$d_{hkl} = \frac{a}{\sqrt{\frac{4}{3}(h^2 + hk + k^2) + l^2(a^2/c^2)}} \tag{3.7}$$

여기서 a와 c는 격자 상수이다.

Bragg 법칙(Bragg's law, 식 3.5)은 회절이 일어나기 위한 필요조건이지 충분조건은 아니다. 즉 Bragg 법칙은 **단순 단위정**(primitive unit cell)에 대한 회절 조건을 정의하는 것이다. 단순 단위정이란 단순 입방체와 단순 사방체처럼 단위정의 각 꼭짓점에만 격자점을 가진 Bravais 격자를 말한다. **복합 단위정**(nonprimitive unit cell)의 결정 구조에서는 단위정의 모서리, 면 또는 내부에 추가적인 격자점에 원자가 있는 것이다. 이러한 잉여의 산란 중심부는 어느 특정한 Bragg 각에서 위상이 다른 산란을 시킬 수 있다. 그 결과 식 (3.5)에서 예견된 회절 중에 어떤 것은 일어나지 않는다. 이 효과의 예가 표 3.4에 주어져 있는데 이것은 통상적인 금속 구조에 대한 **반사 법칙**(reflection rule)이다. 이것은 Miller 지수에 어느 집합(set)이 Bragg 법칙이 예측하는 회절을 일으키지 않는가를 보여준다. 여기서 말하는 반사라는 것은 실제 반사(reflection)를 묘사한다기보다는 회절에 대한 일상적인 용어라는 것을 명심해야 한다.

그림 3.33은 알루미늄 분말 시료의 회절 패턴을 나타낸 것이다. 각 피크(peak)는 Bragg 법칙의 해를 나타낸다. 분말은 여러 개의 작은 결정립이 임의의 방향으로 배열되어 있기 때문에 회절 피크의 숫자를 몇 개 정도로 유지하기 위해 한 파장의 엑스선을 쓴다. 이 실험은 **회절기**(diffractometer, 그림 3.34)라는 전기기계적 주사계

표 3.4 일반적인 금속 구조에서 엑스선 회절의 반사 법칙

결정 구조	회절 미발생 조건	회절 발생 조건
체심 입방(bcc)	$h + k + l$ = odd number	$h + k + 1$ = even number
면심 입방(fcc)	h, k, l mixed (i.e., both even and odd numbers)	h, k, l unmixed (i.e., are all even numbers or all are odd numbers)
육방 조밀 충진(hcp)	$(h + 2k) = 3n$, l odd (n is an integer)	All other cases

POWERS OF 10

결정 구조의 원자 규모 크기(면간 간격)의 작은 차이가 어떻게 엑스선 회절 패턴에 큰 각도 차이를 이루는가에 주목하라.

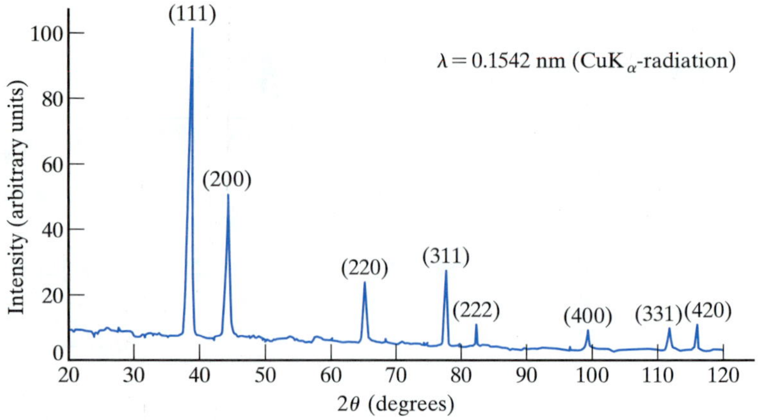

그림 3.33 알루미늄 분말 회절 패턴. 각 피크(엑스선 강도와 회절 각도 2θ에 의한 구성)는 여러 분말 내에서 병렬 결정면(hkl)에 의해 엑스선 빔의 회절을 나타낸다.

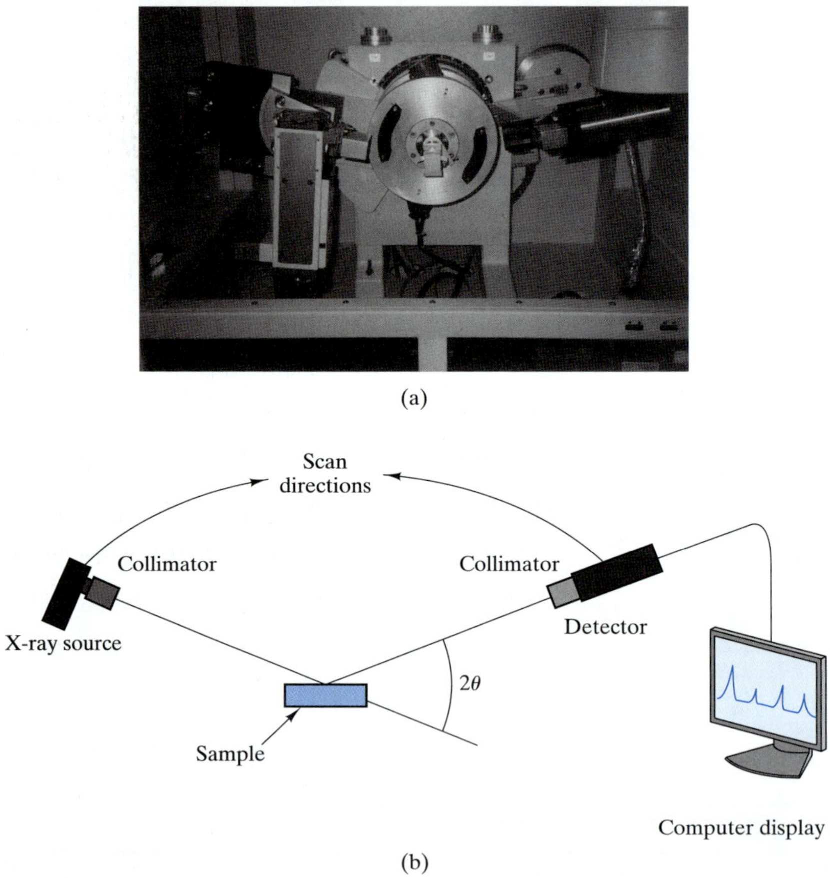

그림 3.34 (a) 엑스선 회절기 (Courtesy of Scintag, Inc.) (b) 실험 도식표

(electromechanical scanning)에서 한다. 산란된 빔의 세기는 기계적으로 작동되는 주사 방사선 감지기에 의해 전자적으로 측정된다. 그림 3.33의 **분말 패턴**(powder patterns)은 재료공학자들이 이미 수집한 많은 회절 패턴과 비교하기 위해 통상적으로 사용된다.[5] 그림 3.33과 같은 실험으로 구한 회절 패턴과 이미 알고 있는 회절 패턴의 데이터베이스와의 비교는 그림 3.34에 보인 것과 같은 현대 회절기에 필수 부분인 컴퓨터 검색 프로그램을 이용하여 몇 초 안에 이루어질 수 있다. 그러한 회절 무늬와 결정 구조의 특별한 관계는 분말이나 결정 물질을 화학적으로 식별하기 위해 꼭 필요한 도구이다.

분말 시료나 다결정 고체의 회절 패턴을 분석하는 표준 과정에는 $n = 1$일 때의 식 (3.5)를 이용한다. 이것은 다음과 같은 이유로 정당한 과정이다. 즉 (hkl)인 면의 n차 회절이 일어나는 각도는 $(nh\ nk\ nl)$면[이 면은 (hkl)면에 평행하다]의 1차 회절이 일어나는 각도와 같다. 이를 통해 다음과 같이 분말 회절에 대한 Bragg 법칙의 가장 간단한 식을 쓸 수 있다.

$$\lambda = 2d\sin\theta \tag{3.8}$$

예제 3.20

Bragg 법칙을 이용해 그림 3.33의 알루미늄 분말 회절 패턴에서 처음 3개의 정점에 대한 회절각(2θ)을 계산하시오.

풀이

그림 3.33을 보면 처음 3개의(즉 가장 낮은 각) 정점은 (111), (200), (220)에 대한 것이다. 예제 3.14(b)에서 $a = 0.404$ nm임을 알고 있다. 그러므로 식 (3.6)에 의해

$$d_{111} = \frac{0.404 \text{ nm}}{\sqrt{1+1+1}} = \frac{0.404 \text{ nm}}{\sqrt{3}} = 0.234 \text{ nm}$$

$$d_{200} = \frac{0.404 \text{ nm}}{\sqrt{2^2+0+0}} = \frac{0.404 \text{ nm}}{2} = 0.202 \text{ nm, and}$$

$$d_{220} = \frac{0.404 \text{ nm}}{\sqrt{2^2+2^2+0}} = \frac{0.404 \text{ nm}}{\sqrt{8}} = 0.143 \text{ nm}$$

그림 3.33과 같이 $\lambda = 0.1542$ nm이면, 식 (3.8)로부터

$$\theta = \arcsin\frac{\lambda}{2d}$$

또는

---

5) *Powder Diffraction File*은 Intenational Centre for Diffraction Data(ICDD), Newtown Square, PA.에 의한 100만 개 이상의 분말 회절 목록이다.

$$\theta_{111} = \arcsin \frac{0.1542 \text{ nm}}{2 \times 0.234 \text{ nm}} = 19.2°$$
$$(2\theta)_{111} = 38.5°$$

$$\theta_{200} = \arcsin \frac{0.1542 \text{ nm}}{2 \times 0.202 \text{ nm}} = 22.4°$$
$$(2\theta)_{200} = 44.9°$$

$$\theta_{220} = \arcsin \frac{0.1542 \text{ nm}}{2 \times 0.143 \text{ nm}} = 32.6°$$
$$(2\theta)_{220} = 65.3°$$

연습문제 3.22

예제 3.20에서 그림 3.33에 나와 있는 처음 3개의 정점에 대한 회절각을 계산했다. 그림 3.33에 나와 있는 나머지 정점에 대해서도 회절각을 구하시오.

요약

공학자가 사용하는 대부분의 재료는 본질적으로 결정질이다. 즉 원자 단위의 구조는 규칙적이고 반복적이다. 이러한 규칙성 때문에 그 조직은 기본이 되는 구조적 단위로 정의할 수 있으며 이 구조적 단위를 단위정이라고 한다. 그것은 7개의 결정계로 되어 있으며 가능한 모든 단위정의 형태이다. 또 이러한 결정계에 기초를 두면서 3차원 공간을 통해 가능한 점의 배열을 나타내는 14개의 Bravais 격자가 있다. 이러한 격자는 결정질 원자 구조의 '골격'이다.

보통의 금속은 세 가지 기초가 되는 결정 구조[체심 입방(bcc), 면심 입방(fcc), 육방 조밀 충진 구조(hcp)]를 가진다. fcc와 hcp 형태는 같은 크기의 구(금속 원자)를 효과적으로 쌓을 수 있는 간단한 구조를 가지고 있다. fcc와 hcp는 단지 조밀 충진된 원자면을 쌓는 방법만 다르다.

금속보다 화학적으로 좀 더 복잡한 세라믹 화합물은 매우 복잡한 결정 구조를 보여준다. NaCl 구조 같은 약간의 세라믹 화합물은 간단한 금속과 매우 유사해서 같은 Bravais 구조를 갖지만 각 격자점에는 하나 이상의 이온이 있다. 실리카와 규산염은 실리카 사면체(SiO_4^{4-})의 비교적 복잡한 배열을 가지고 있다. 이 장에서는 중요한 전자 세라믹과 자성 세라믹을 포함한 몇 가지 대표적인 세라믹 구조를 보여주었다. 탄소 구조는 잘 알려진 흑연과 다이아몬드 구조가 최근 결합되어 풀러렌 구조(예: 버키볼, 버키 튜브 또는 탄소 나노 튜브)와 그라펜(고립된 흑연의 단원자층) 구조를 이루게 된 점이 특히 흥미롭다.

고분자는 긴 사슬 모양의 중합체 구조를 갖는 특징이 있다. 반복적인 형태로 접혀 있는 사슬의 복잡한 형태는 두 가지 효과를 발생시킨다. (1) 결과적인 결정 구조는 비교적 복잡하고, (2) 대부분의 상업용 고분자는 부분적으로만 결정화되어 있다. 폴리에틸렌의 단위정 구조를 이 장에 제시했다.

고순도의 단결정은 반도체 기술에서 중요한 부분을 차지한다. 이것은 대부분의 반도체가 몇 개 되지 않은 비교적 간단한 결정 구조를 가지고 있기 때문에 가능하다. 실리콘과 같은 단원소로 된 반도체는 각 격자점에 2개의 원자를 가지고 있는 fcc Bravais 격자의 약간 변형된 형태인 다이아몬드 입방 구조를 가지고 있다. 많은 화합물 반도체는 섬아연광(ZnS) 구조와 밀접한 관련이 있다. 이 구조는 Zn^{2+}와 S^{2-} 이온을 번갈아가며 쌓음으로써 얻는 다이아몬드 입방 구조이다.

결정질 구조를 기하학적으로 나타내는 데는 표준 방법이

있다. 이러한 방법은 격자 위치, 방향, 면을 표시하는 데 효율적이고 체계적인 기호를 제공한다.

엑스선 회절은 결정 구조를 알아내기 위한 표준 실험 방법이다. 원자의 규칙적인 배열이 엑스선(나노미터 이하 파장을 가진)에 대한 나노미터 이하 크기의 회절격자로 되는 것이다. 반사 법칙과 함께 Bragg 법칙을 이용하여 결정 구조의 면간 간격을 정확하게 측정할 수 있다. 단결정과 다결정(또는 분말) 재료 모두 이 같은 방법으로 분석할 수 있다.

주요 용어

격자면(lattice plane)
격자 방향(lattice direction)
격자 변수(lattice parameter)
격자 병진(lattice translation)
격자 상수(lattice constant)
격자 위치(lattice position)
격자점(lattice point)
결정계(crystal system)
고령토(kaolinite)
그라펜(graphene)
다이아몬드 입방정(diamond cubic)
단순 단위정(primitive unit cells)
단위정(unit cell)
면간 간격(interplanar spacing)
면밀도(planar density)
면심 입방(face-centered cubic)
면 집합(family of planes)
반사 법칙(reflection rules)
방향 집합(family of directions)
버키볼(buckyball)
버키 튜브(buckytube)
벅민스터풀러렌(buckminsterfullerene)
복합 단위정(nonprimitive unit cells)
선밀도(linear density)
섬아연광(zinc blende)
실리카(silica)
실리콘(silicon)
엑스선 복사(X-radiation)
엑스선 회절(X-ray diffraction)
염화나트륨(sodium chloride)
염화세슘(cesium chloride)
원자 충진도(atomic packing factor, APF)
육방 조밀 충진(hexagonal close packed)
이온 충진도(ionic packing factor, IPF)
입방 조밀 충진(cubic close packed)
점격자(point lattice)
체심 입방(body-centered cubic)
코런덤(corundum)
탄소 나노 튜브(carbon nanotube)
폴리에틸렌(polyethylene)
풀러렌(fullerene)
형석(fluorite)
홍연석(cristobalite)
회절(diffraction)
회절각(diffraction angle)
회절기(diffractometer)
Bragg 각(Bragg angle)
Bragg 방정식(Bragg equation)
Bragg 법칙(Bragg's law)
Bravais 격자(Bravais lattice)
III-V 화합물(III-V compounds)
II-VI 화합물(II-VI compounds)
Miller 지수(Miller indices)
Miller-Bravais 지수(Miller-Bravais indices)

참고문헌

Accelrys, Inc., San Diego, CA. 원래 생물학 분야의 제품 개발을 위해 개발된 소프트웨어를 사용하여 광범위한 재료의 컴퓨터 생성 결정구조를 얻을 수 있었다.

Barrett, C. S., and **T. B. Massalski,** *Structure of Metals*, 3rd revised ed., Pergamon Press, New York, 1980. 이 책은 엑스선 회절 기술에 대한 상당한 내용을 포함한다.

Billmeyer, F. W., *Textbook of Polymer Science*, 3rd ed., John Wiley & Sons, Inc., New York, 1984.

Carter, C.B, and **M.G. Norton,** *Ceramic Materials: Science and Engineering*, 2nd ed., Springer, New York, 2013.

Chiang, Y., D. P. Birnie III, and **W. D. Kingery,** *Physical Ceramics*, John Wiley & Sons, Inc., New York, 1997.

Cullity, B. D., and **S. R. Stock,** *Elements of X-Ray Diffraction*, 3rd ed., Prentice-Hall, Upper Saddle River, NJ, 2001. 고전 서적의 개정판으로 엑스선 회절의 원리와 응용에 대해 아주 명확한 논의를 담고 있다.

Wyckoff, R.W. G., Ed., *Crystal Structures*, 2nd ed., Vols. 1–5 and Vol. 6, Parts 1 and 2, John Wiley & Sons, Inc., New York, 1963–1971. 결정 구조 데이터의 백과사전식 모음이다.

복습문제

3.1 _ 7가지 결정계와 14가지 결정격자

3.1 단순 육방정이 2차원 점격자가 아닌 이유는 무엇인가?

3.2 면중심 육방정에 대한 2차원 점격자의 당량은 어떻게 되는가?

3.3 표 3.2에는 저심 입방정 격자가 왜 존재하지 않는가? (그림을 그려 답하시오.)

• **3.4** (a) 그림 1.8(a)에 그려진 결정질 세라믹에 대응하는 2차원 점격자는 무엇인가? (b) 단위정을 그리시오.

3.5 삼사정계가 육방정계로 줄어드는 조건은 무엇인가?

3.6 결정계와 결정격자의 차이점은 무엇인가?

3.2 _ 금속 구조

3.7 hcp 구조의 c/a 비율(단위정의 높이를 모서리 길이로 나눈 값)은 1.633이다. 이 값을 사용하여 hcp 금속인 마그네슘의 밀도를 계산하시오.

3.8 (a) bcc 금속 구조에 대한 0.68의 원자 충진도(APF)와 (b) fcc 금속 구조에 대한 0.74의 APF, (c) hcp 금속 구조에 대한 0.74의 APF를 계산하시오.

3.3 _ 세라믹 구조

3.9 CaF_2 구조(그림 3.11)를 가진 UO_2에 대한 IPF를 계산하시오.

3.10 3.3절에는 열린 CaF_2 구조가 주어지는데, UO_2가 He 기체 원자를 흡수해서 팽창에 저항할 가능성이 있다. He 원자(지름 약 0.2 nm)가 UO_2 단위정의 중심에 맞는지 확인하시오(CaF_2 구조는 그림 3.11 참고).

3.11 CsCl 구조가 bcc 격자의 예가 아닌 이유는 무엇인가?

3.12 UO_2의 밀도를 계산하시오.

• **3.13** 홍연석과 같은 실리카 기반 구조를 설명할 때 종종 사용되는 '가교 산소(bridging oxygen)' 용어의 적절성에 대해 논의하시오.

• **3.14** 홍연석에 대한 IPF를 계산하시오(그림 3.12).

3.4 _ 고분자 구조

3.15 폴리에틸렌 단위정을 구성하는 것과 관련된 반응 에너지를 계산하시오.

3.16 10 nm 두께의 폴리에틸렌 박판(그림 3.19)에는 얼마나 많은 단위정이 있는가?

3.17 폴리에틸렌에 대한 APF를 계산하시오.

3.18 폴리에틸렌과 같은 고분자 구조를 설명하기 위한 '원자 규모 짜기(atomic-scale weaving)' 용어의 절적성에 대해 논하시오.

3.5 _ 반도체 구조

3.19 섬아연광 구조에 대한 IPF를 계산하시오(그림 3.21).

3.20 부록 1과 2의 자료를 이용하여 섬아연광의 밀도를 계산하시오.

3.6 _ 격자 위치, 방향, 면

3.21 (a) [111]과 [112] 격자 방향의 입방정을 그리시오. (b) 이 두 방향 간의 각도를 삼각법 계산으로 결정하시오. (c) 식 (3.3)을 이용하여 이 두 방향 간의 각도를 결정하시오.

3.22 단위정의 측면에 대한 격자점 위치를 (a) 저심 사방정 격자와 (b) 삼사정 격자로 나타내시오.

3.23 지질학 교과서에서 광물의 결정학에 대한 설명에 '¼¼¼'이라는 항목을 볼 수 있다. 이 항목이 격자 위치, 방향 또는 면 가운데 어느 것을 설명하는지 간략하게 논의하시오.

• **3.24** fcc 격자의 모서리 원자와 3-인접 면심 위치 사이에 있는 '점을 연결해서' 나타나는 다면체는 무엇인가? 그림을 그려 답하시오.

• **3.25** fcc 단위정의 표면에 있는 6개의 면심 위치 사이를 '점 연결'하여 형성되는 다면체는 무엇인가?

3.26 $\frac{1}{2}\frac{1}{2}0$과 $\frac{1}{2}0\frac{1}{2}$ 인접 면심 위치를 연결하는 $[hkl]$ 방향은 무엇인가? 그림을 그려 답하시오.

3.27 방정계의 유용한 경험 규칙은 주어진 $[hkl]$ 방향이

(hkl)면에 수직이라는 것이다. 이 규칙과 식 (3.3)을 이용해서 (111)면에 있는 ⟨110⟩ 방향 집합을 구성하는 구성원을 결정하시오. (힌트: 두 수직 벡터의 내적은 0이다.)

3.28 (110)면에 있는 ⟨111⟩ 방향 집합을 구성하는 구성원을 결정하시오(문제 3.27 참고).

3.29 물리학 교과서에서 반도체의 결정학에 대해 논할 때 '[111]'이라는 항목을 볼 수 있다. 이것이 격자의 위치, 방향 또는 면을 설명하는 것인지에 대해 간략하게 논의하시오.

3.30 Miller-Bravais 지수 (0001)을 가진 육방정 단위정에 대한 기저면을 그리시오(그림 3.27 참고).

3.31 육방정 단위정 $\{01\bar{1}0\}$의 프리즘면의 집합 구성원을 나열하시오(그림 3.27 참고).

3.32 육방정계를 위해 도입된, 4개의 숫자로 이루어진 Miller- Bravais 지수는 결정계를 위해서도 사용된다. 육방정계에서 (a) [0001] 방향과 (b) $[11\bar{2}0]$ 방향을 그리시오.

3.33 연습문제 3.12에 묘사된 방향 집합은 6개의 구성원을 가지고 있다. 이 집합의 크기는 비입방정을 위해 작아진다. ⟨100⟩ 방향 집합의 구성원을 (a) 정방정계와 (b) 사방정계에 대해 나열하시오.

3.34 방향 집합에 대한 문제 3.33의 설명은 면 집합에도 적용된다. 그림 3.28은 입방정계에 대한 {100}면 집합의 6개 구성원을 나타내고 있다. {100}면 집합의 구성원을 (a) 정방정계와 (b) 사방정계에 대해 나열하시오.

3.35 (a) fcc 격자에서 [112] 방향에 위치한 처음 3개의 격자점을 나열하시오(000점 포함). (b) 위 질문에 대한 대답을 그림으로 나타내시오.

3.36 화학 교과서에서 알칼리 할로겐화물의 결정학에 대한 논의에 '(111)'이라는 항목이 나온다. 이것이 격자의 위치, 방향 또는 면을 설명하는 것인지에 대해 간략하게 논의하시오.

3.37 입방정계에서 (111)과 $(11\bar{1})$면 사이의 교차선을 나타내는 ⟨110⟩ 방향 집합에 속하는 방향은 무엇인가? (문제 3.27 참고)

3.38 문제 3.37에 묘사된 방향과 면의 교차선을 그리시오.

3.39 삼사정계에서 {100}면의 집합 구성원을 그리시오.

• **3.40** 알루미늄에 대한 엑스선 회절 피크의 처음 8면이 그림 3.33에 표시되어 있다. 각 면과 교차선을 입방정에 대해 그리시오. (혼동을 막기 위해 각 면을 따로 그리시오.)

• **3.41** (a) 입방정계에서의 ⟨112⟩ 방향 집합을 나열하시오. (b) 이 방향 집합을 그리시오. (하나 이상의 그림을 그려야 할 것이다.)

3.42 그림 3.5(b)와 3.6(b)에서 원자와 부분적인 원자가 단위정을 만드는 것을 보았다. 이와 다른 시각은 단위정을 '등가인 점'의 관점에서 보는 것이다. 예를 들어 bcc 단위정의 두 원자가 000에서는 하나의 모서리 원자로, $\frac{1}{2}\frac{1}{2}\frac{1}{2}$에서는 하나의 체심 원자로 간주된다. 그림 3.5(b)에는 8개의 $\frac{1}{8}$원자와 등가인 하나의 모서리 원자가 보인다. 이와 비슷하게 fcc 구조에서 4개 원자와 관련된 등가의 점을 나타내시오.

3.43 hcp 구조에서 등가의 점과 관련된 원자를 식별하시오. (문제 3.42 참고)

3.44 문제 3.43을 체심 사방정 격자에 대해 반복하시오.

3.45 문제 3.43을 저심 사방정 격자에 대해 반복하시오.

3.46 fcc 단위정에 관련된 (111)면의 $[1\bar{1}0]$ 방향을 그리시오. 관련된 면에 있는 모든 원자 중심 위치를 포함해야 한다.

3.47 bcc 단위정에 관련된 (110)면의 $[1\bar{1}1]$ 방향을 그리시오. 관련된 면에 있는 모든 원자 중심 위치를 포함해야 한다.

3.48 hcp 단위정에 관련된 (0001)면의 $[11\bar{2}0]$ 방향을 그리시오. 관련된 면에 있는 모든 원자 중심 위치를 포함해야 한다.

• **3.49** fcc 구조에서 $\frac{1}{4}\frac{1}{4}\frac{1}{4}$위치는 '사면체 자리'인데, 즉 4배수 원자 조합의 간격이다. $\frac{1}{2}\frac{1}{2}\frac{1}{2}$위치는 '팔면체 자리'인데, 즉 6배수 원자 조합의 간격이다. fcc 단위정당 몇 개의 사면체와 팔면체 자리가 있겠는가? 대답을

그림으로 나타내시오.

• **3.50** 알루미늄에 대한 엑스선 회절 피크의 처음 8면이 그림 3.33에 표시되어 있다. fcc 단위정에 대한 각 면[그림 3.6(a)]을 그리고, 면 내의 원자 위치를 강조하시오. (문제 3.40을 참고하고, 각 면을 따로 그리시오.)

3.51 CaF_2 구조를 가진 UO_2의 [111] 방향으로 있는 이온의 선형 밀도를 계산하시오(그림 3.11).

• **3.52** 홍연석 단위정을 지나는 (111)면의 이온 위치를 그리시오(그림 3.12).

• **3.53** 홍연석 단위정을 지나는 (101)면의 이온 위치를 그리시오(그림 3.12).

3.54 섬아연광의 [111] 방향으로 있는 이온의 선밀도를 계산하시오(그림 3.21).

3.55 섬아연광의 (111)면을 따라 위치한 이온의 면밀도를 계산하시오(그림 3.21).

3.56 선밀도와 면밀도를 계산하는 데 어떤 원자가 적절히 계수될 수 있는가?

3.7 _ 엑스선 회절

3.57 그림 3.33의 회절 피크는 fcc 금속(표 3.4의 혼합되지 않은 h, k, l)의 반사 법칙에 대응한다. bcc 금속에 대한 3개의 최저 회절각의 (hkl) 지수는 어떻게 되겠는가?

3.58 문제 3.57의 결과를 통해, CuK_α 복사를 사용하여 α-Fe 가루의 회절 패턴에서 처음 3개의 피크에 대한 회절각(2θ)을 계산하시오($\lambda = 0.1542$ nm).

3.59 빛나는 표면에서 일반적인 빛 산란은 어떤 각도에서도 발생할 수 있고, 산란 각도는 표면 입사각과 동일하다. 회절은 이와 어떻게 다른가?

3.60 문제 3.57을 bcc 금속에 대한 그다음 3개의 최저 회절각에 적용하시오.

3.61 문제 3.58을 CuK_α 복사를 사용하여 α-Fe 분말의 회절 패턴에서 다음 3개의 피크에 대한 회절각에 대해 적용하시오.

3.62 주어진 (hkl)면에 대해 상대적 피크 높이는 같다고 가정하고, 그림 3.33에 보인 CuK_α 복사를 사용한 구리 가루와 회절 패턴이 비슷함을 보이시오. 범위는 $20° < 2\theta < 90°$이다.

3.63 문제 3.62를 납 가루에 대해 반복하시오.

• **3.64** hcp 금속에 대한 3개의 최저 회절각에 대해 (hkl) 지수는 어떻게 되겠는가?

• **3.65** 문제 3.64의 결과를 통해 CuK_α 복사를 사용하여 마그네슘 가루의 회절 패턴에서 처음 3개의 피크에 대한 회절각(2θ)을 계산하시오($\lambda = 0.1542$ nm). 참고로 마그네슘의 c/a 비는 1.62이다.

• **3.66** Bragg 각과 회절각의 차이점은 무엇인가?

3.67 CuK_α 복사를 사용하여 MgO 가루의 처음 6개의 회절 피크를 계산하시오. (이 세라믹 구조는 fcc 금속에 대한 반사 법칙을 공유하는 fcc 격자에 근거한다.)

3.68 단순 단위정과 비단순 단위정의 차이점은 무엇인가?

• **3.69** CuK_α 복사를 사용한 금속 가루의 처음 3개의 회절 피크가 $2\theta = 44.4°, 64.6°, 81.7°$이다. 이 금속은 bcc 또는 fcc 금속 중 무엇인가?

• **3.70** 더 세부적으로, 문제 3.69의 금속 가루는 Cr, Ni, Ag, W 중 무엇인가?

3.71 주어진 CuK_α 복사($\lambda = 0.1542$ nm)는 사실상 2개의 인접한 피크($CuK_{\alpha 1}$와 $CuK_{\alpha 2}$)의 평균이다. 구리 타깃 엑스선 튜브의 복사를 세밀히 거르면 보다 정밀한 파장으로 회절시킬 수 있다($CuK_{\alpha 1} = 0.15406$ nm). 예제 3.20을 이보다 정밀한 복사를 사용하여 반복하시오.

3.72 문제 3.71의 각 피크에 대한 회절각(2θ)의 백분율 변화를 보다 정밀한 복사인 $CuK_{\alpha 1}$을 사용하여 계산하시오.

CHAPTER 4

결정 결함과 비정질 구조: 결함

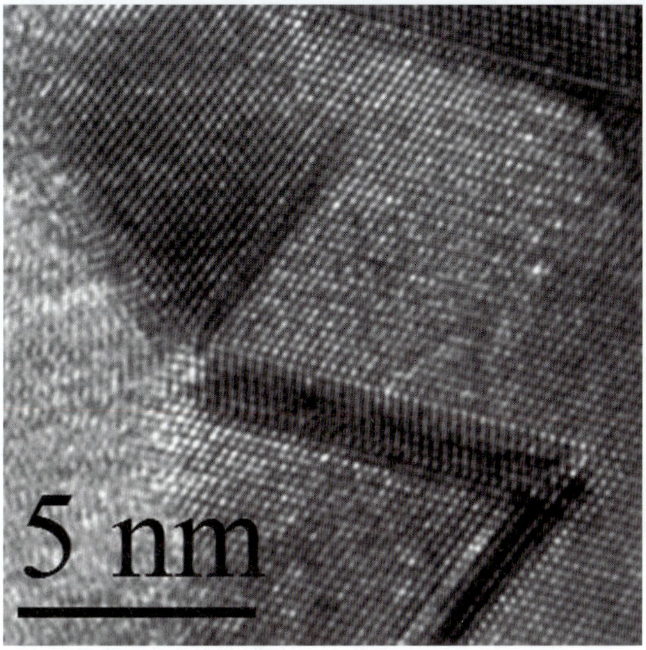

3장의 '완벽한' 구조와는 달리 다이아몬드 박막을 고해상도 투과 전자현미경으로 촬영한 위 이미지에서는 우측 하단의 쌍정 경계 등 다양한 결함을 볼 수 있다. 이러한 2차원 결함은 이 장에서 다룰 주제 가운데 하나이다. (Courtesy of Klaus van Benthem, Andrew Thron, and David Horsley, University of California, Davis.)

학습목표

1. (a) 치환형 고용체와 침입형 고용체를 설명하고, 특히 금속 합금에서 완전한 고용을 위한 Hume-Rothery 규칙에 대해 구체적으로 설명한다.
(b) 불규칙 고용체와 규칙 고용체를 구분한다.

2. (a) 점 결함(0차원)의 종류인 공공과 침입형 원자를 구분한다.
(b) 화합물에서의 점 결함인 Schottky 결함과 Frenkel 결함을 설명한다.

3. (a) Burgers 벡터를 포함하는 단순 입방격자에서의 칼날 전위를 그린다.
(b) 칼날 전위와 나선 전위의 차이점을 설명한다.
(c) 혼합 전위를 설명할 때 Burgers 벡터의 유용성에 대해 설명한다.

4. (a) 쌍정 경계, 자유 표면, 결정립계 간의 차이점을 설명한다.
(b) 다결정 미세조직의 결정립도를 정량화한다.

5. 산화물 유리와 같은 비정질 고체에서의 단범위 규칙, 중범위 규칙, 장범위 규칙을 구분한다.

3장에서는 완벽한 격자 구조를 가진 주요 공업재료의 원자 단위 특성을 알아보았다. 그러나 세상에 완벽한 물질은 존재하지 않으며 모든 결정질 재료에는 결함이 존재한다. 이 장에서는 이와 같은 결함을 체계적으로 다룰 것이다.

먼저 생각해야 할 점은 어떤 재료든 어느 정도의 화학적 불순물 없이 만들어질 수 없다는 것이다. **고용체**(solid solution) 내의 불순물 원자나 이온은 이상적인 순수한 재료의 구조적 규칙성을 변화시킨다.

불순물이 없는 경우에도 결정의 완벽성을 해치는 수많은 구조적 결함이 존재한다. 결함의 가장 단순한 형태는 격자점 내 빠진 원자[공공(vacancy)]와 같은 **점 결함**(point defect)이다. 이런 형태의 결함은 절대온도 영도 이상의 온도에서 고체 내 원자의 일반적인 열 진동에 의해 발생한다. 선 결함 또는 **전위**(dislocation)는 결정 구조를 통해 광범위하고 때로는 복잡한 경로를 따라 존재한다. **면 결함**(planar defects)은 거의 완벽한 결정질 지역과 그 주위 사이의 경계를 나타낸다. 어떤 재료는 결정학적 규칙성이 완전히 없는 경우도 있다. 흔히 볼 수 있는 창유리가 바로 이러한 **비정질 고체**(noncrystalline solid)이다.

4.1 고용체: 화학적 결함

실제 사용하는 재료에서 오염을 피한다는 것은 불가능하다. 고순도 반도체 재료에서조차 측정할 수 있는 정도의 불순물 원자가 존재한다. 많은 공업재료는 몇 가지 다른 성분이 상당량 존재한다. 상업적인 금속 합금이 그 예이다. 결과적으로 공학자가 통상 다루는 모든 재료는 실제로 **고용체**(solid solution)이다. 고용체는 그림 4.1의 물-알코올 계와 같은, 우리가 잘 알고 있는 액체 용액과 본질적으로 같다. 물에 대한 알코올의 완전한 용해는 완전한 분자 혼합의 결과이다. 비슷한 결과를 그림 4.2에서 볼 수 있는데 그것은 fcc 결정 구조를 공유하고 있는 Cu와 Ni 원자의 고용체를 나타낸다. 니켈은 구리 **용매**(solvent)에 녹아 있는 **용질**(solute)이다. 이런 특정 배열은 니켈 원자가 구리 원자의 fcc 원자 자리에 치환되기 때문에 **치환형 고용체**(substitutional solid solution)라고 한다. 이런 배열은 원자의 크기가 크게 차이가 나지 않을 때 일어나는 경향이 있다. 그림 4.1에 보인 물-알코올 계는 모든 비율에서 두 액체가 완전히 용해되는 것을 나타낸다. 금속 고용체에서 완전한 혼합을 위해서는 2개의 금속이 아래 **Hume-Rothery**[1] **규칙**(Hume-Rothery rule)에 의해 정의되는 것처럼 매우 유사해야 한다.

1) William Hume-Rothery(1899~1968)는 영국의 금속학자로 교육뿐만 아니라 이론과 실험적 금속학에 크게 기여했다. 고용체 형성에 대한 그의 경험적인 규칙은 50년 이상 합금 설계에 실질적인 지침이 되었다.

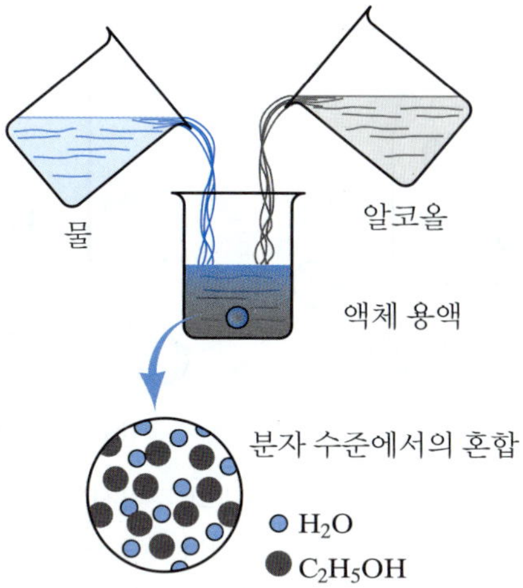

그림 4.1 물과 알코올의 용액 형성. 분자 단위에서 혼합이 일어난다.

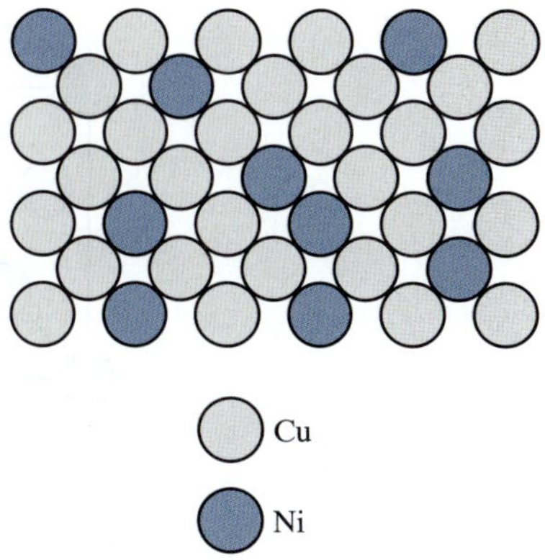

그림 4.2 (100)면에서 나타낸 구리 안 니켈의 고용체. 이것은 치환형 고용체로서 면심 입방 구조에서 구리 자리에 니켈이 치환된 것이다.

1. 원자 반지름의 차이가 약 15% 이하
2. 같은 결정 구조
3. 비슷한 전기 음성도(전자를 끌어당기는 원자의 능력)
4. 같은 원자가

만약 Hume-Rothery 규칙이 하나라도 위배되면 부분적인 용해만 가능하다. 예를 들면 알루미늄에는 단지 2 at %(원자 퍼센트) 이하의 실리콘이 용해된다. 부록 1과 2를 보면 Al과 Si는 규칙 1, 2, 4를 위배하는 것을 알 수 있다. 또한 그림 2.21에 의하면 Al과 Si는 주기율표에서 인접한 위치에 존재하지만 전기 음성도는 상당히 다르므로 규칙 3 역시 위배되는 것을 알 수 있다.

그림 4.2는 **불규칙 고용체**(random solid solution)를 나타낸다. 그에 비해 **규칙 고용체**(ordered solid solution)를 형성하는 계도 있다. 좋은 예로 그림 4.3에 보인 $AuCu_3$ 합금이 있다. 고온(약 390°C 이상)에서 열 교란은 fcc 격자점 중에 Au와 Cu 원자의 무질서한 분포를 일으킨다. 대략 390°C 이하에서 Cu 원자는 면심 위치를 우선적으로 차지하고, Au 원자는 단위정의 구석 자리를 우선적으로 차지한다. 이와 같은 규칙적인 배열은 몇몇 세라믹 화합물 구조와 유사한 새로운 결정 구조를 만들어 낸다. 낮은 온도에서 $AuCu_3$의 화합물 같은 구조는 단순 입방 Bravais 격자에 기초를 둔다.

원자의 크기 차이가 클 때 결정 격자점에 작은 원자를 치환하는 것은 에너지적으로 불안정하다. 이런 경우에는 작은 원자가 결정 구조 내 인접 원자 사이 공간(또는 침입형 위치)의 하나로 들어가는 것이 더 안정하다. 이와 같은 **침입형 고용체**(interstitial solid solution)는 그림 4.4에서 볼 수 있는데, 여기서 α-Fe에 탄소가 침입

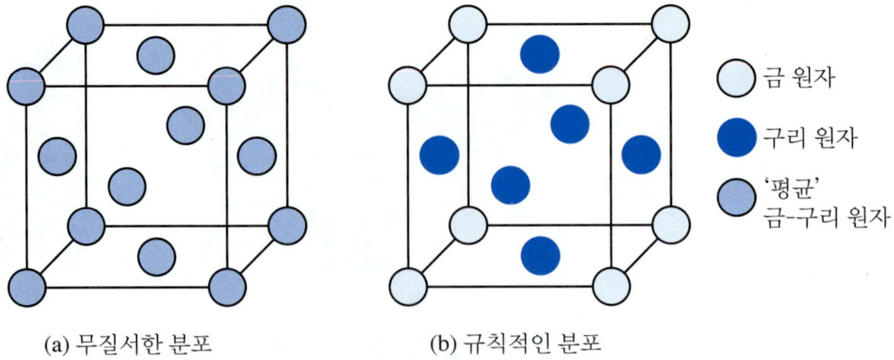

그림 4.3 $AuCu_3$ 합금계에서 고용체의 규칙성 (a) 390°C 이상에서는 면심 입방 구조에서 Au와 Cu 원자가 무질서한 분포를 보인다. (b) 390°C 이하에서는 단위정의 꼭짓점에 Au 원자가 우선적으로 들어가서 단순 입방 Bravais 격자가 된다. (From B. D. Cullity and S. R. Stock, *Elements of X-Ray Diffraction*, 3rd ed., Prentice-Hall, Upper Saddle River, NJ, 2001.)

하여 용해된 것을 볼 수 있다. 이 침입형 고용체는 강에서 주된 상이다. 그림 4.4의 침입형 구조는 비록 Fe 격자점에 탄소 원자가 치환되어 배열하는 것보다는 더 안정하다고는 하나, 이 탄소 원자의 침입이 α-Fe 결정 구조에는 국부적으로 상당한 변형을 일으키게 되므로 α-Fe 중에 탄소의 용해도는 0.1 at % 이하로 제한된다.

지금까지는 용질 원자가 순금속이나 반도체 용매 중에 치환형이나 침입형으로 용해되어 형성되는 고용체에 대해 살펴보았다. 이런 치환형 고용체 형성의 원리는 화합물에도 적용할 수 있다. 예를 들어 그림 4.5는 MgO 내에서 NiO의 불규칙 치환형 고용체를 보여준다. 여기서 O^{2-}의 배열은 영향을 받지 않았다. 치환은 Ni^{2+}와 Mg^{2+} 사이에 일어난다. 그림 4.5는 비교적 단순한 예이다. 일반적으로 화합물 내에 이온의 전하 상태는 치환의 성질에 영향을 준다. 다시 말하면 그림 4.5의 Ni^{2+} 이온을 아무렇게나 Al^{3+} 이온으로 치환할 수 없다. 이것은 서로 다른 화학식과 결정 구조를 갖는 MgO 내에 Al_2O_3의 고용체를 형성하는 것과 마찬가지이다. Al^{3+}가 원자가가 높기 때문에 산화물의 전체 전하는 양전하가 되고 따라서 매우 불안정한 상태가 된다. 결과적으로 화합물 고용체를 형상하기 위해서는 전하 중성 조건도 유지되어야 한다.

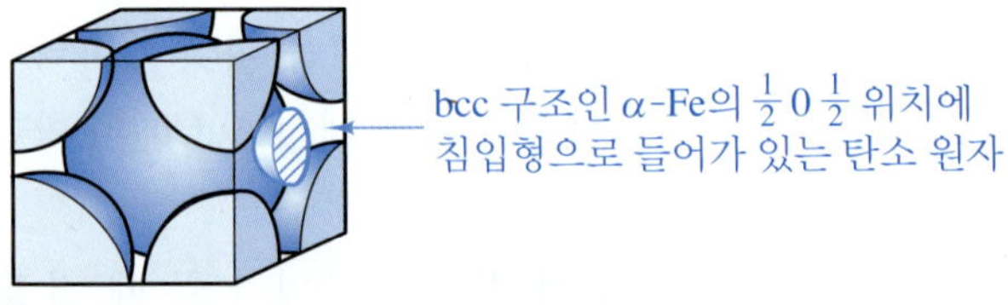

그림 4.4 α-Fe에 탄소가 들어간 침입형 고용체. 이 탄소 원자는 충분히 작아서 이웃하는 철 원자들 사이의 침입형 위치(또는 빈틈)에 적당한 격자 변형으로 꼭 맞게 들어간다. 이 재료는 철강 산업에서 매우 중요하다. [이 단위정은 그림 3.5(b)와 비교할 수 있다.]

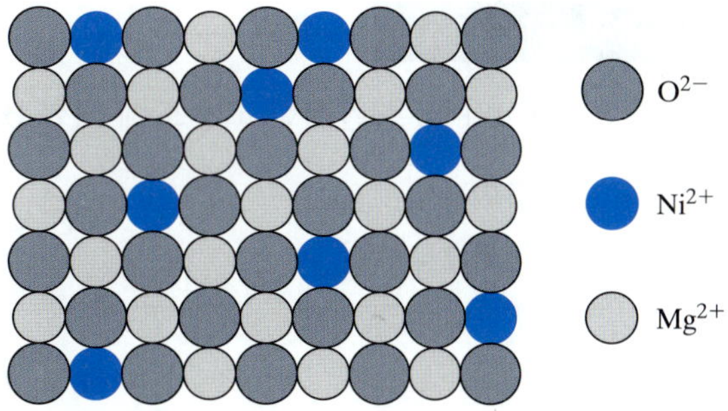

그림 4.5 MgO 내 NiO의 무질서한 치환형 고용체. O^{2-}의 배열에는 영향을 주지 않는다. 치환은 Ni^{2+}와 Mg^{2+} 이온 사이에서 일어난다.

그림 4.6은 2개의 Al^{3+} 이온이 3개의 Mg^{2+}를 채움으로써 Al^{3+}가 용해된 MgO 묽은 용액에서 전하 중성 조건이 어떻게 유지되는지를 보여준다. 이것은 각각 2개의 Al^{3+} 치환이 일어날 때, Mg^{2+} 위치에 1개의 공공(vacancy)이 형성된다는 것이다. 4.2절에서 이런 형태의 공공과 몇 가지 다른 점 결함에 대해 더 자세히 다룰 것이다. 이 예와 같은 결함 화합물도 더 미묘한 고용체의 가능성을 제시한다. 그림 4.7은 x가 약 0.05인 $Fe_{1-x}O$의 **비화학양론적 화합물**(nonstoichiometric compound)을 보여준다. 이상적인 화학양론적 FeO는 MgO와 같이 NaCl형 결정 구조를 가지며 Fe^{2+}와 O^{2-} 이온의 수가 같다. 그러나 이상적인 FeO는 철의 다원자가 때문에 자연 상태에서 절대 발견되지 않고 약간의 Fe^{3+} 이온 등이 항상 존재한다. 결과적으로 Fe^{3+} 이온은 $Fe_{1-x}O$ 구조 내에서 그림 4.6의 MgO 내 Al_2O_3 고용체에서의 Al^{3+}와 같은 역할을 한다. 즉 2개의 Fe^{3+} 이온에 대해 전하 중성을 유지하기 위해 하나의 Fe^{2+} 공공이 형성된다.

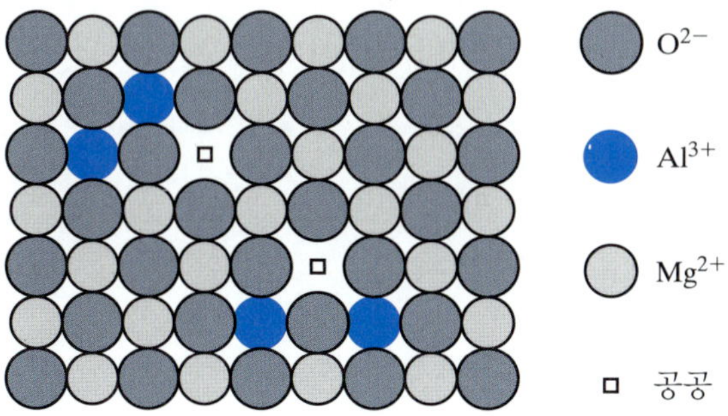

그림 4.6 MgO 내 Al_2O_3의 치환형 고용체는 MgO 내의 NiO 경우처럼 간단하지 않다(그림 4.5). 전하 중성 조건에 의해 3개의 Mg^{2+} 빈자리를 2개의 Al^{3+} 이온으로 치환해야 하므로 하나의 Mg^{2+} 공공을 남기게 된다.

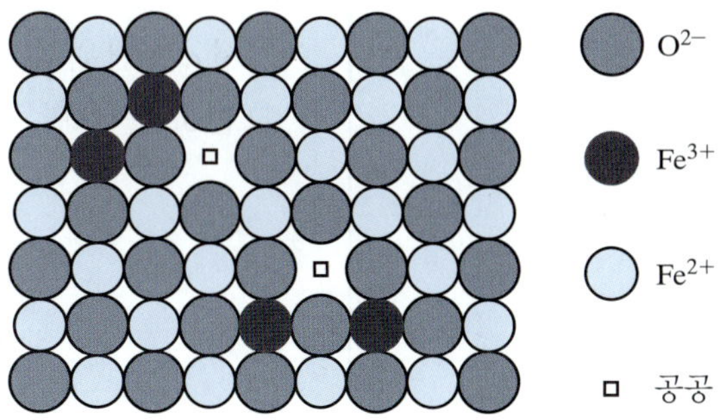

그림 4.7 산화철($x \approx 0.05$)인 $Fe_{1-x}O$는 비화학양론적 화합물의 예이다. 그림 4.6의 경우와 비슷하게 양이온 자리를 Fe^{2+}와 Fe^{3+} 이온이 채우므로 2개의 Fe^{3+} 이온마다 Fe^{2+} 공공이 하나씩 생기게 된다.

예제 4.1

Cu와 Ni은 완전한 고용도에 대한 Hume-Rothery의 첫 번째 규칙을 만족하는가?

풀이

부록 2로부터

$$r_{Cu} = 0.128 \text{ nm},$$
$$r_{Ni} = 0.125 \text{ nm},$$

$$\% \text{ 차이} = \frac{(0.128 - 0.125) \text{ nm}}{0.128 \text{ nm}} \times 100$$
$$= 2.3\%(<15\%).$$

그러므로 만족한다.

실제로 주기율표상에서 이웃한 두 원자는 네 가지 규칙을 모두 만족한다(이러한 원자는 모든 조성 조건에서 완전히 용해된다는 관찰 결과와 일치한다).

예제 4.2

α-Fe에 C 원자가 들어갈 때 C 원자의 크기는 들어갈 수 있는 공간의 크기에 비해 얼마나 더 큰가? (그림 4.4 참고)

풀이

그림 4.4를 보면 $\frac{1}{2}0\frac{1}{2}$에 위치한 이상적인 침입형 원자는 단위정 체심에 있는 철 원자의 표면과 직접 접촉해 있음을 알 수 있다. 이러한 이상적인 침입형 원자의 반지름은

$$r_{\text{interstitial}} = \frac{1}{2}a - R$$

여기서 a는 단위정 모서리의 길이이고, R은 철 원자의 반지름이다.

그림 3.5를 보면,

$$\text{단위정-체대각선 길이} = 4R$$
$$= \sqrt{3}a$$
$$a = \frac{4}{\sqrt{3}}R$$

따라서 표 3.3에 보인 것과 같이

$$r_{\text{interstitial}} = \frac{1}{2}\left(\frac{4}{\sqrt{3}}R\right) - R = 0.1547\,R$$

부록 2로부터 $R = 0.124$ nm이므로

$$r_{\text{interstitial}} = 0.1547(0.124 \text{ nm}) = 0.0192 \text{ nm}$$

그러나 부록 2를 보면 $r_{\text{carbon}} = 0.077$ nm이므로

$$\frac{r_{\text{carbon}}}{r_{\text{interstitial}}} = \frac{0.077 \text{ nm}}{0.0192 \text{ nm}} = 4.01$$

따라서 탄소 원자는 격자 구조를 변형시키지 않고 인접한 철 원자와 접촉하기 위해 필요한 크기보다 약 4배나 더 크다. 이를 수용하기 위해 심한 국부적 뒤틀림이 일어나게 되는데, 이로 인해 α-Fe 내에서 C의 용해도가 낮아진다($<$ 0.1 at %).

연습문제 4.1

예제 4.1에서 증명한 바와 같이 구리와 니켈(상호 완전 용해가 되는)은 고상 용해도에 관한 Hume-Rothery의 제1규칙을 만족한다. 알루미늄과 실리콘은 상호 용해도가 매우 작다. 알루미늄과 실리콘은 Hume-Rothery의 제1규칙을 만족하는가?

연습문제 4.2

그림 4.4는 α-Fe 내에 탄소 원자가 용해되어 들어갈 수 있는 침입형 자리를 보여준다. 예제 4.2에서 보듯이 탄소 원자는 그 자리보다 4배나 크므로 α-Fe 내의 탄소 용해도는 매우 낮다. 이제 α-Fe의 고온 구조(fcc) 내 탄소의 침입형 용해에 대해 생각해보자. 탄소가 들어갈 수 있는 가장 큰 침입형 자리는 $\frac{1}{2}01$ 형태이다. (a) 그림 4.4와 비슷한 방법으로 이 침입형 용해를 도시하시오. (b) α-Fe 안의 탄소 원자는 공간 크기에 비해 얼마나 더 큰가? (fcc 철 원자의 반지름은 0.127 nm이다.)

4.2 점 결함: 0차원 결함

구조적인 결함은 화학적인 불순물과는 무관하게 실제 재료 내에 존재한다. 결정 격자점과 관련 있는 이러한 결함을 **점 결함**(point defect)이라고 한다. 그림 4.8은 단일 성분 고체 내에서 나타나는 점 결함의 두 가지 일반적인 형태이다. (1) **공공**(vacancy)은 결정 구조 내의 채워지지 않는 원자 자리이다. (2) **침입형**(interstitial 또는 interstitialcy) 원자란 완전한 결정 구조에서는 원자가 차지할 수 없는 침입형 자리에 있거나, 완전한 결정 구조에서 하나의 원자 자리에 2개의 원자가 들어가게 된 상태에서의 잉여 원자를 의미한다. 앞 절에서 화학적인 불순물과 비화학양론적 조성으로 인해 화합물에서 공공이 어떻게 생성되는가를 보았다. 그러한 공공은 위와 같은 화학적인 요소와 무관하게 생겨날 수 있다(예: 절대온도 0 K 이상에서 고체 내 원자의 열적 진동에 의해).

POWERS OF 10

이러한 원자 규모의 결함은 5장에서 논의할 확산 기구에서 중심적인 역할을 담당한다.

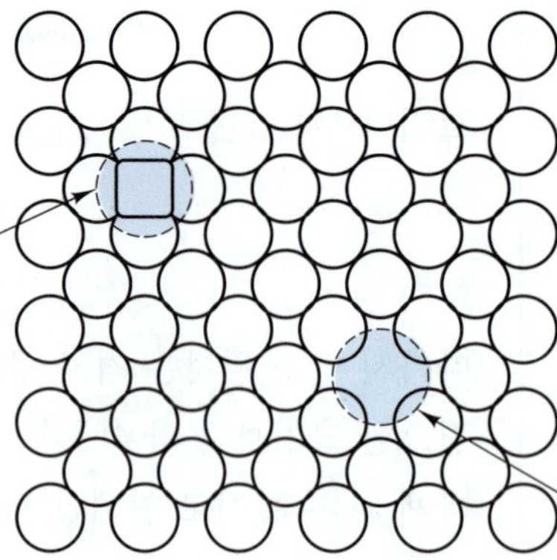

그림 4.8 금속과 반도체 원소에서의 일반적인 점 결함은 공공과 침입형 원자이다.

그림 4.9는 화합물에서 나타나는 두 가지 점 결함인 공공과 침입형 원자를 나타낸다. **Schottky**[2] **결함**(Schottky defect)은 반대로 대전된 이온 공공의 쌍이다. 이 쌍은 그 화합물 결정 구조의 국부적인 전하 중성을 유지하기 위해 필요하다. **Frenkel**[3] **결함**(Frenkel defect)은 공공-침입형 원자의 결합이다. 3장에서 설명한 대부분의 화합물 결정 구조는 너무나 '치밀'해서 Frenkel 결함을 형성하지 못한다. 그러나 비교적 느슨한 CaF_2형 구조는 큰 격자 변형 없이 침입형 양이온을 수용할 수 있다. 이러한 결정 구조에서 화합물의 결함은 전자 포획이나 정공 포획 등으로 인한 대전에 의해 더욱 복잡해질 수 있다. 여기서는 이러한 복잡한 계에 대해 자세히 다루지 않지만, 광학적 성질에는 중요한 영향을 미친다는 것을 알아야 한다(14장에서 논의).

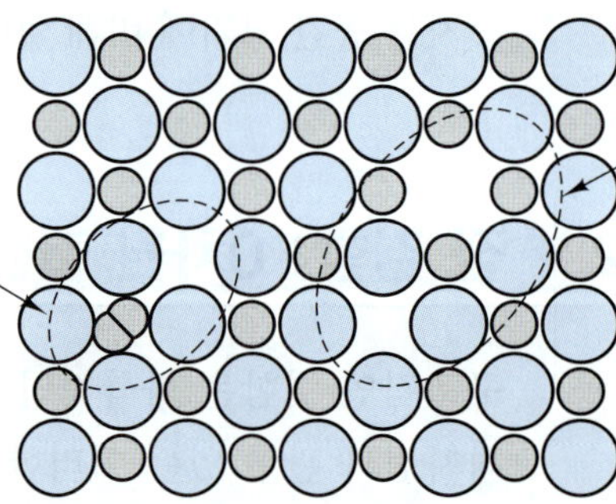

그림 4.9 화합물 구조에서 일반적인 점 결함 구조는 Schottky 결함과 Frenkel 결함이다. 그림 4.8에서 보여준 구조와의 유사성에 주목하라.

2) Walter Hans Schottky(1886~1976)는 저명한 수학자의 아들로 독일 물리학자이다. 'Schottky 결함'을 확인한 것 외에도 차폐 격자관을 발명했고(1915년) 열전자 방출의 'Schottky 효과'를 발견했다. 이러한 'Schottky 효과'는 외부 전장이 인가될 때 가열된 금속 표면을 벗어나는 전자의 흐름이 증가한다는 것이다.

3) Yakov Ilyich Frenkel(1894~1954)은 러시아 물리학자로서 고체 물리학, 전기역학, 지구물리학을 포함하여 여러 분야에 크게 기여했다. 그의 이름이 결함 구조와 연관되어 가장 잘 알려져 있지만, 그는 강자성의 이해(14장의 주제)에 특별하고 대단한 기여자였다.

예제 4.3

일반적으로 결정 내에서 비어 있는 격자점의 비율은 작다. 예를 들면 400°C에서 비어 있는 알루미늄 자리의 비율은 2.29×10^{-5}이다. 이 공공의 밀도를 구하시오(m^{-3}의 단위로).

풀이

부록 1에 따르면 알루미늄의 밀도와 원자량은 각각 2.70 Mg/m^3와 26.98 amu이다. 그러므로 알루미늄 원자의 밀도는

$$\text{원자 밀도} = \frac{\rho}{\text{at. mass}} = \frac{2.70 \times 10^{6}\,\text{g/m}^3}{26.98\,\text{g}/(0.602 \times 10^{24}\,\text{atoms})}$$
$$= 6.02 \times 10^{28}\,\text{atoms} \cdot \text{m}^{-3}$$

그러므로 공공의 밀도는 다음과 같다.

$$\text{공공 밀도} = 2.29 \times 10^{-5}\,\text{atom}^{-1} \times 6.02 \times 10^{28}\,\text{atoms} \cdot \text{m}^{-3}$$
$$= 1.38 \times 10^{24}\,\text{m}^{-3}$$

연습문제 4.3

660°C(용융점 바로 아래)에서 알루미늄의 공공 비율은 8.82×10^{-4}이다. 이때 공공의 밀도를 구하시오(m^{-3}의 단위로). (예제 4.3 참고)

4.3 선 결함 또는 전위: 1차원 결함

점(0차원) 결함은 열 교란으로 일어나는 구조적인 결함이라는 것을 앞에서 배웠다. **선 결함**(linear defect), 즉 1차원 결함은 근본적으로 기계적인 변형과 관련되어 있다. 선 결함은 **전위**(dislocation)라고도 한다. 그림 4.10은 이를 간략화한 예시이다. 선 결함은 일반적으로 '뒤집어진 T' 기호(⊥)로 표시되는데 이것은 **원자의 잉여 반면**(extra half-plane of atom)의 모서리를 나타낸다. 이러한 배치는 단순한 양적인 표기인 **Burgers**[4] **벡터**(Burgers vector) **b**로 나타낸다. 이 매개변수는 결함 주위의 계단식 폐곡선을 완성시키는 데 필요한 변위 벡터이다. 완전결정[그림 4.11(a)]에서 $m \times n$ 원자 계단 곡선은 시작점에서 완성된다. 전위 주위[그림 4.11(b)]에서는 위와 같은

4) Johannes Martinus Burgers(1895~1981)는 네덜란드계 미국인 유체역학자이다. 그의 대부분의 경력은 항공역학과 유체역학에 중점을 두었지만, 1940년경 전위 구조의 간단한 연구는 Burgers의 이름을 재료과학에서 가장 잘 알려진 이름 중 하나로 만들었다. 그는 전위를 특성화하기 위해 폐쇄 벡터의 편리성과 유용성을 처음으로 확인했다.

POWERS OF 10

이 전위와 같은 나노미터 규모의 결함은 6장의 소성 변형에서 중심적 역할을 한다.

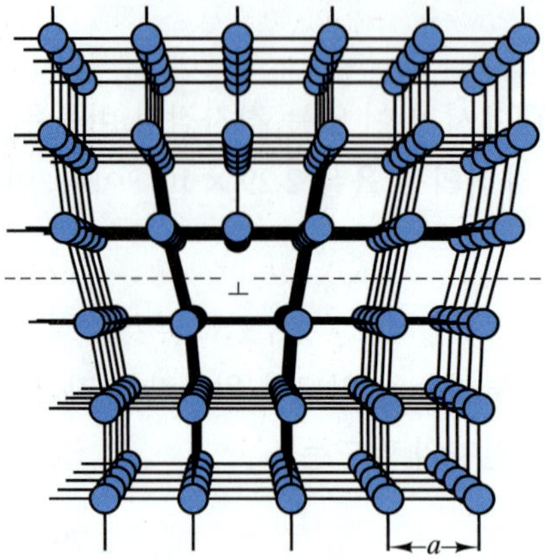

그림 4.10 칼날 전위. 선 결함은 원자 잉여 반면의 모서리로 나타난다. (From A. G. Guy, *Elements of Physical Metallurgy*, Addison-Wesley Publishing Co., Inc., Reading, MA, 1959.)

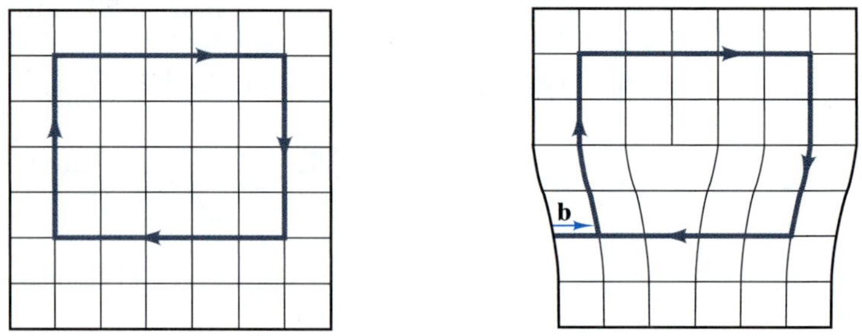

(a) (b)

그림 4.11 칼날 전위에서 Burgers 벡터 **b**의 정의. (a) 완전결정에서 $m \times n$의 원자 계단 곡선은 시작점에 돌아오는 폐곡선을 이룬다. (b) 전위가 있는 영역에서는 곡선의 형태가 폐곡선이 되지 못한다. 이때의 폐곡선을 만들어주는 벡터 **b**는 구조 결함의 크기를 나타낸다. 칼날 전위에서 Burgers 벡터는 전위선에 수직이다.

폐곡선이 완성되지 않는다. 폐곡선을 완성하기 위한 벡터(**b**)는 구조적인 결함의 크기를 나타낸다. 6장에서 알게 되겠지만 일반적인 금속 구조(bcc, fcc, hcp)에 대한 **b**의 크기는 단지 원자 밀도가 가장 높은 방향(원자들이 접하고 있는 방향)으로 원자가 반복되는 거리이다.

그림 4.10은 선 결함의 일종인 **칼날 전위**(edge dislocation)로, 이것은 전위선(dislocation line)이라고 불리는 결함이 원자의 잉여 반면의 모서리를 따라 있기 때문에 붙여진 이름이다. 칼날 전위에서는 Burgers 벡터가 전위선에 수직이다. 그림 4.12는 **나선 전위**(screw dislocation)라는 근본적으로 다른 형태의 선 결함을 보여주는데, 이것은 전위선 주위의 결정면이 나선형으로 적층되어 있기 때문에 그러한 이름이 붙여졌다. 나선 전위는 Burgers 벡터가 전위선에 평행하다. 칼날 전위와 나선 전위는 선 결함 구조의 극단으로 볼 수 있다. 실제 재료에서 대부분의 선 결함은 그림 4.13에서 보는 것처럼 혼합되어 있다. 일반적인 경우 **혼합 전위**(mixed dislocation)는 칼날 전위와 나선 전위의 특성을 모두 가진다. 혼합 전위의 Burgers 벡터는 전위선에

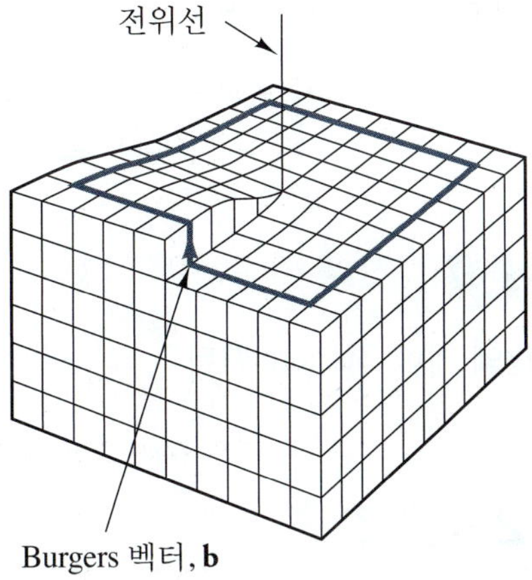

그림 4.12 나선 전위. 결정을 나선형으로 적층하면 전위선에 평행한 Burgers 벡터를 만든다.

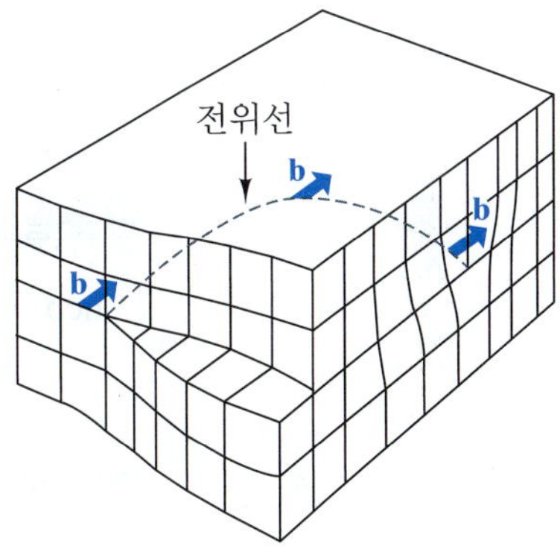

그림 4.13 혼합 전위. 이 전위는 칼날 전위와 나선 전위의 특성을 모두 가진 것으로, 순수 칼날 영역과 순수 나선 영역으로 구성된 하나의 Burgers 벡터를 갖는다.

수직이지도 평행하지도 않지만 앞에서 정의한 순수한 칼날 전위와 순수한 나선 전위 영역과 일치하는 공간에서는 고정된 방향을 가진다. 혼합 전위 주위의 국부적인 원자 구조는 시각화하기 어렵지만 Burgers 벡터를 이용하면 편리하고 간단하게 나타낼 수 있다. 그러나 화합물 구조에서는 Burgers 벡터를 표시하는 것도 복잡할 수 있다. 6장에서 전위 구조의 복잡성은 그 재료의 기본적인 기계적 거동과 깊은 관계를 갖고 있음을 알게 될 것이다.

예제 4.4

(a) α-Fe, (b) Al의 Burgers 벡터의 크기를 계산하시오.

풀이

(a) 이 절의 서두에서 언급한 바와 같이 $|\mathbf{b}|$는 원자 밀도가 가장 높은 방향으로 반복되는 원자 간 거리이다. bcc 금속인 α-Fe의 경우에는 그 방향이 단위정의 체대각선 방향이다. 그림 3.5에서 봤던 것처럼 Fe 원자는 체대각선 방향으로 접촉해 있다. 따라서 원자 반복 거리는

$$r = 2R_{Fe}$$

부록 2를 이용하면 다음과 같이 계산할 수 있다.

$$|\mathbf{b}| = r = 2(0.124 \text{ nm}) = 0.248 \text{ nm}$$

(b) 마찬가지로 Al과 같은 fcc 금속에서 원자 밀도가 가장 높은 방향은 단위정의 면대각선 방향이다. 그림 3.5에서 보았듯이 이것은 또한 fcc 구조 내에서는 원자들

이 이 선을 따라 접촉하고 있다. 그러므로

$$|\mathbf{b}| = r = 2R_{\mathrm{Al}} = 2(0.143\ \mathrm{nm}) = 0.286\ \mathrm{nm}$$

연습문제 4.4

hcp 금속 Mg에 대해 Burgers 벡터의 크기를 계산하시오. (예제 4.4 참고)

4.4 면 결함: 2차원 결함

점 결함과 선 결함으로 인해 결정질 재료는 결함 없이 만들어질 수 없으며 이러한 결함은 재료 내부에 존재한다. 그러나 재료는 무한하지 않으며 외부와 접촉하는 표면 경계가 존재할 수밖에 없다. 이 표면은 본질적으로 결정의 원자 적층 배열에서 벗어난다. **면 결함**(planar defect)에는 여러 가지 종류가 있으며, 기하학적으로 가장 단순한 것부터 시작하여 간단히 서술하겠다.

그림 4.14는 **쌍정 경계**(twin boundary)를 나타내는데 이것은 구조적으로 거울상인 두 결정질 영역으로 이루어져 있다. 이와 같이 조직 내에 존재하는 대칭적인 불연속은 변형(bcc와 hcp 금속에서)과 어닐링(fcc 금속에서)에 의해 생겨날 수 있다.

쌍정 경계와는 달리 **표면**(surface)은 모든 결정질 재료에 존재한다. 그림 4.15는 결정질 표면을 나타낸 것인데 이것은 규칙적인 원자 적층이 갑작스럽게 끝난 것에 지나지 않는다. 이 도식적 표현은 표면 원자가 내부(혹은 '벌크') 원자와는 다소 다르다는 것을 나타내고 있음을 주목해야 한다. 그 차이는 표면 원자가 다른 배위수를 가져 결합력이 달라지고 비대칭성을 유발하기 때문이다. 원자 규모에서 표면 구조(surface geometry)의 더 자세한 그림은 그림 4.16과 같다. 이것은 결정 표면에 대한

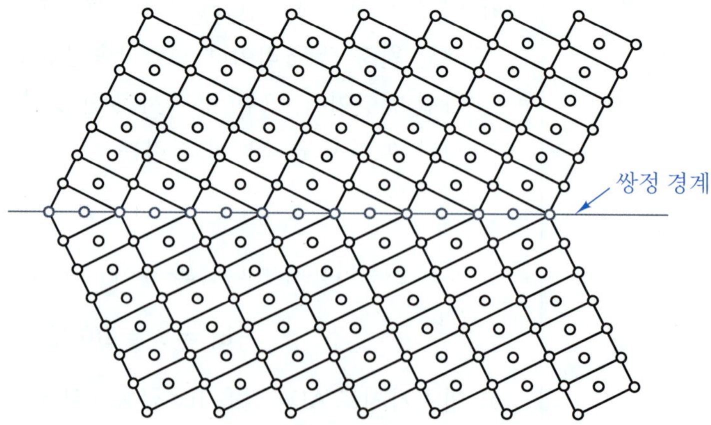

그림 4.14 쌍정 경계는 구조적으로 서로 거울상인 두 결정질 영역으로 분리된다.

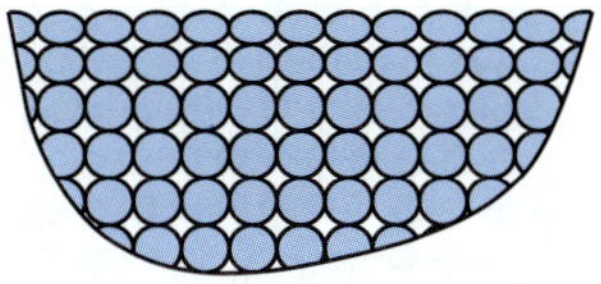

그림 4.15 결정 재료 표면의 단순도

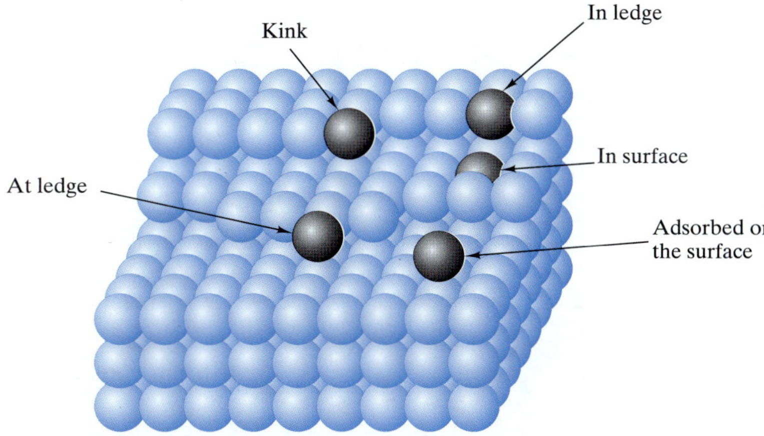

그림 4.16 결정 재료 표면의 돌출 구조의 세부도. 어두운색의 원자로 다양한 자리를 나타냈다. [From J. P. Hirth and G. M. Pound, J. *Chem. Phys. 26*, 1216 (1957).]

Hirth-Pound[5] **모형**(Hirth-Pound model)으로서 결정 표면은 원자적으로 평활한 평면이라기보다는 오히려 정교하게 돌출된 형태로 존재한다는 것을 나타낸다.

이 교과 과정에서 고려해야 할 가장 중요한 면 결함은 **결정립계**(grain boundary)인데, 이것은 다른 방위로 만나고 있는 2개의 인접한 단결정, 즉 **결정립**(grain) 사이의 영역이다. 일반적인 면 결함의 경우 경계면에서 만나는 결정립은 서로 다른 결정 방향을 갖고 있다. 전자 산업을 제외하고 실제 사용되는 대부분의 공업재료는 단결정의 형태가 아니라 다결정이다. 따라서 많은 공업재료에서는 그림 4.17과 같은 결정립 구조가 중요한 미세조직적 특성이라고 할 수 있다. 많은 재료의 성질은 이러한 결정립 구조에 아주 민감하다. 원자 규모로 입계의 구조는 어떻게 되어 있겠는가? 이것에 대한 해답은 인접한 결정립의 상대적인 방위에 따라 달라진다.

그림 4.18은 특별히 단순한 입계를 나타낸 것으로 2개의 인접 결정립이 상대적으로 작은 각으로 기울어져 있을 때 생겨난다. 이 **경각 경계**(tilt boundary)는 몇 개의 고립된 칼날 전위가 모여 형성된 것이다(4.3절 참고). 일반적으로 결정립계에 인접한 결정립은 방향이 무작위적이며 어긋난 방위각 역시 크다. 이와 같은 일반적인 입계 구조는 그림 4.18에서 보여준 것보다 훨씬 더 복잡하다. 그러나 지난 수십 년 동안 일반적인 고각 입계 구조의 본질을 이해하는 데 많은 발전이 있었다. 이러한 발전이 가능했던 것은 전자현미경과 컴퓨터를 이용하여 모델링하는 기술 분야의 발전이 있었기 때문이다.

이와 같은 고각 경계에 대한 이론적, 실험적인 연구로 그림 4.18의 간단한 저각 모형을 통해 복잡한 고각 모형을 해석할 수 있게 되었다. 예를 들어 무작위적인 방향

5) John Price Hirth(1930~)와 Guy Marshall Pound(1920~1988)는 모두 미국 금속학자로서 증기역학에 대해 주의 깊게 분석한 후 1950년대 말에 그들의 결정 표면 모형을 공식화했다.

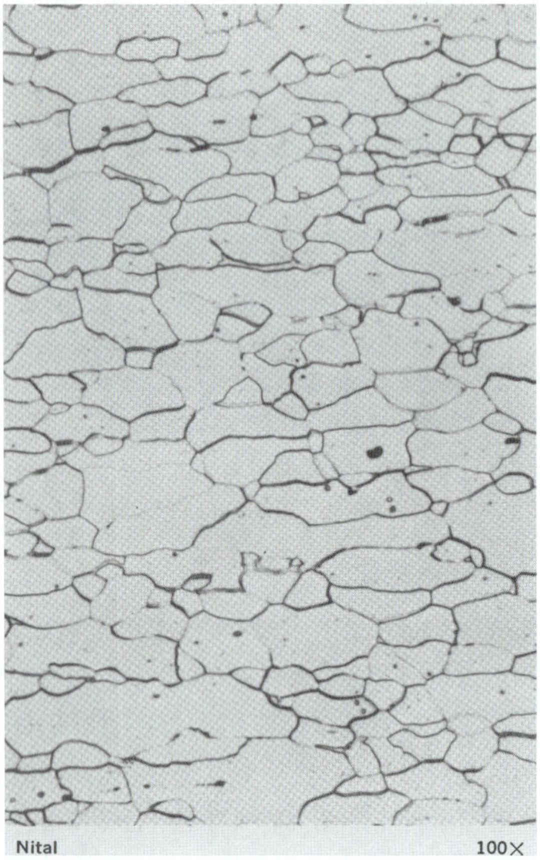

그림 4.17 100배율로 본 전형적인 결정립 구조의 광학 사진. 재료는 저탄소강이다. 결정립계는 화학 용액으로 약간 부식시켜 연마된 결정립과는 다른 빛에 대한 반사율을 가지므로 뚜렷한 명암 차이를 보인다. (From *Metals Handbook*, 8th ed., Vol. 7: *Atlas of Microstructures of Industrial Alloys*, American Society for Metals, Metals Park, OH, 1972.)

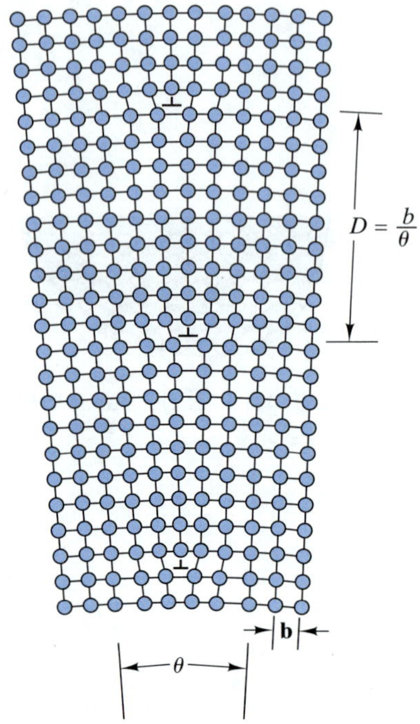

그림 4.18 단순 입계 구조. 이것은 경각 경계라고 하는 것으로서, 2개의 이웃하는 결정립이 상대적으로 약간(θ) 기울어짐으로써 형성되는 것이다. 결과적으로 이 구조는 거리 b/θ로 떨어져 있는 고립된 칼날 전위와 동등하다. 여기서 **b**는 Burgers 벡터의 길이를 말한다.

이 사진에서 보인 것과 같은 마이크로미터 규모의 결정립도는 많은 금속 합금의 대표적인 것이다.

성을 가진 두 결정립이 만나 형성된 고각 입계는 경계면에서 **결정립계 전위**(grain boundary dislocation, GBDs)라고 하는 선 결함에 의해 분리된 것으로 생각할 수 있다. 고각 경계와 관련된 결정립계 경계는 결정립 내부에서 발견되는 전위(1차 전위)와는 다른 Burgers 벡터를 갖는 2차 전위가 되려는 경향이 있다.

원자 규모의 구조를 염두에 두고 결정립 구조의 미세조직적 관점으로 되돌아가 보자(예: 그림 4.17). 미세조직은 **결정립도**(grain size)라는 간단한 지수로 표시하는 것이 편리하다. 미국재료시험협회(American Society for Testing and Materials, ASTM)에서는 **입도수**(grain-size number) G를 표준으로 정했다.

$$N = 2^{G-1} \tag{4.1}$$

여기서 N은 100배율로 찍은 현미경 사진에서 1 in.^{2}(= 645 mm^2)의 면적 내에 있는 결정립의 수이다.

결정립도 수치는 평균 입도를 나타내는 데에는 유용하지만 간접적 값이라는 단점이 있다. 미세조직의 단면에서 **결정립 지름**(grain diameter)의 평균치를 구하면 매우 유용하다. 간단한 방법은 미세사진을 가로지르는 임의의 선을 그어, 이 선의 단위 길이가 지나는 입자의 수, n_L을 세는 것이다. 평균 입도는 미세조직 사진의 배율 M을 고려하여 환산한 n_L의 역수와 대체로 같다. 물론 미세조직 사진(그 자체가 미세조직을 자른 임의의 평면임)을 자르는 임의의 직선이 평균적으로 어느 한 결정립의 최대 지름 방향으로 따라가지는 않는다는 것을 고려해야 한다. 균일한 크기의 미세조직에 대해서도 주어진 단면(미세조직 사진)은 다양한 크기의 결정립 단면을 보일 것이고(예: 그림 4.17), 임의의 선은 결정립계와의 교점을 잇는 여러 크기의 선분으로 구성되어 있을 것이다. 그래서 일반적으로 진평균 결정립 지름 d는

$$d = \frac{C}{n_L M} \tag{4.2}$$

으로 주어진다. 여기서 C는 1보다 큰 상수이다. C는 대규모의 통계적 분석을 통해 구할 수 있으며, 일반적인 금속 미세구조의 경우 $C = 1.5$가 적합하다.

예제 4.5

알루미늄에서 저각 경각 경계(low-angle tilt boundary, $\theta = 2^\circ$)에 있는 전위 사이의 거리를 계산하시오.

풀이

예제 4.4b에서 계산한 바와 같이

$$|\mathbf{b}| = 0.286 \text{ nm}$$

그림 4.18을 보면 다음을 알 수 있다.

$$D = \frac{|\mathbf{b}|}{\theta} = \frac{0.286 \text{ nm}}{2^\circ \times (1 \text{ rad}/57.3^\circ)} = 8.19 \text{ nm}$$

예제 4.6

100배율에서 $8.04 \dfrac{\text{grains}}{\text{in.}^2}$일 때의 입도수를 구하시오.

풀이

식 (4.1)로부터

$$N = 2^{(G-1)}$$

또는

$$G = \frac{\ln N}{\ln 2} + 1 = \frac{\ln(8.04)}{\ln 2} + 1$$
$$= 4.01$$

연습문제 4.5

예제 4.5에서 알루미늄의 2° 경각 경계에 대해 전위 사이의 거리를 구했다. (a) $\theta = 1°$와, (b) $\theta = 5°$에 대해서도 같은 계산을 해보시오. (c) $\theta = 0$~$5°$의 범위 내에서 θ 대 D의 전반적인 변화를 도시하시오.

연습문제 4.6

예제 4.6에서 현미경의 배율이 100배가 아닌 300배일 때의 입도수 G를 구하시오.

4.5 비정질 고체: 3차원 결함

어떤 공업재료는 반복적인 결정질 구조가 없다. 이러한 **비정질 고체**(noncrystalline or amorphous solid)는 3차원적인 결함 구조이다. 그림 4.19(a)에 가상의 결정질 산화물의 반복 구조를 2차원적으로 나타냈다. 그림 4.19(b)는 이 재료에 대한 비정질 형태이다. 후자의 구조는 **Zachariasen**[6] **모형**(Zachariasen model)이라고 하며 **산화물 유리**(oxide glass) 구조의 특징을 간단하게 나타낸다(1장으로부터 유리는 세라믹에 비교할 수 있는 화학적 조성을 가진 비정질 재료라는 것을 기억하라). 그 결정(AO_3^{3-}

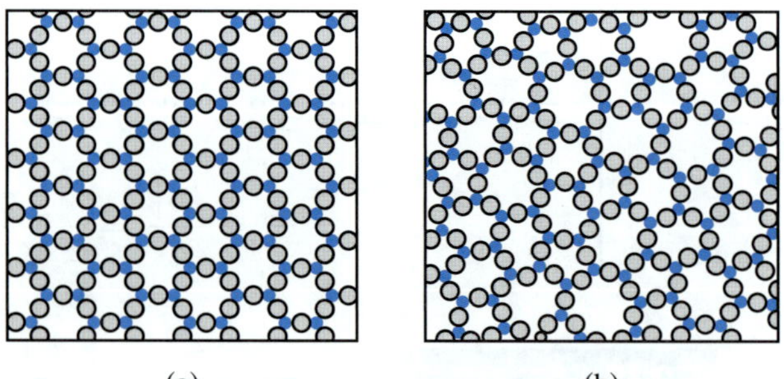

그림 4.19 (a) 결정질 산화물과 (b) 비정질 산화물을 비교한 2차원 개략도. 비정질 재료는 단거리 규칙은 갖지만(삼각형 모양으로 배위된 원자들) 장거리 규칙은 없다. 이 그림은 1장에서 '유리'를 정의할 때 이용되었다(그림 1.8).

6) William Houlder Zachariasen(1906~1980)은 노르웨이계 미국인 물리학자로서 그의 대부분의 연구 경력을 엑스선 결정학 분야에서 쌓았다. 그러나 1930년대 초 유리 구조에 대한 그의 설명은 이 비정질 재료의 구조에 대한 표준 정의가 되었다.

'삼각형')의 단위체는 유리 내에서도 유지된다. 즉 **단범위 규칙**(short-range order, SRO)은 유지된다. 그러나 **장범위 규칙**(long-range order, LRO), 즉 결정성은 없어진다. Zachariasen 모형은 유리 구조의 무질서한 **망상 조직 이론**(random network theory)의 가시적인 정의이다. 이 모형은 결정 구조를 점격자 모형으로 나타내는 것과 같은 것이다.

과냉각 액체와 딱딱한 유리의 불규칙한 원자구조 거동의 차이는 6장에서 설명하는 점탄성 변형으로 증명된다.

규산염을 비롯한 많은 산화물이 비정질 구조를 형성하기 쉽기 때문에 유리를 비정질 재료의 첫 번째 예로 들었다. 산화물의 결정 구조가 복잡한 것이 비정질 형성을 쉽게 하는 직접적인 원인이다. 액체 규산염을 급냉하거나 규산염 증기를 차가운 기판 위에 응축시킬 때 규산염 단위체(SiO_4^{4-} 사면체)가 무질서하게 적층되며 응고한다. 많은 규산염 유리가 액체를 급냉하여 만들어지기 때문에 **과냉각 액체**(supercooled liquid)라는 용어가 **유리**(glass)와 같은 뜻으로 자주 사용되지만 차이점이 존재한다. 과냉각 액체는 그 재료를 용융점의 바로 아래로 냉각시킨 것으로, 이것은 여전히 액체처럼 거동한다(예: 점성 유동 기구에 의한 변형). 유리는 위와 같은 재료를 완전히 딱딱한 고체가 되도록 충분히 낮은 온도로 냉각시킨 것이다(예: 탄성 메커니즘에 의한 변형). 이러한 여러 가지 용어의 관계는 그림 6.40에 나타냈다. 이러한 낮은 온도에서의 원자 이동도는 이론적으로 안정적인 결정 구조를 형성하기에는 불충분하다. 반도체 중에서 세라믹과 유사한 조직을 갖는 것은 비정질 형태로 만들어질 수 있다. 양질의 단결정을 제조하는 것과 비교하면 **비정질 반도체**(amorphous semiconductor)는 경제적인 이점이 있다. 단점은 전기적 성질이 비교적 더 복잡하다는 것이다. 3.4절에서 논의된 바와 같이 플라스틱의 복잡한 고분자 구조는 플라스틱이 상당한 비정질 비율을 포함하게 만든다.

아마도 가장 흥미로운 비정질 고체는 **금속 유리**(metallic glasses)로도 알려진 **비정질 금속**(amorphous metal)으로 이것은 비정질 고체의 가장 새로운 부류이다. 금속 결정 구조는 전형적으로 단순하기 때문에 아주 쉽게 형성될 수 있다. 액상의 금속이 결정화되지 못하게 하기 위해서는 아주 빠르게 냉각시켜야 하며, 일반적으로 냉각속도는 $1°C/\mu s$이다. 이것은 고가의 공정이지만 이 재료의 독특한 특성 때문에 상당한 가치가 있다. 예를 들면 비정질 구조는 균일하므로 일반적인 다결정 구조의 입계 특성이 사라진다. 이로 인해 현저히 높은 강도와 뛰어난 내식성이 생겨난다. 그림 4.20은 비정질 금속 구조를 이해하기 위한 유용한 방법인 **Bernal**[7] **모형**(Bernal model)을 나타낸 것이다. 이것은 인접 원자의 중심 사이를 선으로 연결함으로써 만들어진다. 이렇게 해서 만들어진 다면체는 형태가 불규칙하고 어떠한 반복적인 적층 배열도 없다.

이런 관점에서 비정질 고체의 일반적인 설명으로 불완전의 용어를 계속해서 사용하는 것은 부당할지도 모른다. Zachariasen 구조[그림 4.19(b)]는 전체가 균일하고

7) John Desmond Bernal(1901~1971)은 영국 물리학자로서 엑스선 결정학 분야의 개척자 중 한 사람이지만 액체의 불규칙 구조에 대한 체계적인 설명으로 더 잘 기억된다.

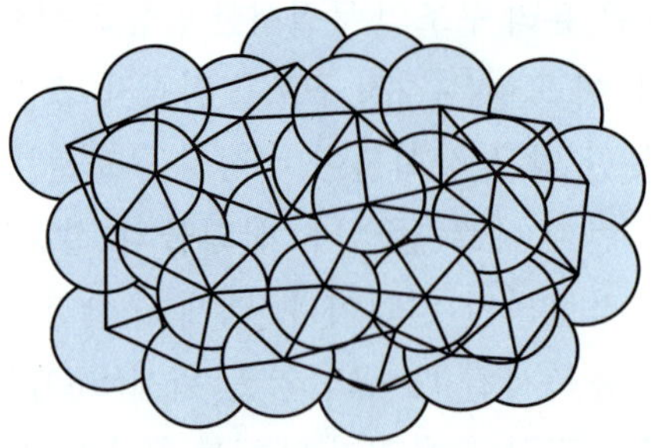

그림 4.20 비정질 금속의 구조의 Bernal 모형. 불규칙적인 원자 적층을 일련의 연결된 다면체의 집합으로 나타냈다. 각 다면체는 이웃 원자의 중심을 연결하는 선을 그어 이루어진 것이다. 이러한 다면체는 형태가 불규칙하고 적층이 반복적이지 않다.

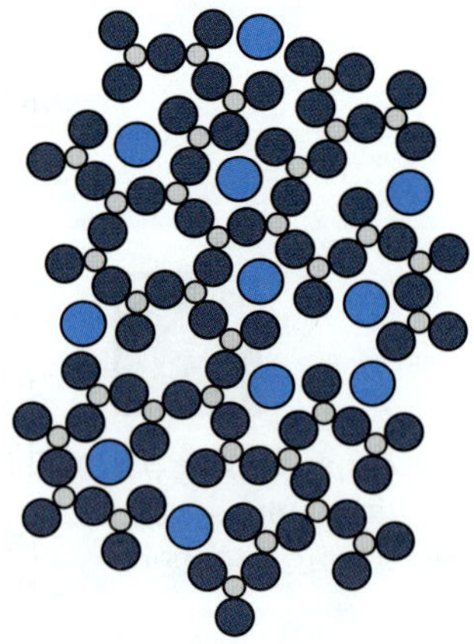

그림 4.21 Na^+와 같은 화학적 불순물은 무질서한 망상 구조를 깨뜨리는 '유리 변형제(glass modifier)'로서 연결되어 있지 않은 산소 이온이 생겨나게 한다.

'완벽하게' 무질서하다. 화학적 불순물 같은 결함은 그림 4.21에서처럼 균일한 비정질 구조와 관련지어 정의될 수 있다. 규산염 유리에 Na^+ 이온을 첨가하면 과냉각된 액체 상태에서 재료의 성형성이 크게 증가한다(즉 점성이 감소한다). 그림 4.21은 그림 4.19(b)의 Zachariasen 모델과 마찬가지로 2차원적으로 나타낸 것이다. 그림 4.22는 규산나트륨 유리를 보다 사실적인 3차원 이미지로 나타낸 것이다.

끝으로 비정질 고체의 구조에 관해 우리가 이해하는 첨단 지식을 그림 4.23에 나타냈는데, 여기서 우리는 CaO-SiO_2 유리 안에서 Ca^{2+} 수식 이온이 완전한 무질서 배열을 하지 않고 있음을 알 수 있다. 실제로 그림 4.23에서 우리가 보고 있는 것은 Ca^{2+} 이온이 아니라 서로 인접한 팔면체이다. 각 Ca^{2+} 이온은 6개의 O^{2-} 이온과 인접하여 완벽한 팔면체 무늬를 만들어낸다. 그리고 그 팔면체는 모서리를 공유하는 형태로 규칙적으로 나열된다. 이것은 그림 4.21과 4.22에서 보인 Na^+ 이온의 무질서한 분포와 뚜렷하게 구별된다. 그림 4.23에 나타낸 **중범위 규칙**(medium-range order)에 대한 연구결과는 오래전부터 확립된 이론을 뒷받침해준다. 이 이론은 우리가 잘 알고 있는 실리카 육면체의 단범위 규칙과 그 육면체가 불규칙하게 연결되어 있는 장범위 무질서 사이에 몇 나노미터 정도 중범위의 구조적 규칙성이 생겨나는 경향이 있다는 것이다. 실제로 그림 4.19(b)의 무질서 망상 모형은 유리질 SiO_2를 잘 설명해주고 있다. 그러나 그림 4.23에서 나타낸 중범위 규칙은, 그림 4.21과 4.22에 보이는 Na^+ 이온 같은 변형제를 상당량 포함하고 있는 일반적인 유리에서 나타날 수 있으며, 정밀한 분석결과에 따르면 이때 Na^+ 이온은 완전히 무질서한 분포를 갖지 않는 것으로 알려졌다.

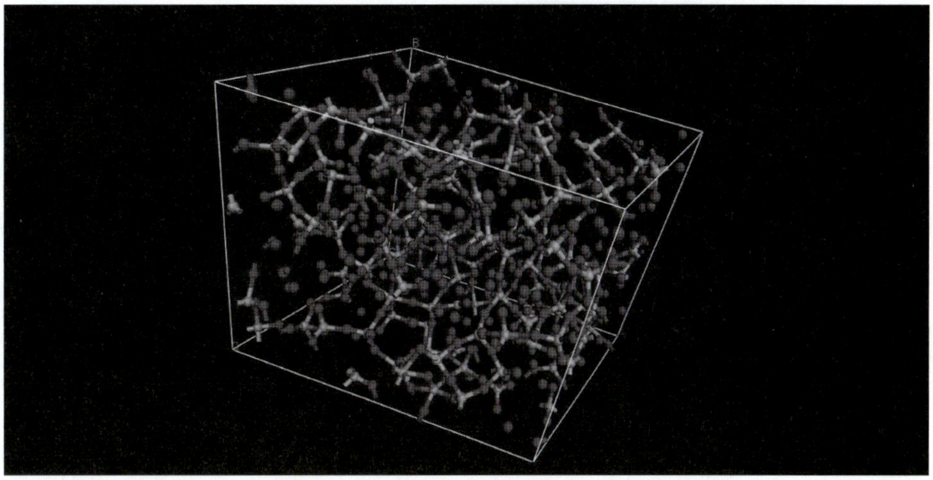

그림 4.22 2차원적으로 나타낸 그림 4.21과 비교해보았을 때, 컴퓨터로 구성한 3차원적인 모형은 규산염 유리의 Na^+ 불순물을 더 사실적으로 보여준다. Na^+ 이온은 Si^{4+}와 O^{2-} 이온으로 이루어진 사면체 클러스터 형태의 연결 사이에 산재한다. (Courtesy of Sabyasachi Sen, University of California, Davis.)

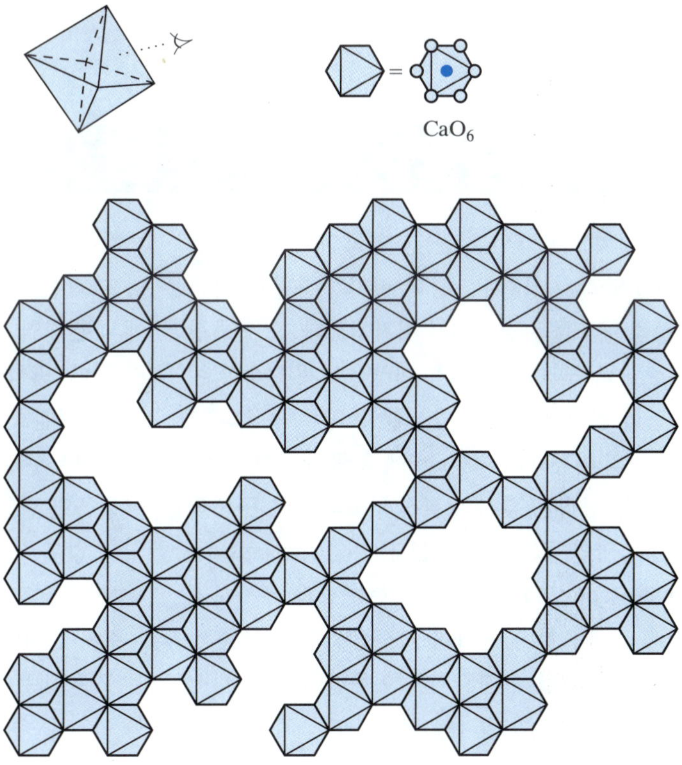

그림 4.23 CaO-SiO_2 유리에서의 중범위 규칙의 도식적인 예. 모서리를 공유하는 CaO_6 팔면체는 중성자 회절 실험에서 규명되었다. [From P. H. Gaskell et al., *Nature 350*, 675 (1991).]

예제 4.7

비정질 금속에서 원자 충진의 임의성(예: 그림 4.20)은 일반적으로 동일 조성의 결정질 구조와 비교하여 밀도가 1% 이상 떨어지지 않는다. 밀도가 8.84 g/cm^3인 비정질 박막 니켈의 원자 충진도를 계산하시오.

풀이

부록 1을 보면 니켈의 정상적인 밀도는 8.91 g/cm^3이다(이때는 결정질 상태이다). fcc 금속 구조의 원자 충진도는 0.74이다(3.2절 참고). 그러므로 비정질 니켈의 원자 충진도는

$$\text{APF} = (0.74) \times \frac{8.84}{8.91} = 0.734$$

연습문제 4.7

비정질 실리콘의 밀도가 결정질 상태의 밀도에 비해 1%가 줄었을 때, 비정질 실리콘의 원자 충진도를 구하시오. (예제 3.6 참고)

재료의 세계

전자현미경

야금학(더불어 재료공학의 기원)은 영국의 귀족이었던 Henry Clifton Sorby가 1863년 광학 현미경을 통해 금속 재료의 결정립 구조를 관찰하면서 시작되었다. 오늘날 광학 현미경은 재료공학을 공부하는 학생들에게 친숙한 존재이지만, 광학 현미경을 통해 관찰할 수 있는 구조의 크기는 가시광선의 파장(400~700 nm)에 의해 제한적이다.

전자현미경의 등장은 결정의 결정 구조와 결함 구조의 관찰을 용이하게 만들었다. **투과 전자현미경(transmission electron microscope, TEM)**은 광학 현미경과 유사하게 생겼으나, 유리 렌즈를 이용하여 가시광선의 초점을 맞추는 광학 현미경과 달리 전자석을 이용하여 전자 광선의 초점을 맞춘다. 이러한 설계는 전자가 파동과 같은 특성을 가지기 때문에 가능하다(2.1절 참고). 일반적인 100 keV를 이용하는 TEM의 경우, 3.7×10^{-3} nm의 단일 파장(λ)을 가지는 전자 광선을 이용한다. 이러한 파장은 가시광선의 파장보다 약 10^5배 작으며, 이는 원자 하나보다도 작은 크기이다. 이로 인해 TEM을 이용하면 광학에서 관찰할 수 없었던 매우 작은 구조도 자세히 관찰할 수 있다. 광학 현미경을 이용하면, 구조체에 따라 약 0.25 μm를 구분할 수 있는 약 2,000배율을 이용할 수 있는 반면, 지난 수십 년간 과학의 발전과 함께 발달된 TEM을 이용하면 단일 원자의 배열을 관찰할 수 있다. 3장과 4장의 도입부 사진과 책 속의 다른 그림에서 현미경 사진의 좋은 예를 볼 수 있다.

주사 전자현미경(scanning electron microscope, SEM)은 TEM과는 완전히 다른 원리를 이용하여 소재의 구조를 관찰할 수 있게 도와준다. 주사 전자현미경은 1 μm보다 작거나 같은 직경의 전자 광선을 이용하여 샘플의 표면을 반복해서 스캔한다. 전자 광선의 일차 전자(primary electrons)는 샘플 표면과 충돌하여 이차 전자(secondary

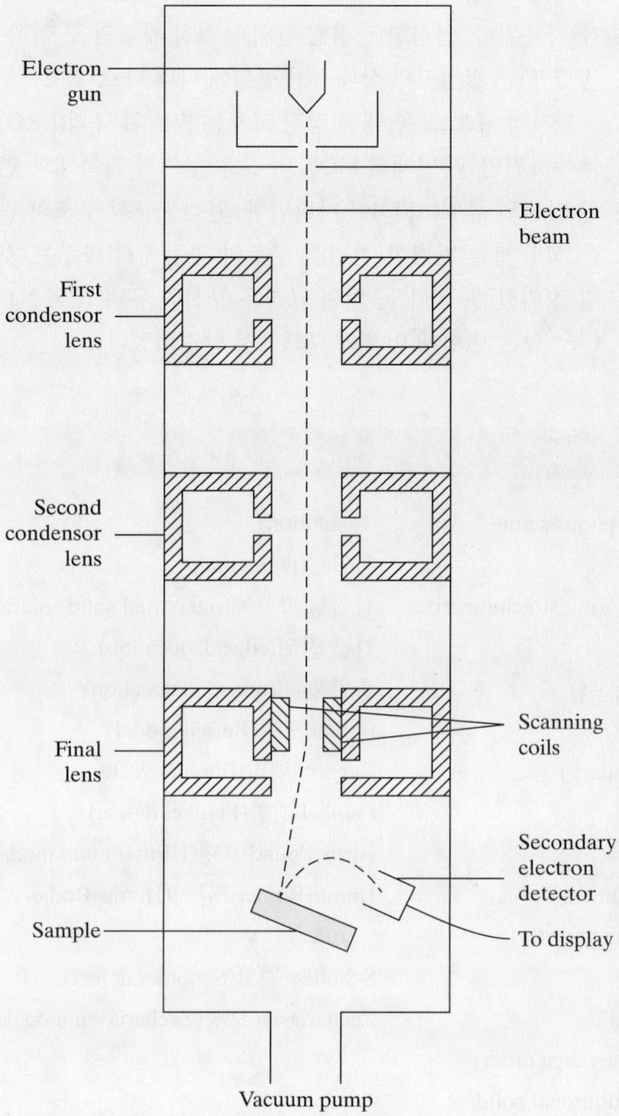

electrons)를 발생시키는데, 이렇게 발생된 **이차 전자** 광선은 표면 형상에 따라 세기 차이가 크게 발생한다. 이차 전자 광선은 샘플 표면에 조사하는 전자 광선의 움직임과 동기화되어 디지털 화면에 표시된다.

SEM의 배율은 광선의 스폿 사이즈(spot size)에 의해 제한되며, 광학보다는 월등히 뛰어나지만 TEM보다는 그 배율이 떨어진다. SEM을 통해 얻어진 사진의 중요한 점은 SEM의 심도(depth of field)에 의해 미세한 크기의 물체가 큰 크기의 물체로 보인다는 것이다. 이는 아래에 도시된 '돌' 같은 사진을 통해 알 수 있는데, 사진은 카펫 진공청소기에서 나온 매우 작은 모래 입자와 여러 종류의 유기물이다.

(Courtesy of Eye of Science/Science Source.)

요약

공학에서 사용되는 실제 재료는 3장의 구조적 설명에서 본 것처럼 완벽한 것은 없으며, 고용체의 형태로 항상 어느 정도의 오염이 있다. 불순물 또는 용질 원자가 용매 원자와 유사할 때 불순물 원자는 결정격자 자리에 위치하는 치환형 고용체가 된다. 침입형 고용체는 용질 원자가 결정 구조 내 인접 원자 사이의 비어 있는 공간으로 들어갈 정도로 충분히 작을 때 형성된다. 이온 화합물의 고용체는 전체적으로 전하 중성을 만족해야 한다.

점 결함은 빠진(missing) 원자나 이온(공공) 또는 여분의 원자나 이온(침입형 원자나 이온)이다. 전하 중성은 이온

화합물의 점 결함 구조에서 국부적으로 유지되어야 한다.

선 결함 또는 전위는 완전한 결정 구조 내에 존재하는 원자의 잉여 반면을 말한다. 전위 구조는 복잡할 수 있지만 단순한 매개변수인 Burgers 벡터로 특징지을 수 있다.

면 결함은 결정질 구조 주위의 모든 경계면을 말한다. 쌍정 경계는 2개의 거울상 지역을 나누는 경계이다. 그 외부 표면은 정교한 돌출 구조가 존재한다는 특징이 있다. 많은 공업재료에서 지배적인 미세조직의 특징은 결정립 구조인데, 여기서 각각의 결정립은 특정한 결정 구조 방위를 갖는 영역이다. 입도수(G)는 위와 같은 미세조직을 정량화하는 데 사용된다. 인접한 결정립 간의 불일치 지역의 구조(즉 결정립계)는 결정립의 상대적인 방위에 따라 다르다.

원자적 규모로 볼 때 비정질 고체는 장범위 규칙(LRO)이 부족하지만, 사면체의 SiO_4^{4-}와 같은 구조적 블록재와 연관된 단범위 규칙(SRO)이 나타난다. 완전불규칙 구조의 관점은 고용체를 완벽한 결정질 구조의 관점에서 다루는 것처럼 정의할 수 있다. 중범위 규칙은 규산염 유리 내의 Na^+와 Ca^{2+} 같은 변형제 이온의 분포에서 발견되었다.

주요 용어

결정립(grain)
결정립계(grain boundary)
결정립계 전위(grain-boundary dislocation, GBD)
경각 경계(tilt boundary)
고용체(solid solution)
공공(vacancy)
규칙 고용체(ordered solid solution)
나선 전위(screw dislocation)
단범위 규칙(short-range order)
망상 조직 이론(random network theory)
면 결함(planar defect)
불규칙 고용체(random solid solution)
비정질 고체(noncrystalline solid)
비정질 금속(amorphous metal)
비정질 반도체(amorphous semiconductor)
비화학양론적 화합물(nonstoichiometric compound)
산화물 유리(oxide glass)
선 결함(linear defect)
쌍정 경계(twin boundary)
용매(solvent)
용질(solute)
입도수(grain-size number)
장범위 규칙(long-range order)
전위(dislocation)
점 결함(point defect)
중범위 규칙(medium-range order)
치환형 고용체(substitutional solid solution)
침입형(interstitialcy)
침입형 고용체(interstitial solid solution)
칼날 전위(edge dislocation)
혼합 전위(mixed dislocation)
Bernal 모형(Bernal model)
Burgers 벡터(Burgers vector)
Frenkel 결함(Frenkel defect)
Hirth-Pound 모형(Hirth-Pound model)
Hume-Rothery 규칙(Hume-Rothery rules)
Schottky 결함(Schottky defect)
Zachariasen 모형(Zachariasen model)

참고문헌

Carter, C.B., and **M.G. Norton,** *Ceramic Materials: Science and Engineering*, 2nd ed., Springer, New York, 2013.

Chiang, Y., D. P. Birnie III, and **W. D. Kingery,** *Physical Ceramics*, John Wiley & Sons, Inc., New York, 1997.

Hull, D., and **D. J. Bacon,** *Introduction to Dislocations*, 5th ed., Butterworth-Heinemann, Boston, 2011.

Williams, D. B., A. R. Pelton, and **R. Gronsky,** Eds., *Images of Materials*, Oxford University Press, New York, 1991. A comprehensive as well as beautiful example of the microscopic tools available for imaging the various structures introduced in this chapter.

복습문제

4.1 _ 고용체: 화학적 결합

4.1 9장에서 완전 고용체를 형성하지 않는 Al-Cu 합금계 상태도를 공부할 것이다. 이 Al-Cu 계의 경우 Hume-Rothery 규칙 중 어느 것을 위반했는지 확인하시오. (전기 음성도에 대한 규칙 3에 관한 내용은 그림 2.21 참고)

4.2 Al-Mg 계는 불완전 고용체를 나타낸다. Hume-Rothery 규칙 중 어느 것을 위반하는가? (문제 4.1 참고)

4.3 9장에서 볼 불완전 고용체를 나타내는 Cu-Zn 계는 Hume-Rothery 규칙 중 어느 것을 위반하는가? (문제 4.1 참고)

4.4 9장에서 볼 불완전 고용체를 나타내는 Pb-Sn 계는 Hume-Rothery 규칙 중 어느 것을 위반하는가? (문제 4.1 참고)

4.5 그림 4.3에 보인 규칙 $AuCu_3$ 합금의 (111)면에서 원자의 패턴을 그리시오. (최소한 5개 원자의 너비와 5개 원자의 높이를 갖는 면적을 보이시오.)

4.6 그림 4.3에 보인 규칙 $AuCu_3$ 합금의 (110)면에서 원자의 패턴을 그리시오. (최소한 5개 원자의 너비와 5개 원자의 높이를 갖는 면적을 보이시오.)

4.7 그림 4.3에 보인 규칙 $AuCu_3$ 합금의 (200)면에서 원자의 패턴을 그리시오. (최소한 5개 원자의 너비와 5개 원자의 높이를 갖는 면적을 보이시오.)

4.8 치환형 고용체와 침입형 고용체의 차이점은 무엇인가?

4.9 Hume-Rothery 규칙이 비록 금속에만 엄격히 적용된다고 하지만, MgO 내에 NiO의 완전 용해도(그림 4.5)에 상응하는 양이온에 대한 유사한 개념이 있다. 이 경우 양이온의 크기 차이 백분율을 구하시오.

4.10 완전 고용체를 나타내지 않는 계인 MgO 내에 Al_2O_3(그림 4.6)에 대한 양이온의 크기 차이 백분율을 계산하시오.

4.11 MgO 99몰 중에 Al_2O_3 1몰의 고용도에 의해 생성된 Mg^{2+} 공공의 수를 계산하시오(그림 4.6 참고).

4.12 $Fe_{0.95}O$ 1몰 중에 Fe^{2+} 공공의 수를 계산하시오(그림 4.7 참고).

4.13 13장에서 반도체의 도핑에 관해 특히 관심을 가질 것이다. 이것은 바람직한 전기적 성질을 얻기 위해 본질적으로 순수한 반도체에 미량의 불순물을 첨가하는 것이다. 고용체 내 입방 미터당 4×10^{21}개의 알루미늄 원자가 있는 실리콘에 대해 (a) 알루미늄 원자의 원자 백분율과 (b) 알루미늄 원자의 중량 백분율을 계산하시오.

4.14 게르마늄 고용체 내 입방 미터당 4×10^{21}개의 알루미늄 원자에 대해 (a) 알루미늄 원자의 원자 백분율과 (b) 알루미늄 원자의 중량 백분율을 계산하시오.

4.15 실리콘 고용체 내 입방 미터당 4×10^{21}개의 인(phosphorous) 원자에 대해 (a) 인 원자의 원자 백분율과 (b) 인 원자의 중량 백분율을 계산하시오.

4.16 구조적 결함 모형(MgO 내 Al_2O_3의 고용도를 그림 4.6에 보인 것처럼)을 결정하는 한 가지 방법은 밀도를 주의 깊게 측정하는 것이다. MgO 내에 Al_2O_3 5 at % 고용에 대한 밀도의 변화(결함이 없는 순수한 MgO와 비교)는 몇 퍼센트겠는가?

4.2 _ 점 결함: 0차원 결함

4.17 공공 격자 자리의 분율이 1×10^{-7}이라고 할 때 실리콘 단결정 내 공공 자리의 밀도(단위: m^{-3})를 계산하시오.

4.18 공공 격자 자리의 분율이 1×10^{-7}이라고 할 때 게르마늄 단결정 내 공공 자리의 밀도(단위: m^{-3})를 계산하시오.

4.19 공공 격자 자리의 분율이 5×10^{-6}이라고 할 때 MgO 내 Schottky 쌍의 밀도(단위: m^{-3})를 계산하시오 (MgO의 밀도는 3.60 Mg/m3이다).

4.20 공공 격자 자리의 분율이 5×10^{-6}이라고 할 때 CaO 내 Schottky 쌍의 밀도(단위: m^{-3})를 계산하시오 (CaO의 밀도는 3.45 Mg/m^3이다).

4.3 _ 선 결함 또는 전위: 1차원 결함

4.21 전위 하나를 생성하는 데 필요한 에너지는 Burgers

벡터, $|\mathbf{b}|^2$ 길이의 제곱에 비례한다. 이 관계는 가장 안정한(최저 에너지) 전위는 최소 길이, $|\mathbf{b}|$를 가짐을 의미한다. bcc 금속 구조에 대해 (a) $E_\mathbf{b}$ = [110]과 (b) $E_\mathbf{b}$ = [100]에 대한 전위 에너지를 ($E_\mathbf{b}$ = [111]에 관해) 계산하시오.

4.22 문제 4.21의 설명을 fcc 금속 구조에 적용하여 (a) $E_\mathbf{b}$ = [111]과 (b) $E_\mathbf{b}$ = [100]에 대한 전위 에너지를 ($E_\mathbf{b}$ = [110]에 관해) 계산하시오.

4.23 문제 4.21의 설명을 hcp 금속 구조에 적용하여 (a) $E_\mathbf{b}$ = $[1\bar{1}00]$과 (b) $E_\mathbf{b}$ = [0001]에 대한 전위 에너지를 ($E_\mathbf{b}$ = $[11\bar{2}0]$에 관해) 계산하시오.

4.24 6장의 소성 변형에서는 조밀 면내의 조밀 방향을 따라 이동하는 전위로 인한 소성 변형의 개념에 대해 공부할 것이다. fcc 금속에서는 [110] 방향의 Burgers 벡터가 조밀 (111)면 내에 놓이게 된다. (a) 어떤 특정한 <110> 방향이 (111)면 위에 놓일 수 있는지 구하시오. (b) (a)의 답을 그리시오.

4.4_ 면 결함: 2차원 결함

4.25 그림 4.17에 보인 미세조직에 대한 입도수 *G*를 결정하시오. (정밀한 답은 샘플링 면의 선택에 달려 있음을 기억하시오.)

4.26 밀의 미세조직(그림 4.17에서의 저탄소강과 유사함. 100배율임)에 대해 입도수를 계산하시오.

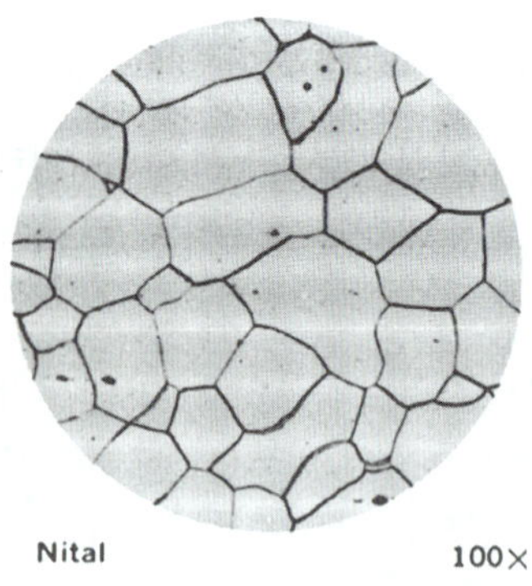

(Courtesy ASM International.)

4.27 쌍정 경계는 ________ 인 두 결정 영역을 분리한다.

4.28 단순한 경각 경계는 고립된 ____________ 전위로 나타낼 수 있다.

4.5_ 비정질 고체: 3차원 결함

4.29 그림 4.19(b)는 BO_3^{3-} 삼각형 고리로 구성된 단순한 B_2O_3 유리에 대한 유용한 개략도이다. 이 유리 구조의 개방성을 평가하기 위해 여섯 부분으로 구성된 규칙 고리의 BO_3^{3-} 삼각형에 대한 침입형 자리의 크기(즉 가장 크게 표시된 원)를 계산하시오.

4.30 비정질 규산염에서 결정성의 결핍에 대한 유용한 표시는 '고리 통계학(ring statistics)'이다. 그림 4.19(b)에 예시된 개략도에 대해 O^{2-}의 *n*부분으로 된 고리에 대한 막대그래프를 그리시오. 여기서 *n*은 망상 구조 내 어느 개방 침입형 자리를 둘러싸는 루프 내 O^{2-} 이온의 수이다. [주: 그림 4.19(a)에서 모든 고리는 여섯 부분으로 구성되어 있다(n = 6).] (힌트: 그림의 가장자리에서 불완전한 고리는 무시하시오.)

• **4.31** 그림 4.20에 보인 것처럼 비정질 금속은 그 구조를 함유하며 공간을 충진하는 다면체의 어떤 범위를 갖는다. 이와 유사하게 fcc 구조는 통상적인 단위정 배열의 어떤 대안으로 반복적인 다면체 구조로 나타낼 수 있다. 다른 말로 표현하면 fcc 구조는 규칙적인 다면체(사면체와 팔면체가 2:1의 비율)의 공간 충진으로 대등하게 나타낼 수 있다. (a) 그림 3.6(a)에 보인 것 같은 투시 스케치상에 전형적인 사면체(사측면 그림)를 그리시오. (b) 이와 유사하게 전형적인 팔면체(팔측면 그림)를 보이시오(문제 3.49 참고).

• **4.32** 그림 4.20에 관해 논의한 것처럼 비정질 고체 내 발생할 수 있는 몇 가지 다면체가 있다. 문제 4.31에서 다룬 사면체와 팔면체는 가장 단순한 것이다. 다음으로 단순한 것이 오각형의 겹피라미드인데 이것은 10등변 삼각형면으로 구성된다. 이 다결정을 가능한 한 정밀하게 그리시오.

• **4.33** 그림 4.23에 보인 패턴 내에 몇몇 인접한 CaO_6 팔면체면을 그리시오. 최인접 Ca^{2+}–Ca^{2+} 거리 R_1과 차인접 Ca^{2+}–Ca^{2+} 거리 R_2를 나타내시오.

• **4.34** 그림 4.23에 보인 CaO–SiO_2 유리에 대한 회절 측정은 최인접 Ca^{2+}–Ca^{2+} 거리 R_1이 0.375 nm인 것을 보인다. 차인접 Ca^{2+}–Ca^{2+} 거리 R_2는 얼마인가? (문제 4.33의 결과 참고)

CHAPTER 5

확산

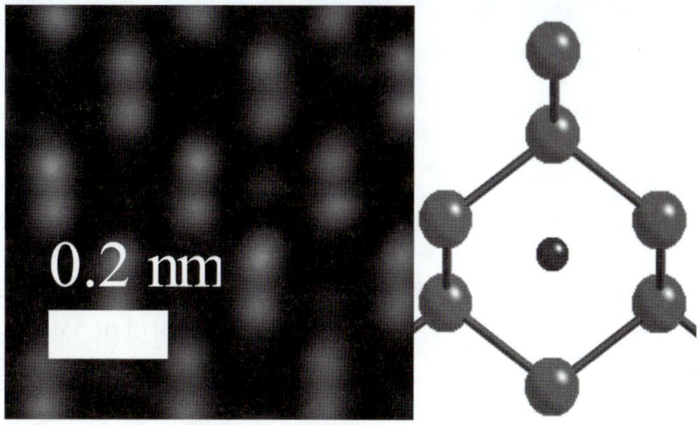

이 장에 소개할 원자 확산은 결정 구조 내부를 돌아다니는 각각의 원자를 포함한다. 왼쪽의 고해상도 투과 전자현미경 이미지에서 침입 자리에 있는 원자를 볼 수 있다. 오른쪽 그림은 [110] 방향에서의 실리콘 결정 내부의 Ni 원자를 나타낸다. 이는 3장의 도입부 이미지와 같은 방향이다. (Courtesy of Klaus van Benthem and Andrew Thron, University of California, Davis.)

학습목표

1. Arrhenius 식의 일반 형식에 대한 설명과 Arrhenius 그래프의 작성, Arrhenius 식의 지수앞 상수 및 활성화 에너지를 포함하는 항을 통한 열적 활성화 과정을 설명한다.

2. 온도 상승이 어떻게 공공과 같은 점 결함을 생성하고, 결함의 수가 온도에 따라 기하급수적으로 증가하는지 (Arrhenius 관계)를 설명한다.

3. (a) Fick의 제1, 2법칙을 활용하여 확산 현상을 수학적으로 분석한다.

(b) 식 (5.11)과 같이, Fick의 제2법칙에서 오차 함수의 해를 활용하여 철강의 탄화 정도를 정량화한다.

(c) 확산에서 Arrhenius 관계[식 (5.13)]를 활용하여 다양한 금속과 비금속 계의 넓은 온도 범위에서의 확산 거동을 분석한다.

4. 정상 상태 확산에서 농도 구배의 단순하고 선형적인 성질을 이용하여 얇은 막을 통한 기체 투과를 분석한다.

5. 다결정 재료에서 부피, 결정립계, 표면 확산의 상대적 기여도를 구별한다.

공업재료를 생산하거나 이용하는 동안 원자의 이동 또는 **고상 확산**(solid-state diffusion)에 의해 재료의 화학적 조성이 변하는 경우가 많다. 이러한 경우 재료의 미세조직 내에서 원자의 분포가 변한다. 또 어떤 경우에는 원자가 주위에서 재료로 첨가되거나, 재료에서 주위로 빠져나간다. 재료 내에서 원자의 이동에 대한 본질을 이해하는 것은 재료를 생산하고 그 재료를 공학설계에 성공적으로 응용하는 데 매우 중요하다.

4장에서 공공과 같은 여러 가지 점 결함을 정의했다. 이러한 결함은 통상적으로 재료 내 원자의 열 진동에 의해 생겨난다고 했다. 이 장에서는 온도와 이러한 결함 수의 상세한 관계를 알아볼 것이다. 좀 더 자세히 말하면 그러한 결함의 농도는 온도가 증가함에 따라 지수적으로 증가한다. 공업재료에서 원자의 이동은 점 결함의 이동에 의해 일어나며, 이로 인해 이 고상 확산 속도는 온도에 따라 지수적으로 증가한다. 수학적 계산을 통해 여러 가지 확산과정에 따라 일어나는 재료 내의 화학 조성의 변화를 정확히 기술할 수 있다. 강의 **침탄**(carburization)을 한 예로 들 수 있는데, 침탄 중에 탄소가 풍부한 주위로부터 탄소 원자의 확산에 의해 강의 표면이 강화된다.

얼마간의 시간이 지난 뒤에는 재료 내의 화학적 농도 분포가 선형이 되고, 이 **정상 상태 확산**(steady-state diffusion)에 해당하는 계산은 비교적 간단하다.

일반적으로는 재료의 전체 부피 내에서의 확산을 고려하지만, 때로는 원자가 입계를 따라 확산하는 **결정립계 확산**(grain boundary diffusion)과 표면을 따라 확산하는 **표면 확산**(surface diffusion)을 고려해야 할 때도 있다.

5.1 열적으로 활성화된 공정

재료공학에서 수많은 공정은 온도에 따라 그 속도가 지수 함수적으로 증가한다는 공통적인 특징을 갖는다. 그 예로 이 책에서 다룰 금속 합금 내에서 원소의 확산율, 구조 재료의 크리프(creep) 변형 속도, 반도체의 전기 전도도 등이 있다. 이와 같은 여러 과정을 나타내는 일반적인 식은

$$\text{속도} = Ce^{-Q/RT} \tag{5.1}$$

이다. 여기서 C는 **지수앞 상수**(preexponential constant, 온도에 무관), Q는 **활성화 에너지**(activation energy), R는 기체 상수, T는 절대 온도이다. 기체 상수는 기체 상태에서처럼 고체 상태에서도 중요하다. **기체 상수**(gas constant)라는 용어는 이상 기체 법칙($pV = nRT$)과 기체 상태 방정식에서의 역할로부터 유래한다. 사실 R는 고체 상태에 전념하는 이 책에서도 자주 나타나는 기본적인 상수이다.

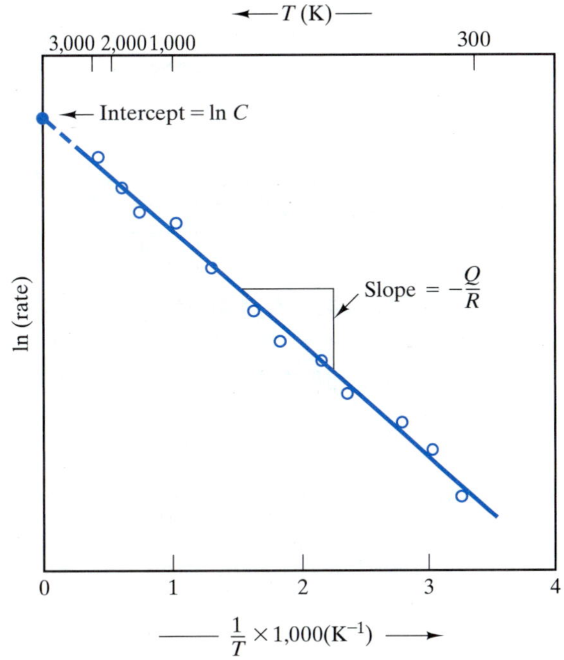

그림 5.1 식 (5.2)에 따른 실험 자료의 전형적인 Arrhenius 그래프. 기울기는 $-Q/R$이고 절편은 $\ln C(1/T = 0$에서)이다.

식 (5.1)은 일반적으로 **Arrhenius**[1] **식**(Arrhenius equation)이라고 한다. 식 (5.1)의 양쪽에 대수를 취하면

$$\ln(\text{속도}) = \ln C - \frac{Q}{R}\frac{1}{T} \tag{5.2}$$

이 된다. ln (속도)를 절대 온도의 역수($1/T$)의 함수로 도시하면 속도 결과의 직선(그림 5.1)을 얻는다. **Arrhenius 그래프**(Arrhenius plot)의 직선의 기울기는 $-Q/R$이고, $1/T = 0$(혹은 $T = \infty$)로 Arrhenius 그래프를 연장하면 절편이 $\ln C$와 같아진다.

그림 5.1의 실험결과는 매우 중요하다. 어떤 두 온도에서 속도를 알면 직선 도시를 통해 다른 온도에서의 속도를 구할 수 있기 때문이다. 마찬가지로 어떤 온도에서의 속도와 활성화 에너지 Q를 알면 알고자 하는 다른 온도에서의 속도를 알 수 있다. Arrhenius 그래프는 보통 Q값을 얻는 데 이용된다(그래프의 기울기로부터). 이 활성화 에너지의 값은 그 과정의 기구를 알려준다. 요약하면 식 (5.2)는 상수가 2개 있으므로 결과적으로 2개의 실험적인 관찰만으로 그 상수를 결정할 수 있다.

속도에 대한 실험 자료가 어떻게 그림 5.1의 특성 거동을 나타내는지를 알기 위해

1) Svante August Arrhenius(1859~1927)는 스웨덴 화학자로서 화학 반응 속도에 대한 식 (5.1)의 실험적인 논증을 포함하여 물리화학에 지대한 공헌을 했다.

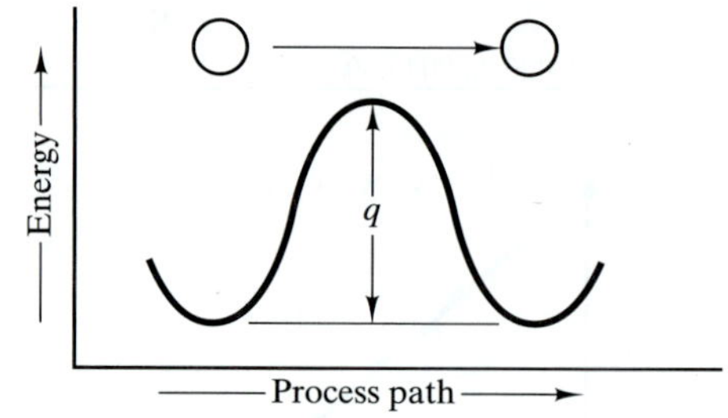

그림 5.2 원자가 하나의 안정한 위치에서 이웃의 안정한 위치로 이동하려면 활성화 에너지 q를 어떻게 극복해야 하는가를 보여주는 진행 경로

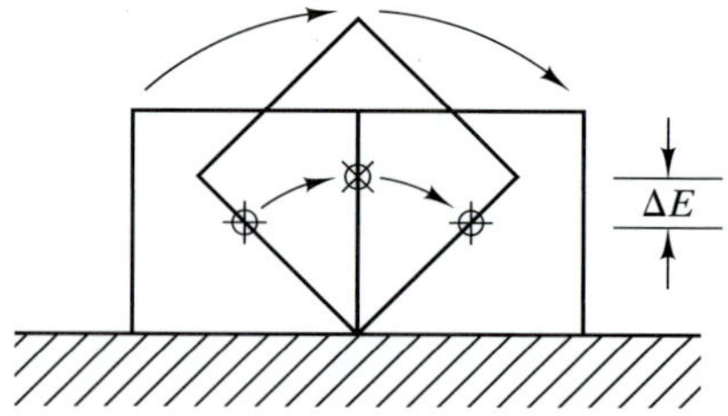

그림 5.3 그림 5.2의 진행 경로와 유사한 기계적 모형. 상자 하나의 안정한 자리로부터 다른 안정한 위치로 이동하려면 위치 에너지 ΔE의 증가를 극복해야 한다.

활성화 에너지 Q의 개념을 알아야 한다. 식 (5.1)에서 Q의 단위는 몰당 에너지이다. Q와 R를 Avogadro수(N_{AV})로 나눔으로써 식 (5.1)을 다음과 같이 다시 쓸 수 있다.

$$\text{속도} = Ce^{-q/kT} \tag{5.3}$$

여기서 $q(= Q/N_{AV})$는 원자 규모 단위(원자, 전자, 이온 등)당 활성화 에너지이고, $k(= R/N_{AV})$는 Boltzmann[2] 상수(13.8×10^{-24} J/K)이다. 식 (5.3)은 기체 내 분자 에너지의 **Maxwell-Boltzmann[3] 분포**(Maxwell-Boltzmann distribution)의 높은 에너지 부분과 비교해볼 수 있다.

$$P \propto e^{-\Delta E/kT} \tag{5.4}$$

여기서 P는 특정 온도 T의 평균 에너지 특성보다 ΔE만큼 더 높은 에너지를 갖는 분자를 찾을 확률이다. 여기에 활성화 에너지에 대한 단서가 있다. 즉 이 에너지는 **열적 활성화**(thermal activation)로 극복해야 할 에너지 장벽이다. 식 (5.4)는 원래 기체를 대상으로 유도한 것이지만 고체에도 적용된다. 온도가 증가하면 주어진 에너지 장벽 q를 극복할 수 있는 원자 또는 전자나 이온의 수가 많아진다. 그림 5.2는 한 원자가 에너지 장벽 q를 넘어가는 **진행 경로**(process path)를 보여준다. 그림 5.3은 어떤 상자가 그림 5.2의 q와 유사하게 위치 에너지 ΔE의 증가를 통해 한 위치로부터 다른 위치로 이동하는 단순한 활성화 에너지의 역학적 모형을 나타낸다.

2) Ludwig Edward Boltzmann(1844~1906)은 오스트리아 물리학자로서 19세기(현대 물리학의 발달 이전)의 많은 주요한 과학적 업적과 관련되어 있다. 그의 이름이 담긴 상수는 열역학 제2법칙의 통계적인 표현에 주요한 역할을 했다. 일부 아이디어는 무시하기가 어렵다. 제2법칙은 그의 묘비에 새겨 있다.

3) James Clerk Maxwell(1831~1879)은 스코틀랜드의 수학자이자 물리학자로서 아주 훌륭하고 생산적인 사람이었다. 전자기학에 관한 그의 수식은 과학 전 분야에서 가장 훌륭한 것 중 하나이다. 그는 동시대의 인물인 Ludwig Edward Boltzmann과 별개로 기체의 역학 이론[식 (5.4) 포함]을 밝혀냈다.

Arrhenius 식이 적용되는 많은 과정에서 활성화 에너지는 각 기구(mechanism)의 특성을 나타낸다. 경우마다 여러 가지 가능한 기구가 동시에 일어날 수 있다는 것을 기억해야 한다. 각각의 기구는 특정한 활성화 에너지를 가진다. 실험결과를 나타내는 활성화 에너지가 하나라는 사실은 단 하나의 기구가 지배적이라는 것을 나타낸다. 만약 과정이 몇 개의 연속적인 단계를 거친다면 가장 느린 단계가 **율속 단계**(rate-limiting step)이다. 그러면 율속 단계의 활성화 에너지가 전체 과정의 활성화 에너지가 된다.

예제 5.1

산화 분위기에서 금속 합금이 산화되는 속도는 Arrhenius 식[식 (5.1)]의 실용성을 보이는 전형적인 예이다. 예를 들면 마그네슘 합금의 산화 속도는 속도 상수 k로 나타내고, 300°C에서의 k값은 1.05×10^{-8} kg/(m$^4 \cdot$s)이다. 400°C에서는 k값이 2.95×10^{-4} kg/(m$^4 \cdot$s)로 증가했다. 이 산화 과정에 대한 활성화 에너지 Q를 계산하시오(kJ/mol의 단위로).

풀이

이 경우에 식 (5.1)은 다음과 같이 된다.

$$k = Ce^{-Q/RT}$$

300°C(= 573 K)와 400°C(= 673 K)에서 속도 상수의 비를 취하면 미지의 지수앞 상수 C를 소거할 수 있다. 즉

$$\frac{2.95 \times 10^{-4}\text{kg/[m}^4 \cdot \text{s]}}{1.05 \times 10^{-8}\text{kg/[m}^4 \cdot \text{s]}} = \frac{e^{-Q/(8.314\text{ J/[mol·K]})(673\text{ K})}}{e^{-Q/(8.314\text{ J/[mol·K]})(573\text{ K})}}$$

또는

$$2.81 \times 10^4 = e^{\{-Q/(8\,314\text{ J/[mol·K]})\}\{1/(673\text{ K})-1/(573\text{ K})\}}$$

따라서 다음과 같다.

$$Q = 328 \times 10^3 \text{ J/mol} = 328 \text{ kJ/mol}$$

연습문제 5.1

예제 5.1에 주어진 값을 이용하여, 500°C에서 마그네슘 합금의 산화에 대한 속도 상수 k값을 계산하시오.

5.2 열에 의한 점 결함의 생성

점 결함은 결정 조직 안에서 원자의 주기적 진동(periodic oscillation)이나 **열적 진동**(thermal vibration)으로 인해 생긴다. 온도가 상승함에 따라 이러한 진동의 크기 역시 커지므로 구조적 규칙성의 파괴 및 점 결함의 생성 가능성이 증가한다. 어느 주어진 온도에서 재료의 열에너지는 고정되어 있으나 이것은 평균값이다. 개개 원자의 열에너지는 Maxwell-Boltzmann 분포에서 볼 수 있는 것과 같이 넓은 범위의 값을 갖는다. 어느 주어진 온도에서 고체 내 특정 비율의 원자는 점 결함을 생성하는 데 필요한 충분한 열에너지를 갖는다. Maxwell-Boltzmann 분포를 통해 이 비율이 절대 온도에 따라 지수적으로 증가한다는 중요한 결과를 알 수 있다. 결과적으로 점 결함의 농도는 온도에 따라 지수 함수적으로 증가한다. 즉

$$\frac{n_{\text{defects}}}{n_{\text{sites}}} = Ce^{-(E_{\text{defect}})/kT} \tag{5.5}$$

이다. 여기서 $n_{\text{defects}}/n_{\text{sites}}$는 이상적인 격자 자리와 점 결함의 비이고, C는 지수앞 상수, E_{defect}는 결정 구조 내에 하나의 점 결함이 생성되는 데 필요한 에너지, k는 Boltzmann 상수, T는 절대 온도이다.

점 결함 생성에 대한 온도 민감성은 고려하는 결함의 형태에 따라 다르다. 즉 주어진 결정 구조에서 공공의 생성에 대한 E_{defect}는 침입형 원자의 형성에 대한 E_{defect}와 다르다.

그림 5.4는 알루미늄 내 공공의 열적 생성을 나타낸다. 시편 전체의 크기를 측정하여 얻어진 열팽창($\Delta L/L$)과 엑스선 회절($\Delta a/a$)에 의해 측정된 열팽창 간 차이가 나는 이유는 공공 때문이다. 엑스선 값은 엑스선 회절(3.7절)에 의해 측정된 단위정 크기에 기초한 값이다. 온도가 용융점 가까이 갈수록 재료 내 빈 격자 자리(공공)의 농도가 점점 커져 전체 크기에서 측정한 열팽창은 더욱 커진다. 공공의 농도(n_v/n_{sites})는 식 (5.5)의 Arrhenius 관계를 따른다.

$$\frac{n_v}{n_{\text{sites}}} = Ce^{-E_V/kT} \tag{5.6}$$

여기서 C는 지수앞 상수이고, E_V는 단일 공공의 생성 에너지이다. 위에서 설명한 것처럼 이 표현식의 결과를 세미로그로 도시하면 편리하다. 식 (5.6)의 양변에 대수를 취하면

$$\ln\frac{n_v}{n_{\text{sites}}} = \ln C - \frac{E_V}{k}\frac{1}{T} \tag{5.7}$$

이 된다. 그림 5.4는 $\ln\,(n_v/n_{\text{sites}})$을 $1/T$의 함수형태의 그래프로 그린 것이다. 이

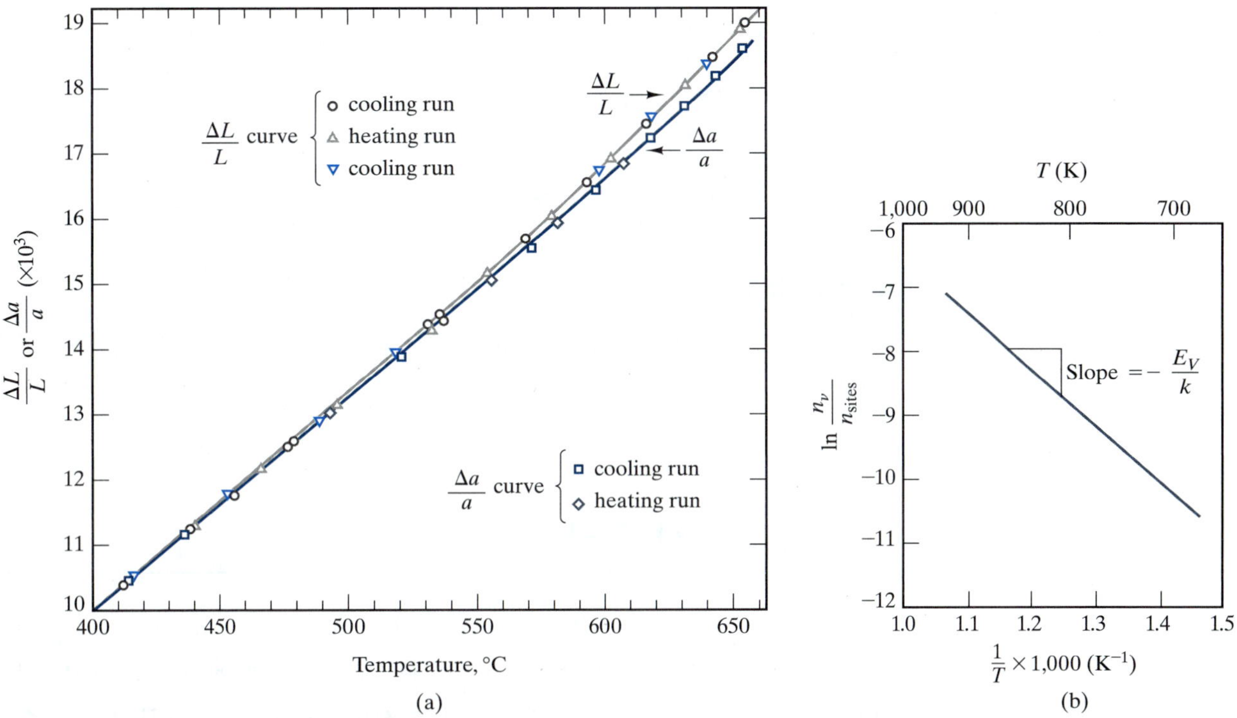

그림 5.4 (a) 고온에서 알루미늄의 전체 열팽창률($\Delta L/L$)은 격자 상수 팽창률($\Delta a/a$)보다 훨씬 크게 측정되는데 이는 열로 인해 생긴 공공 때문이다. (b) (a)의 자료를 ln (공공 농도)와 $1/T$의 세미로그 그래프로 나타냈다. 이 그래프의 기울기 ($-E_V/k$)는 알루미늄 결정 구조에서 공공 하나를 만드는 데 소요되는 에너지가 0.76 eV라는 것을 나타낸다. (From P. G. Shewmon, *Diffusion in Solids*, McGraw-Hill Book Company, New York, 1963.)

Arrhenius 그래프의 기울기는 $-E_V/k$이다. 이 실험적인 결과는 알루미늄 결정 구조 내에 하나의 공공이 생성되는 데 필요한 에너지가 0.76 eV라는 것을 나타낸다.

예제 5.2

400°C에서 알루미늄의 빈 격자 자리의 분율이 2.29×10^{-5}이다. 660°C에서의 분율을 계산하시오(이 온도는 용융점 바로 아래이다).

풀이

그림 5.4와 관련된 논의 내용으로부터 $E_V = 0.76$ eV이다. 식 (5.6)을 이용하면

$$\frac{n_v}{n_{\text{sites}}} = Ce^{-E_V/kT}$$

따라서 400°C(= 673 K)에서는

$$C = \left(\frac{n_v}{n_{\text{sites}}}\right)e^{+E_V/kT}$$

$$= (2.29 \times 10^{-5})e^{+0.76\text{ eV}/(86.2\times10^{-6}\text{eV/K})(673\text{ K})} = 11.2$$

600°C(= 933 K)에서는

$$\frac{n_v}{n_{\text{sites}}} = (11.2)e^{-0.76\text{ eV}/(86.2\times10^{-6}\text{eV/K})(933\text{ K})} = 8.82 \times 10^{-4}$$

대략 1만 격자 자리당 9개의 공공이 발생한다.

연습문제 5.2

(a) 500°C, (b) 200°C, (c) 상온(25°C)에서 격자의 빈자리 분율을 계산하시오(예제 5.2 참고).

5.3 점 결함과 고상 확산

상당히 높은 온도에서 원자와 분자는 액체나 고체 안에서 매우 활발히 움직일 수 있다. 물이 담긴 비커에 잉크 한 방울을 떨어뜨리고 물 전체에 균일한 색으로 번지는 것을 관찰하여 분자 단위의 물질 혼합인 **확산**(diffusion)을 간단히 관찰할 수 있다. 확산은 다른 물질에서도 일어난다. 상온에서 순수한 물 안의 H_2O 분자는 **자기확산**(self-diffusion)의 예처럼 액체를 통해 연속적으로 움직이며 이동한다. 액체에서 원자 규모의 움직임은 비교적 빠르며 상상하기도 용이하다. 단단한 고체 내에서의 확산은 상상하기가 좀 더 어렵지만 그럼에도 분명히 일어난다. 고체와 액체 상태 확산의 일차적인 차이는 고체 내에서의 확산 속도가 액체에서의 확산 속도보다 느리다는 것이다. 3장의 결정 구조를 되돌아볼 때 치밀한 구조에서의 원자나 이온의 확산은 더 어렵다는 것을 알 수 있다. 사실 완전한 결정 구조를 통한 원자나 이온 이동에 필요한 에너지가 너무 커서 확산은 거의 불가능하다. 실제로 고체 상태의 확산을 일으키기 위해서는 일반적으로 점 결함이 필요하다. 그림 5.5는 **공공 이동**(vacancy migration) 기구를 나타낸 것으로서, 결정 구조의 큰 뒤틀림 없이 원자가 이동하는 방법을 보여준다. 전체적인 물질 이동의 방향은 공공의 이동 방향과 반대 방향인 것을 주목해야 한다.

그림 5.6은 침입형 기구에 의한 확산을 예시한 것으로, 원자 이동의 **무질서한 움직임**(random-walk)을 보여준다. 이 무질서한 움직임은 전반적인 화학 조성의 차이가 있을 때 물질의 순 유동을 방해하지는 않는다. 그림 5.7과 그림 5.8은 자주 일어나는 이 같은 확산을 예시한 것이다. A 고체 내 개개 원자의 무질서한 움직임은 어느 방향으로나 그 확률이 같을지라도 계의 왼쪽 A의 초기 농도가 높기 때문에 무질서한 움직임은 B 고체 쪽으로 A 원자의 순 유동, 즉 **상호확산**(interdiffusion)을 가져온

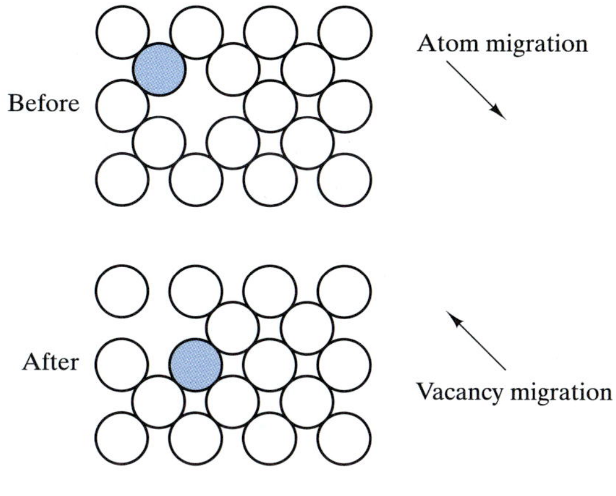

그림 5.5 원자의 이동은 공공의 이동 기구에 의해 일어난다. 물질(예: 원자)의 이동 흐름의 방향은 공공 흐름의 방향과 반대임을 유의하자.

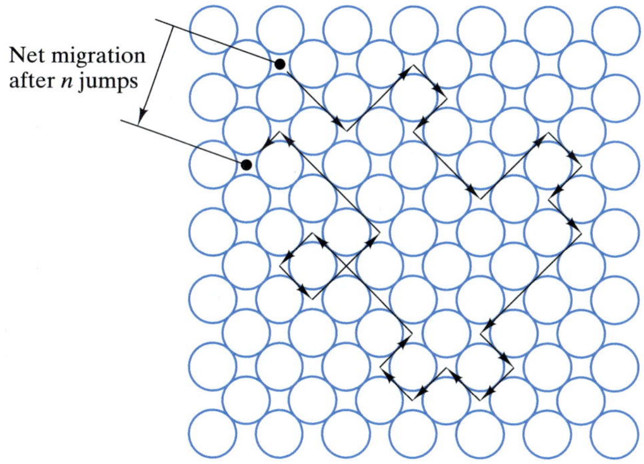

그림 5.6 원자 이동의 무질서한 특징을 보여주는 침입형 원자 기구에 의한 확산

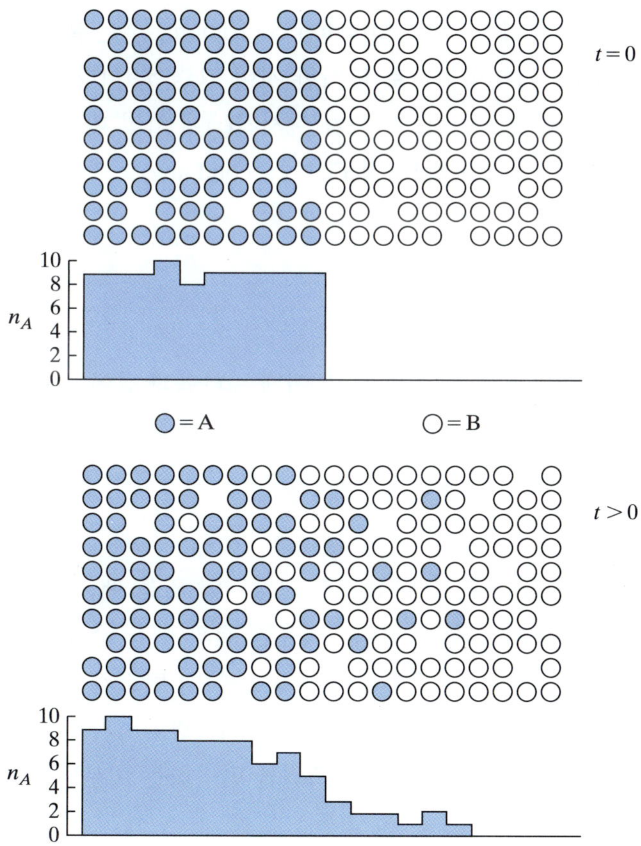

그림 5.7 A 물질과 B 물질의 상호확산. A원자와 B원자는 어떠한 방향으로든 이동하려는 경향은 동등하지만(그림 5.6 참고), 두 물질의 농도 기울기는 B 물질 쪽으로 A원자의 순 유동, 또는 그 반대의 경우를 발생시킨다.

POWERS OF 10

이 페이지의 도식적 예시는 그림 4.8의 원자 규모 결함이 어떻게 확산을 쉽게 하는지를 보여준다. 다양한 열처리에서 이러한 기구가 이용되는 것을 10장에서 보일 것이다.

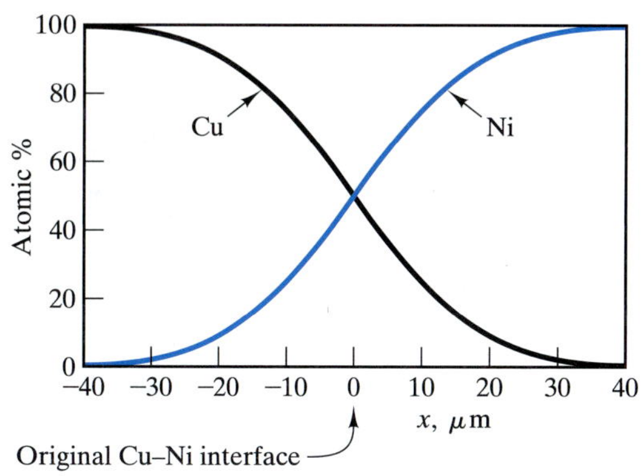

그림 5.8 그림 5.7은 재료의 상호확산을 원자 규모로 예시한 것이다. 이와 비교할 만한 미세 규모의 예는 여기에 나타낸 구리와 니켈의 상호확산이다.

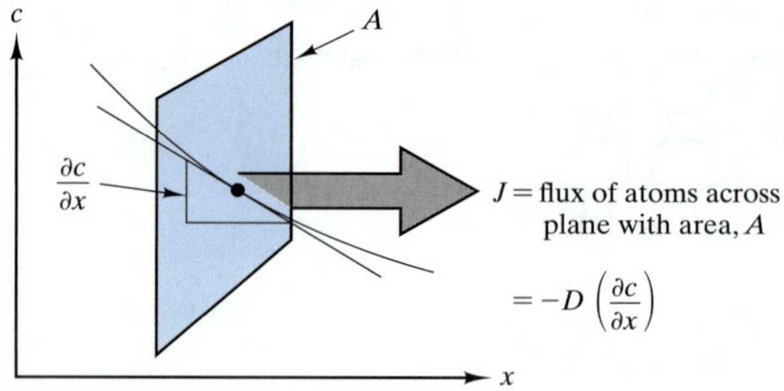

그림 5.9 Fick의 제1법칙을 나타낸 그림[식 (5.8)]

다. 이러한 확산은 **Fick의**[4] **제1법칙**(Fick's first law)을 통해 기술할 수 있다.

$$J_x = -D\frac{\partial c}{\partial x} \tag{5.8}$$

여기서 J_x는 **농도 기울기**(concentration gradient, $\partial c/\partial x$)에 의해 x 방향으로 확산하는 것을 나타낸다. 비례 상수 D는 **확산 계수**(diffusion coefficient) 혹은 **확산율**(diffusivity)이라고 한다. 식 (5.8)을 기하학적으로 도시한 것이 그림 5.9이다. 그림 5.7을 보면 확산 경로상 어떤 특정한 점의 농도 기울기는 시간(t)에 따라 바뀐다는 것을 알 수 있다. 이 일시적인 상태는 **Fick의 제2법칙**(Fick's second law)으로 알려진 2계 미분방정식으로 나타난다.

$$\frac{\partial c_x}{\partial t} = \frac{\partial}{\partial x}\left(D\frac{\partial c_x}{\partial x}\right) \tag{5.9}$$

실제적인 문제에서 D는 c에 독립이라고 가정할 수 있고, 이때는 다음과 같이 간단히 쓸 수 있다.

$$\frac{\partial c_x}{\partial t} = D\frac{\partial^2 c_x}{\partial x^2} \tag{5.10}$$

그림 5.10은 확산하는 원소의 표면 농도 c_s가 일정하게 고정되어 있을 때, 반무한대의 고체 속으로 이 원소의 확산에 대해 식 (5.10)을 적용한 결과이다. 금속 도금이나 반응성 기체의 재료 내 포화 등이 이러한 결과의 예이다. 특히 탄소가 풍부한 주위로부터 철강 표면으로의 탄소 확산에 의해 철강재의 표면을 경화시키는 **침탄**(carburization) 공정은 매우 좋은 예이다. 주어진 경계 조건을 만족하는 미분방정식의 해는

4) Adolf Eugen Fick(1829~1901)은 독일 생리학자이다. 의학에서는 수학, 물리학, 화학 분야에서 이미 발견된 원리를 자주 응용한다. 그러나 생리학의 '작용역학' 분야에서 Fick의 업적은 너무나 뛰어나 물리학자에 대한 지침서로 다루어졌다. 그는 혈류 연구를 통해 확산 법칙을 발견했다.

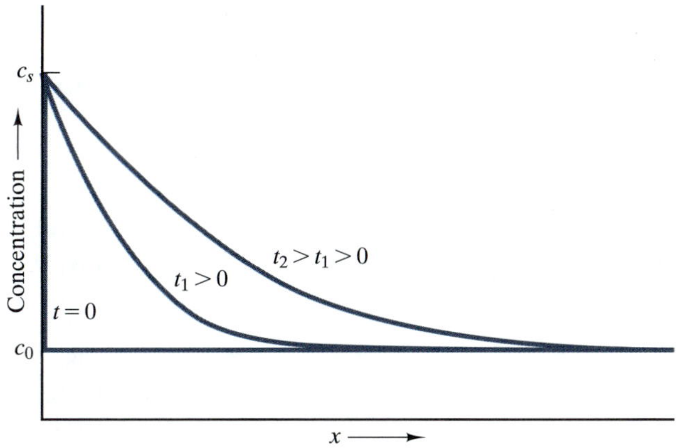

그림 5.10 확산종의 일정한 표면 농도 c_s, 초기 내부 농도 c_0, 일정한 확산 계수 D인 반무한대 고체의 확산에 대한 Fick의 제2법칙[식 (5.10)]의 해

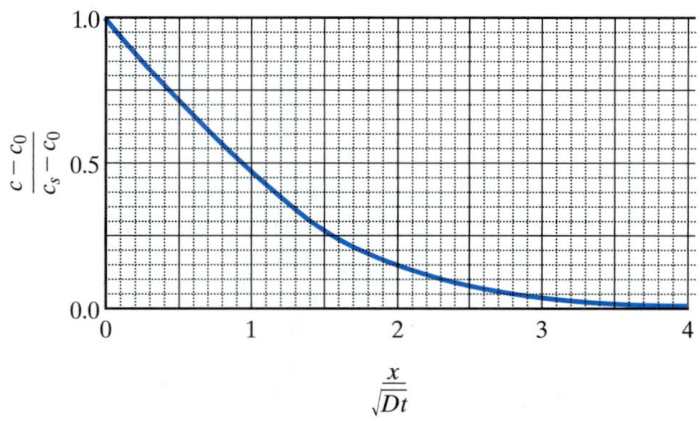

그림 5.11 그림 5.10에 나와 있는 모든 확산 결과를 한 곡선에 요약하여 종합 도시했다.

$$\frac{c_x - c_0}{c_s - c_0} = 1 - \operatorname{erf}\left(\frac{x}{2\sqrt{Dt}}\right) \tag{5.11}$$

이다. 여기서 c_0는 확산하는 종자의 초기 부피 농도이고, erf는 **Gaussian[5] 오차 함수**(Gaussian error function)로서 '종 모양' 곡선의 적분에 근거한 것으로 그 값은 수표에서 쉽게 이용할 수 있다. 대표적인 값이 표 5.1에 주어져 있다. 이 분석을 통해 식 (5.11)의 결과인 그림 5.10의 모든 농도 분포를 하나의 종합 그래프(그림 5.11)로 다시 그릴 수 있다. 이와 같은 그래프로부터 x, D, t의 함수로 고체 상호 간 포화에 필요한 시간을 계산할 수 있다.

앞에서 설명한 수학적인 분석은 일정한 온도라는 가정하에서 얻어진 것이다. 앞에서 논의된 확산이 점 결함에 의존한다는 사실을 보면 식 (5.5)와 비슷한 양상으로 확산율이 온도에 상당히 의존함을 기대할 수 있는데 이것은 실제로도 그렇다. 확산율 자료는 Arrhenius 식의 가장 잘 알려진 예일 것이다.

$$D = D_0 e^{-q/RT} \tag{5.12}$$

여기서 D_0는 지수앞 상수이고 q는 결함 운동에 관한 활성화 에너지이다. 일반적으로 q는 식 (5.5)의 E_{defect}와 같지 않다. E_{defect}는 결합을 형성하는 데 필요한 에너지인 반면, q는 침입형 확산의 경우에 결함이 결정 구조를 지나면서 이동할 때 필요한 에너지($E_{\text{defect motion}}$)이다. 공공 확산(interstitial diffusion)의 경우에는 공공 형성이 확산

5) Johann Karl Friedrich Gauss(1777~1855)는 독일 수학자로서 수학의 역사에서 위대한 천재 중 한 사람이다. 그는 10대에 곡선에 부합되는 결과에 대한 최소 제곱법을 밝혀냈다. 수학에서 그의 수많은 업적은 천문학과 지자기학 같은 물리학에도 유사하게 적용되었다. 자성 분야에 대한 그의 기여를 기리고자 자속 밀도의 단위에 그의 이름이 붙여지게 되었다.

표 5.1 오차 함수

z	erf(z)	z	erf(z)
0.00	0.0000	0.70	0.6778
0.01	0.0113	0.75	0.7112
0.02	0.0226	0.80	0.7421
0.03	0.0338	0.85	0.7707
0.04	0.0451	0.90	0.7969
0.05	0.0564	0.95	0.8209
0.10	0.1125	1.00	0.8427
0.15	0.1680	1.10	0.8802
0.20	0.2227	1.20	0.9103
0.25	0.2763	1.30	0.9340
0.30	0.3286	1.40	0.9523
0.35	0.3794	1.50	0.9661
0.40	0.4284	1.60	0.9763
0.45	0.4755	1.70	0.9838
0.50	0.5205	1.80	0.9891
0.55	0.5633	1.90	0.9928
0.60	0.6039	2.00	0.9953
0.65	0.6420		

출처: *Handbook of Mathematical Functions*, M. Abramowitz and I. A. Stegun, Eds., National Bureau of Standards, Applied Mathematics Series 55, Washington, DC, 1972.

과정에서 필수 불가결하다(그림 5.5 참고). 따라서 $q = E_{\text{defect}} + E_{\text{defect motion}}$이다.

확산에 관한 자료는 보통 몰량으로 나타낸다. 즉 확산종 1몰당 활성화 에너지 Q로 나타내면

$$D = D_0 e^{-Q/RT} \tag{5.13}$$

이다. 여기서 R는 기체 상수($= N_{\text{AV}}k$)이다. 그림 5.12는 어떠한 온도 범위에서 α-Fe 내에 탄소 확산율의 Arrhenius 그래프이며, 그림 5.6에 나타낸 것과 같은 침입형 기구의 한 예이다. 그림 5.13은 많은 금속계의 확산율 자료를 모아놓은 것이다. 표 5.2는 이러한 자료에 대한 Arrhenius 상수를 나타낸 것이다. 여기서 다양한 실험 자료를 비교해볼 필요가 있다. 예를 들면 탄소(C)는 fcc Fe보다 bcc Fe을 통해 더 쉽게 침입형 기구로 확산할 수 있는데(표 5.2에서 $Q_{\text{bcc}} < Q_{\text{fcc}}$), bcc 구조(3.2절)에서 빈 공간이 더 크다는 것을 생각하면 쉽게 이해할 수 있다. 마찬가지로 공공 기구에 의한 Fe의 자기확산은 fcc보다 bcc에서 더 크다.

그림 5.14와 표 5.3은 몇몇 비금속계의 확산율 자료를 보여준다. Al_2O_3 같은 많은 화합물에서는 더 작은 이온 종자(즉 Al^{3+})가 훨씬 더 쉽게 확산한다. 세라믹 화합물에서 이온의 Arrhenius 거동은 13장에서 논의할 반도체의 온도 의존성과 본질적으로 매우 유사하다. ZnO과 같은 특정한 세라믹의 반도체성 거동은 이온 이동 기구 때문으로, 전자보다는 대전된 이온이 전기 전도를 일으킨다. Ge 반도체의 확산은, 공

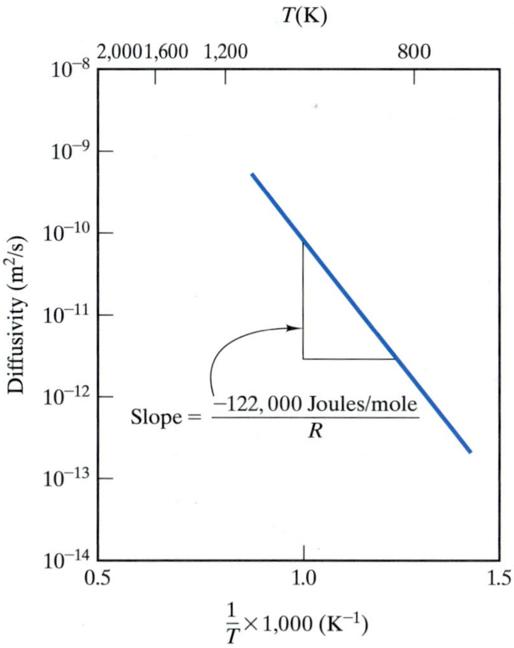

그림 5.12 α-Fe 내 탄소의 확산에 대한 Arrhenius 그래프. 이와 관련된 그림 4.4와 5.6 그리고 그림 5.13에 있는 다른 금속의 확산 자료에 주목하라.

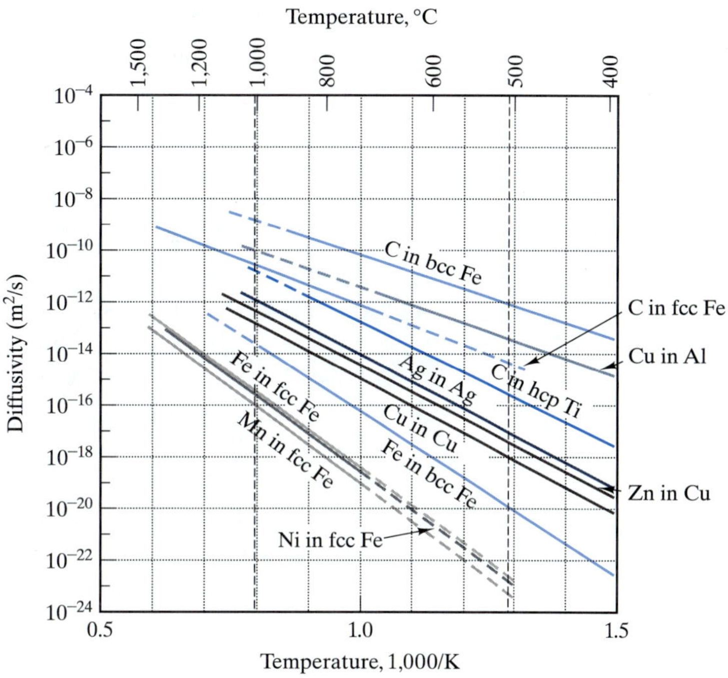

그림 5.13 몇 가지 금속계에 대한 확산 자료의 Arrhenius 그래프 (From L. H. Van Vlack, *Elements of Materials Science and Engineering*, 4th ed., Addison-Wesley Publishing Co., Inc., Reading, MA, 1980.)

표 5.2 여러 가지 금속의 확산 자료[a]

Solute	Solvent	D_0(m²/s)	Q(kJ/mol)	Q(kcal/mol)
Carbon	Fcc iron	20×10^{-6}	142	34.0
Carbon	Bcc iron	220×10^{-6}	122	29.3
Iron	Fcc iron	22×10^{-6}	268	64.0
Iron	Bcc iron	200×10^{-6}	240	57.5
Nickel	Fcc iron	77×10^{-6}	280	67.0
Manganese	Fcc iron	35×10^{-6}	282	67.5
Zinc	Copper	34×10^{-6}	191	45.6
Copper	Aluminum	15×10^{-6}	126	30.2
Copper	Copper	20×10^{-6}	197	47.1
Silver	Silver	40×10^{-6}	184	44.1
Carbon	Hcp titanium	511×10^{-6}	182	43.5

[a] 식 (5.13) 참고.

출처: Data from L. H. Van Vlack, *Elements of Materials Science and Engineering*, 4th ed., Addison-Wesley Publishing Co., Inc., Reading, MA, 1980.

공 기구에 의한 Ge의 자기확산이 치환형 기구에 의한 B의 확산보다 더 쉽게 발생하므로 B의 확산이 Ge의 자기확산보다 작다. 고분자에 대한 자료는 그림 5.14와 표 5.3의 다른 비금속 자료에 포함시키지 않았다. 왜냐하면 고분자 내에서의 중요한 확산

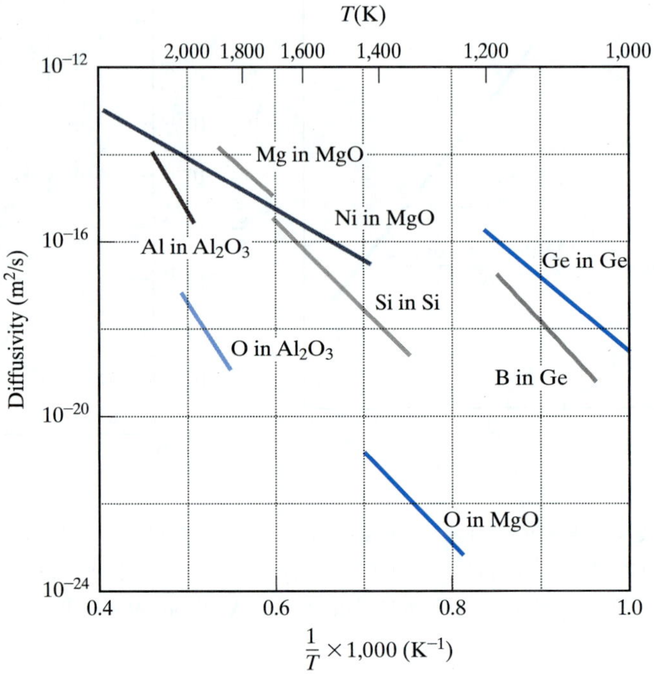

그림 5.14 몇 가지 비금속계에 대한 확산 자료의 Arrhenius 그래프 (From P. Kofstad, *Nonstoichiometry, Diffusion, and Electrical Conductivity in Binary Metal Oxides*, John Wiley & Sons, Inc., NY, 1972; and S. M. Hu in *Atomic Diffusion in Semiconductors*, D. Shaw, Ed., Plenum Press, New York, 1973.)

표 5.3 여러 가지 비금속의 확산 자료[a]

Solute	Solvent	$D_0(m^2/s)$	Q(kJ/mol)	Q(kcal/mol)
Al	Al_2O_3	2.8×10^{-3}	477	114.0
O	Al_2O_3	0.19	636	152.0
Mg	MgO	24.9×10^{-6}	330	79.0
O	MgO	4.3×10^{-9}	344	82.1
Ni	MgO	1.8×10^{-9}	202	48.3
Si	Si	0.18	460	110.0
Ge	Ge	1.08×10^{-3}	291	69.6
B	Ge	1.1×10^{3}	439	105.0

[a] 식 (5.13) 참고.

출처: Data from P. Kofstad, *Nonstoichiometry, Diffusion, and Electrical Conductivity in Binary Metal Oxides*, John Wiley & Sons, Inc., New York, 1972; and S. M. Hu, in *Atomic Diffusion in Semiconductors*, D. Shaw, Ed., Plenum Press, New York, 1973.

기구가 액체나 비정질 상태에서 일어나고, 그때는 이 절에서 말한 점 결함이 적용되지 않기 때문이다.

예제 5.3

철강 표면은 그림 5.10에서 볼 수 있는 바와 같이 **침탄**이라는 과정에 의해 강화된다. 1,000°C에서 그런 처리를 하는 동안 철강 표면으로부터 1 mm 지점에서 2 mm 되는 지점으로 가면 탄소 농도는 5 at %에서 4 at %로 떨어진다. 이러한 표면 근처 영역에서 철강 내로 침투하는 탄소 원자의 유량을 계산하시오(1,000°C에서 γ-Fe의 밀도는 7.63 g/cm^{3}이다).

풀이

우선 대략적으로 계산하면

$$\frac{\partial c}{\partial x} \simeq \frac{\Delta c}{\Delta x} = \frac{5 \text{ at }\% - 4 \text{ at }\%}{1 \text{ mm} - 2 \text{ mm}}$$
$$= -1 \text{ at }\%/\text{mm}$$

탄소 원자 농도의 절댓값을 얻으려면 먼저 철 원자의 농도를 알아야 한다. 주어진 데이터와 부록 1로부터

$$\rho = 7.63 \frac{g}{\text{cm}^3} \times \frac{0.6023 \times 10^{24} \text{ atoms}}{55.85 \text{ g}} = 8.23 \times 10^{22} \frac{\text{atoms}}{\text{cm}^3}$$

따라서

$$\frac{\Delta c}{\Delta x} = -\frac{0.01(8.23 \times 10^{22} \text{ atoms/cm}^3)}{1 \text{ mm}} \times \frac{10^6 \text{ cm}^3}{\text{m}^3} \times \frac{10^3 \text{ mm}}{\text{m}}$$
$$= -8.23 \times 10^{29} \text{ atoms/m}^4$$

표 5.2로부터

$$1{,}000°\text{C}, \gamma - \text{Fe에서 } D_c = D_0 e^{-Q/RT}$$
$$= (20 \times 10^{-6} \text{ m}^2/\text{s}) e^{-(142{,}000 \text{ J/mol})/(8.314 \text{ J/mol/K})(1273 \text{ K})}$$
$$= 2.98 \times 10^{-11} \text{ m}^2/\text{s}$$

식 (5.8)을 이용하면 다음과 같다.

$$J_x = -D\frac{\partial c}{\partial x}$$
$$\simeq -D\frac{\Delta c}{\Delta x}$$
$$= -(2.98 \times 10^{-11} \text{ m}^2/\text{s})(-8.23 \times 10^{29} \text{ atoms/m}^4)$$
$$= 2.45 \times 10^{19} \text{ atoms/(m}^2 \cdot \text{s)}$$

예제 5.4

식 (5.11)로 나타낼 수 있는 확산 결과를 침탄 과정에 적용할 수 있다(예제 5.3). 탄소 분위기(탄화수소 기체)를 이용하여 표면 탄소량(c_s)이 1.0 wt %가 되도록 했다. 철강의 초기 탄소량(c_0)은 0.2 wt %이다. 오차 함수표를 이용하여 표면으로부터 1 mm 떨어진 곳에서의 탄소 함유량이 0.6 wt %[즉 $(c - c_0)/(c_s - c_0) = 0.5$]에 도달하려면 1,000°C에서 얼마나 걸리는가?

풀이

식 (5.11)을 이용하면

$$\frac{c_x - c_0}{c_s - c_0} = 0.5 = 1 - \text{erf}\left(\frac{x}{2\sqrt{Dt}}\right)$$

$$\text{erf}\left(\frac{x}{2\sqrt{Dt}}\right) = 1 - 0.5 = 0.5$$

표 5.1로부터 내삽하면,

$$\frac{0.5 - 0.4755}{0.5205 - 0.4755} = \frac{z - 0.45}{0.50 - 0.45}$$

$$z = \frac{x}{2\sqrt{Dt}} = 0.4772$$

$$t = \frac{x^2}{4(0.4772)^2 D}$$

예제 5.3의 확산율 계산을 이용하여 다음을 얻는다.

$$t = \frac{(1 \times 10^{-3}\text{ m})^2}{4(0.4772)^2(2.98 \times 10^{-11}\text{ m}^2/\text{s})}$$

$$= 3.68 \times 10^4\text{ s} \times \frac{1\text{ h}}{3.6 \times 10^3\text{ s}}$$

$$= 10.2\text{ h}$$

예제 5.5

오차 함수를 사용하지 않고 그림 5.11의 종합 도시를 이용하여 예제 5.4에 주어진 조건하에서 침탄 시간을 다시 계산하시오.

풀이

그림 5.11에서 $(c - c_0)/(c_s - c_0) = 0.5$에 해당하는 조건을 구하면

$$\frac{x}{\sqrt{Dt}} \simeq 0.95$$

$$t = \frac{x^2}{(0.95)^2 D}$$

예제 5.3에서 계산한 확산 계수를 이용하면 다음을 얻는다.

$$\begin{aligned} t &= \frac{(1 \times 10^{-3}\,\text{m})^2}{(0.95)^2(2.98 \times 10^{-11}\,\text{m}^2/\text{s})} \\ &= 3.72 \times 10^4\,\text{s} \times \frac{1\,\text{h}}{3.6 \times 10^3\,\text{s}} \\ &= 10.3\,\text{h} \end{aligned}$$

주: 예제 5.4의 계산과 근사적으로 일치한다. 정확하게 일치하지 않는 이유는 (이 문제에서의) 도식적인 해석과 (이전 문제의) 표 내삽을 필요로 하기 때문이다.

예제 5.6

예제 5.5에서와 비슷한 침탄 과정에 대해, 표면으로부터 0.75 mm 되는 지점에서의 탄소 함유량은 10시간 후 0.6 wt %에 도달한다. 이때 침탄 온도는 얼마인가? (앞에서와 같이 $c_s = 1.0$ wt %, $c_0 = 0.2$ wt %라고 가정한다.)

풀이

예제 5.5에서와 같이

$$\frac{x}{\sqrt{Dt}} \simeq 0.95$$

$$D = \frac{x^2}{(0.95)^2 t}$$

주어진 데이터에 따르면

$$D = \frac{(0.75 \times 10^{-3}\,\text{m})^2}{(0.95)^2(3.6 \times 10^4\,\text{s})} = 1.73 \times 10^{-11}\,\text{m}^2/\text{s}$$

γ-Fe 안의 C에 대해 표 5.2의 자료로부터

$$D = (20 \times 10^{-6}\,\text{m}^2/\text{s})e^{-(142{,}000\,\text{J/mol})/[8.314\,\text{J/(mol}\cdot K)](T)}$$

위의 두 D값을 같다고 놓으면

$$1.73 \times 10^{-11}\,\frac{\text{m}^2}{\text{s}} = 20 \times 10^{-6}\,\frac{\text{m}^2}{\text{s}}e^{-1.71\times10^4/T}$$

$$T^{-1} = \frac{-\ln(1.73 \times 10^{-11}/20 \times 10^{-6})}{1.71 \times 10^4}$$

$$T = 1{,}225\ \text{K} = 952°\text{C}$$

연습문제 5.3

예제 5.3에서 기술한 탄소 농도의 기울기가 1,000°C 대신 1,100°C에서 주어졌다고 하자. 이 경우에 탄소 원자의 유량(flux)을 계산하시오.

연습문제 5.4

예제 5.4에서 주어진 탄소 농도의 분포를 얻는 데 걸리는 시간을 오차 함수표를 이용하여 계산했다. 표면에서의 탄소 함량은 1.0 wt %이고 표면으로부터 1 mm 되는 지점에서는 0.6 wt %였다. 이때 표면으로부터 (a) 0.5 mm 되는 지점에서의 탄소 함량은 얼마인가? (b) 2 mm 되는 지점에서의 탄소 함량은 얼마인가?

연습문제 5.5

연습문제 5.4를 예제 5.5와 같이 그래프를 이용한 방법으로 푸시오.

연습문제 5.6

예제 5.6에서 주어진 탄소 농도의 분포에 대한 침탄 온도를 계산했다. 10시간 대신 8시간 동안 침탄시킨 후에 같은 분포를 얻었다면 침탄 온도는 얼마인가?

5.4 정상 상태 확산

그림 5.10은 침탄 과정에서 시간에 따른 농도 분포의 변화를 보인 것이다. 그림 5.15는 경계 조건이 약간 다른 과정에 대한 결과를 나타낸 것이다. 이 경우에는 그림 5.10에서 c_s를 일정하게 유지했던 것과 마찬가지로 비교적 높은 확산 원소의 표면 농도 c_h를 시간에 대해 일정하게 유지했다. 또한 x_0에서의 농도 c_l 역시 시간에 대해 일정하게 유지했다. 이로 인해 0보다 큰 시간에서의 비선형 농도 분포(예: 그림 5.15에서 t_1과 t_2일 때)가 비교적 긴 시간이 경과한 후(그림 5.15에서 t_3일 때)에는 직선에 가까워진다. c_h와 c_l이 고정되어 있는 한 선형 농도 분포는 시간이 지나도 변하지 않는다. 이러한 극한의 경우가 **정상 상태 확산**(steady-state diffusion, 즉 시간에 따른 변화가 없는 질량 이동)의 예이다. 이 경우에는 식 (5.8)에 의해 정의되는 농도 기울기는 매우 간단한 식으로 나타난다.

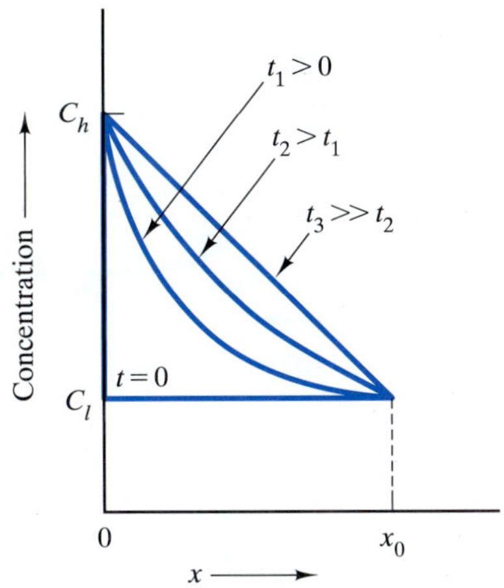

그림 5.15 두께가 x_0이고, 일정한 확산 원소의 표면 농도 c_h와 c_l을 가지고 있으며, 일정한 확산 계수 D를 가지는 고체에 대한 Fick의 제2법칙[식 (5.10)]의 해. 확산이 오랫동안 진행된 후(예: t_3) 선형의 농도 분포를 보이는 것은 정상 상태 확산의 한 예이다.

$$\frac{\partial c}{\partial x} = \frac{\Delta c}{\Delta x} = \frac{c_h - c_l}{0 - x_0} = -\frac{c_h - c_l}{x_0} \tag{5.14}$$

그림 5.10에 나와 있는 침탄의 경우에는 $x = 0$인 표면에서 탄소 공급원의 분위기 압력을 일정하게 유지함으로써 표면 농도, c_s를 고정시켰다. 그림 5.15의 경우에도 이와 같은 방법으로 c_h와 c_l을 일정하게 유지했다. 두께가 x_0인 판상의 재료 양쪽에 두 가지 다른 기체 분위기를 유지했다. 즉 $x = 0$인 표면상에 일정한 농도 c_h가 유지되도록 높은 압력의 분위기를 유지하고, $x = x_0$인 표면상에는 일정한 농도 c_l이 유지되도록 낮은 압력의 분위기를 유지한다(그림 5.16).

정상 상태 확산을 응용한 대표적인 예가 재료를 기체 정제막으로 이용하는 것이다. 얇은 팔라듐 금속판을 수소는 통과할 수 있지만 산소, 질소, 수증기와 같은 대기 기체는 투과할 수 없다. 그림 5.16(b)의 압력이 높은 쪽으로 '불순물이 섞인' 혼합 기체를 유입하고, 압력이 낮은 쪽은 수소의 압력을 낮고 일정하게 유지하면 일정량의 정제된 수소가 팔라듐 판을 통과하게 된다.

예제 5.7

단면적이 0.2 m^{2}이고 두께가 5 mm인 팔라듐 판을 수소를 정제하는 정상 상태 확산막으로 사용했다. 판의 압력이 높은 쪽(불순물 함유 가스)의 수소 농도가 0.3 kg/m^{3}이고, 팔라듐에서 수소의 확산 계수는 1.0×10^{-8} m^2/s일 때, 시간당 정제되는 수소의 질량을 계산하시오.

풀이

식 (5.14)의 정상 상태 농도 기울기를 쓰면 Fick의 제1법칙[식 (5.8)]은 다음과 같이 간단해진다.

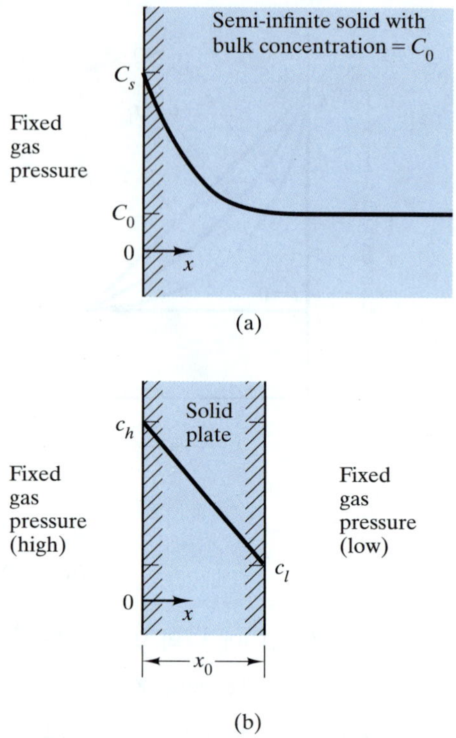

그림 5.16 확산이 오랫동안 진행된 후 (a) 비정상 상태 확산(그림 5.10)과 (b) 정상 상태 확산(그림 5.15)의 확산 분포를 나타내는 기체 분위기하에 있는 시편의 모식도

$$J_x = -D(\partial c/\partial x) = -D[-(c_h - c_l)/x_0]$$
$$= -(1.0 \times 10^{-8}\,\text{m}^2/\text{s})[-(0.3\,\text{kg/m}^3 - 0\,\text{kg/m}^3)/(5 \times 10^{-3}\,\text{m})]$$
$$= 0.6 \times 10^{-6}\,\text{kg/m}^2\cdot\text{s} \times 3.6 \times 10^3\,\text{s/h} = 2.16 \times 10^{-3}\,\text{kg/m}^2\cdot\text{h}$$

정제되는 수소의 전체 질량은 위의 유량과 막 넓이의 곱이 될 것이다..

$$m = J_x \times A = 2.16 \times 10^{-3}\,\text{kg/m}^2\cdot\text{h} \times 0.2\,\text{m}^2 = 0.432 \times 10^{-3}\,\text{kg/h}$$

연습문제 5.7

정제막에 대한 예제 5.7에서 두께가 3 mm인 막을 이용하고, 다른 조건이 모두 동일하다면, 시간당 정제되는 수소의 양은 얼마인가?

5.5 또 다른 확산 경로

어떤 공정을 분석하기 위해 확산율 자료를 이용할 때에는 항상 그 순서에 주의해야 한다. 그림 5.17은 은의 자기확산 계수가 확산 이동의 통로에 따라 몇 차수 정도 크

재료의 세계

연료 전지 내 확산

영국의 법학자이자 아마추어 물리학자인 Willian Grove는 1839년에 연료 전지의 원리를 발견했다. Grove는 전력을 생산하기 위해 수소와 산소를 각각 채운 4개의 큰 전해조를 사용했다. 이 전력은 다시 다른 전해조에서 물을 수소와 산소 기체로 분해하기 위해 사용된다. 1842년 그는 영국의 위대한 화학자이자 물리학자인 Michael Faraday에게 다음과 같은 편지를 썼다. "제게 이 실험은 매우 중요합니다." Grove의 확신은 적절했으나 아직은 시기상조였다.

1959년 NASA가 우주비행 중 전력을 공급하기 위해 연료 전지의 가능성을 보여주기까지 1세기 이상이 지났다. 1960년대 산업계에서 연료 전지를 개발하고자 했으나 기술적 장벽과 높은 투자비로 인해 상용화되지 못했다. 1984년이 되어서야 미국 에너지부 운송기술국이 연료 전지 기술 개발을 지원하기 시작했고, 오늘날 주요 자동차 제조사를 포함한 수백 개의 기업이 연료 전지를 개발하고 있다.

확산은 연료 전지 설계의 핵심적인 메커니즘이다. 오른쪽의 그림에서 보는 바와 같이 연료 전지는 전기화학적 에너지 변환 장치이다(주요 장점은 연료를 출력으로 변환하는 데 내연기관보다 효율이 2~3배 더 높다는 것이다). 수소가 양극 쪽에서 연료 전지 내로 흘러 들어갈 때 수소 기체가 백금 촉매 표면에서 수소 이온(양성자)과 전자로 분리된다. 수소 이온은 격막을 통해 확산해 들어가고, 음극 쪽의 다른 백금 촉매 표면에서 산소와 전자가 결합한다(이때 생성되는 물은 연료 전지의 유일한 부산물이다).

전자는 비전도성 격막을 통과할 수 없기 때문에 외부 회로를 통해 흐르게 되고, 이 전류는 전구 하나를 밝힐 만한 전력을 공급한다. 이러한 전지를 적층함으로써 자동차나 다른 대규모 시스템을 가동할 수 있는 전력을 얻을 수 있다.

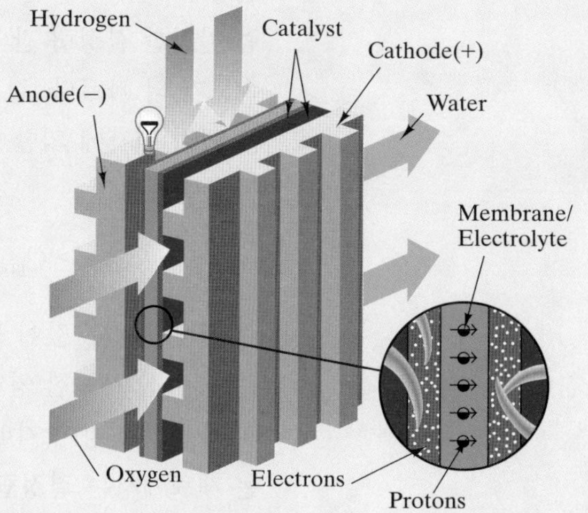

(From Fuel Cells–Green Power, Los Alamos National Laboratory Report LA-UR-99-3231.)

최근에는 고분자와 세라믹 중심으로 격막 재료를 최적화하기 위한 연구가 진행 중이다. 관련된 연구에는 순수한 수소 이외의 연료와 이러한 연료를 대규모로 공급하기 위한 기반시설이 포함된다. Willian Grove의 '중요한' 실험 이후 170년이 지난 현재 연료 전지 기술의 잠재적 가능성은 매우 높기 때문에 세계 각국의 정부와 기업체가 협력하여 개발에 박차를 가하고 있다.

캘리포니아대학교에서 시험 중인, 연료 전지를 장착한 Toyota의 스포츠용 견본 자동차 (Courtesy of the University of California, Davis.)

기로 변하는 것을 보여준다. 지금까지는 몇몇 결함 기구에 의해 재료의 결정 구조를 통한 **부피 확산**(volume diffusion 또는 bulk diffusion)만 고려했다. 그러나 더 쉬운 확산 경로인 '짧은 회로(short circuits)'가 있을 수 있다. 그림 5.17에서 보듯이 확산은 결정립계를 따라 일어나는 것이 훨씬 빠르다(Q가 비교적 낮음). 4.4절에서 본 것처럼 인접한 결정립 간의 불일치 지역이 보다 열린 구조이므로 결정립계에서의 확산 속도가 더 빠르다. 결정 표면은 훨씬 더 열린 구조이고 **표면 확산**(surface diffusion)은 인접 원자에 의한 방해 정도가 낮으므로 더욱 쉽게 일어날 수 있다. 이러한 결과를 종합해보면

$$Q_{\text{volume}} > Q_{\text{grain boundary}} > Q_{\text{surface}}, \quad D_{\text{volume}} < D_{\text{grain boundary}} < D_{\text{surface}}$$

가 된다. D_{surface}값이 크다고 해서 표면 확산이 항상 중요하다는 것을 의미하지는 않는다. 확산 가능한 영역의 크기가 더 중요하기 때문에 이를 고려하면 일반적으로 부피 확산의 영향이 지배적이다. 작은 평균 입도(4.4절 참고)와 큰 결정립계 면적을 갖는 재료에서는 **결정립계 확산**(grain-boundary diffusion)이 지배적이다. 마찬가지로 큰 표면적을 가진 미세한 결정립으로 된 분말에서는 표면 확산이 지배적이다.

어떤 다결정 미세구조가 있으면 확산종은 결정립계를 따라서 잘 침투하고, 시편의 자유 표면을 따라서는 더 잘 침투한다(그림 5.18).

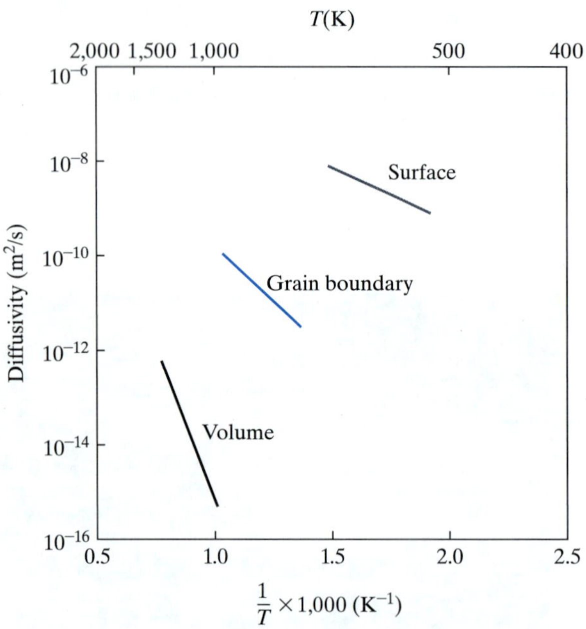

그림 5.17 은의 자기확산 계수는 확산 경로에 의존한다. 일반적으로 구조적으로 덜 제한받는 영역을 통한 확산율이 더 크다.

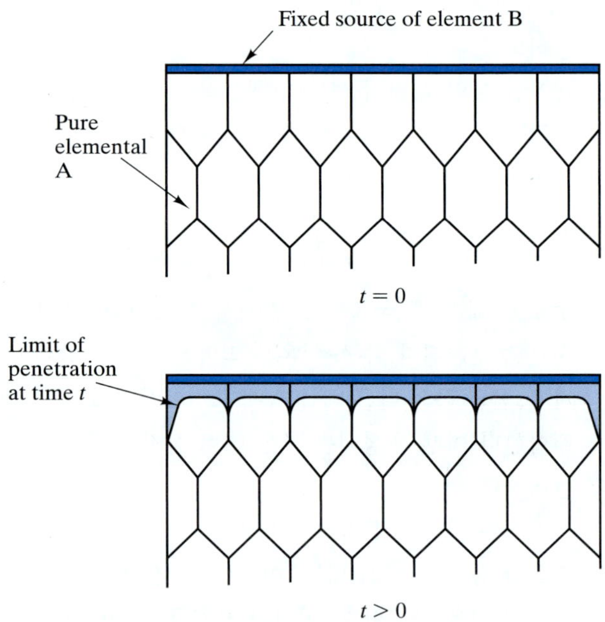

그림 5.18 코팅한 불순물 B가 어떻게 입계를 따라서 깊이 침투하고 다결정 A의 자유 표면을 따라서 더욱 깊이 침투하는가를 보인 개략도. 이것은 확산 계수($D_{\text{volume}} < D_{\text{grain boundary}} < D_{\text{surface}}$)의 상댓값과 일치한다.

예제 5.8

식 (5.11)의 반무한대 확산 수식을 이용하여 그림 5.18의 결정립계 침투 범위를 추정할 수 있다. (a) $D_{\text{grain boundary}} = 1.0 \times 10^{-10}\ \text{m}^2/\text{s}$일 때, 1시간이 경과한 후 입계를 따라 일어나는 B의 A로의 침투를 계산하시오. 침투는 $c_x = 0.01c_s$가 되는 지점까지의 거리 x로 정의한다(초기에 순수한 A에 대해서는 $c_0 = 0$). (b) 비교를 위해 $D_{\text{volume}} = 1.0 \times 10^{-14}\ \text{m}^2/\text{s}$일 때 위와 같은 방법으로 정의된 침투를 결정립 내부에 대해 계산하시오.

풀이

(a) 식 (5.11)은 다음과 같이 간단히 할 수 있다.

$$\frac{c_x - c_0}{c_s - c_0} = 1 - \text{erf}\left(\frac{x}{2\sqrt{Dt}}\right) = \frac{c_x - 0}{c_s - 0} = \frac{0.01c_s}{c_s} = 0.01$$

$$\text{erf}\left(\frac{x}{2\sqrt{Dt}}\right) = 1 - 0.01 = 0.99$$

표 5.1로부터 내삽하면

$$\frac{0.9928 - 0.99}{0.9928 - 0.9891} = \frac{1.90 - z}{1.90 - 1.80}$$

$$z = \frac{x}{2\sqrt{Dt}} = 1.824$$

그러면 다음과 같다.

$$\begin{aligned} x &= 2(1.824)\sqrt{Dt} \\ &= 2(1.824)\sqrt{(1.0 \times 10^{-10}\ \text{m}^2/\text{s})(1\ \text{h})(3.6 \times 10^3\ \text{s/h})} \\ &= 2.19 \times 10^{-3}\ \text{m} = 2.19\ \text{mm} \end{aligned}$$

(b) 비교를 위해

$$\begin{aligned} x &= 2(1.824)\sqrt{(1.0 \times 10^{-14}\ \text{m}^2/\text{s})(1\ \text{h})(3.6 \times 10^3\ \text{s/h})} \\ &= 21.9 \times 10^{-6}\ \text{m} = 21.9\ \mu\text{m} \end{aligned}$$

주: (a)에서 계산한 결정립계 침투는 과장된 것이다. 왜냐하면 결정립계에 불순물 B가 과다하게 축적되면 그중 어떤 것들은 그림 5.18에 나타낸 것처럼 A 결정립 안으로 확산되어 흘러 나가기 때문이다.

연습문제 5.8

예제 5.8에서 결정립과 결정립계 경로를 따른 불순물의 침투 정도를 계산했다. 좀 더 비교해보기 위해, $D_{\text{surface}} = 1.0 \times 10^{-8}\ \text{m}^2/\text{s}$인 표면 확산에 대해 침투를 계산하시오.

요약

4장에서 소개했던 점 결함이 고상 확산에서 원자의 이동에 중심적 역할을 하고 있음을 알았다. 공업재료를 생산하거나 응용하는 데 일어나는 실제 문제에 이러한 확산 과정이 연관되는 경우가 많다.

구체적으로, 점 결함의 농도는 하나의 Arrhenius 식을 따르며, 절대 온도에 따라 지수적으로 증가한다. 결정질 재료 안에서 고상 확산은 점 결함 기구에 의해 일어나므로 Fick의 법칙에 따라 정의되는 확산율도 또 다른 Arrhenius 식을 따르며, 절대 온도에 따라 지수적으로 증가한다.

확산은 수학적 접근을 통해 그 화학종의 화학적 농도 분포를 비교적 정확하게 기술할 수 있다. 어떤 시편의 경우 오랜 시간이 지나면 재료 농도 분포가 선형을 이룬다. 얇은 막을 투과하여 기체가 이동하는 현상은 정상 상태 확산의 좋은 예이다.

입자가 미세한 다결정질 재료나 분말인 경우에 물질은 주로 결정립계 확산이나 표면 확산에 의해 이동한다. 이것은 일반적으로 $D_{\text{volume}} < D_{\text{grain boundary}} < D_{\text{surface}}$이기 때문이다. 또한 다결정 고체에 대해 불순물은 결정립계를 따라 쉽게 침투하고, 자유 표면을 따라서는 더욱 쉽게 침투한다.

주요 용어

결정립계 확산(grain-boundary diffusion)
공공 이동(vacancy migration)
농도 기울기(concentration gradient)
무질서한 움직임(random walk)
부피 확산(volume diffusion, bulk diffusion)
열적 진동(thermal vibration)
열적 활성화(thermal activation)
율속 단계(rate-limiting step)
자기확산(self-diffusion)
정상 상태 확산(steady-state diffusion)
지수앞 상수(preexponential constant)
침탄(carburization)
표면 확산(surface diffusion)
확산(diffusion)
확산 계수(diffusion coefficient)
확산율(diffusivity)
활성화 에너지(activation energy)
Arrhenius 그래프(Arrhenius plot)
Arrhenius 식(Arrhenius equation)
Fick의 제1법칙(Fick's first law)
Fick의 제2법칙(Fick's second law)
Gaussian 오차 함수(Gaussian error function)
Maxwell-Boltzmann 분포(Maxwell-Boltzmann distribution)

참고문헌

Carter, C.B., and **M.G. Norton,** *Ceramic Materials: Science and Engineering*, 2nd ed., Springer, New York, 2013.

Chiang, Y., D. P. Birnie III, and **W. D. Kingery,** *Physical Ceramics*, John Wiley & Sons, Inc., New York, 1997.

Crank, J., *The Mathematics of Diffusion*, 2nd ed., Clarendon Press, Oxford, 1999.

Shewmon, P. G., *Diffusion in Solids*, 2nd ed., Minerals, Metals, and Materials Society, Warrendale, PA, 1989.

복습문제

5.1 _ 열적으로 활성화된 공정

5.1 제강로에서 온도 저항 세라믹 벽돌(내화물)은 용융 금속을 둘러싸고 있는 내벽으로 사용된다. 제강 공정의 일반적인 부산물은 칼슘 알루미노규산염(슬래그)인데 이것은 화학적으로 내화물에 대해 부식성이다. 알루미나 내화물에 대한 부식 속도는 1,425°C에서 2.0×10^{-8} m/s이고 1,500°C에서 8.95×10^{-8} m/s이다. 알루미나 내화물의 부식에 대한 활성화 에너지를

계산하시오.

5.2 문제 5.1에서 설명한 것과 유사한 제강로에서 실리카 내화물에 대한 부식 속도는 1,345°C에서 1.9×10^{-7} m/s이고 1,510°C에서 9.1×10^{-7} m/s이다. 이러한 실리카 내화물의 부식에 대한 활성화 에너지를 계산하시오.

5.3 전통적인 도자기 세라믹의 제조공정은 전형적으로 점토재료 내 수화작용한 물의 분리공정을 포함한다. 일반적인 점토재료인 고령토의 탈수에 대한 속도 상수는 485°C에서 1.0×10^{-4}s^{-1}이고 525°C에서 1.0×10^{-3} s^{-1}이다. 고령토의 탈수에 대한 활성화 에너지를 계산하시오.

5.4 활성화 에너지, Q는 _______ (을)를 의미하는 용어이다.

5.2_열에 의한 점 결함의 생성

5.5 그림 5.4(b)의 Arrhenius 그래프의 기울기는 ______ 에 필요한 에너지이다.

5.6 α-Fe 내 대등한 침입형 위치($\frac{1}{2}0\frac{1}{2}$) 사이에 침입형 탄소의 이동에 상응하는 결정 방향은 어떤 형태인가? 그림과 함께 답하시오.

5.7 γ-Fe 내 대등한 침입형 위치($\frac{1}{2}01$) 사이에 침입형 탄소의 이동에 상응하는 결정 방향은 어떤 형태인가? 그림과 함께 답하시오.

5.8 그림 5.5에 보인 이동은 어떠한 결정학적 위치와 방향을 나타내는가? [원자가 fcc 금속의 (100)면 내에 있다고 가정한다.]

5.3_점 결함과 고상 확산

5.9 순수한 물 내부 물 분자의 자기확산이 고체 구리 내부 구리 원자의 자기확산과 어떻게 다른지 설명하시오.

5.10 예제 5.3에서 침탄에 대해 설명했다. 어느 강의 탈탄 역시 오차 함수를 사용하여 설명할 수 있다. 식 (5.11)로부터 $c_s = 0$이라고 하고, 초기 농도가 c_0인 강으로부터 확산해나가는 탄소의 농도 윤곽을 설명하기 위한 식을 유도하시오. [이러한 상황은 승온(elevated temperature)에서 진공 내에 강을 놓았을 때 나타날 수 있다.]

5.11 복습문제 5.10에서 유도한 탈탄 식을 사용하여 1,000°C에서 1시간 후 무탄소 표면으로부터 1 mm 이내에서 탄소의 농도 윤곽을 그리시오. 강의 초기 탄소 함량은 0.3 wt %로 한다.

5.12 확산 쌍(diffusion couple)이 다른 두 재료가 승온에서 상호확산할 수 있을 때 형성된다(그림 5.8 참고). 순금속 B 덩어리에 인접한 순금속 A의 덩어리에 대해 상호확산 후 A의 농도 윤곽은 다음 식으로 주어진다.

$$c_x = 50\left[1 - \operatorname{erf}\left(\frac{x}{2\sqrt{Dt}}\right)\right]$$

여기서 x는 원래의 계면으로부터 측정된다. $D = 10^{-14}$ m^2/s인 확산 쌍에 대해 1시간 후 원래의 계면($x = 0$) 양측에서 20 μm 범위에 걸쳐 A의 농도 윤곽을 그리시오. [$\operatorname{erf}(-z) = -\operatorname{erf}(z)$임에 주의한다.]

5.13 $D = 10^{-12}$ m^2/s인 X와 Y, 두 금속의 상호확산 과정을 그리기 위해 위 문제 5.12에서 얻은 정보를 사용하자. 1, 2, 3시간 후에 원래의 계면 양측에서 300 μm 범위에 걸쳐 금속 X의 농도 윤곽을 그리시오.

5.14 실제로 고체 상태의 확산을 일으키기 위해서는, 일반적으로 _______(이)가 필요하다.

5.15 Fick의 제1법칙은 _______(을)를 나타낸다.

5.16 Fick의 제2법칙의 해는 __________(을)를 설명할 수 있다.

5.17 표 5.2의 결과를 이용하여 900°C에서 bcc 철 내 철의 자기확산 계수를 계산하시오.

5.18 표 5.2의 결과를 이용하여 1,000°C에서 fcc 철 내 철의 자기확산 계수를 계산하시오.

5.19 표 5.2의 결과를 이용하여 1,000°C에서 구리 내 구리에 대한 자기확산 계수를 계산하시오.

5.20 상용 황동 합금 내 구리의 확산율은 400°C에서 10^{-20} m^2/s이다. 이 합금계 내 구리의 확산에 대한 활성화 에너지는 195 kJ/mol이다. 600°C에서 확산율을 계산하시오.

5.21 오스테나이트계(fcc 구조) 스테인리스강 내 니켈의

확산 계수는 500°C에서 10^{-22} m^2/s이고 1,000°C에서 10^{-15} m^2/s이다. 이 온도 범위에 걸쳐 이 합금 내 니켈의 확산에 대한 활성화 에너지를 계산하시오.

5.22 식 (5.12)의 q의 의미는 공공 확산과 비교하여 치환형 확산에서 어떻게 다른지 설명하시오.

• **5.23** 재료과학에서 확산 자료의 통상적인 사용은 어떤 현상에 대한 기구를 확인하는 것이다. 이 확인은 활성화 에너지의 비교에 의해 이루어진다. 예를 들어 알루미늄 합금의 산화를 생각하자. 율속 기구는 어느 Al_2O_3 표면층을 통한 이온의 확산이다. 이것은 산화물층 두께의 성장 속도가 확산 계수에 정비례함을 의미한다. 표 5.3에 주어진 것처럼 산화에 대한 활성화 에너지와 두 성분의 활성화 에너지를 비교하면 Al^{3+} 확산 또는 O^{2-} 확산으로 산화 속도가 제어되는지를 설명할 수 있다. 산화물의 성장에 대한 속도 상수가 500°C에서 4.00×10^{-8} $kg/(m^4 \cdot s)$이고 600°C에서 1.97×10^{-4} $kg/(m^4 \cdot s)$으로 주어질 때 산화 공정이 Al^{3+} 확산 또는 O^{2-} 확산으로 제어되는지를 결정하시오.

5.24 확산 길이 λ는 고순도 재료 내로 불순물의 제어 확산에 의한 반도체 생산을 특성 평가하는 데 통상적인 용어이다. λ값을 $2\sqrt{Dt}$로 취할 수 있는데 여기서 λ는 t시간에 걸쳐 확산 계수 D인 어느 불순물의 확산 범위를 나타낸다. (a) 800°C와 (b) 900°C 온도에서 총확산 시간이 30분일 때 Ge 내 B에 대한 확산 길이를 계산하시오.

5.4_ 정상 상태 확산

5.25 2 mm 두께의 강 노벽을 가로질러 어떤 질소 압력 차이가 존재한다. 몇 시간 후에 질소의 안정 상태 확산이 벽을 가로질러 확립된다. 고압 벽면상의 질소 농도는 2 kg/m^3이고 저압 표면상의 경우는 0.2 kg/m^3이다. 이 강 내 질소의 확산 계수가 노의 작동 온도에서 1.0×10^{-10} m^2/s이라 하고 벽을 통한 질소의 유동($kg/m^2 \cdot h$)을 계산하시오.

5.26 정상 상태 확산과 비정상 상태 확산의 차이는 ____다.

5.27 많은 실험로에 시편을 눈으로 볼 수 있도록 작은 유리창이 있다. 창을 통해 노 내의 환경이 누출되면 문제가 될 수 있다. 비활성 헬륨 분위기 중에 있는 어떤 노 내에 있는 3 mm 두께의 투명 실리카 창문을 생각하자. 단면적이 600 mm^2인 한 창문에 대해 이 창문을 가로질러 헬륨 가스의 안정 상태 유동을 계산하시오(atoms/s의 단위로). 창문의 고압(노측) 표면상의 헬륨 농도는 6.0×10^{23} $atoms/m^3$이고 저압(외측) 표면상에서는 본질적으로 0이다. 이 벽 온도에서 투명 실리카 내 헬륨의 확산 계수는 1.0×10^{-10} m^2/s이다.

5.28 정상 상태 확산을 응용한 대표적인 예는 _____이다.

5.5_ 또 다른 확산 경로

5.29 그림 5.18에서 $D_{grain\ boundary}$에 대한 Arrenhnius 그래프의 종점은 457°C 온도에서 $D_{grain\ boundary} = 3.2 \times 10^{-12}$ m^2/s이고 689°C 온도에서 $D_{grain\ boundary} = 1.0 \times 10^{-10}$ m^2/s이다. 이 자료를 사용하여 은 내의 결정립계 확산에 대한 활성화 에너지를 계산하시오.

5.30 그림 5.17에서 $D_{surface}$에 대한 Arrenhnius 그래프의 종점은 245°C 온도에서 $D_{surface} = 7.9 \times 10^{-10}$ m^2/s이고 398°C 온도에서 $D_{surface} = 6.3 \times 10^{-9}$ m^2/s이다. 이들 자료를 사용하여 은 내의 표면 확산에 대한 활성화 에너지를 계산하시오.

5.31 결정립계 확산 기여는 가끔 점점 작은 결정립도의 다결정 시편상에서 확산율을 측정할 때 나타난다. 한 예로서 480°C에서 시편 결정립도의 함수로 측정된 NiO 내 Ni^{2+}의 확산 계수에 대한 다음 자료[ln D 대 ln (결정립도)]를 그래프로 그리시오.

결정립 크기(μm)	$D(m^2/s)$
1	1.0×10^{-19}
10	1.0×10^{-20}
100	1.0×10^{-21}

5.32 부피 확산, 결정립계 확산, 표면 확산 경로 간의 확산 계수 순서는 _______(와)과 같이 표현된다.

CHAPTER 6

기계적 거동

인장 시험은 공업재료의 주요 기계적 특성을 설명하는 데 가장 유용한 기술 중 하나이다. (Sergey Ryzhov/Alamy.)

학습목표

1. (a) 일반적인 금속 합금의 응력 대 변형률 곡선을 분석하고, 네 가지 주요 기계적 성질인 탄성 계수(E), 항복 강도(Y.S.), 인장 강도(T.S.), 연성(100 × $\epsilon_{failure}$)을 알아본다.
(b) 응력 대 변형률 측정과 관련된 탄성 변형, 소성 변형, 비강도, 변형 경화, 인성, 푸아송 비 등의 용어를 정의한다.
(c) 세라믹과 유리 물질에서 취성 파괴를 설명하고, 이러한 기계적 거동이 굽힘 시험에서 나타나는 이유를 설명한다.
(d) 장력하에 놓인 세라믹과 유리의 단점을 Griffith 균열 모델을 이용하여 설명한다.
(e) 금속 부품의 대체재로서 공업용 고분자의 사용이 증가하는 이유를 굽힘 강도와 굽힘 계수를 통해 설명한다.

2. 원자 결합의 신장과 탄성 계수의 관계를 설명한다.

3. (a) 금속에서 소성 변형의 성질을 설명하고, 가장 흔한 금속 구조인 bcc, fcc, hcp에서 슬립 계에 대해 설명한다.
(b) 단순 인장 시험 시 슬립 계에서 작동하는 분해 전단 응력을 설명한다.

4. Rockwell 또는 Brinell 경도 측정을 사용하여 재료의 경도를 정량적으로 특징짓는다.

5. 열적으로 활성화되는 과정인 금속과 세라믹에서의 크리프 변형과 고분자에서의 응력 완화를 Arrhenius 식을 활용하여 설명한다.

6. 무기 유리 및 유기 고분자의 점성 변형이 열적으로 활성화되는 과정임을 설명한다.

1장에서 논의한 바와 같이 구조용 강은 공학자에게 매우 중요한 재료이다. 이 장에서는 응력 대 변형률, 경도, 크리프 등 금속의 주요 기계적 성질에 대해 다룬다. 금속의 다양한 활용에 관해서는 9장과 10장에서 논의하는데, 상태도와 관련한 미세조직은 9장에서, 고상 반응 속도론에 기초한 열처리는 10장에서 설명할 것이다. 각 장에서는 다양한 활용을 위해 합금의 성질을 우수하게 조정하는 방법을 다룰 것이다.

중요한 기계적 성질의 대부분은 금속뿐만 아니라 세라믹에도 적용되지만 이러한 수치는 세라믹에서 매우 다르게 나타난다. 예를 들어 세라믹을 구조 재료로서 응용하는 경우 취성 파괴와 크리프가 중요한 역할을 한다. 액체와 유사한 유리의 구조는 점성 유동 기구에 의해 고온 변형을 유발하고, 파괴 저항성 강화 유리(tempered glass)의 제조는 점도의 정밀한 제어에 의해 좌우된다.

금속과 세라믹 같은 무기재료의 기계적 성질뿐만 아니라 유기 고분자의 기계적 성질에 관해 논의를 계속할 것이다. 과거 10년 동안 공학설계에서 중요한 경향 중 하나는 전통적인 구조용 금속을 대체할 만큼 충분히 고강도, 고경도인 이른바 **공업용 구조용 고분자**(engineering polymer)에 대한 관심이 높아졌다는 사실이다. 고분자는 대개 긴 사슬 또는 망상 분자 구조와 관련된 거동을 보이며, 그 예로 점탄성 변형을 들 수 있다.

6.1 응력 대 변형률

공학설계에서 금속은 다양한 이유로 사용되지만, 일반적으로는 구조용 소재로 사용된다. 따라서 이 장에서는 기계적 성질에 관해 집중적으로 다룬다.

금속

다음에 논의하는 기계적 성질은 아주 상세한 것은 아니지만, 다양한 조건하에서 구조용으로 사용하기 위해 내구성 있는 재료를 선정하는 데 주요 인자로 활용할 수 있을 것이다. 이러한 여러 가지 성질을 조사하면서 다양한 종류의 금속 및 합금에 대한 시험을 실시하여 주요 수치의 경향성을 파악하고자 했다.

설계자가 구조용 재료에 대해 물을 수 있는 가장 간단한 질문은 (1) "그것이 얼마나 강한가?"와 (2) "어떤 하중을 주었을 때 어느 정도 변형이 될 것인가?"이다. 재료에 관한 이러한 기본적인 물성은 **인장 시험**(tensile test)으로 얻는다. 그림 6.1은 간단한 인장 시험을 도식적으로 보여준다. 주어진 연신율(elongation)을 얻는 데 필요한 하중은 시편을 일정 속도로 인장시키며 측정된다. 하중 대 연신율 곡선(그림 6.2)은 이러한 시험에서 바로 얻을 수 있는 결과이다. 그림 6.2의 자료를 표준화함으로써

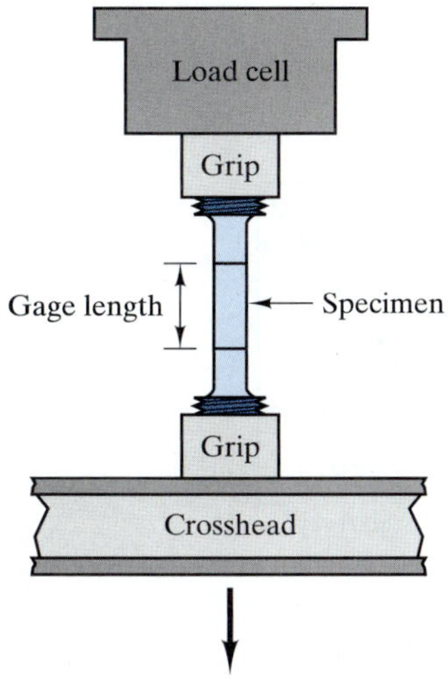

그림 6.1 인장 시험

보다 일반적인 재료 특성을 알 수 있다. 그 결과로 얻은 **응력 대 변형률 곡선**(stress-versus-strain curve)이 그림 6.3이다. 여기서 **공칭 응력**(engineering stress) σ는 다음과 같이 정의된다.

$$\sigma = \frac{P}{A_0} \tag{6.1}$$

여기서 P는 응력을 받지 않은 초기 상태의 단면적 A_0인 시편에 가해진 하중이다. 시편 단면적(sample cross-section)은 시편 길이 중간 부분의 단면적을 의미한다. 시편은 게이지 영역의 단면적이 일정하고 시험기에 물려 당겨지는 양 끝부분보다 더 작도록 규격화된다. **표점 거리**(gage length)에 해당하는 작은 단면적의 영역은 상당한 변형이 집중되고 가장 큰 응력이 집중된다. **공칭 변형**(engineering strain) ϵ은 다음과 같이 정의된다.

$$\epsilon = \frac{l - l_0}{l_0} = \frac{\Delta l}{l_0} \tag{6.2}$$

여기서 l은 주어진 하중에서의 시편 길이이고, l_0는 응력이 0인 상태에서 원래의 길이이다. 그림 6.3은 두 가지 뚜렷한 영역으로 나뉘는데 (1) 탄성 변형 영역과 (2) 소성 변형 영역이다. 여기서 **탄성 변형**(elastic deformation)은 일시적인 것이며 하중이 제거되면 원래 상태로 완전히 회복된다. 응력-변형률 곡선에서 탄성 영역은 초기의 직선형 부분이다. 이와 달리 **소성 변형**(plastic deformation)은 영구 변형이며 하중이 제거되면 약간의 탄성 부분을 제외하고는 원래대로 회복되지 않는다. 소성 영역은 전체 변형이 탄성 한계를 넘어설 때 형성되는 비선형 부분이다. 응력-변형률 곡선이 선형성(linearity)을 벗어나 소성 영역에 들어가는 점을 정확하게 지정하기는 쉽지 않기 때문에, 통상적으로 그림 6.4와 같이 0.2% 변형률 지점으로부터 시작하여 탄성 영역과 같은 기울기의 직선을 그렸을 때 이 직선과 그래프가 만나는 점의 응력을 **항**

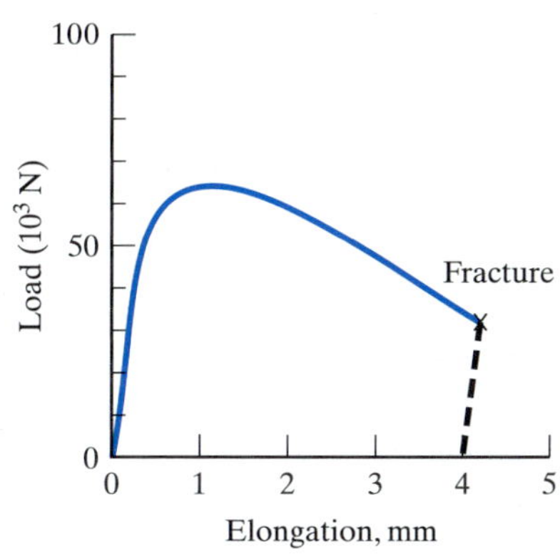

그림 6.2 인장 시험에 얻은 알루미늄 2024-T81의 하중 대 연신율 곡선

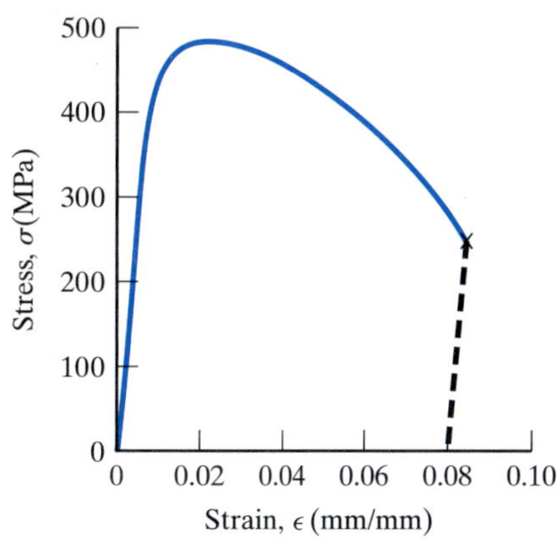

그림 6.3 그림 6.2의 시편을 노멀라이징(nomarlizing)한 후 얻은 응력 대 변형률 곡선

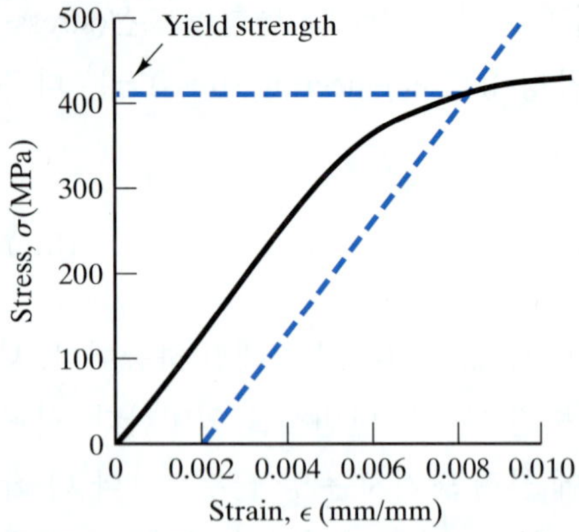

그림 6.4 항복 강도는 응력-변형률 곡선과 '0.2% 오프셋' 직선의 교점에 의해 정의된다. 항복 강도는 소성 변형의 시작을 나타내는 지표이다.

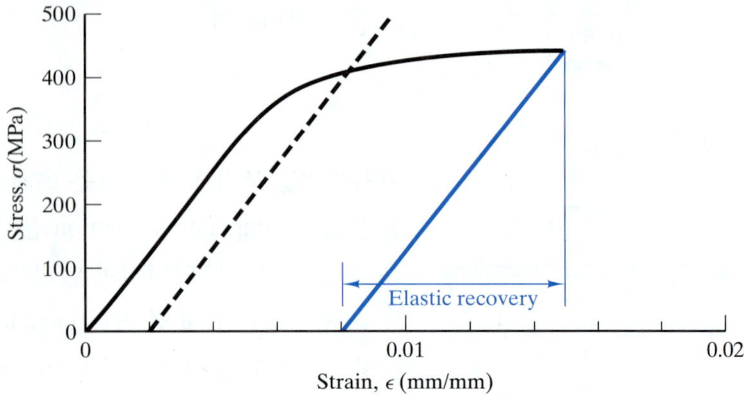

그림 6.5 소성 변형이 발생하기 전 시편에 작용하던 응력이 제거되면 탄성 회복이 발생한다.

복 강도(yield strength, Y.S.)라고 정의한다. 이 항복 강도는 0.2%의 영구 변형을 만드는 데 필요한 응력이다. 그림 6.5는 소량의 탄성 회복을 보여주며 소성 영역에 들어간 하중이 제거될 때 나타난다.

그림 6.6은 인장 시험으로부터 얻을 수 있는 주요 기계적 성질을 요약한 것이다. 탄성 영역에서의 응력-변형률 곡선의 기울기는 **탄성 계수**(modulus of elasticity) E이며 **Young**[1]**률**(Young's modulus)로도 알려져 있다. 응력-변형률 곡선에서의 직선 부분, 즉 탄성 영역은 **Hooke의**[2] **법칙**(Hooke's law)으로 나타낼 수 있다.

$$\sigma = E\epsilon \tag{6.3}$$

탄성 계수 E는 아주 유용한 물성으로 재료의 강성(stiffness), 즉 탄성 변형에 대한 저항을 나타낸다. 이것은 항복 강도 이하의 일반적인 경우에서의 변형량 및 성형 과정에서의 탄력성(springiness)을 나타낸다. E와 마찬가지로 항복 강도는 실용적으로 중요한 의미가 있는데, 이는 영구 변형에 대한 금속의 저항성을 나타내며, 압연이나 인발 작업 시 성형의 용이성을 말해준다.

인장 하중하의 금속의 거동을 주로 다루지만 그림 6.1의 시험 장치를 역방향으로 작동시켜 압축 시험에도 사용한다. 실제로 탄성 계수는 인장이나 압축 형태에서 시

1) Thomas Young(1773~1829)은 영국의 물리학자이자 내과의사로서 탄성 계수를 처음으로 정의했다. 이 기여로 그의 이름이 고체 역학 분야에서 유명해졌으며, 광학 분야에서도 많은 업적을 남겼다. 또한 빛의 파동 이론의 인정에 크게 기여했다.

2) Robert Hooke(1635~1703)은 영국 물리학자로 17세기를 대표하는 훌륭한 과학자 중 한 명이다. Isaac Newton과 같은 동료 과학자에 버금가는 업적을 남겼다. 그의 업적은 탄성 거동의 법칙[식(6.3)]과 광학 현미경 연구에서 그가 발견한 생물계의 구조적인 축조 단위를 기술하기 위해 '세포(cell)'라는 새로운 단어를 처음으로 만든 것이다.

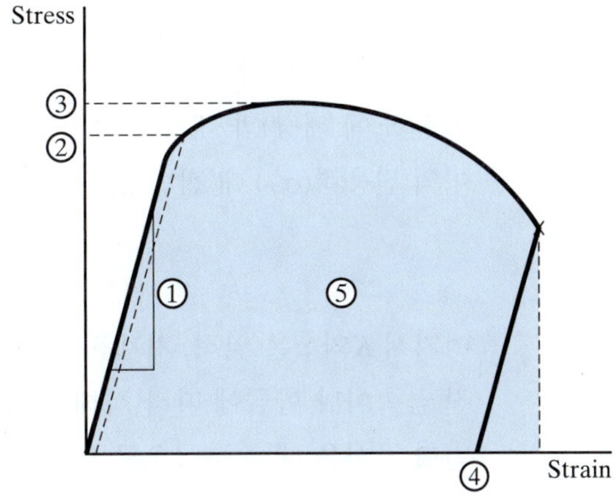

그림 6.6 인장 시험으로부터 얻을 수 있는 중요한 기계적 특성으로 1번이 탄성 계수 E, 2번이 항복 강도 Y.S., 3번이 인장 강도 T.S., 4번이 연성 $100 \times \epsilon_{failure}$(파손 후 탄성 회복에 주의), 5번이 인성 $= \int \sigma d\epsilon$(하중 부하 시 측정. 따라서 점선은 수직임)이다.

험한 합금에 대해 동일한 경향이 있다. 또한 이후에 전단 하중하에 탄성 거동과 인장 시의 탄성 계수가 서로 연관성이 있다는 것을 살펴볼 것이다.

많은 설계자, 특히 우주항공 분야의 설계자는 강도 또는 밀도 자체보다는 단위 밀도당 강도에 더 관심을 갖는다(만일 두 합금이 각각 충분한 강도를 갖고 있다면 비교적 밀도가 낮은 것이 연료 절약 가능성의 측면에서 선호될 것이다). 단위 밀도당 강도는 일반적으로 **비강도**(specific strength) 또는 **무게 대 강도 비**(strength-to-weight ratio)라고 하며 이것은 12장에 나타낸 복합재료에서도 논의할 것이다. 실제 공학적으로 중요한 또 다른 용어는 **잔류 응력**(residual stress)인데 이것은 모든 하중을 제거한 후에 구조 재료 내에 남아 있는 응력으로 정의한다.

잔류 응력은 보통 용접이나 기계 가공 같은 다양한 열적, 기계적 처리 후에 발생한다. 그림 6.6에 나타낸 바와 같이 항복 강도를 넘어 소성 변형이 진행됨에 따라 공칭 응력은 최댓값에 가까워진다. 이 최대 응력을 **최대 인장 강도**(ultimate tensile strength) 또는 간단히 **인장 강도**(tensile strength, T.S.)라고 한다. Y.S.와 T.S. 사이의 응력-변형률 곡선 영역에서 변형 증가에 따른 강도의 증가 현상을 **가공 경화**(strain hardening)라고 한다. 가공 경화는 융점의 절반 이하 온도에서 소성 변형을 수행하는 **냉간 가공**(cold working) 시 고려해야 할 중요한 요소이다. 그림 6.6으로부터 인장 강도 이상으로 소성 변형을 시키면 공칭 응력이 떨어지기 때문에 재료가 연화하는 것으로 보인다. 이 같은 응력의 강하는 단순히 공칭 응력과 변형률이 최초 시편 크기에 대해 정의되기 때문에 일어나는 현상이다. 최대 인장 강도에서 시편의 표점 길이 내에서 네킹(necking)이 시작되며(그림 6.7), 진응력($\sigma_{tr} = P/A_{actual}$)은 파괴점까지 계속 상승한다(그림 6.8 참고). 최대 인장 강도 이후에서의 이러한 추가적인 변형 때문에, 최대 인장 강도에 대응하는 응력-변형률 곡선의 위치를 **소성 불균일의 시작점**

으로 정의하기도 한다.

많은 금속과 합금의 경우, 소성 변형의 시작점(공칭 응력 대 공칭 변형에서의 항복 강도에 해당)과 네킹 시작점(공칭 응력 대 공칭 변형에서의 인장 강도에 해당) 사이의 진응력(σ_T) 대 진변형률(ϵ_T) 곡선의 영역은 대략 다음과 같이 근사될 수 있다.

$$\sigma_T = K\epsilon_T^n \tag{6.4}$$

여기서 K와 n은 열적, 기계적 이력(예: 기계 가공, 열처리 등)에 따라 변화하며 주어진 금속이나 합금에 따라 정해지는 상수이다. 다시 말하면 이 영역에서 진응력 대 진변형 곡선은 대수 눈금으로 도시하면 거의 직선이 된다. 로그-로그 그래프의 기울기는 지수 n이고 이것을 **가공 경화 지수**(strain-hardening exponent)라고 한다. 복잡한 형태로 성형 가능한 저탄소강의 n값은 보통 0.22 정도인데, 만일 0.26까지 커지게 되면 재료가 얇아지거나 파괴되는 등의 현상을 억제하면서 효과적으로 성형할 수 있는 가능성이 커지게 된다.

그림 6.6에서 파단을 일으키는 공칭 응력은 T.S.보다 낮으며, 어떤 경우에는 Y.S.보다 더 낮을 때도 있다. 불균일한 국부적 변형 특성 때문에 파단 응력 값은 시편마다 다르므로 파단 시의 변형률이 더욱 유용한 자료이다. **연성**(ductility)은 보통 파손 시의 퍼센트 연신율[percent elongation($= 100 \times \epsilon_{failure}$)]로 수치화되며 단면 감소

그림 6.7 항복 강도 이상에서 인장 시편의 네킹 (Courtesy of R. S. Wortman.)

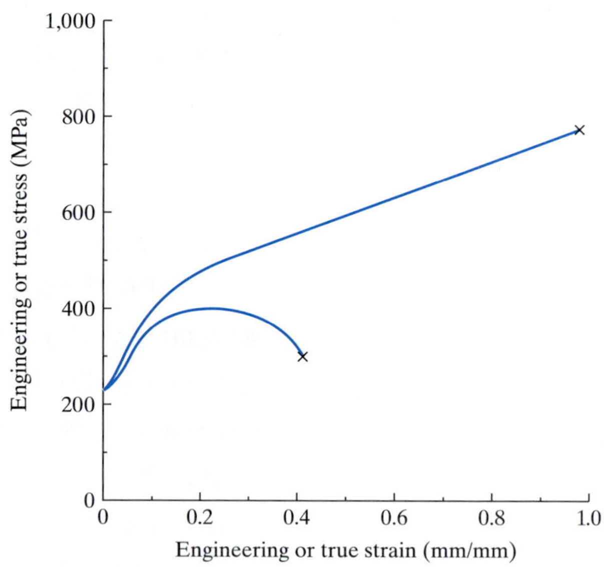

그림 6.8 진응력(네킹이 발생하는 영역의 실제 단면적으로 나눈 하중)은 공칭 응력과 대조적으로 파단점까지 계속해서 증가한다. 이 예는 탄소가 0.20 wt % C가 포함된 1020 탄소강에서 진응력-변형률 곡선과 공칭 응력-변형률 곡선을 비교한다.

율의 정의[= $(A_0 - A_{final})/A_0$]는 비교적 덜 사용된다. 두 가지 서로 다른 정의로부터 얻는 연성의 값은 일반적으로 같지 않으며 파손에서의 퍼센트 연신율 값은 사용된 표점 거리의 함수임을 유의해야 한다. 표에 나타난 측정 값은 표점 거리 2 in(= 50.8 mm)에 대해 측정된 것이다. 연성은 금속이 소성 변형될 수 있는 전반적인 능력을 의미하며 실질적으로는 제작 과정에서의 성형상 혹은 구조적 하중이 가해진 경우, 균열 선단부에 걸린 국부적인 높은 응력의 해소 정도를 나타낸다(8장의 파괴인성 부분 참조).

합금이 강하면서도 연성이 있는지 아는 것은 매우 중요하다. 매우 취약한 고강도 합금은 아주 낮은 강도를 지닌 잘 늘어나는 합금과 마찬가지로 공학적 적용에 어려움이 있다. 그림 6.9에 두 가지 극단적인 경우와 고강도이며 큰 연성을 동시에 지닌 합금을 비교했다. **인성**(toughness)이라는 용어는 이런 성질의 조합을 기술하는 데 사용된다. 그림 6.6은 인성이 응력-변형률 곡선하의 전체 면적으로 정의됨을 보여준다. 적분된 $\sigma - \epsilon$ 자료는 쉽게 구할 수 없으므로 상대적인 강도의 크기(Y.S.와 T.S.) 및 연성(파괴에서의 퍼센트 연신율)을 고려해야 한다.

인장 시험 파라미터(그림 6.6에서 정의) 중 네 가지 특성 값이 표 6.1에 나와 있다. 표 6.2에는 식 (6.4)의 변형 경화 지수 값 K와 n을 나타냈다.

그림 6.3에서 광범위한 금속 및 합금에서 얻어지는 응력 대 변형률 곡선의 일반적인 모양을 보여준다. 어떤 합금(특히 저탄소강)에서는 그림 6.10과 같은 모양의 곡선이 얻어지는데 이 경우의 탄성 영역으로부터 독특한 변환이 관찰되며 이 **항복점**(yield point)을 **상부 항복점**(upper yield point)이라고 한다. 특이한 '물결' 모양이 항복점 다음에 나타나는데 이것은 응력 집중점(보통 시편 그립부 근처)에서 시작하는

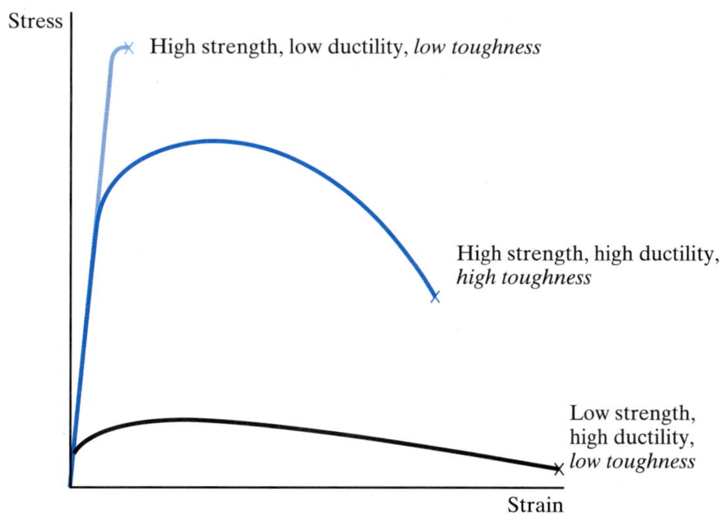

그림 6.9 합금의 인성은 강도와 연성의 조합에 의존한다.

표 6.1 일반적인 금속 합금의 인장 시험 데이터

Alloy*	E [GPa (psi)]	Y.S. [MPa (ksi)]	T.S. [MPa (ksi)]	Percent elongation at failure
1. 1040 carbon steel	200 (29×10^6)	600 (87)	750 (109)	17
2. 8630 low-alloy steel		680 (99)	800 (116)	22
3. a. 304 stainless steel	193 (28×10^6)	205 (30)	515 (75)	40
b. 410 stainless steel	200 (29×10^6)	700 (102)	800 (116)	22
4. L2 tool steel		1,380 (200)	1,550 (225)	12
5. Ferrous superalloy (410)	200 (29×10^6)	700 (102)	800 (116)	22
6. a. Ductile iron, quench	165 (24×10^6)	580 (84)	750 (108)	9.4
b. Ductile iron, 60–40–18	169 (24.5×10^6)	329 (48)	461 (67)	15
7. a. 3003-H14 aluminum	70 (10.2×10^6)	145 (21)	150 (22)	8–16
b. 2048, plate aluminum	70.3 (10.2×10^6)	416 (60)	457 (66)	8
8. a. AZ31B magnesium	45 (6.5×10^6)	220 (32)	290 (42)	15
b. AM100A casting magnesium	45 (6.5×10^6)	83 (12)	150 (22)	2
9. a. Ti–5Al–2.5Sn	107−110 ($15.5-16 \times 10^6$)	827 (120)	862 (125)	15
b. Ti–6Al–4V	110 (16×10^6)	825 (120)	895 (130)	10
10. Aluminum bronze, 9% (copper alloy)	110 (16.1×10^6)	320 (46.4)	652 (94.5)	34
11. Monel 400 (nickel alloy)	179 (26×10^6)	283 (41)	579 (84)	39.5
12. AC41A zinc			328 (47.6)	7
13. 50:50 solder (lead alloy)		33 (4.8)	42 (6.0)	60
14. Nb–1 Zr (refractory metal)	68.9 (10×10^6)	138 (20)	241 (35)	20
15. Dental gold alloy (precious metal)			310–380 (45–55)	20–35

* 이 표와 표 6.3, 6.10의 합금 및 물성치의 출처: *Metals Handbook*, 8th ed., Vol. 1, and 9th ed., Vols. 1–3, American Society for Metals, Metals Park, OH, 1961, 1978, 1979, and 1980.

표 6.2 다양한 금속과 합금에 대한 가공 경화 파라미터[a]의 값

Alloy	*M* [MPa (ksi)]	*n*
Low-carbon steel (annealed)	530 (77)	0.26
4340 low-alloy steel (annealed)	640 (93)	0.15
304 stainless steel (annealed)	1,275 (185)	0.45
Al (annealed)	180 (26)	0.20
2024 aluminum alloy (heat treated)	690 (100)	0.16
Cu (annealed)	315 (46)	0.54
Brass, 70Cu–30Zn (annealed)	895 (130)	0.49

[a] 식 (6.4)에 의한 정의.

출처: Data from S. Kalpakjian, *Manufacturing Processes for Engineering Materials*, Addison-Wesley Publishing Company, Reading, MA, 1984.

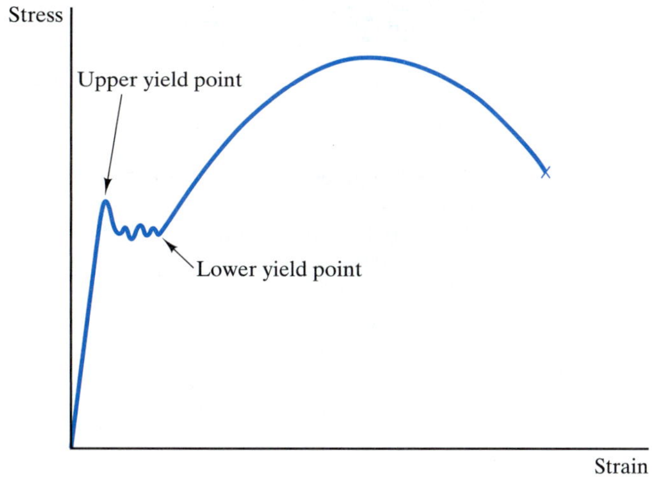

그림 6.10 상부, 하부 항복점을 포함하는 저탄소강의 응력-변형률 선도

불균일 변형과 관련된다. 물결 모양의 끝과 일반적인 소성 변형의 개시점으로 **하부 항복점**(lower yield point)을 정의한다.

그림 6.11은 다른 중요한 탄성 변형 특성으로서, 인장으로 인한 신장(extension)이 나타남과 동시에 그 수직방향으로 일어나는 수축(contraction)을 나타낸다. 이 효과는 **Poisson**[3] **비**(Poisson's ratio)로 정의된다.

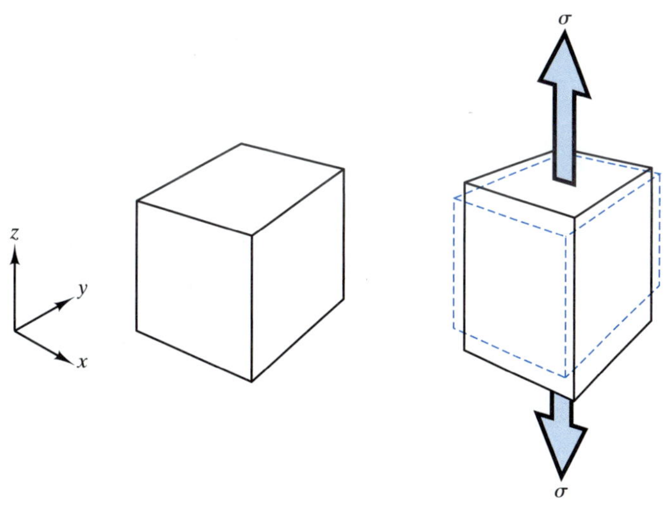

그림 6.11 Poisson 비(ν)는 인장 방향에 수직인 수축량과 인장으로 인한 신장량의 비로 정의된다.

3) Simeon-Denis Poisson(1781~1840)은 프랑스 수학자이다. 프랑스국립공업학교(Ecole Polytechnique)에서 Fourier의 교수직을 물려받았다. Fourier가 했던 것처럼 독창적인 성과를 내지는 못했어도 수학적인 처리를 이용하여 다른 사람들이 제기한 미해결 문제를 많이 해결했다. 그는 큰 수로 구성된 시스템에 대한 확률을 다루는 데 사용하는 Poisson 분포로도 잘 알려져 있다.

표 6.3 표 6.1 합금의 Poisson 비와 전단 계수

Alloy	ν	G(GPa)	G/E
1. 1040 carbon steel	0.30		
2. 8630 carbon steel	0.30		
3. a. 304 stainless steel	0.29		
6. b. Ductile iron, 60–40–18	0.29		
7. a. 3003-H14 aluminum	0.33	25	0.36
8. a. AZ31B magnesium	0.35	17	0.38
b. AM100A casting magnesium	0.35		
9. a. Ti–5Al–2.5Sn	0.35	48	0.44
b. Ti–6Al–4V	0.33	41	0.38
10. Aluminum bronze, 9% (copper alloy)	0.33	44	0.40
11. Monel 400 (nickel alloy)	0.32		

$$\nu = -\frac{\epsilon_x}{\epsilon_z} \tag{6.5}$$

여기서 x와 z 방향으로의 변형은 그림 6.11에서 정의된다(압축 응력에 의해 압축 방향과 수직인 방향으로 팽창이 일어난다). Poisson 비는 응력 대 변형률 곡선에 직접적으로 나타나지 않지만 이것은 탄성률과 함께 공업재료의 탄성 거동을 설명하는데 기본이 된다. 표 6.3에 여러 가지 일반 합금에 대한 ν값을 요약해놓았다. 이 값은 0.26~0.35의 값을 갖는다.

그림 6.12는 순수 전단 하중에서의 탄성 변형을 보여준다. **전단 응력**(shear stress) τ는 다음과 같이 정의된다.

$$\tau = \frac{P_s}{A_s} \tag{6.6}$$

여기서 P_s는 시편상에 가해진 전단 하중이고, A_s는 가해진 응력에 평행인 시편의 면적이다. 전단 응력은 **전단 변형**(shear strain) γ와 더불어 각도 변화(angular displacement) α를 일으킨다. 전단 변형은 다음과 같이 정의된다.

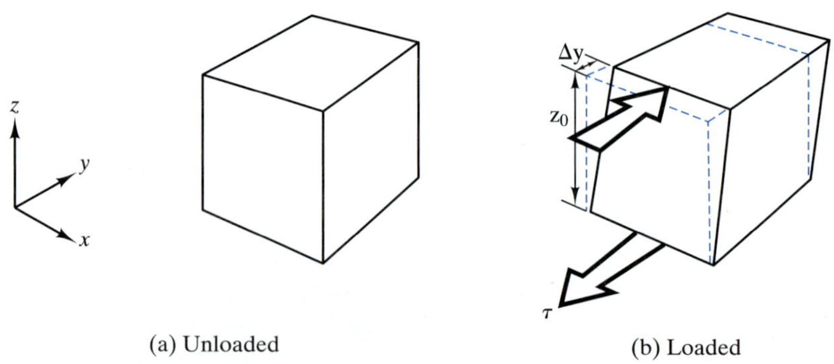

그림 6.12 전단 하중 부하 시의 탄성 변형

$$\gamma = \tan \alpha \tag{6.7}$$

이것은 그림 6.12에서 $\Delta y/z_0$와 같다. **전단 계수**(shear modulus) 또는 **강성 계수**(modulus of rigidity) G는 [식 (6.3)과 비교할 수 있는 방식으로] 다음과 같이 정의된다.

$$G = \frac{\tau}{\gamma} \tag{6.8}$$

변형률이 작은 경우, 전단 계수 G와 탄성 계수 E 사이에는 Poisson 비 ν를 도입하여 다음과 같은 관계가 성립한다.

$$E = 2G(1 + \nu) \tag{6.9}$$

일반적인 G 값은 표 6.3에 주어져 있다. 두 계수는 ν에 의해 연관되고 ν값의 변화는 작기 때문에 크게 변하지 않으며, G/E의 비는 대부분의 합금에서 대략 0.4(표 6.3 참고)로 고정된다.

예제 6.1

그림 6.3으로부터 알루미늄 2024-T81 시편의 E, Y.S., T.S. 및 파손 시의 퍼센트 연신율을 계산하시오.

풀이

탄성 계수 E를 얻기 위해 σ = 300 MPa에서 변형이 0.0043(다음 그림에 보인 바와 같이)임을 주의한다. 그러면

$$E = \frac{\sigma}{\epsilon} = \frac{300 \times 10^6 \text{ Pa}}{0.0043} = 70 \text{ GPa}$$

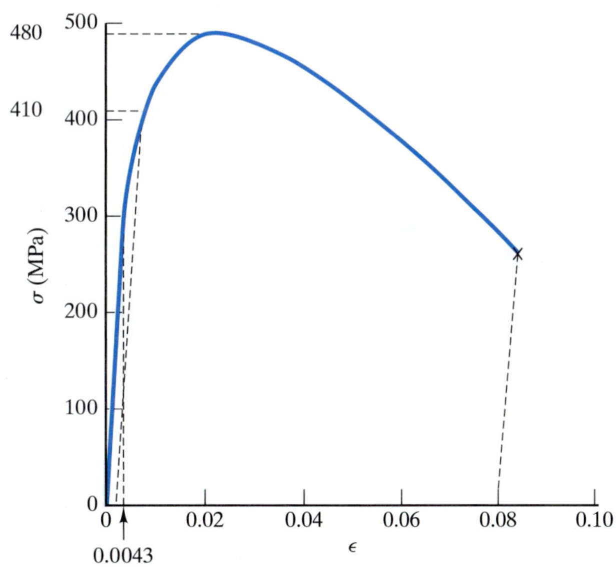

0.2% 영구 변형을 위와 같이 작도하여 Y.S.를 구하면 다음과 같다.

$$\text{Y.S.} = 410 \text{ MPa}$$

응력-변형률 곡선(위 그림)에서 최댓값은 T.S.를 나타낸다.

$$\text{T.S.} = 480 \text{ MPa}$$

끝으로 파괴 시의 변형은 $\epsilon_f = 0.08$이므로

$$\text{파손 시의 \% 연신율} = 100 \times \epsilon_f = 8\%$$

예제 6.2

지름 10 mm의 1040 탄소강 봉(표 6.1 참조)이 50,000 N의 인장 하중을 받아 항복점을 넘어서고 있다. 그 인장 하중을 제거함에 따라 발생하는 탄성 회복을 계산하시오.

풀이

식 (6.1)을 이용하여 공칭 응력을 계산하면

$$\sigma = \frac{P}{A_o} = \frac{50{,}000 \text{ N}}{\pi(5 \times 10^{-3} \text{ m})^2} = 637 \times 10^6 \frac{N}{\text{m}^2}$$
$$= 637 \text{ MPa}$$

이 값은 이 합금에서 Y.S.(600 MPa)와 T.S.(750 MPa) 사이에 들어가는 값이다(표 6.1).

탄성 회복은 Hooke의 법칙[식 (6.3)]으로부터 표 6.1의 탄성률을 이용하여 계산할 수 있다.

$$\epsilon = \frac{\sigma}{E}$$
$$= \frac{637 \times 10^6 \text{ Pa}}{200 \times 10^9 \text{ Pa}}$$
$$= 3.18 \times 10^{-3}$$

예제 6.3

(a) 10 mm 지름인 3003-H14 알루미늄 합금의 봉이 인장 하중 6 kN을 받고 있다. 이 결과 봉의 지름을 계산하시오.

(b) 6 kN의 압축 하중을 받을 때 이 봉의 지름을 계산하시오.

풀이

(a) 식 (6.1)로부터 공칭 응력은

$$\sigma = \frac{P}{A_0}$$
$$= \frac{6 \times 10^3\ \text{N}}{\pi(\frac{10}{2} \times 10^{-3}\ \text{m})^2} = 76.4 \times 10^6 \frac{\text{N}}{\text{m}^2} = 76.4\ \text{MPa}$$

표 6.1로부터 이 응력은 항복 강도(145 MPa)보다 아주 낮은 것을 알 수 있으며 결과적으로 변형은 탄성이다.

표 6.1의 탄성 계수를 이용하여 식 (6.3)으로부터 인장 변형을 계산할 수 있다.

$$\epsilon = \frac{\sigma}{E} = \frac{76.4\ \text{MPa}}{70 \times 10^3\ \text{MPa}} = 1.09 \times 10^{-3}$$

식 (6.5)와 표 6.3의 값을 이용하여 지름에 대한 변형을 계산하면

$$\epsilon_{\text{diameter}} = -\nu\epsilon_z = -(0.33)(1.09 \times 10^{-3})$$
$$= -3.60 \times 10^{-4}$$

그 결과 지름은 식 (6.2)와 마찬가지로 다음 식에 의해 결정된다.

$$\epsilon_{\text{diameter}} = \frac{d_f - d_0}{d_0}$$

또는

$$d_f = d_0(\epsilon_{\text{diameter}} + 1) = 10\ \text{mm}\,(-3.60 \times 10^{-4} + 1)$$
$$= 9.9964\ \text{mm}$$

(b) 압축 응력에 대해 지름 변형의 크기는 같지만, 부호는 반대이다.

$$\epsilon_{\text{diameter}} = +3.60 \times 10^{-4}$$

그 결과 최종 지름은

$$d_f = d_0(\epsilon_{\text{diameter}} + 1) = 10\ \text{mm}\,(+3.60 \times 10^{-4} + 1)$$
$$= 10.0036\ \text{mm}$$

연습문제 6.1

예제 6.1에서 2024-T81 알루미늄의 기초적인 기계적 성질을 그 응력-변형률 곡선(그림 6.3)에 근거하여 계산했다. 그림 6.2에 제시된 것과 유사한 304 스테인리스강의 하중-연신율 자료가 연습문제 6.2에 주어져 있다. 이 강은 표 6.1에 나와 있는 합금 3(a)와 유사하지만 한 가지 예외는 다른 가공 열처리 이력을 가져서 더 낮은 연성과 더불어 약간 더 높은 강도를 지닌다는 점이다. (a) 그림 6.2와 동일한 방법과 이러한 물성으로 하중-연신율 그림을 그리시오. (b) 이 자료로 그림 6.3에

나타낸 것과 같은 응력-변형률 곡선을 그리시오. (c) 그림 6.4에 사용된 것처럼 확대된 척도 위에 초기의 변형 데이터를 다시 그리시오. (a)~(c) 부분에서의 결과를 이용하여 이 304 스테인리스강에 대한 (d) E, (e) Y.S., (f) T.S., (g) 파손 시의 연신율을 계산하시오. (d)~(f) 부분에서는 해답을 Pa과 psi 단위로 표현하시오.

연습문제 6.2

연습문제 6.1에서 소개한 304 스테인리스강에 대해 (a) 35,720 N, (b) 69,420 N에서 하중을 제거한 시편의 경우에 대한 탄성 회복량을 각각 계산하시오(예제 6.2 참고).

Load (N)	Gage length (mm)	Load (N)	Gage length (mm)
0	50.8000	35,220	50.9778
4,890	50.8102	35,720	51.0032
9,779	50.8203	40,540	51.8160
14,670	50.8305	48,390	53.3400
19,560	50.8406	59,030	55.8800
24,450	50.8508	65,870	58.4200
27,620	50.8610	69,420	60.9600
29,390	50.8711	69,670 (maximum)	61.4680
32,680	50.9016	68,150	63.5000
33,950	50.9270	60,810 (fracture)	66.0400 (after fracture)
34,580	50.9524		

처음 시편 지름: 12.7 mm.

연습문제 6.3

예제 6.3에 보인 합금에 대해 표 6.1에 보인 (인장) 항복 응력에서의 봉의 지름을 계산하시오.

세라믹과 유리

금속에서 설명했던 대부분의 기계적 성질은 구조적 응용에 사용되는 세라믹 또는 유리에도 똑같이 중요하며, 이들은 비금속 재료가 지닌 독특한 성질 때문에 금속과는 다른 기계적 거동을 보인다.

일반적으로 금속 합금은 인장 시험 시 상당량의 소성 변형을 나타내지만 세라믹과 유리는 그렇지 않다. 그림 6.13은 다결정질 Al_2O_3에 일축 방향의 하중이 작용할 때의 결과를 보여준다. 그림 6.13(a)에서 시편의 파괴는 탄성 영역에서 일어나는데 이러한 **취성 파괴**(brittle fracture)가 세라믹과 유리의 특성이다. 또한 그림 6.13의 (a)와 (b)는 이들의 또 다른 중요한 특성을 보여준다. 그림 6.13(a)는 인장 시험에서의

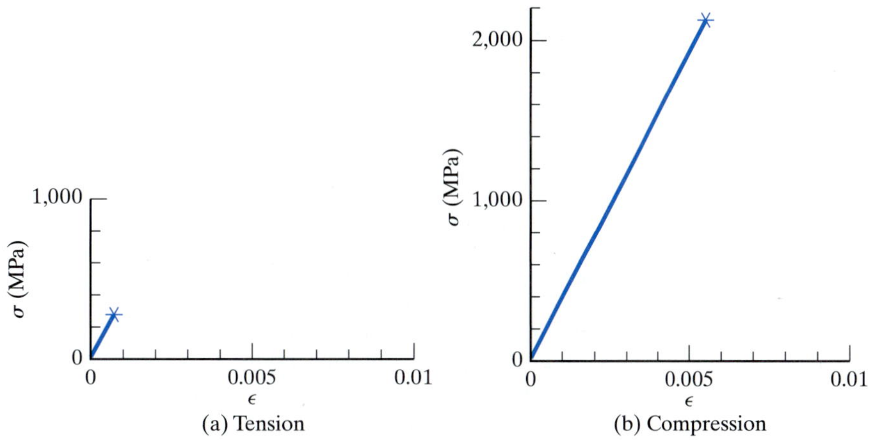

그림 6.13 세라믹의 취성 파괴는 선형적인 응력-변형률 곡선으로 나타난다. 그림 (a)에서 인장 강도가 280 MPa일 때 파단이 발생하며, 그림 (b)에서 2,100 MPa의 압축 강도가 나타난다. 두 시험의 시편은 고밀도, 다결정 소재인 Al_2O_3이다.

파괴 강도(280 MPa)를 보여주며, 그림 6.13(b)는 압축 시험에 대한 파괴 강도(2,100 MPa)를 보여준다. 이 시험결과는 세라믹이 인장에는 비교적 약하나 압축에는 강하다는 사실을 보여주며, 이러한 거동은 일부 주철(11장)과 콘크리트에서도 나타난다. 표 6.4에 각종 세라믹과 유리의 탄성률과 강도를 요약하여 나타냈다. 강도 인자는 굽힘 시험(bending test)의 데이터로부터 계산된 파단 계수이며, **파단 계수**(modulus of rupture, MOR)는 다음과 같은 식으로 주어진다.

$$\text{MOR} = \frac{3FL}{2bh^2} \tag{6.10}$$

여기서 F는 가해진 힘이고, b, h, L은 그림 6.14에서 정의된 치수이다. MOR은 구부리는 파괴 방식이 (시편의 최외각 가장자리를 따라)인장이기 때문에 인장 강도의 크기와 비슷하다. 그림 6.14에 나타낸 굽힘 시험은 취성재료를 평가할 때 인장 시험보다 용이하다. Poisson 비의 값은 표 6.5에 주어져 있다. 표 6.3과 6.5를 비교해보았을 때 금속의 ν값은 $\approx \frac{1}{3}$이고 세라믹의 ν값은 $\approx \frac{1}{4}$이다.

구조용 세라믹의 기계적 거동을 이해하기 위해서는 균열의 첨단에서 생기는 응력집중에 대해 고찰해야 한다. 순수 취성재료에서는 단순한 **Griffith[4] 균열 모형**(Griffith crack model)이 적용될 수 있다. Griffith는 실제 재료에는 수많은 타원형 균열이 표면과 내부에 존재한다고 가정했다. 이런 균열의 끝에 걸리는 최대 응력(σ_m)은 다음과 같이 나타낼 수 있다.

4) Alan Arnold Griffith(1893~1963)는 영국의 엔지니어이다. 처음에는 항공학에 몰두했었고, 가스터빈이 항공기의 추진계로 유용할 것이라고 제창한 바 있다. 1920년에 재료공학 분야에서 그의 이름을 가장 많이 알리게 한 유리섬유의 강도에 대한 연구 논문을 발표했다.

표 6.4 몇 가지 세라믹과 유리의 탄성 계수와 파단 계수

Material	E(10^3 MPa)	MOR(MPa)
Alumina	380	276–1,034
Sintered[a] alumina (~5% porosity)	370	210–340
Alumina porcelain (90–95% alumina)	370	340
Sintered[a] magnesia (~5% porosity)	210	100
Magnesite (magnesia) brick	170	28
Sintered[a] spinel (magnesia aluminate)	240–260	110–245
Mullite (aluminosilicate)	50–220	150–270
Steatite (magnesia aluminosilicate) porcelain	69	140
Superduty fireclay (aluminosilicate) brick	97	5.2
Sintered[a] beryllia (~5% porosity)	310	140–280
Fully stabilized zirconia	97–207	245
Partially stabilized zirconia	205	600–700
Hot-pressed[b] boron carbide (~5% porosity)	290	340
Silicon carbide	382–476	228–862
Hot-pressed[b] aluminum nitride	345	266
Hot-pressed[b] boron nitride (~5% porosity)	83	48–100
Silicon nitride	120–330	150–1,200
Glass-ceramics	83–138	70–350
Silica glass	73	104
Soda-lime glass	66	150
Borosilicate glass	60	69

[a] 소결(sintering)은 고온(용융점의 절대 온도의 1/2 이상)에서 고체 상태의 확산에 의해 분말 입자가 결합된 생성물을 제조하는 것이다(10.6절 참고).

[b] 핫 프레스(hot pressing)는 고압하에서의 소결이다.

출처: From data collections in J. F. Shackelford, and W. Alexander, *CRC Materials Science and Engineering Handbook*, 3rd ed., CRC Press, Boca Raton, FL, 2001, *Engineered Materials Handbook*, Vol. 4, Ceramics and Glasses, ASM International, Materials Park, OH, 1991, and W. D. Kingery, H. K. Bowen, and D. R. Uhlmann, *Introduction to Ceramics*, 2nd ed., John Wiley & Sons, Inc., New York, 1976.

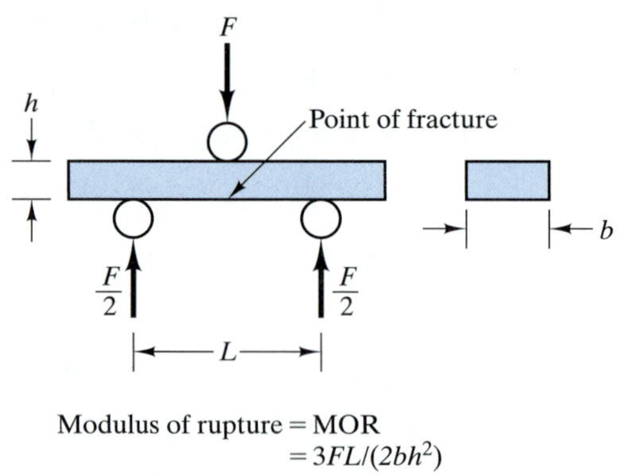

그림 6.14 파단 계수를 측정하는 굽힘 시험. 이 강도 값은 인장 강도와 비슷하다. 인장 하중 부하 시 파괴는 최외측 모서리에서 발생된다.

표 6.5 몇 가지 세라믹과 유리의 Poisson 비

	ν
1. Al_2O_3	0.26
2. BeO	0.26
3. CeO_2	0.27–0.31
4. Cordierite ($2MgO \cdot 2Al_2O_3 \cdot 5SiO_2$)	0.31
5. Mullite ($3Al_2O_3 \cdot 2SiO_2$)	0.25
6. SiC	0.19
7. Si_3N_4	0.24
8. TaC	0.24
9. TiC	0.19
10. TiO_2	0.28
11. Partially stabilized ZrO_2	0.23
12. Fully stabilized ZrO_2	0.23–0.32
13. Glass-ceramic ($MgO - Al_2O_3 - SiO_2$)	0.24
14. Borosilicate glass	0.2
15. Glass from cordierite	0.26

출처: Data from *Ceramic Source '86* and *Ceramic Source '87*, American Ceramic Society, Columbus, OH, 1985 and 1986.

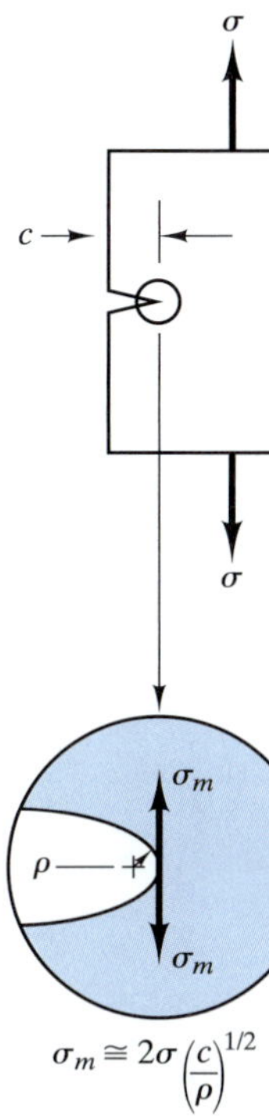

그림 6.15 Griffith 결함 첨단에서의 응력(σ_m)

$$\sigma_m \simeq 2\sigma\left(\frac{c}{\rho}\right)^{1/2} \tag{6.11}$$

여기서 σ는 가해진 응력, c는 그림 6.15에서 정의한 것과 같이 균열의 길이, 그리고 ρ는 균열 첨단의 반지름이다. 균열 첨단의 반지름은 원자 간 거리만큼이나 작기 때문에 응력의 집중화는 매우 클 수 있다. 세라믹과 유리의 일반적 제조공법하에서 Griffith 균열을 피하기는 어렵기 때문에 이러한 재료는 인장에 비교적 약하다. 압축하중은 Griffith 균열을 닫히게 하는 경향이 있어 이온 및 공유 결합으로 된 재료의 고유 강도를 감소시키지 않는다.

특별히 제어된 환경에서 작은 지름의 유리섬유로 인발(drawing)하는 것이 Griffith 균열을 피하는 한 방법이다. 이와 같은 방법으로 얻어지는 섬유는 재료의 이론적 원자 결합 강도에 가까운 인장 강도를 나타낼 수 있어 복합재료의 보강 섬유로 사용할 수 있다.

예제 6.4

유리판이 원자 차원의 표면 균열을 갖고 있다(균열 첨단의 반지름을 O^{2-} 이온의 지름과 거의 같다고 하자). 균열의 길이를 1 μm, 결함이 없는 유리의 이론 강도를 7.0 GPa이라고 하고, 이 유리판의 파괴 강도를 계산하시오.

풀이

식 (6.11)을 적용한다. 즉

$$\sigma_m = 2\sigma\left(\frac{c}{\rho}\right)^{1/2}$$

재정리하면

$$\sigma = \frac{1}{2}\sigma_m\left(\frac{\rho}{c}\right)^{1/2}$$

부록 2를 이용하면

$$\begin{aligned}\rho &= 2r_{O^{2-}} = 2(0.132 \text{ nm}) \\ &= 0.264 \text{ nm}\end{aligned}$$

따라서

$$\begin{aligned}\sigma &= \frac{1}{2}(7.0 \times 10^9 \text{ Pa})\left(\frac{0.264 \times 10^{-9} \text{ m}}{1 \times 10^{-6} \text{ m}}\right)^{1/2} \\ &= 57 \text{ MPa}\end{aligned}$$

연습문제 6.4

(a) 길이가 0.5 μm인 표면 균열과 (b) 길이가 5 μm인 표면 균열을 지닌 유리판의 파괴 강도를 계산하시오. 균열의 길이 외에는 예제 6.4에서 주어진 조건을 이용하시오.

고분자

세라믹에서와 같이 고분자(polymers)의 기계적 성질은 금속의 기계적 성질에서 사용되었던 많은 용어로 설명될 수 있다. 인장 강도와 탄성 계수는 무기물 구조재료뿐만 아니라 고분자에서도 중요한 설계 인자이다.

금속의 대체물로서 공업용 고분자의 사용이 증가함에 따라 금속과 유사한 형태로 고분자의 기계적 거동을 표현하는 것이 더욱 중요해졌다. 그중 가장 중요한 것은 응력 대 변형률의 관계이다. 강도와 탄성 계수는 중요한 인자이지만 설계 과정에서는 인장보다는 굽힘을 고려해야 하는 경우가 더 많으므로 굽힘 강도와 굽힘 탄성 계수가 자주 사용된다.

굽힘 강도(flexural strength, F.S.)는 식 (6.10)과 그림 6.14에서 세라믹에 대해 정의된 파단 계수와 동일하다. 동일 모형의 시험 시편에 대해 **굽힘 계수**(flexural modulus), 즉 **굽힘 탄성 계수**(modulus of elasticity in bending, E_{flex})는 다음과 같다.

$$E_{flex} = \frac{L^3 m}{4bh^3} \tag{6.12}$$

m은 하중-처짐 곡선의 초기 직선 부분에서 접선의 기울기를 말하며, 나머지 다른 항

은 식 (6.10), 그림 6.14와 동일하게 정의된다. 고분자에서 굽힘 계수는 중요한데, 굽힘 계수가 압축 변형(그림 6.14에서 가한 하중의 작용점에 가까운 부분)과 인장 변형(그 반대쪽)의 조합된 효과를 설명해주기 때문이다. 금속에서는 인장 계수와 압축 계수가 일반적으로 같은 값을 갖는다. 그러나 다수의 고분자는 인장 계수와 압축 계수가 서로 다르다.

탄성고분자(elastomer)와 같은 몇몇 고분자는 충격과 진동을 격리시키거나 흡수하는 구조재로 이용된다. 이러한 응용 분야에서 반복적인 기계적 하중에서 고분자의 성능을 나타내기 위해 동적 탄성 계수가 유용하게 사용된다. 일반적인 탄성고분자에서는 동적 탄성 계수가 정적 탄성 계수(static modulus)보다 큰 값을 가지며 어떤 고분자의 경우에는 두 계수가 두 배 정도의 차이를 보일 때도 있다. **동적 탄성 계수**(dynamic modulus of elasticity), E_{dyn}(단위: MPa)는 다음과 같다.

$$E_{dyn} = CIf^2 \tag{6.13}$$

여기서 C는 시편의 기하학적인 형태에 의존하는 상수이고, I는 동적 시험에 사용된 하중과 시편의 관성 모멘트(단위: $kg \cdot m^2$)이며, f는 시험의 진동수(cycles/s)이다. 식 (6.13)은 압축 측정법과 전단 측정법에 모두 적용되며, 각각의 경우에서 상수 C는 다른 값을 가진다.

그림 6.16은 공업용 고분자인 폴리에스테르의 응력 대 변형률 곡선이다. 이것은

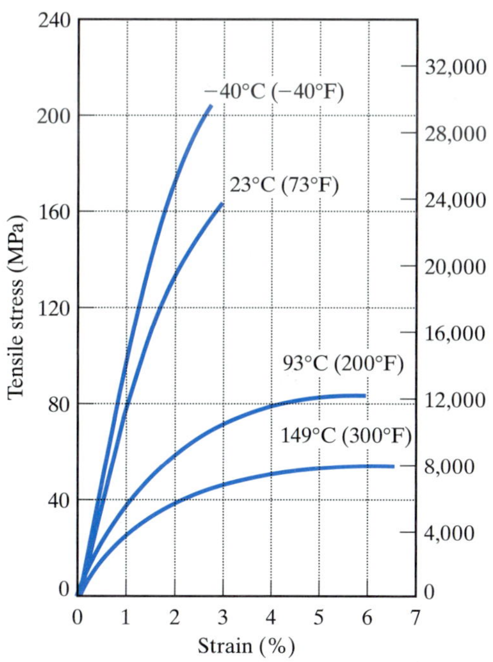

그림 6.16 공업용 고분자인 폴리에스테르의 응력 대 변형률 곡선 (From *Design Handbook for DuPont Engineering Plastics*, used by permission.)

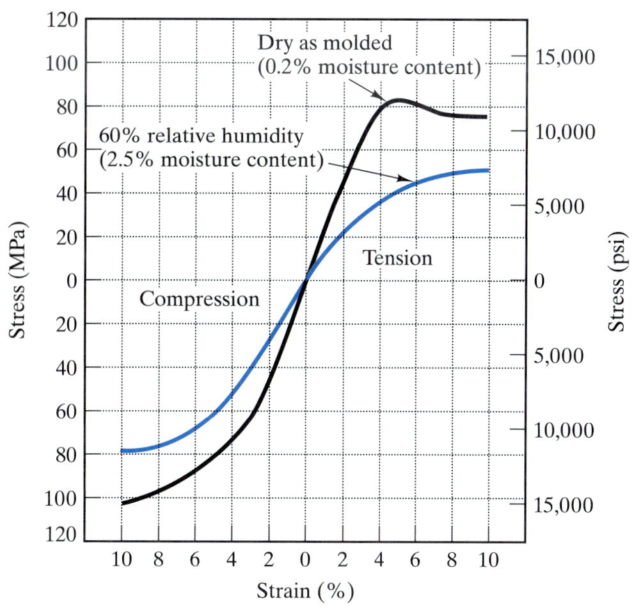

그림 6.17 23°C에서 습도의 영향을 보여주는 나일론 66의 응력 대 변형률 곡선 (From *Design Handbook for DuPont Engineering Plastics*, used by permission.)

일반적인 금속의 응력 대 변형률 그림과 유사하지만 온도의 영향을 많이 받는다. 그럼에도 불구하고 폴리에스테르와 아세탈은 대기 중 수분 함량의 영향을 거의 받지 않는다는 점이 장점이다. 그렇지만 그림 6.17에서 보인 바와 같이, 나일론을 이용한 설계 시에는 상대 습도가 고려되어야 한다. 인장 하중과 압축 하중 시의 탄성 계수(원점 근처에서의 곡선의 기울기)의 차이가 그림 6.17에 나타나 있다(이 점은 굽힘 계수의 도입으로 상승됨을 기억하라). 표 6.6은 열가소성 고분자(thermoplastic polymer)의 기계적 성질을 보여주며(이들은 가열하면 연해지고 가소성이 된다), 표 6.7은 열경화성 고분자(thermosetting polymer)의 기계적 성질을 보여준다(이들은 가열하면 딱딱해진다). 표 6.7의 동적 탄성 계수는 일반적으로 인장 탄성 계수보다 크지 않다. 특정한 응력이 가해진 조건하에서 탄성고분자의 동적 탄성 계수는 정적 탄성 계수보다 크다. 동적 전단 계수 값은 일반적으로 정적 전단 계수 값보다 크다.

표 6.6 열가소성 고분자 소재의 기계적 특성

Polymer	E[a] [MPa (ksi)]	E_{flex}[b] [MPa (ksi)]	T.S. [MPa (ksi)]	Percent elongation at failure	Poisson's ratio ν
General-use polymers					
Polyethylene					
High-density	830 (120)		28 (4)	15–100	
Low-density	170 (25)		14 (2)	90–800	
Polyvinylchloride	2,800 (400)		41 (6)	2–30	
Polypropylene	1,400 (200)		34 (5)	10–700	
Polystyrene	3,100 (450)		48 (7)	1–2	
Polyesters	— (—)	8,960 (1,230)	158 (22.9)	2.7	
Acrylics (Lucite)	2,900 (420)		55 (8)	5	
Polyamides (nylon 66)	2,800 (410)	2,830 (410)	82.7 (12.0)	60	0.41
Cellulosics	3,400–28,000 (500–4,000)		14–55 (2–8)	5–40	
Engineering polymers					
Acrylonitrile-butadiene-styrene	2,100 (300)		28–48 (4–7)	20–80	
Polycarbonates	2,400 (350)		62 (9)	110	
Acetals	3,100 (450)	2,830 (410)	69 (10)	50	0.35
Polytetrafluoroethylene (Teflon)	410 (60)		17 (2.5)	100–350	
Thermoplastic elastomers					
Polyester-type		585 (85)	46 (6.7)	400	

[a] 저변형 데이터(인장 시).
[b] 전단 시.
출처: From data collections in R. A. Flinn and P. K. Trojan, *Engineering Materials and Their Applications*, 2nd ed., Houghton Mifflin Company, Boston, MA 1981; M. F. Ashby and D. R. H. Jones, *Engineering Materials*, Pergamon Press, Inc., Elmsford, NY, 1980; and *Design Handbook for DuPont Engineering Plastics*.

표 6.7 열경화성 고분자 소재의 기계적 특성

Polymer	E^a [MPa (ksi)]	E^b_{flex} [MPa (ksi)]	T.S. [MPa (ksi)]	Percent elongation at failure
Thermosets				
Phenolics (phenolformaldehyde)	6,900 (1,000)	—	52 (7.5)	0
Urethanes	—	—	34 (5)	—
Urea-melamine	10,000 (1,500)	—	48 (7)	0
Polyesters	6,900 (1,000)	—	28 (4)	0
Epoxies	6,900 (1,000)	—	69 (10)	0
Elastomers				
Polybutadiene/polystyrene copolymer				
Vulcanized	1.6 (0.23)	0.8 (0.12)	1.4–3.0 (0.20–0.44)	440–600
Vulcanized with 33% carbon black	3–6 (0.4–0.9)	8.7 (1.3)	17–28 (2.5–4.1)	400–600
Polyisoprene				
Vulcanized	1.3 (0.19)	0.4 (0.06)	17–25 (2.5–3.6)	750–850
Vulcanized with 33% carbon black	3.0–8.0 (0.44–1.2)	6.2 (0.90)	25–35 (3.6–5.1)	550–650
Polychloroprene				
Vulcanized	1.6 (0.23)	0.7 (0.10)	25–38 (3.6–5.5)	800–1,000
Vulcanized with 33% carbon black	3–5 (0.4–0.7)	2.8 (0.41)	21–30 (3.0–4.4)	500–600
Polyisobutene/polyisoprene copolymer				
Vulcanized	1.0 (0.15)	0.4 (0.06)	18–21 (2.6–3.0)	750–950
Vulcanized with 33% carbon black	3–4 (0.4–0.6)	3.6 (0.52)	18–21 (2.6–3.0)	650–850
Silicones	—	—	7 (1)	4,000
Vinylidene fluoride/hexafluoropropylene	—	—	12.4 (1.8)	—

[a] 저변형 데이터(인장 시).

[b] 전단 시.

출처: From data collections in R. A. Flinn and P. K. Trojan, *Engineering Materials and Their Applications*, 2nd ed., Houghton Mifflin Company, Boston, MA 1981; M. F. Ashby and D. R. H. Jones, *Engineering Materials*, Pergamon Press, Inc., Elmsford, NY, 1980; and J. Brandrup and E. H. Immergut, Eds., *Polymers Handbook*, 2nd ed., John Wiley Sons, Inc., New York, 1975.

예제 6.5

경량 기어의 제작에 사용되는 나일론의 굽힘 시험에서 다음 데이터를 얻었다.

$$\text{시험 시편의 기하학적 형태: } 7\text{ mm} \times 13\text{ mm} \times 100\text{ mm}$$

$$\text{지지대 간의 간격} = L = 50\text{ mm}$$

$$\text{하중-굽힘 곡선의 초기 기울기} = 404 \times 10^3\text{ N/m}$$

이 공업용 고분자에 대한 굽힘 계수를 계산하시오.

풀이

그림 6.14와 식 (6.12)를 참고하여 풀면

$$E_{\text{flex}} = \frac{L^3 m}{4bh^3}$$

$$= \frac{(50 \times 10^{-3}\ \text{m})^3 (404 \times 10^3\ \text{N/m})}{4(13 \times 10^{-3}\ \text{m})(7 \times 10^{-3}\ \text{m})^3}$$

$$= 2.83 \times 10^9\ \text{N/m}^2 = 2{,}830\ \text{MPa}$$

예제 6.6

고밀도 폴리에틸렌 봉에 작은 일축 응력, 1 MPa(145 psi)이 가해진다.

(a) 그 결과 생성되는 변형은 얼마인가?

(b) 가황처리된 이소프렌 봉의 경우에 변형은 얼마인가?

(c) 1040 강 봉의 경우에 변형은 얼마인가?

풀이

(a) 이와 같이 작은 하중하에서는 Hooke의 법칙을 가정할 수 있다.

$$\epsilon = \frac{\sigma}{E}$$

표 6.6에서 $E = 830$ MPa이다. 따라서

$$\epsilon = \frac{1\ \text{MPa}}{830\ \text{MPa}} = 1.2 \times 10^{-3}$$

(b) 표 6.7에서 $E = 1.3$ MPa이므로

$$\epsilon = \frac{1\ \text{MPa}}{1.3\ \text{MPa}} = 0.77$$

(c) 표 6.1로부터 $E = 200$ GPa $= 2 \times 10^5$ MPa이므로

$$\epsilon = \frac{1\ \text{MPa}}{2 \times 10^5\ \text{MPa}}$$

$$= 5.0 \times 10^{-6}$$

주: 고분자와 무기재료의 탄성 계수 사이의 큰 차이는 복합재료에서 장점으로 이용된다(12장).

연습문제 6.5

예제 6.5의 데이터를 이용하여 굽힘 계수를 계산할 수 있다. 이 조건에서 680 N의 힘을 가해서 나일론 견품의 파괴가 일어났을 때 이에 대응하는 굽힘 강도를 구하시오.

연습문제 6.6

예제 6.6에서 여러 재료에 대해 1 MPa의 응력하에서의 변형률을 계산했다. 그 경우 고분자의 변형률이 상대적으로 크지만 실제로 변형률이 낮은 몇몇 고탄성 계수의 고분자들이 있다. 1 MPa의 일축 응력하에서 28,000 MPa의 탄성 계수를 갖는 셀룰로오스 섬유의 변형률을 구하시오.

6.2 탄성 변형

재료의 응력과 변형률의 거동에 대한 논의를 마치기 전에 원자 차원에서의 메커니즘을 살펴볼 필요가 있다. 그림 6.18은 탄성 변형의 기본 메커니즘이 원자 결합의 신장(stretching)임을 보여준다. 초기의 탄성 영역에서 재료의 부분적인 변형은 작기 때문에 평형 원자 거리($F = 0$에 해당하는 a_0) 바로 근처의 힘-원자 간 거리 곡선 부분만 다룬다. $F - a$ 그래프에서 직선 부분은 인장 시에는 물론 압축 또는 굽힘 시험 시에도 유사한 탄성 거동이 관측될 것을 의미한다. 이것은 특히 금속의 경우에 잘 나타난다.

POWERS OF 10

여기서 결합력과 그림 2.7, 2.8의 에너지 선도가 탄성 변형의 성질을 이해하는 데 중요한 역할을 하는 것을 알 수 있다.

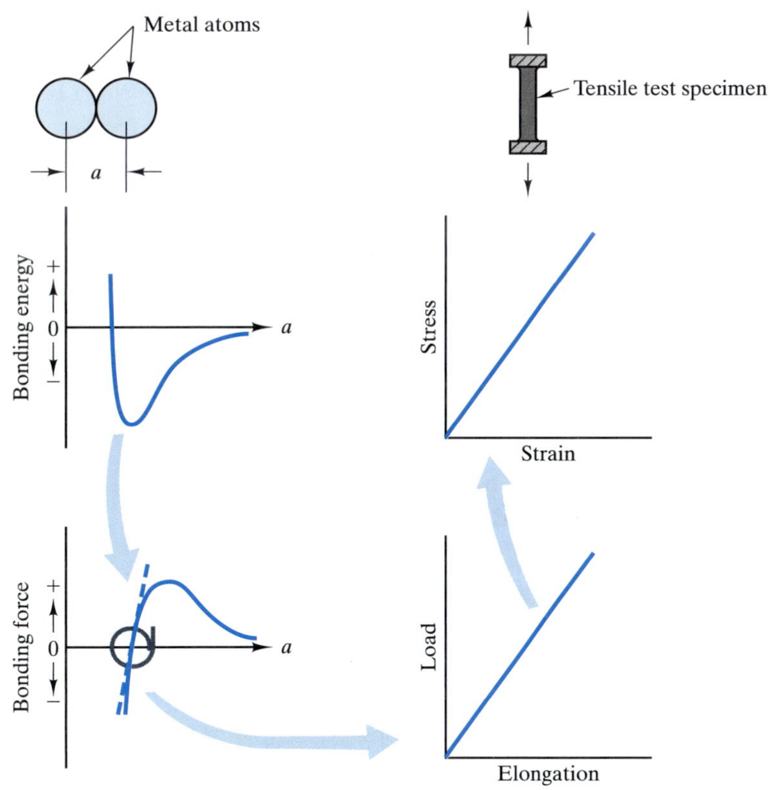

그림 6.18 원자 결합의 신장과 소성 변형과의 관계

예제 6.7

응력이 없는 상태에서의 두 철 원자 중심 간의 거리는 〈111〉 방향을 따라 0.2480 nm이다. 이 방향을 따라 1,000 MPa의 인장 응력을 받아 원자 간 거리는 0.2489 nm로 증가한다. 〈111〉 방향을 따르는 탄성 계수를 계산하시오.

풀이

Hooke의 법칙[식 (6.3)]으로부터

$$E = \frac{\sigma}{\epsilon}$$

여기서

$$\epsilon = \frac{(0.2489 - 0.2480)\ \text{nm}}{0.2480\ \text{nm}} = 0.00363$$

그러므로 탄성 계수는 다음과 같다.

$$E = \frac{1{,}000\ \text{MPa}}{0.00363} = 280\ \text{GPa}$$

주: 이 탄성 계수는 철 결정 구조에서 최댓값을 나타낸다. 최솟값의 E는 〈100〉 방향을 따라 125 GPa이다. 다결정 철은 무질서한 결정립 방위를 가지므로 평균값으로 205 GPa을 보인다. 이것은 대부분의 강(표 6.1)의 값에 아주 가깝다.

연습문제 6.7

(a) 응력을 받지 않은 α-Fe에서 〈100〉 방향에 놓인 2개의 Fe 원자의 중심에서 중심까지의 거리를 계산하시오.

(b) 인장 응력 1,000 MPa에서 그 방향을 따라 놓이는 원자 거리를 계산하시오(예제 6.7 참고).

6.3 소성 변형

소성 변형의 기본 메커니즘은 원자 간 결합의 뒤틀림 및 재구성이다. 5장에서 결정질 고체의 원자 확산은 점 결함 없이는 극히 힘들다는 것을 알았다. 마찬가지로 결정질 고체의 소성 변형(plastic deformation) 혹은 영구 변형(permanent deformation)은 4.3절에 소개한 선 결함인 전위 없이는 어렵다. Frenkel은 완전결정을 변형시키는 데 필요한 기계적 응력을 최초로 계산했다. 그림 6.19에서 볼 수 있듯이 변형은 인접한 평면 위로 원자의 한 평면이 미끄러지는 것으로 일어난다. 이때의 전단 응력은 슬립

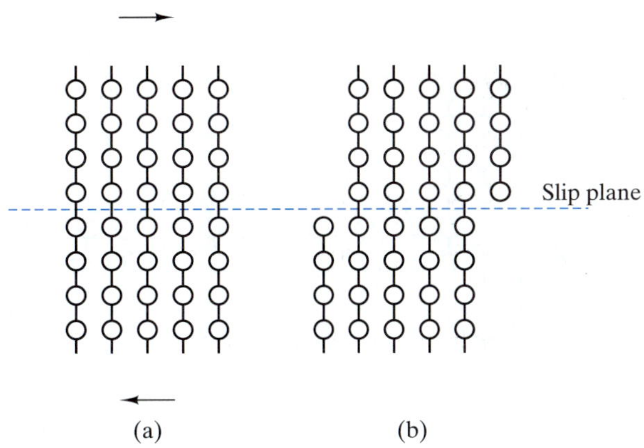

그림 6.19 인접한 면을 지나는 다른 원자면의 이동. 완전한 결정의 소성(영구) 변형은 높은 응력이 필요하다.

면을 따라 존재하는 주기적인 결합력을 이용하여 계산할 수 있다. Frenkel이 얻은 결과에 따르면 이론적 **임계 전단 응력**(critical shear stress)은 그 재료에 대한 부피 **전단 계수**(shear modulus) G보다 대략 한 차수 정도 작은 크기이다[식 (6.8) 참고]. 구리와 같은 전형적인 금속에 대해 이론적인 전단 응력은 1,000 MPa보다 훨씬 크게 나타난다. 순수한 구리 시편을 소성 변형시키는 데 필요한 실제 응력(즉 원자 평면이 서로 지나쳐 미끄러지는 응력)은 계산 값보다 최소 한 차수 정도 작다. 알루미늄 캔을 여는 등의 일반적인 경험에 미루어 보면, 금속의 변형에 필요한 응력은 단지 수백 MPa 정도인 것을 알 수 있다. 이론적인 강도보다 훨씬 작은 응력으로 일어나는 기계적인 변형의 근원은 무엇인가? 앞에서 암시했듯이 해답은 전위(dislocation)이다. 그림 6.20은 슬립면을 따라서 결정의 전단에 기여하는 전위의 역할을 나타낸다. 여기에서 중요한 점은, 전위를 이동시키는 데는 작은 크기의 전단 응력만 필요하며 단계적인 전단을 통해 결과적으로 그림 6.19와 같은 전체 변형을 일으킨다는 것이다. 좀 더 일반적이고 혼합된 전위(그림 4.13 참고)의 도식도를 그림 6.21에 나타냈다.

간단한 유추를 통해 슬립의 결함 기구를 이해할 수 있다. 그림 6.22는 애벌레를 나타내는데 애벌레가 완전한 직선으로 지면을 따라 강제로 미끄러지게 하는 것은 비현실적이다[그림 6.22(a)]. 그러나 애벌레는 몸의 길이를 따라 '전위'의 이동에 의해 쉽게 미끄러진다[그림 6.22(b)].

그림 6.20으로부터 계단식 슬립 메커니즘의 경우 원자 간 거리가 멀어질수록 슬립은 일어나기 힘들어질 것이라는 것을 추측할 수 있다. 그 결과 슬립은 고밀도 원자 평면보다 저밀도 원자 평면에서 더 어려우며 그림 6.23은 이것을 도식적으로 보여준다. 일반적으로 슬립의 미세역학 기구(micromechanical mechanism), 즉 전위 이동은 고밀도 원자 평면에서 고밀도 원자 방향으로 일어날 것이다. 전위 이동에 관련된 결정학적 면과 방향 집합의 조합을 **슬립계**(slip system)라고 한다. 그림 6.24와 같이 슬립계는 (a) fcc 알루미늄과 (b) hcp 마그네슘으로 분류된다. 알루미늄과 그 합금은 고밀도 원자 평면-고밀도 원자 방향 조합의 수가 12개로 많기 때문에 특성적으로 연성

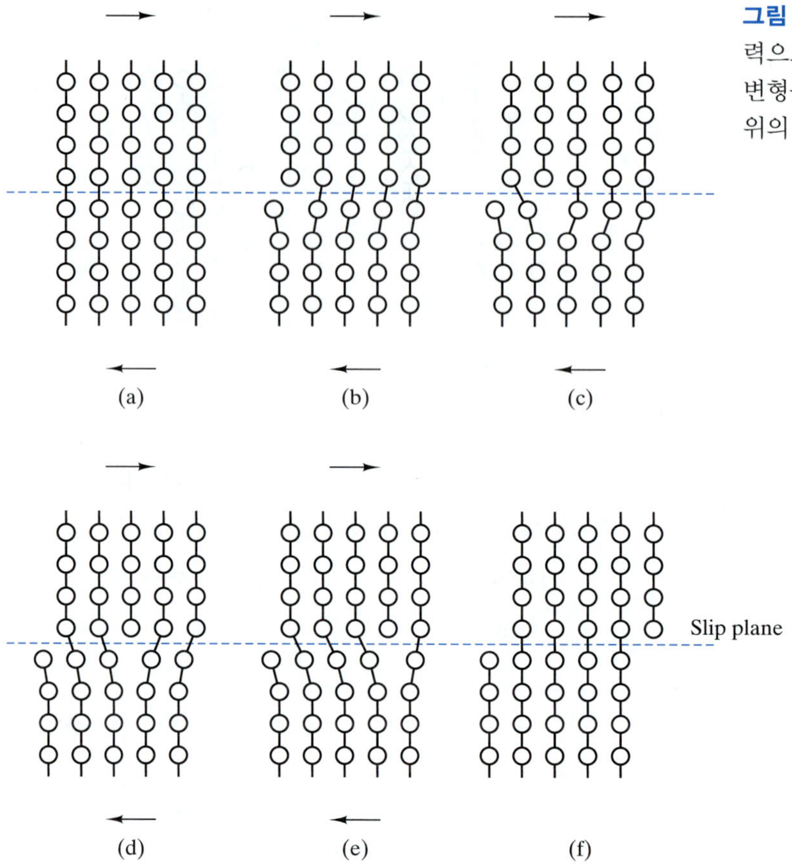

그림 6.20 낮은 응력으로 결정의 소성 변형을 유발하는 전위의 이동

이 페이지의 개략도는 4.3절에 소개된 전위 구조가 어떻게 소성 변형의 성질에 중요한 역할을 하는지를 보여준다.

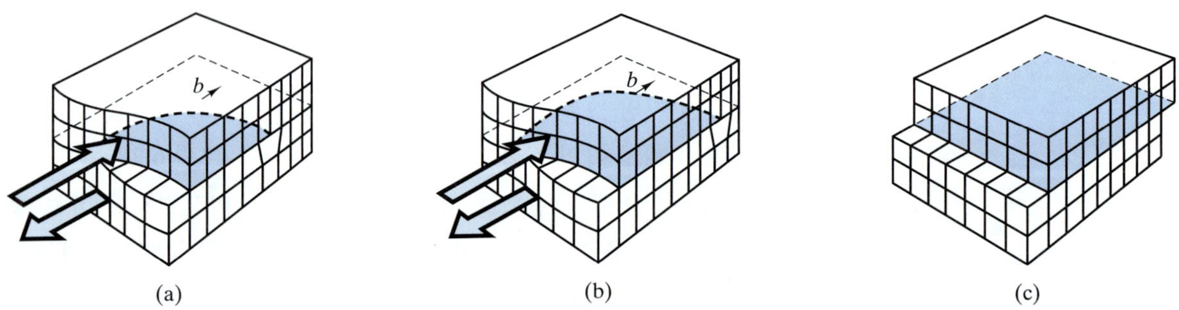

그림 6.21 전단 응력 영향하의 전위 이동의 개략도. 전위 이동의 효과는 소성 변형의 증가로 나타난다[그림 6.21(a)와 4.13 비교].

(변형이 쉬움)이 높다. 마그네슘과 그 합금은 그와 같은 조합의 수가 3개로 적기 때문에 전형적으로 취성이 높다. 표 6.8에 전형적인 금속의 주요 슬립계를 요약했다.

결정질 재료의 기계적 거동의 몇 가지 기본적인 개념은 전위 이동 모형과 직접적인 관계가 있다. 금속의 냉간 가공(cold working)은 비교적 낮은 온도에서 금속을 변형시키는 것이다(6.1절, 10장 참고). 냉간 가공은 비교적 강한 제품을 만드는 데 이용되는 방법으로 이 과정의 중요한 특징은 금속의 변형량을 증가시킬수록 추가 변

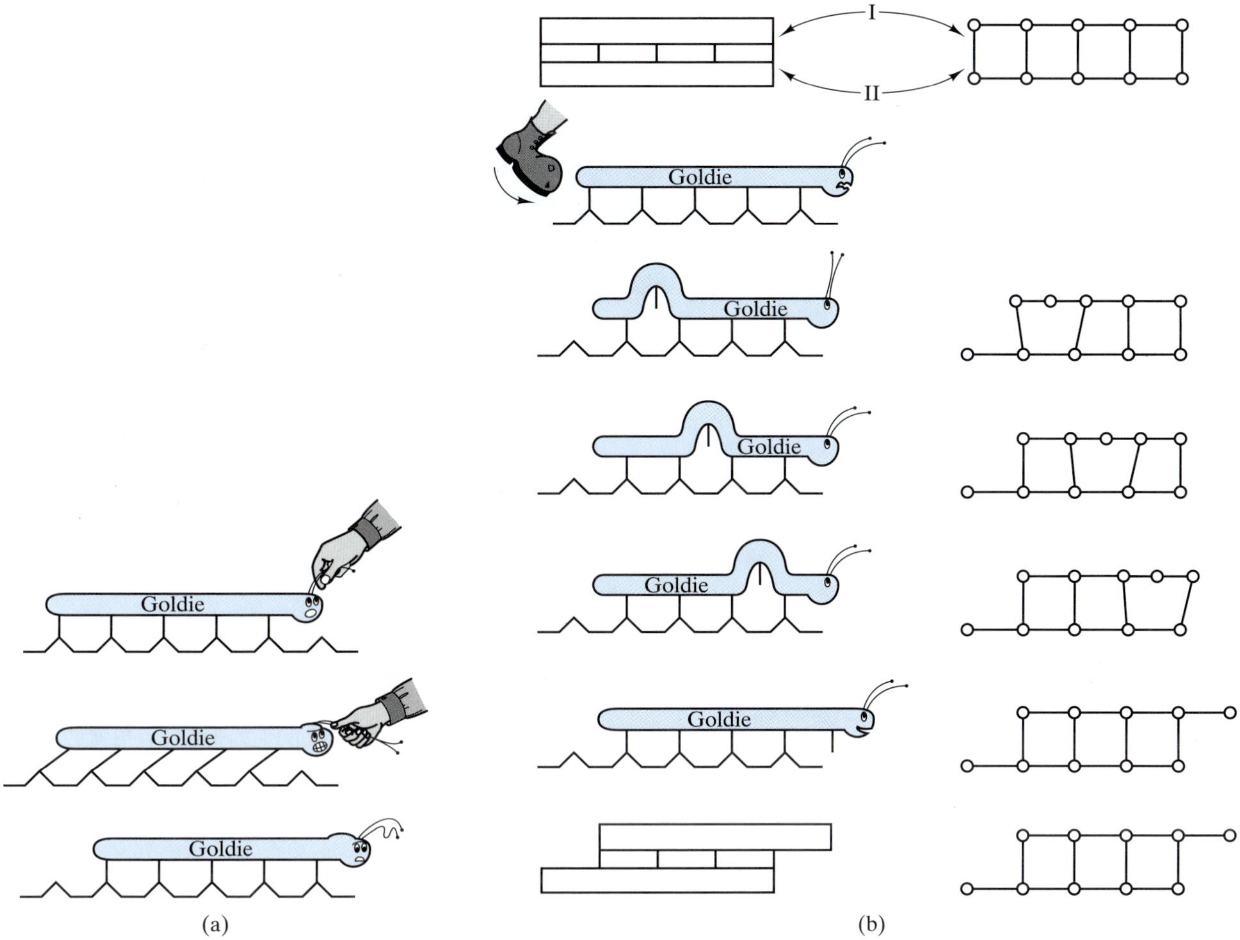

그림 6.22 애벌레 Goldie의 묘사. (a)는 전위의 메커니즘 없이 지면을 따라 이동하는 것이 얼마나 어려운가를 보여주며, (b)는 '전위' 메커니즘을 나타낸다. (From W. C. Moss, Ph.D. *Thesis*, University of California, Davis, CA, 1979.)

형이 더욱 어려워진다는 것인데, 그 이유는 전위가 또 다른 전위의 이동을 방해하기 때문이다. 그림 6.20의 슬립 기구는 슬립 평면에 장애물이 없을 때 가장 부드럽게 진행하는데 냉간 가공 과정에서 형성되는 전위는 슬립의 장애물로 작용한다. 사실 냉간 가공은 매우 많은 전위를 만들어 이 배열을 '전위 숲'이라고 한다(그림 6.25). 불순물 원자도 전위 이동의 장애물로 작용할 수 있다. 그림 6.26은 합금의 **고용 강화**(solution hardening)의 미세역학적인 기초를 나타내는 그림으로, 형성된 고용체가 장애물로 작용하여 소성 변형이 어려워진다. 경도 또는 강도 증가는 탄성 영역이 확장되어 항복 강도가 더 커지기 때문에 일어난다. 이 개념은 6.4절에서 좀 더 논의할 것이다. 전위는 위와 같은 장애물로 인해 움직임을 방해받으므로 금속의 강화가 일어나지만, 온도가 높아지는 경우 전위가 장애물을 극복하여 금속의 연화가 일어날 수 있다. 이것의 예가 10장에서 설명하는 응력을 완화하는 열처리 과정, 즉 어닐링

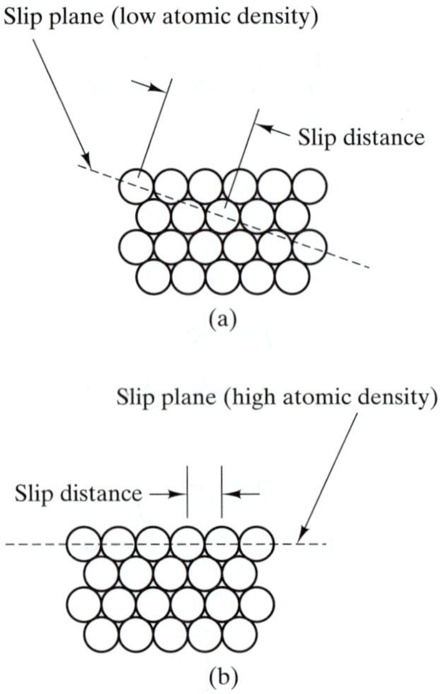

그림 6.23 전위의 슬립은 (a) 낮은 원자 밀도를 가진 면이 (b) 높은 원자 밀도를 가진 면보다 더 어렵다.

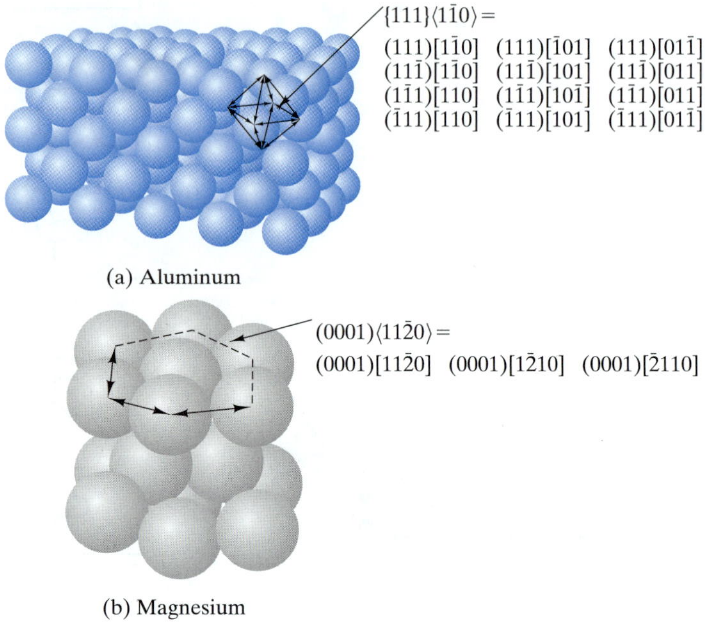

그림 6.24 (a) fcc 알루미늄과 (b) hcp 마그네슘의 슬립계

(annealing) 과정이다. 이 미세역학적 메커니즘은 다소 간단하다. 온도가 충분히 높을 경우 원자 확산 속도가 빨라져 냉간 가공에 의해 높은 응력을 받은 결정립이 거의

표 6.8 일반 금속 구조에서의 주요 슬립계

Crystal structure	Slip plane	Slip direction	Number of slip systems	Unit-cell geometry	i Examples
bcc	{110}	$\langle\bar{1}11\rangle$	$6 \times 2 = 12$	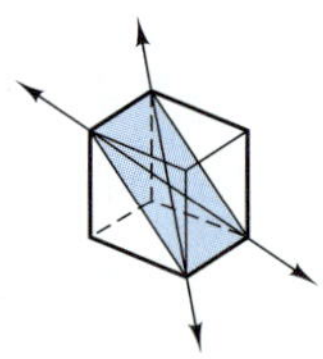	α-Fe, Mo,W
fcc	{111}	$\langle 1\bar{1}0\rangle$	$4 \times 3 = 12$	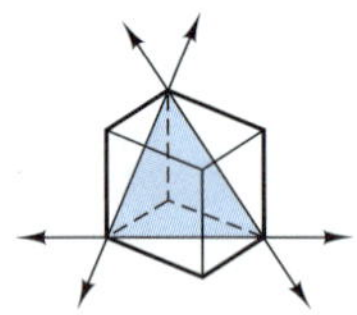	Al, Cu, γ-Fe, Ni
hcp	(0001)	$\langle 11\bar{2}0\rangle$	$1 \times 3 = 3$	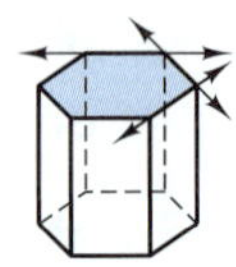	Cd, Mg, α-Ti, Zn

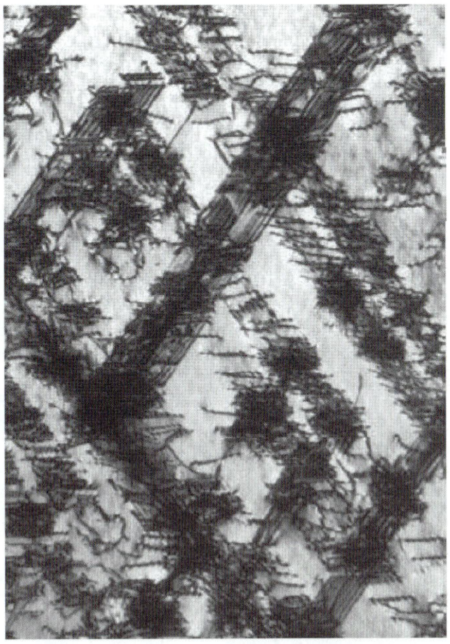

그림 6.25 투과형 전자현미경을 통해 관찰된 스테인리스강의 전위 숲 (Courtesy of Chuck Echer, Lawrence Berkeley National Laboratory, National Center for Electron Microscopy.)

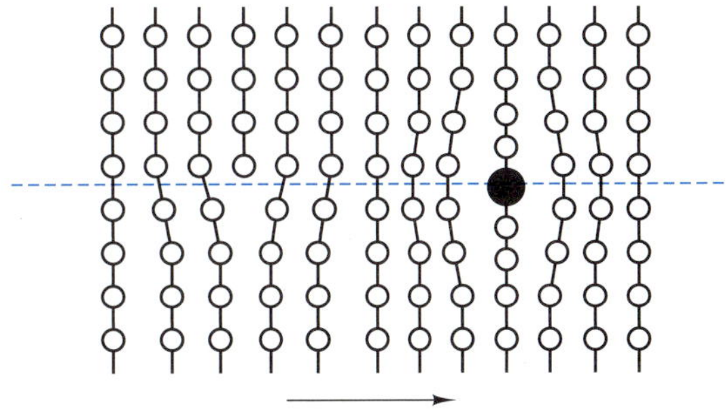

그림 6.26 결정격자 내의 불순물로 인한 변형장. 변형장은 전위 이동을 방해하는 원인이다.

완전한 결정 구조로 재결정될 수 있다. 전위 밀도는 온도 증가에 따라 급격히 감소한다. 이렇게 되면 전위 숲이 전혀 없는 그림 6.20과 같은 비교적 간단한 변형 기구가 가능하게 된다. 지금까지는 고체 상태의 확산(5장 참고)과 기계적인 변형 개념의 중요한 혼합관계를 고찰해보았으며 이것의 다른 많은 예는 다음 장에서 다룬다. 각각의 경우에 다음과 같은 유용한 주요 규칙이 적용될 것이다. **원자 이동도가 기계적인 성질에 영향을 줄 충분한 온도는 대략 절대 융점 T_m의 1/3~1/2이다.**

기계적 거동의 근본적 개념 중 하나는 결정 구조가 복잡할수록 상대적으로 취성이 높다는 것인데, 이것의 보편적인 예는 Ag_3Al 등의 금속 간 화합물과 Al_2O_3 등의 세라믹이 있다. 이러한 재료에서는 Burgers 벡터가 비교적 크고 장애물이 없는 슬립면이 생기기 어렵기 때문에 전위가 이동할 기회가 별로 없다. 서로 다른 금속 간 계면이 존재하는 고온용 재료에서 취성이 높은 **금속 간 화합물**(brittle intermetallics)이 형성되는 것은 큰 문제이다. 6.1절에서 본 것처럼 세라믹은 특성적으로 취약한 재료이다. 세라믹의 취약성과 관련해서 한 가지 더 생각해야 할 것은 이것이 이온화되어 있는 상태이기 때문에 많은 슬립계가 작동하지 못한다는 것이다. 서로 같은 전하를 가진 이온이 상호 간에 스쳐 지나갈 때 큰 쿨롱 반발력을 일으킬 수 있다. 따라서 비교적 단순한 구조의 세라믹조차도 고온 조건이 아닌 한 전위 이동도는 낮은 편이다.

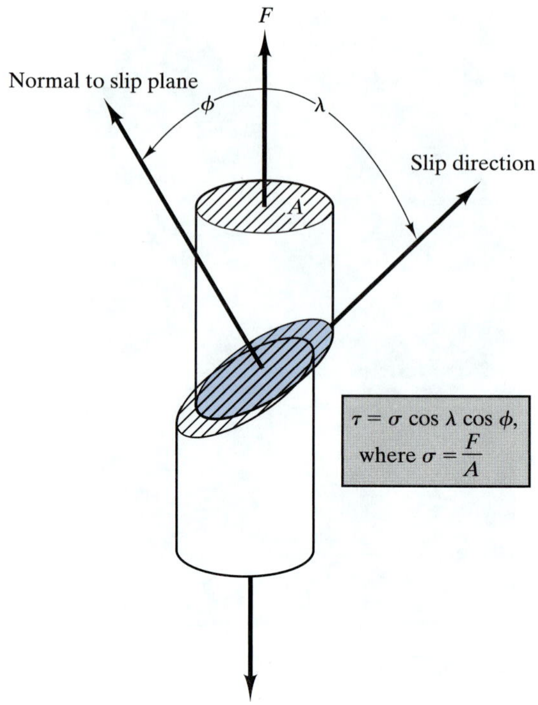

그림 6.27 단순 인장 응력(σ) 작용 시 전단 응력(τ)의 정의

이 절을 마치기 전에 슬립계의 미시적인 기구와 관련지어 결정질 재료의 거시적인 변형 응력의 계산을 다룬다. 그림 6.27은 **분해 전단 응력**(resolved shear stress) τ를 정의한다. 이것은 단순한 인장 응력 $\sigma(= F/A)$를 인가함으로써 슬립계(슬립 평면과 슬립 방향으로)에 작용하는 실제 응력이다. 여기서 F는 단결정 시편의 단면적(A)에 수직으로 외부에서 가한 힘이다. 이때 근본적인 변형 기구는 인가된 힘을 슬립계에 투영했을 때 생겨나는 전단 작용이라는 것이 중요하다. 슬립 방향으로 작용하는 인가된 힘(F)의 성분은 ($F \cos \lambda$)이며 시편의 단면적(A)을 슬립 평면에 투영하면 그 넓이는 ($A/\cos \varphi$)이다. 따라서 분해 전단 응력 τ는

$$\tau = \frac{F \cos \lambda}{A/\cos \varphi} = \frac{F}{A} \cos \lambda \cos \varphi = \sigma \cos \lambda \cos \varphi \tag{6.14}$$

이다. 여기서 σ는 인가된 인장 응력($= F/A$)이고 λ와 φ는 그림 6.27에서 정의된다. 식 (6.14)에서 주어진 인가된 응력으로부터 생겨나는 분해 전단 응력 τ를 알 수 있다. 전위 이동을 통해 슬립을 발생시킬 정도로 큰 τ의 값을 **임계 분해 전단 응력**(critical resolved shear stress)이라고 하고 다음과 같이 주어진다.

$$\tau_c = \sigma_c \cos \lambda \cos \varphi \tag{6.15}$$

여기서 σ_c는 이 변형을 일으키는 데 필요한 인가 응력이다. 소성 변형을 다룰 때 명심해야 할 것은 거시적인 응력 값과 전위 이동의 미세역학적인 기구의 연관성이다.

예제 6.8

아연 단결정을 인장시켰다. 이때 기저면(0001)에 수직인 방향은 인장축과 60°를 이루고 있고, 슬립 방향 $[11\overline{2}0]$은 인장축과 40°를 이루고 있다.

(a) 0.690 Mpa(100 psi)의 인장 응력이 가해질 때, 슬립 방향으로 작용하는 분해 전단 응력 τ는 얼마인가?

(b) 임계 분해 전단 응력이 0.94 MPa(136 psi)에 도달하려면 얼마의 인장 응력 τ_c가 필요한가?

풀이

(a) 식 (6.14)로부터

$$
\begin{aligned}
\tau &= \sigma \cos \lambda \cos \varphi \\
&= (0.690\ \text{MPa}) \cos 40° \cos 60° \\
&= 0.264\ \text{MPa}\ (38.3\ \text{psi})
\end{aligned}
$$

(b) 식 (6.15)로부터

$$\tau_c = \sigma_c \cos \lambda \cos \varphi$$

또는

$$
\begin{aligned}
\sigma_c &= \frac{\tau_c}{\cos \lambda \cos \varphi} = \frac{0.94\ \text{MPa}}{\cos 40° \cos 60°} \\
&= 2.45\ \text{MPa}(356\ \text{psi})
\end{aligned}
$$

연습문제 6.8

예제 6.8에서 주어진 각도 60°와 40°를 모두 45°라고 가정하고 예제를 다시 푸시오.

6.4 경도

경도 시험(hardness test, 그림 6.28)은 그림 6.1의 인장 시험에 비해 비교적 간단하며 압흔(indentation)에 대한 재료의 저항은 그 강도를 정성적으로 나타낸다. 압입자(indenter)는 구형이나 삼각뿔형 등 다양한 형태를 가지며 시험편보다 더 단단한 재료, 예를 들어 경화된 강, 탄화텅스텐(tungsten carbide) 또는 다이아몬드로 만들어진다. 표 6.9는 일반적 유형의 경도 시험법을 압입자의 독특한 기하학적인 형상과 더불어 정리한 것이다. 경험적인 **경도 지수**(hardness numbers)는 압흔의 치수 측정치를 이용하여 각각에 적절한 수식으로부터 계산되며, 미소 경도는 고배율 현미경을

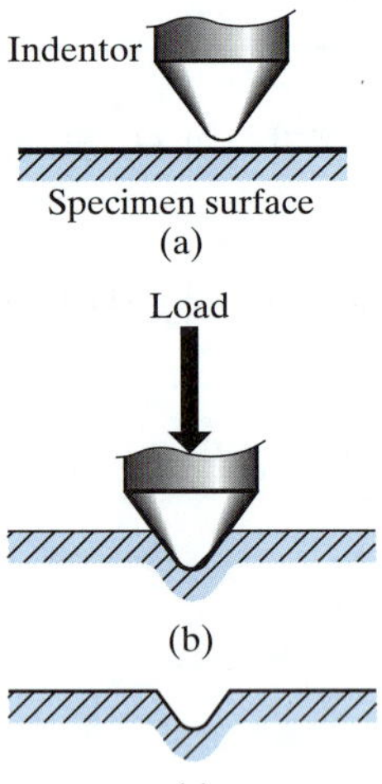

그림 6.28 경도 시험. 압입자의 규격은 표 6.9에 요약되었다.

표 6.9 경도 시험의 일반적 유형

Test	Indenter	Hardness formula
Brinell	Steel or tungsten carbide sphere	$\text{BHN} = \dfrac{2P}{\pi D[D - \sqrt{D^2 - d^2}]}$ where P = load D = sphere diameter = 10 mm d = indent diameter (in mm)
Rockwell type		
A	Diamond cone under 60 kg load	$R_A = 100 - 500t$
B	1/16 in. dia. steel sphere under 100 kg load	$R_B = 130 - 500t$
C	Diamond cone under 150 kg load	$R_C = 100 - 500t$
D	Diamond cone under 100 kg load	$R_D = 100 - 500t$
E	1/8 in. dia. steel sphere under 100 kg load	$R_E = 130 - 500t$
F	1/16 in. dia. steel sphere under 60 kg load	$R_F = 130 - 500t$
G	1/16 in. dia. steel sphere under 150 kg load	$R_G = 130 - 500t$
H	1/8 in. dia. steel sphere under 60 kg load	$R_H = 130 - 500t$

with, in all cases, t = depth of indentation (in mm)

사용하여 측정한다. **Rockwell**[5] **경도**(Rockwell hardness)는 많은 종류의 스케일(예: Rockwell A와 Rockwell B)을 이용하여 서로 다른 경도 범위에 널리 사용된다. 압입 깊이(depth of penetration)를 통해 경도를 구함으로써 그 값을 다이얼이나 디스플레이에 나타낸다. 이 장에서는 **Brinell**[6] **경도수**(Brinell hardness numbers, BHN)를 일반적으로 인용하는데, 그 이유는 단일 스케일로 광범위한 재료의 경도를 다룰 수 있을 뿐만 아니라 강도와 비교적 선형적인 비례 관계를 보이기 때문이다. 표 6.10은 표 6.1의 합금에 대한 BHN값을 보여준다. 그림 6.29(a)는 이러한 합금에 대해 BHN과 인장 강도의 분명한 경향을 보여준다. 그림 6.29(b)는 주어진 합금족에 대해 상호관계가 더욱 명백함을 보여준다. 경도 시험은 본질적으로 소성 변형의 요소를 포함하기 때문에 이와 같은 상관관계를 나타내기 위해서는 항복 강도보다는 인장 강도를 주로 사용한다. 10장에서의 열처리와 관련지어 경도에 관해 좀 더 논의할 것이다. 표 6.11은 다양한 고분자에 대한 경도 값을 보여준다.

5) Stanley P. Rockwell(1886~1940)은 미국의 금속학자로 General Motors의 일부인 Bristol의 볼베어링 제조 업체 New Departure Manufacturing Company의 동료 직원인 Hugh M. Rockwell(친척이 아님)과 함께 1919년 경도 시험기에 대한 특허를 받았다. Stanley Rockwell은 계속해서 설계를 개선하고 기술의 상용화에 힘썼다. 시험기와 표준에 응용되는 'Rockwell'이라는 단어는 미국을 포함한 여러 나라에서 등록된 상표로 쓰인다.

6) Johan August Brinell(1849~1925)은 스웨덴 금속학자로 강에 관한 금속학에 중요한 공헌자이다. 경도 시험을 위한 그의 장치는 1900년 파리박람회에서 처음 전시되었다. 지금의 'Brinell 시험기(Brinell testers)'는 설계상 본질적으로 변동이 없다.

표 6.10 표 6.1에 수록된 합금에 대한 Brinell 경도(BHN)와 인장 강도(T.S.)의 비교

Alloy	BHN	T.S. (MPa)
1. 1040 carbon steel	235	750
2. 8630 low-alloy steel	220	800
3. b. 410 stainless steel	250	800
5. Ferrous superalloy (410)	250	800
6. b. Ductile iron, 60–40–18	167	461
7. a. 3003-H14 aluminum	40	150
8. a. AZ31B magnesium	73	290
b. AM100A casting magnesium	53	150
9. a. Ti–5Al–2.5Sn	335	862
10. Aluminum bronze, 9% (copper alloy)	165	652
11. Monel 400 (nickel alloy)	110–150	579
12. AC41A zinc	91	328
13. 50:50 solder (lead alloy)	14.5	42
15. Dental gold alloy (precious metal)	80–90	310–380

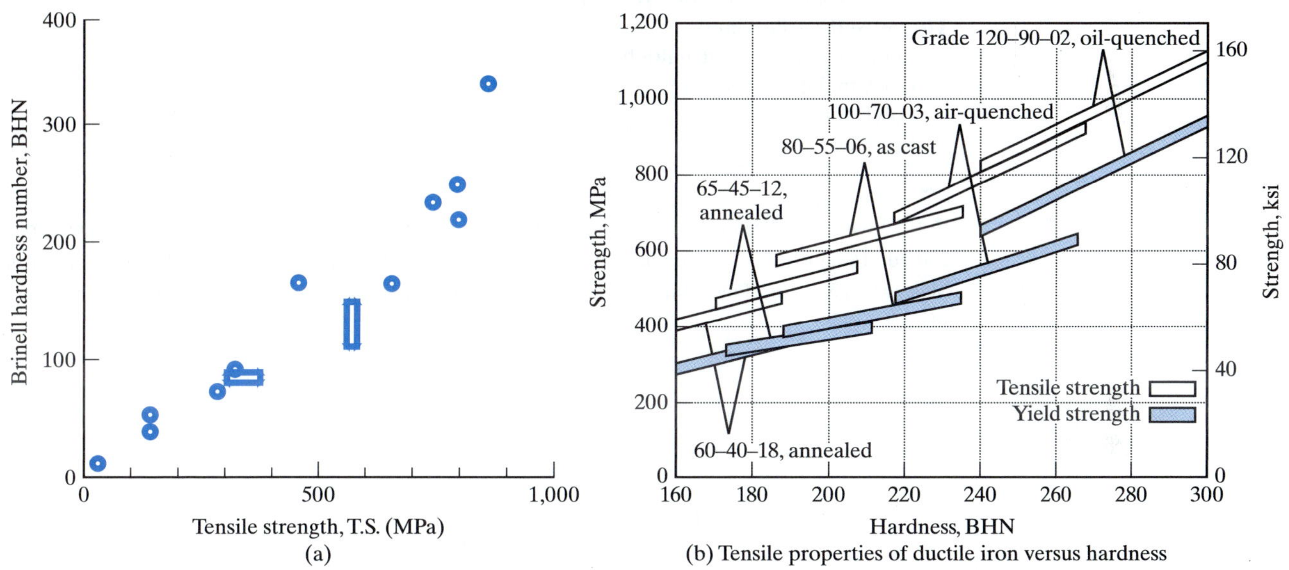

그림 6.29 (a) 표 6.10 데이터의 그래프. 인장 강도와 Brinell 경도의 일반적 경향 (b) 제시된 합금족으로부터 Brinell 경도와 인장 강도의 정확한 관계를 얻을 수 있다. [Part (b) from *Metals Handbook*, 9th ed., Vol. 1, American Society for Metals, Metals Park, OH, 1978.]

예제 6.9

(a) Brinell 경도 측정을 연성 주철(ductile iron, 100-70-03, 공기 중 냉각)에 대해 지름이 10 mm인 탄화텅스텐 구를 사용하여 수행한다. 3,000 kg 하중에서 철 표면에 지름 3.91 mm의 눌린 자국을 형성한다. 이 합금의 Brinell 경도수를 계산하시오. (표 6.9의 Brinell 식의 정확한 단위는 하중으로 kg, 지름으로 mm이다.)

(b) 그림 6.29(b)를 이용하여 이 연성 주철의 인장 강도를 예측하시오.

표 6.11 다양한 고분자의 경도

Polymer	Rockwell hardness R scale[a]
Thermoplastic polymers	
General-use polymers	
Polyethylene	
High-density	40
Low-density	10
Polyvinylchloride	110
Polypropylene	90
Polystyrene	75
Polyesters	120
Acrylics (Lucite)	130
Polyamides (nylon 66)	121
Cellulosics	50−115
Engineering polymers	
ABS	95
Polycarbonates	118
Acetals	120
Polytetrafluoroethylene (Teflon)	70
Thermosetting Polymers	
Phenolics (phenolformaldehyde)	125
Urea-melamine	115
Polyesters	100
Epoxies	90

[a] 연성재료의 경우: 압입자의 반지름은 1/2 in.이며 하중은 60 kg.

출처: From data collections in R. A. Flinn and P. K. Trojan, *Engineering Materials and Their Applications*, 2nd ed., Houghton Mifflin Company, Boston, MA 1981; M. F. Ashby and D. R. H. Jones, *Engineering Materials*, Pergamon Press, Inc., Elmsford, NY, 1980; and *Design Handbook for DuPont Engineering Plastics*.

풀이

(a) 표 6.9로부터

$$\text{BHN} = \frac{2P}{\pi D(D - \sqrt{D^2 - d^2})}$$

$$= \frac{2(3{,}000)}{\pi(10)(10 - \sqrt{10^2 - 3.91^2})} = 240$$

(b) 그림 6.29(b)로부터

$$(\text{T.S.})_{\text{BHN}=240} = 800 \text{ MPa}$$

연습문제 6.9

연성 주철(100-70-03, 공기 중 냉각)은 700 MPa의 인장 강도를 지닌다고 하자. 3,000 kg 하중을 10 mm 지름의 볼에 걸어줄 때 생기는 흔적의 지름은 얼마나 되겠는가? (예제 6.9 참고)

6.5 크리프와 응력 완화

인장 시험만으로는 고온에서 구조용 재료의 특성을 예측할 수 없다. 일반적인 금속 봉이 상온에서 항복 강도 이하의 하중을 받을 때의 변형률은 Hooke의 법칙을 통해 계산할 수 있다[식 (6.3)]. 하중이 일정한 한 이 변형률은 시간이 지나도 달라지지 않을 것이다(그림 6.30). 그러나 절대 온도 기준 융점의 1/3~1/2 이상의 온도에서 이 실험을 수행하면 전혀 다른 결과를 얻게 된다. 그림 6.31은 전형적인 시험 설계를 보여주며, 그림 6.32는 전형적인 **크리프 곡선**(creep curve)을 보여주는데, 여기서 변형 ϵ은 최초의 탄성 하중 이후에 시간이 지남에 따라 점차적으로 증가한다. **크리프**(creep)는 높은 온도에서, 일정한 하중에서 장시간에 걸쳐 일어나는 소성(영구) 변형으로 정의될 수 있다.

그림 6.32는 $t \simeq 0$에서의 최초의 탄성 변형 이후 크리프 변형의 세 단계를 보인

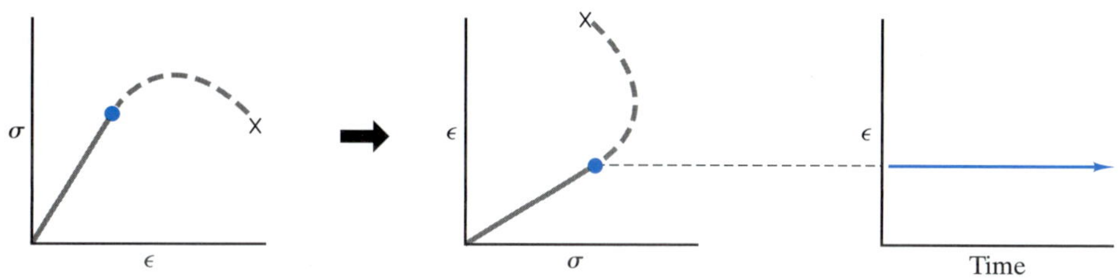

그림 6.30 상온에서 합금의 탄성 변형은 시간에 독립적이다.

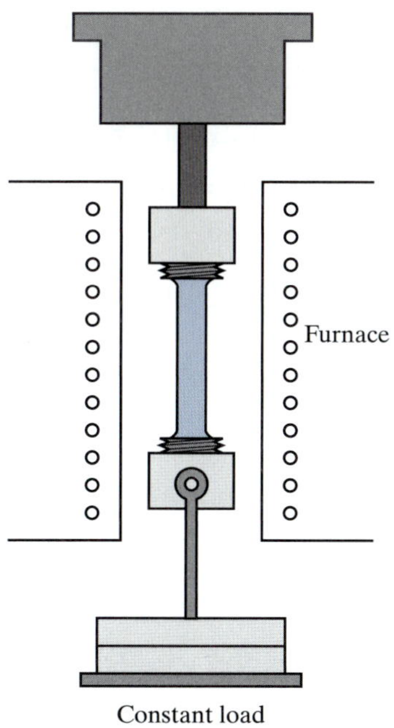

그림 6.31 전형적인 크리프 시험

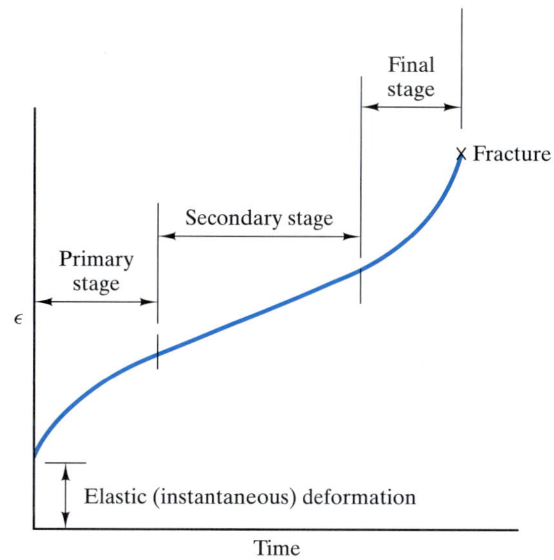

그림 6.32 크리프 곡선. 그림 6.30과는 대조적으로 고온에서 응력을 받는 재료는 시간에 따라 소성 변형이 발생한다(용융점의 약 1/2 이상 온도).

여기서 4.2절에 소개된 원자 단위의 점 결함과 4.3절에 소개된 나노 단위의 전위가 중요한 기계적 거동, 즉 크리프 변형의 이해를 돕는 것을 알 수 있다.

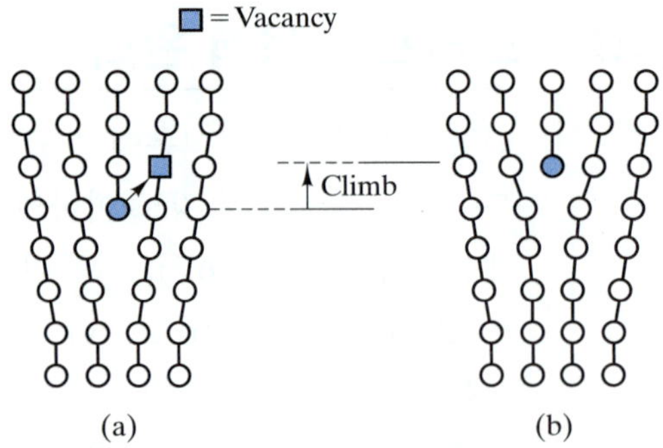

그림 6.33 전위 상승의 메커니즘. 완전한 전위선의 생성을 위해 다수의 인접 원자의 이동이 필요하다.

다. 1단계의 특징은 변형 속도($\epsilon - t$ 곡선의 기울기)가 감소한다는 점이다. 변형 속도가 초반부보다 후반부에 작은 것은 강화된 변형 기구에 의한 직접적인 결과이다. 금속 합금에 대한 일반적인 예는 그림 6.33에 보인 **전위 상승**(dislocation climb)이다. 6.3절에서 논의된 바와 같이 이러한 변형은 열적 활성화에 의해 원자 이동도(atom mobility)가 상승하고, 전위가 새로운 슬립면으로 이동할 수 있게 되었기 때문에 일어난다. 2단계의 특징은 변형 속도($\epsilon - t$ 곡선의 기울기)가 일정하다는 점이다(그림 6.32). 이 영역에서는 고온으로 인해 증가한 이동도와 다른 전위 등 장애물로 인해 슬립 저항성이 균형을 이루었다는 특징이 있다. 최종 3단계에서는 부분수축(necking) 또는 내부 균열(cracking)에 따른 단면 감소로 진응력이 증가하기 때문에 변형 속도는 증가한다. 최종 단계 없이 2단계에서 파괴가 발생하기도 한다.

그림 6.34는 가해진 응력이나 주위 온도가 크리프 곡선에 미치는 영향을 보여준다. 크리프에서 열적으로 활성화된 성질은 5.1절에서 논의했듯이 Arrhenius 식을 따른다. 이를 실제로 보여주는 것이 2단계로부터의 정상 상태 크리프 속도($\dot{\epsilon}$)의 로그 값과 절대 온도의 역수에 대한 Arrhenius 도표이다(그림 6.35). 다른 열 활성화 과정과 마찬가지로 Arrhenius 도표의 기울기는 큰 의미를 가지며, 이 경우에는 크리프 메커니즘에 대한 활성화 에너지 Q를 뜻한다.

$$\dot{\epsilon} = Ce^{-Q/RT} \tag{6.16}$$

여기서 C는 지수앞 상수이고, R는 기체 상수이며, T는 절대 온도이다. Arrhenius 거동은 크리프의 예측에 활용할 수 있다는 특징이 있다. 그림 6.35에 있는 점선은 짧게 시행한 고온 실험결과를 외삽함으로써 이를 이용하여 낮은 온도에서의 보다 긴 시간에 걸친 크리프 거동을 예측하는 방법을 보여준다. 이와 같은 외삽(extrapolation)은 전 온도 범위에 걸쳐 같은 크리프 기구가 작용하는 한 타당하다. 많은 반경험적(semiempirical) 작도가 이런 원리에 기초를 두어 개발되어 설계 엔지니어가 재료를 선정하는 데 사용된다.

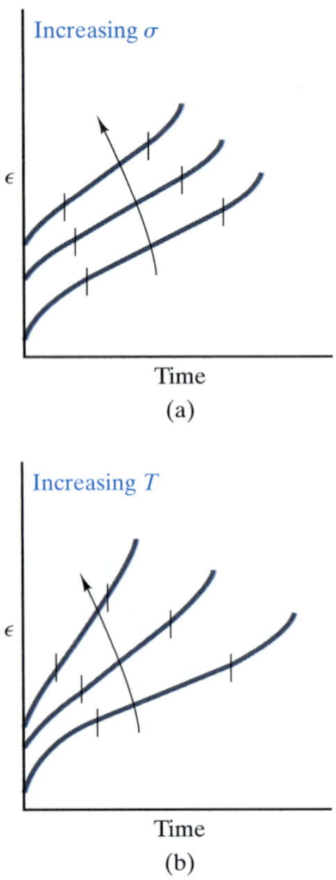

그림 6.34 (a) 응력 또는 (b) 온도에 따른 크리프 곡선의 변화. 정상 상태의 크리프 속도($\dot{\epsilon}$)가 온도에 따라 급격히 증가하는 것을 주목하라(또한 그림 6.35 참고).

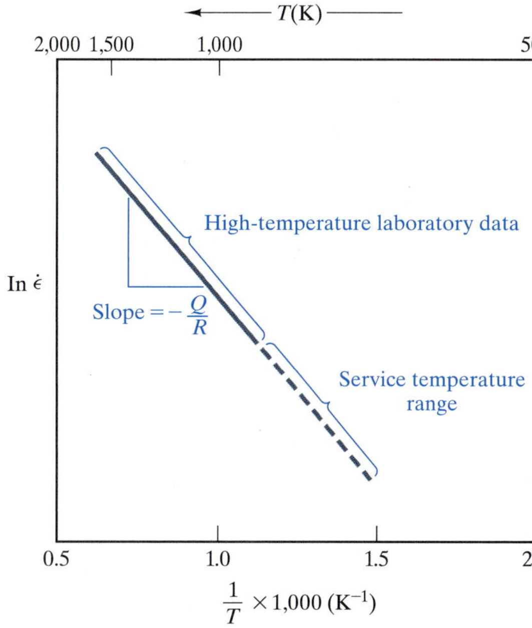

그림 6.35 ln $\dot{\epsilon}$와 $1/T$의 Arrhenius 그래프. 이때 $\dot{\epsilon}$는 2차 크리프 속도이고, T는 절대 온도이다. 그래프의 기울기는 크리프 메커니즘의 활성화 에너지를 나타낸다. 저주기 고온 인장 데이터를 통해 저온에서의 고주기 크리프 거동을 예측할 수 있다.

크리프 거동의 간단한 특성 묘사는 그림 6.36에 보인 바와 같이 2단계에서의 변형 속도($\dot{\epsilon}$)와 크리프 파단까지의 시간(t)에 의해 주어진다. 작용 응력(σ)과 온도(T)와 함께 이러한 파라미터를 구하면 설계 엔지니어가 고온 재료를 선정하는 데 신뢰할 수 있는 편리한 데이터로 사용할 수 있다(예: 그림 6.37).

세라믹은 고온에서 주로 활용되는 재료이기 때문에 크리프 특성이 매우 중요하다. 일반적으로 세라믹의 확산 메커니즘은 금속보다 더 복잡한데, 그 이유는 전하의 중성도와 양이온과 음이온의 확산율(diffusivity)이 다르기 때문이다. 결과적으로 입계가 세라믹의 크리프에서 주도적 역할을 하게 되며, 입계를 따라 인접 결정립이 미끄러져 크리프 변형 중 미세구조의 재배열이 일어난다. 불순물이 약간 함유된 내화물 세라믹에서는 상당한 양의 유리상이 입계에 존재한다. 이 경우에는 유리상의 점성 변형 때문에 입계 미끄럼(grain boundary sliding) 기구에 의해 크리프가 다시 일어날 수 있다. 이렇게 '쉽게' 일어나는 미끄럼 기구는 고온에서 취약한 결과를 나타내기 때문에 일반적으로 바람직하지 못하다. 실제로 **크리프**라는 용어는 유리 덩어리 자체에는 적용되지 않는다. 유리의 점성 변형에 대한 주제는 6.6절에 별도로 설명한다. 표 6.12에 일정 온도에서 일부 세라믹에 대한 크리프 속도의 데이터를 실었다.

금속과 세라믹의 경우, (용융점 절대 온도 값의 1/2보다 큰) 고온에서 크리프 변형

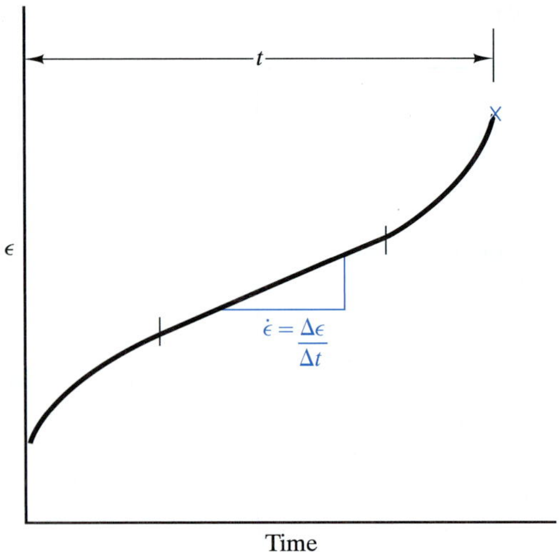

그림 6.36 변형률 속도($\dot{\epsilon}$)와 크리프 파단까지의 시간(t)을 통해 얻어진 크리프 거동 특성

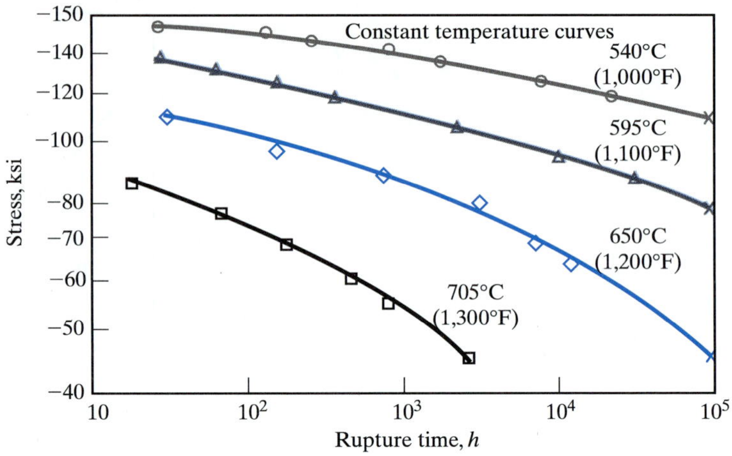

그림 6.37 니켈기 초합금 Inconel 718에 대한 크리프 파단 데이터 (From *Metals Handbook*, 9th ed., Vol. 3, American Society for Metals, Metals Park, OH, 1980.)

이 중요한 현상임을 알았다. 크리프는 비교적 낮은 용융점을 갖는 고분자에서 중요한 설계 인자이다. 그림 6.38에서 적당한 온도와 하중에서 나일론 66에 대한 크리프 데이터를 보여준다. 이와 관련된 **응력 완화**(stress relaxation) 현상도 고분자의 경우 설계 시 중요한 고려사항이다. 고무 밴드에 오랫동안 응력을 가했다가 그 응력을 제거했을 때 원래 크기로 단시간에 회복되지 못하는 것이 대표적인 예이다.

일정한 응력에서 시간에 따라 물질의 변형률이 증가하는 것이 크리프이다. 이

표 6.12 다양한 다결정질 세라믹에 대한 크리프 속도

Material	Load (MPa)	Temperature (°C)	$\dot{\epsilon}$ [mm/(mm · h) × 10^6]
Alumina	48.9	1,300	27.6
Alumina	24.9	1,300	11.5
Alumina	13.1	1,300	2.7
Beryllia	12.4	1,300	300
Magnesia (slip cast)	12.4	1,300	330
Magnesia (hydrostatic pressed)	12.4	1,300	33.0
Mullite (aluminosilicate)	100	1,424	1,440
Mullite (aluminosilicate)	100	1,366	252
Mullite (aluminosilicate)	100	1,307	23.4
Spinel (magnesia aluminate)(2−5 μm)	12.4	1,300	263
Spinel (magnesia aluminate)(1−3 mm)	12.4	1,300	1.0
Thoria	12.4	1,300	1,000
Stabilized zirconia	12.4	1,300	30.0

출처: From data collections in *Engineered Materials Handbook*, Vol. 4, *Ceramics and Glasses*, ASM International, Materials Park, OH, 1991, and W. D. Kingery, H. K. Bowen, and D. R. Uhlmann, *Introduction to Ceramics*, 2nd ed., John Wiley & Sons, Inc., New York, 1976.

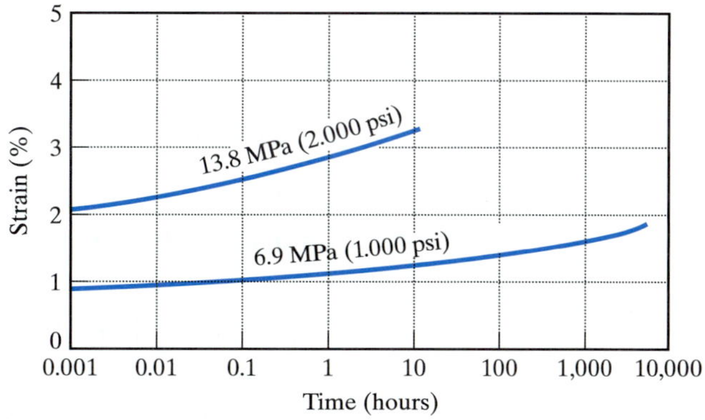

그림 6.38 60°C의 온도와 50% 습도에서 나일론 66의 크리프 데이터 (From *Design Handbook for DuPont Engineering Plastics*, used by permission.)

와 대조적으로 일정한 변형률에서 고분자가 시간에 따라 응력의 감소를 보이는 경우를 응력 완화라고 한다. 응력 완화의 기구는 점성류(viscous flow)이다. 즉 분자가 오랜 시간에 걸쳐 점진적으로 서로 미끄러져 내리는 것이다. 점성류는 고정된 탄성 변형의 일부를 회복이 불가능한 소성 변형으로 전환한다. 응력 완화는 응력(σ)이 초기 응력(σ_0)의 0.37배($= 1/e$)의 값으로 떨어지는 데 필요한 시간인 **완화 시간**(relaxation time, τ)을 통해 나타낼 수 있다. 시간(t)에 따라 응력이 지수 함수적으로 감소하여

$$\sigma = \sigma_0 e^{-t/\tau} \tag{6.17}$$

와 같이 주어진다. 일반적으로 응력 완화는 금속과 세라믹에 대한 크리프의 경우처럼, Arrhenius 현상이다. 응력 완화에 대한 Arrhenius 식의 형태가

$$\frac{1}{\tau} = Ce^{-Q/RT} \tag{6.18}$$

와 같이 주어지고, 여기서 C는 지수함수 앞의 상수, Q는 점성류에 대한 활성화 에너지(mol당), R는 기체 상수, T는 절대 온도이다.

예제 6.10

크리프 실험을 1,000°C에서 행하여 정상 상태 크리프 속도 5×10^{-1}%/h를 얻었다. 이 합금의 크리프 기구는 활성화 에너지 200 kJ/mol을 갖는 전위 상승으로 알려져 있다. 600°C의 사용 온도에서의 크리프 속도를 예측하시오(실험을 사용 응력과 똑같은 조건인 것으로 가정한다).

풀이

실험으로 식 (6.16)의 지수앞 상수를 결정하면

$$\begin{aligned}C &= \dot{\epsilon}e^{+Q/RT}\\ &= (5 \times 10^{-1}\,\%\text{ per hour})e^{+(2\times10^5\text{ J/mol})/[8.314\text{ J/molK})](1{,}273\text{K})}\\ &= 80.5 \times 10^6\,\%\text{ per hour}\end{aligned}$$

이를 사용 온도에 적용하면 다음을 얻는다.

$$\begin{aligned}\dot{\epsilon} &= (80.5 \times 10^6\,\%\text{ per hour})e^{-(2\times10^5)/(8.314)(873)}\\ &= 8.68 \times 10^{-5}\,\%\text{ per hour}\end{aligned}$$

주: 크리프 메커니즘은 1,000°C와 600°C 사이에서 같다고 가정했다.

D **예제 6.11**

앞으로 이 책 전체에서 공학설계 과정에서의 소재를 다루는 문제는 아이콘 D로 표시한다.

석유화학 공업용 압력 용기 설계에서 Inconel 718이 사용 응력 690 MPa(100,000 psi)에서 크리프 파단에 의해 파손되기 전의 사용 시간 10,000시간 동안 견딜 수 있는 온도를 계산하시오.

풀이

파단 시간 10^4시간에 대한 파손 응력은 온도에 따라 변하는 점을 유의하면서 그림 6.37을 사용하여 자료를 정리하면 다음과 같다.

σ(ksi)	T(°C)
125	540
95	595
65	650

이것을 다음과 같이 나타내고 100 ksi에서의 해당 온도를 찾으면 된다.

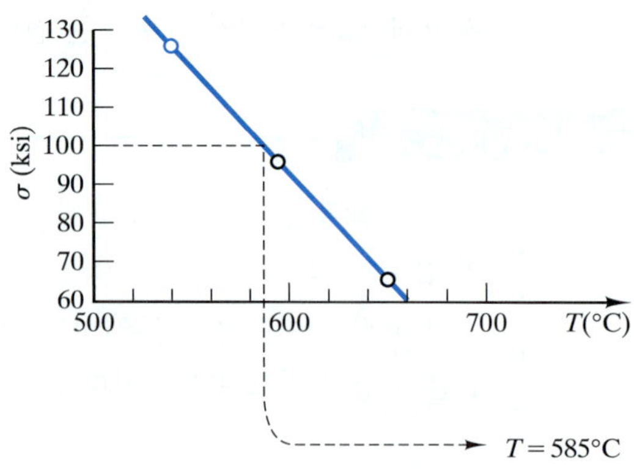

예제 6.12

25°C에서 고무 밴드의 완화 시간은 60일이다.

(a) 만일 초기에 2 MPa의 응력을 받으면, 응력이 1 MPa로 완화되는 데 며칠이 걸리겠는가?

(b) 완화 과정에 대한 활성화 에너지가 30 kJ/mol이라면 35°C에서의 완화 시간은 얼마인가?

풀이

(a) 식 (6.17)로부터

$$\sigma = \sigma_0 e^{-t/\tau}$$
$$1\ \text{MPa} = 2\ \text{MPa}e^{-t/(60\ \text{d})}$$

식을 정리하면,

$$t = -(60\ \text{days})(\ln \tfrac{1}{2}) = 41.5\text{일}$$

(b) 식 (6.18)에서

$$\frac{1}{\tau} = Ce^{-Q/RT}$$

또는

$$\frac{1/\tau_{25°\text{C}}}{1/\tau_{35°\text{C}}} = \frac{e^{-Q/R(298\ \text{K})}}{e^{-Q/R(308\ \text{K})}}$$

또는

$$\tau_{35°\text{C}} = \tau_{25°\text{C}} \exp\left[\frac{Q}{R}\left(\frac{1}{308\ \text{K}} - \frac{1}{298\ \text{K}}\right)\right]$$

결국

$$\tau_{35°\text{C}} = (60\ \text{days})\exp\left[\frac{30 \times 10^3\ \text{J/mol}}{8.314\ \text{J/(mol}\cdot\text{K)}}\left(\frac{1}{308\ \text{K}} - \frac{1}{298\ \text{K}}\right)\right]$$
$$= 40.5\text{일}$$

연습문제 6.10

Arrhenius 식을 사용하여 예제 6.10에서 600°C에서 주어진 합금의 크리프 속도를 예측할 수 있었다. 동일한 합금계에 대해 (a) 700°C, (b) 800°C, (c) 900°C에서의 크리프 속도를 계산하고, (d) 그 결과를 그림 6.35와 유사하게 Arrhenius 도표로 나타내시오.

연습문제 6.11

예제 6.11에서 Inconel 718이 응력 690 MPa(100,000 psi)에서 10,000시간 동안 견디는 최대 사용 온도를 계산할 수 있었다. 동일한 응력에서 이 합금이 (a) 100,000시간과 (b) 1,000시간 동안 견디기 위한 이 압력 용기의 최대 사용 온도는 얼마인가?

연습문제 6.12

예제 6.12(a)에서 25°C, 1 MPa에서 응력 완화에 걸리는 시간이 계산되었다. (a) 25°C에서 0.5 MPa로 응력을 완화하는 데 걸리는 시간을 계산하시오. (b) 예제 6.12(b)의 결과를 이용하여 35°C에서 (a)를 반복하시오.

6.6 점탄성 변형

다음 장에서는 재료가 일반적으로 가열 중 팽창하는 열적 거동을 볼 것이다. 이 열팽창은 초기 길이(L_0)로 길이의 증분(ΔL)을 나누어서 측정할 수 있다. 무기질 유리 또는 유기질 고분자의 열팽창을 측정함으로써 두 가지 특이한 기계적 반응을 알 수 있다(그림 6.39). 우선, 뚜렷한 변곡점이 팽창 곡선의 T_g에서 관찰되며 T_g의 위와 아래에 2개의 다른 열팽창 계수(기울기)가 있다. T_g 이하의 열팽창 계수는 같은 조성의 결정질 고체의 열팽창 계수와 비슷하며 T_g 이상의 열팽창 계수는 액체의 열팽창 계수와 비슷하다. 따라서 T_g를 **유리 전이 온도**(glass transition temperature)라고 한다. T_g 이하에서 이 재료는 참유리(단단한 고체)이고, T_g 이상에서는 과냉각 액체이다(4.5절 참고). 기계적 거동을 살펴보면 T_g 이하에서는 탄성 변형이 일어나고, T_g 이

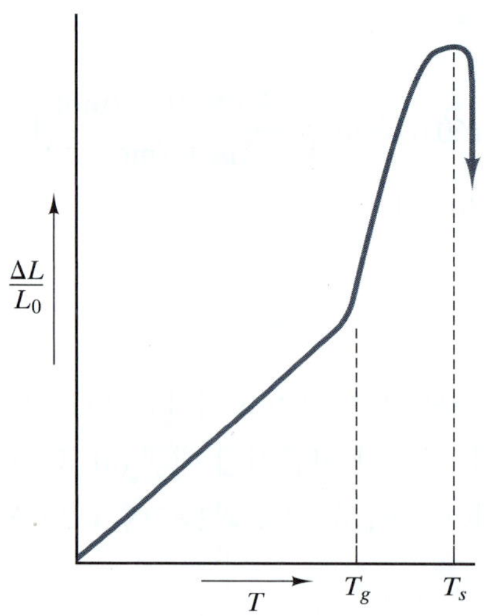

그림 6.39 무기 유리 또는 유기 고분자의 전형적인 열팽창 수치인 유리 전이 온도 T_g와 연화 온도 T_s

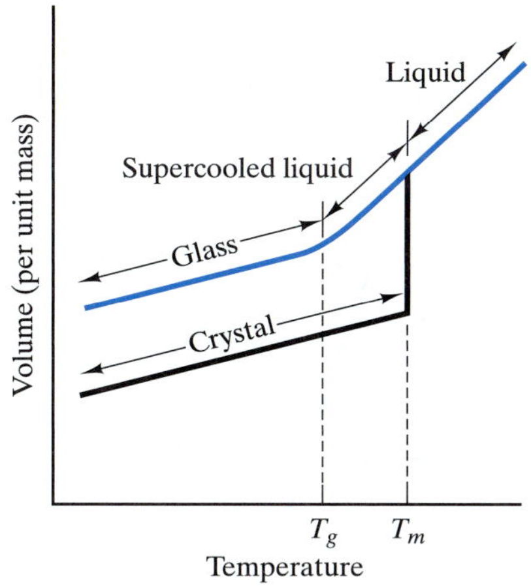

그림 6.40 열을 가함에 따라 결정은 용융점(T_m)까지 서서히 열팽창하고, 용융점(T_m)에서 부피는 급격히 증가한다. 더 많은 열이 가해짐에 따라 액체는 더 많은 열팽창을 하게 된다. 액체 상태에서의 서냉은 용융점(T_m)에서 급격히 결정화되고, 녹는 과정과 같은 거동을 되풀이하게 된다. 액체의 급냉은 과냉 용액이 만들어지는 결정화를 억제할 수 있고 유리 전이 온도(T_g)에서 점진적인 고체화가 발생한다. 순수 유리는 크리스털과 유사한 열팽창을 갖는 단단한 고체이지만, 액체 상태의 원자 크기와 비슷한 구조를 갖는다(그림 4.19 참고).

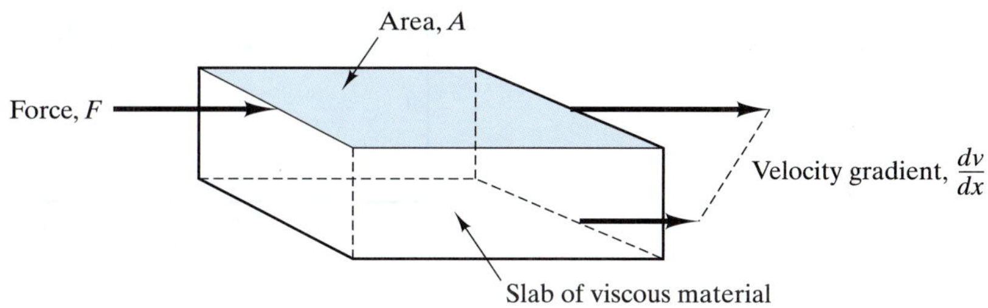

그림 6.41 식 (6.19)의 점성(η)의 정의

상에서는 (액체와 같은) **점성 변형**(viscous deformation)이 일어난다. T_g 이상으로 열팽창 측정을 계속하면 온도 T_s에서 데이터의 곡선이 급격히 낮아진다. 이 점을 **연화 온도**(softening temperature)라고 하며, 이 점에서 재료는 유체가 되어 길이를 측정하는 탐침(작은 내화성 막대)의 무게를 더 이상 지지할 수 없게 된다. 비부피를 온도의 함수로 그리면 그림 6.40과 같다. 이 도형은 그림 6.39의 열팽창 곡선과 긴밀하게 관련된다. 유리와 동일한 조성의 결정질 물질의 데이터를 추가함으로써 과냉각 액체와 결정 간의 차이점을 비교할 수 있다.

유리(유기질 또는 무기질)의 점성 거동은 단위 면적당 전단력(F/A)과 속도 기울기(dv/dx) 사이의 비례 상수로 정의되는 **점도**(viscosity), η로 설명된다.

$$\frac{F}{A} = \eta \frac{dv}{dx} \tag{6.19}$$

각 항은 그림 6.41에 표시했다. 점도의 단위는 전통적으로 0.1 Pa·s와 같은 poise [1 g/(cm·s)]를 사용한다.

무기 유리

그림 6.42는 소다-석회-실리카 유리의 점도를 나타낸 것으로서, 유리가 탄성을 보이

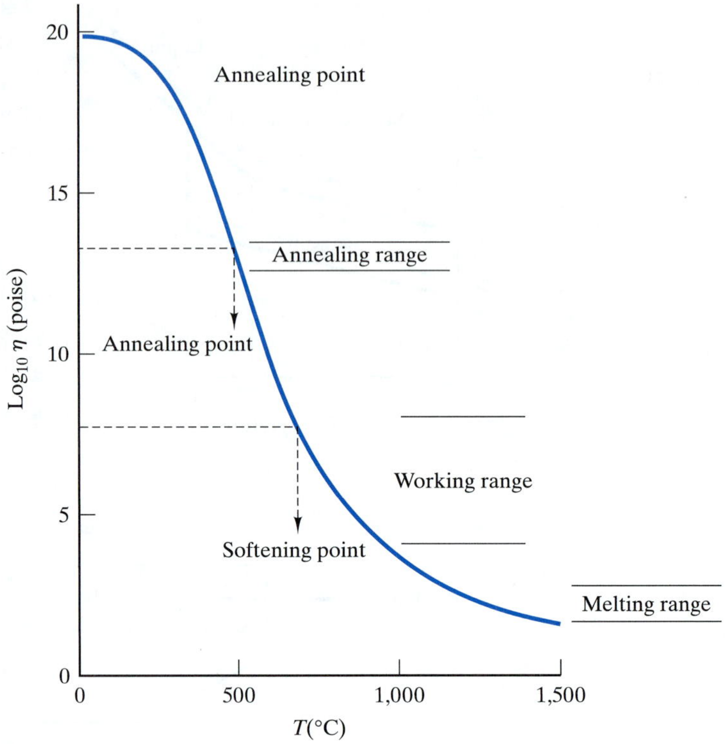

그림 6.42 상온에서 1,500°C까지의 전형적인 소다-석회-실리카 유리의 점도. 유리 전이 온도(약 450°C) 이상에서 점도는 Arrhenius 식에 따라 감소한다[식 (6.20) 참고].

는 상온에서부터 **점탄성 변형**(viscoelastic deformation)을 보이는 유리 전이 온도 이상의 온도까지의 점탄성 거동을 나타내고 있다. 이 그림으로부터 유리 제품을 제조하는 데 유용한 정보를 얻을 수 있다. **용융 범위**(melting range)는 η가 50~500 P 사이의 온도 범위(소다-석회-실리카 유리에서는 약 1,200~1,500°C 사이)이다. 점성이 낮다는 것은 유동성이 높다는 것과 같은 의미이며, 물과 액체 금속은 0.01 P 범위의 점도를 갖는다. 제품 모양의 성형은 실제로 10^4~10^8 P의 점도 범위인 **작업 범위**(working range, 소다-석회-실리카 유리에서는 약 700~900°C 사이)에서 한다. **연화점**(softening point)은 $10^{7.6}$ P(소다-석회-실리카 유리에서는 약 700°C)인 값으로 정의되고 있으며, 이 점은 작업 범위의 최하한 온도이다. 유리 제품을 성형한 후 잔류 응력은 η가 $10^{12.5}$에서 $10^{13.5}$ P까지인 어닐링 범위(annealing range)에 유지함으로써 제거된다. **어닐링점**(annealing point)은 $\eta = 10^{13.4}$ P이고 내부 응력을 약 15분 이내(소다-석회-실리카 유리에서는 약 450°C)에 제거할 수 있는 온도로 정의된다. 유리 전이 온도(그림 6.39, 6.40)는 어닐링점 부근에서 생긴다.

유리 전이 온도 이상에서 점도 데이터는 다음과 같은 Arrhenius 식을 따른다.

$$\eta = \eta_0 e^{+Q/RT} \tag{6.20}$$

여기서 η_0는 지수앞 상수이고, Q는 점성 변형에 대한 활성화 에너지, R는 기체 상수, T는 절대 온도이다. 지수 항은 확산율 데이터에서와 같이 양의 부호를 갖는다는 데 주의해야 한다. 이것은 단지 온도의 상승보다 감소되는 점도의 정의에 관한 특성 때문이다. $1/\eta$로 정의되는 유동도는 정의에 따라 확산율의 경우와 같은 음의 지수 부호를 갖는다.

점성 변형을 창의적으로 응용한 것이 **강화 유리**(tempered glass)이다. 그림 6.43은 처음에 어떻게 유리가 유리 전이 온도 T_g 이상에서 평형에 있다가 다음에 표면을 급냉함으로써 T_g 이하의 온도에서 단단한 표면층(surface skin)을 형성하는가를 나타낸다. 내부는 여전히 T_g 이상이기 때문에 비록 표면층에 작은 인장 응력이 존재한다고 해도 내부의 압축 응력은 크게 완화된다. 상온으로 천천히 냉각시키면 내부는 표면보다 훨씬 더 수축하여 표면에 존재하는 알짜 압축 잔류 응력이 내부에 존재하는 더 작은 인장 잔류 응력과 균형을 이루게 된다. 이것은 취성을 지니는 세라믹에 이상적 상황이다. 표면 Griffith 균열에 민감하므로 재료는 표면의 잔류 압축 하중을 중화하기 위해 상당한 인장 하중이 필요하다. 따라서 이런 재료를 파괴하려면 추가적으로 하중을 가해야 한다. 파괴 강도는 정상(강화하지 않은) 파괴 강도에 표면 잔류 응력의 크기를 합한 것이다. 이와 같은 효과를 얻기 위해 열처리가 아닌, 규산염 유리 표면의 Na^+ 이온을 반지름이 더 큰 K^+ 이온으로 치환하는 화학 기법이 사용되기도 한다. 규산염 망상에 압축 응력을 만든 제품에는 **화학 강화 유리**(chemically strengthened glass)가 있다. (1.3절에서 소개한 바와 같이 화학 강화 유리는 스마트폰 및 태블릿용 커버 글라스 생산에서 중심 역할을 한다.)

유기 고분자

그림 6.42는 유기 고분자의 온도에 따른 점성 변화를 나타낸 것이다. 유기 고분자의 경우에는 점성 대신 **탄성 계수**(modulus of elasticity)를 나타내기도 한다. 그림 6.44는 약 50%의 결정화가 이루어진 보통의 상업용 열가소성 재료의 탄성 계수가 온도가 상승함에 따라 급격하고 복잡하게 감소하는 과정을 보여준다. 감소량은 그림 6.42의 점성과 마찬가지로 탄성 계수의 로그 단위로 설명할 수 있다.

그림 6.44는 구별 가능한 네 가지 영역을 보여준다. T_g보다 상당히 낮은 온도 구간에서는 금속 및 세라믹과 유사한 기계적 거동을 보이는 강성 탄성 계수가 발생한다. 그러나 금속을 이루는 금속 결합, 세라믹을 이루는 이온 및 공유 결합 등 1차 결합과 달리 고분자를 이루는 2차 결합으로 인한 탄성 계수는 상당히 낮다. 유리 전이 온도(T_g) 영역에서는 탄성 계수가 급격히 줄어들고 마치 **가죽과 같은**(leathery) 기계적 거동을 보인다. 이때 고분자는 상당히 크게 변형될 수 있으며, 응력이 제거되면 천천히 원래의 상태로 돌아간다. T_g 바로 위의 온도 영역에서는 **고무와 같은**(rubbery) 거동을 보이는 평탄한 영역이 관찰된다. 이 영역에서는 상당한 변형이 가능하며, 가해

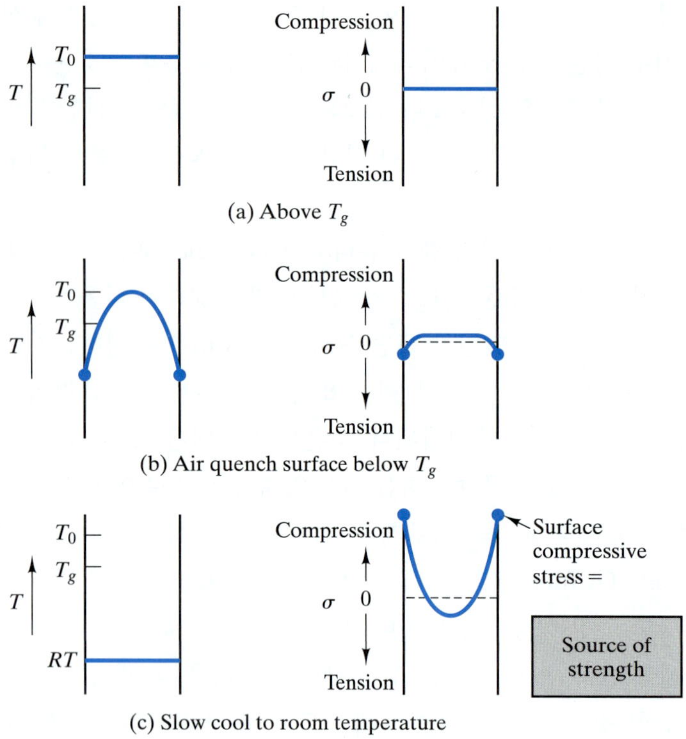

그림 6.43 강화 유리 제조 과정에서 발생되는 열과 응력의 개략도. 강화 유리는 소재 표면에 있는 잔류 압축 응력으로 인해 높은 파단 강도를 지닌다.

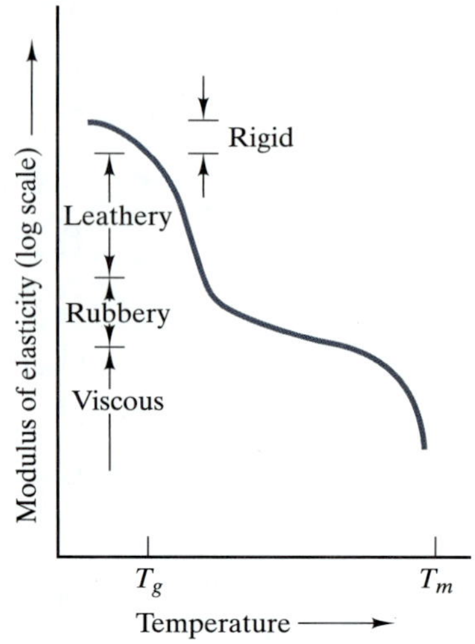

그림 6.44 50% 결정화된 전형적인 열가소성 고분자의 온도에 다른 탄성 계수. 점탄성 거동은 (1) 유리 구역, (2) 가죽 거동 구역(유리 전이 구역), (3) 고무 거동 구역, (4) 점성 구역의 네 가지 구간으로 나타난다.

진 응력이 제거되면 원래의 모양으로 매우 빠르게 되돌아간다. 이러한 가죽 거동 구역과 고무 거동 구역을 통해 탄성 변형을 보다 깊이 이해할 수 있다. 금속과 세라믹에 대한 탄성 변형은 가해진 응력에 정비례하고 비교적 변형의 크기가 작은 것을 의미한다. 고분자의 경우, 정비례하지 않는 형태로 상당한 변형이 발생했다가 원상태로 완전히 회복될 수 있으면 탄성이라고 정의한다. 이러한 개념은 고무와 같은 거동을 보이는 영역이 두드러진 탄성고분자에 대해 논의할 때 더 자세히 살펴보게 될 것이다. 다시 그림 6.44를 보면, 용융점 T_m 근방에서 탄성 계수는 급격히 감소하고, 액체와 같은 점성 영역이 존재함을 알 수 있다[많은 경우에 용융점보다는 '분해점(decomposition point)'을 정의하는 것이 보다 정확한 것임을 알아야 한다. 그럼에도 불구하고 일반적으로는 **용융점**(melting point)이라는 용어가 사용된다].

그림 6.44는 대략 50%의 결정화가 이루어진 선형, 열가소성 고분자의 경우이다. 그림 6.45는 완전 비정질 재료와 완전 결정질 재료 사이에서의 이러한 거동을 나타낸다. 완전한 비정질 고분자의 곡선은 그림 6.44에 나타낸 일반적인 형태를 나타낸다. 반면 완전한 결정질 고분자는 용융점에 이를 때까지 상대적으로 단단하다. 이는 결정질 금속이나 세라믹의 거동과 일치하는 것이다. 고분자의 기계적 거동에 영향을 주는 다른 구조적 형태는 좀 더 견고한 망상 구조를 생성하기 위한 인접 선형 분

재료의 세계

안전유리의 기계적 거동

일상적이라고 느끼는 많은 재료도 실제로는 우리의 안전과 건강에 관련된다. 일반적인 예로 건물과 자동차에 사용하는 창유리가 있다. 현재 이용되는 창유리는 서냉 유리, 합판 유리, 강화 유리의 세 종류가 있다. 이 장에서 유리의 점탄성 거동에 관해 논의한 바와 같이 어닐링은 제조 공정의 잔류 응력을 크게 제거하는 열처리이다. 현대의 창문은 1950년대 영국 Pilkington Brothers에서 도입한 판유리의 부유 제조 공정을 통해 만들어진다. 어닐링은 공정 응력을 효과적으로 제거함으로써 판유리를 필요한 모양으로 가공할 수 있게 한다. 그런데 어닐링한 유리는 강도가 그리 높지 않으며 쉽게 깨진다. 그 결과 열, 바람, 충격 등에 의해 그림 (a)처럼 파괴 원점으로부터 방사형으로 단검 모양의 파편을 형성하며 깨진다.

어닐링한 서냉 유리의 위험성이 널리 인식되자 건물과 자동차에 안전유리(safety glass)를 도입하는 법률이 제정되었다. 합판 유리나 강화 유리는 이러한 목적으로 사용된다. 합판 유리는 보통의 서냉 유리의 두 층 사이 중심부에 고분자(폴리비닐 뷰티랄, PVB) 층을 끼워 넣은 것이다. 그림에서 보는 바와 같이 서냉 유리판은 보통의 서냉 유리와 마찬가지로 파괴되나 파편은 그림 (b)와 같이 PVB 층에 부착되어 상해의 위험을 감소시킨다.

유리의 강화 처리는 재료의 점탄성을 상대적으로 정교하게 이용한 것으로 이 장에서 소개한 바 있다. 강화 처리의 직접적인 이점은 강화 유리의 굽힘 강도가 서냉 유리의 5배 이상이라는 것이다. 더 중요한 것은 강화 유리가 비교적 모서리가 무딘 작은 파편으로 파괴되기 때문에 더 안전하다는 점이다. 그림 (c)에 나타낸 것과 같이 가장 이상적인 파괴는 파괴 원점으로부터 균열이 순간적으로 진행하며 떨어져 나가는 것이다. 이러한 형태의 파괴는 판 내부의 잔류 인장 응력과 관계된 변형 에너지의 크기에 기인한다. 중간면의 응력이 어느 임계치 이상 상승하면 인장 응력이 추가적으로 증가하며 미세한 크기의 파편으로 파괴가 일어난다.

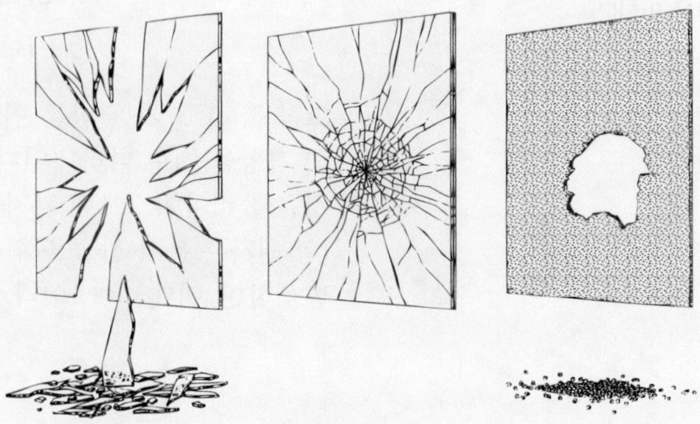

(a) (b) (c)

상업용 유리의 세 가지 파괴 유형. (a) 서냉 유리, (b) 합판 유리, (c) 강화 유리 (From R. A. McMaster, D.M. Shetterly, and A. G. Bueno, "Annealed and Tempered Glass," in *Engineered Materials Handbook*, Vol. 4, *Ceramics and Glasses*, ASM International, Materials Park, OH, 1991.)

자의 **교차 결합**(crossing linking)이다(그림 6.46). 그림 6.47에서는 교차 결합이 증가할수록 결정성이 증가하는 것과 유사한 효과가 나타나는 것을 볼 수 있다. 교차 결합은 비정질이라는 점에서 이러한 유사성은 교차 결합으로 인한 강성(rigidity) 증가 때문이다. 교차 결합 구조는 보편적으로 비정질이다.

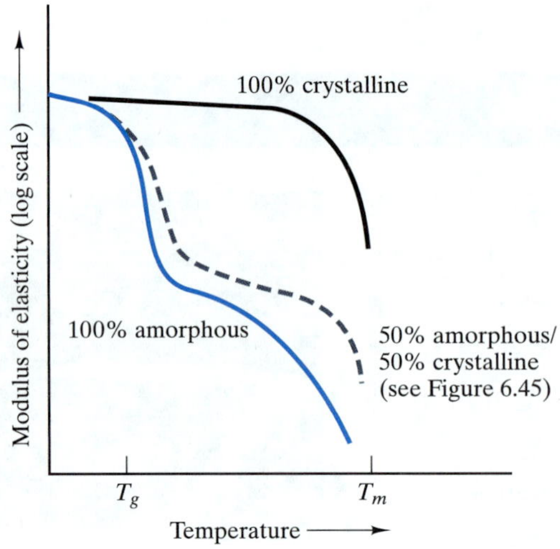

그림 6.45 그림 6.44와의 비교에서 완전 비정질, 완전 열가소성 결정체, 50% 결정질 재료의 온도에 따른 탄성 계수. 100% 결정 재료는 용융점까지 고체로 남아 있는 금속 또는 세라믹과 유사하다.

POWERS OF 10

여기에 나타낸 원자 단위 메커니즘(교차 결합)은 그림 6.47에서 볼 수 있듯이 고분자의 기계적 성질에 큰 영향을 미친다.

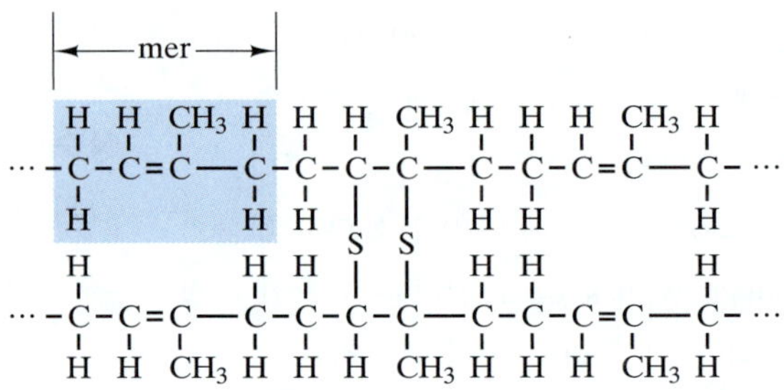

그림 6.46 교차 결합은 인접한 선형 분자끼리의 우선적 결합으로 망상 구조를 이룬다. 고무의 가황을 예로 나타내었다. 황 원자는 인접한 폴리아이소프렌과 우선적으로 결합하는데 이것은 폴리아이소프렌 분자 사슬이 고분자화 후에도 이중 결합을 유지하기 때문에 가능하다. [황 원자는 분자 사슬을 형성하기 위해 스스로 결합할 수 있다. 교차 결합은 $(S)_n$ 사슬에 의해 발생하며, 이때 $n > 1$이다.]

탄성고분자

일반적인 선형 고분자의 경우 고무처럼 변형하는 영역이 존재한다는 것이 그림 6.45에 나타나 있다. 고분자 중에서 **탄성고분자**(elastomer)는 고무 평탄 영역이 두드러지게 나타나며, 이러한 물질은 보통 상온에서도 이런 특성을 유지한다(이러한 물질은 유리 전이 온도가 상온보다 낮다). 그림 6.48은 탄성고분자에 대해 로그 단위의 탄성 계수를 온도에 대해 나타낸 그림이다. 열가소성 고분자에 속하는 이러한 부류는 천연 고무와 합성 고무(폴리아이소프렌 등)를 포함하며, 이 재료는 선형 고분자의 풀림을 예로 보여준다(그림 6.49). 실질적 재료로서 분자가 완전히 풀리는 것은 아니지만 매우 큰 탄성 변형이 발생한다.

그림 6.50은 탄성고분자의 탄성 변형에 대한 응력-변형률 곡선이다. 이것은 보통

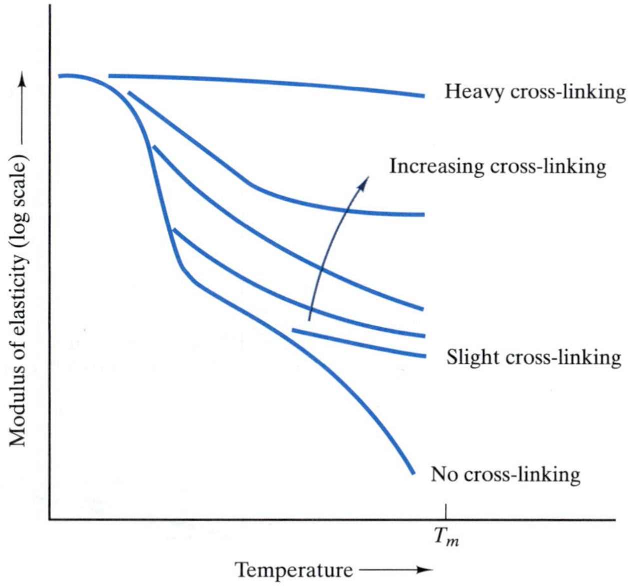

그림 6.47 열가소성 고분자의 교차 결합 증가는 재료의 강도를 증가시킨다.

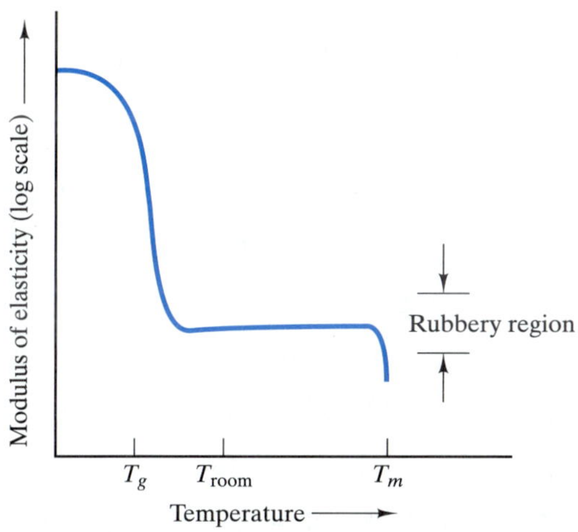

그림 6.48 탄성고분자의 온도-탄성 계수 그래프는 뚜렷한 고무 평탄 영역을 나타낸다.

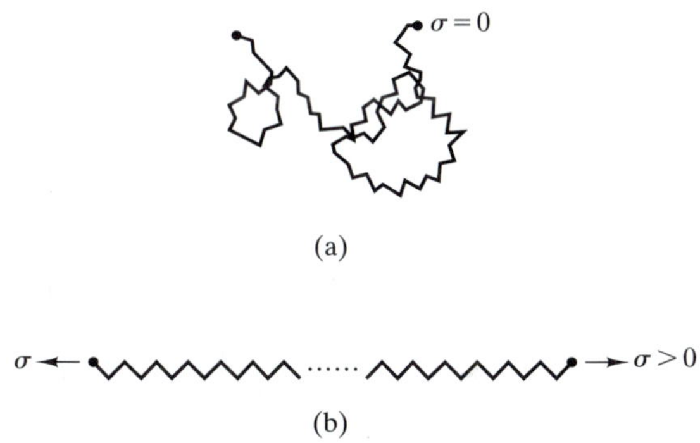

그림 6.49 (a) 초기에 감겨진 선형의 분자와 (b) 외부 응력의 효과에 의한 풀림의 개략도. 분자 차원 메커니즘으로 나타낸 탄성고분자의 응력-변형률 거동(그림 6.50 참고)

금속의 응력-변형률 곡선과는 매우 대조적이다(그림 6.3과 6.4). 금속의 경우에는 탄성 계수가 탄성 영역의 모든 구간에서 일정해 응력은 변형에 비례했다. 그러나 그림 6.50에서 볼 수 있듯이 탄성고분자의 탄성 계수(응력-변형률 곡선의 기울기)는 변형이 증가할수록 증가한다. 15% 이하의 작은 변형에서는 2차 결합을 극복하고 분자가 풀리도록 하는 데까지 요구되는 응력이 작기 때문에 탄성 계수가 작다. 그러나 변형률이 커질수록 탄성 계수는 급격히 증가하며, 이는 분자 골격을 따라 1차 결합을 인

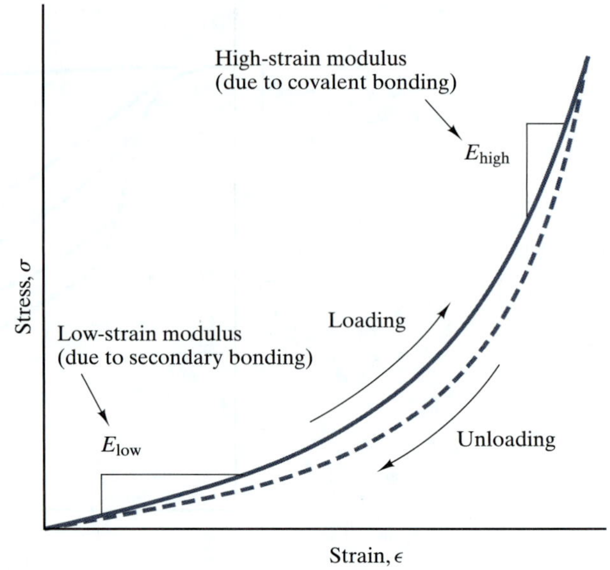

그림 6.50 탄성고분자의 응력-변형률 곡선은 비선형 탄성을 갖는 대표적인 예이다. 그림 6.49에서 나타냈듯이 초기에 저탄성 계수 구간(기울기가 낮음)에서는 분자의 풀림이 발생한다(약한 분자 간 결합 및 2차적 결합을 깸). 고탄성 계수 구간에서는 그림 6.49(b)에서 보이는 것처럼 늘어난 분자의 연신율이 관여한다(1차 결합 및 공유 결합을 신장시킴). 탄성 고분자 변형은 부하 시와 무부하 시의 그래프가 일치하지 않는 이력현상이 발생한다.

장시키는 데는 더 많은 힘이 필요함을 의미한다. 그렇지만 두 영역 모두에서 상당량의 2차 결합 성분이 변형 기구에 포함되어 있기 때문에, 일반적인 금속이나 세라믹에 비해 훨씬 낮은 탄성 계수 값을 갖는다. 일반적으로 정리된 탄성고분자의 탄성 계수는 재료가 주로 사용되는 저변형률 영역에서의 값이다. 마지막으로 지금 탄성 변형 혹은 일시적 변형에 대해 언급하고 있음을 강조하는 것이 중요하다. 탄성고분자의 고분자 분자는 응력을 제거하면 원래의 길이로 줄어든다. 그렇지만 그림 6.50의 점선처럼 분자가 오그라든 경우 하중을 제거할 때와 분자가 늘어난 경우(하중을 가할 때)는 응력 대 변형 곡선이 약간 다른 경로를 갖는다. 하중을 가할 때와 하중을 제거할 때의 다른 두 그림에서 **이력현상**(hysteresis)이 생김을 알 수 있다.

그림 6.51은 몇 가지 상용화된 고분자에 대한 탄성 계수 대 온도 관계를 보여준다. 이 데이터는 그림 6.45~6.47의 일반적 곡선과 비교될 수 있다. 유리 전이 온도에 해당하는 하중하에서 휘는 온도(deflection temperature under load, DTUL)는 그림 6.51에 나타냈다.

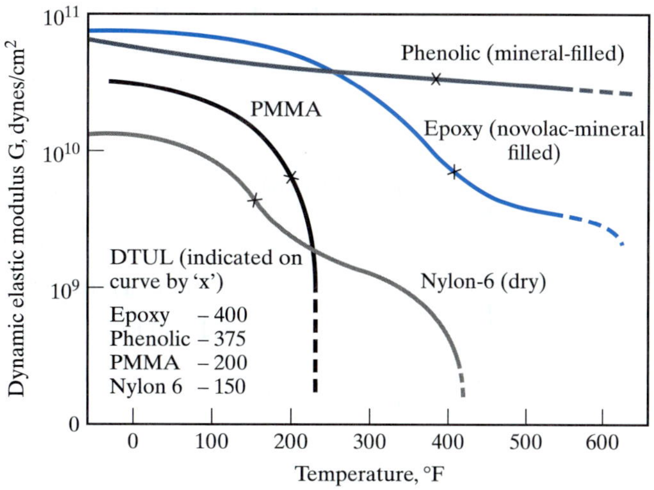

그림 6.51 다양한 고분자의 온도와 탄성 계수 상관 그래프. 그래프에서 보이는 동적 탄성 계수는 비틀림 진자로 측정된다(전단 모드). DTUL은 264 psi의 하중 시 반응 온도이고, 이 변수는 종종 유리 전이 온도와 관련이 있다. (From *Modern Plastics Encyclopedia*, 1981–82, Vol. 58, No. 10A, McGraw-Hill Book Company, New York, October 1981.)

예제 6.13

전등을 만드는 데 사용되는 소다-석회-실리카 유리의 어닐링점은 514°C이고, 연화점은 696°C이다. 이 유리에 대한 작업 범위 및 용융 범위를 계산하시오.

풀이

이것은 식 (6.20)의 응용이다.

$$\eta = \eta_0 e^{+Q/RT}$$

$$\eta = 10^{13.4}\ \text{P에서 어닐링점} = 514 + 273 = 787\ \text{K}$$

$$\eta = 10^{7.6}\ \text{P에서 연화점} = 696 + 273 = 969\ \text{K}$$

$$10^{13.4}\ \text{P} = \eta_0 e^{+Q/[8.314\ \text{J/(mol}\cdot\text{K)}](787\ \text{K})},$$

$$10^{7.6}\ \text{P} = \eta_0 e^{+Q/[8.314\ \text{J/(mol}\cdot\text{K)}](969\ \text{K})},$$

$$\frac{10^{13.4}}{10^{7.6}} = e^{+Q/[8.314\ \text{J/(mol}\cdot\text{K)}](1/787-1/969)K^{-1}},$$

또는

$$Q = 465\ \text{kJ/mol}$$

그리고

$$\eta_0 = (10^{13.4}\ \text{P})e^{-(465\times10^3\ \text{J/mol})/[8.314\ \text{J/(mol}\cdot\text{K)}](787\ \text{K})}$$
$$= 3.31 \times 10^{-18}\ \text{P}$$

작업 범위는 $\eta = 10^4$ P와 $\eta = 10^8$ P 사이에 있다. 일반적으로

$$T = \frac{Q}{R \ln(\eta/\eta_0)}$$

$\eta = 10^4$ P에 대해

$$T = \frac{465 \times 10^3 \text{ J/mol}}{[8.314 \text{ J/(mol} \cdot \text{K)}] \ln(10^4/[3.31 \times 10^{-18}])} = 1{,}130 \text{ K} = 858°\text{C}$$

$\eta = 10^8$ P에 대해

$$T = \frac{465 \times 10^3 \text{ J/mol}}{[8.314 \text{ J/(mol} \cdot \text{K)}] \ln(10^8/[3.31 \times 10^{-18}])} = 953 \text{ K} = 680°\text{C}$$

따라서

$$\text{작업 범위} = 680\text{~}858°\text{C}$$

용융 범위에서는 $\eta = 50\text{~}500$ P. $\eta = 50$ P에 대해

$$T = \frac{465 \times 10^3 \text{ J/mol}}{[8.314 \text{ J/(mol} \cdot \text{K)}]\ln(50/[3.31 \times 10^{-18}])} = 1{,}266 \text{ K} = 993°\text{C}$$

$\eta = 500$ P에 대해

$$T = \frac{465 \times 10^3 \text{ J/mol}}{[8.314 \text{ J/(mol} \cdot \text{K)}]\ln(500/[3.31 \times 10^{-18}])} = 1{,}204 \text{ K} = 931°\text{C}$$

따라서

$$\text{용융 범위} = 931\text{~}993°\text{C}$$

연습문제 6.13

예제 6.13에서 여러 가지 점도 영역이 소다-석회-실리카 유리에 대해 특성화되었다. 이 재료에 대해 어닐링 영역을 계산하시오(그림 6.42 참고).

요약

금속을 구조 재료로서 널리 사용하기 위해 기계적 성질을 아는 것은 매우 중요하다. 인장 시험은 대부분의 기본 설계 자료를 제공한다. 거기에는 탄성 계수, 항복 강도, 인장 강도, 연성, 인성이 포함된다. 긴밀하게 서로 관련된 탄성 특성은 Poisson 비와 전단 계수가 있다. 탄성 변형의 기본 기구는 원자 결합의 신장이다. 전위는 결정질 금속의 소성 변형에 어떤 임계적인 역할을 한다. 전위는 고밀도 원자면의 원자 방향에 따른 슬립으로 원자의 이동을 용이하게 한다. 전위가 존재하지 않는 경우에는 소성 변형을 일으키기 위해 매우 높은 응력이 필요하다. 이 장에서 논의된 많은 기계적 성질은 전위 슬립의 미시 기계적 기구로 설명된다. 경도 시험은 인장 시험 대신 쓸 수 있는 간단한 시험법으로, 경도를 통해 강도를 예측할 수 있다. 크리프 시험을 통해 절대 용융점 온도의 거의 1/2 온도 이상에서 합금이 충분한 원자 이동도를 가지므로 상온 항복 응력 이하의 응력에서 소성적으로 변형한다는 사실을 알 수 있다.

세라믹과 유리를 구조적으로 응용하기 위해서는 몇 가지 기계적 성질을 이해해야 한다. 세라믹과 유리는 모두 취성 파괴 특징을 갖는다. 세라믹은 압축 강도는 크지만 파괴 인성은 낮은데 이것은 인장 강도가 낮은 것과 연관이 있다. 크리프는 세라믹을 고온에서 사용할 때 고려해야 할 중요한 요소이다. 입계 미끄럼(sliding)과 결합된 확산 메커니즘을 통해 대규모 변형 가능성을 설명할 수 있다. 유리 전이 온도(T_g) 이하에서 유리는 탄성 기구에 의해 변형한다. T_g 이상에서 유리는 점성 유동(viscous flow) 기구에 의해 변형한다. 온도에 따른 점도의 지수적 변화는 파괴 저항이 큰 강화 유리의 개발뿐만 아니라 유리 제품의 일반 가공에도 지침이 된다.

고분자의 중요한 기계적 성질에는 금속과 세라믹에서 살핀 중요한 여러 가지 성질이 포함된다. 굽힘과 충격 흡수를 요하는 설계 조건에서 고분자의 다양한 이용을 위해 굽힘 탄성 계수와 동적 탄성 계수가 중요하다. 크리프와 유사한 것은 응력 완화이다. 고분자의 저융점 때문에 이러한 현상은 실온과 실온 이하에서 관찰될 수 있다. 크리프와 같이 응력 완화는 Arrhenius 과정을 따른다. 유리에서처럼 점탄성 변형이 고분자에서도 중요하다. 고분자의 점탄성 변형 시 구분되는 네 가지 영역이 있다. (1) 유리 구역(유리 전이 온도 T_g 이하), (2) 가죽 거동 구역(T_g 근처), (3) 고무 거동 구역(T_g 이상), (4) 점성 영역(T_m 근처)이다. 전형적인 열경화성 고분자의 경우는 유리 거동이 용융점(분해 온도) 가까이에 도달할 때까지 유지된다. 고무 영역이 현저한 고분자를 탄성고분자라고 한다. 천연 고무와 합성 고무가 그 예이며 이들은 실제적인 비선형적 탄성을 보여준다.

주요 용어

가공 경화(strain hardening)
가공 경화 지수(strain-hardening exponent)
강성 계수(modulus of rigidity)
강화 유리(tempered glass)
고용 강화(solution hardening)
공칭 변형(engineering strain)
공칭 응력(engineering stress)
교차 결합(cross-linking)
굽힘 강도(flexural strength)
굽힘 계수(flexural modulus)
굽힘 탄성 계수(modulus of elasticity in bending)
냉간 가공(cold working)
동적 탄성 계수(dynamic modulus of elasticity)
무게 대 강도 비(strength-to-weight ratio)
분해 전단 응력(resolved shear stress)
비강도(specific strength)
상부 항복점(upper yield point)
소성 변형(plastic deformation)
슬립계(slip system)
어닐링점(annealing point)
연성(ductility)
연화 온도(softening temperature)
연화점(softening point)
완화 시간(relaxation time)
용융 범위(melting range)
유리 전이 온도(glass transition temperature)
응력 완화(stress relaxation)
이력현상(hysteresis)

인성(toughness)
인장 강도(tensile strength)
임계 분해 전단 응력(critical resolved shear stress)
임계 전단 응력(critical shear stress)
작업 범위(working range)
잔류 응력(residual stress)
전단 계수(shear modulus)
전단 변형(shear strain)
전단 응력(shear stress)
전위 상승(dislocation climb)
점도(viscosity)
점성 변형(viscous deformation)
점탄성 변형(viscoelastic deformation)
취성 파괴(brittle fracture)
크리프(creep)
크리프 곡선(creep curve)
탄성 계수(modulus of elasticity)
탄성고분자(elastomer)
탄성 변형(elastic deformation)
파단 계수(modulus of rupture)
표점 거리(gage length)
하부 항복점(lower yield point)
항복 강도(yield strength)
항복점(yield point)
화학 강화 유리(chemically strengthened glass)
Brinell 경도수(hardness number)
Griffith 균열 모형(Griffith crack model)
Hooke의 법칙(Hooke's law)
Poisson 비(Poisson's ratio)
Rockwell 경도(Rockwell hardness)
Young률(Young's modulus)

참고문헌

Ashby, M.F., and **D.R.H. Jones,** *Engineering Materials— 1 An Introduction to Properties*, Application, and Design, 5th ed., Butterworth-Heinemann, Boston, MA, 2019.

ASM Handbook, Vols. 1 (*Properties and Selection: Irons, Steels, and High-Performance Alloys*), and 2 (*Properties and Selection: Nonferrous Alloys and Special-Purpose Metals*), ASM International, Materials Park, OH, 1990 and 1991.

Carter, C.B, and **M.G. Norton,** *Ceramic Materials: Science and Engineering*, 2nd ed., Springer, New York, 2013.

Chiang, Y., D. P. Birnie III, and **W. D. Kingery,** *Physical Ceramics*, John Wiley & Sons, Inc., New York, 1997.

Courtney, T. H., *Mechanical Behavior of Materials*, 2nd ed., McGraw-Hill Book Company, New York, 2000.

Davis, J. R., Ed., *Metals Handbook*, Desk Ed., 2nd ed., ASM International, Materials Park, OH, 1998. A one-volume summary of the extensive *Metals Handbook* series.

Engineered Materials Handbook, Desk Ed., ASM International, Materials Park, OH, 1995.

Hosford, W. F., Mechanical Behavior of Materials, 2nd ed.,Cambridge University Press, New York, 2010.

Hull, D., and **D. J. Bacon,** *Introduction to Dislocations*, 5th ed., Butterworth-Heinemann, Boston, MA 2011.

복습문제

설계 기호 **D**가 표시된 문제는 공학설계 과정의 재료와 관련된 문제이다.

6.1_응력 대 변형률

6.1 다음에 보이는 3개의 $\sigma - \epsilon$ 자료는 우주항공 분야에 적용되는 타이타늄 합금에 관련된 것이다. $\epsilon = 0.002778$ (σ=300 MPa), 0.005556(600 MPa), 0.009897(900 MPa). 이 합금의 E값을 계산하시오.

6.2 탄성 변형과 소성 변형의 차이는 무엇인가?

6.3 Hooke의 법칙이란 ________________ 이다.

D 6.4 표 6.1에 나타낸 탄소강 1040을 참조하시오. (a) 공학설계에서 구조 부재로 사용되는 지름 20 mm인 합금 막대가 있다. 응력이 없는 상태에서 막대의 길이는 정확하게 1 m이다. 막대에 1.2×10^5 N의 인장 하중이 가해질 때 막대의 길이는 얼마가 되겠는가? (b) 설계자가 이 부재에 인장 하중이 더 증가할 것을 감안하여 구조 변경을 고려 중이다. 소성 변형 없이 허용될 수 있는 최대 인장 하중은 얼마인가? 하중 값은 N과 lb_f 두 가지로 답하시오.

D 6.5 표 6.1에 목록으로 제시된 1040 탄소강의 열처리는 탄성 계수에 큰 영향을 미치지 않는다. 그러나 강도와 연성에는 큰 변화를 준다. 특별한 열처리 후의 기계적 물성치는 다음과 같다.

Y.S. = 1,000 MPa (145 ksi),
T.S. = 1,380 MPa (200 ksi),
파괴에서의 연신율 = 12%

다시 지름 20 mm, 길이 1 m인 합금 막대를 고려할 때, 소성 변형 없이 허용될 수 있는 최대 인장 하중은 얼마인가?

D 6.6 직경 20 mm의 1 m 길이의 2024-T81 알루미늄 합금 막대가 있다.

E = 70 GPa
Y.S. = 410 MPa
T.S. = 480 MPa
파괴에서의 연신율 = 8%

(a) 1.2×10^5 N의 인장 하중이 가해졌을 때 막대의 길이는? (b) 소성 변형이 일어나지 않을 수 있는 최대 인장 하중은? 하중 값은 N과 lb_f 두 가지로 답하시오.

6.7 일반적인 거동에서, 엉덩이 관절에 가해지는 하중은 체중의 2.5배이다. (a) 환자의 체중이 150 lb_f일 때 단면적이 5.64 cm^2인 인공 엉덩이 이식물에 가해지는 하중(MPa)을 계산하시오. (b) 탄성 계수가 124 GPa인 Ti-6Al-4V로 이식물이 제작되었을 때 변형률을 계산하시오.

6.8 운동선수의 몸에는 체중의 5배의 힘이 가해질 수 있다. (a) 운동선수의 몸무게가 200 lb_f일 때, 단면적이 6.90 cm^2인 인공 고관절 임플란트에 작용하는 응력을 구하시오. (b) 이때 임플란트가 124 GPa의 탄성 계수를 가진 Ti-6Al-4V 합금으로 만들어졌을 때의 변형률을 구하시오.

6.9 금속 합금에 대한 일반적인 응력 대 변형률 곡선에서 인장 강도 지점 이후 응력 감소의 원인은 ______ ___________이다.

6.10 위 표 6.1의 알루미늄 합금과 같은 표에 있는 1040 탄소강의 밀도당 인장 강도를 비교하는 표를 만드시오. 1040 탄소강과 2048, 3003 알루미늄 합금의 밀도는 각각 7.85, 2.91, 2.75 Mg/m^3이다.

6.11 문제 6.10의 결과표에 표 6.1의 마그네슘 합금과 타이타늄 합금의 밀도당 인장 강도 값을 비교하고 추가하시오. AM100A, AZ31B, Ti-6Al-4V, Ti-5Al-2.5Sn의 밀도는 각각 1.84, 1.83, 4.43, 4.49 Mg/m^3이다.

6.12 공칭응력과 진응력의 차이는?

• 6.13 엑스선 회절 실험으로 잔류 응력을 분석할 때, 응력 상수 K_1은 다음과 같이 표현된다.

$$K_1 = \frac{E \cot\theta}{2(1 + \nu)\sin^2\psi}$$

E와 ν는 이 장에서 정의한 탄성 상수이고, θ는 Bragg 각이다(3장 참고). Ψ은 엑스선 회절 실험 중의 시편 회전량이다. Ψ =45°, θ= 78.5°일 때, 1040 탄소강의 응력 상수 값을 계산하시오.

• 6.14 엑스선 회절 실험으로 잔류 응력을 분석할 때, 응력 상수 K_1은 다음과 같이 표현된다.

$$K_1 = \frac{E \cot\theta}{2(1 + \nu)\sin^2\psi}$$

E와 ν는 이 장에서 정의한 탄성 상수이고, θ는 Bragg 각이다(3장 참고). Ψ은 엑스선 회절 실험 중의 시편 회전량이다. Ψ = 45°, θ = 78.3°일 때, 2048 알루미늄 합금의 응력 상수 값을 계산하시오.

6.15 (a) 다음에 제시된 데이터는 MgO 내화벽돌의 균열 시험 계수 값을 구하기 위해 정리한 것이다[식 (6.10), 그림 6.14 참고].

$F = 7.0 \times 10^4$ N,
L = 175 mm,
b = 110 mm,
h = 75 mm

균열 계수를 계산하시오. (b) 동일한 강도와 높이를 제외하고 동일한 치수를 가진 MgO 내화벽돌이 있다고 가정하시오. 높이는 h = 64 mm이다. 이때 이 얇은 내화벽돌을 파괴하는 데 필요한 하중(F)은 얼마인가?

6.16 단결정 Al_2O_3 막대(정확하게 바깥지름 6 mm, 길이 60 mm)는 고정밀 팽창계(길이를 측정하는 장비)에서 작은 시편에 하중을 가할 때 사용된다. 축 압축 하중 25 kN이 작용할 때 막대의 치수를 계산하시오.

6.17 새롭게 뽑은 유리섬유(지름 100 μm)는 40 N의 인장 하중에서 파괴된다. 다음의 처리 후에 비슷한 유리 섬유는 0.15 N의 인장 하중에서 파괴된다. 첫 번째 유리섬유에는 결함이 없고 두 번째 유리섬유는 원자 수준의 날카로운 표면 균열 때문에 파괴되었다고 가정하고, 균열의 길이를 계산하시오.

6.18 5 μm 이상의 표면 균열이 없는 지름 80 μm의 유리 섬유는 비파괴 검사 프로그램에서 안전하다. 유리섬유의 이론적 강도가 5 GPa일 때, 이 유리섬유의 예상 파단 강도는 얼마인가?

6.19 다음에 제시된 자료는 자동차의 외장재에 사용되는 폴리에스테르의 굴곡 시험 결과이다.

시편 치수: 6 mm × 15 mm × 50 mm
지지부 간격 = L = 60 mm
하중 편향 곡선의 초기 기울기 = 538 × 10^3 N/m

이 공업용 고분자의 굴곡 계수를 계산하시오.

6.20 다음에 제시된 자료는 사출된 사무 가구의 구성품으로 사용되는 폴리에스테르의 굴곡 시험 결과이다.

시편 치수: 10 mm × 30 mm × 100 mm
지지부 간격 = L = 50 mm
파괴 하중 = 6,000 N

이 공업용 고분자의 굴곡 강도를 계산하시오.

6.21 그림 6.17은 나일론 66 소재의 응력-변형률 거동에 미치는 습도의 영향을 나타낸다. 또한 인장과 압축 하중하에서의 거동의 차이도 보여준다. 0~20 MPa 사이의 데이터는 대략 직선처럼 나타난다. (a) 인장 시의 초기 탄성 계수, (b) 60%의 상대 습도에서 나일론의 압축 시 초기 탄성 계수를 구하시오.

6.22 기계적 하중 장치의 덮개 판으로 사용되는 아세탈 디스크의 정확한 치수는 두께 5 mm, 지름 25 mm이다. 디스크에 20 kN의 하중이 작용할 때 디스크의 치수를 계산하시오.

6.2_탄성 변형

6.23 구리 결정의 최대 탄성 계수는 195 GPa이다. 원자 간의 분리 거리를 0.05% 증가시키기 위해 결정학적인 방향을 따라서 작용하고 탄성 계수에 상응하는 인장 응력은 얼마인가?

6.24 구리 결정의 최소 탄성 계수는 70 GPa이다. 원자 간의 분리 거리를 0.05% 증가시키기 위해서 결정학적인 방향을 따라서 작용하고 탄성 계수에 상응하는 인장 응력은 얼마인가?

6.25 고분자와 금속의 탄성 거동에는 어떤 차이가 있는가?

6.26 원자 간 결합과 탄성 계수의 관계는 무엇인가?

6.3_소성 변형

6.27 금속판에서 알루미늄의 결정 구조 입자가 인장 하중이 [111] 결정 방향으로 향하도록 위치해 있다. 0.5 MPa(72.5 psi)의 응력이 작용될 때, $(11\bar{1})$ 평면 내의 [101] 방향에 대한 전단 응력 τ는 얼마인가? [등축정계(cubic system)에서 [*hkl*] 방향은 (*hkl*)면에 수직이다.]

6.28 위 문제 6.27에서 임계 전단 응력 값이 0.242 MPa이 되는 인장 응력은 얼마인가?

6.29 금속판에서 철의 결정 구조 입자가 인장 하중이 [110] 결정 방향으로 향하도록 위치해 있다. 50 MPa(7.25 × 10^3 psi)의 응력이 작용될 때, (101) 평면 내의 $[11\bar{1}]$ 방향에 대한 전단 응력 τ는 얼마인가? (등축정계에서 [*hkl*] 방향은 (*hkl*)면에 수직이다.)

6.30 위 문제 6.29에서 임계 전단 응력 값이 31.1 MPa이 되는 인장 응력은 얼마인가?

• **6.31** 그림 6.24에 나타낸 알루미늄의 슬립계를 고려하시오. 인장 응력이 [111] 방향으로 작용하면, 어떤 슬립계가 가장 유사한 거동을 보이는가?

D **6.32** 그림 6.24에 fcc 결정 구조 금속과 hcp 결정 구조 금속의 슬립계를 정리했다. 각각의 경우에 이 목록은 조밀 평면(close-packed planes)과 조밀 방향(close-packed directions, 조밀 평면에 포함된)의 모든 고유한 조합을 나타낸다. 이와 유사한 bcc 결정 구조를 가진 12개 슬립계의 목록을 만드시오(표 6.8 참고). [힌트: 먼저 fcc 금속의 목록을 대조 확인하는 것이 도움이 될 것이다. 각각의 슬립계는 내적이 0인 평면과 방향을 포함한다(즉 $h_1h_2 + k_1k_2 + l_1l_2 = 0$). 게다

가 평면의 모든 {*hkl*} 평면족의 성분은 정리되지 않았다. 왜냐하면 응력은 동시에 반평형의 두 방향으로 작용하기 때문이고, 단지 비평형 평면만 정리되면 된다. 비슷한 이유로 반평형 결정 방향은 불필요하다. 등축정계에서 [*hkl*] 방향은 (*hkl*)면에 수직임을 고려하라.]

6.33 bcc 결정 구조 금속의 원자 배열과 Burgers 벡터 방향을 그리시오. (표 6.8 음영 영역 참고)

6.34 fcc 결정 구조 금속의 원자 배열과 Burgers 벡터 방향을 그리시오. (표 6.8 음영 영역 참고)

6.35 hcp 결정 구조 금속의 원자 배열과 Burgers 벡터 방향을 그리시오. (표 6.8 음영 영역 참고)

• **6.36** 몇몇 bcc 결정 구조 금속 중에서 대안의 슬립계가 작동한다. 다시 말하면 $\{211\}\langle\bar{1}11\rangle$이다. 이 계는 동일한 Burgers 벡터를 가지지만 표 6.8에 있는 슬립계와 비교하면 낮은 밀도의 슬립 평면을 가진다. 표 6.8에 사용된 방법을 이용하여 단위정의 입체 형상을 그리시오.

6.37 fcc 구조 금속은 hcp 구조의 금속보다 연성이 보통 큰 이유는 ____________________이다.

6.38 __________(이)란 전위 움직임과 관련한 야금학적 처리 중 하나이다.

6.4 _ 경도

6.39 알려지지 않은 합금의 정확히 잰 Brinell 경도(BHN)가 100이라는 것을 알았다. 그림 6.29(a)에 나온 데이터 외의 정보는 가지고 있지 않다고 할 때, 합금의 인장 강도를 계산하시오. (답은 $x \pm y$로 표현하시오.)

6.40 Rockwell 경도와 Brinell 경도의 차이는 무엇인가?

D 6.41 연철(65-45-12, 어닐링됨)로 만든 둥근 용기가 있다. 이 용기 안의 응력은 다음과 같이 표현된다.

$$\sigma = \frac{pr}{2t}$$

p는 내부 압력, r는 용기의 바깥 반지름, t는 용기 벽 두께이다. 안전율 S를 고려할 때 작용 응력은 다음과 같이 고려되어야 한다.

$$\sigma \leq \frac{Y.S.}{S}$$

용기로부터 얻어진 합금의 특성은 BHN이 200이다. 용기 설계 시 바깥쪽 반지름은 0.30 m, 벽 두께는 20 mm이고 안전율은 2이다. 그림 6.29에 나타낸 정보를 이용하여 용기 설계 시 최대 작용 압력 p를 계산하시오.

D 6.42 BHN이 280인 연철(120-90-02, 유랭)을 이용하여 위 문제 6.41과 같이 계산하시오.

6.43 표 6.9는 간단한 압입 깊이 t를 포함해 Rockwell 경도 숫자를 mm로 표현해놓았다. BHN이 235로 주어진 강을 Rockwell 경도기로 다시 측정했다. 지름이 $\frac{1}{16}$ in.인 구형강과 100 kg의 하중을 이용하여 압입 깊이 t를 0.062 mm로 구했다. Rockwell 경도는 얼마인가?

6.44 추가적인 Rockwell 경도 시험은 문제 6.43에서 고려된 강으로 만들어졌다. 원뿔 형상의 다이아몬드 압입자와 하중 150 kg을 이용하여 압입 깊이 t가 0.157 mm임을 찾아냈다. Rockwell 경도 값을 대체하는 결과는 무엇인가?

6.45 열처리된 65-45-12 구조용 주철의 인장 강도와 항복 강도를 비파괴적으로 측정하도록 요청받았다. 다행히도 이런 구조 설계 시 작은 경도 깊이는 향후 쓰임에 영향을 받지 않아 '비파괴적'의 정의에 부합한다. 지름이 10 mm인 탄화텅스텐(tungsten carbide) 구는 3,000 kg의 하중에서 4.26 mm 지름의 자국을 남겼다. 항복 강도와 인장 강도는 얼마인가?

6.46 10 mm 직경의 탄화텅스텐 구로 3,000 kg의 하중을 주었을 때, 65-45-12 주철에 4.48 mm 직경의 흔적을 남겼다. 이때 항복 강도와 인장 강도는 얼마인가?

6.47 3,000 kg 하중이 표면에 적용되면 탄화텅스텐 구는 지름이 10 mm인 자국을 남길 때, 정형외과의 이식 재료인 Ti-6Al-4V는 지름 3.27 mm의 자국을 남긴다. 이 합금의 BHN은 얼마인가?

6.48 6.4절의 금속 합금에서 경도와 인장 강도 사이의 유용한 상관관계를 증명해 보였다. 표 6.11에 주어진 데이터로 인장 강도에 대한 경도의 그래프를 그리

고, 보통의 열가소성 고분자와 비슷한 경향인지 아닌지를 보이시오. [그림 6.29(a)에서 보인 그래프와 이 그래프를 비교할 수 있다.]

6.5_크리프와 응력 완화

6.49 합금은 짧은 기간의 실험에서 잠재적인 크리프 속도를 평가할 수 있다. 크리프 속도($\dot{\epsilon}$)는 800°C에서 1시간에 1%, 700°C에서 1시간에 5.5×10^{-2}%로 조사되었다. (a) 이런 온도 범위 내의 크리프에서 활동 에너지를 계산하시오. (b) 주어진 500°C에서 예상되는 크리프 속도를 측정하시오. (c) (b)의 답에 근거하여 가장 중요하다고 추정되는 것은 무엇인가?

6.50 반응 시간의 역수 t_R^{-1}는 근사치의 비율로 사용할 수 있어 그 결과 Arrhenius 표현[식 (6.16)]으로 평가되어 사용할 수 있다. 같은 것은 그림 6.36에서 정의된 것과 같이 시간과 크리프 파괴와 일치한다. 700°C 50시간과 650°C 2,000시간 뒤 파괴된 초합금이 주어질 때 크리프의 활동 에너지를 계산하시오.

6.51 크리프 곡선이란 ________________이다.

• **6.52** 그림 6.34는 크리프에서의 응력(σ)과 온도(T)의 의존성을 가리킨다. 많은 합금에서 Arrhenius 식의 형태를 변형하여 그러한 의존성을 다음과 같이 표현할 수 있다.

$$\dot{\epsilon} = C_1\sigma^n e^{-Q/RT}$$

$\dot{\epsilon}$는 정상적인 크리프 속도이고, C_1은 상수이며 n은 보통 3~8까지의 범위 내에 놓는 상수이다. 지수 표현($e^{-Q/RT}$)은 다른 Arrhenius 표현[식 (6.16) 참고]과 같다. $C_1\sigma^n$에서 나오는 결과는 식 (6.16)에서와 같이 이전에 정의된 상수, 즉 C인 온도에 비의존적인 표현과 같다. σ^n 표현의 존재는 이런 식에서 **멱함수 법칙 크리프**(power-law creep)라는 이름을 준다. 주어진 멱함수 법칙 크리프의 관계에서 $Q = 250$ kJ/mol이고 $n = 4$에서, $\dot{\epsilon}$가 같이 증가하고, 온도가 1,000°C에서 1,010°C로 10°C 증가할 때 결과에서 필요한 증가 퍼센트가 얼마인지 계산하시오.

6.53 표 6.12를 이용하여 수명을 계산하시오. (a) 전 연신율이 1% 허용 내에서 1,300°C, 12.4 MPa일 때 slip-cast MgO 내화물을 계산하시오. (b) 정수압을 받는 MgO 내화물의 계산을 반복하시오. (c) 두 가지 내화물의 성능 및 과정의 효과를 비교하여 서술하시오.

6.54 Al_2O_3가 425 kJ/mol일 때 크리프에서의 활성화 에너지를 고려하시오. (a) 1,000°C에서 13.1 MPa의 응력이 가해질 경우, Al_2O_3 크리프 속도 $\dot{\epsilon}$를 예측하시오. (표 6.12의 1,300°C와 13.1 MPa을 참고하시오.) (b) 전 연신율 1% 내에서 1,000°C, 13.1 MPa에서의 Al_2O_3 튜브의 수명을 계산하시오.

6.55 복습문제 6.52에서 **멱함수 법칙 크리프**가 언급되었다.

$$\dot{\epsilon} = C_1\sigma^n e^{-Q/RT}$$

$n = 4$, 1,300°C, 6.2 MPa에서 표 6.12를 이용하여 안정화된 지르코니아의 크리프 속도 $\dot{\epsilon}$를 구하시오.

6.56 금속과 세라믹에서 크리프 변형 메커니즘의 주된 차이는 무엇인가?

6.57 고무 디스크의 응력은 100일 동안 0.75에서 0.5 MPa로 됨을 볼 수 있다. (a) 이 재료의 완화 시간과 τ를 구하시오. (b) (i) 50일 후, (ii) 200일 후, (iii) 365일 후 디스크에 대한 응력을 계산하시오(시간은 0.75 MPa 응력 수준에서 0이 될 때까지).

6.58 온도가 20°C에서 30°C가 될 때 완화 시간은 3일에서 2일로 감소한다. 완화를 위한 활성화 에너지를 계산하시오.

6.59 금속과 세라믹에서의 크리프 변형과 고분자에서의 응력 완화의 차이점은 무엇인가?

6.60 구형의 압력 용기는 나일론 66으로 만들어졌다. 온도가 60°C이고 상대 습도가 50%의 환경에서 사용될 것이다. 구형 용기의 치수는 바깥 반지름은 50 mm이고 두께는 2 mm이다. (a) 6.9 MPa(1,000 psi)이 작용하는 벽 두께가 견딜 수 있는 내압은 얼마인가?

$$\sigma = \frac{pr}{2t}$$

(p는 내압, r는 구의 바깥 반지름, t는 벽 두께이다.) (b) 그림 6.38을 참고하여 이 압력에서 10,000시간 후의 원주를 계산하시오.

6.6_ 점탄성 변형

6.61 헤드라이트에 사용되는 붕규산(borosilicate) 유리는 554°C에서 어닐링하고, 780°C에서 연화처리된다. (a) 이 유리의 점도 변화를 위한 활성화 에너지를 구하시오. (b) 가공 범위를 구하시오. (c) 용융점(녹는 점)의 범위를 구하시오.

6.62 다음의 점성 데이터는 진공 용기 내의 붕규산 유리에 적용할 수 있다. (a) 이 소재가 녹는 온도와 (b) 어닐링 온도를 결정하시오.

T (°C)	η (poise)
700	4.0×10^{7}
1,080	1.0×10^{4}

6.63 유리화 온도보다 높은 온도에서 무기물 유리의 상태는 ________________이다.

D 6.64 새로운 광학 안경을 제조하기 위한 노의 설계를 요청받는다고 할 때, 어닐링 온도 460°C, 연화 온도 647°C가 주어진다. 이런 조건(즉 가공 범위 내)에서 제품 형상이 만들어지는 온도 범위를 계산하시오.

CHAPTER 7

열적 거동

우주비행사 Andrew Thomas가 가장 최근에 우주로 발사되었던 우주왕복선 아틀란티스호의 열방호 시스템을 구성하는 타일을 살펴보고 있다. 열방호 시스템은 우주왕복선이 지구로 진입하는 극한 상황을 견딜 수 있도록 최첨단 방열 기술로 구성되어 있다. (Courtesy of the National Aeronautics and Space Administration [NASA].)

학습목표

1. 재료가 외부로부터 열을 흡수할 때 재료의 온도가 상승하는 방식을 정량화하기 위해 재료의 열용량과 비열을 정의한다.
2. (a) 재료의 온도가 상승함에 따라 재료의 전체 치수가 일반적으로 증가하는 방식을 정량화하기 위해 선형 열팽창 계수를 정의한다.
   (b) 재료의 치수 증가는 재료 내 원자의 열 진동 증가에 해당함을 설명한다.
   (c) 열팽창(다른 재료 물성과 함께)과 원자 결합의 관계를 설명한다.
3. (a) 열전달 속도와 열 구배의 관계를 정량화하기 위해 열전도율을 정의한다.
   (b) Fourier 법칙으로 정의된 열전도율과 (5장에서 나온) Fick의 제1법칙으로 정의된 확산율 사이의 직접적인 유추를 기술한다.
   (c) 다양한 범주의 공업재료에 대해 넓은 범위의 열전도율 값을 설명한다.
4. 특히 깨지기 쉬운 세라믹과 유리 재료에서 온도 변화가 일어나는 동안 열팽창과 열전도 특성으로 인해 발생하는 열 충격의 위험을 규명한다.

앞장에서는 재료의 기계적 거동을 정의하는 일련의 성질에 대해 조사했다. 이제 유사한 방법으로 재료의 열적 거동을 정의하는 다양한 성질을 조사할 것이다. 이러한 성질은 열이 가해질 때 재료가 어떻게 반응하는지를 나타내는 것이다.

열용량(heat capacity)과 **비열**(specific heat)은 주위로부터 열을 흡수하는 재료의 능력을 나타낸다. 외부 열원으로부터 재료에 전달된 에너지는 재료 내 원자의 열진동을 촉진한다. 대부분의 재료는 가열될 때 크기가 약간 증가하는데, 온도 증가에 따라 개개 원자가 열진동하여 서로 인접한 원자의 중심 간 거리가 증가하는 것이 **열팽창**(thermal expansion)의 직접적인 원인이다.

재료를 통한 열의 유동을 설명할 때 **열전도도**(thermal conductivity)는 열유동 속도와 온도 기울기 사이의 비례 상수이다. 열전도도는 물질 유동 속도와 농도 기울기 사이의 비례 상수로서 5장에서 정의한 확산율과 유사하다.

재료 내 열유동에 의해 기계적 영향이 생길 수도 있다. **열충격**(thermal shock)은 보통 급냉 시 온도 변화로 인한 재료의 파괴와 관련이 있다.

7.1 열용량

재료가 주위로부터 열을 흡수하면 온도가 상승한다. 이러한 일반적인 관찰로부터 기본적인 재료의 성질, 즉 **열용량**(heat capacity) C를 정량화할 수 있다. 이 C는 온도가 1 K(또는 1°C) 상승하는 데 필요한 열량으로 정의된다.

$$C = \frac{Q}{\Delta T} \tag{7.1}$$

여기서 Q는 온도 변화 ΔT를 일으키는 열량이다. 온도 변화 증분 ΔT의 크기는 절대온도(K)나 섭씨온도(°C)에서 같다.

C의 크기는 재료의 양에 따라 변화한다. 열용량은 보통 단일 성분에 대해서는 1그램-원자 또는 화합물에 대해서는 1몰 기준으로 J/g-atom·K 또는 J/mol·K의 단위로 표시한다. 이와 공통으로 사용하는 **비열**(specific heat)은 J/kg·K같이 질량 단위를 기본 단위로 사용하여 표기한다. 열과 질량에 따라 비열은 소문자로 표기한다.

$$c = \frac{q}{m\Delta T} \tag{7.2}$$

열용량(또는 비열)은 일반적으로 두 가지 방법으로 측정하며, 부피를 일정하게 유지하며 측정하는 방법 $C_v(c_v)$과 압력을 일정하게 유지하며 측정하는 방법 $C_p(c_p)$이 있다. C_p의 크기는 항상 C_v보다 크다. 그러나 상온 이하의 온도에서는 대부분의 고체에서 그 차이가 미미하다. 공업재료는 보통 고정된 대기압하에서 질량을 기초로 하는 양을 사용하기 때문에 이 책에서는 자료를 사용할 것이다. 다양한 공업재료의

표 7.1 여러 재료의 비열

Material	c_p[J/kg·K]
Metals[a]	
Aluminum	900
Copper	385
Gold	129
Iron (α)	444
Lead	159
Nickel	444
Silver	237
Titanium	523
Tungsten	133
Ceramics[a,b]	
Al_2O_3	160
MgO	457
SiC	344
Carbon (diamond)	519
Carbon (graphite)	711
Polymers[a]	
Nylon 66	1,260–2,090
Phenolic	1,460–1,670
Polyethylene (high density)	1,920–2,300
Polypropylene	1,880
Polytetraflouroethylene (PTFE)	1,050

출처: Data from [a]J. F. Shackelford and W. Alexander, *The CRC Materials Science and Engineering Handbook*, 3rd ed., CRC Press, Boca Raton, FL, 2001, and [b]W. D. Kingery, H. K. Bowen, and D. R. Uhlmann, *Introduction to Ceramics*, 2nd ed., John Wiley & Sons, Inc., New York, 1976.

비열을 표 7.1에 나타냈다.

20세기 초에 원자 진동과 열용량의 관계에 대한 기본적인 연구결과, 매우 낮은 온도에서 C_v가 0 K에서 0이었다가 급격하게 증가한다는 사실을 발견하게 되었다.

$$C_v = AT^3 \tag{7.3}$$

여기서 A는 온도와 무관한 상수이다. 또한 **Debye**[1] **온도**(Debye temperature, θ_D) 이상에서 값은 3 R에 근접하며 온도에 따라 크게 변하지 않는 것으로 알려졌다[여기서 R는 기체 상수이다. 5.1절에서처럼 R는 완전 기체 법칙 내 존재하기 때문에 **기체 상수**(gas constant)라는 이름으로 부르지만 고체 상태에서도 동등하게 중요한 기본 상수이다]. θ_D 이상에서 C_v가, 어떻게 3 R의 점근치(asymptotic value)가 되는가를 그

1) Peter Joseph Wilhelm Debye(1884~1966)는 독일계 미국인 물리화학자로 새롭게 개발된 양자론과 재료의 탄성 상수를 통합하는, 비열에 관한 Einstein 이론을 개량하여 그림 7.1에 나타낸 것과 같은 결과를 개발했다. Debye는 분말 재료의 엑스선 회절에 관한 선구자적 연구를 포함하여 물리학과 화학 분야에 많은 기여를 했다. 이 엑스선 회절에 관한 연구는 Braggs와 함께 3.7절의 기초를 확립하는 데 도움을 주었다.

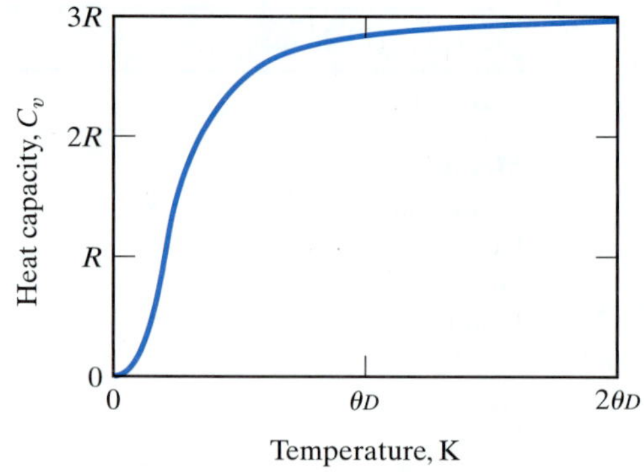

그림 7.1 일정 부피에서 열용량(C_v)의 온도 의존성. C_v의 크기는 0 K 부근에서 온도에 따라 예리하게 상승하고 Debye 온도(θ_D)상에서 대략 3 R에서 수평을 이룬다.

림 7.1에 요약했다. 많은 고체에 대해 θ_D가 상온 이하이고 $C_p \approx C_v$일 때 많은 공업재료의 열용량 값에 대한 유용한 기본 법칙을 적용할 수 있다.

마지막으로 열용량의 크기에 기여할 수 있는 원자 진동 외에 다른 에너지 흡수 기구가 존재한다. 일례로 금속 내 자유 전자에 의한 에너지 흡수가 있다. 그러나 대체적인 일반 거동은 그림 7.1로 요약되며, 대부분의 일반적인 공업재료에 대한 자료는 표 7.1로 충분할 것이다.

예제 7.1

고체의 열용량이 대략 3 R라는 유용한 일반적인 법칙이, 표 7.1에 보인 알루미늄의 비열 값과 일치함을 보이시오.

풀이

부록 3으로부터

$$3\,R = 3(8.314\ \text{J/mol}\cdot\text{K})$$
$$= 24.94\ \text{J/mol}\cdot\text{K}$$

부록 1로부터 알루미늄은 그램-원자당 26.98 g이 존재하는데 이것은 이 순수 고체에 대해 1몰에 해당한다. 따라서

$$3\,R = (24.94\ \text{J/mol}\cdot\text{K})(1\ \text{mol}/26.98\ \text{g})(1{,}000\ \text{g/kg})$$
$$= 924\ \text{J/kg}\cdot\text{K}$$

즉 표 7.1의 900 J/kg · K과 일치한다.

연습문제 7.1

열용량 3 R가 표 7.1에 보인 구리의 비열과 잘 근접함을 보이시오(예제 7.1 참고).

7.2 열팽창

온도 증가는 재료 내 열진동의 증가를 일으키고 인접 원자 사이의 평균 거리를 증가시킨다(그림 7.2). 일반적으로 주어진 방향에서 재료의 전체 크기 L은 온도 T 증가에 따라 증가할 것이다. 이것은 다음 식과 같이 **선형 열팽창 계수**(linear coefficient of thermal expansion), α로 표현할 수 있다.

$$\alpha = \frac{dL}{LdT} \tag{7.4}$$

여기서 α의 단위는 mm/(mm · °C)이며, 표 7.2에 여러 재료의 열팽창 자료를 나타냈다.

세라믹과 유리의 열팽창 계수는 일반적으로 금속보다 작고 금속은 또한 고분자보다 작다. 이 차이는 그림 7.2의 에너지골의 비대칭성과 관계있다. 세라믹과 유리는 일반적으로 이온 결합 및 공유 결합과 관련하여 비교적 높은 결합 에너지를 가지므로, 에너지골이 비교적 깊다. 그 결과 에너지골이 비교적 대칭적으로 되고, 또한 그림 7.2(b)에 보인 것과 같이 온도 증가에 따라 원자 간 거리가 상대적으로 덜 증가한다.

탄성 계수는 골의 바닥 부근 결합 에너지 곡선의 도함수와 관계있다(그림 6.18). 그리고 에너지골이 깊을수록 도함수 값은 더 크고 따라서 탄성 계수가 커진다. 더구나 에너지골이 비교적 깊은 것과 관련하여 결합 강도가 강하면 용융 온도가 비교적 높다. 결합 강도와 관련하여 이들의 다양하고 유용한 상호관계를 표 7.3에 요약했다.

POWERS OF 10

여기서 그림 2.8의 결합 에너지 곡선이 열팽창 성질의 이해에 어떻게 중심적인 역할을 하는지 알게 될 것이다.

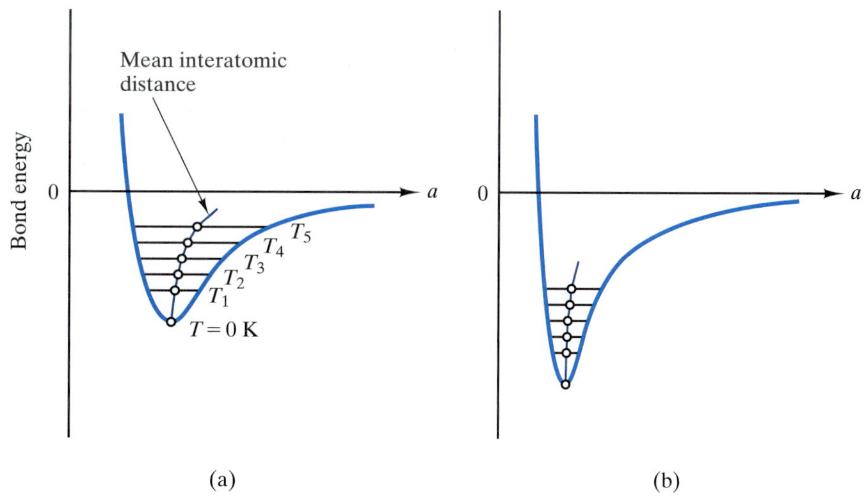

그림 7.2 (a) 약하게 결합한 고체와 (b) 강하게 결합한 고체에 대한 원자 간 거리 대 원자 결합 에너지의 변화. 열팽창은 온도 증가에 따라 원자 간 거리가 증가하기 때문에 발생하는 현상이다. 그림에서 에너지골이 비교적 비대칭적이고, 약하게 결합한 고체의 경우 이러한 현상[(식 (7.4)에 열팽창 계수로 나타낸]이 비교적 크게 일어난다. 표 7.3에 보인 바와 같이 용융점과 탄성 계수는 결합 강도 증가에 따라 증가한다.

표 7.2 여러 재료의 선형 열팽창 계수

Material	α[mm/(mm · °C) × 10^6]		
	Temperature = 27°C (300 K)	527°C (800 K)	0−1,000°C
Metals[a]			
Aluminum	23.2	33.8	
Copper	16.8	20.0	
Gold	14.1	16.5	
Nickel	12.7	16.8	
Silver	19.2	23.4	
Tungsten	4.5	4.8	
Ceramics and glasses[a,b]			
Mullite ($3Al_2O_3{\cdot}2SiO_2$)			5.3
Porcelain			6.0
Fireclay refractory			5.5
Al_2O_3			8.8
Spinel ($MgO{\cdot}Al_2O_3$)			7.6
MgO			13.5
UO_2			10.0
ZrO_2 (stabilized)			10.0
SiC			4.7
Silica glass			0.5
Soda–lime–silica glass			9.0
Polymers[a]			
Nylon 66	30–31		
Phenolic	30–45		
Polyethylene (high-density)	149–301		
Polypropylene	68–104		
Polytetrafluoroethylene (PTFE)	99		

출처: Data from [a]J. F. Shackelford and W. Alexander, *The CRC Materials Science and Engineering Handbook*, 3rd ed., CRC Press, Boca Raton, FL, 2001, and [b]W. D. Kingery, H. K. Bowen, and D. R. Uhlmann, *Introduction to Ceramics*, 2nd ed., John Wiley & Sons, Inc., New York, 1976.

표 7.3 결합 강도와 재료 성질의 상관관계

Weakly bonded solids	Strongly bonded solids
Low melting point	High melting point
Low elastic modulus	High elastic modulus
High thermal-expansion coefficient	Low thermal-expansion coefficient

열팽창 계수는 온도의 함수이다. 철의 온도에 따른 선형 열팽창 계수의 변화를 그림 7.3에 나타냈다.

β-유크립타이트(eucryptite)의 결정은 11장에서 논의하게 될 몇몇 유리-세라믹 미세조직의 중요한 한 부분이다. β-유크립타이트($Li_2O \cdot Al_2O_3 \cdot SiO_2$)의 열팽창 계수는 음수이므로 전체 재료의 열팽창 계수를 낮추는 데 도움을 주며 7.4절에서 논의할 문제인 열충격에 대한 저항이 우수하다. β-유크립타이트와 같은 예외적인 경우에 전체적인 원자 구조는 온도가 상승할 때 아코디언 형태로 '이완(relaxes)'한다.

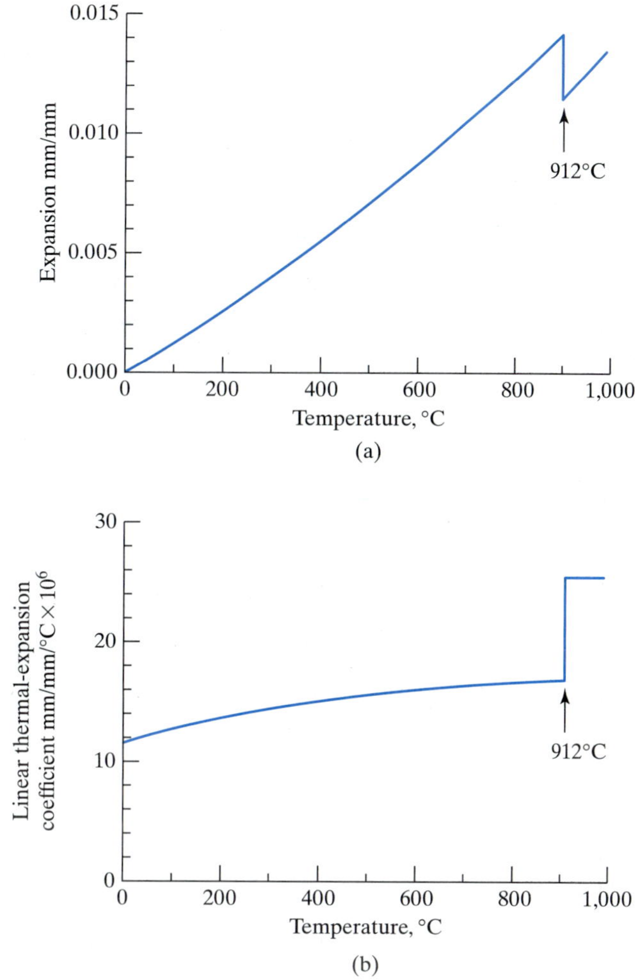

그림 7.3 (a) 순수한 철의 온도에 따른 열팽창 그래프의 기울기가 온도에 따라 아주 약간 변화하고 있다. (b) 이것은 열팽창 계수가 온도에 관련된 함수임을 의미한다.

예제 7.2

길이가 0.1 m인 Al_2O_3 관상로를 상온(25°C)에서 1,000°C까지 가열했다. 관은 기계적으로 구속되지 않는다고 가정하고 이 가열에 의해 증가한 길이를 계산하시오.

풀이

식 (7.4)를 다시 정리하면

$$dL = \alpha L dT$$

표 7.2에 주어진 이 온도 범위에 대해 전체 열팽창 계수를 사용하여 선형 열팽창을 가정할 수 있다. 따라서

$$\begin{aligned}\Delta L &= \alpha L_0 \Delta T \\ &= [8.8 \times 10^{-6}\ \text{mm}/(\text{mm·°C})](0.1\ \text{m})(1{,}000 - 25)\text{°C} \\ &= 0.858 \times 10^{-3}\ \text{m} \\ &= 0.858\ \text{mm}\end{aligned}$$

연습문제 7.2

길이가 0.1 m인 멀라이트(mullite) 관상로를 상온(25°C)에서 1,000°C까지 가열했다. 관이 기계적으로 구속되지 않는다고 할 때 이 가열로 생긴 길이의 증가를 계산하시오(예제 7.2 참고).

7.3 열전도도

고체 내 열전도에 대한 수식은 확산에 대한 것과 유사하다(5.3절 참조). 확산 계수, D와 유사하게 **열전도도**(thermal conductivity) k는 다음과 같이 **Fourier**[2] **법칙**(Fourier's law)으로 정의된다.

$$k = -\frac{dQ/dt}{A(dT/dx)} \tag{7.5}$$

여기서 dQ/dt는 온도 기울기 dT/dx 때문에 발생하는 면적 A를 통한 열의 이동 속도이다. 그림 7.4는 식 (7.5)의 여러 항과 관련이 있으며 그림 5.9에서 보인 Fick의 제1 법칙의 예와 비교된다. k의 단위는 J/(s · m · K)이다. 평판 슬래브를 통한 정상 상태 열전도에 대해 식 (7.5)의 미분은 다음과 같은 평균 항으로 된다.

$$k = -\frac{\Delta Q/\Delta t}{A(\Delta T/\Delta x)} \tag{7.6}$$

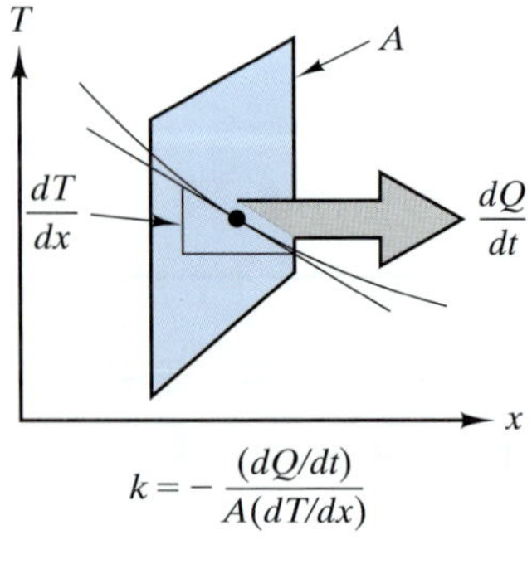

그림 7.4 [식 (7.5)의]Fourier 법칙으로 정의된 열이동

식 (7.6)은 고온로 내 내화벽을 통한 열유동에 대한 근사식이다.

열전도 자료를 표 7.4에 나타냈다. 열팽창 계수와 같이 열전도도는 온도의 함수이다. 몇몇 재료에 대한 열전도도를 그림 7.5에 나타냈다.

공업재료 내 열전도는 원자 진동과 자유 전자에 의한 전도의 두 가지 기본적인 기구로 설명할 수 있다. 세라믹과 고분자와 같은 부도체인 경우 열에너지는 주로 원자의 진동으로 이동된다. 전도성 금속의 경우 전도성 전자, 즉 자유 전자가 이동함으로

2) Jean Baptiste Joseph Fourier(1768~1830)는 프랑스 수학자로서 응용수학 분야에서 가장 유용한 개념 가운데 몇 가지를 남겼다. 복잡한 파동 형태를 일련의 삼각함수로 설명할 수 있다는 그의 증명은 그에게 처음으로 위대한 명성을 가져다주었다(그리고 나폴레옹으로부터 남작 작위를 받았다). 1822년 열유동에 대한 그의 뛰어난 연구는 '열분석 이론'이라는 이름으로 출판되었다.

표 7.4 여러 재료에 대한 열전도도

Material	k [J/(s · m · K)]			
	Temperature = 27°C (300 K)	100°C	527°C (800 K)	1,000°C
Metals[a]				
Aluminum	237		220	
Copper	398		371	
Gold	315		292	
Iron	80		43	
Nickel	91		67	
Silver	427		389	
Titanium	22		20	
Tungsten	178		128	
Ceramics and glasses[a,b]				
Mullite ($3Al_2O_3 \cdot 2SiO_2$)		5.9		3.8
Porcelain		1.7		1.9
Fireclay refractory		1.1		1.5
Al_2O_3		30.0		6.3
Spinel ($MgO \cdot Al_2O_3$)		15.0		5.9
MgO		38.0		7.1
ZrO_2 (stabilized)		2.0		2.3
TiC		25.0		5.9
Silica glass		2.0		2.5
Soda–lime–silica glass		1.7		—
Polymers[a]				
Nylon 66	2.9			
Phenolic	0.17–0.52			
Polyethylene (high-density)	0.33			
Polypropylene	2.1–2.4			
Polytetrafluoroethylene (PTFE)	0.24			

출처: Data from [a]J. F. Shackelford and W. Alexander, *The CRC Materials Science and Engineering Handbook*, 3rd ed., CRC Press, Boca Raton, FL, 2001, and [b]W. D. Kingery, H. K. Bowen, and D. R. Uhlmann, *Introduction to Ceramics*, 2nd ed., John Wiley & Sons, Inc., New York, 1976.

써 원자 진동에 비해 훨씬 더 많은 열에너지를 전도할 수 있다.

13장에서는 전기 전도 기구에 관해 좀 더 상세히 알아볼 것이다. 이 기구의 특징은 전자를 입자뿐만 아니라 파동으로 볼 수 있다는 것이다. 파동적으로 볼 때, 구조의 어긋남은 파동 형태의 움직임을 방해한다. 따라서 온도 증가에 따른 결정격자 진동의 증가는 일반적으로 열전도도의 감소로 나타난다. 이와 유사하게 화학적 불순물에 의해 생성된 구조적 어긋남으로 인해 열전도도가 감소된다. 결과적으로 합금은 순금속보다 열전도도가 낮은 경향이 있다.

세라믹과 고분자는 전도성 전자의 수가 매우 적기 때문에 원자 진동이 주된 열전도 기구이다. 그러나 이러한 격자 진동은 파동의 특성을 가지며 구조적 어긋남에 의해 유사하게 방해받는다. 결과적으로 유리는 동일 화학 조성의 결정 세라믹보다 열전도도가 낮다. 동일한 방법으로 비정질 고분자는 비슷한 조성의 결정성 고분자보다 열전도도가 낮다. 또한 세라믹과 고분자의 열전도도는 원자 진동이 증가하면 불

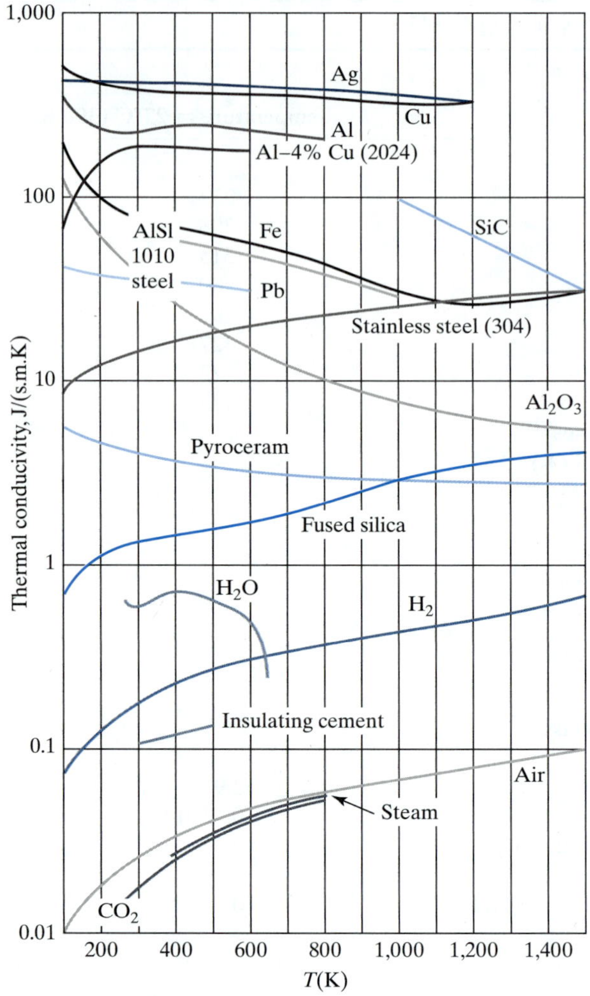

그림 7.5 몇몇 재료의 온도에 따른 열전도도의 변화 (From D. R. Gaskell, *An Introduction to Transport Phenomena in Materials Engineering*, Macmillan Publishing Company, New York, 1992.)

규칙도 증가하기 때문에 온도 증가에 따라 떨어지게 될 것이다. 어떤 세라믹의 경우 온도가 더 높아지면 복사열전도로 인해 열전도도가 높아지기 시작하기도 한다. 광학적으로 투명해지는 경향이 있는 세라믹을 통해 상당한 양의 적외선이 통과할 수도 있는데 이것은 14장에서 다룰 것이다.

세라믹과 고분자의 열전도도는 기공이 존재하면 더욱 감소할 수 있다. 기공 내 기체의 열전도도는 매우 낮기 때문에 전체 미세조직의 총전도도를 낮추게 된다. 정교한 우주선 타일(글상자 '재료의 세계' 참고)과 발포 폴리스티렌(스티로폼) 음료용 컵이 좋은 예이다.

재료의 세계

우주왕복선에 대한 열보호 시스템

2011년 7월 21일 아틀란티스호의 착륙으로 NASA의 30년 우주왕복선 프로그램은 종료되었다. 일반적으로 우주왕복선으로 알려진 우주운송시스템(Space Transportation System, STS)의 방열 기술에 대한 요구 수준은 상당히 높다. 우주왕복선은 과학실험용부터 상업용 위성에 이르기까지 다양한 화물을 운반하며, 로켓으로 발사되고 재사용할 수 있는 우주 운송 수단이다. 궤도상의 사명을 끝내면 우주비행선은 대기권에 재진입하게 되고, 지구 대기권에서 굉장한 마찰열을 받으며 마침내는 보통의 항공기와 유사한 방식으로 착륙한다.

재사용 가능한 외장 열보호 시스템을 개발하는 것은 우주왕복선 설계의 주요한 내용이다. 이전에 사용했던 고성능 단열재료는 밀도가 너무 크거나 재사용이 불가능했기 때문에 우주왕복선에는 부적합하다고 판명되었다. 또한 이 시스템은 항공역학적으로 평활한 외곽 표면을 지녀야 하고, 심한 열기계적 하중을 견딜 수 있어야 하며, 임무 수행 기간 동안 습기와 기타 대기권 오염을 견뎌야 한다. 끝으로 열보호 시스템은 알루미늄 합금으로 된 기체에 부착되어야 한다.

우주왕복선 그림에 나온 것처럼 다양한 재료가 국부적인 최대 외부 온도에 따라 적합한 단열을 위해 사용되어왔다. 대략 70%의 우주왕복선 표면이 400~1,260°C 사이의 온도로부터 보호받아야 한다. 이와 같은 주요 부분의 열보호 시스템을 위해 세라믹 타일이 사용된다. 400~650°C의 온도 범위에 대해 저온의 재사용 가능한 표면 단열(low-temperature reusable surface insulation, LRSI)이 이용된다. LRSI 타일은 일반적으로 1~4 μm 지름에 길이가 대략 3,000 μm인 고순도 투명 실리카 섬유로 구성되어 있다. 이 섬유를 느슨하게 충진한 후 소결하여 다공질의 가벼운 재료를 성형한다. 세라믹과 유리 재료는 본래가 좋은 단열체이며, (대략 부피의 93% 정도의)극히 높은 다공성을 지녀서 예외적으로 낮은 열전도도 값을 나타낸다. 이 타일은 비록 그 중심 성분이 일반적으로 유리(투명 실리카 섬유)이지만 '세라믹'이라고 칭한다는 데 유념할 필요가 있다. 이것은 산업체에서 '유리'를 세라믹의 부분집합에 포함시키는 일반적인 경향 때문이고, 또한 어떤 타일은 알루미노-붕규산염 섬유(alumino- borosilicate fibers)를 사용하기 때문이기도 한데, 이 섬유는 투명성을 잃어서 진짜 결정질 세라믹이 될 수 있다.

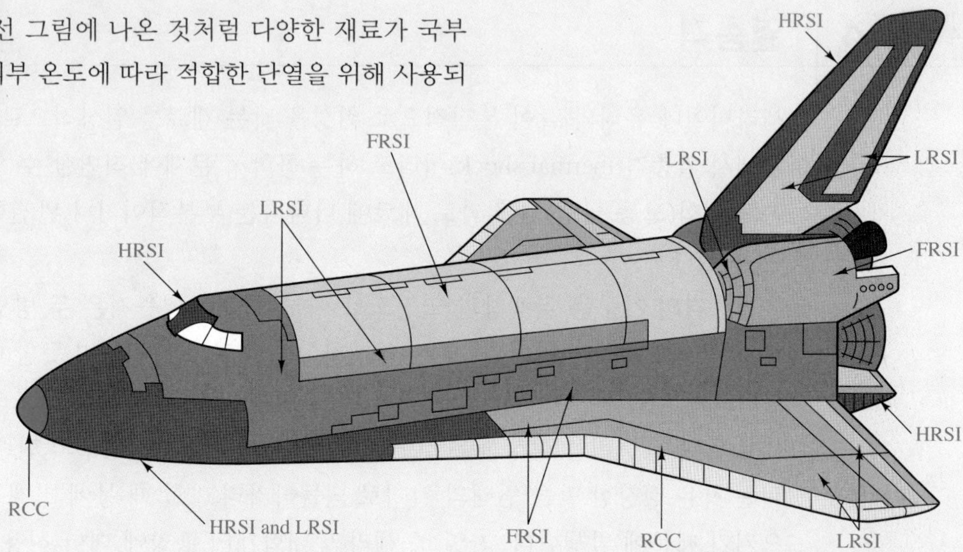

우주왕복선의 열보호 시스템에 대한 부품 분포의 도식적 예시: 펠트 재사용성 표면 단열(FRSI), 저온 재사용성 표면 단열(LRSI), 고온 재사용 표면 단열(HRSI), 탄소-탄소 강화 복합재료(RCC) (From L. J. Korb et al., *Bull. Am. Ceram. Soc. 61*, 1189 [1981].)

예제 7.3

10 mm 두께의 동판에 50°C의 온도 강하(50°C에서 0°C)가 있다고 할 때 이 판을 통한 정상 상태의 열이동 속도(J/m^2 · s)를 계산하시오.

풀이

식 (7.6)을 정리하면

$$(\Delta Q/\Delta t)/A = -k(\Delta T/\Delta x)$$

이 온도 범위(평균 T = 25°C = 298 K)에 걸쳐 표 7.4에 나타낸 300 K에서 구리의 열전도도를 사용하면 다음과 같다.

$$\begin{aligned}(\Delta Q/\Delta t)/A &= -(398\ \mathrm{J/s \cdot m \cdot K})([0°\mathrm{C} - 50°\mathrm{C}])/[10 \times 10^{-3}\ \mathrm{m}] \\ &= -(398\ \mathrm{J/s \cdot m \cdot K})(-5 \times 10^{-3}\ °\mathrm{C/m})\end{aligned}$$

온도 단위 K과 °C를 소거하면 온도 증분의 변화를 다음과 같이 구할 수 있다.

$$(\Delta Q/\Delta t)/A = 1.99 \times 10^6\ \mathrm{J/m^2 \cdot s}$$

연습문제 7.3

550°C에서 500°C로 50°C의 온도 강하가 있다고 할 때 10 mm 두께의 동판을 통한 정상 상태 열이동 속도를 계산하시오(예제 7.3 참고).

7.4 열충격

세라믹이나 유리와 같이 본질적으로 취성을 갖는 재료를 일상적으로 사용할 때, 고온에서 **열충격**(thermal shock)이라고 하는 공학적 문제에 직면할 수 있다. 열충격은 온도 변화(보통 급냉)의 결과로 재료에 나타나는 부분적이거나 완전한 파괴로 정의할 수 있다.

열충격의 기구는 열팽창과 열전도로 이루어진다. 열충격은 두 방법 가운데 하나로서 성질에 따라 나타난다. 첫째, 열팽창이 균일하게 진행되지 못할 때 파괴 응력에 다다르게 되는 것이다. 둘째, 급격한 온도 변화로 인한 일시적 온도 기울기가 재료 내부에 잔류 응력을 형성하는 것이다. 그림 7.6은 첫 번째 경우의 단순한 예이다. 파괴는 자유 팽창한 만큼 원래의 길이로 되돌아가려고 할 때 봉에 기계적인 압축을 일으키기 때문에 발생한다. 가열 중 세라믹 내화재의 팽창에 대한 허용공차가 불충분하여 여러 개의 노 설계가 무용지물이 되어왔다. 유약(세라믹상에 유리 코팅)과 에나멜(금속상에 유리코팅)에 대해 코팅과 모재의 팽창 계수 일치에 대해서도 비슷한 점을 고려해야 한다.

비록 외부 구속은 없다 하더라도 열충격은 한정된 열전도도 때문에 생긴 온도 기울기로 인해 발생한다. 그림 7.7은 고온인 표면부의 급속 냉각이 어떻게 표면 인장

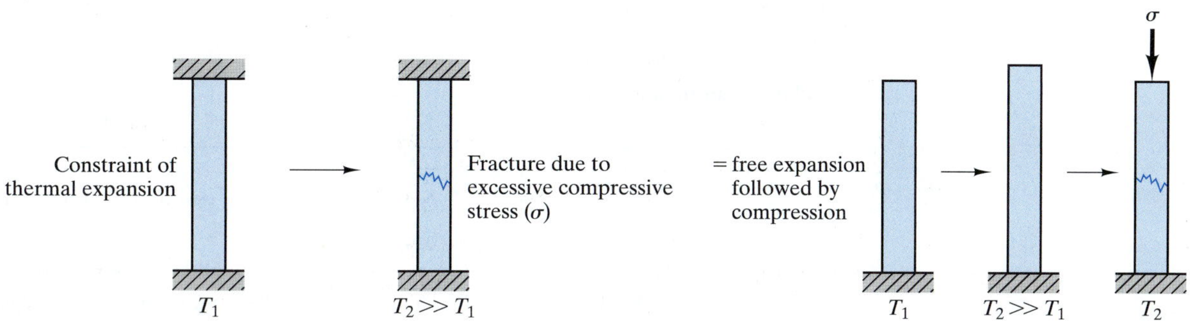

그림 7.6 균일 열팽창의 구속으로 생긴 열충격. 이 과정은 자유 팽창에 상응하여 원래 길이로 되돌아가려는 기계적 압축의 결과로 발생한다.

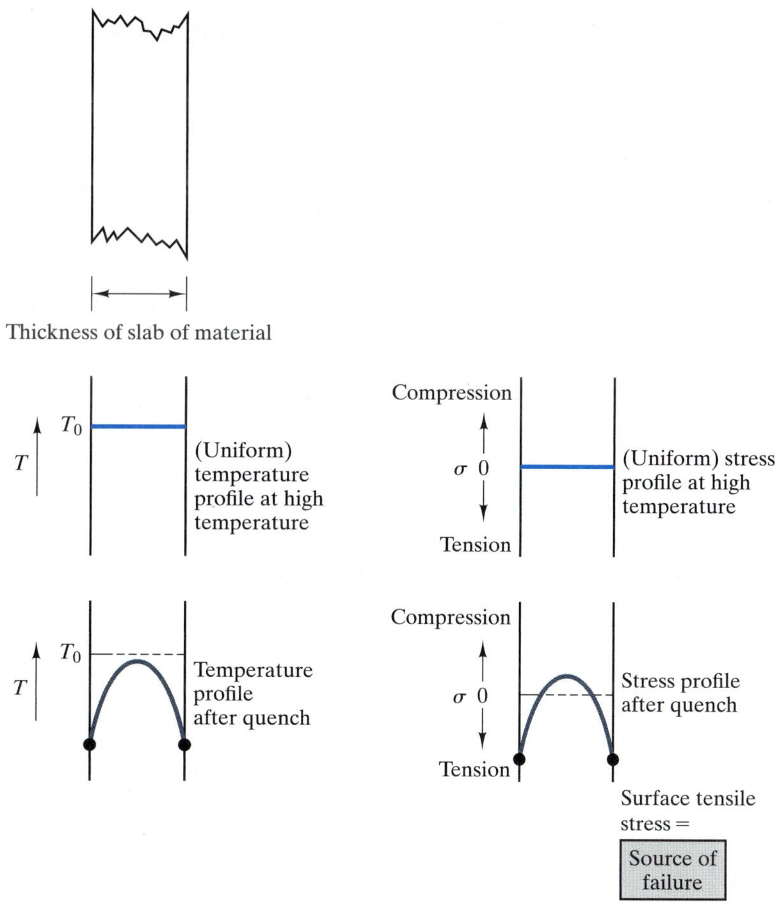

그림 7.7 한정된 열전도도에 의해 생긴 온도 기울기의 결과로 발생한 열충격. 급냉은 표면 인장 응력을 발생시킨다.

표 7.5 세라믹과 유리를 파괴하기 위한 퀜칭 방법

Material	ΔT (°C)
Hot-pressed[a] alumina	200
Sintered[b] silicon carbide	300–400
Hot-pressed[a] silicon nitride	500–700
SiAlON	900
Partially stabilized zirconia	≈ 500
Fireclay (aluminosilicate) refractory	< 100
Silica glass	$> 2{,}000$

[a] 가압소결이란 고압의 적용을 동반한 소결이다.

[b] 소결이란 고온(절대 융점의 1/2 이상)에서 고체 상태의 확산을 통해 분말 입자를 결합시켜 제품을 만드는 것을 말한다. 자세한 설명은 10.6절 참조.

출처: From data collections in M. Barsoum, *Fundamentals of Ceramics*, McGraw-Hill, New York, 1997, and W. D. Kingery, H. K. Bowen, and D. R. Uhlmann, *Introduction to Ceramics*, 2nd ed., John Wiley & Sons, Inc., New York, 1976.

응력을 유발하는가를 보여준다. 냉각할 때 비교적 고온인 내부보다 표면부가 더 많이 수축한다. 그 결과 표면은 압축으로 내부를 '잡아당기고' 표면 자신은 인장으로 '잡아당겨진다.' 표면에 Griffth 결함(flaw)이 필연적으로 존재하기 때문에 이 표면 인장 응력이 취성 파괴의 원인이 된다. 주어진 온도 변화에 저항하는 재료의 능력은 열팽창과 열전도도, 전체 기하학적 형태 및 재료 고유의 취성 등의 복잡한 조합에 따라 변화한다. 표 7.5는 다양한 세라믹과 유리를 열충격을 이용해 파괴하기 위한 퀜칭(quenching, 급냉) 방법을 보여준다. 지금까지 열충격에 대해 살펴보면서 상변태는 고려하지 않았다. 9장에서 안정화되지 않은 지르코니아(ZrO_2)의 구조적 파괴에 대한 상변태 효과를 살펴볼 것이다. 이 경우 변태 범위 내의 작은 온도 변화만으로도 파괴가 일어날 수 있다. 열충격에 대한 예민성은 비안정화된 작은 결정립을 함유하는 부분 안정화된 지르코니아의 실용화에서 제한 요소로 작용한다.

예제 7.4

그림 7.6에 예시한 방법으로 구속된 Al_2O_3 관상로를 1,000°C로 가열했다고 가정하고 관 내에 생성된 응력을 계산하시오.

풀이

표 7.2에서 이 온도 범위 내 Al_2O_3의 열팽창 계수를 보면 다음과 같다.

$$\alpha = 8.8 \times 10^{-6}\ \text{mm}/(\text{mm}\cdot{}^\circ\text{C})$$

실온을 25°C로 취하면 1,000°C 가열과 관련한 비구속 팽창은 다음과 같다.

$$\begin{aligned}\epsilon &= \alpha\,\Delta T \\ &= [8.8 \times 10^{-6}\ \text{mm}/(\text{mm}\cdot{}^\circ\text{C})](1{,}000 - 25)^\circ\text{C} \\ &= 8.58 \times 10^{-3}\end{aligned}$$

팽창의 구속으로부터 생긴 압축 응력은 다음과 같다.

$$\sigma = E\epsilon$$

표 6.4에서 소결한 Al_2O_3에 대한 $E = 370 \times 10^3$ MPa임을 알 수 있다. 따라서

$$\begin{aligned}\sigma &= (370 \times 10^3 \text{ MPa})(8.58 \times 10^{-3}) \\ &= 3{,}170 \text{ MPa (압축 응력)}\end{aligned}$$

이 값은 실질적으로 알루미나 세라믹에 대한 파괴 응력 이상이다(그림 6.13 참고).

D 예제 7.5

기술자는 고온로 설계에서 사고 발생 가능성을 고려해야 한다. 만일 수냉선이 파괴되어 400°C의 Al_2O_3 관상로에 물이 분사되는 일이 발생했다고 할 때, 관상로의 균열을 일으킬 온도 강하를 어림 계산하시오.

풀이

표 7.5에서 Al_2O_3는 200°C의 퀜칭만 견딜 수 있으므로 400°C로부터의 퀜칭은 열충격으로 인한 파괴를 유발할 것이다.

연습문제 7.4

예제 7.4에서 Al_2O_3 관 내 응력은 1,000°C로 구속 가열한 결과로서 계산된 것이다. 관상로가 (꼭 바람직하지는 않지만) 허용 압축 응력 2,100 MPa까지 응력을 받도록 가열할 수 있는 온도는 몇 도까지겠는가?

연습문제 7.5

예제 7.5에서 물 분사로 인한 온도 강하는 400°C로 가열된 관상로용 Al_2O_3 관을 파괴시키기에 충분한 것으로 보인다. 만약 부분적으로 안정화된 지르코니아 관으로 설계를 바꾼다면, 400°C의 온도 강하로 인해 파괴될 수 있는가?

요약

재료의 열적 반응을 설명하는 성질은 다양하다. 열용량은 주어진 양의 재료 온도를 상승시키는 데 필요한 열량을 나타낸다. 비열은 단위 질량의 재료에 대한 성질을 결정할 때 사용된다. 원자 진동에 의한 열흡수 기구를 기본적으로 이해하면, 상온 및 그 이상에서 재료의 열용량을 예측하기 위한 유용한 주요 규칙을 이끌어낼 수 있다($C_p \approx C_v \approx 3R$).

온도 증가에 따라 원자의 진동이 증가하고 이는 원자 사이 거리를 증가시킨다. 그리고 일반적으로 열팽창 계수는 양의 값이다. 또한 에너지골이 비교적 깊은 것과 관련하여 결합 강도가 강하면 용융 온도가 비교적 높다. 원자 결합 에너지 곡선에 대한 이 팽창 관계를 주의 깊게 관찰하면 강한 결합은 고탄성 계수와 고용융점뿐만 아니라 낮은 열팽창과

도 관련이 있음을 알 수 있다.

재료 내 열전도는 확산 계수 D를 사용하여 5장에서 설명한 질량 이동과 같은 방법으로 열전도도 k도 설명할 수 있다. 금속 내 열전도 기구는 전도성 전자와 크게 관련이 있다. 반면에 세라믹과 고분자에 대한 열전도 기구는 원자 진동과 크게 관련이 있다. 두 기구의 파동형 성질로 인해 온도와 구조의 불규칙이 증가하면 열전도도를 감소시키는 경향이 있다. 기공은 열전도를 감소시키는 데 특히 효과적이다.

세라믹과 유리의 고유한 취성은 열팽창 불일치나 낮은 열전도도와 결합하여 열충격에 의한 기계적 파괴를 일으킬 수 있다. 금속 냉각은 표면에 과도한 인장 응력을 발생시켜 파괴를 일으킬 수 있다.

주요 용어

비열(specific heat)
선형 열팽창 계수(linear coefficient of thermal expansion)
열용량(heat capacity)
열전도도(thermal conductivity)
열충격(thermal shock)
Debye 온도(Debye temperature)
Fourier 법칙(Fourier's law)

참고문헌

Bird, R. B., W. E. Stewart, and **E. N. Lightfoot,** *Transport Phenomena*, rev. 2nd ed., John Wiley & Sons, Inc., New York, 2006.

Carter, C.B., and **M.G. Norton,** *Ceramic Materials: Science and Engineering*, 2nd ed., Springer, New York, 2013.

Chiang, Y., D. P. Birnie III, and **W. D. Kingery,** *Physical Ceramics*, John Wiley & Sons, Inc., New York, 1997.

Kubaschewski, O., C. B. Alcock, and **P. J. Spencer,** *Materials Thermochemistry*, Oxford and Pergamon Press, New York, 1993.

복습문제

7.1 _ 열용량

7.1 (a) α-철, (b) 흑연, (c) 폴리프로필렌 2 kg을 상온(25°C)에서 100°C로 올리는 데 필요한 열량을 계산하시오.

7.2 실리콘의 비열은 702 J/kg·K이다. 실리콘 칩(부피 = 6.25×10^{-9} m^3)을 상온(25°C)에서 35°C로 올리는 데 몇 J의 열이 필요하겠는가?

7.3 비활성 태양광 가열을 위해 설계된 주택은 열흡수체로서 작용하기 위해 그 내부에 실제로 상당량의 벽돌을 쌓는다. 각 벽돌의 무게는 2.0 kg이고 비열은 850 J/kg·K이다. 10°C의 온도 증가에 의해 5.0×10^4 kJ의 열을 흡수하기 위해 얼마나 많은 벽돌이 필요하겠는가?

7.4 열용량이란 __________ 이다.

7.2 _ 열팽창

7.5 0.01 m 길이의 니켈 막대가 실험로 내에 놓여 있고 상온(25°C)에서 500°C로 가열된다. 500°C에서 이 막대의 길이는 어떻게 되겠는가? (이 온도 범위 내에서 열팽창 계수는 표 7.2에 주어진 두 값을 평균하여 얻으시오.)

7.6 0.01 m 길이의 텅스텐 막대가 실험로 내에 놓여 있고 상온(25°C)에서 500°C로 가열된다. 500°C에서 이 막대의 길이는 어떻게 되겠는가? (이 온도 범위 내에서 열팽창 계수는 표 7.2에 주어진 두 값을 평균하여 얻으시오.)

7.7 상온(25°C)에서 5.000 mm 지름의 텅스텐 핀은 니켈 막대 내의 지름 4.999 mm 구멍에 대해 너무 크다. 이 핀을 딱 맞게 하기 위해서는 두 부품을 어떤 온도로

가열해야 하겠는가?

7.8 알루미늄의 온도에 대한 열팽창을 그림 5.4에 도시했다. 800 K에서 그래프를 측정하고 이 결과가 표 7.2의 자료와 얼마나 잘 비교되는지 보이시오.

7.3_열전도도

7.9 1,000°C에서 작동하는 어느 노의 내화점토 내화벽을 통해 제곱미터당 열손실률을 계산하시오. 노벽 외부면의 온도는 100°C이고 벽 두께는 10 cm이다.

7.10 Fourier 법칙으로 정의된 열전도도 k는 __________ 이다.

7.11 1,000°C에서 작동하는 어느 노의 멀라이트 내화벽을 통하여 제곱미터당 열손실률을 계산하시오. 노벽 외부면의 온도는 100°C이고 벽 두께는 10 cm이다.

7.12 1,400°C에서 작동하는 고온 실험로의 안정화 지르코니아 라이닝을 통해 제곱센티미터당 열손실률을 계산하시오. 라이닝의 외부면 온도는 100°C이고, 그 두께는 1 cm이다. (표 7.4에서 안정화 지르코니아에 대한 자료는 온도에 직선적으로 변화하고 1,400°C까지 외삽할 수 있다고 가정하시오.)

7.4_열충격

7.13 1,000°C로 가열할 때 그림 7.6에 예시한 방법으로 구속된 멀라이트 관상로 내에 어떠한 응력이 발생하는가?

7.14 1,000°C로 가열할 때 그림 7.6에 예시한 방법으로 구속된 산화마그네슘(MgO) 관상로 내에 어떠한 응력이 발생하는가?

7.15 1,000°C로 가열할 때 그림 7.6에 예시한 방법으로 구속된 실리카 유리 관상로 내에 어떠한 응력이 발생하는가?

• **7.16** 한 재료역학 교과서에서 온도 T에서 한 기판(두께 b)상의 어떤 코팅(두께 a) 내에 열팽창 불일치로 인한 응력이 다음과 같은 식으로 주어진다.

$$\sigma = \frac{E}{1-\nu}(T_0 - T)(\alpha_c - \alpha_s)\left[1 - 3\left(\frac{a}{b}\right) + 6\left(\frac{a}{b}\right)^2\right]$$

위 식에서 E와 ν는 각각 코팅의 탄성 계수와 Poisson 비이다. T_0는 코팅이 적용되는 온도이다(그리고 코팅 응력은 초기에 0이다). 그리고 α_c와 α_s는 각각 코팅과 기판의 열팽창 계수이다. 어느 자기(porcelain) 세라믹상에 1,000°C에서 적용한 얇은 소다-석회-실리카 유약 내의 상온(25°C) 응력을 계산하시오. ($E = 65 \times 10^3$ MPa이고 $\nu = 0.24$이다. 관계된 열팽창 자료는 표 7.2 참고)

• **7.17** 온도 T에서 한 기판(두께 b)상의 어떤 코팅(두께 a) 내에 열팽창 불일치로 인한 응력이 다음과 같은 식으로 주어진다.

$$\sigma = \frac{E}{1-\nu}(T_0 - T)(\alpha_c - \alpha_s)\left[1 - 3\left(\frac{a}{b}\right) + 6\left(\frac{a}{b}\right)^2\right]$$

E와 ν는 코팅의 탄성 계수이며, T_0는 코팅이 적용되는 온도, 그리고 α_c와 α_s는 각각 코팅과 기판의 열팽창 계수이다. 평균 열팽창 계수가 3×10^{-6}°C^{-1}이고, 탄성 계수 $E = 72 \times 10^3$ MPa, $\nu = 0.24$를 갖는 고실리카 유액의 상온(25°C) 응력을 계산하시오. (관계된 열팽창 자료는 표 7.2 참고)

D 7.18 (a) 한 공정 기술자가 융합한 SiO_2 도가니를 500°C로부터 수냉하기 위해 사용할 것을 제안한다. 이 계획에 찬성할 수 있는가? (b) 다른 공정 기술자는 어떤 자기 도가니를 500°C로부터 수냉을 위해 사용할 것을 제안한다. 이 계획에 찬성할 수 있는가? 다시 설명하시오.

D 7.19 일반적으로 열충격은 파괴 강도(표 6.4의 MOR)와 열전도도(표 7.4의 k)가 클수록, 탄성 계수(표 6.4의 E)와 열팽창 계수(표 7.2의 α)가 작을수록 잘 일어난다. 이러한 사실로부터 열충격 저항성(TSR)은 다음과 같은 성능 지수로 나타낼 수 있다.

$$\text{TSR} = (\text{MOR} \times k)/(E \times \alpha)$$

각 표의 내용을 이해하여 표 7.5에 있는 실리카 유리와 내화 점토 내화물의 TSR를 계산하시오. 또한 위 성능 지수가 실제 데이터와 일치하는지 평가하시오.

7.20 열팽창과 열전도율은 열충격과 어떻게 관련 있는지 서술하시오.

7.21 이 장에 있는 '재료의 세계'에서 지적한 바와 같이 NASA의 우주왕복선에 대한 열보호 시스템은 특별한 열적 절연 성질로 인해 효과적이다. 열전도도가 0.0837 J/(s·m·K), 외부 표면 온도가 700°C, 내부 표면 온도가 30°C인 50 mm 두께의 세라믹 타일을 가로지르는 열유동(제곱미터당)을 계산하시오.

7.22 외부 표면 온도가 1,200°C이고 내부 표면 온도가 30°C인 50 mm 두께의 우주왕복선 세라믹 타일을 가로지르는 열유동(제곱미터당)을 열전도도를 0.113 J/(s·m·K)로 하여 계산하시오.

7.23 우주왕복선 타일의 단열재로서의 효과를 평가하기 위해 동일 두께와 700°C에서 30°C 사이의 온도 구배를 가지는 충분히 조밀한 알루미늄 산화물을 통한 열유동은 몇 배나 더 큰지 결정하시오. 우주왕복선 타일은 0.0837 J/(s·m·K)의 열전도도를 가진다.

7.24 우주왕복선 타일의 단열재로서의 효과를 평가하기 위해 동일 두께와 1,200°C에서 30°C 사이의 온도 구배를 가지는 충분히 조밀한 알루미늄 산화물을 통한 열유동은 몇 배나 더 큰지 결정하시오. 우주왕복선 타일은 0.113 J/(s·m·K)의 열전도도를 가진다.

CHAPTER 8

파괴의 분석과 방지

재료공학자는 어떻게 재료가 파괴되는지를 분석함으로써 교통사고 분석에서 중요한 역할을 맡는다. (© NTSB/Alamy.)

학습목표

1. (a) 충격 에너지를 측정하기 위한 Charpy 시험과 Izod 시험의 원리를 규명한다.

(b) 특정 bcc 합금 금속 파괴 시에 관찰되는 연성-취성 천이의 개념을 이해하고 다양한 공업재료에서 충격 에너지 값을 설명한다.

2. (a) 표면 결함 같은 기존 결함을 갖는 구조 재료의 파괴와 관련 있는 추가적인 기계적 물성으로서 파괴 인성의 중요성을 설명한다.

(b) '임계 크기'보다 작은 결함이 존재할 때 일반적인 항복이 발생하고, 임계 결함 크기를 초과했을 때 고속(치명적) 파괴가 발생하는 것을 반영하는 결함의 크기와 응력에 대한 피로 곡선을 그린다.

3. (a) 금속 시편을 파괴하는 데 필요한 응력은 사이클이 증가할수록 낮아진다는 것을 반영하는 응력 대 사이클의 피로 곡선을 그린다.

(b) 피로로 인한 파괴 강도 저하를 미세조직 기반의 개념을 통해 설명한다.

(c) 반복 사이클이 많아짐에 따라 피로 곡선이 수평 구간으로 진입하는 것과 관련하여 재료의 피로 강도의 중요성을 설명한다.

(d) 세라믹과 유리에서 발생하는 화학적 정적 피로와 금속과 관련된 피로 파괴의 차이를 구별한다.

4. 공학설계에서 잠재적인 파괴를 유발하는 결함을 감지할 수 있는 엑스선 탐상법과 초음파 검사 같은 비파괴 시험의 원리를 서술한다.

5. 공학설계에서 파괴 방지의 목적 차원에서 이 장의 주제와 파괴 분석을 연관 지어 설명한다.

6장과 7장에서는 공업재료의 파괴에 대한 수많은 예를 보았다. 실온에서 금속과 고분자에 탄성 한도를 넘는 응력을 가하면 비선형 소성 변형 구간을 거쳐 결국 파괴된다. 이에 반해 세라믹과 유리는 일반적으로 소성 변형 없이 탄성 변형 후에 파괴된다. 이러한 재료는 주로 고온에서 사용되고 취성을 나타내기 때문에 열 충격이 주요 관심사이다. 일부 공업재료는 고온에서의 연속 사용 시 크리프 변형이 한계에 도달하면 파괴될 수 있다.

이 장에서는 재료의 파괴를 또 다른 방법으로 관찰할 것이다. 표면에 결함이 존재하는 재료에 응력이 급속히 가해질 때 충격 에너지는 인성, 즉 응력 대 변형률 곡선 하부의 면적을 계산함으로써 알 수 있다. 온도에 따라 **충격 에너지**(impact energy)를 측정하면 bcc 금속의 경우 명확한 **연성-취성 천이 온도**(ductile-to-brittle transition temperature)가 나타난다. 이 온도 이하에서는 연성(ductile)재료라고 할지라도 사고를 일으킬 수 있는 취성 파괴가 일어날 수 있다.

결함이 존재하는 구조 재료의 파괴에 대한 일반적인 분석을 **파괴 역학**(fracture mechanics)이라고 하며, 이 파괴 역학의 주요 성질은 **파괴 인성**(fracture toughness)이다. 파괴 인성은 압력용기용 강과 같은 재료의 경우 큰 값을 나타내고, 대표적인 취성재료인 세라믹과 유리의 경우 상대적으로 작다.

주기적 하중 조건하에서 연성 금속과 공업용 고분자는 취성 거동을 보이며 파괴되기도 한다. 이러한 현상을 **피로**(fatigue)라고 하며, 세라믹과 고분자의 경우 주기적 하중 없이도 대기 중 습기와 화학적 반응으로 **정적 피로**(static fatigue)를 보일 수 있다.

비파괴 시험 방법(nondestructive testing)은 재료를 파괴하지 않고 공업재료 내의 미세조직적 결함을 확인하는 중요한 기술이다. 표면이나 내부 균열 등 재료의 결함은 재료가 파괴될 때 중심 역할을 하기 때문에 비파괴 시험은 파괴 분석과 방지 프로그램에서 결정적인 요소이다. **파괴 분석**(failure analysis)은 재료가 파괴되는 다양한 방식을 체계적으로 연구하는 것이라고 할 수 있다. **파괴 방지**(failure prevention)의 목표는 파괴 분석을 통해 얻은 지식을 이용하여 재난을 예방하는 것이다.

8.1 충격 에너지

6.4절에서 인장 시험으로 측정한 강도와 경도가 유사한 것을 살펴보았다. 충격 하중하에서 표준 시험편을 파괴하는 데 필요한 에너지인 **충격 에너지**(impact energy)는 인성과 유사하다. 대부분의 실험실에서 충격 에너지는 그림 8.1에 나타낸 **Charpy**[1)]

1) Augustin Georges Albert Charpy(1865~1945)는 프랑스 금속학자이자 화학자이다. Charpy는 프랑스 첨단 소재 분야의 권위자로 백금저항로와 전기장치에 사용되는 실리콘 강을 개발했다.

충격 시험에서 묘사된 노치와 같은 밀리미터 단위의 결함은 재료의 치명적 파괴를 야기할 수 있다.

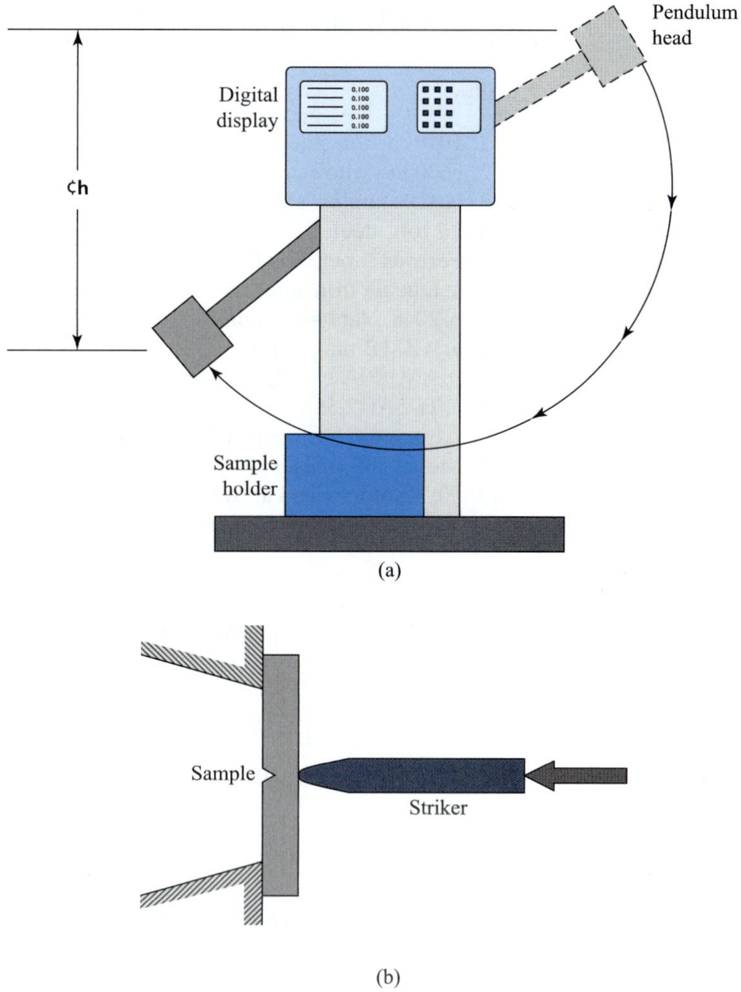

그림 8.1 (a) Charpy 충격 시험. 무게추의 높이 차이 Δh가 샘플이 파괴되며 흡수하는 충격 에너지와 연관된다. (b) 무게추 머리 부분에 있는 Charpy 스트라이커와 샘플이 접촉하는 순간의 장면

시험(Charpy test)으로 측정하며 시험 원리는 비교적 간단하다. 시험편을 파괴하는 데 필요한 에너지는 낙하하는 해머의 처음과 나중 높이 차이로부터 계산되고 파괴 공정을 제어하기 위해 시편의 한쪽이 최대 인장 응력을 받도록 응력 집중을 위한 노치(notch)를 가공한다. 최종 시험결과는 시편에 급속히 가해지는 탄성 변형, 소성 변형, 파괴를 반영한다. 비록 급속하다고 하더라도 과정 중에 포함된 변형 기구는 동일 재료에 대한 인장 시험과 동일하다. 충격 하중은 기본적으로 다른 변형 기구가 작동할 수 없는 범위에서 가해진다.

실제로 Charpy 시험은 매우 급속하게 완료되는 인장 시험이며, Charpy 시험으로부터 얻은 충격 에너지는 총응력-변형률 곡선의 밑면적(즉 인성)과 관계가 있다. 표 8.1은 표 6.1의 합금에 대한 Charpy 충격 에너지의 자료이다. 일반적으로 항복 강도

표 8.1 표 6.1의 합금의 Charpy 충격 시험 데이터

Alloy	Impact energy [J (ft · lb)]
1. 1040 carbon steel	180 (133)
2. 8630 low-alloy steel	55 (41)
3. b. 410 stainless steel	34 (25)
4. L2 tool steel	26 (19)
5. Ferrous superalloy (410)	34 (25)
6. a. Ductile iron, quench	9 (7)
7. b. 2048, plate aluminum	10.3 (7.6)
8. a. AZ31B magnesium	4.3 (3.2)
b. AM100A casting magnesium	0.8 (0.6)
9. a. Ti–5Al–2.5Sn	23 (17)
10. Aluminum bronze, 9% (copper alloy)	48 (35)
11. Monel 400 (nickel alloy)	298 (220)
13. 50:50 solder (lead alloy)	21.6 (15.9)
14. Nb–1 Zr (refractory metal)	174 (128)

및 인장 강도와 연성(파괴 시 연신율)이 큰 합금은 충격 파괴 에너지가 클 것으로 예상된다. 이러한 현상이 일반적이지만 충격 에너지는 시험 조건에 민감하다. 예를 들어 노치가 예리할수록 노치 팁에서의 응력 집중 현상 때문에 충격 에너지가 더욱더 낮아질 수 있다. 노치와 균열 선단에서 응력 집중 현상은 다음 절에서 좀 더 자세하게 다룬다.

여러 고분자의 충격 에너지를 표 8.2에 나타냈다. 고분자의 충격 에너지는 일반적으로 Charpy보다 **Izod**[2] **시험**(Izod test)으로 측정한다. 이 두 시험방법은 기본적으로 노치 시험편의 배치가 다르다. Izod 시험은 캔틸레버 빔을 이용하지만 Charpy 시험은 삼점 굽힘을 이용한다. 충격 시험 온도 또한 하나의 인자가 될 수 있다. Charpy 시험에서 면심 입방(fcc) 합금은 연성 파괴를 보이고, 육방 조밀 충진(hcp) 합금은 취성 파괴를 보인다(그림 8.2). 그러나 체심 입방(bcc) 합금은 온도에 따라 파괴 거동이 극적으로 변화한다. 이러한 합금은 일반적으로 저온에서는 취성 파괴를 나타내고, 상대적으로 고온에서 연성 파괴 거동을 나타낸다. 그림 8.3은 두 가지 계열의 저탄소강의 연성-취성 천이 거동을 나타낸 것이다. bcc 합금의 연성-취성 전이로부터 이러한 bcc 합금은 fcc 및 hcp 합금에 비해 전위 이동이 더 느리게 일어난다고 생각할 수 있다[bcc 합금에서 슬립은 비조밀 충진(non-closed-packed) 배열면에서 발생한다]. 온도가 감소할 때 전위 속도의 감소에 의한 항복 강도의 증가는 결국 취성 파괴를 유발한다. 고온 연성 파괴 시의 미세 파괴 표면에는 변형으로 인해 컵 모양의 딤

2) Edwin Gilbert Izod(1876~1946)는 영국의 공학자로 충격 시험에 대한 그의 개념은 1903년 영국의 협회 회의에서 제출되었다. 후에 이 자료는 E. G. Izod, “Testing Brittleness of Steels,” *Engr*. 25 (September 1903)라는 논문으로 출판되었다.

표 8.2 다양한 고분자 소재의 충격 시험(Izod) 데이터

Polymer	Impact energy [J (ft · lb)]
General-use polymers	
Polyethylene	
High-density	1.4–16 (1–12)
Low-density	22 (16)
Polyvinylchloride	1.4 (1)
Polypropylene	1.4–15 (1–11)
Polystyrene	0.4 (0.3)
Polyesters	1.4 (1)
Acrylics (Lucite)	0.7 (0.5)
Polyamides (nylon 66)	1.4 (1)
Cellulosics	3–11 (2–8)
Engineering polymers	
ABS	1.4–14 (1–10)
Polycarbonates	19 (14)
Acetals	3 (2)
Polytetrafluoroethylene (Teflon)	5 (4)
Thermosets	
Phenolics (phenolformaldehyde)	0.4 (0.3)
Urea-melamine	0.4 (0.3)
Polyesters	0.5 (0.4)
Epoxies	1.1 (0.8)

출처: From data collections in R. A. Flinn and P. K. Trojan, *Engineering Materials and Their Applications*, 2nd ed., Houghton Mifflin Company, Boston, MA 1981, M. F. Ashby and D. R. H. Jones, *Engineering Materials*, Pergamon Press, Inc., Elmsford, NY, 1980, and *Design Handbook for DuPont Engineering Plastics*.

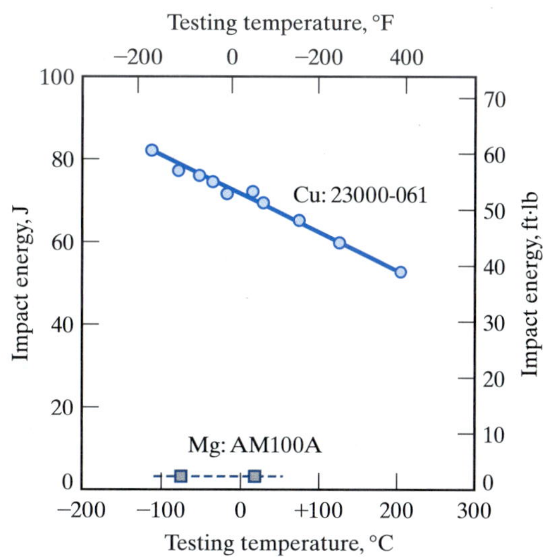

그림 8.2 fcc 결정 구조를 갖는 연성 합금(copper C23000-061, 'red brass')의 충격 에너지는 일반적으로 넓은 온도 범위에서 높게 나타난다. 이와 반대로 hcp 결정 구조를 갖는 취성 합금(magnesium AM100A)의 충격 에너지는 일반적으로 동일한 온도 범위에서 낮게 나타난다. (From *Metals Handbook*, 9th ed., Vol. 2, American Society for Metals, Metals Park, OH, 1979.)

플 구조가 존재하는 반면, 취성 파괴의 경우에는 벽개면이 존재한다(그림 8.4). 취성과 연성의 천이 온도 부근에서 파괴 표면은 혼합된 모양이 나타난다. **연성-취성 천이 온도**(ductile-to-brittle transition temperature)는 실제적으로 매우 중요하다. 연성-취성 천이를 나타내는 합금은 천이 온도 이하에서 연성을 잃고 갑작스런 파괴를 일으키게 된다. 많은 구조용 강이 bcc 구조이므로 연성-취성 천이 온도는 설계 시에 매

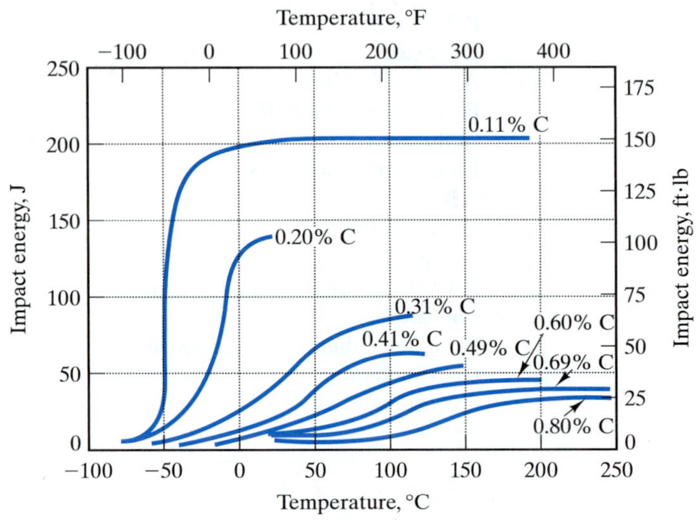

(a)

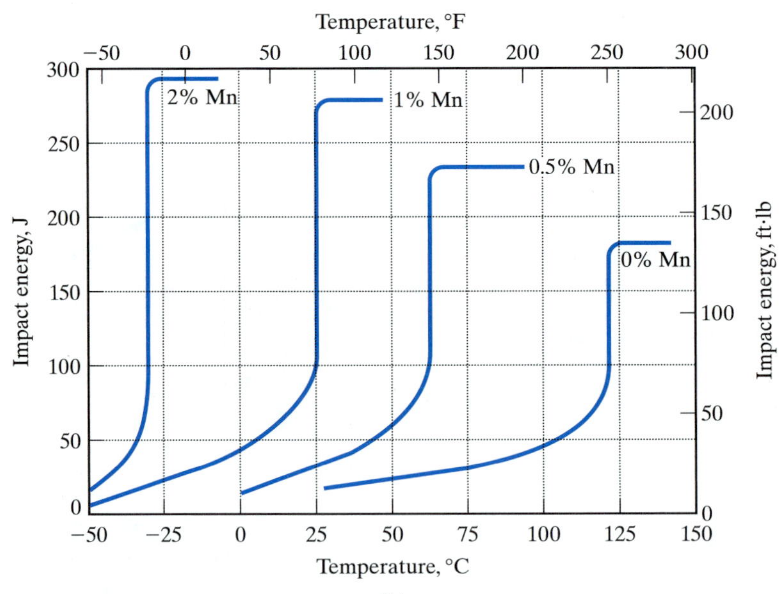

(b)

그림 8.3 합금 조성에 따른 연성-취성 천이 온도의 변화. (a) 다양한 일반 탄소강의 탄소 함유량과 온도에 따른 Charpy V-노치 충격 에너지 (b) 다양한 Fe-Mn-0.05C 합금의 망가니즈 함유량과 온도에 따른 Charpy V-노치 충격 에너지 (From *Metals Handbook*, 9th ed., Vol. 1, American Society for Metals, Metals Park, OH, 1978.)

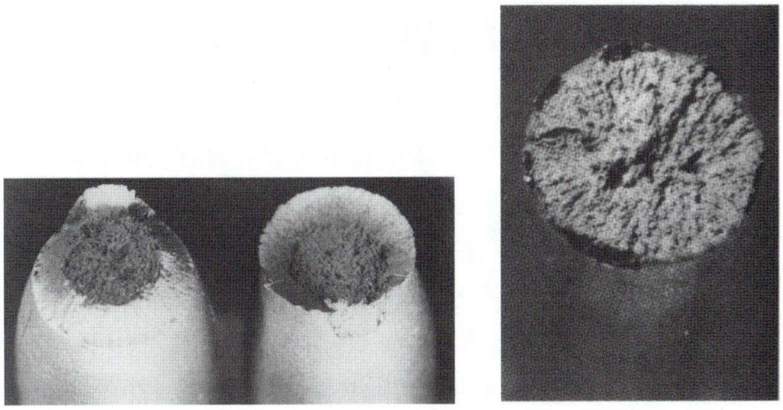

(a) (b)

그림 8.4 (a) 연성 파괴면의 전형적인 'cup and cone' 현상. 파괴의 시작은 중심 근처에서 표면으로 움푹 파인 형태로 퍼져 간다. 표면 근처에서 응력 상태는 인장에서 전단으로 변하고, 파괴는 대략 45° 방향으로 진행된다. (From *Metals Handbook*, 9th ed., Vol. 12, ASM International, Metals Park, OH, 1987.) (b) 취성 파괴 표면의 전형적인 벽개 형태 (From *Metals Handbook*, 8th ed., Vol. 9, American Society for Metals, Metals Park, OH, 1974.)

우 중요한 기준이 된다. 천이 온도는 합금 조성과 시험 조건에 따라 대략 −100°C와 +100°C 사이에 나타난다. 이러한 현상 때문에 2차 세계대전 중 리버티(Liberty) 선단의 참사가 여러 번 일어났다. 몇몇 배는 문자 그대로 딱 반으로 쪼개졌다. 실온에서 연성인 저탄소강은 해양 환경과 같은 저온에서는 취성이 된다. 그림 8.3은 합금 조성에 따른 천이 온도의 극적인 변화를 보여준다. 이러한 자료는 재료 선택의 중요한 지표가 된다.

D **예제 8.1**

사용 온도가 0°C 이하로 예상되는 어느 구조 설계에 노에서 냉각한 Fe-Mn-0.05C 합금을 사용하도록 되어 있다. 이 합금에 대한 Mn의 적당량을 예측하시오.

풀이

필요한 자료가 그림 8.3에 나와 있다. 1% Mn 합금은 0°C에서 상대적으로 취약한 반면, 2% Mn 합금은 대단히 연하다. 따라서 (노치-인성만 고려한) 안전한 선택은

$$\text{Mn 함량} = 2\%$$

D **연습문제 8.1**

보통 탄소강이 0°C 이하에서 상대적으로 연성을 확보하는 데 필요한 탄소 수준을 찾으시오(예제 8.1 참고).

8.2 파괴 인성

앞에서 설명한 리버티호의 재난과 같은 재료 파괴의 성질을 정량화하기 위한 실질적인 노력이 행해져 왔다. **파괴 역학**(fracture mechanics)은 이미 존재하는 결함을 갖는 구조 재료 파괴의 일반적 분석을 의미하는 말이 되었다. 이것은 총괄적인 영역으로 많은 연구의 초점이 되었다. 여기서는 파괴 역학에서 가장 넓게 사용하는 단일 변수인 한 재료의 성질에 대해 자세히 다룰 것이다. **파괴 인성**(fracture toughness)은 K_{IC}('kay-one-cee'로 읽음)로 표기하며 단순 일축 하중하에서 갑작스러운 파괴가 발생할 때 균열 선단에서의 응력 세기 인자(stress-intensity factor)의 임계 값이다. 아래첨자 'I'는 *I*형(일축) 하중을 나타내고 'C'는 임계(critical)를 나타낸다. 파괴 인성 개념의 단순한 예는 작은 바늘구멍이 있는 풍선에서 찾을 수 있다. 풍선의 내부 압력이 임계 값에 도달하면 갑작스런 파괴는 바늘구멍에서 시작된다(즉 풍선은 펑 하고 터진다). 일반적으로 파괴 인성 값은 다음과 같이 주어진다.

$$K_{IC} = Y\sigma_f\sqrt{\pi a} \tag{8.1}$$

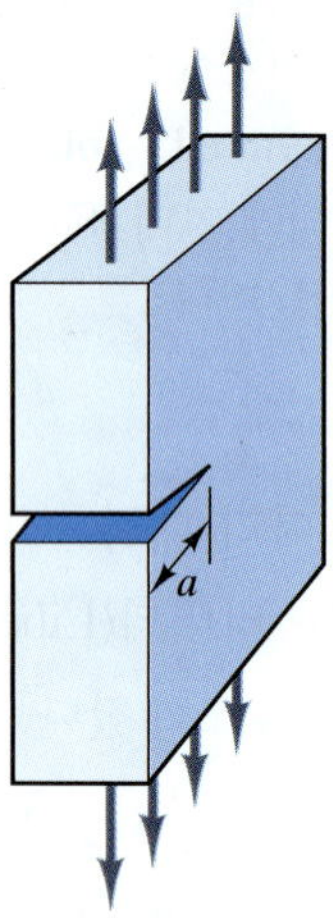

그림 8.5 파괴-인성 시험

여기서 Y는 1 정도인 무차원의 기하학적 인자이고 σ_f는 파괴 시 가해진 전체 응력이며, a는 표면 균열의 길이(또는 어느 내부 균열 길이의 1/2)이다. 파괴 인성(K_{IC})의 단위는 MPa $\sqrt{\text{m}}$이다. 그림 8.5는 전형적인 K_{IC} 측정 방법을 나타낸 것이고, 표 8.3은 여러 재료에 대한 파괴 인성 값을 나타낸 것이다. K_{IC}는 노치 크기에 비해 시편 두께(그림 8.5)가 상대적으로 큰, 즉 평면 변형(plane strain) 조건과 연관된다. 평면 응력(plane stress) 조건이 작용하는 얇은 시편에 대해서는 파괴 인성을 K_C로 나타내며, 이는 시편 두께에 예민한 함수이다. 평면 변형 조건은 일반적으로 두께 $\geq 2.5(K_{IC}/\text{Y.S.})^2$일 때 적용된다.

K_{IC}가 나타내는 인성의 미시적 개념은 인장 및 충격 시험의 거시적 측정으로 나타낸 인성의 개념과 일치한다. 균열 선단 부근에서 소성 변형의 가능성이 거의 없는 취성이 큰 재료는 K_{IC}값이 낮고 갑작스럽게 파괴되기 쉽다. 이와 대조적으로 연성이 큰 합금은 파괴되기 전에 미시적 및 거시적 규모로 실질적인 소성 변형이 일어난다. 금속공학에서 파괴 역학은 구조적 결함에 의해 발생하는 응력 집중으로 인해 항복 강도 이하의 응력에서 파괴가 발생할 수 있는, 중간 정도의 연성을 갖는 합금을 판단하는 데 사용된다. 예를 들어 압력용기 설계 시 결함 크기의 함수로 작동 응력(작동 압력에 관계됨)을 표시하면 편리하다. 주어진 크기 이상의 결함이 존재하지 않음을 비파괴 시험을 포함한 검사 프로그램으로 확인할 수 있다(8.4절 참고). **일반 항복**(general yielding, 결함에 독립)은 6.1절에서 다루었다. **결함 유도 파괴**(flaw-induced fracture)는 식 (8.1)로 설명된다. 이 식에서 Y를 1로 취하면 그림 8.6과 같은 설계 그래프로 나타낼 수 있다. 설계 그래프에서 중요한 점은 일반 항복에 의한 파괴는 관찰

이 가능한 소성 변형으로 진행되지만, 결함으로 인한 파괴는 그러한 사전 경고 없이 급속히 발생한다는 것이다. 따라서 결함 유도 파괴를 **고속 파괴**(fast fracture)라고도 한다.

파괴 인성의 지속적 개선으로 인해 구조 세라믹의 적용 범위가 확장되고 있다. 그림 8.7은 파괴 인성을 크게 증가시키는 두 가지 미세구조를 나타낸 것이다. 그림 8.7(a)는 부분적으로 안정화된 지르코니아(partially stabilized zirconia, PSZ)의 **변태 인성**(transformation toughening) 기구를 나타낸다. 입방정 지르코니아 기지 내에 정방정 지르코니아(tetragonal zirconia) 제2상의 입자가 분포한 것이 연성 개선의 핵심이다. 균열이 전파되며 국부적인 응력장이 형성되는데, 이로 인해 정방정 지르코니

표 8.3 다양한 금속의 파괴 인성(K_{IC}) 값

Material	K_{IC} (MPa $\sqrt{m}$)
Metal or alloy	
Mild steel	140
Medium-carbon steel	51
Rotor steels (A533; Discalloy)	204–214
Pressure-vessel steels (HY130)	170
High-strength steels (HSS)	50–154
Cast iron	6–20
Pure ductile metals (e.g., Cu, Ni, Ag, Al)	100–350
Be (brittle, hcp metal)	4
Aluminum alloys (high strength–low strength)	23–45
Titanium alloys (Ti–6Al–4V)	55–115
Ceramic or glass	
Partially stabilized zirconia	9
Electrical porcelain	1
Alumina (Al_2O_3)	3–5
Magnesia (MgO)	3
Cement/concrete, unreinforced	0.2
Silicon carbide (SiC)	3
Silicon nitride (Si_3N_4)	4–5
Soda glass (Na_2O–SiO_2)	0.7–0.8
Polymer	
Polyethylene	
High-density	2
Low-density	1
Polypropylene	3
Polystyrene	2
Polyesters	0.5
Polyamides (nylon 66)	3
ABS	4
Polycarbonates	1.0–2.6
Epoxy	0.3–0.5

출처: Data from M. F. Ashby and D. R. H. Jones, *Engineering Materials—An Introduction to Their Properties and Applications*, Pergamon Press, Inc., Elmsford, NY, 1980, GTE Laboratories, Waltham, MA, and *Design Handbook for DuPont Engineering Plastics*.

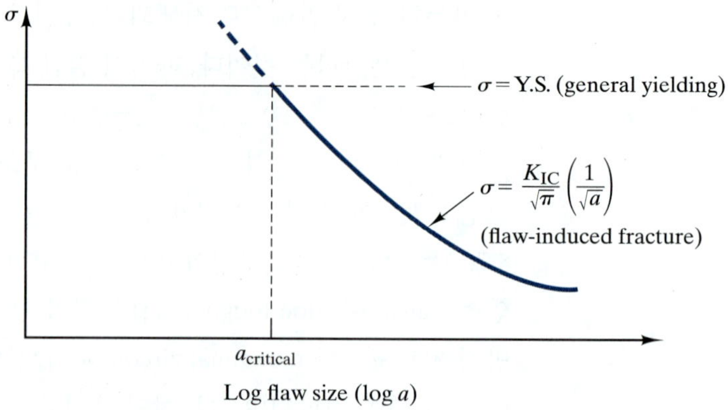

그림 8.6 압력용기 소재의 결함 크기가 임계 크기 $a_{critical}$보다 작을 때 응력-결함 크기의 설계 도표. 조기 파괴 현상은 결함의 크기가 임계 크기보다 클 때 나타난다.

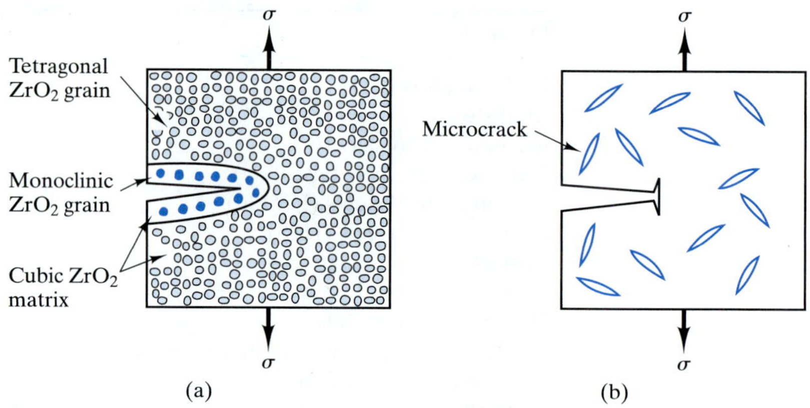

그림 8.7 균열을 억제해서 세라믹의 파괴 인성을 증진하는 두 가지 메커니즘. (a) 더 큰 비부피를 가지며 부분적으로 산화된 지르코늄의 변형 강화는 정방정계에서 단사정의 구조로 응력 변화를 유도한다. 균열 끝부분의 국부적인 부피 확장은 균열 부위에 압력을 가하고 잔류 응력을 발생시킨다. (b) 세라믹 제조 과정 중에 발생한 미세 균열은 균열의 진행을 둔화시킨다.

아가 단사정(monoclinic)으로 변태한다. 단사정상이 정방정상보다 비부피가 약간 더 크기 때문에 국부적으로 압축이 가해져 균열을 압착하여 폐쇄시키게 된다. 그림 8.7(b)는 균열을 억제하는 다른 방법을 보인 것으로, 세라믹 제조공정 중에 미세균열을 의도적으로 도입하여 진행하는 균열의 선단을 무디게 하는 것이다. Griffith 균열에 관한 식 (6.11)은 선단 반지름이 크면 균열 선단에서 국부 응력이 극적으로 감소함을 보여준다. 파괴 인성을 증가시키는 또 다른 방법은 강화 섬유를 이용하는 것인데, 이것은 12장에서 세라믹 기지 복합재료와 함께 다룰 것이다.

거시적 규모에서 소성 변형이 나타나지 않는 고분자와 세라믹의 경우 미시적 규모에서도 마찬가지로 소성 변형이 나타나지 않는다. 이것은 표 8.3에 보인 것처럼 전통적인 세라믹과 유리는 파괴 인성(K_{IC})이 작다는 특징을 반영하는 것이다(≤ 5

MPa $\sqrt{\text{m}}$). 대부분의 K_{IC}값은 표에 나타낸 대부분의 취성 금속에서보다 낮다. 최근에 개발된 변태-인성 PSZ만 몇몇 중간 정도의 인성 금속과 비교할 만하다. 인성에서 그 이상의 개선은 12장에서 몇몇 세라믹 기지 복합재료를 가지고 설명할 것이다.

예제 8.2

어느 고강도 강의 항복 강도는 1,460 MPa이고 K_{IC}는 98 MPa $\sqrt{\text{m}}$ 이다. 항복 강도의 $\frac{1}{2}$Y.S.에 해당하는 응력에서 급속 파괴를 일으킬 표면 균열의 크기를 계산하시오.

풀이

이상적인 평면 변형 조건을 가정하면 식 (8.1)을 이용할 수 있다. 명확한 기하학적 정보 대신 $Y = 1$로 놓을 수 있다. 이러한 제한 조건 내에서 다음과 같이 계산할 수 있다.

$$K_{IC} = Y\sigma_f\sqrt{\pi a}$$

$Y = 1$이고 $\sigma_f = 0.5$ Y.S.이므로

$$K_{IC} = 0.5\text{ Y.S. }\sqrt{\pi a}$$

또는

$$\begin{aligned} a &= \frac{1}{\pi}\frac{K_{IC}^2}{(0.5\text{ Y.S.})^2} \\ &= \frac{1}{\pi}\frac{(98\text{ MPa}\sqrt{\text{m}})^2}{[0.5(1{,}460\text{ MPa})]^2} \\ &= 5.74 \times 10^{-3}\text{ m} \\ &= 5.74\text{ mm} \end{aligned}$$

예제 8.3

품질관리 검사에서 어느 구조용 세라믹 부품에 25 μm 크기보다 큰 결함이 없음을 확인할 수 있다고 할 때 최대 사용 응력을 (a) SiC와 (b) 부분적으로 안정화된 지르코니아에 대해 계산하시오.

풀이

비교적 명확한 정보 대신 $Y = 1$로 가정하여 식 (8.1)을 사용한 일반적인 파괴 역학 문제로 풀 수 있다. 이 경우

$$\sigma_f = \frac{K_{IC}}{\sqrt{\pi a}}$$

이 식은 최대 사용 응력이 결함 크기 $= a = 25\ \mu$m인 어느 부품에 대해 파괴 응력이 될 것이라고 가정한다. K_{IC}값은 표 8.3에 주어진다.

(a) SiC에 대해

$$\sigma_f = \frac{3\ \text{MPa}\sqrt{\text{m}}}{\sqrt{\pi \times 25 \times 10^{-6}\ \text{m}}} = 339\ \text{MPa}$$

(b) PSZ에 대해

$$\sigma_f = \frac{9\ \text{MPa}\sqrt{\text{m}}}{\sqrt{\pi \times 25 \times 10^{-6}\ \text{m}}} = 1{,}020\ \text{MPa}$$

연습문제 8.2

예제 8.2에서 (a) $\frac{1}{3}$Y.S.와 (b) $\frac{3}{4}$Y.S.에서 합금 내 급속 파괴가 일어나는 데 필요한 균열의 크기는 얼마인가?

연습문제 8.3

예제 8.3에서 두 구조용 세라믹에 대한 최대 사용 응력을, 25 μm보다 큰 결함이 없다는 확인에 기초하여 계산했다. 비교적 경제적인 어떤 검사 프로그램이 100 μm 크기보다 큰 결함의 검출만 보증할 수 있다고 할 때 이 계산을 다시 하시오.

8.3 피로

지금까지는 인장 시험과 같은 저속 또는 충격 시험과 같은 급속 단일 하중 조건에서 금속의 기계적 거동을 평가했다. 많은 구조용 재료는 정적 하중보다는 동적 하중 하에서 특별한 문제를 일으킨다. **피로**(fatigue)는 최대 인장 응력 이하 수준의 주기적인 하중을 받을 때 일어나는 재료 파괴의 일반적인 현상이다(그림 8.8). 그림 8.9는 빠른 속도로 정해진 응력을 주기적으로 가하는 실험 방법을 도시한 것이며, 전형적인 **피로 곡선**(fatigue curve)을 그림 8.10에 나타냈다. 주기 수(N)에 대한 응력(S)을 대수 척도로 표시한 이러한 그림을 S-N 곡선이라고 한다. 이 자료는 단일 하중(N

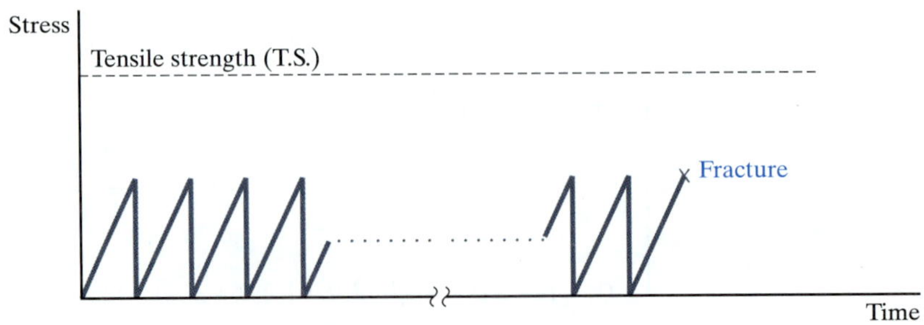

그림 8.8 인장 강도 이하의 응력 수준으로 총 N회의 주기 반복 후 합금의 피로 취성 파괴

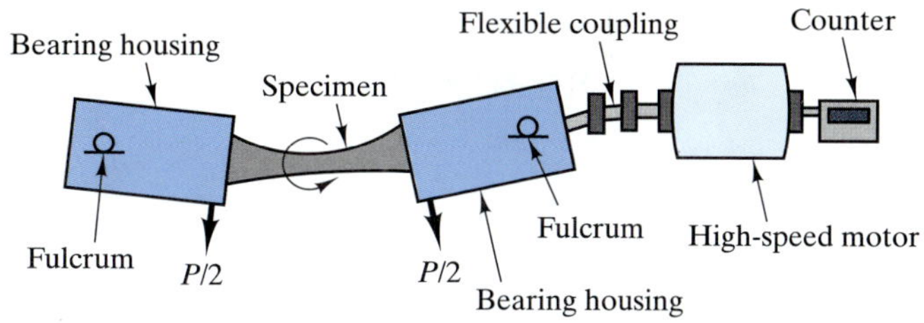

그림 8.9 피로 시험 (From C. A. Keyser, *Materials Science in Engineering*, 4th ed., Charles E. Merrill Publishing Company, Columbus, OH, 1986.)

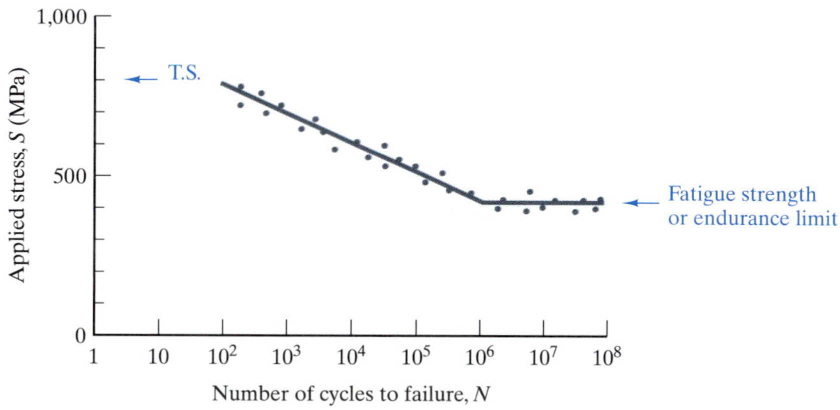

그림 8.10 전형적인 피로 곡선(수평축은 로그 스케일)

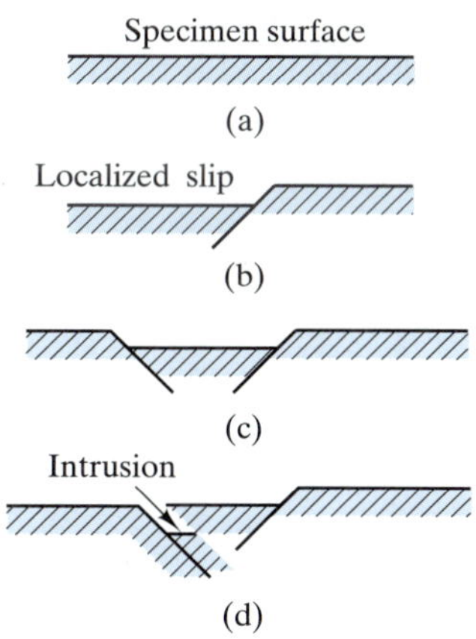

그림 8.11 반복 하중의 작용이 부분적인 소성 변형을 발생시키고 최종적으로 합금 표면의 날카로운 틈을 생성하는 과정

= 1)에서 800 MPa(T.S.)의 응력에 견딜 수 있는 재료라도 600 MPa 이하의 응력을 10,000번($N = 10^4$) 적용하면 파괴됨을 나타낸다. 이러한 강도 감소의 이유는 이해하기 어렵다. 그림 8.11은 응력을 반복적으로 가할 때 금속 표면에서 어떻게 국부적인 소성 변형이 생성되고, 결국 예리한 불연속성(돌출부와 오목부)이 나타날 수 있는가를 보여준다. 한번 형성된 이러한 오목부(intrusion)는 재료의 하중 지탱 능력을 감소시키고 응력 집중부로 작용하면서 균열로 계속 성장한다(앞 절 참고).

주기적 하중의 파괴 역학을 연구하여 균열 성장의 특성을 실질적이고 정량적으로 이해할 수 있다. 특히 균열 성장은 균열 길이가 식 (8.1)과 그림 8.6으로 정의한 임계 값에 도달할 때까지 계속된다.

응력의 수준이 낮거나 균열의 크기가 작은 경우에 기존의 균열은 주기적인 하중을 가하는 동안 성장하지 않는다. 그림 8.12는 응력이 어느 임계 값을 초과할 때 균열 성장속도, 즉 그래프의 기울기(da/dN)가 나타내는 것과 같이 균열 길이가 증가하는 것을 보여준다. 그림 8.12는 또한 주어진 응력 수준에서 균열의 성장 속도는 균열 길이 증가에 따라 증가하고 주어진 균열 길이에 대해 균열 성장 속도는 응력 크기의 증가에 따라 상당히 증가함을 보인다. 피로 균열의 전체적인 성장을 응력 강도 인자 K의 함수로 그림 8.13에 예시했다. 그림 8.13의 영역 I은 낮은 응력이나 작은 균열과 관련하여 이전에 언급한 균열의 성장이 없는 경우에 해당한다. 영역 II는 다음 관계식에 해당한다.

$$(da/dN) = A(\Delta K)^m \tag{8.2}$$

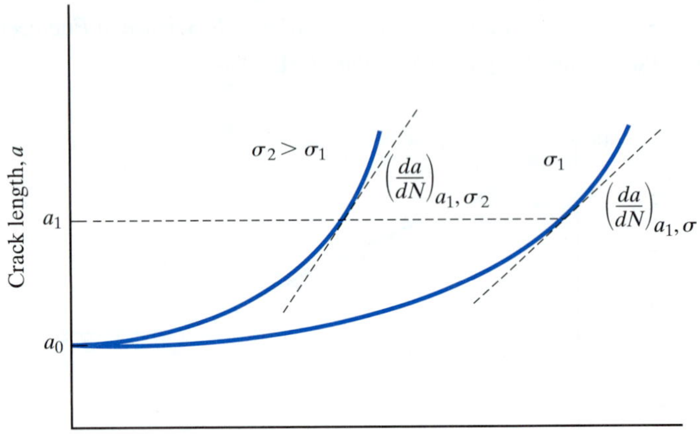

그림 8.12 응력 수준이 다른 두 조건에서 N 사이클에 따른 균열 성장. 주어진 응력에서 균열 성장률은 da/dN이고 균열 길이에 비례한다. 초기 균열 길이를 a_1이라고 하면 균열 성장률은 응력의 증가에 비례한다.

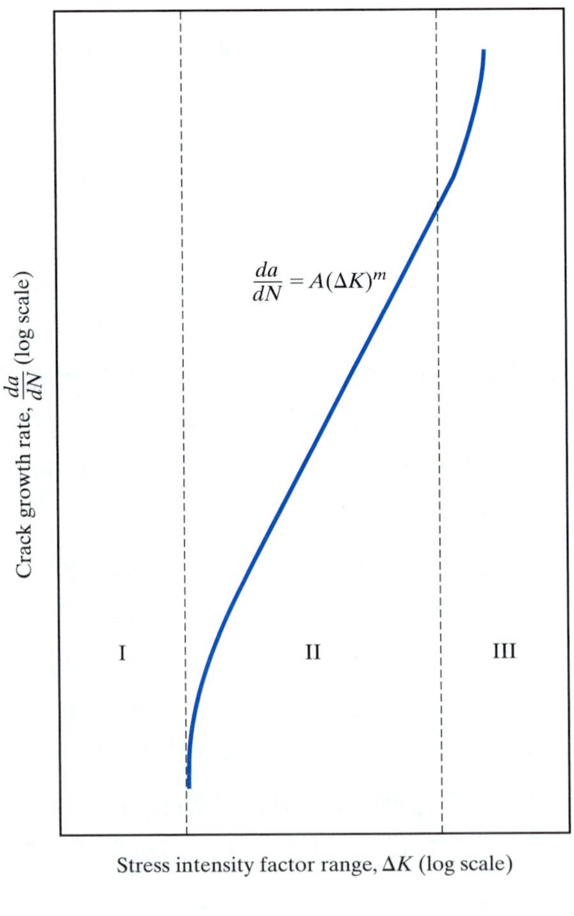

그림 8.13 균열 성장률(da/dN)과 응력 강도 인자(ΔK) 영역의 대수 관계. 영역 I은 피로 균열의 비진행 구간. 영역 II는 log da/dN과 log ΔK의 선형 구간. 영역 III는 완전 파괴 전의 불안정한 균열 성장을 나타낸다.

여기서 A와 m은 환경과 시험주기 및 최소와 최대 응력 적용 비에 따라 변화하는 재료 계수이고, ΔK는 균열 선단에서 응력 강도 인자의 범위이다. 식 (8.1)과 관련하여

$$\begin{aligned}\Delta K &= K_{\text{max}} - K_{\text{min}} \\ &= Y\Delta\sigma\sqrt{\pi a} = Y(\sigma_{\text{max}} - \sigma_{\text{min}})\sqrt{\pi a}\end{aligned} \tag{8.3}$$

식 (8.2)와 (8.3)에서 K는 더 구체적인 파괴 인성인 K_{IC}보다는 좀 더 일반적인 **응력 강도 인자**(stress intensity factor)이고, N은 S-N 곡선과 관련된 피로 파괴에 이르는 총주기 수가 아닌, 파괴 이전에 주어진 균열 길이에 이르는 데 필요한 주기 수이다. 그림 8.13의 영역 II에서 식 (8.2)는 균열 성장 속도 da/dN의 대수 값과 기울기가 m일 때 응력 강도 인자 범위, ΔK 사이의 직선적인 관계를 의미한다. m값은 대표적으로 1~6 사이의 범위이다. 영역 III는 고속 파괴 직전의 가속된 균열 성장에 해당한다.

피로 파괴 표면은 그림 8.14에 보인 바와 같이 독특한 결을 나타낸다. 표면의 매끈한 부분은 조개껍데기(clamshell) 또는 모래톱(beachmark)이라고 한다. 조밀한 선형

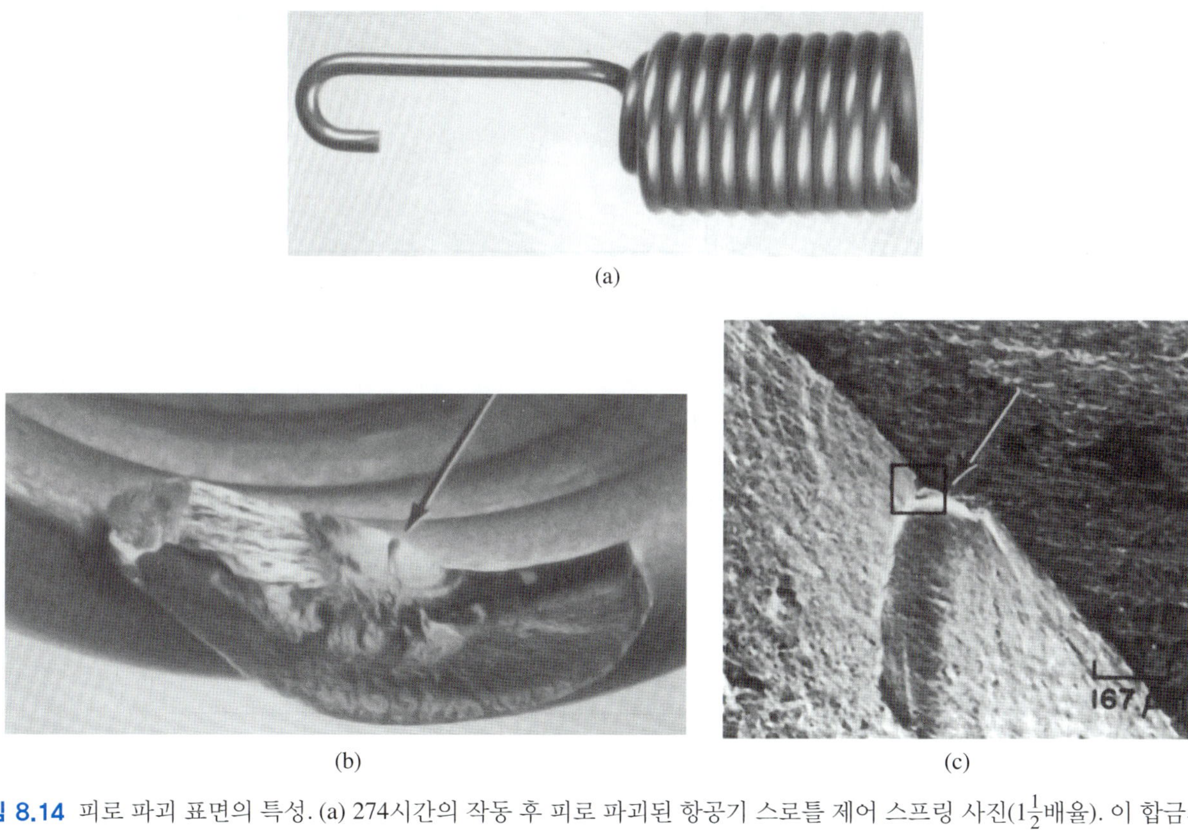

그림 8.14 피로 파괴 표면의 특성. (a) 274시간의 작동 후 피로 파괴된 항공기 스로틀 제어 스프링 사진($1\frac{1}{2}$배율). 이 합금의 재질은 17-7PH 스테인리스강이다. (b) 파괴 시작점(화살표)과 주기 균열 성장을 나타내는(그림 8.11에 나타낸 표면 균열의 확장) 동심원 패턴을 가진 인접 영역의 광학 현미경 사진(10배율). 입상 영역은 파괴 시의 빠른 결함 진행을 나타낸다. (c) 파괴 시작점(화살표)과 주변 '조개껍데기' 모양을 근접 촬영한 전자현미경 사진(60배율) (From *Metals Handbook*, 8th ed., Vol. 9: Fractography and Atlas of Fractographs, American Society for Metals, Metals Park, OH, 1974.)

패턴은 표면의 오목부로부터 균열이 느리지만 주기적으로 진행된 것을 나타내는 일종의 기록이다. 파괴 표면의 오돌토돌한 부분은 갑작스런 파괴 시 빠른 균열 전파가 있었음을 나타낸다. 보통 연성재료에서도 피로 파괴는 취성 특징을 갖는 기구에 의해 일어날 수 있다.

그림 8.10은 주기 수 증가에 따라 강도 감소가 어느 한계에 도달함을 보여준다. 이러한 **피로 강도**(fatigue strength) 또는 **피로 한도**(endurance limit)는 철계 합금의 특징이다. 비철 합금은 감소 속도가 N에 따라 감소하기는 하지만 철 합금과 같은 명확한 한계는 없는 경향이 있다(그림 8.15). 실제로 비철 합금의 피로 강도는 어느 임의의 주기 후(그림 8.15에 예시한 것과 같이 보통 $N = 10^8$)의 강도로 정의한다. 피로 강도는 항상 인장 강도의 1/4 또는 1/2 사이의 값이다. 표 8.4와 그림 8.16은 표 6.1의 합

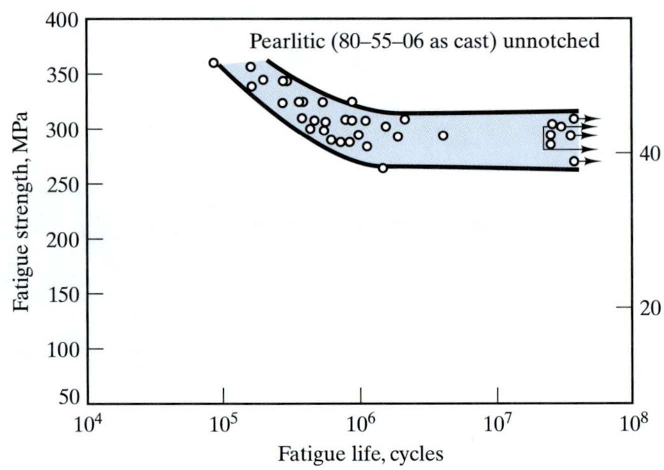

(a)

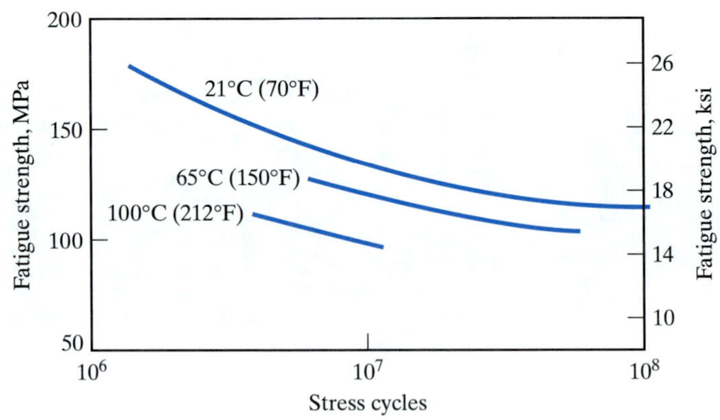

(b)

그림 8.15 (a) 철 합금과 (b) 비철 합금의 피로 곡선 비교. 철 합금은 연철이고 비철 합금은 C11000 구리선이다. 비철 합금은 뚜렷한 내구 한계가 나타나지 않지만, $N = 10^8$ 응력 주기에서의 파괴 응력은 비교할 만한 요소이다. (After *Metals Handbook*, 9th ed., Vols. 1 and 2, American Society for Metals, Metals Park, OH, 1978, 1979.)

표 8.4 표 6.1의 몇 가지 합금의 피로 강도(F.S.)와 인장 강도(T.S.)의 비교

Alloy	F.S. (MPa)	T.S. (MPa)
1. 1040 carbon steel	280	750
2. 8630 low-alloy steel	400	800
3. a. 304 stainless steel	170	515
7. a. 3003-H14 aluminum	62	150
8. b. AM100A casting magnesium	69	150
9. a. Ti–5Al–2.5Sn	410	862
10. Aluminum bronze, 9% (copper alloy)	200	652
11. Monel 400 (nickel alloy)	290	579
12. AC41A zinc	56	328

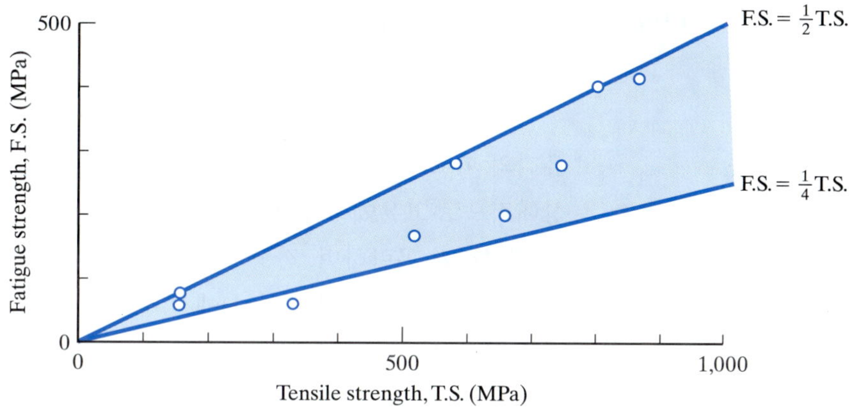

그림 8.16 표 8.4의 데이터를 나타낸 도표. 일반적으로 피로 강도가 인장 강도의 1/4~1/2 사이에 분포한다.

금에 대한 피로 강도를 예시한다. 합금의 피로 저항은 냉간 가공 등의 기계적 변형이 가해졌거나 구조적 불연속성이 작을 때 높아진다(그림 8.17).

금속 피로는 주기적 하중 중에 생성되는 미세조직적 손상으로 생기는 강도의 감소로 정의되어왔다. 이 피로 현상은 세라믹과 유리에서도 관찰되는데 주기적 하중 없이도 관찰된다. 그 이유는 이러한 재료의 경우 기계적 기구보다는 어떤 화학적 기구가 포함되어 있기 때문이다. 그림 8.18은 보통의 규사 유리에 대한 **정적 피로**(static fatigue) 현상을 보여준다. 이 현상에서는 두 가지 특성이 관찰된다. (1) 물을 포함하는 환경 내에서 일어난다는 것과 (2) 실온 부근 온도에서 일어난다는 것이다. 정적 피로에서 물의 역할은 그림 8.19에서 알 수 있다. 규산염 망상조직과 화학적 반응으로 하나의 물 분자는 2개의 Si-OH 단위를 생성한다. 이 수산기 단위는 서로 결합하지 않고 규산염의 망상구조 내에 어떤 단락을 남긴다. 이 반응이 표면 균열의 선단에서 일어날 때 균열은 한 원자 크기의 단계만큼 길어진다.

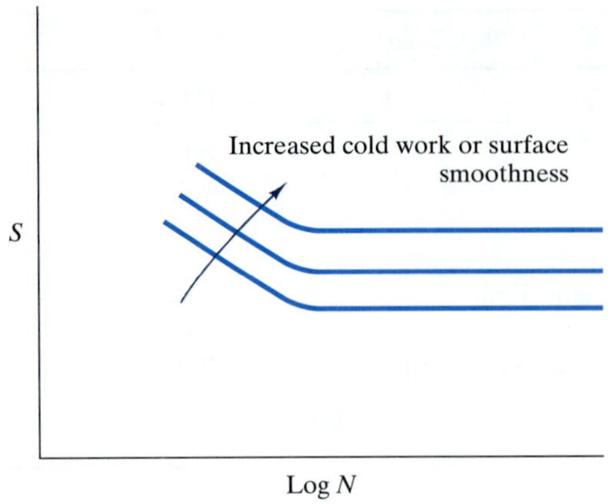

그림 8.17 피로 강도는 기계적 소성 변형 또는 구조적 불연속성을 줄이는 것으로 개선된다.

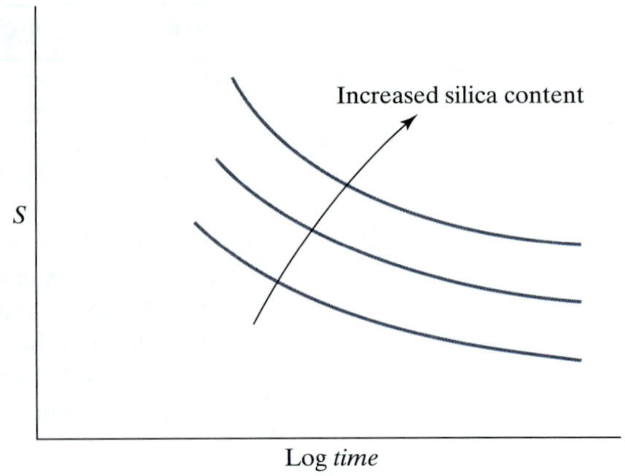

그림 8.18 (주기적 반복 하중 작용을 제외한)정하중 상태인 유리의 강도 저하는 정적 피로와 관계가 있다.

금속의 주기적 피로와 세라믹의 정적 피로를 그림 8.20에서 비교했다. 세라믹과 유리의 피로 기구의 화학적 성질 때문에 이 현상이 상온에서 우선적으로 발견된다. 상대적으로 고온에서(150°C 정도 이상) 수산화 반응은 너무 빠르기 때문에 그 효과를 검사하기 곤란하며, 점성 변형과 같은 다른 인자 또한 정적 피로에 영향을 줄 수 있다. 저온(−100°C 정도 이하)에서 수산화 반응 속도는 너무 느려서 현실적인 시간 내에 상당한 효과를 나타낼 수 없다. 금속 내에서 이러한 정적 피로와 유사한 현상은

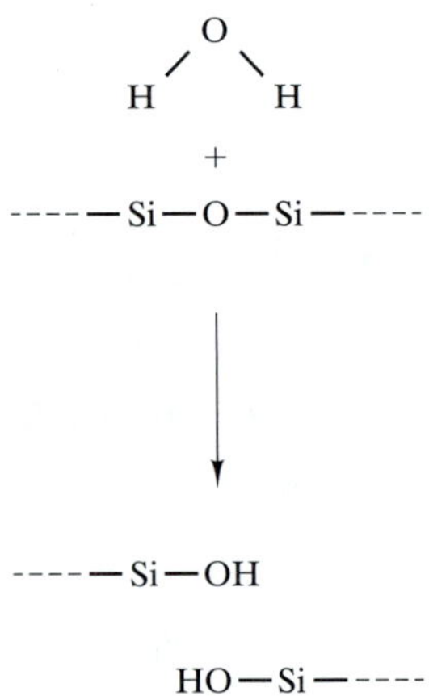

그림 8.19 정적 피로에서 H_2O의 역할은 규산염 망상구조와의 반응에 달려 있다. H_2O 한 분자와 –Si–O–Si– 한 분절은 망상구조를 끊고 2개의 Si-OH를 생성한다.

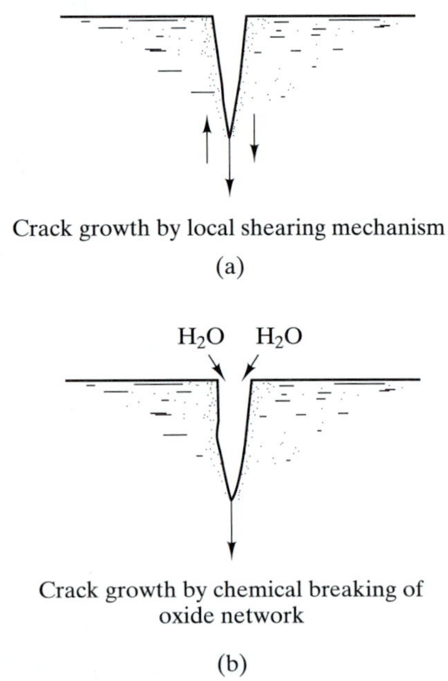

그림 8.20 (a) 금속의 동적 피로와 (b) 세라믹의 정적 피로의 비교

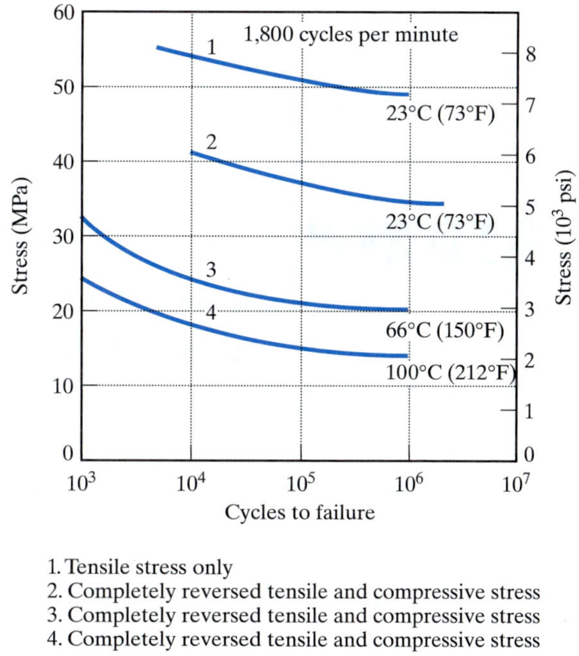

그림 8.21 다양한 온도에서 아세탈 고분자의 피로 거동 (From *Design Handbook for DuPont Engineering Plastics*, used by permission.)

가혹한 환경하에서 균열 성장 기구를 포함하는, 응력 부식 균열과 수소 취성이 있다.

고분자에서의 피로는 금속 합금과 유사한 방법으로 취급되며, 아세탈 수지는 우수한 피로 저항성을 갖고 있다고 알려져 있다. 그림 8.21은 다양한 온도에서 그러한 재료에 대한 S-N 곡선을 요약한 것이다. 고분자에 대한 피로 한도는 일반적으로 비철 합금에 대해 보통 사용하는 10^8 주기보다는 10^6 주기에서 보고된다(예: 그림 8.15).

예제 8.4

어느 구조용 합금의 인장 강도가 800 MPa이라는 자료만 주어졌을 때, 하중이 주기적이고 2의 안전 계수가 요구되는 경우의 최대 허용 운전 응력을 대략적으로 계산하시오.

풀이

그림 8.16을 참고하면 피로 강도의 계산은 다음과 같이 될 것이다.

$$\text{F.S.} = \tfrac{1}{4}\,\text{T.S.} = \tfrac{1}{4}(800\ \text{MPa}) = 200\ \text{MPa}$$

안전 계수 2를 사용하면 허용 운전 응력은 다음과 같다.

$$\text{운전 응력} = \frac{\text{F.S.}}{2} = \frac{200\ \text{MPa}}{2} = 100\ \text{MPa}$$

주: 안전 계수는 특히 F.S.와 T.S. 사이 관계의 대략적인 성질을 설명하는 데 도움을 준다.

예제 8.5

정적 피로는 화학 반응(그림 8.19)에 의존하며, 결국 Arrhenius 거동의 또 다른 예이다. 특별히 주어진 하중에서 파괴 시간의 역수는 시간에 따라 지수적으로 증가하는 것으로 나타났다. 그림 8.19의 기구와 관련된 활성화 에너지는 78.6 kJ/mol이다. 소다-석회-실리카 유리에 대한 파괴 시간이 어느 주어진 하중, +50°C에서 1초라면 동일 하중, −50°C에서 파괴가 일어나는 시간은?

풀이

위에서 설명한 바와 같이 Arrhenius 식[식 (5.1)]을 사용할 수 있다면 이 경우에

$$t^{-1} = Ce^{-Q/RT}$$

여기서 t는 파괴에 이르는 시간이다.

50°C(323 K)에서

$$t^{-1} = 1\ \text{s}^{-1} = Ce^{-(78.6\times10^3\,\text{J/mol})/[8.314\ \text{J/mol}\cdot\text{K})](323\ \text{K})}$$

따라서

$$C = 5.15 \times 10^{12}\ \text{s}^{-1}$$

$$\begin{aligned} t^{-1}_{-50^\circ\text{C}} &= (5.15 \times 10^{12}\ \text{s}^{-1})e^{-(78.6\times10^3\,\text{J/mol})/[8.314\ \text{J/(mol}\cdot\text{K)}](223\ \text{K})} \\ &= 1.99 \times 10^{-6}\ \text{s}^{-1} \end{aligned}$$

또는

$$\begin{aligned} t &= 5.0 \times 10^5\ \text{s} \\ &= 5.0 \times 10^5\ \text{s} \times \frac{1\ \text{h}}{3.6 \times 10^3\ \text{s}} \\ &= 140\ \text{h} \\ &= 5\text{일, } 20\text{시간} \end{aligned}$$

연습문제 8.4

예제 8.4에서 운전 응력은 피로 하중을 고려하여 계산된다. 동일한 내용을 고려하여 Brinell 경도가 200인 주조 상태의 80-55-06 연성철에 대한 최대 허용 운전 응력을 계산하시오(그림 6.29 참고).

연습문제 8.5

예제 8.5에서 논의한 계에 대해 (a) 0°C에서와 (b) 상온 25°C에서 파괴에 이르는 시간은 얼마이겠는가?

8.4 비파괴 시험

비파괴 시험(nondestructive testing)은 부품을 파괴하지 않고 공업재료를 평가하는 것이다. 많은 비파괴 시험의 목표는 내부의 치명적 결함을 발견하는 것이다. 파괴 역학과 마찬가지로 비파괴 검사는 이미 존재하는 파괴를 분석하거나 앞으로 파괴가 일어나는 것을 방지하는 데 이용될 수 있다. 이 분야의 주요 기술은 엑스선 탐상과 초음파 기술이다.

엑스선 탐상법(x-radiography)은 비록 회절을 통해 1 nm 이하 엑스선 파장 정도의 크기를 측정할 수 있음에도 불구하고, 1 mm 차수의 분해능으로 **그림자 사진**(shadow graph)이 생성된다(그림 8.22). 흉부 의학용 엑스선이 보편적인 예이다. 공업용 엑스선 탐상은 주물과 용접부를 검사하는 데 널리 이용된다. 주어진 에너지의 엑스선 빔으로 검사되는 재료에 대해, 재료의 어느 두께를 통해 투과한 빔 강도 I는 Beer[3]의 법칙으로 주어진다.

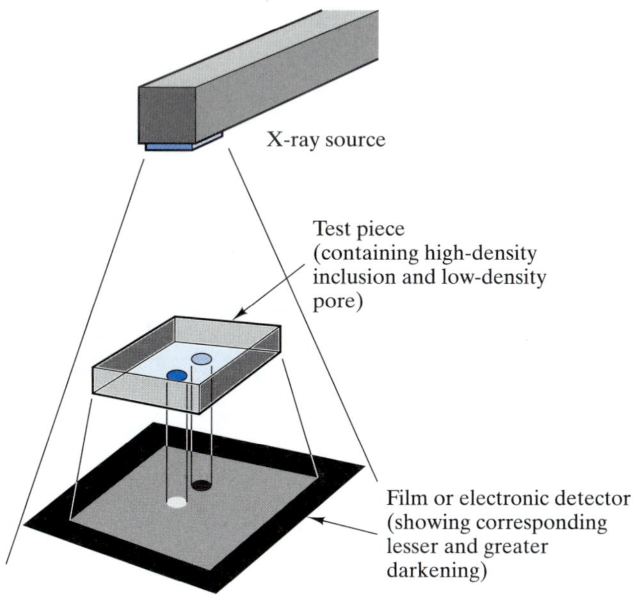

그림 8.22 엑스선 탐상의 개략도

3) August Beer(1825~1863)는 독일 물리학자이다. 그가 학위를 받은 본대학교에서 비교적 짧은 여생을 학생들을 가르치며 보냈다. 가시광선의 흡수를 관찰했던 그는 이것을 처음으로 설명한 법칙으로 기억된다.

$$I = I_0 e^{-\mu x} \tag{8.4}$$

여기서 I_0는 입사 빔의 강도, μ는 재료의 선 흡수 계수이다. 강도는 빔 내 광자 수에 비례하고 빔 내 광자의 에너지에 따라 다르다. 흡수 계수는 빔에너지와 재료 조성의 함수이다. 에너지의 함수로 철의 μ에 대한 실험값을 표 8.5에 나타냈다. 빔에너지 증가에 따라 μ는 감소하는 경향이 있는데 이는 광자의 흡수와 산란 메커니즘 때문이다. 선 흡수 계수의 성분 조성에 따른 변화는 표 8.6을 통해 알 수 있다. 주어진 빔에너지에 대하여 μ는 일반적으로 원자 번호에 따라 증가한다. 이는 알루미늄과 같이 원자 번호가 낮은 금속은 상대적으로 투명하게 만들고, 납과 같이 원자 번호가 높은 금속은 상대적으로 불투명하게 만든다.

엑스선 탐상은 가시광선과 비교하여 상대적으로 단파장의 전자기 스펙트럼의 부분에 기초를 두고 있으나 **초음파 검사**(ultrasonic testing)는 가청 범위(20~20,000 Hz) 이상의 주파수를 갖는 음파 스펙트럼의 부분에 기초를 두고 있다(일반적으로 1~25 MHz). 초음파는 기계적 성질로 인해 투과할 매질이 필요한 반면에, 엑스선은 진공 중에도 투과될 수 있다는 중요한 차이점이 있다. 압전 변환기를 포함한 일반적인 초음파원은 13.4절에서 설명한다.

표 8.5 철의 엑스선 빔에너지 흡수 계수

Energy(MeV)	$\mu(mm^{-1})$
0.05	1.52
0.10	0.293
0.50	0.0662
1.00	0.0417
2.00	0.0334
4.00	0.0260

출처: Selected data from D. E. Bray and R. K. Stanley, *Nondestructive Evaluation*, McGraw-Hill Book Co., New York, 1989.

표 8.6 에너지 = 100 keV(= 0.1 MeV)인 엑스선 빔에 대한 다양한 재료의 흡수 계수

Element	Atomic number	$\mu(mm^{-1})$
Aluminum	13	0.0459
Titanium	22	0.124
Iron	26	0.293
Nickel	28	0.396
Copper	29	0.410
Zinc	30	0.356
Tungsten	74	8.15
Lead	82	6.20

출처: Selected data from D. E. Bray and R. K. Stanley, *Nondestructive Evaluation*, McGraw-Hill Book Co., New York, 1989.

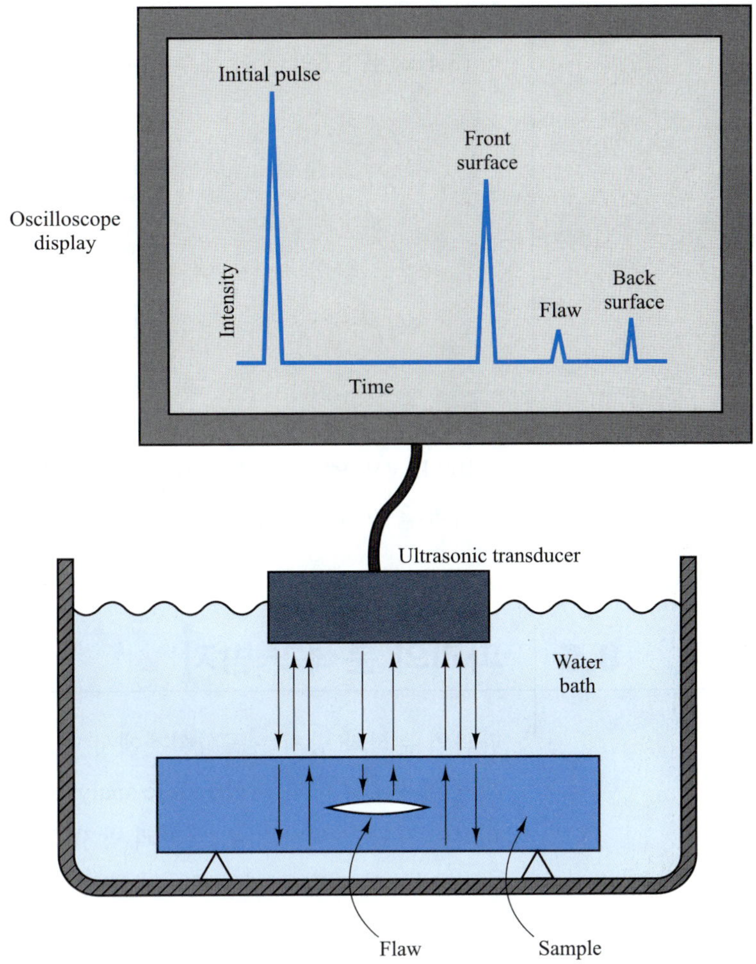

그림 8.23 펄스 에코 초음파 시험의 개략도

비파괴 시험의 일반적인 목적은 여기에 나타난 것처럼 밀리미터 단위의 결함을 찾는 것이다. 더욱 세밀한 광학 조사를 통해 구조의 표면에 존재하는 결함을 찾을 수 있다.

엑스선 탐상에서는 엑스선 감쇠 현상이 주요 인자이지만, 일반적인 공업재료의 경우 초음파에 대해서는 상대적으로 감쇠 현상이 일어나지 않는다. 초음파 시험에서는 서로 다른 재료로 이루어진 계면에서의 초음파 반사를 사용하는 것이 핵심이다. 내부 균열과 같은 대표적인 결함에 의해 음파가 반사되는 현상은 결함의 검사를 위한 기초가 된다. 그림 8.23은 전형적인 초음파 탐상의 **펄스 에코**(pulse echo)이다. 이 기술은 복잡한 형태의 부품에 사용하기에는 적당하지 않다. 초음파는 기공이나 석출물 같은 미세조직의 형태로 인해 산란하는 경향이 있다.

예제 8.6

10 mm 두께의 저탄소강 판을 투과하는 엑스선 빔 강도의 비율을 계산하시오. 빔의 에너지는 100 keV로 하시오. 탄소 함량이 낮고 본래 탄소가 엑스선 흡수율이 낮기 때문에 강은 철 원소로 근사시킬 수 있다.

풀이

식 (8.4)와 표 8.6의 감쇠 계수를 사용하면

$$I = I_0 e^{-\mu x}$$

또는

$$I/I_0 = e^{-\mu x} = e^{-(0.293\ \mathrm{mm}^{-1})(10\ \mathrm{mm})} = e^{-2.93} = 0.0534$$

연습문제 8.6

100 keV의 엑스선 빔이 10 mm 두께의 (a) 타이타늄과 (b) 납을 투과할 때 투과 빔의 분율을 계산하시오(예제 8.6 참고).

8.5 파괴의 분석과 방지

파괴의 분석과 방지는 공학설계에서 재료 활용 시 고려해야 할 중요한 요소이다. 현재 공업재료의 **파괴 분석**(failure analysis) 방법론은 체계적으로 정립되어 있으며, 잠재적인 재난을 피하기 위한 **파괴 방지**(failure prevention) 또한 중요하게 다룬다. 윤리 및 법률적 쟁점은 재료공학의 영역을 공학설계의 중심 역할로 이동시키고 있다.

지금까지 알려진 다양한 파괴 형태는 다음과 같다.

1. **연성 파괴**(ductile fracture)는 재료가 탄성 한계 이상의 하중을 받아 일어나는 파괴 현상이다. 연성 파괴의 미시적 결과를 그림 8.4(a)에 나타냈다.
2. 그림 8.4(b)에 보인 **취성 파괴**(brittle fracture)는 거시적 규모에서 상당량의 소성 변형 없이 급속한 균열의 전파로 인해 발생한다.
3. 느린 균열 성장 기구에 의한 **피로 파괴**(fatigue failure)는 그림 8.14에 보인 바와 같이 특유의 '조개껍데기'형의 피로 파괴 표면을 나타낸다.
4. **부식 피로 파괴**(corrosion-fatigue failure)는 주기 응력(cyclic stress)과 부식 환경의 결합된 작용으로 일어난다. 일반적으로 금속의 피로 강도는 화학적으로 거친 환경하에서 감소한다.
5. **응력 부식 균열**(stress-corrosion cracking, SCC)은 기계적, 화학적으로 조합된 또 다른 파괴 기구이다. 항복 강도 이하의 주기적이지 않은 응력으로 인해 비교적 온화한 화학적 환경하에서 파괴가 일어난다. 응력 부식 균열은 입간, 입내 또는 이 둘의 결합이 될 수 있다.
6. **마모 파괴**(wear failure)는 상대적으로 복잡한 표면 관련 손상 현상을 포함하

재료의 세계

타이타닉호 파괴의 분석

이 장에서는 공학적 파괴(failure) 분석의 유용성과 필요성을 알았다. 이러한 정보는 재난의 재발을 방지하는 데 도움을 줄 수 있다. 또한 과거에 일어났던 유명한 참사의 원인을 분석하는 역사적인 목적으로도 분석할 수 있다. 후자의 예는 북대서양을 가로질러 영국에서 뉴욕으로 처녀항해 중이었던, 1912년 4월 14일 밤에 일어난 왕립 우편선 타이타닉호의 침몰이다. 난파선은 1985년 9월 1일에야 Robert Ballard에 의해 3,700 m 깊이의 대양 바닥에서 발견되었다. 1996년 8월 15일 난파선 탐험 중 연구자들은 선박의 선체로부터 일부 강철을 구해 와서 미주리과학기술대학교에서 금속학적으로 연구했다.

일반적인 파괴 분석 결과는 간단하다. 타이타닉호는 선박 자체보다 3~6배 더 큰 빙산과 충돌하여 침몰했다. 6개의 전방 선실이 파괴되면서 침수했고 3시간 만에 배가 침몰하여 1,500명 이상이 목숨을 잃었다. 그러나 배의 선채 부분에 사용된 재료를 더욱 자세히 조사한 결과, 이 강의 화학적 조성은 오늘날 1020 강의 것과 유사한 것으로 나타났다. 1020 강은 11장에서 0.20 wt % 탄소로 구성된 보통의 저탄소강이다. 비록 타이타닉호에 사용된 재료의 평균 결정립도(50 μm)가 일반적인 1020 강(25 μm)에 비해 크기 때문에 항복 강도는 더 낮고 연성은 더 높긴 하겠지만, UM-R 분석 결과 아래 표에 보인 것과 같이 타이타닉호의 선체 합금의 기계적 거동은 1020 강과 유사한 것으로 나타났다.

(© 20th Century Fox Film Corp. All rights reserved. Courtesy Everett Collection.)

기본적인 인장 성질보다 더 중요한 타이타닉호 강의 Charpy 충격 시험에서 측정한 연성-취성 천이 온도는 요즈음 선박에 사용하는 합금보다 상당히 높다. 이 조성 범위 내 오늘날의 강은 비교적 망가니즈 함유량이 높고 유황량이 낮다. 상당히 높은 Mn:S 비는 연성-취성 전이 온도를 실질적으로 낮춘다. 타이타닉호의 강과 비교할 만한 현대 합금에 대해 20 J의 충격 에너지에서 측정된 연성-취성 전이 온도는 −27°C이고, 선체의 형태에 대해 가로와 세로 방향에서 채취한 타이타닉호 강판 시편의 전이 온도는 각각 32°C와 56°C이다. 충돌 시 해수의 온도는 −2°C였으므로 잘못된 재료 선택이 파괴의 한 원인이 된 것이다. 그러나 20세기 초기의 선택으로서는 부적당한 것으로 볼 수만은 없다. 타이타닉호의 강은 그 당시 사용할 수 있는 가장 좋은 보통 탄소강이었을 것이다.

관련된 연구에서 존스홉킨스대학교와 미국국립표준기술원의 금속학자들은 배의 건조과정에서 시한을 맞추기 위해 저급한 철 리벳이 사용되었을 것이라는 가설을 제안했다(J. H. McCarty and T. Foecke, *What Really Sank the Titanic*, Citadel Press, 2008).

현대의 선박 승객들은 상당히 좋은 합금 선택에다가 충돌 가능성을 감소시키는 우수한 항법 지원의 이점을 누린다. 결국 타이타닉호의 자매선박인 올림픽호는 선체에 유사한 강을 사용했지만 다행히 대형 빙산을 만나지 않았으므로 20년 이상의 성공적인 항해 경력을 보유하게 되었다는 데 주목할 필요가 있다.

타이타닉호에 사용된 강과 SAE 1020의 인장 특성

Property	Titanic	SAE 1020
Yield strength	193 MPa	207 MPa
Tensile strength	417 MPa	379 MPa
Elongation	29%	26%
Reduction in area	57%	50%

출처: K. Felkins, H. P. Leigh, Jr., and A. Jankovic, *Journal of Materials*, January 1998, pp. 12-18.

는 광범위한 명칭이다. 표면 손상과 마모 잔해는 미끄럼 접촉 용도에 사용할 재료의 파괴를 유발할 수 있다.

7. **액체 침식 파괴**(liquid-erosion failure)는 마모 파괴의 특수한 형태이다. 여기서 액체는 재료를 제거하는 역할을 한다. 액체 침식 손상은 일반적으로 구덩이나 벌집 같은 형태로 표면을 손상시킨다.
8. **용융 금속 취화**(liquid-metal embrittlement)는 융점이 낮은 액체 금속에 의해 표면이 젖을 때 연성이 감소하거나 항복 강도 이하에서 재료가 파괴되는 현상을 의미한다.
9. **수소 취화**(hydrogen embrittlement)는 고강도 철강에서 가장 잘 알려진 파괴 현상이다. 재료 내부에 용해된 수 ppm의 수소가 내부 압력을 극단적으로 증가시켜 연성을 상실시키고 미세한 머리선 형태의 균열을 발생시킨다.
10. **크리프와 응력 파괴 파손**(creep and stress-rupture failure)은 6.5절에서 소개했다. 이 파괴는 실온에서 고분자나 특정 저융점 금속에서 일어난다. 그러나 많은 세라믹과 초합금 같은 고융점 금속에서는 1,000°C 이상에서 일어날 수 있다.
11. **복합 파괴**(complex failure)는 2개의 서로 다른 파괴 기구의 연속적인 작동으로 일어나는 파괴이다. 한 예로 응력 부식 균열로 인한 초기 균열과 그 후에 부식 환경 제거와 동시에 도입된 주기적 하중 후 피로에 의한 최후의 파괴이다.

재료의 파괴를 분석하는 체계적인 절차는 꾸준히 개발되어왔다. 비록 파괴의 특성에 따라 방법론은 달라질 수 있지만, 조사와 분석의 기본 요소는 표 8.7과 같다. 파괴 역학(8.2절)은 파괴에 관한 구조적 신뢰성 평가에 정량적인 틀을 제공한다. 여러 금속과 합금에 대한 파괴 인성 값은 20~200 MPa $\sqrt{m}$ 사이 범위인 사실에 주목할 필요가 있다. 세라믹과 유리에 대한 파괴 인성 값은 대표적으로 1~9 MPa $\sqrt{m}$ 범위 내에 있고, 고분자에 대해서는 대표적으로 1~4 MPa $\sqrt{m}$ 이며, 복합재료에 대해서

표 8.7 파괴 분석 방법의 중요 요소

Principal Components of Failure-Analysis Methodology
Collection of background data and samples
Preliminary examination of the failed part
Nondestructive testing
Mechanical testing
Selection, preservation, and cleaning of fracture surfaces
Macroscopic (1 to 100 ×) examination of fracture surfaces
Microscopic (>100 ×) examination of fracture surfaces
Application of fracture mechanics
Simulated-service testing
Analysis of the evidence, formulation of conclusions, and report writing

출처: After *ASM Handbook*, Vol. 11: *Failure Analysis and Prevention*, ASM International, Materials Park, OH, 1986.

는 10~60 MPa $\sqrt{m}$ 범위의 값이다.

결국 파괴 방지에 파괴 분석의 개념을 이용하여 공학설계를 개선할 수 있음을 유념하는 것이 중요하다. 응력 집중으로 작용할 수 있는 구조적 불연속성이 없도록 설계하는 것이 중요한 예가 될 것이다.

요약

6장과 7장에서 재료의 기계적 및 열적 거동을 논의하면서 수많은 파괴의 예를 보았다. 이 장에서는 다양한 부가적 예를 조직적으로 연구했다. 노치 시험편에 대한 충격 시험으로 인성(응력 대 변형률 곡선 아래 면적)과 유사한 충격 에너지를 측정했다. 어느 범위의 주위 온도에 걸쳐 충격 에너지를 조사하면 보통 구조용 강을 포함한 bcc 금속의 연성-취성 천이 온도를 확인할 수 있다.

파괴 역학에서는 유용하고 정량적인 변수인 파괴 인성을 주로 사용한다. 금속 설계 시 파괴 인성을 통해 바람직한 수준의 결함 크기를 알아내어 갑작스런 파괴를 방지할 수 있다. 변태 인성 기술은 전통적으로 취성인 세라믹의 파괴 인성을 개선하기 위한 미세조직 수준에서의 공업적 설계를 가능하게 한다.

금속 합금과 구조용 고분자는 피로, 즉 주기적 하중의 결과로 강도의 급강하를 나타낸다. 파괴 역학의 정량적 접근을 통해 이러한 반복적 하중하에서 균열 성장을 이해할 수 있다. 어떤 세라믹과 유리는 주기 하중보다는 대기 중 습기에 따른 화학적 반응 때문에 발생하는 정적 피로를 보인다.

재료를 파손시키지 않고 평가하는 비파괴 시험은 공업재료 내 존재하는 임계 결함을 확인하는 데 대단히 중요하다. 많은 기법이 있지만 엑스선 탐상과 초음파 시험이 주요 예이다.

대체로 파괴 분석은 특별한 재료에 대해 작동하고 있는 넓은 범위의 파괴 형태를 결정하기 위한 조직적 방법론이다. 미래의 재난을 피하기 위해 파괴 분석을 통해 이해한 파괴 방지 방법을 사용한다.

주요 용어

결함 유도 파괴(flaw-induced fracture)
고속 파괴(fast fracture)
마모 파괴(wear failure)
변태 인성(transformation toughening)
복합 파괴(complex failure)
부식 피로 파괴(corrosion-fatigue failure)
비파괴 시험(nondestructive testing)
수소 취화(hydrogen embrittlement)
액체 침식 파괴(liquid-erosion failure)
엑스선 탐상법(X-radiography)
연성-취성 천이 온도(ductile-tobrittle transition temperature)
연성 파괴(ductile fracture)
용융 금속 취화(liquid-metal embrittlement)
응력 강도 인자(stress intensity factor)
응력 부식 균열(stress-corrosion cracking)
일반 항복(general yielding)
정적 피로(static fatigue)
초음파 검사(ultrasonic testing)
충격 에너지(impact energy)
취성 파괴(brittle fracture)
크리프와 응력 파괴 파손(creep and stress-rupture failures)
파괴 방지(failure prevention)
파괴 분석(failure analysis)
파괴 역학(fracture mechanics)
파괴 인성(fracture toughness)
피로(fatigue)
피로 강도(피로 한도)[fatigue strength(endurance limit)]
피로 곡선(fatigue curve)
피로 파괴(fatigue failure)
Charpy 시험(Charpy test)
Izod 시험(Izod test)

참고문헌

Ashby, M.F., and **D.R.H. Jones,** *Engineering Materials—1 An Introduction to Properties, Application, and Design*, 5th ed., Butterworth-Heinemann, Boston, MA, 2019.

ASM Handbook, Vol. 11: *Failure Analysis and Prevention*, ASM International, Materials Park, OH, 2002.

ASM Handbook, Vol. 17: *Nondestructive Evaluation of Materials,* ASM International, Materials Park, OH, 2018.

Carter, C.B., and **M.G. Norton,** *Ceramic Materials: Science and Engineering,* 2nd ed., Springer, New York, 2013.

Chiang, Y., D. P. Birnie III, and **W. D. Kingery,** *Physical Ceramics*, John Wiley & Sons, Inc., New York, 1997.

Engineered Materials Handbook, Desk Ed., ASM International, Materials Park, OH, 1995.

복습문제

8.1 _ 충격 에너지

8.1 표 8.1의 합금 중에서 연성-취성 천이 거동을 보일 것으로 예상되는 합금은 무엇인가? (선택한 근거를 설명하시오.)

D 8.2 공학설계에서 운전 온도와 재료 선택의 관계는 다음에 제시되는 경우로 설명할 수 있다. (a) 그림 8.3(b)의 Fe-Mn-0.05 C 합금에서 Mn의 함량(%)에 대한 연성-취성 천이 온도(충격 에너지의 급격한 증가로 나타남) 도표를 작성하시오. (b) (a)의 도표를 이용하여 연성-취성 천이 온도가 정확히 0°C가 될 때 필요한 Mn의 함량 수준(거의 0.1%에 근접함, % 단위)을 평가하시오.

8.3 인장 시험과 Charpy 시험의 공통점과 차이점에 대해 서술하시오.

8.4 다음에 제시된 자료는 특별한 구조 강의 Charpy 충격 시험 결과이다. (a) 충격 에너지와 온도 관계 도표를 작성하시오. (b) 최대 충격 에너지와 최소 충격 에너지의 평균값에 상응하는 연성-취성 천이 온도는 얼마인가?

Temperature (°C)	Impact energy (J)	Temperature (°C)	Impact energy (J)
100	84.9	−60	50.8
60	82.8	−80	36.0
20	81.2	−100	28.1
0	77.9	−140	25.6
−20	74.5	−180	25.1
−40	67.8		

8.2 _ 파괴 인성

8.5 예제 8.2에서 사용된 평면-변형 가정이 타당하기 위해 필요한 시편의 두께를 계산하시오.

D 8.6 Y.S. = 1,000 MPa, K_{IC} = 170 MPa $\sqrt{m}$인 압력용기용 강의 설계표를 그림 8.6과 유사하게 작성하시오. 편의상 결함의 크기는 로그 눈금을 사용하고, 결함 크기의 범위는 0.1~100 mm로 한다.

D 8.7 Y.S. = 400 MPa, K_{IC} = 25 MPa $\sqrt{m}$인 알루미늄 합금의 설계표를 그림 8.6과 유사하게 작성하시오.

8.8 임계 결함의 치수는 일반적인 항복과 조기 파괴의 변화에 상응한다. 고강도 강의 파괴 인성을 항복 강도 1,250 MPa의 변화 없이 50% 증가시키려면 (100~150 MPa $\sqrt{m}$로), 임계 결함 치수의 변화율(%)은 얼마인가?

8.9 표 6.1의 1040 강을 사용하는 설계 부품의 비파괴 검사 프로그램은 결함이 1 mm 이상 커지지 않는다고 보증할 수 있다. 이 강의 파괴 인성이 125 MPa $\sqrt{m}$이라면, 검사 프로그램은 조기 파괴를 방지할 수 있는가?

8.10 결함의 크기가 1 mm 이상 커지지 않는다고 보증하는 비파괴 검사 프로그램이 존재할 때, 이 비파괴 검사 프로그램은 표 6.1에서 6(b)로 분류된 주철 합금을 검사하기에 충분한가? 주철 합금의 파괴 인성은 12 MPa $\sqrt{m}$이라고 가정한다.

8.11 300 MPa 응력 수준에서 파괴되는 질화규소 터빈 로터의 결함 크기를 구하시오.

8.12 300 MPa 응력 수준에서 파괴되는 알루미나로 만들어진 터빈 로터의 파괴되는 홈의 크기를 계산하시오.

8.13 300 MPa 응력 수준에서 파괴되는 지르코니아로 만들어진 터빈 로터의 파괴되는 홈의 크기를 계산하시오.

8.14 식 (8.1)을 이용하여 로그 스케일로 만들고, $Y = 1$이고 a의 범위는 1~100 mm 홈 크기에 따른 MgO의 파괴 응력을 도표로 나타내시오. (표 8.3의 파괴 인성값과 그림 8.6의 현상 참고)

8.15 기존의 세라믹이 갖는 상대적으로 낮은 파괴 인성을 평가하기 위한 그래프를 그리시오. 30 MPa $\sqrt{\text{m}}$의 K_{IC}와 탄화규소를 갖는 알루미늄 합금에 대한 파단 압력에 따른 결함 사이즈 a를 그래프에 나타내시오. 단 $Y = 1$일 때 식 (8.1)을 이용하고, a를 1~100 mm 사이 범위에서의 로그 스케일로 나타내시오. (파괴 인성 물성치는 표 8.3을 참고하고, 그림 8.6을 참조하여 그래프를 그리시오.)

D 8.16 일반 항복과 고속 파괴의 관계가 공학설계에서 갖는 의미를 서술하시오.

8.17 표 8.3에 파괴 기구 데이터가 주어졌다. 식 (8.1)과 $Y = 1$을 이용하여 저밀도 폴리에틸렌의 파괴 응력의 곡선을 그리시오. a의 범위는 1~100 mm 사이이다 (그림 8.6 참고).

8.18 변태 인성이란 __________ 이다.

8.19 세라믹 제조과정에서 발생한 미세 균열은 ____ 이다.

8.20 비파괴 프로그램은 열가소성 수지가 홈이 0.1 mm보다 크지 않은 것을 확신한다. 고분자의 가능한 최대 응력을 계산하시오.

8.3_피로

8.21 연철(65-45-12, 어닐링 가공)로 이루어진 구형의 압력용기에 대해 용기 내벽의 응력은 다음과 같다.

$$\sigma = \frac{pr}{2t}$$

이때 p는 용기 내부의 압력, r는 구의 반지름, t는 용기 내벽의 두께를 의미한다. BHN값이 200이고, 반지름이 0.3 m, 용기 내벽의 두께가 20 mm일 때 그림 6.29를 참고하여 최대 가용 압력 p를 구하시오.

8.22 연철(120-90-02, 급랭 가공)로 이루어진 구형의 압력용기에 대해 용기 내벽의 응력은 다음과 같다.

$$\sigma = \frac{pr}{2t}$$

이때 p는 용기 내부의 압력, r는 구의 반지름, t는 용기 내벽의 두께를 의미한다. BHN값이 280이고, 반지름이 0.3 m, 용기 내벽의 두께가 20 mm일 때 그림 6.29를 참고하여 최대 가용 압력 p를 구하시오.

8.23 파괴 인성이 60 MPa $\sqrt{\text{m}}$인 구조용 강에서 표면 균열의 길이는 3 mm 이하이다. 500 MPa이 작용하는 응력하에서 계가 급속 파괴를 일으키기 직전에 가장 큰 표면 균열이 성장하게 되는 크기는 몇 퍼센트일까?

8.24 인장 실험과 피로 시험의 공통점과 차이점을 서술하시오.

8.25 컨트롤 회로 설계에 쓰이는 C11000 구리선을 제조할 때 생산 공장의 상승하는 온도하에서 오랜 기간 주기적인 로딩 과정이 따른다. 그림 8.15(b)의 자료를 이용하여 10^7 주기의 응력 수명을 위해 최소 100 MPa의 피로 강도를 확정하기 위한 고온 한계를 명시하시오.

8.26 (a) 민간 항공기의 랜딩 기어는 착륙 시에 충격 하중을 받는다. 하루 평균 6번의 착륙이 이루어진다고 가정하자. 랜딩 기어가 10^8 하중 주기를 받기 위해서는 얼마나 오래 걸리는가? (b) 평균적으로 자동차의 크랭크샤프트는 하루 2시간 동안 분당 2,000번의 회전을 한다. 크랭크샤프트가 10^8 하중 주기에 도달할 때까지 얼마나 걸리는가?

8.27 잠재적 피로 결함에 대한 고관절 재료의 분석을 통해 평균적으로 사람이 하루에 4,800보를 걷는다는 게 밝혀졌다. (a) 1년과 (b) 10년의 경우 일반인들에게 나타나는 응력 주기는 얼마인가?

8.28 활동적인 사람은 평균적으로 하루에 10,000보를 걷는다. (a) 1년과 (b) 10년의 경우 활동적인 사람들에게 발생하는 응력 주기는 얼마인가?

8.29 +50°C의 온도에서 유리 실리카 글라스 섬유의 파괴

시간은 10^4초이다. 상온(25°C)에서 파괴하는 데 걸리는 시간은 얼마인가? 예제 8.5에서 적용된 활성화 에너지와 같다고 가정하시오.

8.30 +50°C의 온도에서 유리 실리카 글라스 섬유의 파괴 시간은 10^4초이다. 200°C에서 파괴하는 데까지 걸리는 시간은 얼마인가? 예제 8.5에서 적용된 활성화 에너지와 같다고 가정하시오.

D 8.31 아세탈 고분자로 이루어진 구형의 압력용기에 대해 용기 내벽의 응력은 다음과 같다.

$$\sigma = \frac{pr}{2t}$$

이때 p는 용기의 내압, 용기의 외측 반지름 $r = 30$ mm, 압력용기의 두께 $t = 2$ mm이다. 만약 상온의 온도로 가정하고 벽에 작용하는 응력이 인장일 때 최대 허용 내압은 얼마인가? (허용 내압은 10^6보다 작음, 그림 8.21 참고)

D 8.32 아세탈 고분자로 이루어진 구형의 압력용기에 대해 용기 내벽의 응력은 다음과 같다.

$$\sigma = \frac{pr}{2t}$$

이때 p는 용기의 내압, 용기의 외측 반지름 $r = 30$ mm, 압력용기의 두께 $t = 2$ mm이다. 만약 상온의 온도로 가정하고 벽에 작용하는 응력이 인장일 때 최대 허용 내압은 얼마인가? (허용 내압은 10,000보다 작음, 그림 8.21 참고)

8.4_비파괴 시험

8.33 강에 엑스선 탐상 검사를 하는 동안에 빔 강도의 비를 $\Delta I/I_0 = 0.001$로 가정하고 100 keV 빔을 사용하여 12.5 mm의 두께를 가진 강판을 검사할 수 있는 최대 두께는 얼마인가?

8.34 100 keV 빔을 사용하여 타이타늄에 대해 엑스선 탐상 검사를 실시할 때 검사 가능한 두께 범위를 계산하시오. 일반적으로 타이타늄의 1/2 두께($t_{1/2}$)에서 5~8배이고, $t_{1/2}$에서는 I/I_0값의 1/2 값과 같다고 가정하시오.

8.35 100 keV 빔을 사용하여 엑스선 탐상 검사를 실시할 때 검사 가능한 텅스텐 두께를 구하시오. 일반적으로 텅스텐의 1/2 두께($t_{1/2}$)에서 5~8배이고 $t_{1/2}$에서는 I/I_0값의 1/2 값과 같다고 가정하시오.

8.36 엑스선 탐상 검사를 실시할 때 (a) 100 keV 빔을 사용했을 때와 (b) 1 MeV 빔을 사용했을 때에 대해 검사 가능한 철의 두께를 구하시오. 일반적으로 텅스텐의 1/2 두께($t_{1/2}$)에서 5~8배이고, $t_{1/2}$에서는 I/I_0값의 1/2 값과 같다고 가정하시오.

8.37 그림 8.23과 같이 100 keV 빔을 사용하여 전체 두께가 20 mm인 알루미늄 시편에 10 mm 깊이의 결함이 있다고 가정하고 결함이 있는 부위와 없는 부위의 I/I_0의 분율을 계산하시오. 결함의 영향으로 10 μm까지는 유효 두께 감소가 일어난다.

8.38 초음파 검사와 비교하여 엑스선 탐상법이 갖는 장점을 서술하시오.

CHAPTER 9

상태도: 평형 미세구조 형성

상태도는 만일 주조물이 상온으로 서서히 냉각된다면 (여기에 나타낸 황동과 같은) 금속 합금의 미세구조를 정확히 예측할 수 있다. (© Horizon International Images Limited / Alamy.)

학습목표

1. 미세구조를 설명할 목적으로 Gibbs 상 법칙을 사용하기 위해 상, 성분, 자유도 등의 용어를 정의한다.

2. (a) 전율 고용체를 갖는 이성분계 상태도를 그리고, 그림과 관련된 액상선, 고상공액선 등의 용어를 규명한다.

(b) 고용체가 없거나 제한된 고용체를 갖는 이성분계 상태도를 그리고, 그림과 관련된 공정 온도와 공정 조성 용어를 규명한다.

(c) 공석 상태도를 그리고, 공석 반응과 공정 반응 속성의 차이점을 구별한다.

(d) Fe-Fe_3C과 Fe-C 상태도를 사용하여 철과 강을 만드는 공정을 설명하기 위해 공석 상태도에 대한 지식을 적용한다.

(e) 포정 상태도를 그리고, 동질 용융과 이질 용융의 차이점을 구별한다.

(f) 하나의 이성분계에 집중하여 계 내에 하나 이상의 중간화합물을 포함하는 일반적인 상태도를 분석한다.

3. 어떤 이성분계 상태도의 두 가지 상이 공존하는 영역에서 각 상의 양을 계산하기 위해 지렛대 법칙을 사용한다.

4. 재료의 어떤 조성이 액상에서 고상으로 완전히 냉각될 때 미세구조에 존재하는 상을 결정하기 위해 이성분계 상태도를 사용한다.

이 책의 시작에서부터 재료과학의 기본개념은 재료의 성질이 원자와 미세구조에 의존한다는 것임을 보아왔다. 5장과 6장에서는 이동 현상과 기계적 성질이 원자 규모의 구조에 의존함을 살펴보았다. 그러나 미세구조에 민감한 공업재료의 여러 가지 성질을 완전히 이해하기 위해서는 미세구조가 어떻게 형성되었는지를 탐구할 필요가 있다. 이 탐구의 중요한 도구가 **상태도**(phase diagram)이며 다음의 일반적인 질문에 대답을 안내해주는 길잡이이다. 주어진 온도와 재료 조성에서 어떤 미세구조가 존재할까? 이 질문에 대한 답의 일부는 재료의 평형 성질에서 찾을 수 있다. 10장에서는 상태도와 밀접한 관련이 있는 재료의 열처리에 대해 다룬다. 논의될 주제는 "주어진 온도에서 얼마나 빨리 미세구조를 형성하는가?"와 "어떤 온도 대 시간의 경로가 최적의 미세구조를 형성하게 할까?"이다.

상태도를 통한 미세구조 형성에 대한 논의는 **상 법칙**(phase rule)으로부터 시작된다. 이 상 법칙은 주어진 **상태 조건**(state condition. 온도, 압력, 재료의 성질을 설명하는 다른 변수)과 관련된 미세구조를 구성하는 상의 수를 결정한다. 다음으로는 전형적인 재료계에서 나타나는 여러 가지 상태도의 특징을 설명한다. **지렛대 법칙**(lever rule)은 상태도에서 우리의 해석을 정량화하는 데 사용된다. 여기서는 특히 존재하는 각 상의 조성과 양을 확인할 수 있으며, 이와 같은 법칙을 도구로 활용하여 미세조직 형성에 관한 전형적인 예를 설명할 수 있다. 이 장에서는 상업적으로 중요한 공업재료의 상태도를 제시한다. 많은 철강 산업의 기초가 되는 Fe-Fe_3C 상태도에 대해 가장 상세히 논의할 것이다.

9.1 상 법칙

이 장에서는 미세구조의 특성을 정량화할 것이다. 우선 다음 내용을 이해하는 데 필요한 몇 가지 기본적인 용어를 정의해보자.

상(phase)이란 미세구조가 화학적 및 구조적으로 균일한 부분이다. 단상의 미세구조는 다결정일 수 있다(예: 그림 9.1). 그러나 각 결정립은 결정방위만 다를 뿐 화학적 조성은 같다. 상은 그것을 형성하는 뚜렷한 화학적 물질인 **성분**(component)과 구별된다. 예를 들어 4.1절에서 보았듯이 구리와 니켈은 성질이 매우 유사해서 어떤 합금 조성비로도 완전히 고용된다(예: 그림 4.2). 그러한 계에서는 단상(고용체)이 존재하고 성분(Cu, Ni)은 둘이다. 원소보다 화합물을 포함하고 있는 재료에서는 화합물이 성분일 수 있다. 예를 들면 MgO와 NiO는 구리와 니켈이 고용체를 형성하는 방법과 유사하게 고용체를 형성한다(그림 4.5 참고). 이 경우에 MgO와 NiO는 두 가지 성분이다. 4.1절에서 언급했듯이 많은 재료계에서 고용도가 제한받게 된다. 그 결과 어떤 조성비에서는 두 상이 나타나는데, 두 상에서 어떤 성분이 다른 성

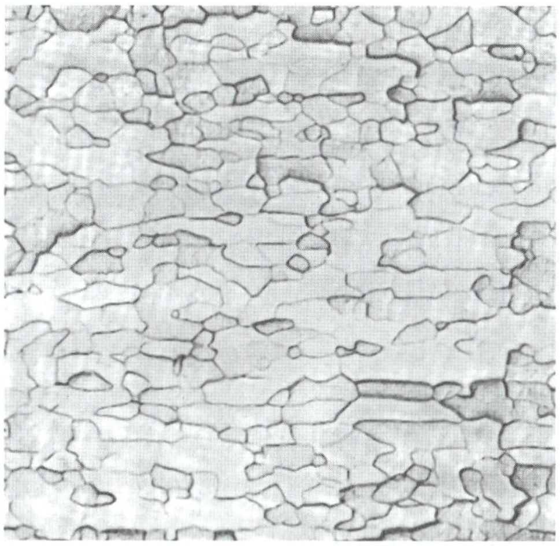

그림 9.1 상업용 순도에서 몰리브데넘의 단상 미세구조의 200배율 사진. 이 미세구조에는 많은 결정립이 있지만 각 결정립의 구성은 같고 균일하다. (From *ASM Handbook*, Vol. 9: *Metallography and Microstructures*, ASM International, Materials Park, OH, 2004.)

그림 9.2 0.8 wt % 탄소강에서 보이는 두 상인 펄라이트 미세구조의 650배율 사진. 이 탄소 함량은 교대로 층을 이루는 페라이트(< 0.02 wt % 탄소)와 시멘타이트(화합물 Fe_3C, 6.7 wt % 탄소)에 포함된 탄소 함량의 평균값이다. (From *ASM Handbook*, Vol. 9: *Metallography and Microstructures*, ASM International, Materials Park, OH, 2004.)

분보다 더 많을 수 있다. 그 대표적인 예가 그림 9.2의 펄라이트 조직이다. 펄라이트(pearlite)란 페라이트(ferrite)와 시멘타이트(cementite)가 교대로 층을 이루어 쌓여 있는 것을 말한다. 페라이트는 고용체에 아주 적은 양의 시멘타이트를 가지고 있는 α-Fe이고, 시멘타이트는 거의 순수한 Fe_3C이다. 따라서 성분은 Fe과 Fe_3C이다.

페라이트상을 α-Fe과 시멘타이트 간의 고용체로 기술하는 것은 이 계를 이루는 성분이라는 정의와 잘 일치된다. 그러나 원자 규모상으로 고용체는 α-Fe 결정격자 내에 침입형으로 용해되어 있는 탄소 원자로 구성된다. 성분 Fe_3C가 따로 분자 단위로 용해되어 있는 것이 아니다. 일반적으로 이것은 고용체로 존재하는 화합물에 대해서도 마찬가지이다.

세 번째 용어는 상과 성분을 관련지어 정의할 수 있다. **자유도**(degree of freedom)란 계에서 얻을 수 있는 독립변수의 수이다. 예를 들면 순수한 금속의 정확한 용융점에서는 자유도가 0이다. 이 조건 또는 **상태**(state)에서 금속은 평형에 놓인 두 상으로 되어 있다. 즉 고상과 액상이 동시에 존재한다. 온도가 증가하면 미세구조의 상태가 달라진다(모든 고상이 녹아서 액상이 된다). 마찬가지로 온도가 약간만 낮아지면 재료는 완전히 응고한다. 재료공학자가 미세구조를 형성시키면서 조정해야 할 중요한 **상태 변수**(state variables)는 온도, 압력, 조성이다.

미세구조와 상태 변수 사이의 일반적인 관계를 나타내는 식은 **Gibbs**[1] **상 법칙**(Gibbs phase rule)이다. Gibbs 상 법칙은 다음과 같이 쓸 수 있다.

$$F = C - P + 2 \tag{9.1}$$

F는 자유도의 수이고, C는 성분의 수이며, P는 상의 수이다. 식 (9.1)에서 2라는 수는 상태 변수를 2개(온도, 압력)로 제한하는 데 기인한다. 대부분 일반적인 재료의 공정은 응축된 계가 관련되어 있어 압력의 효과가 매우 작아 압력을 1기압으로 고정시킨다. 이 경우에 상 법칙에서 자유도가 하나 줄어들므로 이를 반영하면 다음과 같이 쓸 수 있다.

$$F = C - P + 1 \tag{9.2}$$

순수한 금속의 경우에 용융점에서 $C = 1$이고 $P = 2$(고체 + 액체)이므로 이미 언급했듯이 $F = 1 - 2 + 1 = 0$이다. 한 종류의 불순물을 가진 금속의 경우에(즉 2개의 성분과 더불어) 고상과 액상은 어떤 온도 범위에서도 공존할 수 있다(즉 $F = 2 - 2 + 1 = 1$). 자유도가 1이라는 것은 온도를 변화시키더라도 단순히 두 상의 미세구조가 유지됨을 뜻한다. 그러나 독립변수는 하나이다($F = 1$). 온도를 변화시킴으로써 각각의 상의 조성은 변하게 된다. 그러면 조성은 종속변수가 된다. Gibbs 상 법칙에서 얻어지는 이러한 정보는 대단히 유용하나 상태도의 가시적인 도움 없이 이해하기는 어렵다. 그래서 이제 기초적으로 중요한 길잡이인 상태도를 소개한다.

우선 그림 9.3에 간단한 상태도를 예시한다. 단일 성분 상태도[그림 9.3(a)]는 온도와 압력의 함수로 존재하는 H_2O에 대한 상을 요약해서 나타냈다. 1기압으로 고정시키면 0°C에서 고체 H_2O(얼음)가 액체 H_2O(물)로 상전이하고 100°C에서 물이 기체 H_2O(수증기)로 상전이하는 변태 온도를 요약해서 수직인 온도 눈금에 표시했다[그림 9.3(b)]. 그림 9.4는 재료공학과 좀 더 관련이 깊은 순수한 철에 대한 비슷한 예를 보여준다. 실용적인 공업재료는 대부분 불순물이 포함되어 있으므로 다음 절에서 단일 성분 이상인 경우의 상태도에 관해 논의할 것이다.

1) Josiah Willard Gibbs(1839~1903)는 미국 물리학자이다. Gibbs는 예일대학교의 수리물리학 교수로서 거의 혼자서 열역학 분야를 발전시킴으로써 현대 과학에 커다란 공헌을 했다. 그의 상 법칙은 이러한 업적의 토대가 되었다.

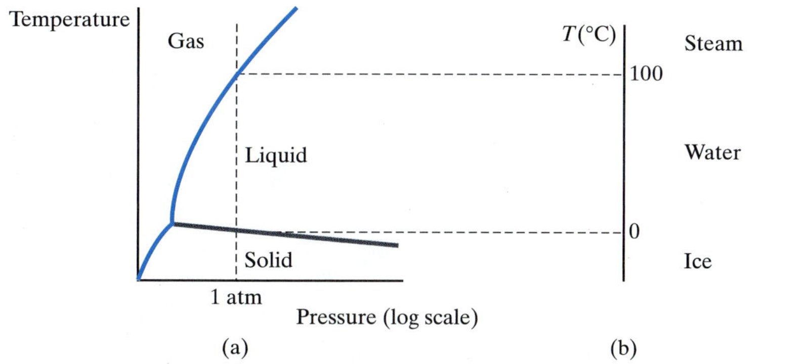

그림 9.3 (a) H_2O 단일 성분 상태도의 개략도 (b) 1기압에서 상태도 정보를 온도 눈금상에 투영하면 친숙한 H_2O의 변태 온도(용융점 0°C, 비등점 100°C)를 나타내게 된다.

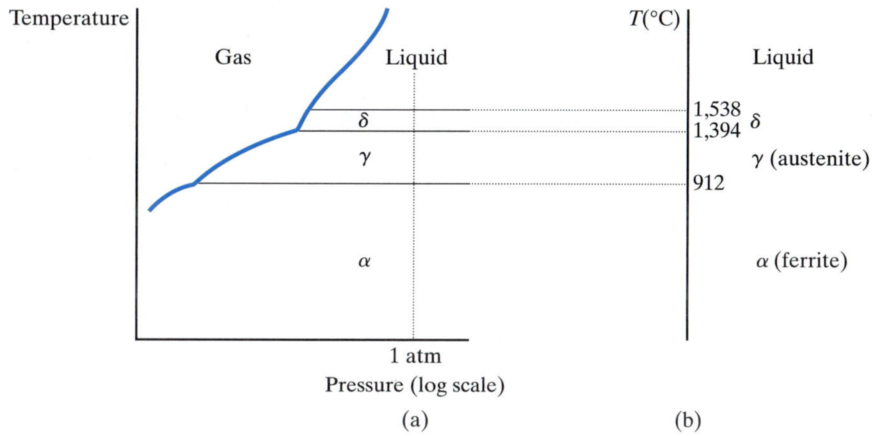

그림 9.4 (a) 순수한 철에 대한 단일 성분 상태도의 개략도 (b) 1기압에서 상태도 정보를 투영하면 순수한 철의 변태 온도가 온도 눈금상에 나타나게 된다. 이 투영 데이터는 그림 9.19와 같은 2원 상태도의 한쪽 끝이 된다.

예제 9.1

50:50의 Pb-Sn 땜납용 합금은 200°C에서 납이 많은 고상과 주석이 많은 액상의 두 상으로 존재한다. 이 합금의 자유도를 계산하고 이 자유도의 실질적인 의미에 대해 설명하시오.

풀이

합금이 1기압의 일정한 압력하에 있을 때 식 (9.2)를 이용하면 다음을 얻는다.

$$F = C - P + 1$$

2개의 성분(납과 주석)과 2개의 상(고상과 액상)이 존재하므로

$$F = 2 - 2 + 1 = 1$$

실제로 이러한 두 상의 미세구조는 가열 중이거나 냉각 중에도 유지될 수 있다. 그러나 온도 변화는 계의 자유도를 하나마저 없애기 때문에 조성의 변화가 수반되어야 한다. (조성 변화의 특징은 그림 9.16의 Pb-Sn 상태도에 잘 예시되어 있다.)

연습문제 9.1

(a) 용매 Pb 중에 Sn이 용해된 단상 고용체, (b) 용융점 이하 온도에서의 순수한 Pb, (c) 용융점에서의 순수한 Pb의 경우에 대해 1기압의 일정 압력하에서 자유도를 계산하시오. (예제 9.1 참고)

9.2 상태도

상태도(phase diagram)란 미세구조와 관련된 상태 변수를 Gibbs 상 법칙을 통해 도표로 나타낸 것이다. 실제로 재료공학자가 널리 사용하는 상태도는 이성분계(Gibbs 상 법칙에서 $C = 2$)를 나타내는 **2원 상태도**(binary diagram)와 삼성분계(Gibbs 상 법칙에서 $C = 3$)의 3원 상태도(ternary diagram)이다. 이 책에서는 2원 상태도만 다룬다. 상 법칙이 매우 유용하다는 것을 보여주는 중요한 2원 상태도는 매우 많으며, 동시에 3원 상태도에서 정량적인 정보를 이끌어내는 데 따르는 복잡성을 피할 수 있다.

다음의 예에서 상태도는 길잡이라는 말을 명심해야 한다. 특히 2원 상태도는 온도와 조성의 다양한 조합과 관련된 평형상의 길잡이이다. 중점적으로 다루는 관심사는 상태 변수(온도와 조성)의 변화에 따르는 상과 그와 관련된 미세구조의 변화를 예시하는 것이다.

전율 고용체

아마도 가장 간단한 유형의 상태도는 고체와 액체 상태에서 서로 **전율 고용체**(complete solid solution)를 나타내는 두 성분의 2원 상태도이다. 상 법칙을 소개하면서 예를 들었던 Cu와 Ni, 그리고 MgO와 NiO가 완전히 서로 용해되는 성질을 보았다. 그림 9.5는 이러한 계의 대표적인 상태도이다. 이 상태도에서 수직 눈금은 온도를 나타내고, 수평 눈금은 조성을 나타낸다는 데 주목하자. 여기서 순수 성분 A와 B의 용융점이 표시되어 있다. 비교적 높은 온도에서는 어떤 조성에서도 완전히 녹아 L로 표시된 **액상 영역**(phase field)이 나타난다. 즉 A와 B는 액체 상태에서 서로 완전히 용해된다. 이 계가 특이한 것은 A와 B가 고체 상태에서도 완전히 용해된다는 것이다. 금속계에서 이런 현상에 대한 기준을 상기하기 위해 4.1절에서 설명한 Hume-Rothery 법칙을 재검토해볼 필요가 있다. 이 책에서는 일반적으로 액체 상태에서 완

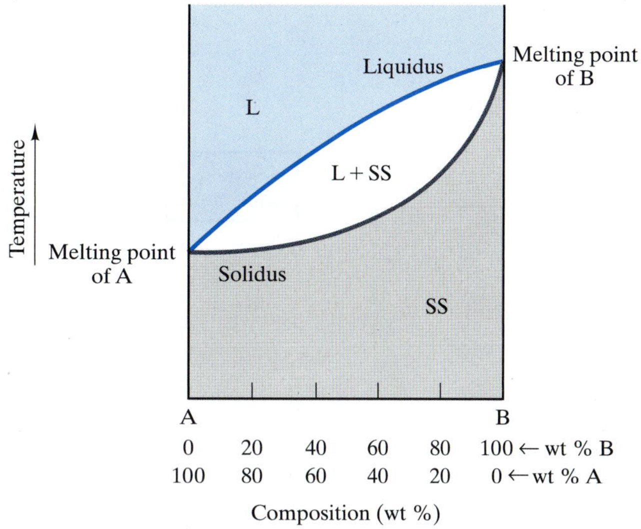

그림 9.5 전율 고용체를 나타내는 2원 상태도. 액상 영역은 L로, 고용체는 SS로 표시된다. 2상 영역은 L + SS로 표시됨에 유의하라.

전히 섞임을 볼 수 있다(예: 그림 9.5에서 L 영역). 그러나 액체 상태에서 섞이지 않는 계도 있다. 기름과 물이 그 예이다. 재료공학과 좀 더 관련이 있는 것은 여러 가지 액체 규산염의 조합이다.

비교적 낮은 온도에서 SS로 표시된 단일 고용체 상 영역이 있다. 2개의 단일상 영역 사이에 L + SS로 표시된 2상 영역(two-phase region)이 있다. 2상 영역의 위쪽 경계를 **액상선**(liquidus)이라고 하며, 이 선 위에는 단일 액상이 존재한다. 그리고 2상 영역의 아래쪽 경계를 **고상선**(solidus)이라고 하며, 이 선 아래에서 계는 완전히 응고된다. 주어진 **상태점**(state point, 온도와 조성 값이 짝을 이루는 점)에서는 2상 영역 내에 A 성분이 많은 액상이 B 성분이 많은 고용체와 평형을 이루고 있다. 각 상의 조성은 그림 9.6에서 확인할 수 있다. 상태점을 통과하는 수평(일정 온도)선은 액상선과 고상선을 자르며 그 사이를 지난다. 액상의 조성은 액상선을 지나는 교점으로 정해지며, 마찬가지로 고용체의 조성은 고상선을 지나는 교점으로 알 수 있다. 두 상의 조성을 연결하는 평행선을 **공액선**(tie line)이라고 한다. 이러한 작도는 9.3절에서 지렛대 법칙에 의해 두 상의 상대적인 양을 계산할 때 더욱 유용하다는 것을 알게 될 것이다.

그림 9.7은 상태도에서 여러 점에 대해 Gibbs 상 법칙[식 (9.2)]이 어떻게 응용되는지를 보여준다. 9.1절에서 논의한 내용은 상태도가 제공하는 도형상의 요약을 통해 이해될 수 있다. 예를 들면 **불변점**(invariant point, 여기에서 $F = 0$)은 순수한 B 성분의 용융점에서 나타난다. 이러한 극단적인 경우 재료는 단일 성분의 계가 되고 온도가 변함에 따라 모두 액체(가열 시) 또는 고체(냉각 시)의 미세구조로 바뀐다. 2상 영

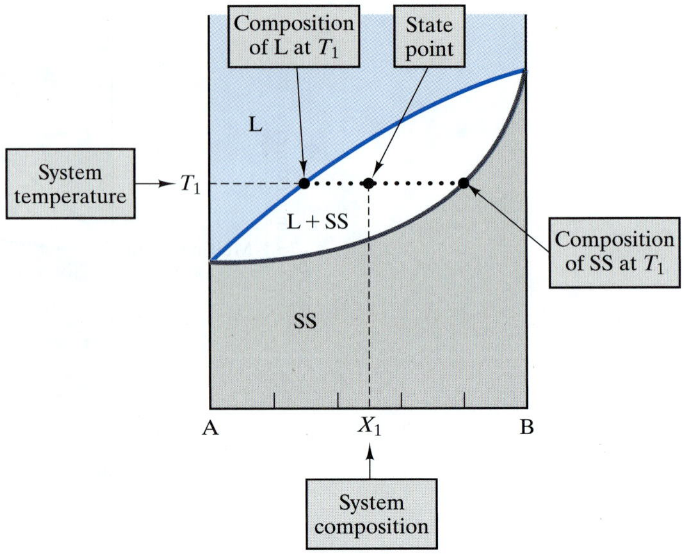

그림 9.6 상태도에서 2상 영역 내에 상의 조성은 공액선(계의 온도에서 각 상의 조성을 연결하는 수평선)으로 결정한다.

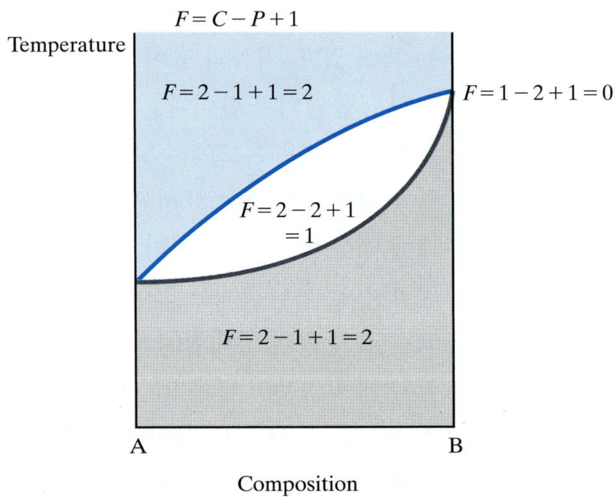

그림 9.7 그림 9.5의 상태도 내에 있는 여러 점에 대한 Gibbs 상 법칙[식 (9.2)]의 적용

역(L + SS)에서 자유도는 하나밖에 없다. 그림 9.6에서 보는 바와 같이 온도 변화는 가능하지만 상의 조성은 독립변수가 아니다. 상의 조성은 주어진 온도에서 공액선에 의해 결정된다. 단상 고용체 영역에서 자유도는 2이다. 즉 미세구조의 성질을 변화시키지 않고도 온도와 조성을 독립적으로 변화시킬 수 있다. 이 상태도의 여러 영역에서 미세구조의 특성을 요약하면 그림 9.8과 같다.

재료공학에서 상태도의 가장 큰 용도는 금속 및 세라믹스 산업 분야에 중요한 무기재료에 대한 것이다. 고분자 활용은 일반적으로 단일 성분계 또는 상태도로 표현

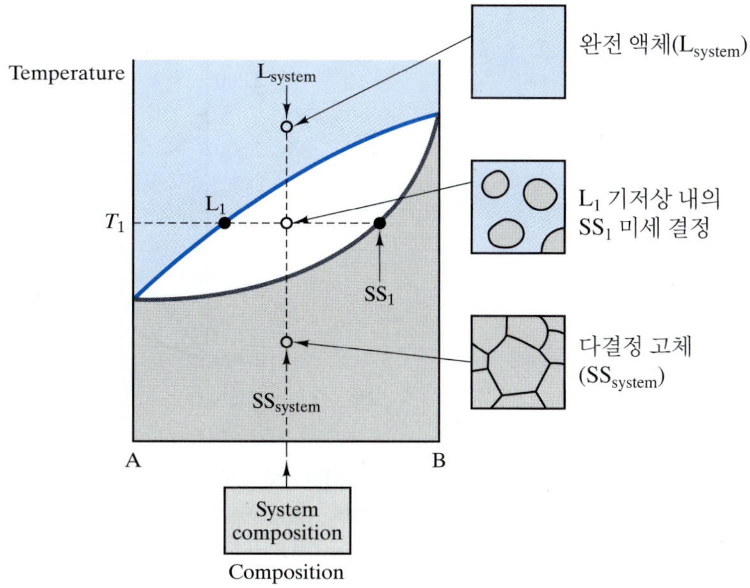

그림 9.8 전율 고용체 상태도에서 서로 다른 영역의 다양한 미세구조 특성

되지 않는 비평형 구조를 포함한다. 반도체 산업에서는 보통 고순도 상을 사용하므로 상태도의 사용 또한 제한을 받는다. 그림 9.9의 Cu-Ni 계는 전율 고용체를 갖는 고전적인 2원 상태도의 예이다. 모넬(Monel)이라고 하는 초합금을 포함하여 다양한

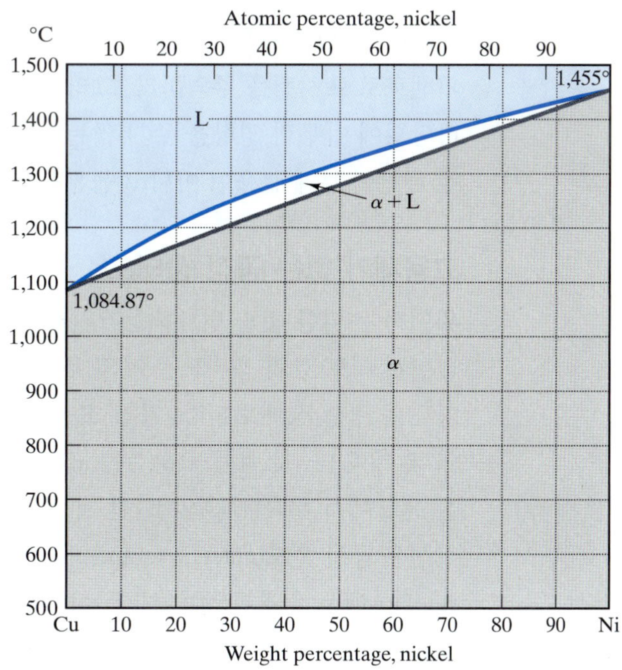

그림 9.9 Cu-Ni 상태도 (From *Metals Handbook*, 8th ed., Vol. 8: *Metallography*, *Structures*, and *Phase Diagrams*, American Society for Metals, Metals Park, OH, 1973, and *Binary Alloy Phase Diagrams*, Vol. 1, T. B. Massalski, Ed., American Society for Metals, Metals Park, OH, 1986.)

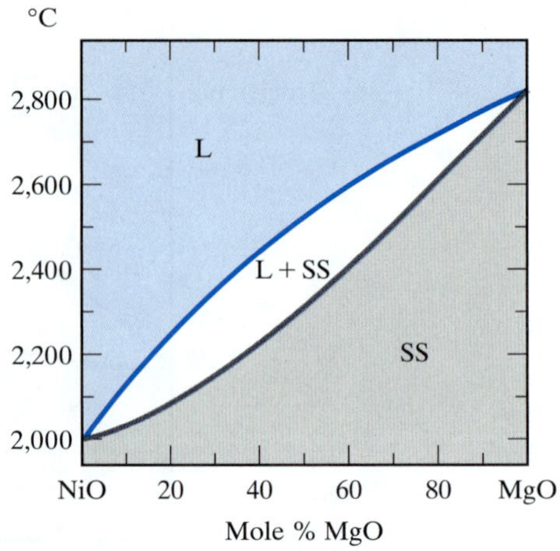

그림 9.10 NiO-MgO 상태도 (After *Phase Diagrams for Ceramists*, Vol. 1, American Ceramic Society, Columbus, OH, 1964.) (Reprinted with permission of The American Ceramic Society [www.ceramics.org]. All rights reserved.)

구리-니켈 합금은 이 계의 범주 안에 든다.

NiO-MgO 계(그림 9.10)는 Cu-Ni 계와 유사하게 전율 고용체를 보이는 일종의 세라믹계이다. Hume-Rothery 법칙(4.1절)이 금속에서의 고용체에 적용되는 반면, 이런 산화물 구조에서의 고용체에 대해 양이온(cations)의 유사성이 그 필요조건으로 위와 상호 비교되는 기초가 된다(그림 4.5 참고).

NiO-MgO 상태도(그리고 다른 세라믹 상태도)의 조성축이 중량 퍼센트 대신 몰 퍼센트로 표시됨을 주의하라. 그러나 이것은 9.3절에서 논의할 지렛대 법칙 계산의 타당성에 아무런 영향을 주지 않는다. 이런 계산결과에 미치는 유일한 영향은 얻어진 해답이 무게 분율이 아니고 몰분율이라는 점이다.

고용체가 없는 공정 상태도

위에서 논의한 것과 반대되는 2원계를 다루어보자. 어떤 성분은 전혀 유사한 점이 없어서 서로 간의 용해도는 거의 무시할 만하다. 그림 9.11은 그러한 계의 특성을 나타내는 평형 상태도이다. 완전 고용도를 갖는 상태도와 구별될 수 있는 다른 특징이 몇 개 있다. 첫 번째로 순수한 고체 A와 B의 2상 영역이 있는데, 이것은 비교적 낮은 온도에서 두 성분(A와 B)이 서로 용해되지 않는다는 관찰과 일치한다. 둘째, 고상선은 **공정 온도**(eutectic temperature)에 해당하는 수평선이다. 이 명칭은 그리스어 *eutektos*에서 유래했으며 '쉽게 녹는다'는 뜻이다. **공정 조성**(eutectic composition)을 갖는 재료는 공정 온도에서 완전히 용융된다. 공정 조성 이외의 조성은 공정 온도에서 완전히 녹지 않으며, 따라서 그러한 재료를 완전히 녹이려면 2상 영역을 지나서 액상선 이상으로 더욱 가열해야 한다. 이러한 상황은 그림 9.5에 있는 2상 영역(L +

SS)과 매우 유사하다. 차이점은 그림 9.11의 2원 공정 상태도에는 2개의 2상 영역(A + L과 B + L)이 있다는 것이다.

2원 **공정 상태도**(eutectic diagram)의 몇 가지 대표적인 미세구조는 그림 9.12에서 보는 바와 같다. 액체와 액체 + 고체의 미세구조는 그림 9.8에 보인 경우와 비교될 수 있다. 그러나 완전한 고체계의 미세구조에는 근본적인 차이가 있다. 그림 9.12에서 보는 바와 같이 이 경우에는 순수 A와 순수 B 성분이 교대로 쌓인 층으로 되어 있는 미세 결정립으로 된 공정 미세구조가 나타난다. 고체 상태 미세구조에 대한 좀 더 자세한 논의는 9.3절에서 지렛대 법칙을 이해하고 난 후에 가능하다. 우선은 공정 조성의 응고점이 날카로우면 일반적으로 공정 미세구조의 결정립이 미세해진다

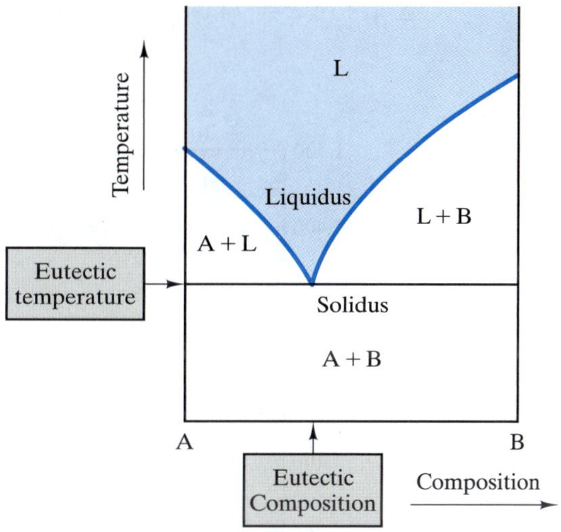

그림 9.11 고용체가 없는 2원 공정 상태도. 이 일반적인 형태는 그림 9.5에 보인 전율 고용 상태도와 반대되는 경우로 대비된다.

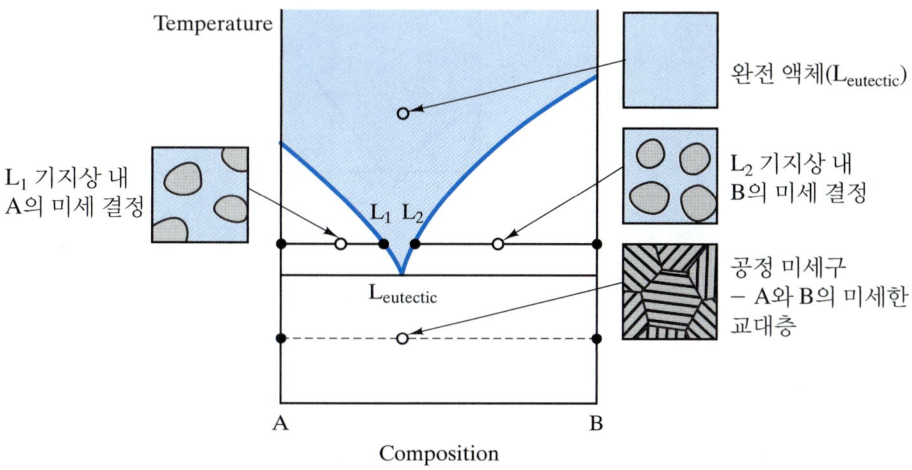

그림 9.12 고용체가 없는 2원 공정 상태도의 여러 영역에서의 다양한 미세구조 특성

는 것을 강조할 수 있다. 공정 온도를 통해 공정 조성을 천천히 냉각시키더라도 계는 액체 상태에서 고체 상태로 비교적 빨리 변태되어야 한다. 이 과정의 시간이 짧으므로 충분한 확산이 일어나지 않는다(5.3절). 따라서 (액체 상태에서 자유로이 섞여 있었던) A 원자와 B 원자가 고상으로 분리하는 편석은 작은 규모로 일어난다. 공정계의 종류에 따라 여러 가지 형태의 미세구조가 나타난다. 그러나 층상(lamellar), 구상(nodular) 또는 그 외의 형태가 안정하든 불안정하든지 간에 여러 종류의 공정 미세구조는 일반적으로 미세한 결정립으로 되어 있다.

간단한 공정 Al-Si 계(그림 9.13)는 소량의 고용도에도 불구하고 그림 9.11과 아주 유사하다. 이 상태도에서 고농도의 알루미늄 쪽은 몇 가지 중요한 알루미늄 합금의 거동을 보여준다. 반도체와 관련된 예를 강조하는 것은 아니지만 실리콘이 많은 쪽은 p형 반도체 생산에서 알루미늄 도핑의 한계를 보여준다(13장 참고).

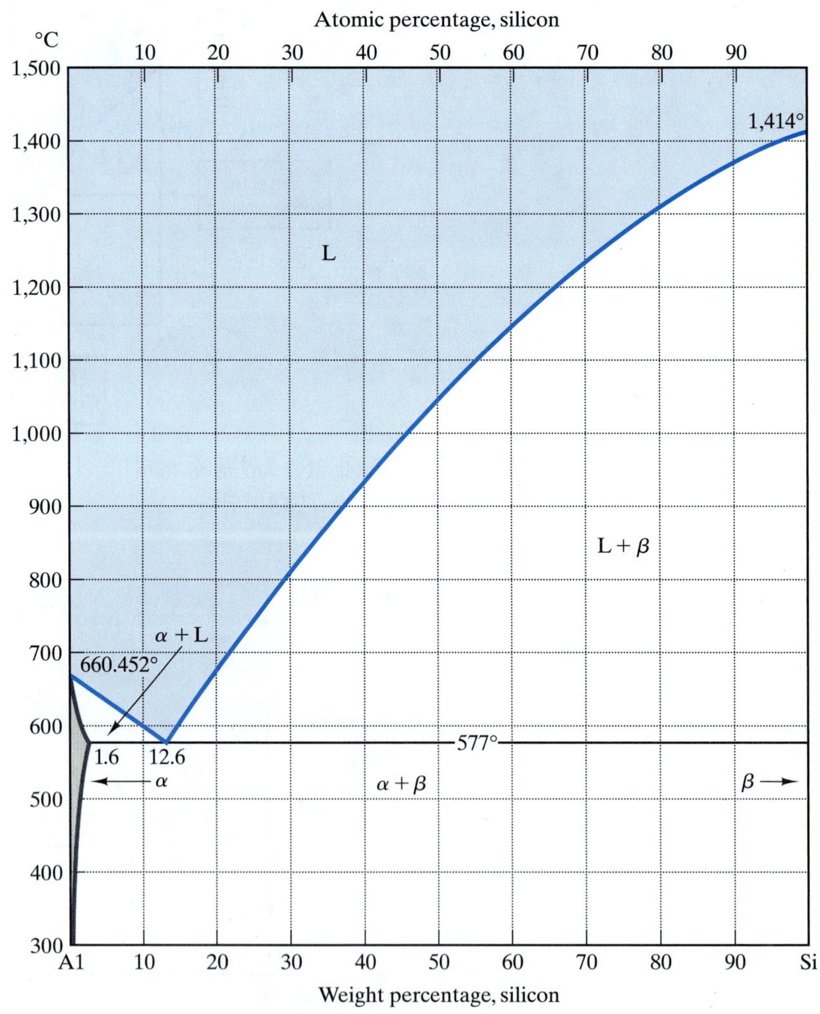

그림 9.13 Al-Si 상태도 (After *Binary Alloy Phase Diagrams*, Vol. 1, T. B. Massalski, Ed., American Society for Metals, Metals Park, OH, 1986.)

한율 고용체를 갖는 공정 상태도

많은 2원계에서 두 성분은 서로 부분적으로 용해된다. 그 결과 상태도는 지금까지 다루어온 두 가지 경우의 중간 상태가 된다. 그림 9.14는 한율 고용체(limited solid-solution)를 갖는 공정 상태도를 나타낸다. 이것은 일반적으로 양끝의 고용체 영역을 제외하고는 그림 9.11과 같다. 이러한 단상 영역은 그림 9.5의 SS 영역에 비교될 수 있지만, 그림 9.14에 있는 성분은 중간 조성 범위에서 단일 고용체로 존재하지 않는다. 그 결과 두 고용체상 α와 β는 서로 구별할 수 있다. 그것은 다른 결정 구조를 갖는 경우가 많다. 어떠한 경우에도 α의 결정 구조는 A와 같고 β의 결정 구조는 B와 같다. 이것은 각 성분이 다른 '불순물' 성분(예: A의 결정격자 내에 B 원자가 고용체로 존재하는 상)에 대해 용매로 작용하기 때문이다. 공액선을 사용하여 2상 영역에서 α와 β의 조성을 결정하는 것은 그림 9.6에서 보여준 것과 같은 방법으로 한다. 그

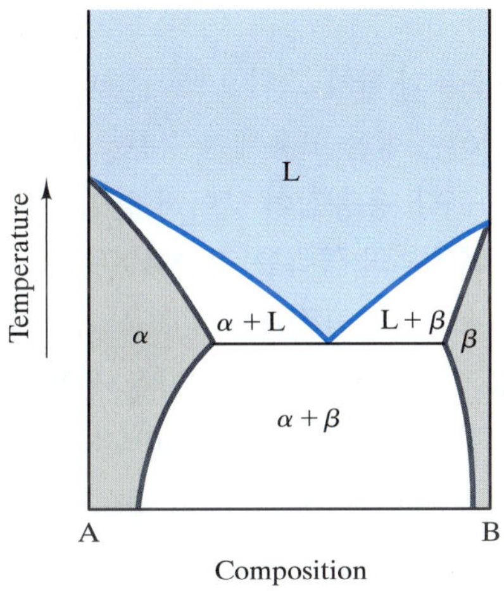

그림 9.14 고용 한계를 갖는 2원 공정 상태도. 그림 9.11과의 한 가지 차이는 α와 β의 고용체 영역이 존재하는 것이다.

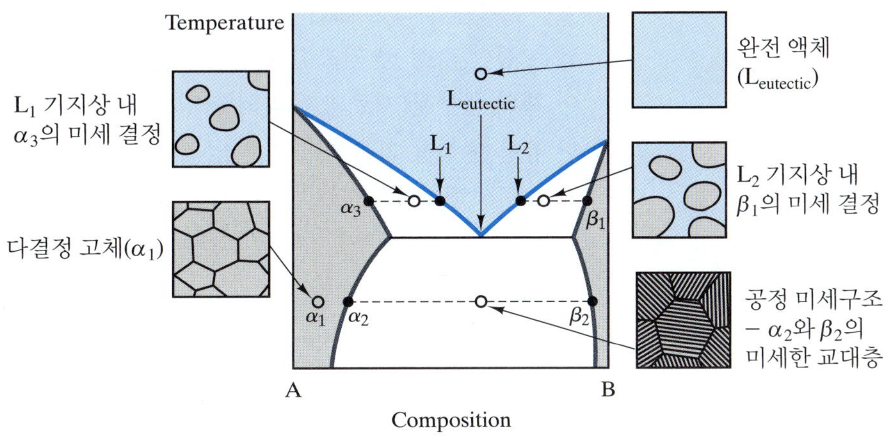

그림 9.15 고용 한계를 갖는 2원 공정 상태도의 여러 영역에서 미세구조 특성. 이 그림은 그림 9.12와 동등하지만 여기서는 고상이 순수한 성분(A와 B)이 아니라 고용체(α와 β)이다.

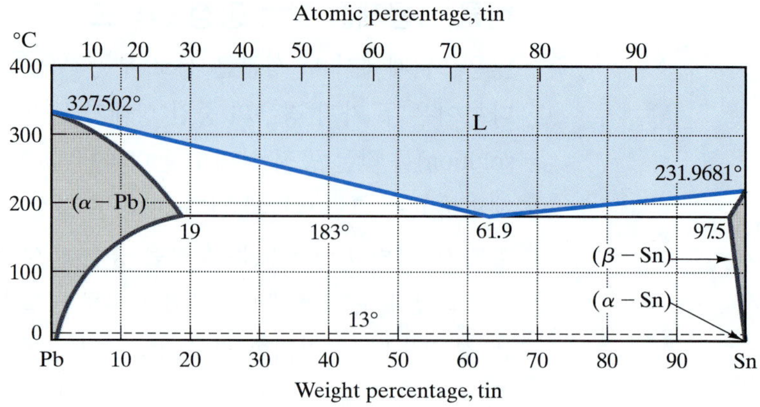

그림 9.16 Pb-Sn 상태도 (After *Metals Handbook*, 8th ed., Vol. 8: *Metallography*, *Structures*, and *Phase Diagrams*, American Society for Metals, Metals Park, Ohio, 1973, and *Binary Alloy Phase Diagrams*, Vol. 2, T. B. Massalski, Ed., American Society for Metals, Metals Park, OH, 1986.)

예를 대표적인 미세구조와 함께 그림 9.15에 나타냈다.

Pb-Sn 계(그림 9.16)는 한율 고용체를 갖는 2원 공정의 좋은 예이다. 일반적인 땜납 합금은 이 계에 속한다. 용융점이 낮아서 열에 민감한 부품을 손상시키지 않고 편리한 가열방법으로 대부분의 금속을 접합할 수 있다. 5 wt % 미만의 주석을 함유한 땜납은 컨테이너를 봉인하고 금속을 코팅 또는 접합하며 120°C 이상의 온도에서 사용된다. 10~20 wt %의 주석을 함유한 땜납은 세포 모양으로 된 자동차 라디에이터를 봉인하고 자동차 몸체에서 이음매와 눌린 자국을 메우는 데 사용된다. 일반 용도에 쓰이는 땜납은 대개 40 또는 50 wt %의 주석을 함유하고 있다. 이러한 땜납은 사용 중에 풀과 같은(pastelike) 특성을 가지고 있으며, 이것은 공정 온도 바로 위의 액체와 고체의 2상 영역과 관련이 있다. 이미 잘 알고 있는 바와 같이 땜납은 배관에서 전자공학에 이르는 넓은 범위에 응용된다. 공정 조성(약 60 wt % 주석)에 가까운 땜납은 접합 과정 중 최소한의 입열량을 요구하는 열에 민감한 전자 부품에 사용된다. 이 책의 끝부분(재료와 우리의 환경을 다루는 15.4절)에서 논의하듯이, 땜납의 이러한 유용한 적용 가운데 몇몇은 납의 독성 때문에 환경 정책에 의해 제약을 받는다는 것을 주의해야 한다.

공석 상태도

냉각 시 공정 액상이 비교적 미세한 결정립을 갖는 미세구조로 변태되는 것은 특별한 유형의 화학 반응에 기인한다고 생각할 수 있다. **공정 반응**(eutetic reaction)은 다음과 같이 쓸 수 있다.

$$\text{L(공정)} \xrightarrow{\text{냉각}} \alpha + \beta \tag{9.3}$$

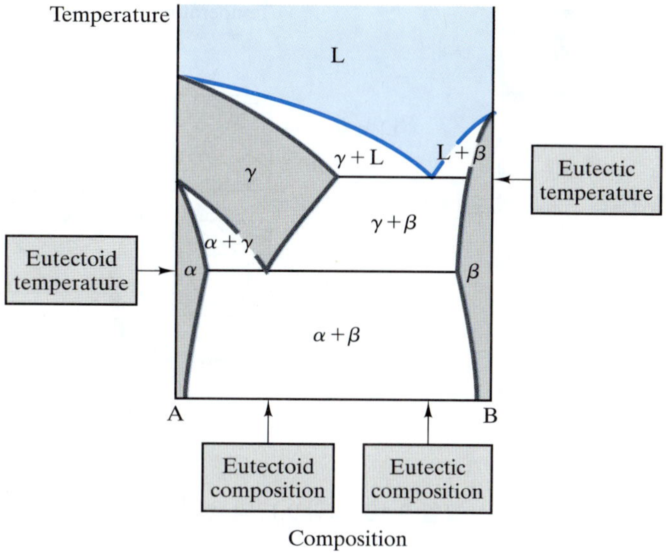

그림 9.17 이 공석 상태도는 공정 반응[식 (9.3)]과 이 반응의 고체 상태 반응에 해당하는 공석 반응[식 (9.4)]을 포함한다.

여기서 기호는 그림 9.14에 있는 상을 표시하는 기호와 같다. 어떤 2원계는 공정 반응과 같은 종류의 반응을 고체 상태에서 한다. 그림 9.17은 그러한 경우를 예시한 것이다. 공석 반응(eutectoid reaction)은 다음과 같다.

$$\gamma(\text{공석}) \xrightarrow{\text{냉각}} \alpha + \beta \tag{9.4}$$

여기서 **공석**(eutectoid)이란 '공정과 비슷함'을 의미한다. 몇 가지 대표적인 미세구조의 **공석 상태도**(eutectoid diagram)를 그림 9.18에 나타냈다. 이와 같은 서로 다른 공정과 공석의 미세구조 형태는 확산의 제한을 받아 미세구조의 특성이 변할지라도 일반적으로 비교적 작은 결정립이라는 종래의 견해를 뒷받침해준다. 공석 반응은 강철 제조 공정에 기초적인 역할을 한다.

Fe-Fe_3C 계(그림 9.19)는 여기서 다룰 상업적으로 가장 중요한 상태도이다. 이것은 철강 산업에 주요한 과학적 토대를 제공해준다. 11장에서 보겠지만 철과 강의 경계는 탄소 함량 2.0 wt %이다. 이 점은 그림 9.19의 **오스테나이트**[2](austenite, γ) 상의 탄소 고용 한계와 대략 일치한다. 또한 이 상태도는 3개 이상의 성분(예: 다량의 크로뮴을 함유한 스테인리스강)을 가진 이와 관련된 많은 합금계에서의 미세구조 형성 과정에 대한 표본이다. 이 계의 성분이 탄소가 아닌 Fe_3C이지만 조성 축은 통

2) William Chandler Roberts-Austen(1843~1902)은 영국 금속학자이다. 젊었을 때 광산기사가 되고 싶었지만 1882년 '조폐국의 화학자와 분석가'로 임명되어 죽을 때까지 종사했다. 동전 제조기술에 대한 다양한 연구로 왕립광산학교의 교수가 되었다. 그는 정부와 학계에 커다란 기여를 했으며, 그의 저서인 《Introduction to the Study of Metallurgy》는 1891~1908년 사이에 여섯 차례나 출판되었다. 1885년에 그의 삼촌(Nathaniel Austen)을 존경하여 추가적으로 그의 성을 받아들였다.

POWERS OF 10

상용 합금의 서냉 과정 중 나타난 마이크로미터 단위의 미세구조는 현대 산업 분야에서 중심적인 역할을 한다. 가장 중요한 예는 철강 산업과 연관된 그림 9.19와 9.20이다. 더 세부적인 예는 9.4절에서 설명한다.

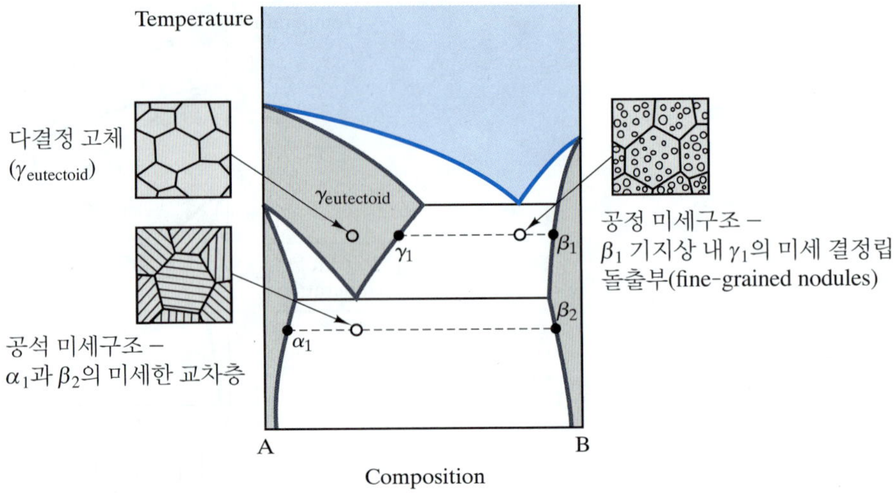

그림 9.18 그림 9.17의 공석 상태도에 대한 대표적인 미세구조이다.

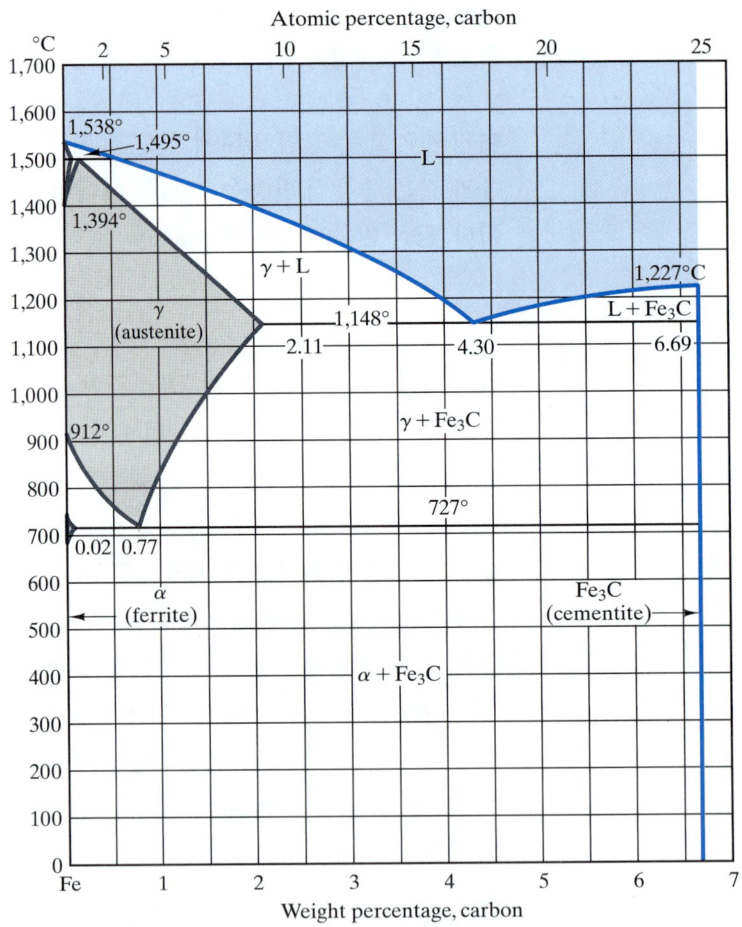

그림 9.19 Fe-Fe_3C 상태도. 성분이 탄소가 아니고 Fe_3C인데도 조성 축은 탄소의 중량 퍼센트로 주어진 것에 유의하라. (After *Metals Handbook*, 8th ed., Vol. 8: *Metallography*, *Structures*, and *Phase Diagrams*, American Society for Metals, Metals Park, OH, 1973, and *Binary Alloy Phase Diagrams*, Vol. 1, T. B. Massalski, Ed., American Society for Metals, Metals Park, OH, 1986.)

상적으로 탄소 중량 퍼센트로 나타낸다. 이 상태도에서 중요하고 흥미로운 부분은 공정과 공석에 가까운 영역이다. 1,500°C 부근의 포정 반응은 실제 응용 면에서는 중요하지 않다.

그러나 위에서 언급한 2원 상태도와는 달리 Fe-Fe_3C 상태도는 진정한 평형 상태도가 아니라는 점에 유의해야 한다. Fe-C 계(그림 9.20)가 진정한 평형 상태도를 나타낸다. 비록 흑연(C)이 Fe_3C보다 더 안정한 석출물이지만 흑연의 석출 속도는 Fe_3C의 석출 속도보다 매우 느리다. 그 결과 일반강(또는 많은 주철)에서 Fe_3C 상은 **준안정**(metastable) 상이다. 즉 Fe_3C는 실제로 시간이 지나도 안정하며 Gibbs 상 법칙을 따른다고 할 수 있다.

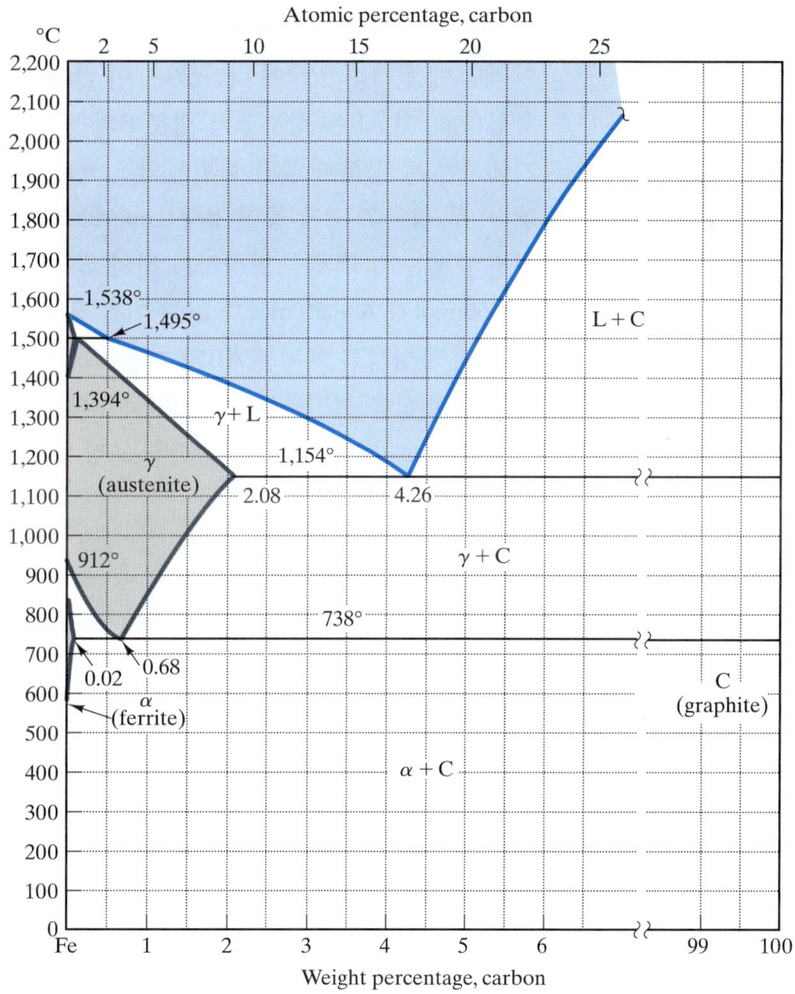

그림 9.20 Fe-C 상태도. 이 상태도의 왼쪽 부분은 Fe-Fe_3C 상태도(그림 9.19)와 거의 일치한다. 그러나 이 경우에 중간 화합물인 Fe_3C는 존재하지 않는다. (After *Metals Handbook*, 8th ed., Vol. 8: *Metallography*, *Structures*, and *Phase Diagrams*, American Society for Metals, Metals Park, OH, 1973, and *Binary Alloy Phase Diagrams*, Vol. 1, T. B. Massalski, Ed., American Society for Metals, Metals Park, OH, 1986.)

위에서 언급한 바와 같이 Fe-C 계(그림 9.20)는 근본적으로 더 안정하지만 느린 속도론(kenetics, 10장의 주제) 때문에 Fe-Fe_3C 계보다 일반적으로 잘 쓰이지 않는다. 즉 극단적인 서냉 과정에서 Fe-C 상태도에 나타난 결과를 얻을 수 있다. 더 실제적인 방법은 규소와 같은 소량의 제3성분을 첨가함으로써 흑연 석출을 촉진하는 것이다. 전형적으로 규소 2~3 wt % 첨가는 흑연 석출을 안정화하는 데 쓰인다. 이 제3성분은 그림 9.20에는 나타나 있지 않다. 그러나 이 그림은 실제 계에 대한 미세구조 형성 과정을 잘 설명한다. 한 가지 예를 9.4절에서 보일 것이다.

포정 상태도

지금까지 살펴본 모든 2원 상태도에서 순수한 성분은 확실한 용융점이 있었다. 그러나 어떤 계에서는 성분이 확실한 용융점을 가지지 않는 안정한 화합물을 형성한다. 이러한 예를 그림 9.21에 나타냈다. 이 간단한 예에서 A와 B는 안정한 화합물 AB를 형성하고, 이 AB는 성분 A와 성분 B와는 다르게 단일의 온도에서 녹지 않는다. 여기에서는 두 성분과 중간 화합물의 고용체 형성 가능성을 무시하고 그림을 단순화했다. 두 성분은 각각 **동질 용융**(congruent melting)한다고 한다. 즉 용융에 의해 형성된 액체는 그 액체를 형성하기 전의 고체와 동일한 조성을 갖는다. 반면에 화합물 AB(50 mol % A + 50 mol % B)는 **이질 용융**(incongruent melting)한다고 한다. 즉 용융에 의해 형성된 액체는 AB와 다른 조성을 가진다. **포정**(peritectic)이란 용어는 이질 용융 현상을 설명하는 데 사용된다. 이러한 포정이란 '근접 용융(melt nearby)'을 의미하는 그리스어에서 유래했다. **포정 반응**(peritectic reaction)은 다음과 같이 쓸 수 있다.

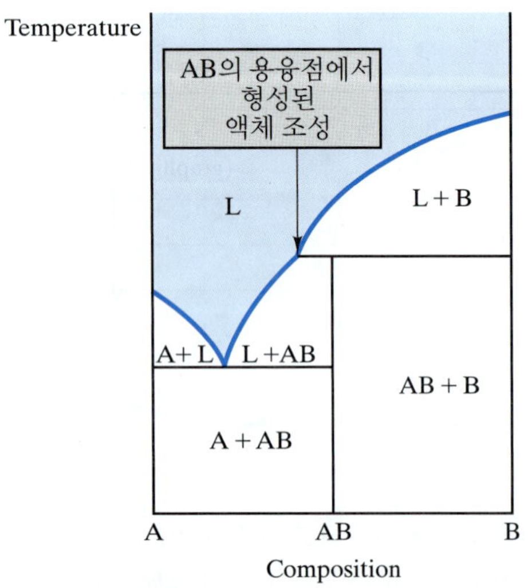

그림 9.21 포정 반응[식 (9.5)]을 보이는 포정 상태도. 단순화를 위해 고용체는 나타내지 않았다.

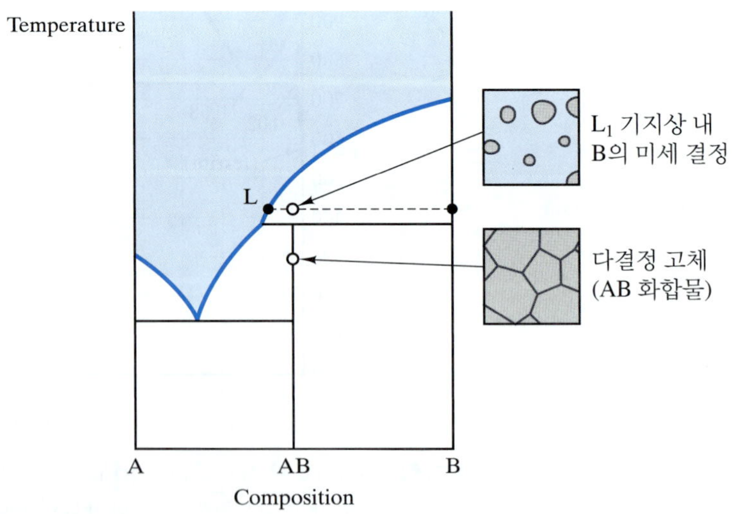

그림 9.22 그림 9.21의 포정 상태도에 대한 대표적인 미세구조이다.

$$AB \xrightarrow{\text{가열}} L + B \tag{9.5}$$

여기서 액체 조성은 그림 9.21의 **포정 상태도**(peritectic diagram)에 나타냈고, 몇 가지 대표적인 미세구조를 그림 9.22에 나타냈다. Al_2O_3-SiO_2 상태도(그림 9.23)는 전형적인 포정 상태도의 한 예이다.

세라믹 산업에서 Al_2O_3-SiO_2 2원 상태도는 철강 산업에서의 Fe-Fe_3C 상태도만큼이나 중요하다. 일부 중요한 세라믹 재료가 이 계에 속한다. 산화 규소 내화 벽돌은 0.2~1.0 wt %(0.1~0.6 mol %)의 Al_2O_3를 함유하는 거의 순수한 SiO_2이다. 산화 규소 내화 벽돌은 1,600°C 이상에서 사용되어야 하기 때문에 액상의 양을 최소화하기 위해 주의 깊게 원료를 선택하여 Al_2O_3의 함량을 최소로 하는 것이 매우 중요하다. 소량의 액상은 무방하다. 일반적인 내화물은 25~45 wt %(16~32 mol %)의 Al_2O_3를 함유하고 있다. 이것은 노(furnace) 설계의 구조재료로 이용되는데 1,587°C의 고상선(공정) 온도로 인해 제한을 받는다. **내화도**(refractoriness)나 온도 저항의 급격한 증가는 이질 용융 화합물인 멀라이트($3Al_2O_3 \cdot 2SiO_2$) 조성에서 일어난다.

멀라이트(mullite)의 용융 성질에 관한 상반된 논의는 수십 년간 계속되었다. 지난 수년 동안에는 그림 9.23의 포정 반응이 일반적으로 인정되었다. 이러한 상업적으

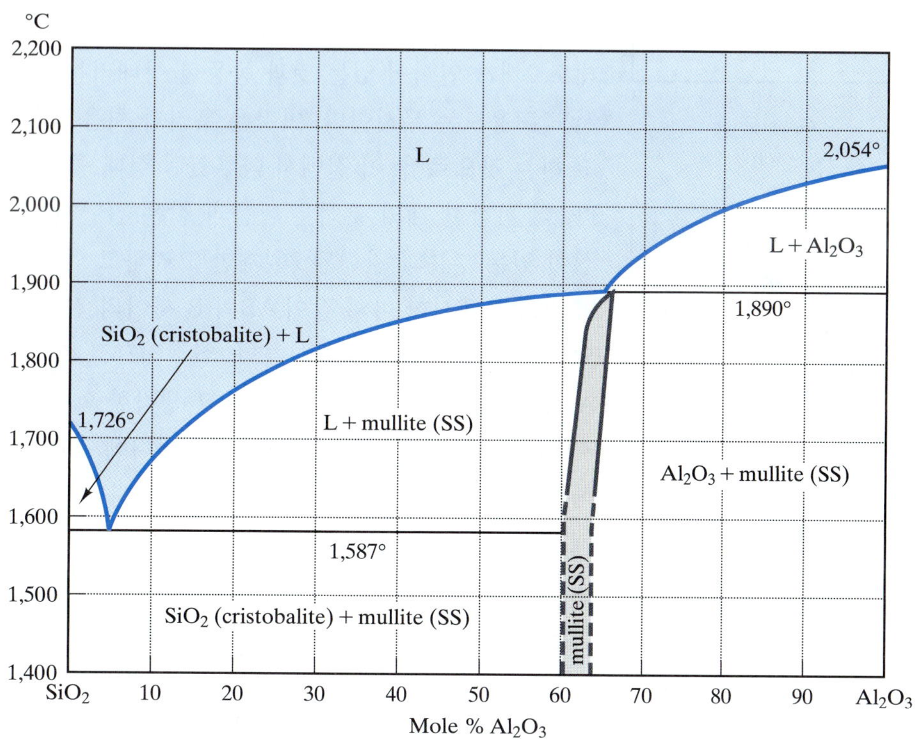

그림 9.23 Al_2O_3-SiO_2 상태도. 멀라이트는 이상적인 화학양론으로 $3Al_2O_3 \cdot 2SiO_2$인 중간 화합물이다. (After F. J. Klug, S. Prochazka, and R. H. Doremus, *J. Am. Ceram*. Soc. 70, 750, 1987.) (Reprinted with permission of The American Ceramic Society [www.ceramics.org]. All rights reserved.)

로 중요한 계에 관한 논쟁은 중요한 점을 시사해준다. 고온 세라믹계에서 평형을 이루는 것은 쉽지 않다. 이런 관점에서 규산염 유리는 유사한 예가 된다. 이 책에 제시한 상태도는 오늘날 가장 보편적으로 이해되고 있는 것이지만, 향후 더욱 정확한 실험 분석 과정을 통해 개선될 수 있을 것이다.

멀라이트 내화물을 제조하는 과정에서 2상 영역(멀라이트 + 액상)을 피하기 위해 전체 조성은 72 wt %(60 mol %) Al_2O_3 이상이 되어야 한다. 그렇게 함으로써 내화물은 1,890°C의 포정 온도까지 고체 상태로 완전히 남아 있다. 이른바 고알루미나(high alumina) 내화물은 60~90 wt %(46~84 mol %) Al_2O_3의 조성 범위에 속한다. 거의 순수한 Al_2O_3는 Al_2O_3-SiO_2 계의 상용 재료 중에서 가장 높은 내화도(고온 저항성)를 갖는다. 이러한 재료는 유리 제조 시 내화재나 실험실용 도가니로 사용되고 있다.

일반적인 2원 상태도

앞에서 논의한 포정 상태도는 2원계에서 두 성분 사이에 형성되는 화합물인 **중간 화합물**(intermediate compound)을 갖는 첫 번째 예이다. 실제로 중간 화합물의 형성은 비교적 통상적으로 일어나는 현상이다. 물론 그러한 화합물은 단지 포정 반응에만 국한되는 것은 아니다. 그림 9.24(a)는 중간 화합물 AB가 동질 용융할 때의 경우를 보여준다. 이 계에서 중요한 점은 그림 9.11에서 처음으로 다루었던 2원 공정 상태도 2개가 연이어 있는 것과 동등한 상태라는 것이다. 다시 단순화하기 위해 여기서도 고용도는 무시한다. 이것은 우리가 처음 보는 **일반 상태도**(general diagram)라고 하는 것으로서, 이 절에서 다루었던 형태 중 둘 또는 그 이상의 조합으로 되어 있다. 더 복잡한 계의 분석은 다음과 같은 간단한 방법으로 행한다. 전체 조성 중 관심이 있는 부분과 관련된 2원계만 고려하고 나머지는 무시한다. 즉 이 과정은 그림 9.24(b)에 예시한 바와 같이 AB와 B 사이의 전체 조성에 대해 이 상태도를 AB와 B의 간단한 2원 공정계로 다룬다. 실질적으로 그림 9.24(b)에 보여준 전체 조성에서 A-AB 2원계는 존재하지 않는다고 생각한 액상 기지이다. AB와 B 사이의 조성에서 미세구조가 형성될 때 액상 기지 어디에서도 A 결정이 발견되지 않고 평형 상태에서는 A와 AB가 동시에 존재하지 않는다. 그림 9.25는 이 점에 대해 좀 더 상세하게 설명하고 있다. 그림 9.25(a)는 4개의 중간 화합물(A_2B, AB, AB_2, AB_4)과 몇 개의 개별적인 2원 상태도의 예를 가진 비교적 복잡한 일반 상태도이다. 그러나 그림 9.25(b)에 나타낸 전체 조성에서 단지 AB_2-AB_4 2원계만 관련이 있는 부분이다.

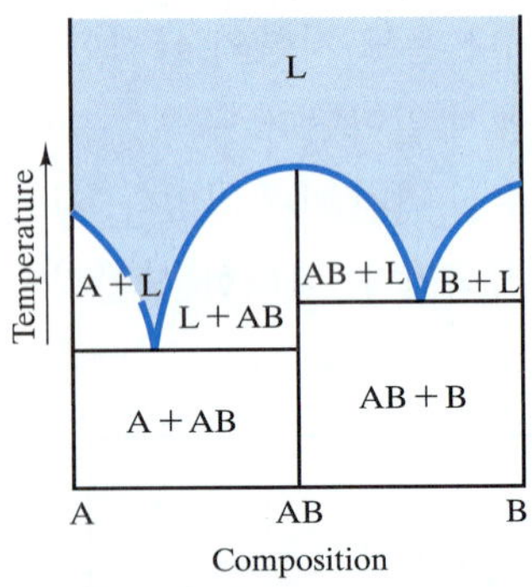

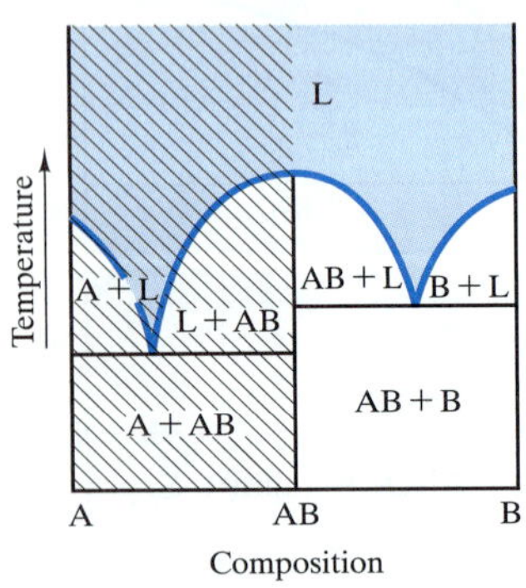

그림 9.24 (a) 동질 용융하는 중간 화합물 AB를 갖는 2원 상태도. 이 상태도는 2개의 간단한 2원 공정 상태도(A-AB 계와 AB-B 계)와 동등하다. (b) AB-B 계의 전체 조성에서 미세구조를 분석하려면 해당 2원 공정 상태도만 고려하면 된다.

MgO-Al_2O_3 계(그림 9.26)는 그림 9.24와 유사하지만 한율 고용도를 갖는다. 그림 9.26은 중요한 중간 화합물인 스피넬 구조를 갖는 MgO · Al_2O_3 또는 $MgAl_2O_4$를 포함하고 있으며 이것은 넓은 고용체 범위를 가지고 있다(MgO 내 Al_2O_3 희석 용액은 그림 4.6에 설명되어 있다). 스피넬 내화물은 산업 전반에 걸쳐 널리 사용된다. 중요한 자성 재료는 화학적 조성과 스피넬 결정 구조에 기반을 둔다(14장 참고).

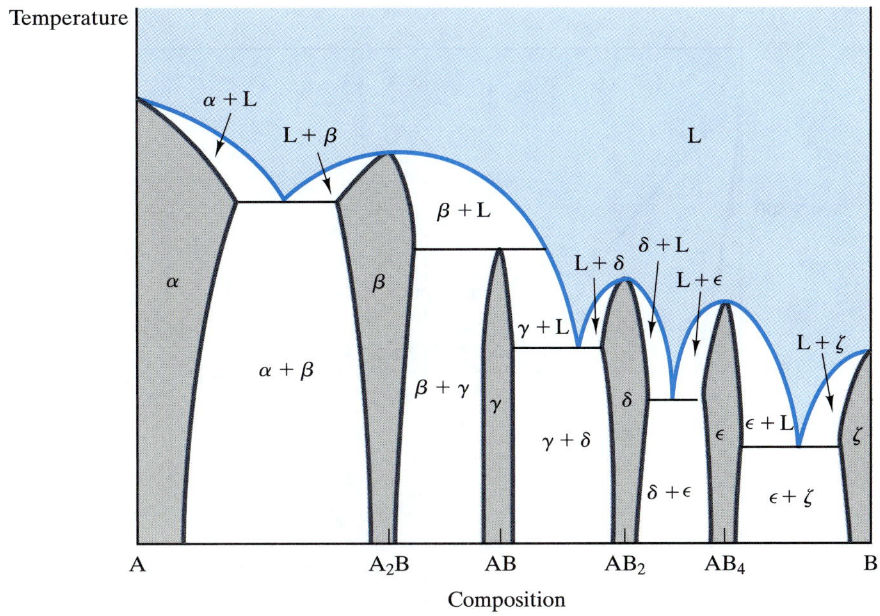

(a)

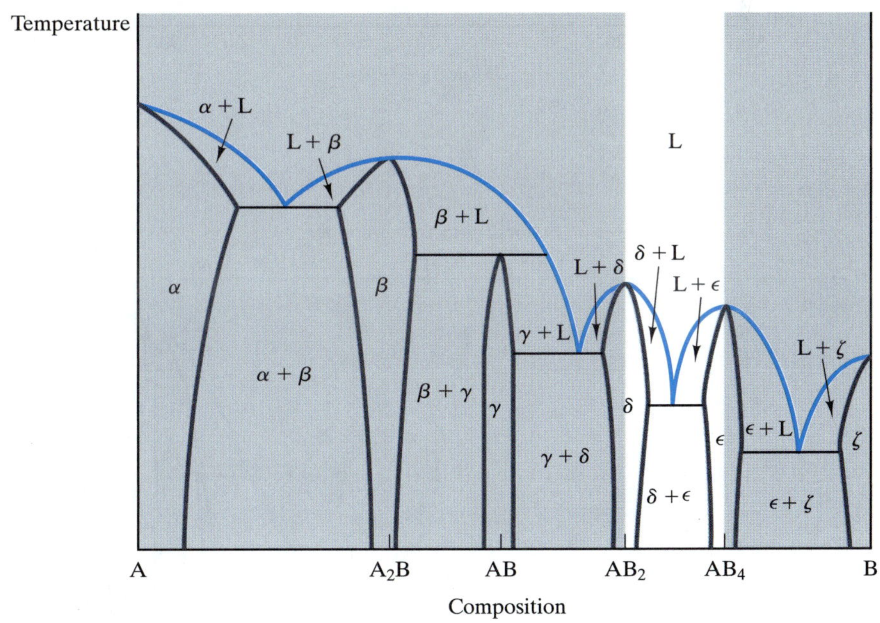

(b)

그림 9.25 (a) 비교적 복잡한 2원 상태도 (b) AB_2와 AB_4 사이의 전체 조성에서 미세구조를 분석하는 데는 그 부분의 2원 공정 상태도만 필요하다.

그림 9.27과 9.28은 그림 9.25와 비교되는 몇 가지 일반 상태도의 좋은 예이다. 중요한 시효경화용 알루미늄 합금은 Al-Cu 계(그림 9.27)의 상 경계 근처 조성에서 나타난다. 이 점은 나중에 그림 9.36과 관련지어 논할 것이며, 10.4절에서 석출 경화 과

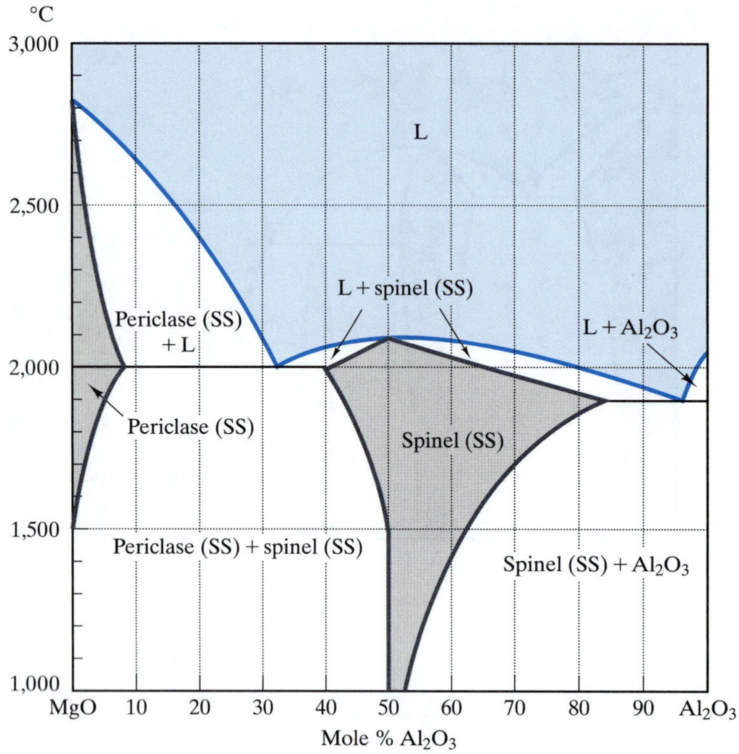

그림 9.26 MgO-Al_2O_3 상태도. 스피넬은 이상적인 화학양론 $MgO \cdot Al_2O_3$인 중간 화합물이다. (After *Phase Diagrams for Ceramists*, Vol. 1, American Ceramic Society, Columbus, OH, 1964.) (Reprinted with permission of The American Ceramic Society [www.ceramics.org]. All rights reserved.)

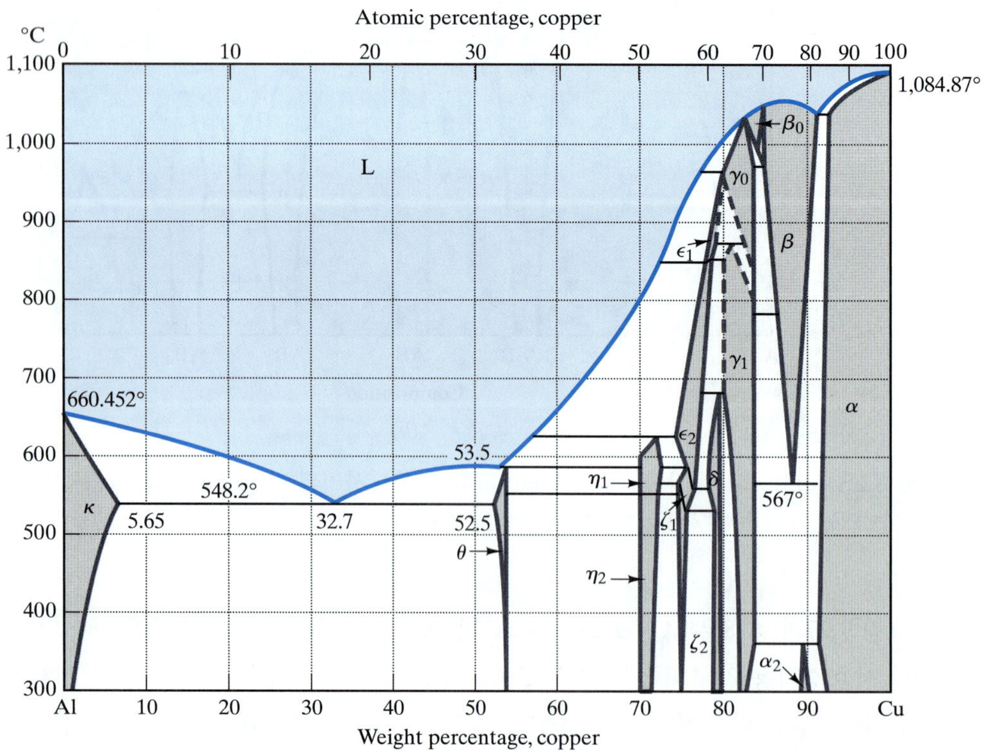

그림 9.27 Al-Cu 상태도 (After *Binary Alloy Phase Diagrams*, Vol. 1, T. B. Massalski, Ed., American Society for Metals, Metals Park, OH, 1986.)

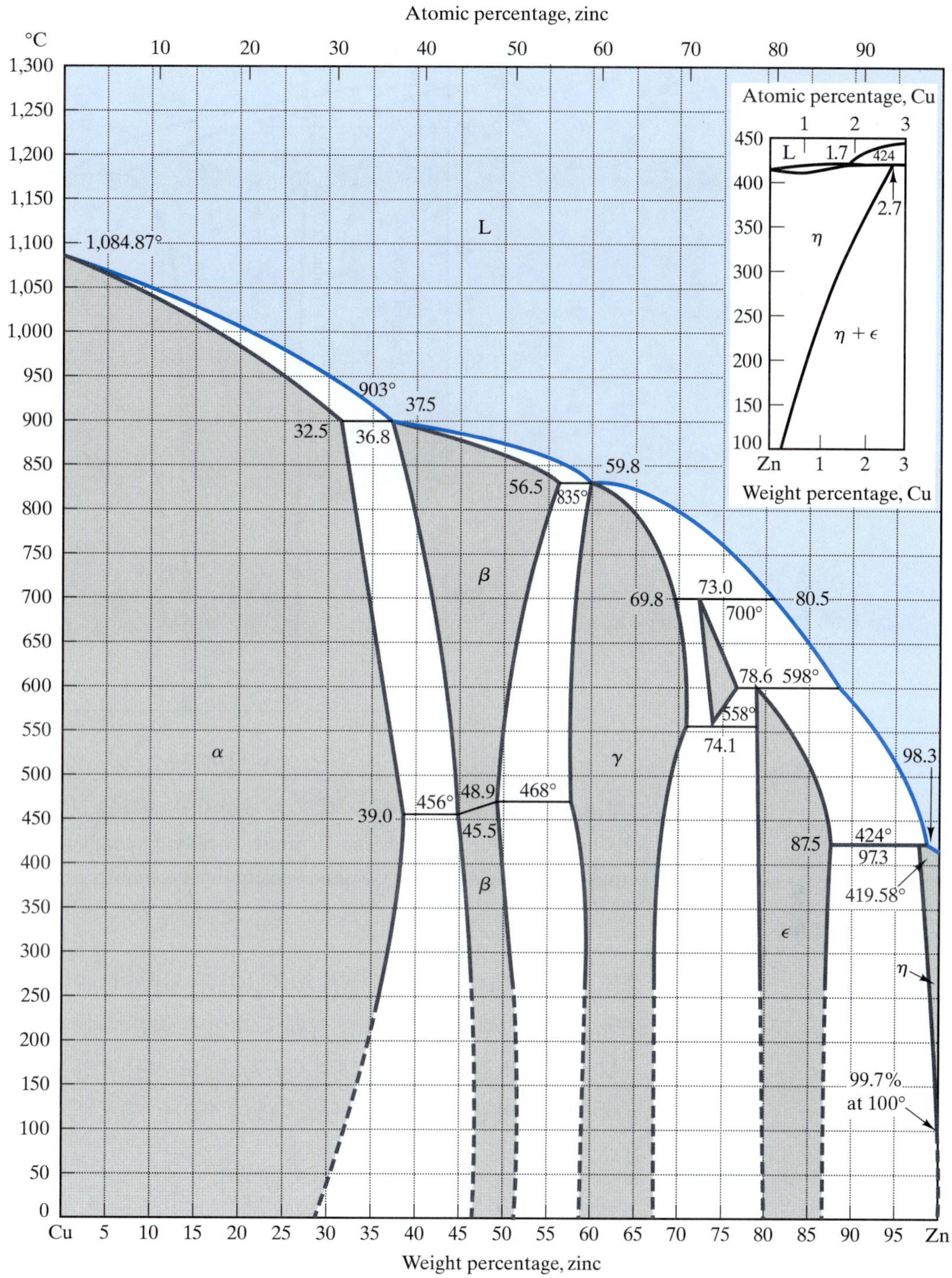

그림 9.28 Cu-Zn 상태도 (After *Metals Handbook*, 8th ed., Vol. 8: *Metallography, Structures, and Phase Diagrams*, American Society for Metals, Metals Park, OH, 1973, and *Binary Alloy Phase Diagrams*, Vol. 1, T. B. Massalski, Ed., American Society for Metals, Metals Park, OH, 1986.)

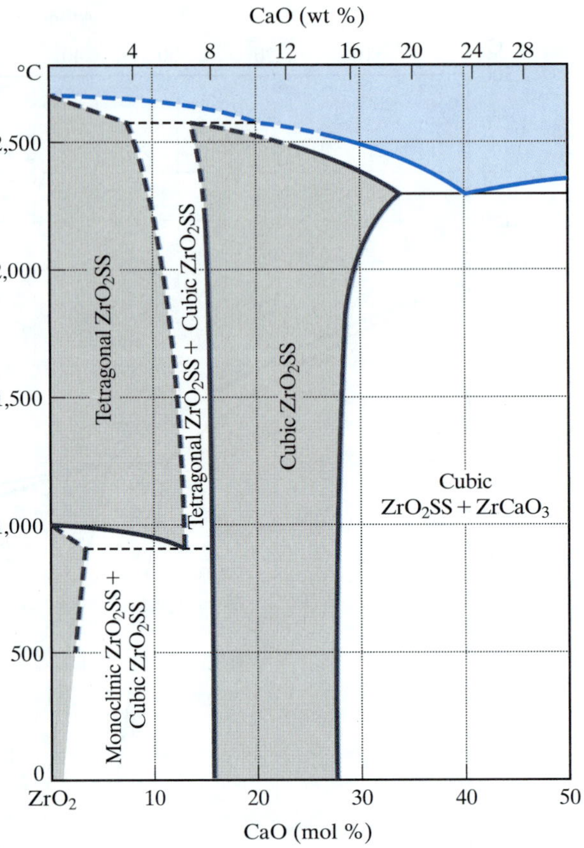

그림 9.29 CaO-ZrO_2 상태도. 점선은 가상적인 결과를 보인다. (After *Phase Diagrams for Ceramists*, Vol. 1, American Ceramic Society, Columbus, OH, 1964.)

정을 통해 자세히 다룰 것이다. Al-Cu 계는 알루미늄이 많은 영역에서 간단한 2원 공정으로 분석될 수 있는 복합 상태도의 아주 좋은 예이다.

Al-Cu 계와 같이 그림 9.28의 Cu-Zn 계도 실용적인 계로서 분석하기 쉬운 복합 상태도이다. 예를 들면 상업적으로 많이 쓰이는 황동의 조성은 단상 α 영역에 속해 있다.

CaO-ZrO_2 상태도(그림 9.29)는 세라믹계의 일반 상태도 중 한 가지 예이다. ZrO_2는 CaO와 같은 안정화 첨가제를 사용함으로써 중요한 내화 재료가 되었다. 그림 9.29의 상태도에서 보는 바와 같이 순수한 ZrO_2는 가열 시 1,000°C에서 결정 구조가 단사정(monoclinic)에서 정방정(tetragonal)으로 상변태가 일어난다. 이 변태는 구조적으로 취약한 세라믹에 상당한 부피 변화를 일으킨다. 순수한 재료에 대해 반복적으로 상변태 온도를 통과시키면 그 재료는 분말상태가 될 것이다. 상태도가 보여주는 바와 같이 약 10 wt %(20 mol %)의 CaO가 첨가되면 상온에서 용융점(약

2,500°C)까지 입방정의 결정 구조를 지닌 고용체 상을 형성하게 된다. 이 '안정화 지르코니아'는 실용성이 있으며 내열성이 아주 좋은 구조용 재료이다. Y_2O_3와 같은 여러 다른 세라믹 성분은 안정화 작용을 하며 ZrO_2에 첨가하면 그림 9.29에서와 유사한 상태도를 나타낸다.

예제 9.2

그림 9.25에 나타난 A-B 계의 합금은 같은 양의 A와 A_2B를 용융하여 형성된 것이다. 이 용융체를 서냉할 때 일어나는 미세구조의 변화를 정성적으로 설명하시오.

풀이

A와 A_2B의 50:50 조합은 A와 A_2B 사이의 중간 조성을 만들 것이다. 냉각 경로를 예시하면 다음과 같다.

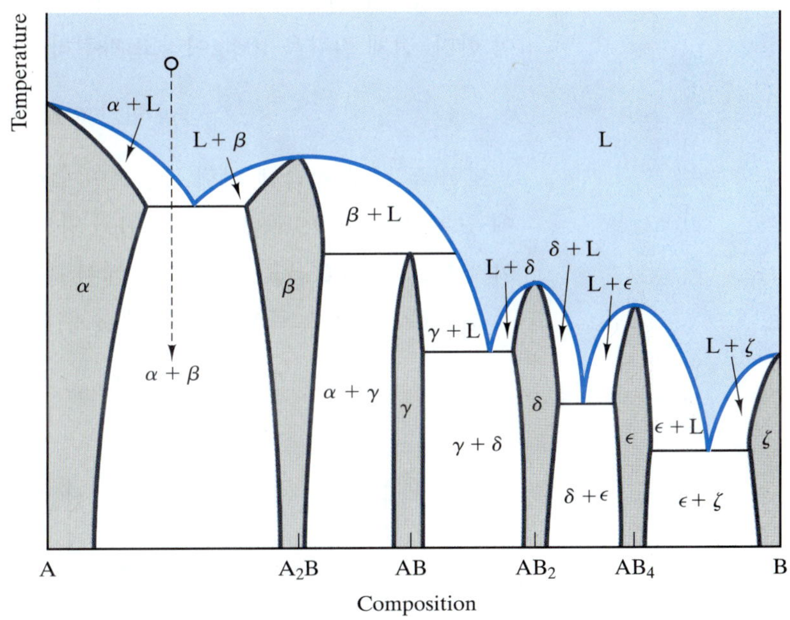

액상으로부터 제일 먼저 석출되는 고상은 A가 많은 고용체이다. A-A_2B 공정 온도에서 응고가 완료되어 α와 β의 고용체인 두 상으로 이루어진 미세구조가 나타난다.

연습문제 9.2

같은 양의 A_2B와 AB 합금의 용융체를 서냉할 때 일어나는 미세조직의 형성을 정성적으로 설명하시오.

9.3 지렛대 법칙

9.2절에서 주어진 계의 평형 상태에서 존재하는 어떤 상과 그에 상응하는 미세구조를 결정하기 위해 상태도의 사용방법에 대해 살펴보았다. 공액선, 즉 대응선(예: 그림 9.6)은 2상 영역에서 각 상의 조성을 알려준다. 이 절에서는 이 분석방법을 확장하여 2상 영역에서 각 상의 양을 결정한다. 먼저 단일상 영역에 대해 이러한 분석은 무의미하다는 것을 알아야 한다. 정의에 의하면 그 미세구조는 100% 단상이다. 하지만 2상 영역에서 이 분석은 의미가 있으며 그럼에도 불구하고 간단하다.

미세구조에서 두 상의 상대적인 양은 질량 균형으로부터 쉽게 계산할 수 있다. 전율 고용체에 대한 2원 상태도의 경우를 다시 고려해보자. 그림 9.30은 그림 9.6과 동일하고 거기에는 L + SS 영역에 있는 상태점과 관련된 두 상의 조성을 알려주는 공액선이 나타나 있다. 또한 각 상의 조성과 전체 계의 조성이 표시되어 있다. 전체적인 **질량 균형**(mass balance)을 이루려면 두 상의 질량의 합이 전체 계의 질량과 같아야 한다. 전체 질량을 100 g이라고 가정하면, 그 관계식은 다음과 같다.

$$m_L + m_{SS} = 100 \text{ g} \tag{9.6}$$

또한 두 성분 각각에 대해 독립적인 질량 균형을 표현할 수 있다. 예를 들면 액상에 있는 B의 양과 고용체에 있는 B의 양의 합은 전체 조성에 있는 B의 총량과 같아야 한다. 그림 9.6(온도 T_1인 경우)에서 L은 30% B, SS는 80% B, 전체 계는 50% B를 함유하고 있으므로 다음과 같이 쓸 수 있다.

$$0.30\, m_L + 0.80\, m_{SS} = 0.50(100 \text{ g}) = 50 \text{ g} \tag{9.7}$$

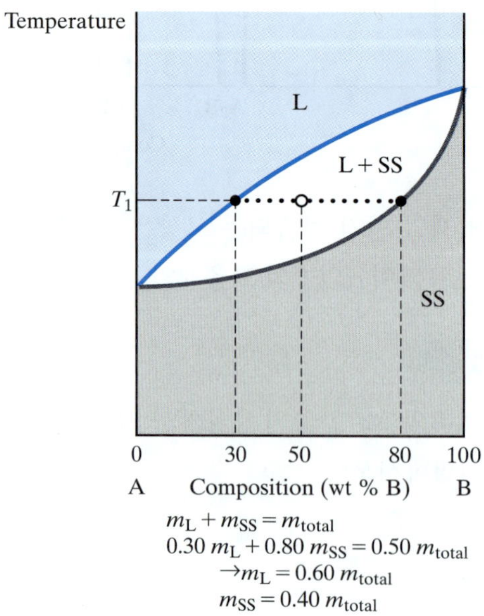

그림 9.30 그림 9.6에서 소개한 공액선을 정량적으로 다루면 질량 균형의 방법으로 각 상(L과 SS)의 양을 계산할 수 있다[식 (9.6)과 (9.7)].

식 (9.6)과 (9.7)은 2개의 미지수를 갖고 있는 2개의 식이므로 각 상의 양을 계산하면

$$m_{\mathrm{L}} = 60\ \mathrm{g}$$

$$m_{\mathrm{SS}} = 40\ \mathrm{g}$$

이 질량 균형 계산은 편리하지만 더욱 간단한 새로운 방법이 있다. 이것을 얻기 위해 질량 균형을 일반적인 식으로 표현한다. α와 β 두 상에 대해 일반적인 질량 균형은 다음과 같다.

$$x_\alpha m_\alpha + x_\beta m_\beta = x(m_\alpha + m_\beta) \tag{9.8}$$

여기서 x_α와 x_β는 두 상의 조성이며, x는 전체 조성이다. 이 식을 재배열하면 각 상의 상대적인 양을 조성의 항으로 나타낼 수 있다. 즉

$$\frac{m_\alpha}{m_\alpha + m_\beta} = \frac{x_\beta - x}{x_\beta - x_\alpha} \tag{9.9}$$

$$\frac{m_\beta}{m_\alpha + m_\beta} = \frac{x - x_\alpha}{x_\beta - x_\alpha} \tag{9.10}$$

식 (9.9)와 (9.10)을 **지렛대 법칙**(lever rule)이라고 한다. 질량 균형 계산과 역학적 균형의 유사성이 그림 9.31에 예시되어 있다. 이것의 유용성은 상태도로부터 쉽게 시각화될 수 있다는 사실에 기인한다. 전체 조성은 공액선에 상응하는 길이를 가진 지렛대의 받침점에 해당된다. 각 상의 질량은 조성에 해당되는 지렛대의 끝부분에 위치한다. 상의 상대적인 양은 '반대편의 지렛대 팔'$(= x_\beta - x)$의 길이에 직접 비례한다. 바로 이러한 관계로 인해 상의 상대적인 양은 간단히 육안으로 봐서 결정할 수 있다. 지금부터 이러한 정량적인 방법으로 미세구조 형성을 단계적으로 분석해나갈 수 있다.

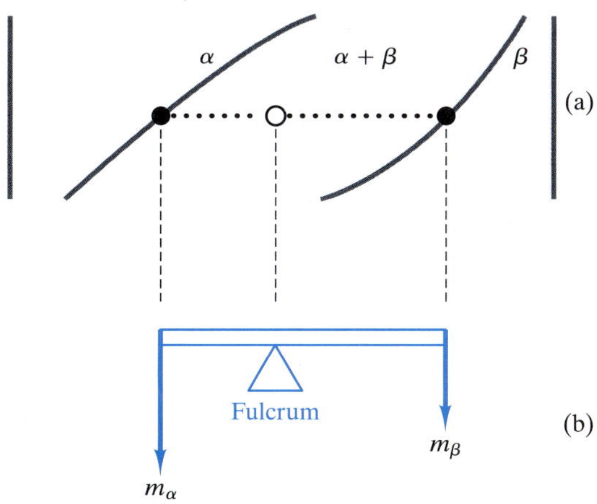

그림 9.31 지렛대 법칙은 질량 균형 계산에 대한 역학적 유사성을 보인다. (a) 2상 영역의 공액선은 (b) 받침 위의 균형 잡힌 지렛대와 유사하다.

예제 9.3

그림 9.30에서 보인 합금 1 kg의 온도가 액상 용액의 조성이 18 wt % B이고 고용체의 조성이 66 wt % B가 될 때까지 서서히 냉각되었다. 각 상의 양을 계산하시오.

풀이

식 (9.9)와 (9.10)을 이용하여 다음을 얻는다.

$$m_L = \frac{x_{SS} - x}{x_{SS} - x_L}(1\text{ kg}) = \frac{66 - 50}{66 - 18}(1\text{ kg})$$
$$= 0.333\text{ kg} = 333\text{ g}$$

$$m_{SS} = \frac{x - x_L}{x_{SS} - x_L}(1\text{ kg}) = \frac{50 - 18}{66 - 18}(1\text{ kg})$$
$$= 0.667\text{ kg} = 667\text{ g}$$

주: $m_{SS} = 1{,}000\text{ g} - m_L = (1{,}000 - 333)\text{ g} = 667\text{ g}$이라는 것에 주목하여 m_{SS}를 더 쉽게 구할 수 있다. 그러나 이 장에서는 복습과 대조를 위해 계속 식 (9.9)와 (9.10)을 이용해서 예제 문제를 다룰 것이다.

예제 9.4

상온에서 공석강 1 kg이 있을 때 존재하는 각 상(α와 Fe_3C)의 양을 구하시오.

풀이

식 (9.9), (9.10)과 그림 9.19를 이용하면 다음을 얻는다.

$$m_\alpha = \frac{x_{Fe_3C} - x}{x_{Fe_3C} - x_\alpha}(1\text{ kg}) = \frac{6.69 - 0.77}{6.69 - 0}(1\text{ kg})$$
$$= 0.885\text{ kg} = 885\text{ g}$$

$$m_{Fe_3C} = \frac{x - x_\alpha}{x_{Fe_3C} - x_\alpha}(1\text{ kg}) = \frac{0.77 - 0}{6.69 - 0}(1\text{ kg})$$
$$= 0.115\text{ kg} = 115\text{ g}$$

예제 9.5

부분 안정화 지르코니아의 조성은 4 wt % CaO를 포함하고 있다. 이 제품은 입방정상과 함께 약간의 단사정상을 함유하고 있는데, 입방정상은 완전 안정화 지르코니아의 기본이 된다. 상온에 존재하는 각 상의 mol %를 계산하시오.

풀이

그림 9.29에 나와 있는 고용 한계는 500°C 이하에서 별로 변하지 않는다고 가정하

고, 4 wt % CaO = 8 mol % CaO이므로, 식 (9.9)와 (9.10)을 적용할 수 있다.

$$\text{단사정상의 mol \%} = \frac{x_{\text{cub}} - x}{x_{\text{cub}} - x_{\text{mono}}} \times 100\%$$

$$= \frac{15 - 8}{15 - 2} \times 100\% = 53.8 \text{ mol \%}$$

$$\text{입방정상의 mol \%} = \frac{x - x_{\text{mono}}}{x_{\text{cub}} - x_{\text{mono}}} \times 100\%$$

$$= \frac{8 - 2}{15 - 2} \times 100\% = 46.2 \text{ mol \%}$$

연습문제 9.3

예제 9.3에서 다루었던 합금을 액상의 조성이 48 wt % B이고 고용체의 조성이 90 wt % B가 되는 온도에 도달할 때까지 다시 가열했다. 각 상의 양을 계산하시오.

연습문제 9.4

예제 9.4에서 상온일 때 공석강 내의 각 상의 양을 구했다. 전체 조성이 1.13 wt % C인 과공석강에 대해 각 상의 양을 구하시오.

연습문제 9.5

예제 9.5에서 부분 안정화 지르코니아에서 상의 분포를 계산했다. 5 wt % CaO를 함유한 지르코니아에 대해 같은 계산을 하시오.

9.4 서냉을 통한 미세구조 형성

이제 여러 가지 2원계에서 **미세구조 형성**(microstructural development)을 상세하게 살펴보려 한다. 모든 경우에 단상의 용액으로부터 주어진 조성을 냉각하는 보편적인 상황을 가정한다. 미세구조는 응고 과정에서 형성된다. 여기서는 서냉의 경우만 고려하자. 즉 냉각 과정 중에 모든 점에서 평형이 항상 유지된다. 더 빠른 온도 변화에 대한 영향은 10장에서 다루며, 거기에서는 열처리 과정 중 형성되는 시간에 의존하는 미세구조를 다룬다.

2원 상태도의 가장 간단한 것으로서 액상과 고상에서 완전한 고용도의 경우를 살펴보자. 그림 9.32는 앞에서 다룬 50% A-50% B 조성이 점차적으로 응고되는 과정을 보여준다(그림 9.6, 9.8, 9.30). 2상 영역(L + SS)의 세 가지 다른 온도에서 지렛대 법칙(그림 9.31)을 적용한다. 그림 9.32에서 미세구조의 모양은 전체 계(overall system) 조성의 공액선상에서의 상대적 위치와 직접적인 관계가 있다는 것을 이해

재료의 세계

구역 정제법에 의한 반도체의 고순도화

3장의 '재료의 세계'에서는 반도체가 어떻게 고순도의 구조적 완성 상태로 제조되는지 보여주었다. 13장에서 고체 전자공학 또한 반도체가 고순도의 화학적 순도를 필요로 하는 것을 배울 것이다. 이 화학적 완성도는 결정 성장 단계 이전의 한 특별한 공정으로 이루어진다. 이 공정이 바로 상태도의 활용을 의미한다.

아래의 그림에서 볼 수 있듯이 적당한 불순물이 있는 봉상 재료(예: 실리콘)는 **구역 정제법**(zone refining)에서 고순도화된다. 이 과정에서 유도 코일은 국부 용융대를 생성한다. 코일이 봉의 길이를 따라 통과할 때 이 국부 용융대도 함께 따라간다. 용융된 재료는 유도 코일의 이동 즉시 응고된다.

아래 상태도는 액체 내의 불순물 농도가 고체보다 훨씬 높다는 것을 보여준다. 그 결과 가열 코일의 1차 통과로 불순물을 액상 영역과 함께 한쪽 끝으로 밀어낸다. 가열 코일을 여러 번 통과시키면 훨씬 높은 고순도를 얻을 수 있다. 결국 대부분의 불순물은 봉의 한쪽 방향으로 몰리게 되며 불순물이 몰린 쪽의 봉은 잘라서 버린다. 소재 전체를 보았을 때 ppb(십억분율) 수준의 불순물이 일반적이며, 오늘날 우리가 알고 있는 바와 같이 고체 전자공학 개발의 필요조건이 되었다.

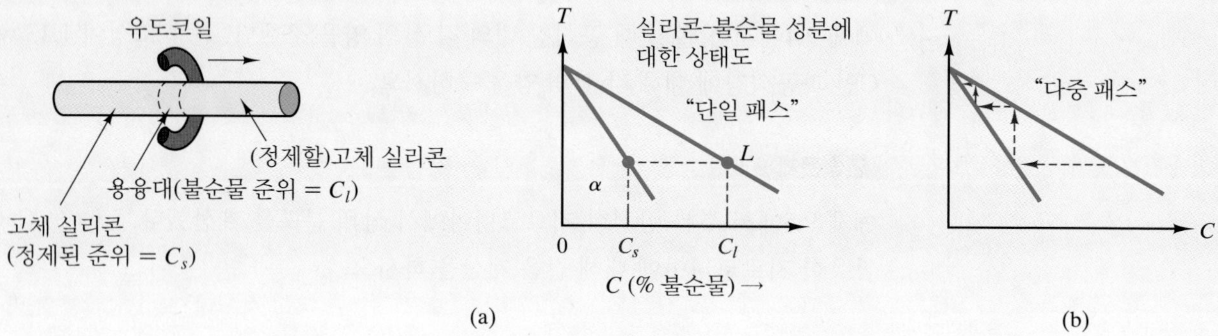

구역 정제에서 (a) 봉을 통하는 용융대의 1차 통과로 액체 내의 불순물을 농화한다. 이것은 상태도로 설명할 수 있다. (b) 용융대의 다단계 통과는 고체의 순도를 높인다.

해야 한다. 높은 온도(예: T_1)에서 전체 조성은 액상 경계에 가깝고 미세구조는 액상이 지배적이다. 낮은 온도(예: T_3)에서 전체 조성은 고상 경계에 가깝고 미세구조는 고상이 지배적이다. 물론 액상과 고상의 조성은 2상 영역을 통해 냉각되는 동안 계속적으로 변한다. 그러나 어떤 온도에서든지 각 상의 상대적인 양이 변할지라도 전체 조성은 A 50%와 B 50%이다. 이것은 식 (9.8)의 질량 균형에 의해 정의된 지렛대 법칙이 직접적으로 명시하고 있다.

지렛대 법칙은 2원 공정에서 미세구조 형성을 이해하는 데 크게 도움이 된다. 공정 조성의 경우는 간단하며 앞에서 설명한 바 있다(그림 9.12, 9.15). 그림 9.33은 이러한 경우를 좀 더 상세하게 나타낸 것이다. 각 고용체상(α와 β)의 조성과 상대적인 양이 공정 온도 아래에서 온도에 따라 약간 변화한다. (고체 상태의 확산으로 인한

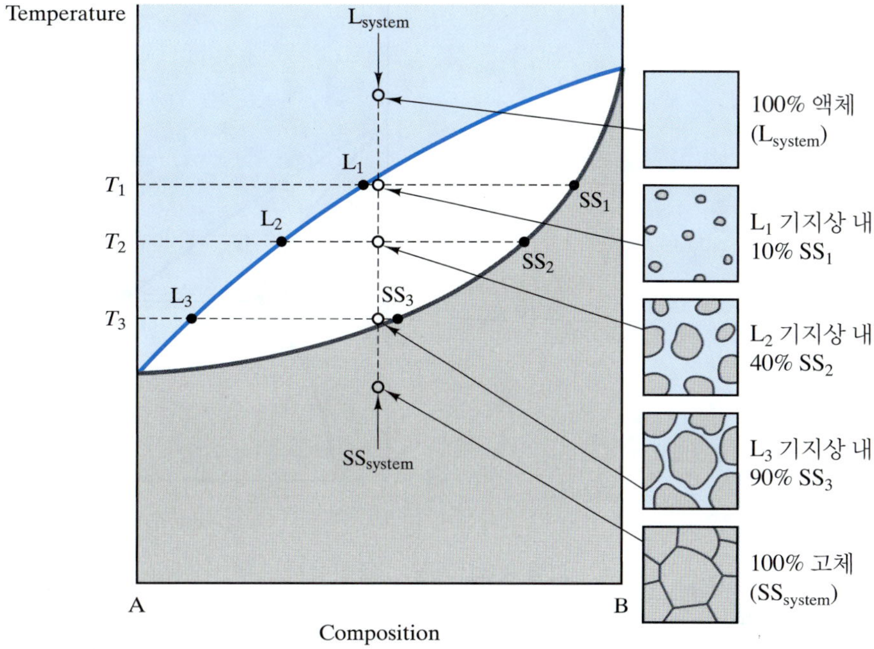

그림 9.32 50% A-50% B 조성인 전율 고용체의 서냉 과정 중의 미세구조 형성 과정. 각 온도에서 미세구조 내 각 상의 양은 지렛대 법칙 계산을 따른다. T_2에서의 미세구조는 그림 9.30의 계산에 따른다.

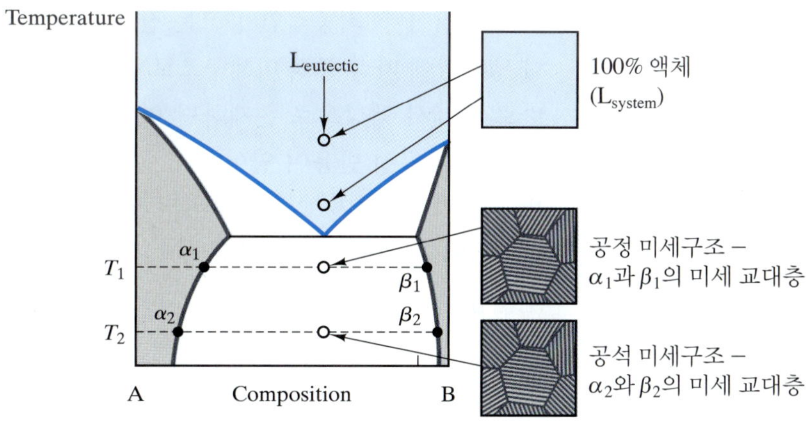

* 이 구조와 T_1 미세구조 사이의 유일한 차이점은 각 상의 조성과 상대적인 양이다. 예를 들면, β의 양은

$$\frac{x_{eutectic} - x_{\alpha}}{x_{\beta} - x_{\alpha}}$$

에 비례한다.

그림 9.33 공정 구조에서 서냉 시 미세구조의 변화

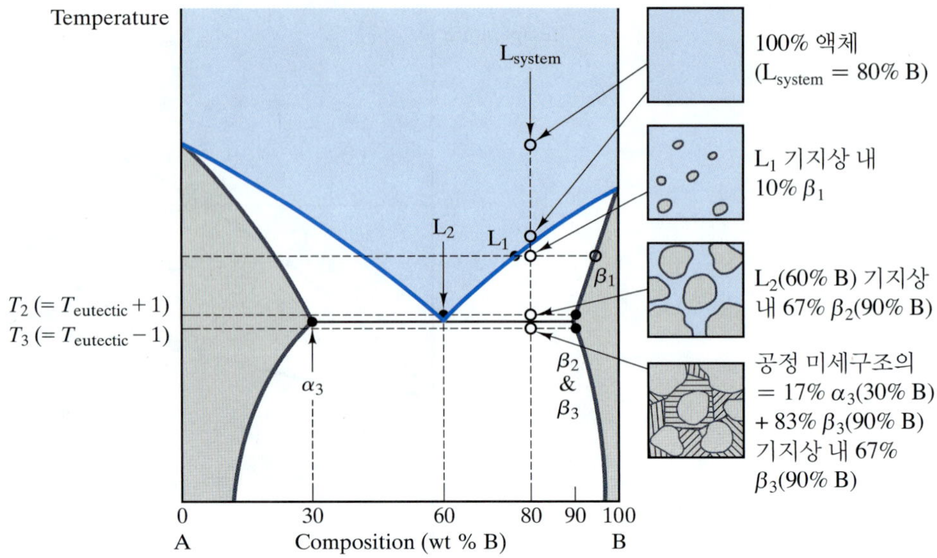

그림 9.34 과공정 조성에서 서냉 시 미세구조의 변화

이러한 조성의 변화에 상응하는)미세구조의 영향은 일반적으로 미약하다.

공정 조성 이외의 조성에 대한 미세구조 형성은 좀 더 복잡하다. 그림 9.34는 **과공정 조성**(hypereutectic composition, 공정 조성 이상의 조성)에 대한 미세구조 형성을 나타낸 것이다. 공정 온도 이상에서 β 결정의 점진적인 성장은 전율 고용체 상태도인 그림 9.32에서 보여준 결정 성장 과정과 비교될 수 있다. 한 가지 차이점은 그림 9.34에서와 같이 미세구조의 67%만 응고된 채로 공정 온도에서 결정 성장이 중지한다는 것이다. 최종적인 응고는 잔류 액상(공정 조성을 가지는)이 공정 온도를 지나 냉각함에 따라 공정 미세구조로 갑자기 변태할 때 일어난다. 말하자면 공정 온도 바로 위에서 액상으로 존재하던 미세구조의 나머지 33%는 그림 9.33에서 보여준 바와 같이 공정 반응이 일어난다. 공정 온도 바로 아래(그림 9.34의 T_3)에서 지렛대 법칙으로 계산하면 그 미세구조는 정확히 17% α_3와 83% β_3로 이루어짐을 알 수 있다. 그러나 전체 냉각 경로를 통해 β 상은 두 가지 형태로 존재함을 알 수 있다. 2상(L + β) 영역을 거쳐 서냉하는 동안 형성된 큰 결정립을 **초정**(proeutectic) β라고 한다. 즉 그것은 '공정 전'에 나타난다. 층상 공정에 있는 미세한 β는 **공정**(eutectic) β라고 한다.

그림 9.35는 **아공정 조성**(hypoeutectic composition, 공정 조성 이하의 조성)에서 나타나는 비슷한 상황을 나타낸 것이다. 이 경우는 과공정 조성에서 미세구조 형성 과정과 유사하다. 그림 9.35에서 α와 β 층으로 된 공정 미세구조 주위에 생성된 초정 α의 큰 결정립 형성을 볼 수 있다. 두 가지 다른 종류의 미세구조 형성 과정은 그림 9.36에 나타나 있다. 전체 조성이 10% B일 때 상황은 그림 9.32의 전율 고용체에서와 유사하다. 그 응고는 낮은 온도로 냉각되더라도 여전히 안정한 상태로 존재하

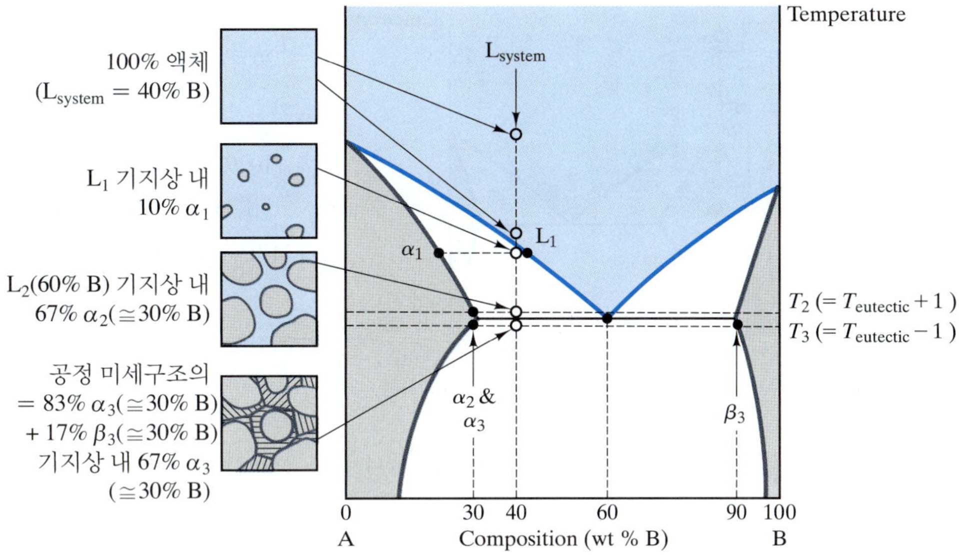

그림 9.35 아공정 조성에서 서냉 시 미세구조의 변화

는 단상 고용체를 형성한다. 20% B 조성은 냉각 시 α 상에 B 원자가 포화되는 현상을 제외하고는 비슷한 유형으로 거동한다. 좀 더 냉각시키면 소량의 β 상이 석출된다. 이러한 석출은 입계를 따라 일어난다는 것을 그림 9.36(b)에서 보여준다. 어떤 때에는 제2상(second phase)이 결정립 내에서 석출된다. 주어진 계에서 제2상의 형태는 냉각 속도에 민감하다. 10.4절에서 Al-Cu 계에 대해 그러한 경우를 보게 될 것이며, 이것은 열처리에 의해 석출 경화가 일어나는 중요한 한 가지 예이다.

이 절에서 다룬 여러 가지 사례를 가지고 그림 9.25(b)에 표현된 일반 상태도를 포함하여 이 장에서 제시한 2원계의 임의의 조성에서 문제를 다루고자 한다.

백주철(white cast iron, 11장 참고)의 냉각 경로를 그림 9.37에 나타냈다. 미세구조는 그림 11.1(a)의 현미경 사진과 비교할 수 있다. 그림 9.38에 펄라이트를 생성하는 공석 반응을 나타냈다. 이 조성(0.77 wt % C)은 1080 보통 탄소강(표 11.1 참고)의 조성과 유사하다. Fe-Fe_3C 계에 대한 많은 상태도에서 공석 조성은 평균적으로 대략 0.8 wt % C이다. 사실상 0.77 wt % C 근처에서 미세구조는 주로 공석을 나타낼 것이다. 실제 펄라이트 미세구조는 그림 9.2의 현미경 사진에 나타나 있다. **과공석 조성**(hypereutectoid composition, 공석 조성 0.77 wt % C 이상의 큰 조성)은 그림 9.39에 나타냈다. 이 경우는 많은 점에서 그림 9.34에 있는 과공정 경로와 비슷하다. **초석**(proeutectoid) 시멘타이트(Fe_3C)는 최종 미세구조에서 기지(matrix) 구조인 반면에 그림 9.34의 초정상은 고립상이라는 것이 근본적인 차이점이다. 이것은 초석 시멘타이트의 석출이 고상 변태이고 결정립계에서 우선적으로 일어남에 기인한다. 그림 9.40은 **아공석 조성**(hypoeutectoid composition, 0.77 wt % C 이하)에 대한 미세구조 형성을 보여준다.

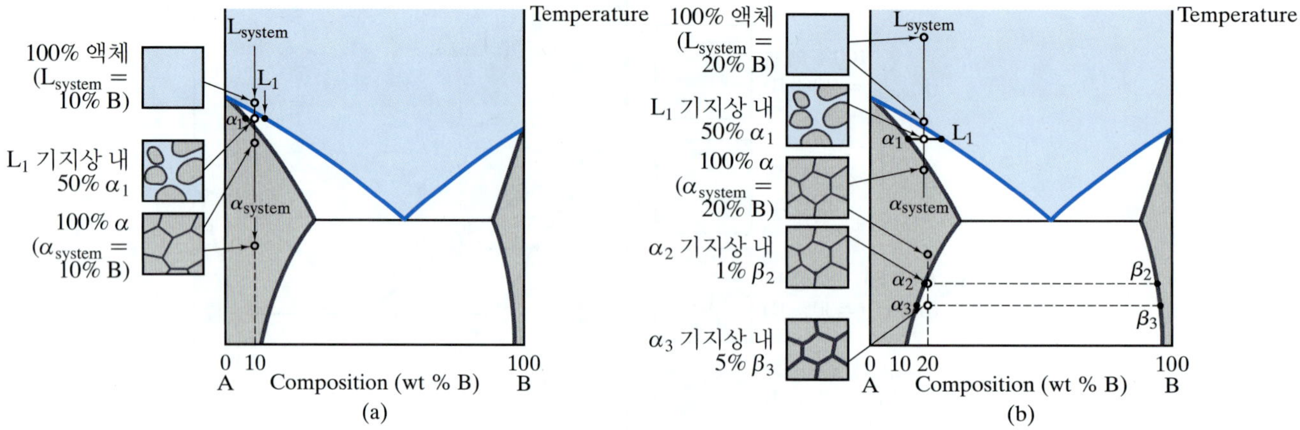

그림 9.36 공정 반응이 없는 두 조성에 대한 미세구조 형성

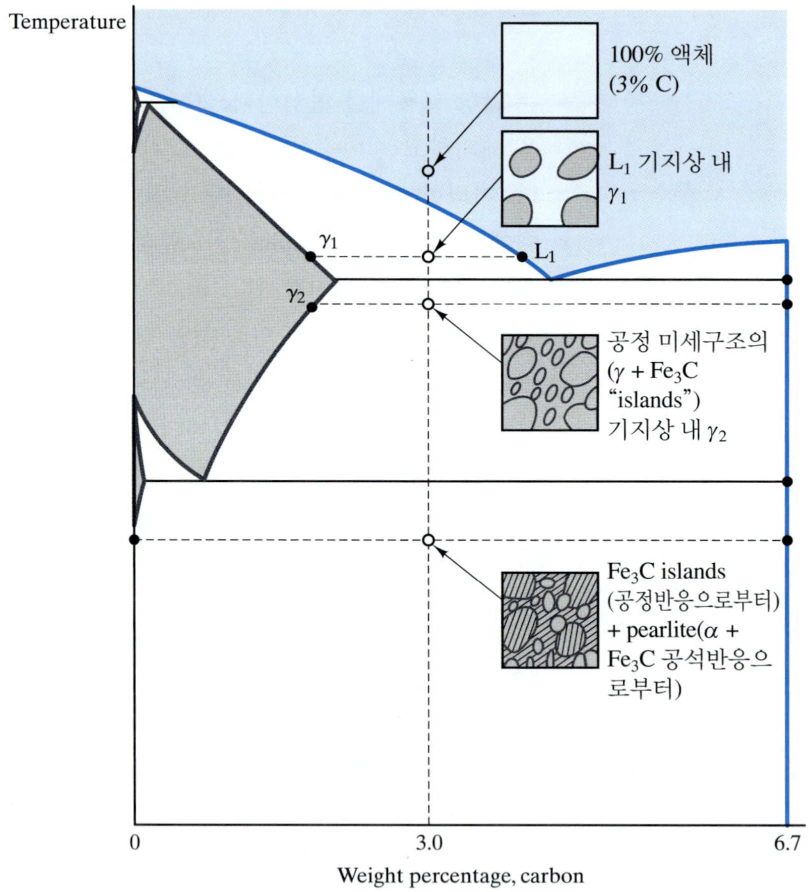

그림 9.37 Fe-Fe_3C 상태도의 도움으로 백주철(조성 3.0 wt % C)의 미세구조 형성을 보인다. 낮은 온도에서 나타난 상은 그림 11.1(a)에 보인 현미경 사진과 비교할 수 있다.

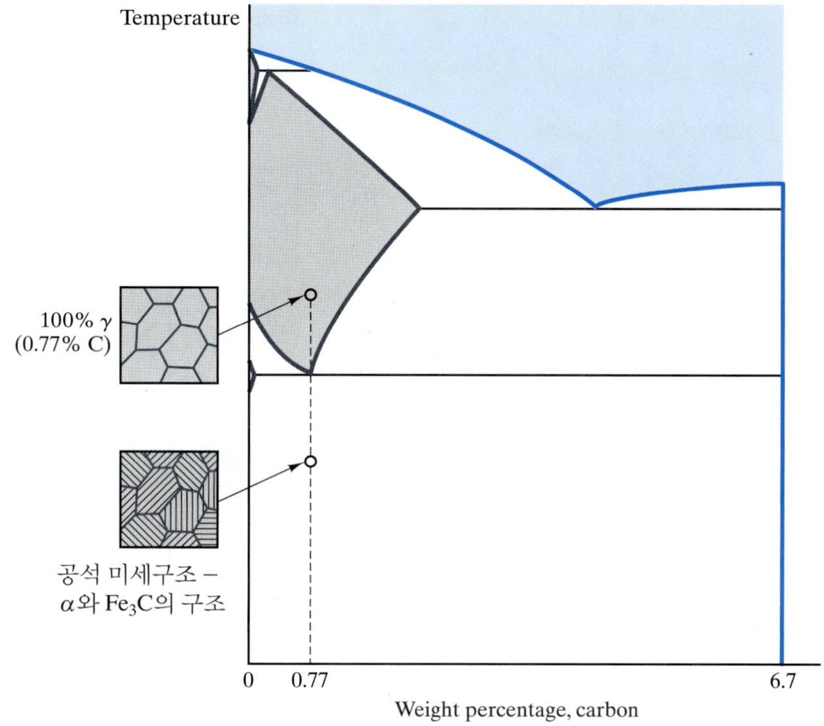

그림 9.38 공석강(조성 0.77 wt % C)의 미세구조 형성. 저온에서 나타난 상은 그림 9.2에 보인 현미경 사진과 비교할 수 있다.

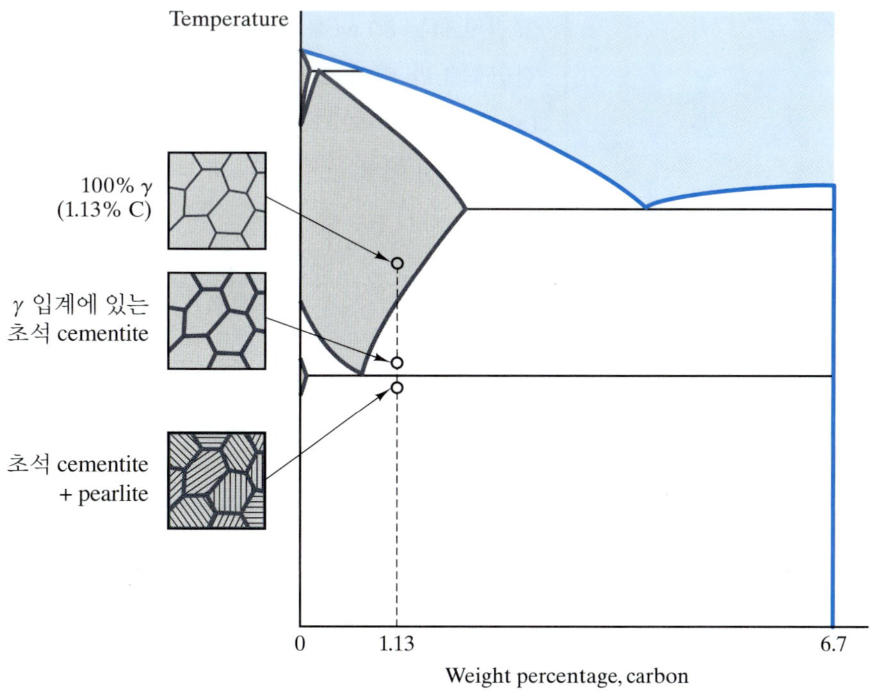

그림 9.39 서냉된 과공석강(조성 1.13 wt % C)의 미세구조 형성

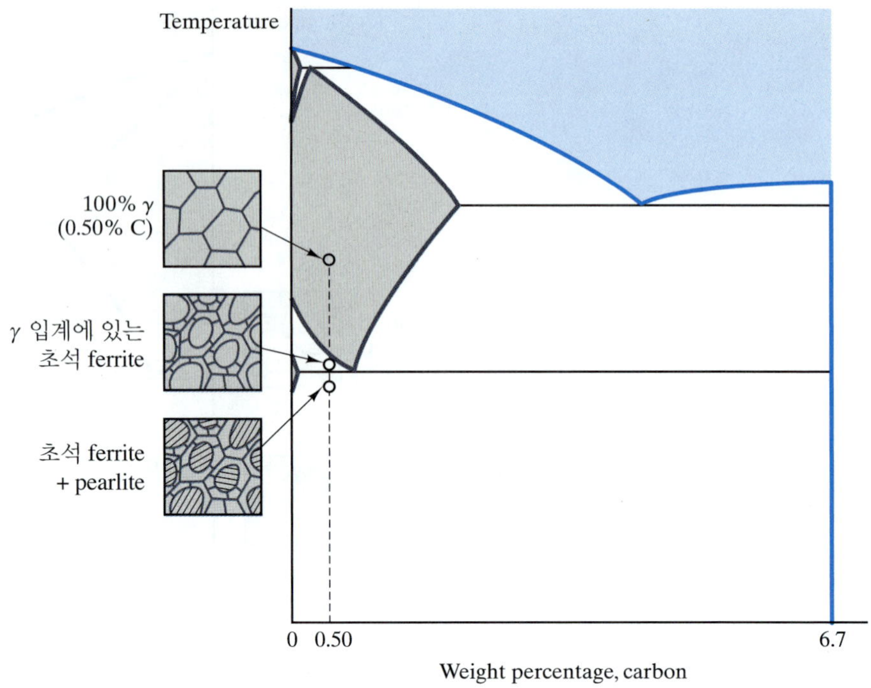

그림 9.40 서냉된 아공석강(조성 0.50 wt % C)의 미세구조 형성

예제 9.6

그림 9.34는 80 wt % B 합금의 미세구조 형성을 나타낸 것이다. 그 대신 70 wt % B 합금이 1 kg 있다고 가정하자.

(a) T_3에서 β 상의 양을 계산하시오.

(b) T_3에서 이 β 상 중에 무게 분율로 얼마가 초정인지를 계산하시오.

풀이

(a) 식 (9.10)을 이용하면 다음을 얻는다.

$$m_{\beta,T_3} = \frac{x - x_\alpha}{x_\beta - x_\alpha}(1\ \text{kg}) = \frac{70 - 30}{90 - 30}(1\ \text{kg})$$
$$= 0.667\ \text{kg} = 667\ \text{g}$$

(b) 초정 β는 T_2에서 미세구조 안에 존재하는 그 양을 말한다.

$$m_{\beta,T_2} = \frac{x - x_\text{L}}{x_\beta - x_\text{L}}(1\ \text{kg}) = \frac{70 - 60}{90 - 60}(1\ \text{kg})$$
$$= 0.333\ \text{kg} = 333\ \text{g}$$

미세구조의 이 부분은 공정 온도를 지나 냉각 시 잔류하는 부분이므로 아래와 같다.

$$\text{초정 분율} = \frac{\text{초정량}\,\beta}{\text{총량}\,\beta} = \frac{333\text{ g}}{667\text{ g}} = 0.50$$

Fe-C 계(그림 9.20)는 **회주철**(gray cast iron, 그림 9.41)의 미세구조 형성 과정을 보여준다. 이 그림은 그림 11.1(b)에 나와 있는 현미경 사진과 비교할 수 있다.

예제 9.7

0.5 wt % 탄소강 1 kg에 대해 입계에 있는 초석 α의 양을 계산하시오.

풀이

그림 9.40을 참고하고 그림 9.19를 계산에 이용해서, 728°C(즉 공석 온도보다 1°C 높음)에서 α의 평형량을 계산하면 된다. 식 (9.9)를 이용하면 다음을 얻는다.

$$m_\alpha = \frac{x_\gamma - x}{x_\gamma - x_\alpha}(1\text{ kg}) = \frac{0.77 - 0.50}{0.77 - 0.02}(1\text{ kg})$$
$$= 0.360\text{ kg} = 360\text{ g}$$

주: 공석 조성 근방에서 구한 이 계산은 α-Fe 속에 탄소의 최대 용해도(0.02 wt % C)를 나타내는 x_α의 값을 사용했다는 데 주목하라. 상온에서(예제 9.4 참고) 이 용해도는 거의 0이다.

예제 9.8

3 wt % C 회주철 1 kg에 대해 (a) 1,153°C와 (b) 상온에서 미세구조상에 존재하는 흑연 박편의 양을 각각 구하시오.

풀이

(a) 그림 9.20과 9.41을 보면, 1,153°C는 공정 온도 바로 아래에 있음을 알 것이다. 식 (9.10)을 이용하면 아래와 같다.

$$m_C = \frac{x - x_\gamma}{x_C - x_\gamma}(1\text{ kg}) = \frac{3.00 - 2.08}{100 - 2.08}(1\text{ kg})$$
$$= 0.00940\text{ kg} = 9.40\text{ g}$$

(b) 상온에서는 다음을 얻는다.

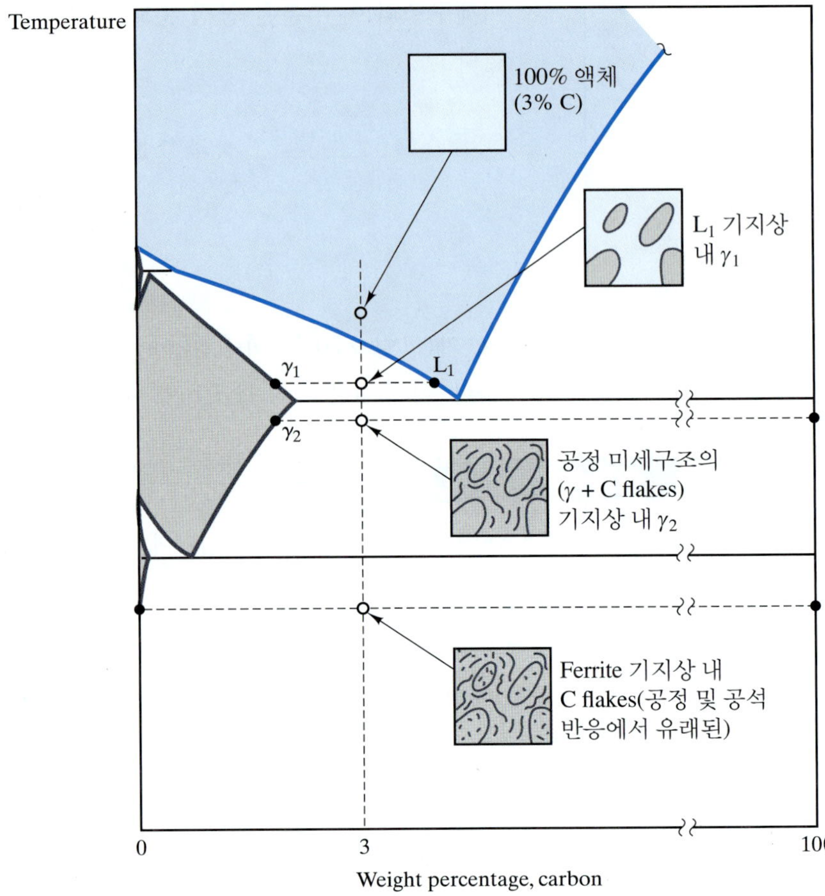

그림 9.41 Fe-C 상태도상에 보인 회주철(조성 3.0 wt % C)의 미세구조 형성. 낮은 온도에서의 최종 형태는 그림 11.1(b)의 현미경 사진과 비교될 수 있다. 현저한 차이는 실제 미세구조에서 준안정상인 펄라이트가 공석 온도에서 상당량 형성되었다는 것이다. 이 그림은 그림 9.37에서 백주철의 미세구조와 비교해볼 만하다. 흑연 석출을 증진하기 위해 첨가한 소량의 Si는 이 이성분 상태도에는 나타내지 않았다.

$$m_C = \frac{x - x_\alpha}{x_C - x_\alpha}(1\ \text{kg}) = \frac{3.00 - 0}{100 - 0}(1\ \text{kg})$$
$$= 0.030\ \text{kg} = 30.0\ \text{g}$$

주: 여기서는 그림 9.41의 이상적인 계를 따라서 계산했고, 준안정상인 펄라이트가 형성될 수 있는 가능성을 무시했다. .

예제 9.9

10 wt % Si를 함유한 알루미늄 주조 합금 1 kg에 대해 다음을 구하시오.

(a) 냉각 시 최초로 고상이 나타나는 온도는 몇 도인가?

(b) 최초의 고상은 무엇이며, 그 상의 조성은 무엇인가?

(c) 합금이 완전히 응고되는 온도는 몇 도인가?

(d) 미세구조 중에 발견되는 초정상의 양은 얼마인가?

(e) 576°C에서 Si는 미세구조 안에 어떻게 분포되어 있는가?

풀이

그림 9.13을 이용하여 미세구조 형성 과정을 살펴보자.

(a) 이 조성에 대한 액상선은 대략 595°C이다.

(b) 대략 1 wt % Si의 조성을 갖는 α 고용체이다.

(c) 공정 온도인 577°C이다.

(d) 578°C에 도달하면 실질적으로 초정 α는 모두 형성된다. 식 (9.9)를 이용하면 다음을 얻는다.

$$m_\alpha = \frac{x_L - x}{x_L - x_\alpha}(1\text{ kg}) = \frac{12.6 - 10}{12.6 - 1.6}(1\text{ kg})$$
$$= 0.236\text{ kg} = 236\text{ g}$$

(e) 576°C에서 전반적인 미세구조는 $\alpha + \beta$이다. 각 상의 양은 다음과 같다.

$$m_\alpha = \frac{x_\beta - x}{x_\beta - x_\alpha}(1\text{ kg}) = \frac{100 - 10}{100 - 1.6}(1\text{ kg})$$
$$= 0.915\text{ kg} = 915\text{ g}$$
$$m_\beta = \frac{x - x_\alpha}{x_\beta - x_\alpha}(1\text{ kg}) = \frac{10 - 1.6}{100 - 1.6}(1\text{ kg})$$
$$= 0.085\text{ kg} = 85\text{ g}$$

그러나 (d)에서 보았듯이 236 g의 α는 비교적 큰 입자 형태인 초정으로 되어 있다. 따라서

$$\alpha_{\text{eutectic}} = \alpha_{\text{total}} - \alpha_{\text{procutectic}}$$
$$= 915\text{ g} - 236\text{ g} = 679\text{ g}$$

실리콘 분포는 각 미세구조 영역에 있는 무게 분율을 그 영역에 있는 양으로 곱해서 얻는다.

$$\text{초정 } \alpha \text{ 중 Si} = (0.016)(236\text{ g}) = 3.8\text{ g}$$
$$\text{공정 } \alpha \text{ 중 Si} = (0.016)(679\text{ g}) = 10.9\text{ g}$$
$$\text{공정 } \beta \text{ 중 Si} = (1.000)(85\text{ g}) = 85.0\text{ g}$$

끝으로 세 영역에 있는 실리콘의 전체 질량을 합하면 절단 오차 때문에 100.0 g(= 전체 합금의 10 wt %)이 아니라 99.7 g이 된다는 사실에 유의하라.

예제 9.10

알루미늄 중에 구리의 용해도는 100°C에서 거의 0이다. 4.5 wt % 구리 합금을 급냉하여 100°C에서 시효시켰을 때 석출되는 θ 상의 최대량은 얼마인가? 답을 무게 분율로 구하시오.

풀이

그림 9.27에서 보았듯이 θ 상의 용해도 한계는 대략 400°C 이하에서는 온도에 따른 변화가 거의 없고 53 wt % 구리의 조성 근처에 있다. 식 (9.10)을 이용하면 다음을 얻는다.

$$\text{wt \% } \theta = \frac{x - x_\kappa}{x_\theta - x_\kappa} \times 100\% = \frac{4.5 - 0}{53 - 0} \times 100\%$$
$$= 8.49\%$$

예제 9.11

예제 9.1에서 50:50의 주석-납 땜납을 다루었다.

(a) 온도 200°C에서 (i) 존재하는 상, (ii) 각 상의 조성, (iii) 각 상의 상대적인 양(wt %로)을 구하시오.

(b) 100°C에서도 (a)와 같은 계산을 반복하시오.

풀이

(a) 그림 9.16을 이용하면 200°C에서 다음과 같은 사실을 알 수 있다.

(i) 상은 α와 액상(L)이다.

(ii) α 조성은 대략 18 wt % Sn이고, L의 조성은 대략 54 wt % Sn이다.

(iii) 식 (9.9)와 (9.10)을 이용하면 다음을 얻는다.

$$\text{wt \% } \alpha = \frac{x_L - x}{x_L - x_\alpha} \times 100\% = \frac{54 - 50}{54 - 18} \times 100\%$$
$$= 11.1\%$$

$$\text{wt \% L} = \frac{x - x_\alpha}{x_L - x_\alpha} \times 100\% = \frac{50 - 18}{54 - 18} \times 100\%$$
$$= 88.9\%$$

(b) 100°C에서 같은 방법으로 다음을 얻는다.

(i) α와 β

(ii) α는 대략 5 wt % Sn, β는 대략 99 wt % Sn이다.

$$\text{(iii) wt \% } \alpha = \frac{x_\beta - x}{x_\beta - x_\alpha} \times 100\% = \frac{99 - 50}{99 - 5} \times 100\% = 52.1\%\ .$$

$$\text{wt \% } \beta = \frac{x - x_\alpha}{x_\beta - x_\alpha} \times 100\% = \frac{50 - 5}{99 - 5} \times 100\% = 47.9\%$$

예제 9.12

내화 점토 세라믹은 고령토 원료 $Al_2(Si_2O_5)(OH)_4$를 가열함으로써 탈수시켜 만든다. 이 결과로 생겨난 미세구조에 존재하는 각 상의 조성 및 그 양을 (공정 온도 이하에서) 계산하시오.

풀이

이 세라믹 제품의 생산을 좀 더 분명하게 이해하는 데에는 고령토의 화학식을 재배열하는 것이 도움이 된다.

$$Al_2(Si_2O_5)(OH)_4 = Al_2O_3 \cdot 2SiO_2 \cdot 2H_2O$$

소성 공정을 거치면,

$$Al_2O_3 \cdot 2SiO_2 \cdot 2H_2O \xrightarrow{\text{가열}} Al_2O_3 \cdot 2SiO_2 + 2H_2O \uparrow$$

그러면 남는 고상의 전반적인 조성은 다음과 같다.

$$\text{mol \% } Al_2O_3 = \frac{\text{mol } Al_2O_3}{\text{mol } Al_2O_3 + \text{mol } SiO_2} \times 100\%$$

$$= \frac{1}{1 + 2} \times 100\% = 33.3\%$$

그림 9.23을 보면, 전반적인 조성은 공정 온도 이하에서 SiO_2 + 멀라이트 두 상 영역에 해당함을 알 수 있다. SiO_2의 조성은 0 mol % Al_2O_3(즉 100% SiO_2)이다. 멀라이트의 조성은 60 mol % Al_2O_3이다.

식 (9.9)와 (9.10)을 이용하여 다음을 얻는다.

$$\text{mol \% } SiO_2 = \frac{x_{\text{mullite}} - x}{x_{\text{mullite}} - x_{SiO_2}} \times 100\% = \frac{60 - 33.3}{60 - 0} \times 100\%$$

$$= 44.5 \text{ mol \%}$$

$$\text{mol \% 멀라이트} = \frac{x - x_{SiO_2}}{x_{\text{mullite}} - x_{SiO_2}} \times 100\% = \frac{33.3 - 0}{60 - 0} \times 100\%$$

$$= 55.5 \text{ mol \%}$$

주: Al_2O_3-SiO_2 상태도가 mol %로 표시되어 있기 때문에 여기서는 mol %로 모든 것을 계산했다. 부록 1에 나와 있는 수치를 이용하여 위의 결과를 wt %로 바꿀 수 있다.

연습문제 9.6

예제 9.6에서 그림 9.34에 있는 70 wt % B 합금 내 상의 미세구조에 관한 정보를 계산했다. 같은 방법으로 (a) B가 50 wt %인 합금 1 kg에 대해 T_3 온도에서 α 상의 양을 구하시오. (b) T_3 온도에서 초정인 α 상의 무게 분율을 구하시오(그림 9.35 참고).

연습문제 9.7

예제 9.7에서 과공석강의 결정립계에 있는 초석 α의 양을 구했다. 같은 방법으로 그림 9.39에 예시된 1.13 wt % C 과공석강 1 kg 안의 결정립계에 있는 초석 시멘타이트의 양을 구하시오.

연습문제 9.8

예제 9.8에서 3 wt % C 회주철 1 kg에 포함된 탄소량을 두 온도에서 계산했다. 1,135°C에서 실온까지의 온도 범위에서 탄소량을 계산하여 온도의 함수로 나타내시오.

연습문제 9.9

예제 9.9에서 10 wt % Si-90 wt % Al 합금 1 kg에 대한 미세구조 변화를 살펴보았다. 20 wt % Si-80 wt % Al 합금에 대해 이 문제를 반복하시오.

연습문제 9.10

예제 9.10에서 95.5 Al-4.5 Cu 합금에 대한 실온에서 θ 상 wt %를 계산했다. 온도 범위 548°C에서 실온까지 서냉시킬 때 θ 상의 wt %를 계산하여 온도의 함수로 나타내시오.

연습문제 9.11

예제 9.11에서 50:50 납-주석 조성의 땜납에 대한 미세구조를 다루었다. (a) 40:60 납-주석, (b) 60:40 납-주석 조성에 대해 200°C와 100°C에서 미세구조를 계산하시오.

연습문제 9.12

예제 9.12의 끝에 나와 있는 주를 보면, 계산 결과를 쉽게 wt %로 환산할 수 있다고 지적했다. 이와 같은 환산을 해보시오.

요약

액체 상태로부터 서냉 과정 중 나타나는 재료의 미세구조는 상태도를 이용하여 분석할 수 있다. 이 '길잡이'는 주어진 온도에서 안정한 상의 양과 조성을 알려준다. 상태도는 Gibbs 상 법칙을 눈으로 볼 수 있게 나타낸 것으로 생각할 수 있다. 이 장에서는 2원 상태도만 다루었으며, 이것은 두 성분으로 구성된 계에서 온도와 조성(압력은 1기압으로 고정하여) 변화에 따른 상의 존재 영역을 나타낸다. 여기서 성분은 원소 또는 화합물이다.

몇 가지 형태의 2원 상태도를 자주 접하게 되는데, 매우 유사한 성분에 대해 액체 상태뿐 아니라 고체 상태에서도 전율 고용체를 형성할 수 있다. 2상 영역(용액 + 고용체)에서 각 상의 조성은 공액선에 의해 표현된다. 많은 2원계는 공정 반응을 보이며, 여기서 낮은 용융점(공정) 조성은 작은 입자로 된 2상의 미세구조를 만들게 된다. 그러한 공정 상태도는 한율 고용체와 관련되어 있다. 공정 반응과 유사한 것으로서 고체 상태에서 일어나는 반응을 공석 반응이라고 하며, 이 반응에서는 냉각 시 단일 고체상이 미세 결정립으로 된 다른 두 고체상으로 변태한다. 포정 반응은 고체 화합물의 이질 용융을 나타낸다. 용융 시 화합물은 액체와 다른 성질의 고체로 변태하며, 각 조성은 원래의 화합물과 다르다. 많은 2원 상태도는 여러 가지 중간 화합물을 포함하며, 이로 인해 상태도는 비교적 복잡한 모양을 지니게 된다. 그러나 이러한 일반 2원 상태도는 전체 조성 중 관심 영역의 단순 2원 상태도로 한정하여 간단하게 다룰 수 있다.

2상 영역에서 상의 조성을 알려주는 공액선은 각 상의 양을 계산하는 데 사용될 수 있다. 이것은 지렛대 법칙으로 구하며, 지렛대 법칙에서 공액선은 전체 조성에 위치한 받침대를 가진 지렛대로 취급한다. 두 상의 양은 '지렛대가 균형을 이루도록' 하는 질량과 같은 값을 갖는다. 지렛대 법칙은 역학적인 유추이지만 2상계에 대한 질량 균형으로부터 직접적으로 알 수 있다. 지렛대 법칙은 전체 조성이 용융 상태로부터 천천히 냉각됨에 따른 미세구조 형성과 특히 공정 조성 부근의 조성에서 형성되는 미세구조를 이해하는 데 도움이 된다. 이 장에서는 금속과 세라믹 산업에 중요한 일부 2원 상태도를 다루었다. 특별히 강조한 것은 Fe–Fe_3C 계로서 철강 산업에 주요한 과학적 토대를 제공한다.

주요 용어

고상선(solidus)
공석 상태도(eutectoid diagram)
공액선(tie line)
공정 반응(eutectic reaction)
공정 상태도(eutectic diagram)
공정 온도(eutectic temperature)
공정 조성(eutectic composition)
과공석 조성(hypereutectoid composition)
과공정 조성(hypereutectic composition)
구역 정제법(zone refining)
동질 용융(congruent melting)
미세구조 형성(microstructural development)
백주철(white cast iron)
불변점(invariant point)
상(phase)
상 영역(phase field)
상태(state)
상태도(phase diagram)
상태 변수(state variables)
상태점(state point)
성분(component)
아공석 조성(hypoeutectoid composition)
아공정 조성(hypoeutectic composition)
액상선(liquidus)
오스테나이트(austenite)
이질 용융(incongruent melting)
일반 상태도(general diagram)
자유도(degrees of freedom)
전율 고용체(complete solid solution)
준안정(metastable)
중간 화합물(intermediate compound)
지렛대 법칙(lever rule)
질량 균형(mass balance)
초석(proeutectoid)
초정(proeutectic)
포정 반응(peritectic reaction)
포정 상태도(peritectic diagram)
회주철(gray cast iron)
2원 상태도(binary diagram)
Gibbs 상 법칙(Gibbs phase rule)

참고문헌

ASM Handbook, Vol. 3: *Alloy Phase Diagrams*, ASM International, Materials Park, OH, 2016.

Binary Alloy Phase Diagrams, 2nd ed., Vols. 1-3, T. B. Massalski, et al., Eds., ASM International, Materials Park, OH, 1990. 4,700개 상태도에 대한 비판적 검토를 위한 ASM International과 National Institute of Standards and Technology 사이 상호협력 프로그램의 결과.

ACerS-NIST Phase Equilibria Diagram Database available from the American Ceramic Society (ACerS), Westerville, OH. 미국세라믹학회(ACerS)와 국립표준연구소(NIST) 사이 상호협력 프로그램인 이 데이터베이스는 1964년에서 2005년 사이 출판된 14권의 핸드북인 *Phase Equilibria Diagrams*를 대체한다.

복습문제

9.1 _ 상 법칙

9.1 Gibbs 상 법칙을 H_2O 단일 성분 상태도의 여러 점에 적용하시오(그림 9.3).

9.2 Gibbs 상 법칙을 철 단일 성분 상태도의 여러 점에 적용하시오(그림 9.4).

9.3 50:50 구리-니켈 합금의 자유도를 (a) 단일 액상으로 존재하는 1,400°C의 경우, (b) 액체와 고용체의 두 가지 상태로 존재하는 1,300°C의 경우, (c) 단일 고체 상태, 즉 고용체로 존재하는 1,200°C의 경우에 대해 각각 계산하시오. 각 경우마다 1기압의 일정 압력이 작용한다고 가정하시오.

9.4 그림 9.7에서 Gibbs 상 법칙은 가상의 상태도에 적용되었다. 이와 비슷하게 상 법칙을 Pb-Sn 상태도에 적용하시오(그림 9.16).

9.5 Gibbs 상 법칙을 MgO-Al_2O_3 상태도에 적용하시오(그림 9.26).

9.6 Gibbs 상 법칙을 Al_2O_3-SiO_2 상태도에 적용하시오(그림 9.23).

9.2 _ 상태도

9.7 50:50 무게비로 구리와 니켈 용해물을 서냉시킬 때 나타나는 미세구조의 발달 과정을 정성적으로 나타내시오(그림 9.9 참고).

9.8 50:50 무게비로 Al과 Si 용해물을 서냉시킬 때 나타나는 미세구조의 발달 과정을 정성적으로 나타내시오(그림 9.13 참고).

9.9 상태도는 ______________이다.

9.10 (무게비로) (a) 10:90, (b) 40:60, (c) 50:50 비율의 Pb와 Sn 용해물을 서냉시킬 때 나타나는 미세구조의 발달 과정을 정성적으로 나타내시오(그림 9.16 참고).

9.11 전율 고용체는 __________(으)로 나타낼 수 있다.

9.12 동일한 무게비로 Al과 θ 상태(Al_2Cu)의 용해물을 서냉시킬 때 나타나는 미세구조의 발달 과정을 정성적으로 나타내시오(그림 9.27 참고).

9.13 20:80 무게비로 Cu와 Al 용해물을 서냉시킬 때 나타나는 미세구조의 발달 과정을 정성적으로 나타내시오(그림 9.27 참고).

9.14 30:70 무게비로 Cu-Zn(30 wt %) 합금인 황동을 서냉시킬 때 나타나는 미세구조의 발달 과정을 정성적으로 나타내시오. Cu-Zn 상태도는 그림 9.28을 참고하시오.

9.15 액상선과 고상선의 차이점은 무엇인가?

9.16 다음을 서냉시킬 때 나타나는 미세구조의 발달 과정을 정성적으로 나타내시오. (a) 50:50 mol %로 Al_2O_3와 SiO_2 세라믹, (b) 80:20 mol %로 Al_2O_3와 SiO_2 세라믹(그림 9.23 참고).

9.3 _ 지렛대 법칙

9.17 다음 각 상태에 대한 1 kg의 50:50 무게비로 Ni-Cu 합금의 양을 계산하시오. (a) 1,400°C의 경우, (b) 1,300°C의 경우, (c) 1,200°C의 경우(그림 9.9 참고).

9.18 다음 각 상태에 대한 1 kg의 50:50 Pb-Sn 합금의 양을 계산하시오. (a) 300°C의 경우, (b) 200°C의 경우,

(c) 100°C의 경우, (d) 0°C의 경우(그림 9.16 참고).

9.19 상태도의 질량 균형과 지게차 위에 균형 잡힌 지렛대의 관계는 무엇인가?

9.20 Cu-Ni 계에서 50 wt% Ni 조성의 두 가지 상 미세구조인 고용체 α와 액상 L의 상대량을 ______ °C에서 지렛대 법칙으로 계산할 수 있다.

9.21 다음 각 상태에 대한 50 kg의 35:65 Zn-Cu 혼합물의 양을 계산하시오. (a) 1,000°C의 경우, (b) 900°C의 경우, (c) 800°C의 경우, (d) 700°C의 경우, (e) 100°C의 경우, (f) 0°C의 경우(그림 9.28 참고).

9.22 고체 상태 전기 소자에서 '금속화된' 표면의 알루미늄은 실리콘 기판에 퍼져 있다. 표면 가까이의 실리콘은 1.0 wt %의 알루미늄을 농축하고 있다. 이 부근에서 평형 상태를 가정하면 미세구조의 몇 %가 α 상 석출로 형성되겠는가? (그림 9.13을 참고하고 300°C에서의 상 경계가 실온에서도 변화 없는 것으로 가정하시오.)

9.23 보통의 1 kg 1020 구조 강(0.20 wt % C)의 입계에 있는 초석 α를 계산하시오(그림 9.19 참고).

9.24 Al-Si 계에서 50 wt % Si 조성의 두 가지 상 미세구조인 고용체 β 상과 액상 L의 상대량을 ______ °C에서 지렛대 법칙으로 계산할 수 있다.

• **9.25** 184°C에서 1 kg의 90:10 무게비로 Sn-Pb 합금이 섞인 용광로가 있다고 하자. 시스템 온도를 바꾸지 않고 완전한 고체로 만들려면 Sn을 얼마나 더 넣어야 하겠는가? (그림 9.16 참고)

9.26 동일 몰 비율의 고령석과 멀라이트($3Al_2O_3 \cdot 2SiO_2$)로 만들어진 내화 물질의 현재 상태와 구성, 그리고 양(공정 온도 아래일 때)을 결정하시오(그림 9.23 참고).

9.27 카올리나이트와 실리카(SiO_2)의 동일한 몰비로 만든 내화물에 존재하는 상, 조성 및 양(공정 온도 아래)을 결정하시오(그림 9.23 참고).

• **9.28** 고령석, 이산화규소, 멀라이트를 원료로 해서 고령석을 기본으로 하되 이산화규소, 멀라이트가 동일한 몰 비율을 갖게 하는 일괄 구성을 무게비로 계산하시오(그림 9.23 참고).

9.29 1,000°C의 미세구조에서 다음 물질의 현재 상태와 그 구성, 그리고 양(무게 비율)을 계산하시오. (a) 1 wt % 초과 MgO(즉 1 g MgO/99 g $MgO \cdot Al_2O_3$)를 가진 스피넬($MgO \cdot Al_2O_3$) 내화물, (b) 1 wt % 초과 Al_2O_3를 가진 스피넬(그림 9.26 참고).

9.30 부분 안정화 지르코니아는 사방정과 입방정 산화지르코늄이 동일 몰 비율의 미세구조로 1,500°C에서 작용하는 것이 요구된다. 이 구조적 세라믹에서 적정한 CaO 함유량을 무게 비율로 계산하시오(그림 9.29 참고).

9.31 $Fe\text{-}Fe_3C$ 계에서 3.0 wt % C 조성의 두 가지 상 미세구조인 고용체 γ와 액상 L의 상대량을 ______°C에서 지렛대 법칙으로 계산할 수 있다.

9.32 다음 각 상태에서 $Al_2O_3\text{-}SiO_2$가 80:20 몰 비율을 가진 1 kg 알루미늄 내화물의 양을 계산하시오. (a) 2,000°C의 경우, (b) 1,900°C의 경우, (c) 1,800°C의 경우(그림 9.23 참고).

9.33 실험실에서 엑스선 회절량이 내화 벽돌의 25:75 알루미늄-멀라이트 무게 구성비를 결정한다. 이 물질에서 SiO_2의 전체 함유량(wt %로 계산)은 얼마인가? (그림 9.23 참고)

9.34 중요한 구조 세라믹의 하나가 PSZ인데 단사정 ZrO_2(고용체)와 입방정 ZrO_2(고용체)가 섞인 것이다. 그림 9.29를 이용하여 500°C에서 10 mol % CaO PSZ의 각 상태량을 계산하시오.

• **9.35** 실험실 재료 실험에서 학생 한 명이 광학 현미경으로 본 미세구조를 다음과 같이 그렸다.

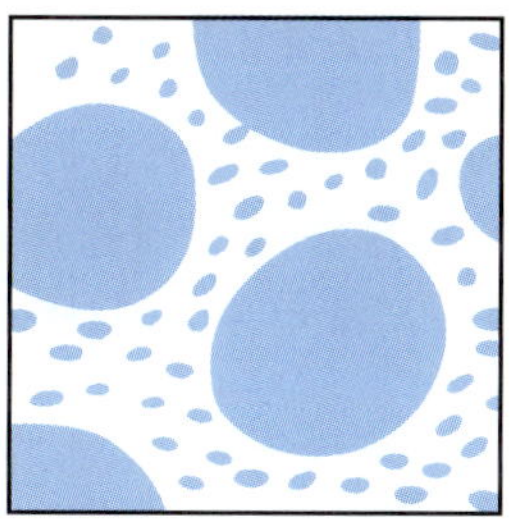

이 합금의 상태도는 다음과 같다.

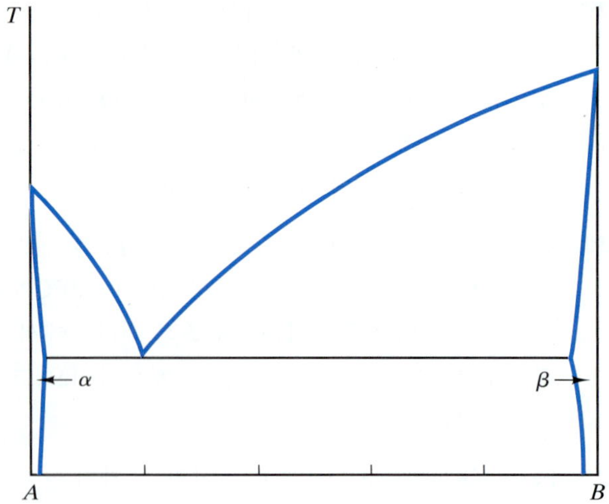

(a) 미세구조 그림의 색깔로 표현된 부분이 α 또는 β 상태를 나타내는지 알아내고, (b) 합금 구성을 어림잡아 나타내시오.

9.36 MgO-Al_2O_3 계에서 20 mol % Al_2O_3의 두 가지 상으로 된 미세구조에서 페리클레이스(periclase) 고용체와 액상 L의 상대량을 _____°C에서 지렛대 법칙으로 계산할 수 있다.

9.4_서냉을 통한 미세구조 형성

9.37 (a) 576°C에서 10:90 Si-Al 합금의 초정상(proeutectic) α 상의 무게 분율, (b) 576°C에서 20:80 Si-Al 합금의 초정상인 β 상의 무게 분율을 계산하시오.

9.38 700°C에서 300°C로 서냉된 10:90 무게비의 Si-Al 합금의 온도 함수에 따라 변화된 상태도를 무게 비율에 따라 그리시오.

9.39 실내 온도로 서냉된 30:70 mol %의 Al_2O_3-SiO_2 멀라이트 내화물의 초정상 무게 비율을 계산하시오.

9.40 서냉된 Al-Si 합금의 미세구조 분석을 통해 5% 부피의 실리콘이 많은 초정 상태를 확인했다. 전체적인 합금의 구성을 무게 비율로 계산하시오.

9.41 이 장에서는 __________(을)를 포함하는 미세구조의 전개를 추적한다.

9.42 그림 9.37에 묘사된 1,149°C에서의 3.0 wt % C 백주철이 서냉되면서 온도 함수에 따라 형성되는 초정상 γ의 양을 계산하시오. 백주철의 무게는 100 kg이라고 가정하시오.

9.43 그림 9.37에 묘사된 3.0 wt % C 백주철이 1,400°C에서 0°C로 서냉되면서 온도 함수에 따라 형성되는 초정상 무게 비율을 도시하시오.

9.44 그림 9.38에 묘사된 0.77 wt % C 공석강이 1,000°C에서 0°C로 서냉되면서 온도 함수에 따라 형성되는 초정상 무게 비율을 도시하시오.

9.45 50 wt% Pb − 50 wt% Sn 접합제 합금의 냉각 시 __________ 조성을 포함한다.

9.46 보통의 1020 구조 강(0.20 wt % C)이 1,000°C에서 0°C로 서냉되면서 온도 함수에 따라 형성되는 무게 비율을 도시하시오.

9.47 Fe-Fe_3C 상태도에서 1.0 wt % C 강의 냉각 시 ______ 조성을 포함한다.

9.48 그림 9.40에 묘사된 0.50 wt % C 아공석 합금의 강이 1,000°C에서 0°C로 서냉되면서 온도 함수에 따라 형성되는 상의 무게 비율을 도시하시오.

9.49 2.5 wt % C 백주철이 1,400°C에서 0°C로 서냉되면서 온도 함수에 따라 형성되는 상의 무게 비율을 도시하시오.

9.50 3.0 wt % C 회주철이 1,400°C에서 0°C로 서냉되면서 온도 함수에 따라 형성되는 상의 무게 비율을 도시하시오.

9.51 Fe-C 상태도에서 4.0 wt % C 강의 냉각 시 ________ 조성을 포함한다.

9.52 그림 9.41의 도식적 미세구조의 균형 상태를 그림 11.1(b)의 실온에서 실제 미세구조와 비교하면, 준안정된 펄라이트가 공석 온도에서 생성된다는 것이 명백하다(보다 안정적이나 시간이 걸리는 흑연을 생성하기에는 시간이 모자라기에). 100 kg의 회주철(3.0 wt % C)이 738°C로 냉각될 때 그림 9.20과 9.41이 정확하다고 가정하면 공석 온도에서 펄라이트가 생성될 터인데, 실온 미세구조에서 예상되는 펄라이트의 양을 계산하시오.

9.53 그림 9.41의 평형 도식 미세구조를 그림 11.1(b)의 실제 상온 미세구조와 비교했을 때, 공정 온도에서 준안정 펄라이트가 형성될 수 있다는 것인 명백하다. 그림 9.20과 9.41은 회주철(3 wt % C) 100 kg에 대해 738°C까지 정확하다고 가정하고 상온 미세구조에서 플레이크 흑연의 양을 계산하시오.

9.54 95 Al-5 Cu 합금이 800°C에서 300°C로 서냉되면서 온도 함수에 따라 형성되는 상의 무게 비율을 도시하시오.

9.55 1 kg의 황동이 35 wt % Zn-65 wt % Cu로 구성되었다. (a) 냉각되면서 몇 도에 이르러 고체화되기 시작하겠는가? (b) 처음 고체화될 때 그 구성은 어떻게 되는가? (c) 몇 도에서 합금이 완전히 고체화되겠는가? (d) 어느 온도 범위에서 미세구조가 완전히 α 상이 되겠는가?

9.56 Cu-Zn 계에서 용융체로부터 35 wt % Zn 조성의 황동을 냉각시키면 ______°C에서 단일상 고용체(α)가 생성된다.

9.57 35 wt % Zn-65 wt % Cu로 구성된 황동이 1,000°C에서 0°C로 냉각되면서 온도 함수에 따라 형성되는 상의 무게 비율을 도시하시오.

9.58 Cu-Zn 계에서 용융체로부터 35 wt % Zn 황동을 냉각시키면 ______°C에서 두 가지 고용체 상 ($\alpha + \beta$)로 된 미세구조가 생성될 것이다.

9.59 문제 9.55를 15 wt % Zn-85 wt % Cu로 구성된 1 kg의 황동에 대해 반복하시오.

9.60 15 wt % Zn-85 wt % Cu로 구성된 황동이 1,100°C에서 0°C로 냉각되면서 온도 함수에 따라 형성되는 상의 무게 비율을 도시하시오.

9.61 납땜 처리는 64 g의 40:60 Pb-Sn 합금을 53 g의 60:40 Pb-Sn 합금을 녹여서 이루어진다. 전체 합금이 실온 25°C로 서냉된다면 그 α와 β 상의 양을 계산하시오.

9.62 50:50 Pb-Sn 납땜이 400°C에서 0°C로 서냉되면서 온도 함수에 따라 형성되는 상의 무게 비율을 도시하시오.

9.63 60 mol % Al_2O_3-40 mol % MgO로 만들어진 내화 물질의 1,000~2,500°C까지 온도 함수에 따라 형성되는 상을 (몰 비율로) 도시하시오.

9.64 10 mol % CaO로 부분 안정화된 지르코니아가 실온에서 2,800°C로 가열됨에 따른 온도 함수에 따라 형성되는 상을 (몰 비율로) 도시하시오.

CHAPTER 10

속도론: 열처리

시간도 주요 요인이다. 철강 판재를 압연기에 통과시키면 기계적 성질이 극적으로 변화하며, 이후 열처리를 통해 더 변화시킬 수 있다. (© Laurentiu Iordache/Alamy.)

학습목표

1. (a) 시간은 상태도의 온도-조성 축에 수직인 세 번째 축으로 고려될 수 있음을 확인한다.
 (b) 더 낮은 온도에서 이전 상의 불안정성 증가와 더 높은 온도에서 새로운 상을 형성하는 원자의 확산도 증가 간 균형으로서 새로운 상의 핵생성 속도와 성장 속도를 설명한다.
 (c) Arrhenius 식을 사용하여 새로운 상의 핵생성과 성장을 정량화한다.

2. (a) 온도, 시간, (비율) 변태(TTT) 선도를 그린다.
 (b) 철강 생산 중 나타나는 확산 변태에서 오스테나이트로부터 펄라이트와 베이나이트의 형성을 설명하기 위해 TTT 선도를 활용한다.
 (c) 철강 생산 중 나타나는 무확산 변태에서 마르텐사이트의 형성을 설명하기 위해 TTT 선도를 활용한다.
 (d) 강의 열처리의 다양성을 설명하기 위해 TTT 선도를 활용한다.

3. 철의 경화능, 즉 퀜칭에 의해 경화되는 강의 상대적인 능력을 특징짓기 위해 실험과 결과 데이터를 설명한다.

4. 시효 경화와 과시효의 개념을 포함하여 특정 알루미늄 합금에서 석출 경화의 미세구조적 기초를 설명한다.

5. 어닐링의 미세구조적 기초를 냉간 가공, 회복, 재결정, 결정 성장의 특정 요소를 포함하여 설명한다.

6. 비금속에서 상변태의 성질, 특히 결정화 유리와 세라믹 분말의 소결에서 결정립의 제어된 핵생성과 성장을 설명한다.

9장에서 상태도를 통해 용융체를 서냉시키는 과정에서 평형 미세구조가 어떻게 발달하는지 설명하는 데 아주 유용한 수단인 상태도를 소개했다. 그러나 상태도는 온도 변화가 매우 느려 항상 평형을 유지하는 가정하에서 형성되는 미세구조를 나타낸다는 데 주의해야 한다. 실제로 재료 가공공정은 빠른 시간 내에 이루어지므로 시간이 매우 중요한 인자이다. 이 개념을 실제적으로 도입한 것이 **열처리**(heat treatment)이며 원하는 미세구조를 만들기 위해 시간 대 온도의 변화를 탐구한다. 열처리의 기본은 **속도론**(kinetics)이고, 이것은 시간에 의존하는 상변태 과정으로 정의된다.

여기서는 상태도에 시간 척도를 추가하여 평형으로의 접근 과정을 나타낼 수 있다. 이것은 **TTT 선도**(TTT diagram)를 통해 가능하며, 이 선도는 조성에 대해 온도-시간 축에 대한 주어진 상변태의 완성률을 요약한 것이다[3개의 'T'는 온도(temperature), 시간(time), 변태(transformation)이다]. 이와 같은 선도는 상태도와 같은 의미를 갖는 도형이다. TTT 선도는 시간 의존성을 갖는 고체 확산, 그리고 본질적으로 시간과 무관한 빠른 전단 기구에 의한 상변태 과정을 모두 나타낸다. 상태도와 함께 TTT 선도의 몇 가지 가장 좋은 실례를 철 합금에서 볼 수 있다. 강의 열처리에서 몇몇 기본 고려사항을 탐구할 것이며, 이와 연관된 것이 **경화능**(hardenability)이다. **석출 경화**(precipitation hardening)는 몇몇 비철 합금에서는 중요한 열처리 과정이며, **어닐링**(annealing)은 **회복**(recovery), **재결정**(recrystallization)과 **결정 성장**(grain growth)이 연속적으로 일어나서 경도가 감소하는 열처리 과정이다. 열처리는 금속공학에만 한정된 분야가 아니며 비금속계에서 몇몇 중요한 상변태를 이 장 마지막 부분에서 설명한다.

10.1 시간: 제3차원

9장에서 상태도를 논의하면서 시간을 정량화하여 나타내지 않았다. 요구되는 온도 변화가 비교적 느리게 일어나는 것 이외에 시간은 변수로서 전혀 고려되지 않았다. 상태도는 평형 상태를 요약한 것이며, 미세구조를 포함한 이러한 상태는 안정한 것이고, 시간에 따라 변하지 않는다. 그러나 평형 구조가 발달하기 위해서는 시간이 걸리기 때문에 평형으로의 과정은 시간의 척도로 나타낼 수 있다. 이것을 간단히 표현한 것이 그림 10.1이며, 이것은 상태도의 온도-조성면(temperature-composition plane)에 수직인 시간축을 보여준다. 성분 A에 대해 살펴보면, 고체 A는 용융점 이하의 어떤 온도에서도 존재할 수 있다. 그러나 그림 10.1에서 볼 수 있듯이 액체가 고체로 응고하는 데 필요한 시간은 온도의 영향을 크게 받는다.

이에 대한 또 다른 설명은 응고 반응이 완료될 때까지 걸리는 시간이 온도에 따라

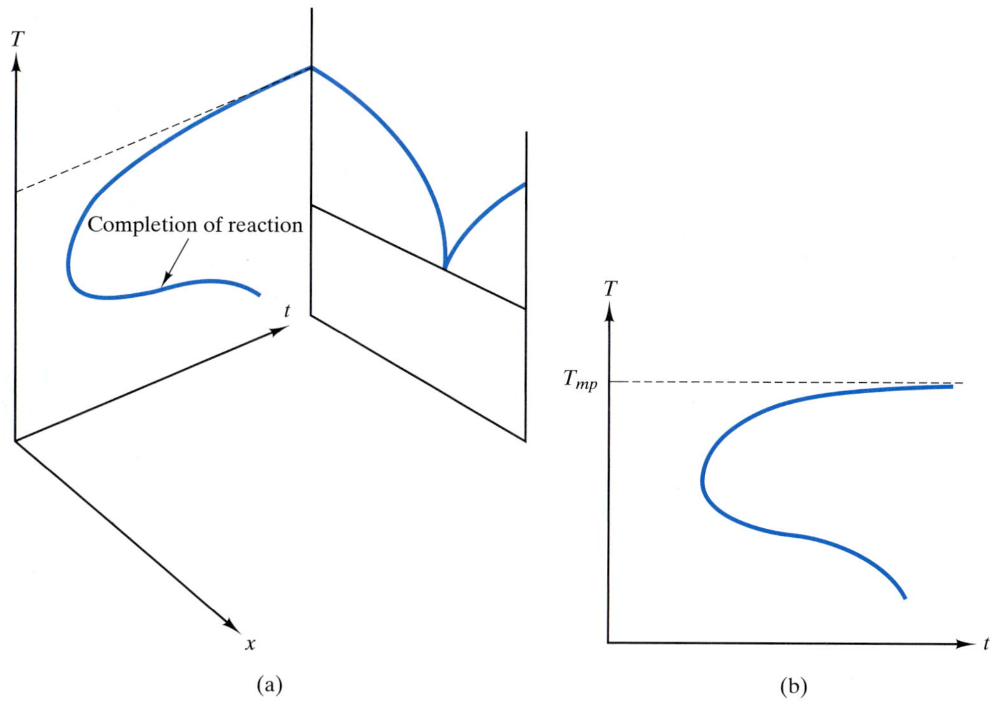

그림 10.1 평형으로의 접근에 대한 도식적 설명. (a) 응고가 완료되는 시간은 온도와 밀접한 함수이며, 용융점 이하의 상당히 낮은 온도에서 응고는 최단 시간 동안에 일어난다. (b) '변태 곡선'을 나타내는 온도-시간면(temperature-time plane). 나중에 시간축은 자주 로그 척도로 표현됨을 배울 것이다.

변한다는 것이다. 일관된 방법으로 반응 시간을 비교하기 위해 그림 10.1은 액체를 용융점으로부터 약간 낮은 온도로 순간적으로 퀜칭(quenching)시킨 후 그 온도에서 응고 반응이 완료되는 데 걸리는 시간을 측정하는 이상적인 경우를 나타냈다. 그림 10.1의 모양을 보면 약간 의구심을 가질 수 있다. 용융점 부근과 비교적 낮은 온도에서는 반응 속도가 느리게 진행되는 반면, 중간 온도 영역에서 가장 빠르다. 이러한 '무릎 형상(knee-shaped)'의 변태 곡선을 이해하기 위해 속도 이론에 관한 몇 가지 기본 개념을 살펴보아야 한다.

이것을 설명하기 위해 액체 기지에서의 단일상 고체의 석출을 더 살펴보자(그림 10.2 참고). 이 과정은 완전하게 균일한 기지 조직 내에서 석출이 일어남을 의미하는 **균일 핵생성**(homogeneous nucleation)의 예이다. 보다 일반적인 경우는 외부 표면과 같은 몇 가지 구조적 결함에서 석출이 일어나는 **불균일 핵생성**(heterogeneous nucleation)이다. 이러한 결함은 새로운 상의 형성과 관련된 표면 에너지를 감소시킨다.

표면 에너지는 균일 핵생성에서도 중요하다. 석출 과정은 두 단계로 일어나는데 첫 번째 단계는 **핵생성**(nucleation)이다. 새로운 상은 더 안정하기 때문에 작은 핵 형태로 생성된다. 국부적인 원자 요동으로부터 얻어진 이것은 원자 몇백 개 정도의 크

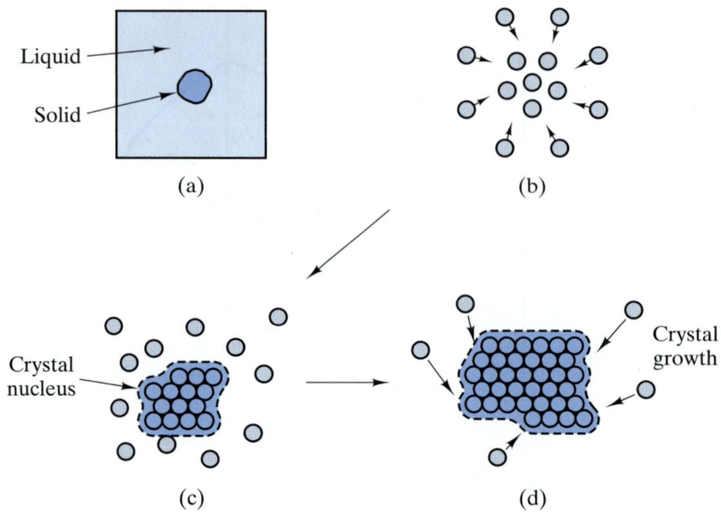

그림 10.2 (a) 현미경 척도상으로 액체 기지 조직에서 고체가 석출함을 보여준다. 석출 과정은 원자 척도로 볼 때 (b) 이웃 원자들이 모여 (c)의 새로운 결정핵을 형성하고 (d) 결정상의 성장이 뒤따름을 보여준다.

기이다. 이 초기 단계에서는 많은 핵이 무작위로 생성되지만 특정 크기 이상의 핵만 안정적으로 성장할 수 있다. 이 '임계 크기'의 핵은 고체-액체 계면 형성 에너지를 상쇄할 수 있을 만큼 충분히 커야 한다. 임계 크기 이상의 핵이 나타나는 속도인 핵생성 속도는 2개의 경쟁적 인자에 의해 결정된다. 정확한 변태 온도(이 경우 용융점)에서는 고상과 액상이 평형 상태에 있게 되어 변태를 일으키는 구동력은 없다. 액체가 용융점 이하로 냉각되면 불안정성이 점점 증가한다. 핵생성에 관한 고전 이론은 핵과 주변 액체 간의 에너지 균형에 기초를 둔다. 그 주요 원리는 작은 클러스터가 성장해서 전체 계의 에너지가 감소하면 안정한다는 것이다. 그림 10.2(a)와 같이 핵을 구형으로 본 에너지 균형은 그림 10.3과 같을 것이며, 여기서 핵은 반지름 r가 임계 값 r_c보다 클 경우에만 안정하다.

따라서 온도가 감소할수록 응고 구동력은 증가하며 핵생성 속도도 급격하게 증가한다. 그러나 이 증가 경향은 무한정 계속될 수 없는데, 핵이 생성되기 위해 원자가 모이는 과정은 국부적 규모의 확산이므로 온도가 낮아질수록 확산 속도가 감소하기 때문이다. 이 속도의 감소는 Arrhenius 거동을 따른다(5.1절 참고). 전체 핵생성 속도는 이 두 인자를 반영하여 변태 온도(T_m)에서 0으로부터 증가하여 T_m 이하 어떤 온도에서 최대가 된 후 온도가 더 떨어지면 다시 감소한다(그림 10.4). 우선 그림 10.1에 있는 곡선의 모양을 살펴보자. 변태 온도 바로 밑에서는 반응에 대한 구동력이 작으므로 반응 속도가 느려 반응 시간이 길어진다. 낮은 온도에서는 확산 속도가 느리기 때문에 반응 시간은 다시 길어진다. 일반적으로 그림 10.1에서의 시간축은 그림 10.4에서의 속도축에 반비례하게 된다.

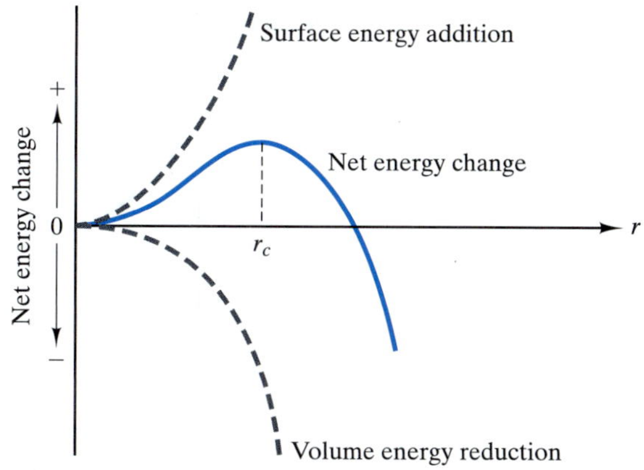

그림 10.3 고전 핵생성 이론은 핵과 주변 액체 간 에너지 균형을 다룬다. 그림 10.2(c)에서 보여준 것처럼 원자 클러스터, 즉 핵이 성장해서 전체 계의 에너지가 낮아져야 안정화될 수 있다. 이상적으로 구형인 핵은 반지름 r가 임계 값 r_c보다 크면 안정하게 된다.

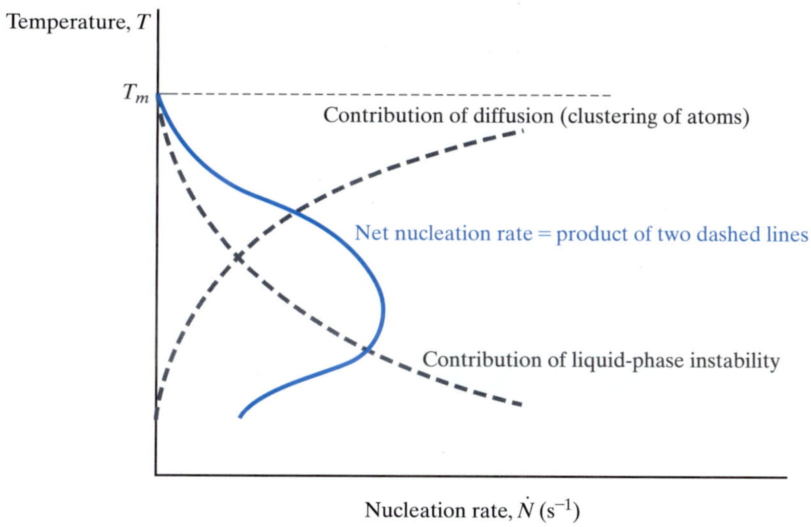

그림 10.4 핵생성 속도는 반대되는 두 가지 인자(불안정성과 확산도)를 나타내는 곡선의 곱이다.

그림 10.4를 이용한 그림 10.1의 설명은 성장 단계(그림 10.2 참고)를 아직 포함하지 않았기 때문에 완전하지는 않다. 핵성장 과정은 핵생성과 마찬가지로 본질적으로 확산에 의한 것이다. 따라서 성장 속도($\dot{G}$)를 Arrhenius 식으로 나타낼 수 있다.

$$\dot{G} = Ce^{-Q/RT} \tag{10.1}$$

여기서 C는 지수앞 상수이고, Q는 이 계에서 자기확산(self-diffusion)에 대한 활성화 에너지이며, R는 기체 상수, T는 절대 온도이다. 이런 표현식은 5.1절에서 자세히 설명했다. 그림 10.5는 핵생성 속도 $\dot{N}$과 성장 속도 $\dot{G}$를 나타낸다. 전체 변태 속도는

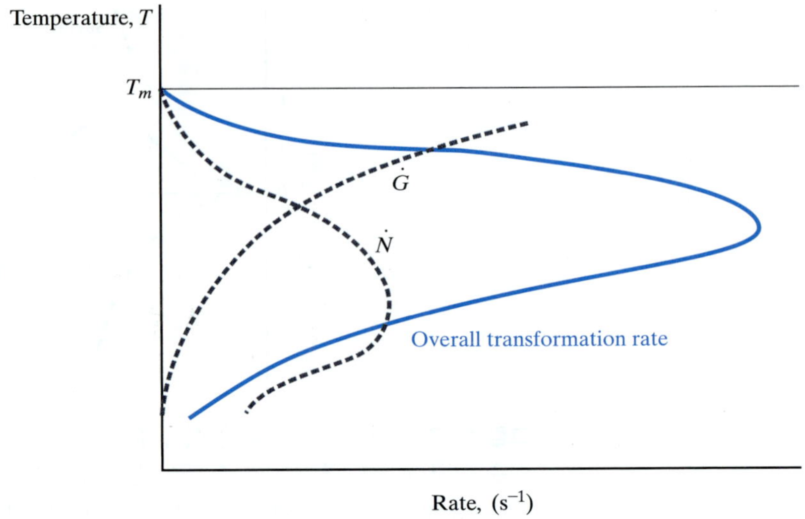

그림 10.5 전체 변태 속도는 핵생성 속도 $\dot{N}$(그림 10.4)과 성장 속도 $\dot{G}$[식 (10.1)]의 곱이다.

$\dot{N}$과 $\dot{G}$의 곱으로 나타낸다. 이와 같은 더욱 완전한 상변태의 표현은 핵생성 속도와 마찬가지의 거동을 보인다. 최대 속도를 나타내는 온도는 약간 이동되지만 전반적으로 동일하다. 최대 속도는 응고와 확산 속도에 대한 구동력이 모두 상당히 큰 온도 범위에서 일어난다. 비록 이러한 원리가 무릎 형상 곡선을 정성적으로 설명하지만, 많은 실용적인 공업재료의 변태 곡선에는 고상 변태와 연관된 다확산 기구(multiple diffusion mechanism)와 기계적 변형과 같은 추가 인자가 자주 포함된다.

예제 10.1

900°C에서 성장 속도 $\dot{G}$는 구리 합금의 결정화에서 지배적인 인자이다. 계의 온도를 400°C로 떨어뜨리면 성장 속도가 6차수 크기만큼 떨어지고, 실질적으로 결정화 속도(crystallization rate)는 0으로 감소한다. 이 합금계에서 자기확산에 대한 활성화 에너지를 계산하시오.

풀이

이것은 식 (10.1)을 직접 응용하여 푼다.

$$\dot{G} = Ce^{-Q/RT}$$

두 가지 다른 온도를 고려하면

$$\frac{\dot{G}_{900°C}}{\dot{G}_{400°C}} = \frac{Ce^{-Q/R(900+273)K}}{Ce^{-Q/R(400+273)K}}$$
$$= e^{-Q/R(1/1,173-1/673)K^{-1}}$$

위 식을 정리하면

$$Q = -\frac{R \ln (\dot{G}_{900°C}/\dot{G}_{400°C})}{(1/1,173 - 1/673)K^{-1}}$$

$$= -\frac{[8.314J/(mol \cdot K)] \ln 10^6}{(1/1,173 - 1/673)K^{-1}} = 181 \text{ kJ/mol}$$

주: 결정화 속도는 승온 분위기에서 매우 높으므로, 냉각을 예외적으로 높은 초급냉 속도로 하지 않는 한 결정화를 완전하게 억제하는 것은 불가능하다. 이러한 경우에서의 특별한 결과로는 최근 관심을 끄는 비정질 금속이 있다(4.5절 참고).

연습문제 10.1

예제 10.1에서 구리 합금의 결정 성장에 대한 활성화 에너지를 계산했다. 이 결과를 이용하여 900°C에서의 성장 속도와 비교하여 그 크기가 3차수 떨어지는 온도를 계산하시오.

10.2 TTT 선도

앞 절에서는 미세구조의 형성을 관찰하기 위해 시간축을 도입했다. 그림 10.1과 같은 그래프는 **TTT 선도**(TTT diagram)라고 하며, 여기서 각각의 T는 온도(temperature), 시간(time), 변태(transformation)를 의미한다. 이 그래프는 또한 **등온 변태 선도**(isothermal transformation diagram)라고도 한다. 그림 10.1은 변태가 완전히 끝날 때까지 필요한 시간을 나타내며, 그림 10.6은 여러 개의 곡선을 통해 각 단계별 변태 과정을 보여준다. 지금부터는 공업적으로 중요한, 철강의 공석 변태를 예

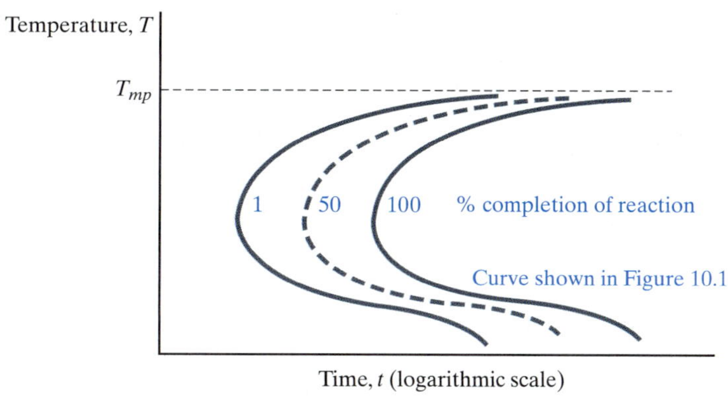

그림 10.6 그림 10.1의 응고 반응에 대해 다양한 완료 백분율 곡선을 도시한 시간-온도-변태(TTT) 선도

시로 들어 고체에서의 **확산 변태**(diffusional transformations)를 논의하고자 한다. 이에 추가하여 몇몇 **무확산 변태**(diffusionless transformations)가 미세구조의 형성에 중요한 역할을 하며, TTT 선도상에 중첩될 수 있음을 배울 것이다.

확산 변태

확산 변태는 원자의 장거리 이동을 통한 구조상의 변화를 수반한다. 공석강(0.77 wt% C를 함유한 Fe)이 서냉되는 동안에 일어나는 미세구조의 형성 과정은 그림 9.38에서 보여주었다. 이 조성에 대한 TTT 선도는 그림 10.7과 같다. 이것은 그림 10.1에서 보여주는 응고 반응에 대한 변태 곡선과 매우 유사하다. 그림 10.7로부터 알 수 있는 중요한 정보는 **오스테나이트**(austenite)를 냉각시킴으로써 얻을 수 있는 미세구조는 **펄라이트**(pearlite)뿐만이 아니라는 것이다. 실제로 변태 온도에 따라 다양한

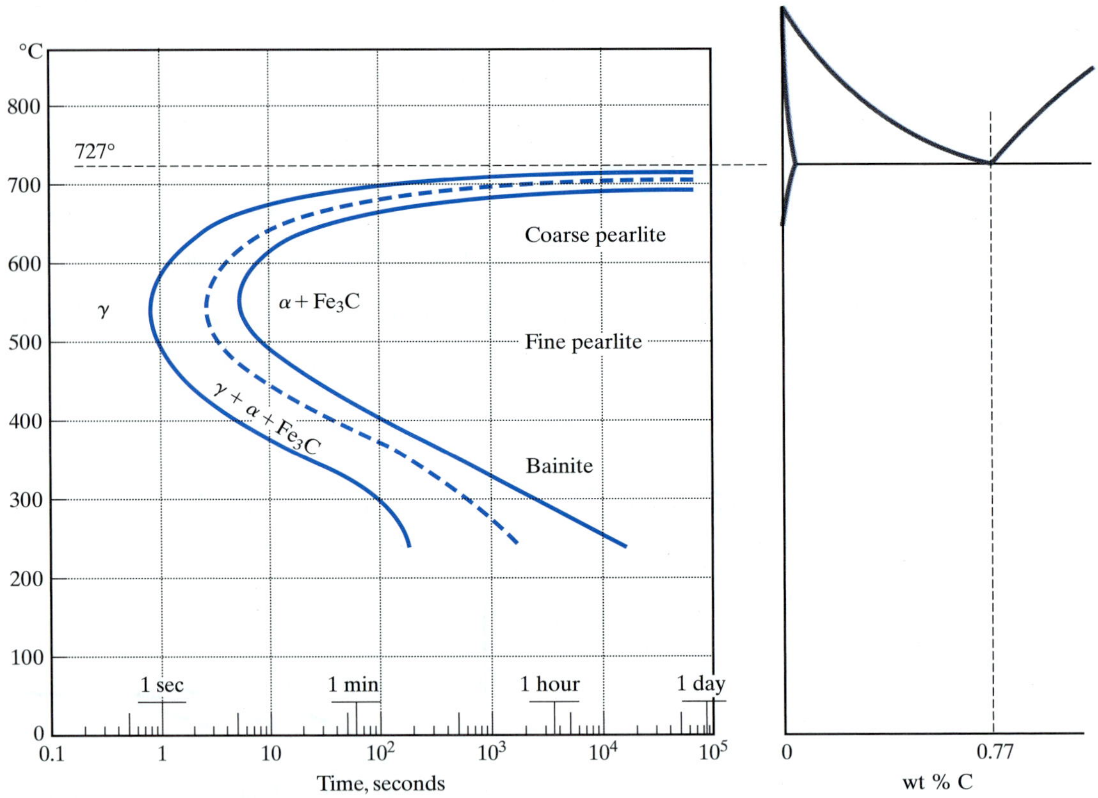

그림 10.7 Fe-Fe_3C 상태도(그림 9.38 참고)와 연관시킨 공석강에 대한 TTT 선도. 이것은 어떤 변태 온도에서는 펄라이트보다 베이나이트가 형성됨을 보여준다. 일반적으로 변태 온도가 낮을수록 결정립이 미세해지는 경향이 있다. 온도가 낮아짐에 따라 핵생성 속도는 증가하고 확산 계수는 감소하기 때문이다. 왼쪽 곡선은 변태 개시(약 1% 변태 완료)를 나타낸다. 점선은 50% 완료를 나타낸다. 오른쪽 실선은 변태의 실질적인 완료를 나타낸다(약 99%). 이러한 결과는 다음에 계속 나오는 TTT 선도에서 사용된다. (TTT diagrams after *Atlas of Isothermal Transformation and Cooling Transformation Diagrams*, American Society for Metals, Metals Park, OH, 1977.)

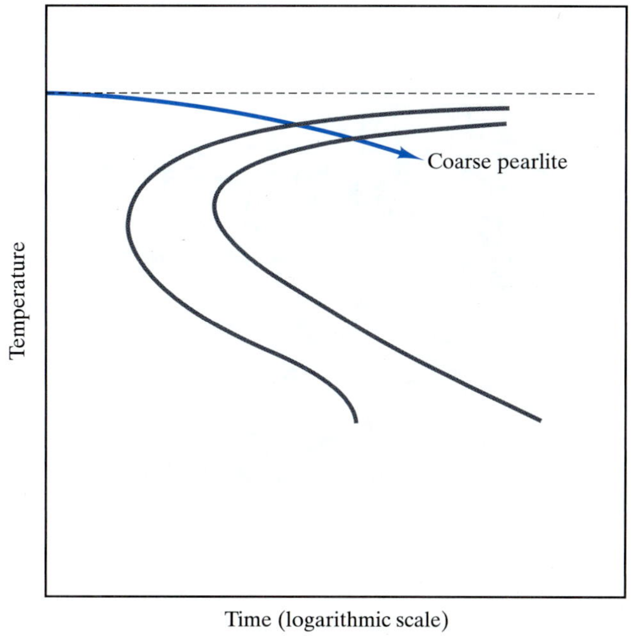

그림 10.8 조대한 펄라이트를 형성하는 서냉 과정을 공석강의 TTT 선도에 중첩시킨 것이다. 일반적으로 9장을 통해 이러한 종류의 열 이력을 가정했다.

형태의 펄라이트를 얻을 수 있다. 9장에서 가정한 서냉 과정을 그림 10.8에 나타냈는데 이 과정에서는 조대한 펄라이트를 얻을 수 있다. 여기서 크기에 대한 모든 기준은 상대적인 것이다. 9장에서 공정 및 공석 구조가 일반적으로 미세 결정립이 된다는 사실을 다루었다. 그림 10.7로부터 공석 온도 부근에서는 낮은 온도와 달리 결정립이 미세화되지 않음을 알 수 있다. 이러한 경향은 그림 10.5를 통해 이해할 수 있다. 공석 온도 부근에서 낮은 핵생성 속도와 높은 확산 속도는 비교적 조대한 조직을 만든다. 낮은 온도에서 형성되는 더욱 미세한 펄라이트는 광학 현미경의 해상력(약 2,000배율)에서 관측 가능한 약 0.25 μm 크기보다 작으므로 전자현미경을 통해 관찰할 수 있다.

펄라이트가 형성되는 것은 공석 온도(727°C)에서부터 약 400°C까지의 냉각 과정에서 볼 수 있다. 400°C 이하에서는 펄라이트가 형성되지 않는다. 이 온도에서는 페라이트(ferrite)와 시멘타이트(cementite)가 매우 미세한 침상 구조를 이루는데 이 미세구조를 **베이나이트**[1](bainite)라고 한다(그림 10.9). 베이나이트는 펄라이트에 비해 페라이트와 시멘타이트 분포가 더욱 미세하다. 비록 베이나이트가 다른 형태를 보이더라도 온도 강하에 따른 구조의 미세화 경향은 계속된다. 그림 10.7에서 주목해야 할 점은 여

1) Edgar Collins Bain(1891~1971)은 미국의 금속학자이다. 그의 이름을 따라 명명된 미세구조 베이나이트를 발견했다. 강에 관한 연구에서 이룬 많은 업적으로 그의 세대에서 가장 명예로운 금속학자가 되었다.

그림 10.9 베이나이트의 미세구조는 펄라이트의 층상 구조와 대조적으로 매우 미세한 침상의 페라이트와 카바이드(carbide)를 보여준다(그림 9.2 참고). 250배율 (From *ASM Handbook*, Vol. 9, *Metallography and Microstructures*, ASM International, Materials Park, OH, 2004.)

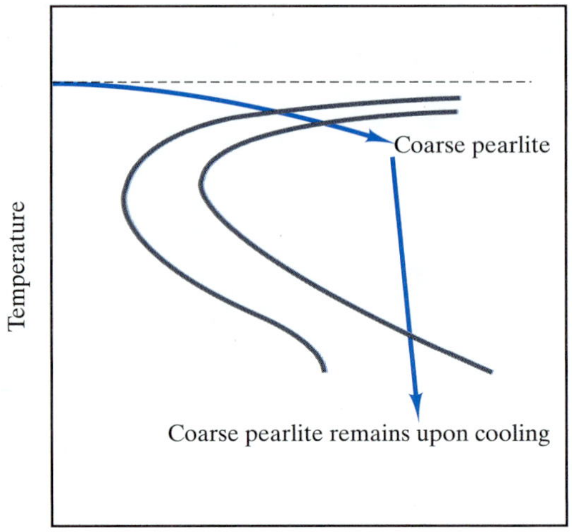

그림 10.10 TTT 선도의 해석에서는 열 이력 '경로'를 고려해야 한다. 예를 들어 한번 형성된 조대한 펄라이트는 냉각 후에도 안정적으로 남아 있다. 결정립이 미세할수록 결정립 에너지가 증가하므로 안전성은 감소한다(이와는 대조적으로, 상변태도는 경로에 관계없이 가장 이상적이며 안정적인 평형상을 보여준다).

기에 나타나는 모든 상은 동일 조성을 가진다는 것이며, 이 그래프로부터 각 상의 상대적인 양도 알 수 있다. 이들은 모두 9장의 (공액선과 지렛대 법칙을 사용한) 평형 계산으로부터 유도된다. TTT 선도는 특수한 열 이력을 나타내며, 상평형도(phase diagram)와 같은 상태도가 아님에 주목해야 한다. 예를 들면 조대한 펄라이트는 미세한 펄라이트나 베이나이트에 비해 전체 계면 면적이 작기 때문에 더욱 안정하다(4.4절에서 설명한 것처럼 계면은 높은 에너지 영역임). 그림 10.10에서 보여주는 것처럼 결과적으로 조대한 펄라이트가 한번 형성되면 냉각되어도 그대로 남게 된다.

무확산 (마르텐사이트) 변태

그림 10.7에 있는 공석 반응은 본질적으로 모두 확산형이다. 그러나 TTT 선도를 자세히 살펴보면 250°C 이하에서는 어떠한 정보도 주지 않음을 알 수 있다. 그림 10.11은 낮은 온도에서 매우 다른 과정이 일어난다는 것을 보여준다. 3개의 수평선은 **마르텐사이트**[2] **변태**(martensitic transformation)로 알려진 **무확산** 변태 과정이 일

2) Adolf Martens(1850~1914)는 독일 금속학자이다. 원래는 기계공학자로 훈련을 받았으며, 경력 초기에는 구조용 재료의 시험법을 개발하는 분야에 종사했다. 그는 금속에 대한 실용적인 분석 도구로서 현미경을 사용한 개척자였다. 후에 학술적으로 높게 평가되는 《Handbuch der Materialienkunde》(1899)를 저술했다.

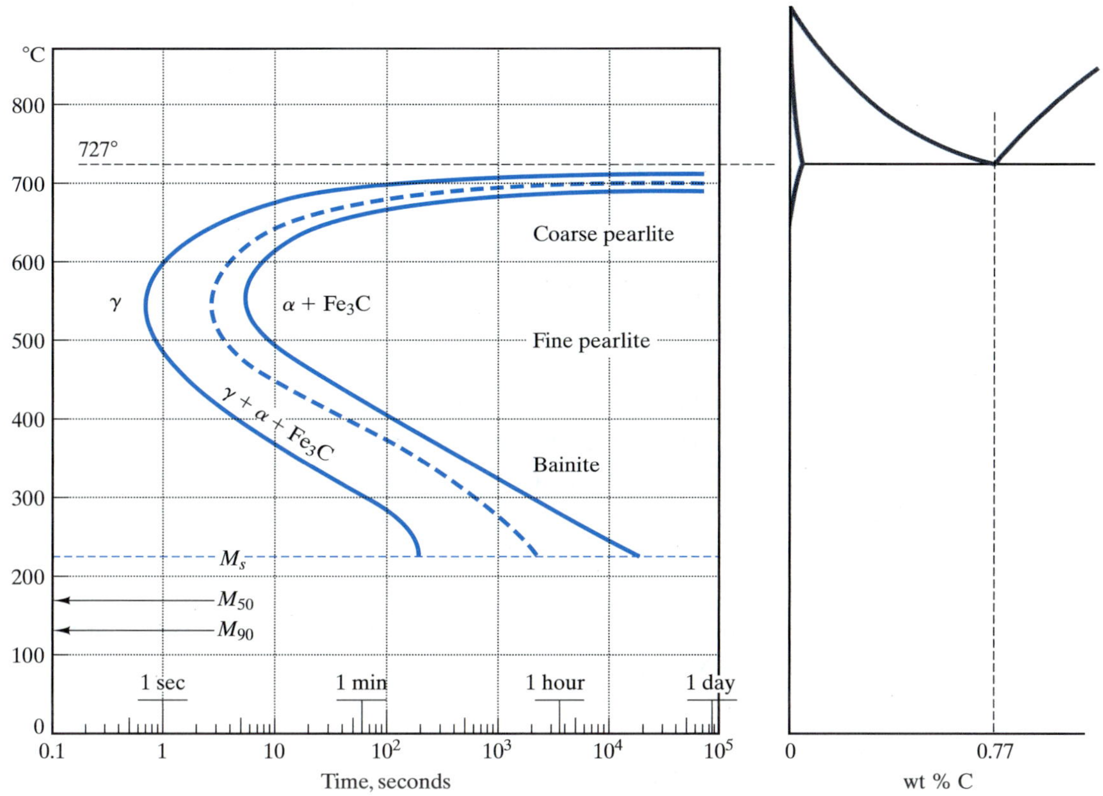

그림 10.11 그림 10.7에 주어진 것보다 완벽한 공석강에 대한 TTT 선도. 시간에 무관한 (무확산) 마르텐사이트 변태의 여러 단계가 수평선으로 나타난다. M_s는 변태 시작, M_{50}은 50% 변태, M_{90}은 90% 변태를 나타낸다. 마르텐사이트로 100% 변태는 −46°C의 최종 온도(M_f)에서도 완료되지 않는다.

어남을 보여주기 위해 추가된 것이다. 마르텐사이트 변태는 금속과 비금속에서 넓은 의미의 무확산 변태를 통틀어 이르는 용어이다. 가장 일반적인 예는 공석강에서 일어나는 변태이다. 이 계에서 퀜칭된 오스테나이트로부터 형성되는 생성물을 **마르텐사이트**(martensite)라고 한다. 실제로 약 550°C에 놓여 있는 펄라이트 '무릎'을 피하기 위해서는 오스테나이트를 충분히 빠르게 퀜칭하여 확산 변태를 억제해야 한다. 그러나 오스테나이트는 불안정한 산이며, 온도가 낮아질수록 더 불안정해진다. 약 215°C에서 오스테나이트의 불안정성이 매우 커져서 재료의 매우 작은 부분(1% 이하)이 마르텐사이트로 자발적으로 변태한다. 마르텐사이트 변태는 탄소가 확산하여 α와 Fe_3C 상으로 분리되지 않고 철 원자와 함께 갑작스럽게 재배열하여 fcc γ-Fe가 bct(body-centered tetragonal) 형태가 되는 것을 의미한다(그림 10.12). 마르텐사이트는 결정 구조가 복잡하고 탄소가 과포화되어 있으므로 취성을 가진다. 마르텐사이트 변태의 개시는 M_s라고 하고 그림 10.11에서 (시간에 무관하게) 수평선으로 나타난다. M_s 이하로 오스테나이트가 퀜칭되면 오스테나이트 상이 점진적으로 불안정하여 계의 많은 부분이 마르텐사이트로 변태된다. 마르텐사이트 변태의 여러

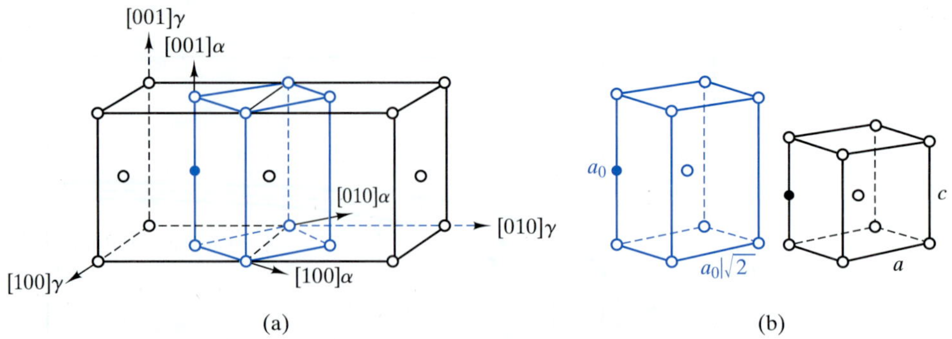

그림 10.12 강의 경우 마르텐사이트 변태는 γ-Fe(오스테나이트)의 fcc 고용체로부터 체심 정방(bct) 고용체(마르텐사이트)로의 C와 Fe 원자의 갑작스런 재배열을 포함한다. (a)에서 fcc 격자에 비교하여 bct 단위정을 $\langle 100 \rangle_\alpha$ 축으로 하여 보여준다. (b)에서 bct 단위정을 변태 전(왼쪽)과 변태 후(오른쪽)를 비교하여 보여주고 있다. 열린 원은 철 원자를 나타낸다. 닫힌 원은 침입형으로 고용된 탄소 원자를 나타낸다. 마르텐사이트의 이와 같은 도식적 설명은 1924년 Bain에 의해 처음으로 제시되었다. 그 후 계속적인 연구로 자세한 변태 기구가 밝혀진 이후에도 이 설명은 매우 유용하고 널리 알려진 도식으로 남아 있다. (After J. W. Christian, in *Principles of Heat Treatment of Steel*, G. Krauss, Ed., American Society for Metals, Metals Park, OH, 1980.)

단계가 그림 10.11에 표시되어 있다. −46°C나 그 이하로의 퀜칭은 마르텐사이트로 완전한 변태를 일으킨다. 바늘모양 또는 침상 마르텐사이트의 미세구조를 그림 10.13에서 보여주고 있다. 마르텐사이트는 **준안정**(metastable) 상이다. 즉 시간적으로는 안정하나 재가열하면 더 안정한 α와 Fe_3C로 분해된다. 이러한 다양한 상의 분율의 세심한 제어가 다음 절에서 설명할 열처리의 주제이다.

TTT 선도를 특정한 열 이력으로 나타냄으로써 10.1절에서 다룬 상변태 속도를

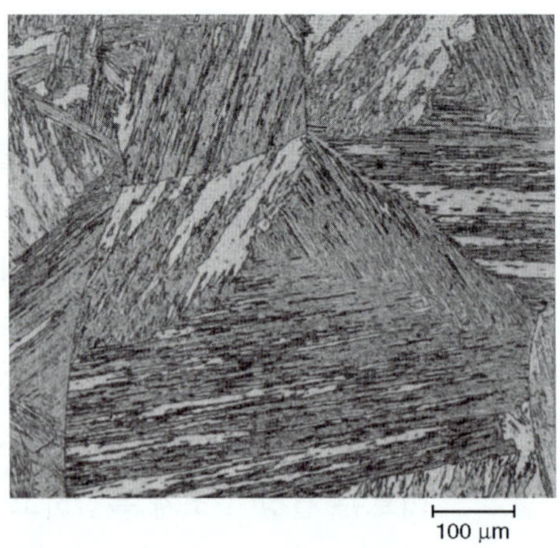

그림 10.13 바늘모양 또는 침상 구조인 마르텐사이트의 미세구조. 100배율 (From *ASM Handbook*, Vol. 9, *Metallography and Microstructures*, ASM International, Materials Park, OH, 2004.)

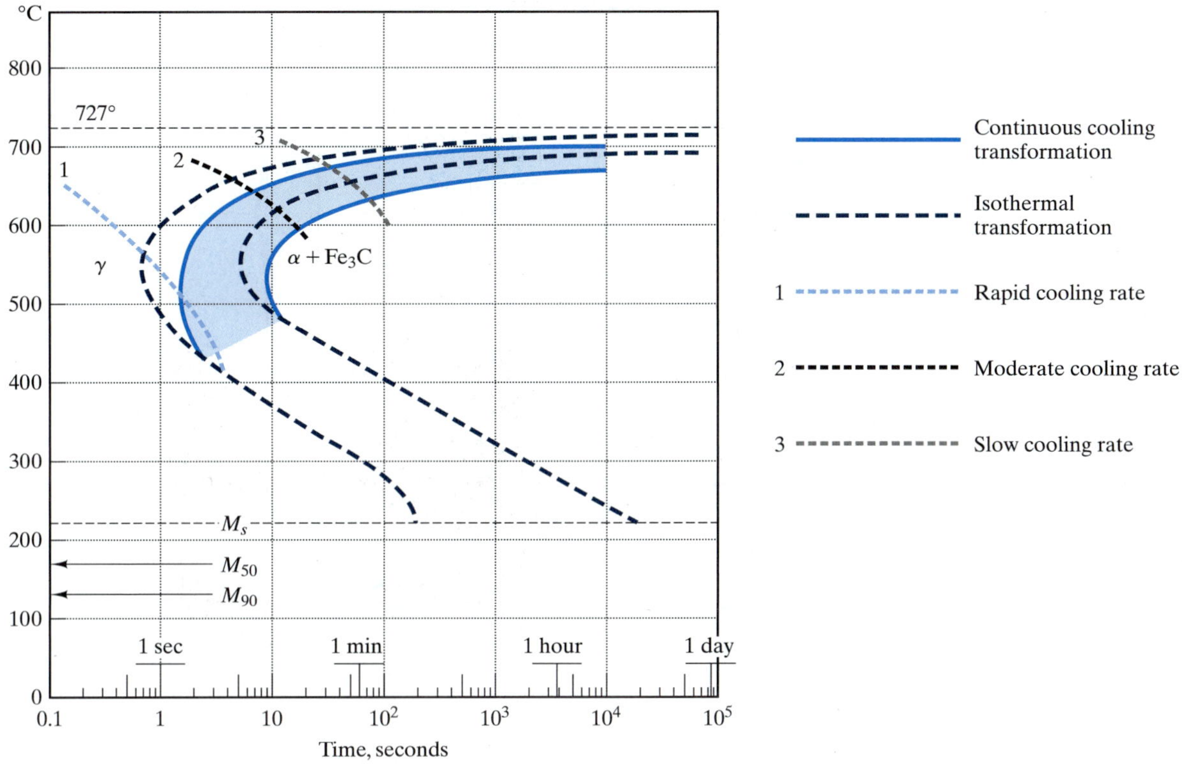

그림 10.14 연속 냉각 변태(CCT) 선도는 그림 10.11의 등온 변태 선도 위에 중첩시켜 나타냈다. 연속 냉각의 일반 효과는 변태 곡선을 아래쪽, 오른쪽으로 이동시키는 것이다. (After *Atlas of Isothermal Transformation and Cooling Transformation Diagrams*, American Society for Metals, Metals Park, OH, 1977.)

결정하는 다양한 인자를 정의할 수 있다. 이 장에서의 TTT 선도는 일반적으로 등온(isothermal) 조건에서, 즉 퀜칭 직후 일정한 온도에서 변태를 위한 시간을 주는 경우이다. 그림 10.8을 비롯한 몇 개의 선도에 냉각 또는 가열 경로를 겹침으로써 일정한 온도에서 변태가 일어나는 시간에 주는 영향을 알 수 있다. 즉 등온 조건이 아닐 경우 변태 선도는 약간 우하단으로 이동해야 한다. 이러한 **연속 냉각 변태 선도** [continuous cooling transformation (CCT) diagram]는 그림 10.14에 나타나 있다. 예시가 목적이므로 이 책에서는 그 내용을 정교하게 다루지는 못했지만 앞에서 논의한 원리는 명백하다.

이 점에 대한 논의는 이제까지 공석 조성에 집중해왔다. 그림 10.15는 그림 9.39에서 도입한 과공석 조성에 대한 TTT 선도를 보여준다. 공석 조성과 비교하여 이 선도의 가장 분명한 차이점은 펄라이트 '무릎'에서부터 880°C의 수평선까지 연장하는 곡선을 추가시킨 점이다. 이것은 초석(proeutectoid) 시멘타이트 형성을 위한 추가적인 확산 과정에 의한 것이다. M_s와 같은 마르텐사이트 반응 온도가 낮아진 것 역시 차이점 중 하나이다. 그림 9.40에서 도입된 아공석 조성에 관한 유사한 TTT 선도가 그림 10.16에 나타나 있다. 이 선도는 초석 페라이트의 형성을 포함하며, 공석강

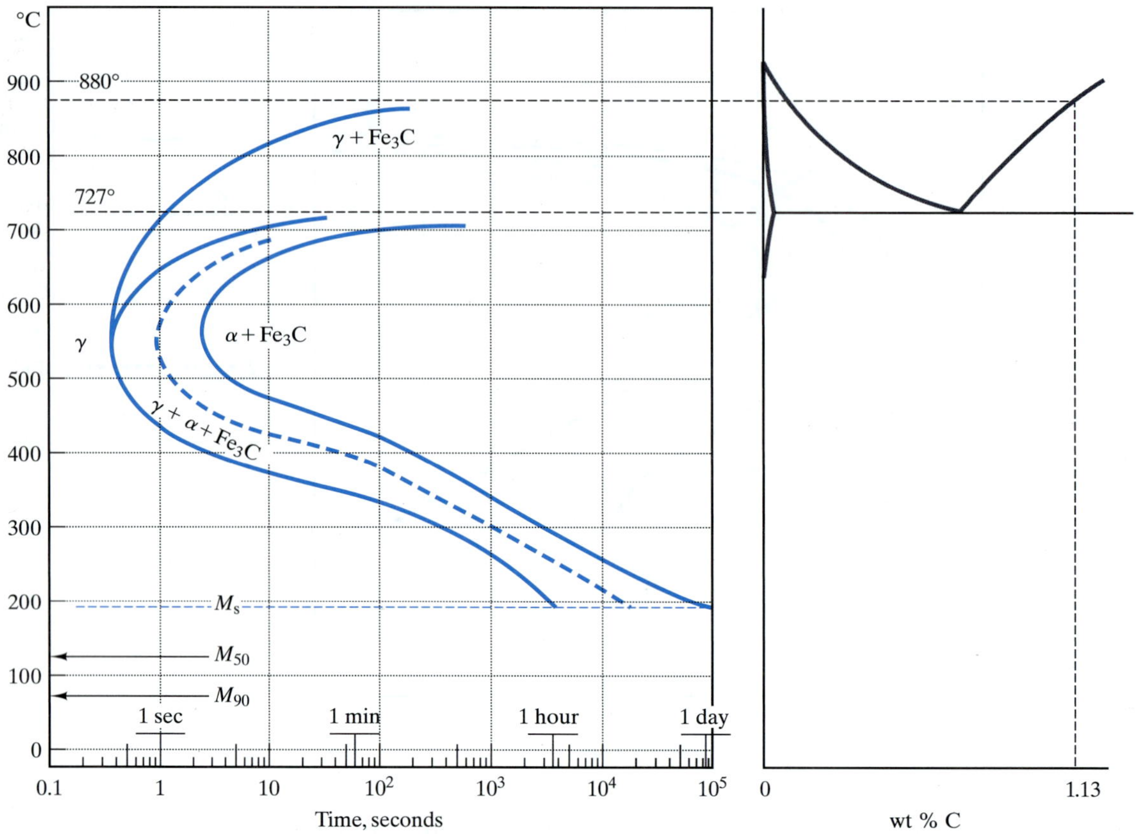

그림 10.15 Fe-Fe_3C 상태도와 비교한 과공석강 조성(1.13 wt % C)에 대한 TTT 선도. 이 합금의 서냉에 따른 미세구조의 형성은 그림 9.39에서 보여주었다. (TTT diagram after *Atlas of Isothermal Transformation and Cooling Transformation Diagrams*, American Society for Metals, Metals Park, OH, 1977.)

에 대한 것보다 높은 마르텐사이트 변태 온도를 보여준다. 일반적으로 공석 조성 영역 근처에서 탄소 함량이 증가함에 따라 마르텐사이트 변태는 낮은 온도에서 일어난다.

강의 열처리

TTT 선도의 원리를 통해 강 열처리의 몇 가지 기본원리를 설명할 수 있다. 이것은 상업적으로 중요한 광범위한 분야이다. 물론 이 입문 책에서는 몇몇 기본적인 예만 다룬다. 그 예시로서 공석 조성을 선택한다.

앞에서 설명한 바와 같이 마르텐사이트는 취성이 강한 상이므로 100% 마르텐사이트로 제품을 만드는 것은 유리로 망치를 만드는 것과 같이 쓸모없는 짓이다. 강의 기계적 성질의 '적절한 조정'을 위한 일반적인 접근법은 우선 빠른 퀜칭으로 완전하게 마르텐사이트 조직을 형성하는 것이다. 그다음 이 강을 α와 Fe_3C의 평형상으로 변태될 수 있는 온도까지 조심스럽게 재가열하면 취성이 줄어들게 된다. 적당한

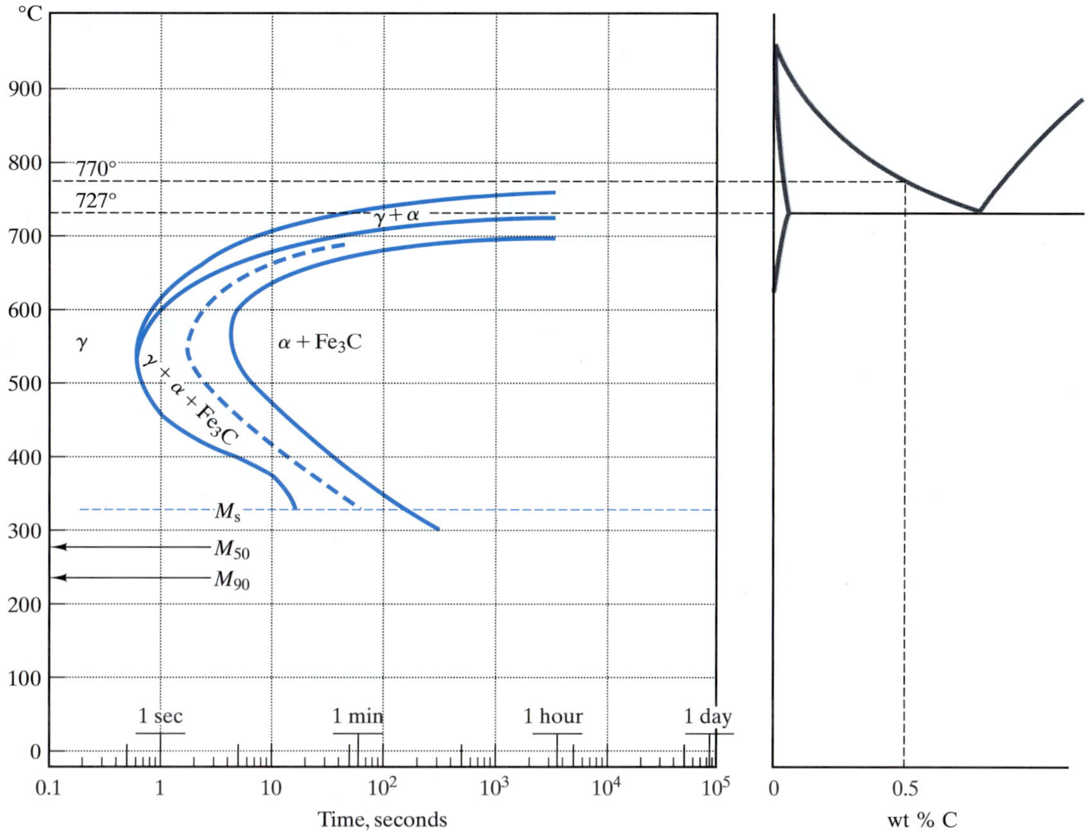

그림 10.16 Fe-Fe_3C 상태도와 비교한 아공석강 조성(0.5 wt % C)에 대한 TTT 선도. 이 합금의 서냉 시 미세구조의 형성은 그림 9.40에서 보여주고 있다. 그림 10.11, 10.15, 10.16을 서로 비교해보면 마르텐사이트 변태는 공석 조성 영역에서 탄소 함량의 증가와 더불어 낮은 온도에서 일어난다. (TTT diagrams after *Atlas of Isothermal Transformation and Cooling Transformation Diagrams*, American Society for Metals, Metals Park, OH, 1977.)

온도에서 짧은 시간 동안 재가열함으로써 고강도, 저연성 제품을 얻는다(더 오랜 시간 동안 재가열하면 더 큰 연성을 보이는데 그 이유는 마르텐사이트가 감소되기 때문이다). 그림 10.17은 전통적인 TTT 선도에 열 이력선[$T = fn(t)$]을 중첩시킨 **템퍼링**(tempering) 과정을 나타낸다(등온 TTT 선도에 가열 및 냉각 곡선을 표시하는 것은 매우 유용한 방법이다). 템퍼링에 의해 생성되는 $\alpha + Fe_3C$ 미세구조는 펄라이트나 베이나이트와는 다른데, 그 이유는 미세조직의 발달 경로가 완전히 다르기 때문이다. 펄라이트와 베이나이트는 면심 입방정 고용체인 오스테나이트의 냉각에 의해 형성된다. **템퍼링된 마르텐사이트**(tempered martensite)로 알려진 미세구조는 그림 10.18에서 보는 바와 같이 Fe와 C로 구성된 체심 정방정 고용체인 마르텐사이트를 가열함으로써 형성된다. 그림 10.18에 있는 조직 형태는 페라이트 기지 조직에 탄화물이 고립된 입자로 뭉쳐 있는 것을 보여준다.

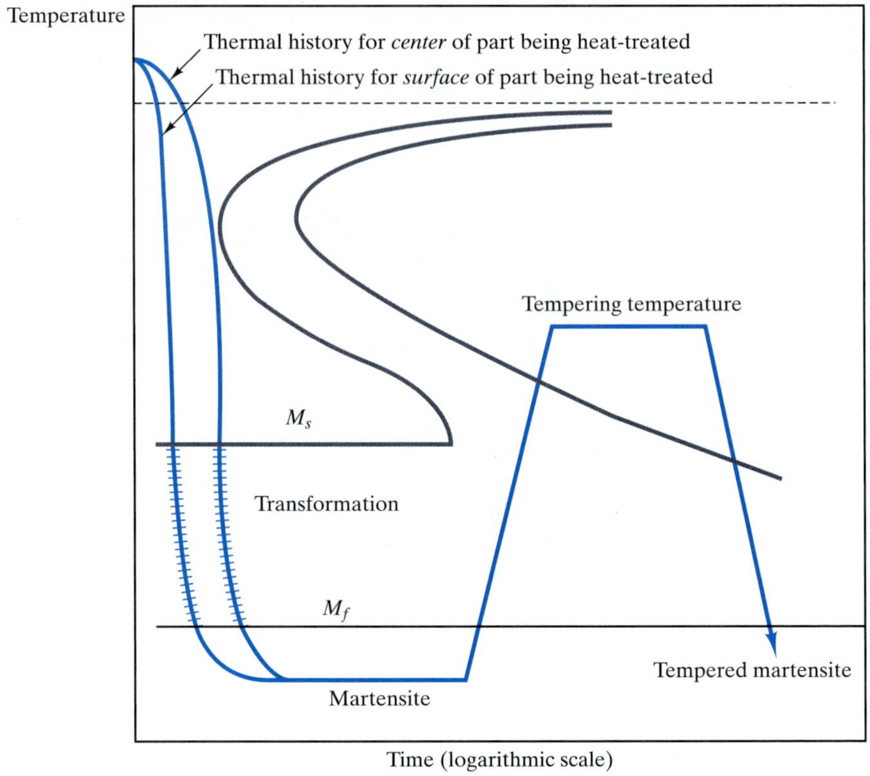

그림 10.17 템퍼링은 오스테나이트를 퀜칭하여 형성된 마르텐사이트를 재가열하는 열 이력 [$T = fn(t)$]이다. 그 결과에 따른 템퍼링된 마르텐사이트는 α-Fe와 Fe_3C의 평형상으로 구성되어 있으나, 미세구조는 펄라이트나 베이나이트와는 다르다(그림 10.18 참고). (After *Metals Handbook*, 8th ed., Vol. 2, American Society for Metals, Metals Park, OH, 1964. 공석강에 대한 위 TTT 선도는 단순화하기 위해 나타낸 것으로, 실제 템퍼링은 확산 속도가 느려 퀜칭 정도가 낮은 강에 적용한다.)

POWERS OF 10

강의 템퍼링은 재료의 열처리가 어떻게 기계적 거동의 실질적인 변화를 불러오는지 보여주는 좋은 예이다. 그림 10.18에서 미세조직과 이 공정의 연관성을 보여준다.

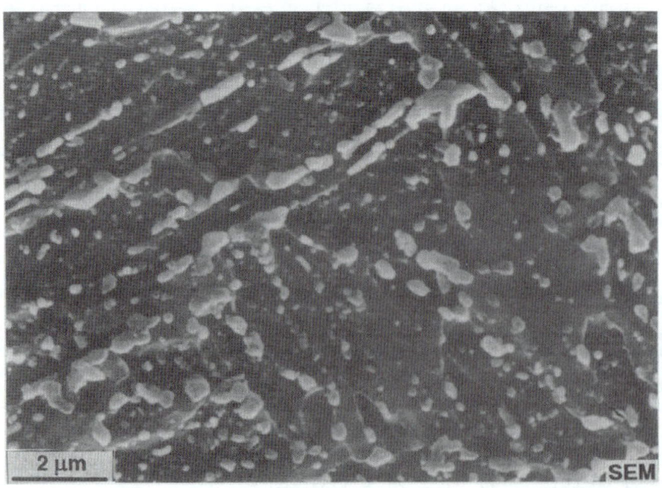

그림 10.18 템퍼링된 마르텐사이트의 미세구조는 α-Fe와 Fe_3C의 평형 혼합체임에도 불구하고 펄라이트(그림 9.2)와 베이나이트(그림 10.9)의 구조와는 다르다. 주사 전자현미경(SEM)에 의한 미세조직은 부식된 페라이트에서 뚜렷한 카바이드 클러스터를 보이고 있다. (From *ASM Handbook*, Vol. 9, *Metallography and Microstructures*, ASM International, Materials Park, OH, 2004.)

기존의 퀜칭 및 템퍼링 공정은 퀜칭 시의 불균일한 냉각에 의해 부품이 뒤틀리고 균열이 생기는 문제가 존재한다. 내부보다 외부가 냉각 속도가 빠르므로 우선적으로 마르텐사이트로 변태하여 외부와 내부의 결정 구조가 달라져 상당한 양의 응력이 발생한다. 게다가 마르텐사이트 영역은 취성이 있으며 균열에 민감하므로 더욱 문제가 된다. 이 문제에 대한 간단한 해결책은 그림 10.19에서 보여주는 **마르템퍼링**(martempering) 또는 **마르퀜칭**(marquenching)으로 알려진 열처리이다. M_s 위에서 퀜칭을 멈추어줌으로써 간단한 등온 처리로 전 부분을 동일한 온도로 만들 수 있다. 그 후 서냉하여 전체를 균질하게 마르텐사이트로 만든 후 최종 템퍼링을 통해 연성을 회복시킨다.

전통적인 템퍼링에 의한 뒤틀림과 균열을 방지하기 위한 대안은 그림 10.20에서 보여주는 **오스템퍼링**(austempering)으로 알려진 열처리 방법이다. 이것은 재가열이 필요하지 않아 경제적이라는 장점을 갖는다. 마르템퍼링에서처럼 퀜칭은 M_s 영역 바로 위에서 멈춘다. 오스템퍼링에서는 베이나이트로 완전히 변태될 때까지 등온 단계가 계속 유지된다. 이 미세구조(α + Fe_3C)는 마르텐사이트보다 더욱 안정하므

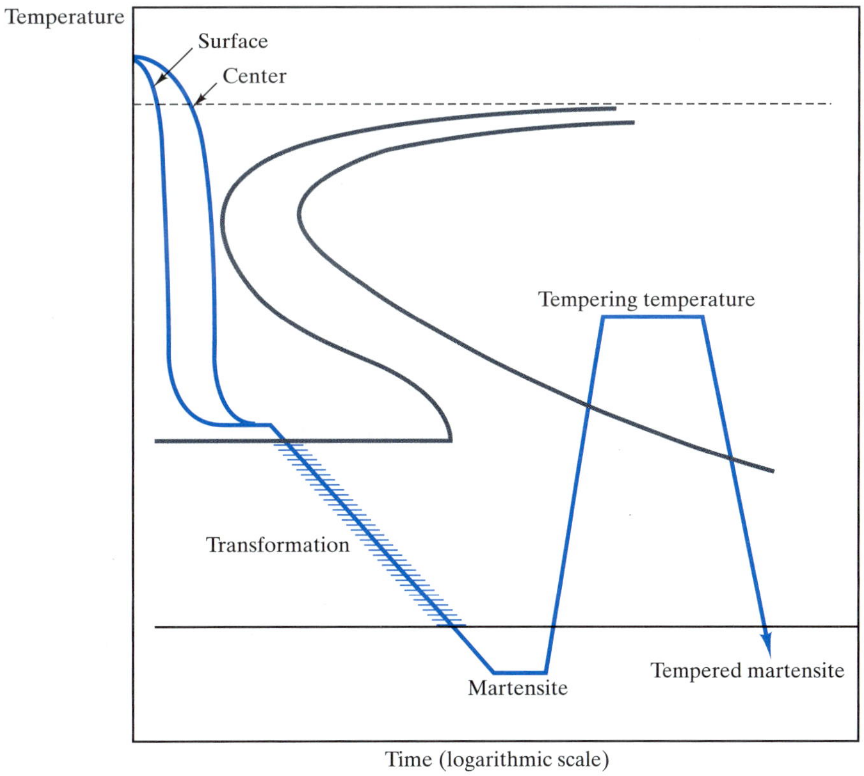

그림 10.19 마르템퍼링에서 퀜칭은 M_s 바로 위에서 멈춘다. 마르텐사이트 변태 구역에서 서냉을 통해 결정학적 변화로 생기는 응력을 감소시킬 수 있다. 최종적인 재가열 단계는 전통적인 템퍼링과 동등하다. (After *Metals Handbook*, 8th ed., Vol. 2, American Society for Metals, Metals Park, OH, 1964.)

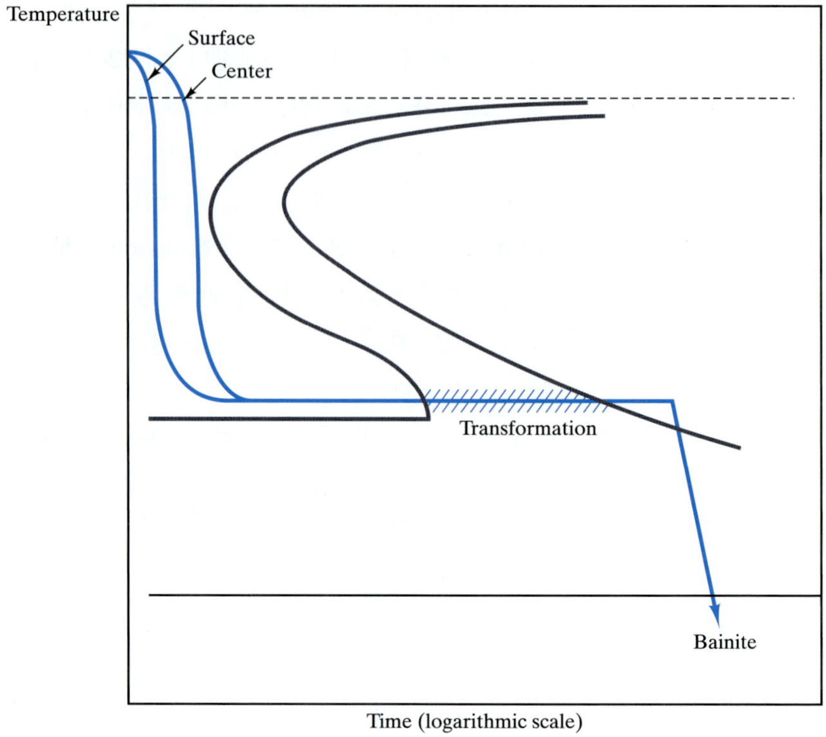

그림 10.20 마르템퍼링처럼 오스템퍼링은 마르텐사이트 변태 구역을 지나는 동안 퀜칭에 의한 뒤틀림과 균열을 방지한다. 이 경우에는 합금을 베이나이트로 완전히 변태할 때까지 M_s 바로 위의 온도에서 장시간 유지한다. (After *Metals Handbook*, 8th ed., Vol. 2, American Society for Metals, Metals Park, OH, 1964.)

로 더 냉각시켜도 마르텐사이트 조직은 생성되지 않는다. 베이나이트 변태 온도를 낮출수록 결정립이 미세해져 경도가 증가하는 원리를 이용해 경도를 조절할 수 있다.

지금까지 공석 TTT 선도를 통해 각종 열처리의 원리가 적절하게 제시되었다. 공석강과는 다른 TTT 선도를 갖는 다양한 철강에도 이와 같은 열처리의 원리를 적용할 수 있다. 예를 들어 몇몇 합금강에서 오스템퍼링은, 합금 원소 첨가가 베이나이트 변태 시간을 너무 많이 증가시키기 때문에 실용성이 없다. 또한 설명한 바와 같이 공석강의 템퍼링은 펄라이트 '무릎'을 피하기 위하여 높은 퀜칭 속도를 필요로 하기 때문에 실용성에 제한을 받는다.

예제 10.2

(a) 600°C에서 오스테나이트가 50% 펄라이트로 변태하는 데 필요한 시간은 얼마인가?

(b) 300°C에서 오스테나이트가 50% 베이나이트로 변태하는 데 필요한 시간은 얼마인가?

풀이

(a) 이것은 그림 10.7을 직접 활용하여 푼다. $\gamma \rightarrow \alpha + Fe_3C$로의 변태에서 점선은 절반의 위치를 나타낸다. 600°C에서 그 선에 도달하는 시간은 약 $3\frac{1}{2}$초이다.

(b) 300°C에서 그 시간은 약 480초 또는 8분이다.

예제 10.3

(a) 0.77 wt % C 강이 다음과 같은 열처리를 계속할 때 최종 미세구조를 계산하시오. (i) γ영역에서 500°C로 순간적으로 퀜칭, (ii) 5초 동안 유지, (iii) 순간적으로 250°C로 퀜칭.

(b) (a)에서 얻은 미세구조를 250°C에서 1일 동안 유지한 후 실온으로 냉각한다면 어떤 일이 일어나겠는가?

(c) (a)에서 얻은 미세구조를 직접 실온으로 퀜칭했을 때 어떤 일이 일어나겠는가?

(d) 위 내용에 대한 다양한 열 이력 선도를 그리시오.

풀이

(a) 이상적으로 퀜칭한 것이라고 가정하면 그림 10.7로 정확하게 대답할 수 있다. 열처리의 처음 두 부분은 미세 펄라이트로 약 70% 변태를 한다. 최종 퀜칭은 이 상태를 그대로 유지한다.

$$30\%\ \gamma + 70\%\ \text{미세 펄라이트}(\alpha + Fe_3C)$$

(b) 펄라이트는 안정한 상태로 그대로 남아 있고, 잔류 γ가 베이나이트로 변태하여 최종 상태는

$$30\%\ \text{베이나이트}(\alpha + Fe_3C) + 70\%\ \text{미세 펄라이트}(\alpha + Fe_3C)$$

(c) 펄라이트는 안정하게 남아 있고, 대부분의 잔류 γ는 불안정하게 된다. 이 경우에 그림 10.11에 있는 마르텐사이트 변태에 관한 데이터를 고려해야 한다. 그 결과 나타나는 미세구조는

$$70\%\ \text{미세 펄라이트}(\alpha + Fe_3C) + \text{약 } 30\%\ \text{마르텐사이트}$$

(마르텐사이트 변태는 −46°C에 이를 때까지 완료되지 않으므로, 적은 양의 미변태된 γ가 상온까지 남아 있게 된다.)

(d)

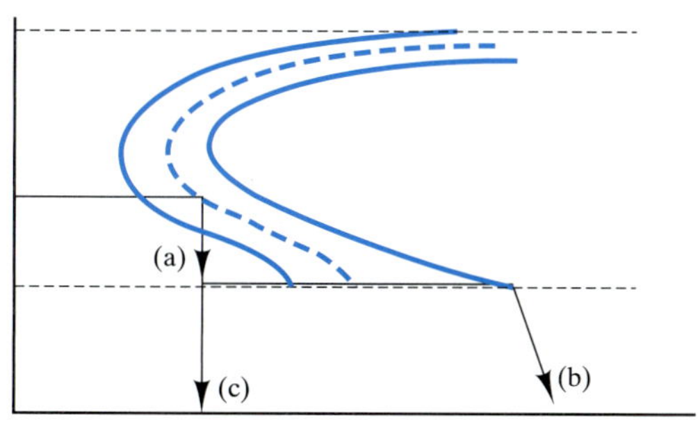

예제 10.4

(a) 0.5 wt % C 강, (b) 0.77 wt % C 강, (c) 1.13 wt % C 강에서 펄라이트 형성을 억제하기 위해 필요한 퀜칭 속도를 예측하시오.

풀이

각각의 경우, 펄라이트 '무릎'을 피하기 위해 필요한 온도 하강 속도를 보면 된다.

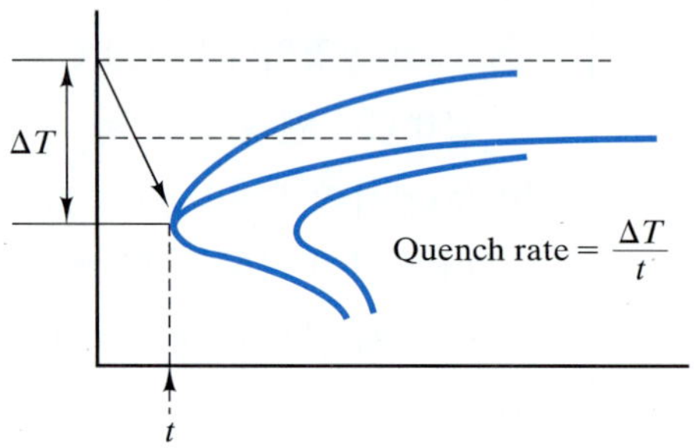

주: 연속 냉각 과정을 보이기 위해 등온 변태도를 사용한다. 정확한 계산을 위해서는 진짜 연속 냉각 변태 곡선이 필요하다.

(a) 0.5 wt % C 강에 관해 나타낸 그림 10.16에서 오스테나이트 경계(770°C)로부터 약 520°C까지 약 0.6초 내에 퀜칭해야 한다. 따라서 다음과 같다.

$$\frac{\Delta T}{t} = \frac{(770 - 520)°\text{C}}{0.6 \text{ s}} = 420°\text{C/s}$$

(b) 0.77 wt % C 강에 관한 그림 10.11에서 공석 온도(727°C)로부터 약 550°C까지 약 0.7초 내에 퀜칭한다. 따라서 다음과 같다.

$$\frac{\Delta T}{t} = \frac{(727 - 550)°\text{C}}{0.7 \text{ s}} = 250°\text{C/s}$$

(c) 1.1 3wt % C 강에 관해 나타낸 그림 10.15에서 오스테나이트 경계(880°C)로부터 약 550°C로 약 3.5초 내에 퀜칭한다. 따라서 다음과 같다.

$$\frac{\Delta T}{t} = \frac{(880 - 550)°\text{C}}{0.35 \text{ s}} = 940°\text{C/s}$$

예제 10.5

(a) 0.5 wt % C 강, (b) 0.77 wt % C 강, (c) 1.13 wt % C 강에 대해 M_s 온도 영역보다 5°C 높은 온도 영역에서 오스템퍼링을 하기 위해 필요한 시간을 계산하시오.

풀이

(a) 0.5 wt % C 강에 관한 그림 10.16은 완전한 베이나이트 변태가 M_s 위 5°C에서는 180초 후에 일어날 것임을 보여준다.

$$\sim 180 \text{ s} \times 1 \text{ m}/60 \text{ s} = 3\text{분}$$

(b) 마찬가지로, 0.77 wt % C 강에 관한 그림 10.11로부터 다음과 같은 시간이 필요하다.

$$\sim \frac{1.9 \times 10^4 \text{s}}{3{,}600 \text{ s/h}} = 5.3\text{시간}$$

(c) 최종적으로 1.13 wt % C 강에 관한 그림 10.15로부터 다음과 같은 오스템퍼링 시간이 주어진다.

약 1일

연습문제 10.2

예제 10.2에서 그림 10.7을 이용하여 600°C와 300°C에서 각각 50% 펄라이트와 베이나이트로 변태하는 시간을 결정했다. 이와 같은 계산을 (a) 1% 변태와 (b) 99% 변태하는 경우에 대해 반복하시오.

연습문제 10.3

예제 10.3에서 상세한 열 이력을 살펴보았다. 그 문제에서 열 이력에 단 한 가지만 바꾸고, 즉 (i)단계를 (500°C가 아니라)400°C로 순간적인 퀜칭을 했다고 가정한 후 모든 질문에 답하시오.

연습문제 10.4

예제 10.4에서 펄라이트 '무릎' 이하로 오스테나이트를 유지시키는 데 필요한 퀜칭 속도를 계산했다. 만일 이와 같은 퀜칭이 200°C까지 계속된다면 각각의 합금에서 형성되는 마르텐사이트의 비율을 퍼센트로 구하시오.

연습문제 10.5

예제 10.5에서 세 가지 합금에 대해 오스템퍼링에 필요한 시간을 계산했다. 마르템퍼링(그림 10.19)을 하기 위해서는 베이나이트가 형성되기 전에 합금을 냉각시킬 필요가 있다. (a) 0.5 wt % C 강, (b) 0.77 wt % C 강, (c) 1.13 wt % C 강에서 베이나이트가 형성되기 전에 M_s 위 5°C에서 얼마 동안 유지할 수 있는가?

10.3 경화능

이 장의 남은 부분에서는 금속 합금의 **경도**(hardness)를 변화시키기 위해 실행하는 몇 가지 열처리 과정을 다룬다. 6.4절에서 경도는 표준 시험에서 생기는 압입 정도(degree of indentation)로 정의되었다. 압입은 경도가 증가함에 따라 감소한다. 경도 측정의 중요한 특징은 경도가 강도와 직접적으로 관계된다는 것이다. 경도는 열처리에 의한 열 이력 효과가 합금 강도에 미치는 영향을 관찰하기 위해 사용된다.

TTT 선도를 통해 일반적인 경향을 알 수 있다. 주어진 강에서 경도는 퀜칭 속도가 빨라짐에 따라 증가한다. 그러나 다른 종류의 강의 거동을 체계적으로 비교하기 위해서는 광범위한 상업용 강의 조성을 고려해야 한다. 퀜칭에 의해 경화될 수 있는 강의 상대적인 능력을 **경화능**(hardenability)이라고 한다. 그림 10.21에 나타난 **Jominy**[3] **시험**(Jominy end-quench test)은 간단한 표준 시험법으로서 이를 이용하면 경화능을 체계적으로 비교할 수 있다. 표준 크기의 강봉(지름 25 mm와 길이 100 mm)을 오스테나이트화 온도(austenizing temperature)까지 가열한 후 한쪽 끝에 물을 분무한다. 모든 탄소강 및 저합금강의 경우 이 퀜칭 과정에 의해 Jominy 봉을 따라 냉각 속도의 기울기가 형성된다. 이것은 이러한 다양한 합금의 열적 성질(예: 열전도도)이 거의 동일하기 때문이다(다른 강종에 관한 것은 11장을 참고하라. 탄소강과 저합금강은 퀜칭으로 경도 증가를 유도하는 강으로 가장 널리 사용되고 있으며, 이를 위해 Jominy 시험은 매우 유용하다).

그림 10.22는 냉각 속도가 Jominy 봉을 따라서 어떻게 변화하는지 보여준다. 그림 10.21과 10.22에 보인 Jominy 시험은 그림 10.14의 연속 냉각 선도의 기초가 된다. 물론 냉각 속도는 물 분무가 닿는 끝부분에서 가장 크다. 그 결과에 따른 강봉의 전형적인 경도 값 변화가 그림 10.23에 도시되어 있다. 다양한 강을 비교한 유사한 그래프가 그림 10.24에 나타나 있다. 이러한 경화능의 비교가 가능한 것은 경화능이 Jominy 봉을 따라 해당하는 상대적인 경도 값과 일치하기 때문이다.

Jominy 시험에서 얻은 경화능에 대한 자료는 두 가지 보완적인 방법으로 사용할 수 있다. 만약 주어진 부분에 대한 퀜칭 속도가 알려지면, Jominy 자료로부터 그 부분의 경도를 예측할 수 있다. 반대로 큰 부품에서 불균일 냉각으로 야기된 각 부분의 다른 경도를 측정하는 것으로 각 부분별 퀜칭 속도를 계산할 수 있다.

3) Walter Jominy(1893~1976)는 미국 금속학자이다. E. C. Bain과 동시대의 사람으로 철 야금 분야에서 생산적인 연구가였다. 그는 산업계, 정부 부서와 대학 연구소 등에서 중요한 직책을 역임했다.

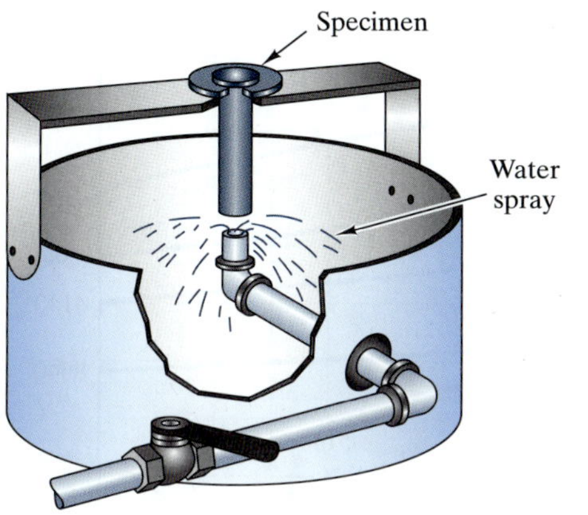

그림 10.21 경화능에 대한 Jominy 시험의 도식적 설명 (After W. T. Lankford et al., Eds., *The Making, Shaping, and Treating of Steel*, 10th ed., United States Steel, Pittsburgh, PA, 1985. Copyright 1985 by United States Steel Corporation.)

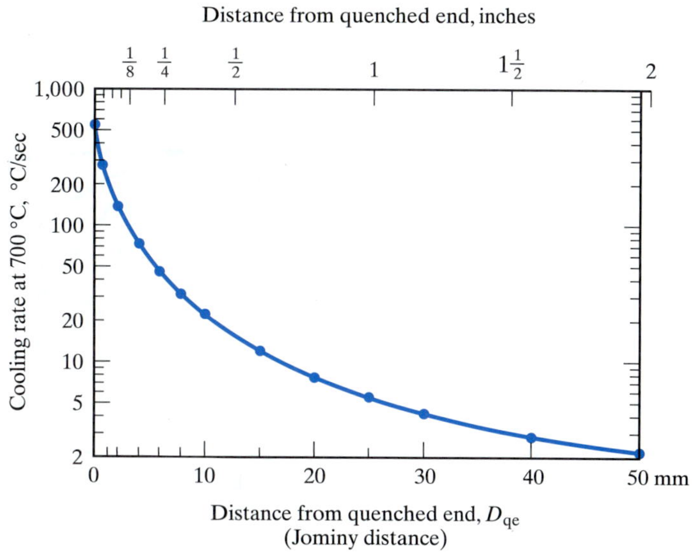

그림 10.22 Jominy 봉(그림 10.21 참고)의 냉각 속도는 거리에 따라 변한다. 이 곡선은 모든 탄소강과 저합금강에 대해 사용된다. (After L. H. Van Vlack, *Elements of Materials Science and Engineering*, 4th ed., Addison-Wesley Publishing Co., Inc., Reading, MA, 1980.)

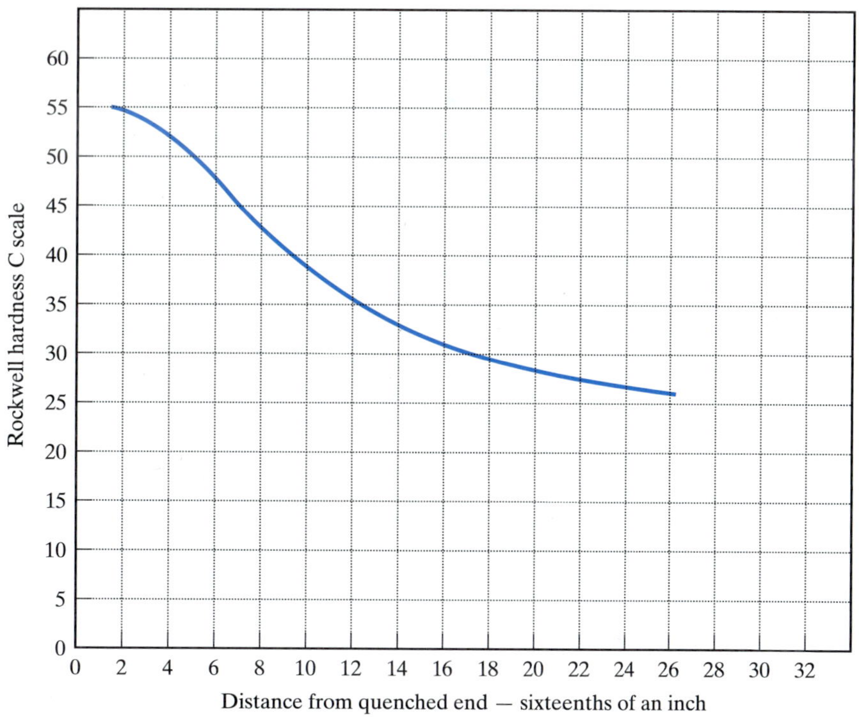

그림 10.23 전형적인 Jominy 봉의 거리에 따른 경도 변화 (From W. T. Lankford et al., Eds., *The Making, Shaping, and Treating of Steel*, 10th ed., United States Steel, Pittsburgh, PA, 1985. Copyright 1985 by United States Steel Corporation.)

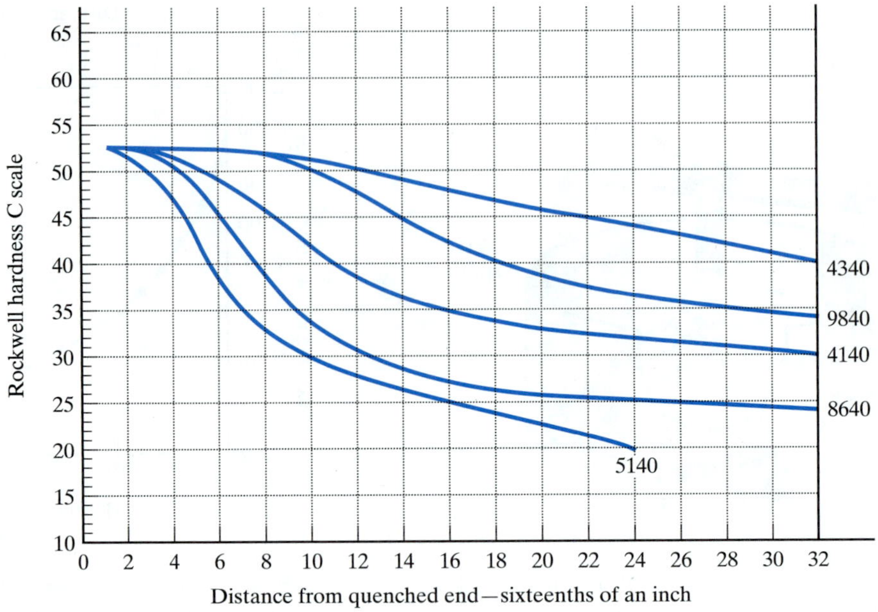

그림 10.24 동일한 탄소 함량(0.4 wt %)과 다양한 합금 함량을 갖는 여러 종류의 강에 대한 경화능 곡선. 합금 조성을 나타내는 코드는 표 11.1에 정의되어 있다. (From W. T. Lankford et al., Eds., *The Making, Shaping, and Treating of Steel*, 10th ed., United States Steel, Pittsburgh, PA, 1985. Copyright 1985 by United States Steel Corporation.)

예제 10.6

4340 강의 트레일러-차축 단조품의 임계점에서 경도를 측정했다. 이 경도치는 Rockwell C 눈금으로 45이다. 문제의 지점에서 단조 시 어떤 냉각 속도를 거쳤는가?

풀이

그림 10.24를 이용하여 이 합금에 대한 Jominy 시험은 퀜칭 끝지점으로부터 22/16 in.의 위치에서 Rockwell C45의 경도를 얻음을 알 수 있다. 이것은

$$D_{qe} = \frac{22}{16}\text{ in.} \times 25.4\text{ mm/in.} = 35\text{ mm}$$

탄소강과 저합금강에 적용하는 그림 10.22를 보면 냉각 속도는 대략 다음과 같음을 알 수 있다.

4°C/s (700°C에서)

주: 이와 같은 질문에 보다 정확하게 대답하기 위해 문제의 합금에 대한 일련의 Jominy 시험으로부터 ‘경도띠(hardness band)’의 도표를 참고하는 것이 적절하다. 대부분의 합금에서는 Jominy 거리(D_{qe})를 따라 주어진 점에서 경도 값은 상당한 경도 범위가 존재한다.

예제 10.7

만약 부품이 4340 강이 아니고 4140 강으로 제조되었다면, 예제 10.6에서 언급한 차축의 '임계점'에서 얻어지는 경도 값을 예측하시오.

풀이

그림 10.22에서 다양한 탄소강과 저합금강의 냉각 거동이 본질적으로 동일함을 보여주었다. 예제 10.6에서 계산된 것과 같은 D_{qe}(즉 $\frac{22}{16}$인치)에 대해 그림 10.24로부터 4140 강의 경도를 알 수 있다. 그 결과는 Rockwell C32.5의 경도 값이다.

주: 예제 10.6에서의 주가 여기에도 적용된다. 즉 주어진 합금에 관한 Jominy 데이터상의 '불확실성 영역(uncertainty bars)'이 존재한다. 그러나 그림 10.24는 4340 강이 더 경화될 수 있고, 주어진 퀜칭 속도에 대해 높은 경도 부품을 기대할 수 있다는 점을 설명하는 데는 아직도 유용하다.

연습문제 10.6

예제 10.6에서 4340 강의 경도 Rockwell C45에 해당하는 퀜칭 속도를 계산할 수 있었다. 경도 값 (a) C50과 (b) C40을 얻는 데 필요한 퀜칭 속도는 얼마인가?

연습문제 10.7

예제 10.7에서 (동일한 퀜칭 속도가 주어진다면) 4140 강의 경도는 4340 강의 값보다 낮음을 알 수 있다. (a) 9840 강, (b) 8640 강, (c) 5140 강에 대해 상응하는 경도 값을 결정하시오.

10.4 석출 경화

6.3절에서 전위 이동을 방해하는 작은 장애물을 통해 금속을 강화 혹은 경화시킬 수 있다는 사실을 알았다(예: 그림 6.26). 동일한 방법으로 미세한 2차상의 석출물은 강화에 효과적이다. 9장에서 몇몇 합금 조성에 관해 냉각 경로가 2차상의 석출을 유도함을 알았다[예: 그림 9.36(b)]. 많은 합금계에서는 이 **석출 경화**(precipitation hardening)를 이용한다. 가장 일반적인 설명은 Al-Cu 합금계에서 볼 수 있다. 그림 10.25는 서냉에 의해 얻을 수 있는 미세구조와 함께 Al-Cu 상태도에서 알루미늄 농도가 높은 부분을 보여주고 있다. 석출물은 비교적 조대하고 결정립계에 고립되어 있으므로 2차상의 존재에 따른 경화 효과는 별로 없다. 그림 10.26은 상당히 다른 열이력을 보여준다. 여기서 조대한 미세구조는 우선 단상(κ) 영역까지 재가열된다. 이것을 **용체화 처리**(solution treatment)라고 한다. 그 후 단상 구조를 상온까지 퀜칭시

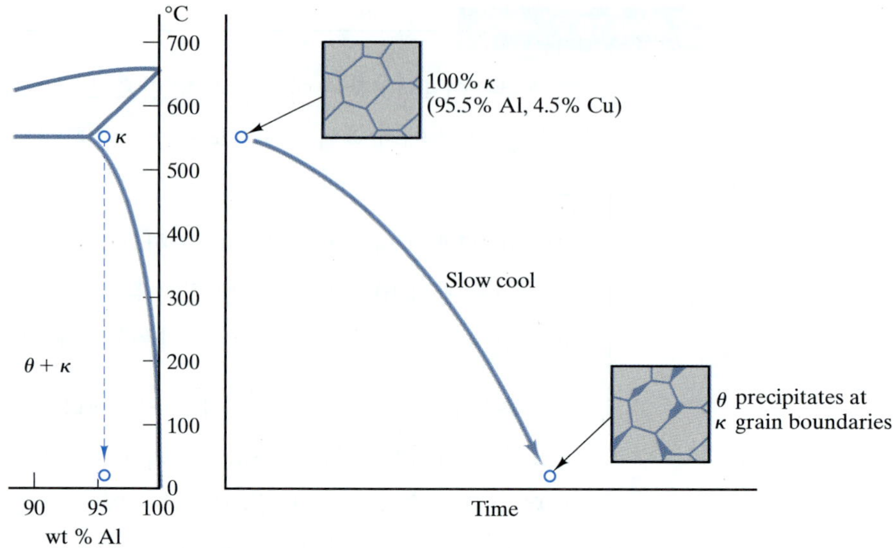

그림 10.25 상태도의 단상(κ) 구역에서 2상 구역(θ + κ)으로 서냉 시 Al-Cu(4.5 wt %) 합금의 결정립계에 형성된 거칠고 조대한 석출물. 이렇게 고립된 석출물은 합금의 경도에 거의 영향을 미치지 못한다.

키면 석출은 매우 느리므로 과포화 고용체가 준안정상으로 남게 된다. 중간 온도로 재가열하면, 알루미늄 내 구리 원자의 고상 확산(solid-state diffusion)이 충분히 빠르게 일어나므로 미세하게 분산된 석출물이 형성된다. 이러한 석출물은 전위가 이동할 때 장애물 역할을 함으로써 합금을 본질적으로 강화한다. 이 석출 과정은 시간을 필요로 하므로 이 과정을 **시효 경화**(age hardening)라고도 한다. 그림 10.27은 **과시효**(overaging)를 나타내며, 오랜 석출로 인해 석출물이 뭉쳐 더욱 거칠고 조대해져 전위 장애물로서의 효과가 감소한 것을 보여준다. 그림 10.28은 석출 초기 단계 동안에 형성된 구조를 보여주며, 이 구조는 전위 장벽으로 매우 효과적이다. 이러한 석출물을 **Guinier-Preston**[4] **구역**[Guinier-Preston(G.P.) zones]이라고 하며, 기지 조직과 석출물의 결정 구조가 연장하여 유지되는 **정합 계면**(coherent interfaces)을 갖는 것이 특징이다. 과시효가 일어나면서 조대한 석출물이 형성될 때 이러한 정합 계면은 사라진다.

예제 10.8

(a) 그림 10.25에서 보여주는 평형 미세구조에서 결정립계에서 석출되는 θ상의 양을 계산하시오.

4) Andre Guinier(1911~2000)는 프랑스 물리학자이고, George Dawson Preston(1896~1972)은 영국 물리학자이다. 이 두 명의 물리학자가 1930년대 엑스선 회절법(3.7절 참고)이라는 강력한 도구를 사용하여 자세한 원자 구조(그림 10.28)를 결정했다.

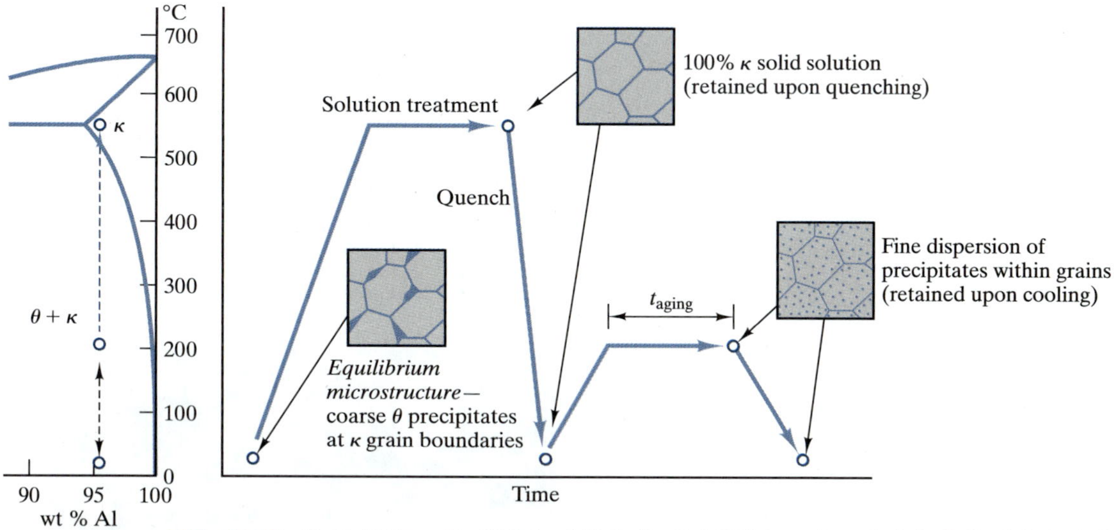

그림 10.26 Al-Cu(4.5 wt %) 합금을 퀜칭한 후 재가열함으로써 κ 결정립 내에 미세한 분산 석출물이 형성된다. 이러한 석출물은 전위 이동을 방해하는 데 효과적이며, 결과적으로 합금의 경도(강도)를 상승시킨다. 이것을 석출 경화 또는 시효 경화라고 한다.

석출 경화는 재료의 열처리가 미세구조에 중대한 변화를 가져오는 것과 기계적 거동에 어떠한 실질적인 변화의 결과를 가져오는 것을 보여주는 또 다른 좋은 예이다.

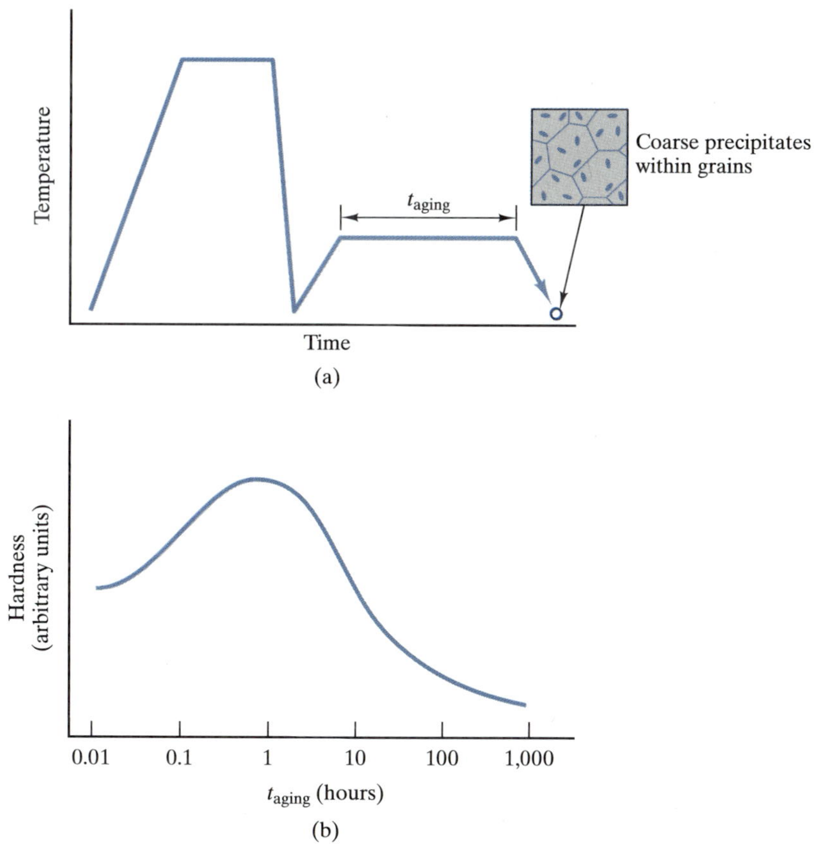

그림 10.27 (a) 재가열 단계를 연장함으로써 석출물이 조대화되고 합금을 경화시키는 데 비효과적이 된다. 그 결과를 '과시효'라고 한다. (b) 재가열 단계의 길이(시효 기간)에 따른 경도 변화

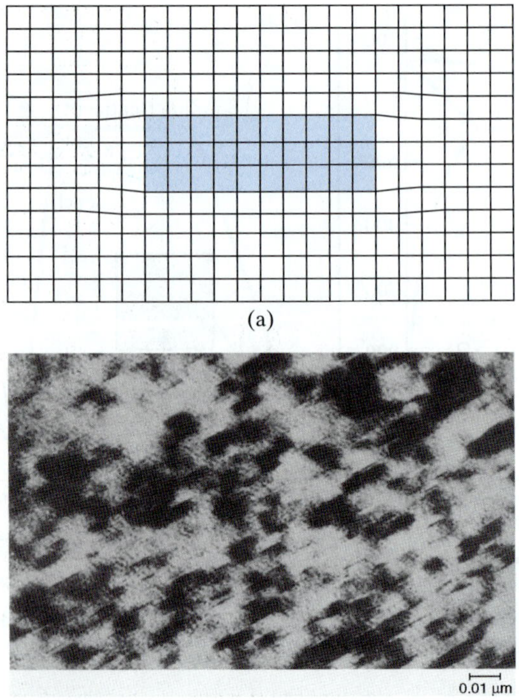

그림 10.28 (a) Guinier-Preston(G.P.) 구역의 결정 기하학적 예시. 이 구조는 석출 경화에 가장 효과적이며, 그림 10.27(b)에 있는 최대 경도치에서 얻어지는 구조이다. 석출물의 길이 방향으로 정합 계면이 생김에 주목하자. 석출물은 약 15 nm × 150 nm이다. (b) G.P. 구역의 투과 전자현미경 사진, 720,000배율 (From *ASM Handbook*, Vol. 9, *Metallography and Microstructures*, ASM International, Materials Park, OH, 2004.)

(b) 4.5 wt % 구리 합금에서 기대되는 G.P. 구역의 최대량은 얼마인가?

풀이

(a) 이것은 평형 문제로서 9장의 상태도 개념으로 돌아간다. Al-Cu 상태도(그림 9.27)와 식 (9.10)을 이용하면,

$$\text{wt \% } \theta = \frac{x - x_\kappa}{x_\theta - x_\kappa} \times 100\% = \frac{4.5 - 0}{53 - 0} \times 100\%$$
$$= 8.49\%$$

(b) G.P. 구역은 평형 석출에 선행하는 조직이므로 최대량은 8.49%가 될 것이다.

주: 이 계산은 예제 9.10에서 다룬 경우와 마찬가지로 수행되었다.

연습문제 10.8

95.5 wt % Al-4.5 wt % Cu 합금의 석출 특성을 예제 10.8에서 다루었다. 이와 같은 계산을 96 wt % Al-4 wt % Cu 합금에 대해 반복하시오.

10.5 어닐링

이 장에서 소개한 중요한 열처리 중 하나(10.2절)는 마르텐사이트 조직의 재료를 고온에서 적당한 시간 동안 처리하여 연화시키는 템퍼링 처리이다. **어닐링**(annealing)은 기계적으로 가공된 미세구조의 경도가 고온에서 감소되는 열처리 과정이다. 이러한 미세구조의 형성을 자세하게 이해하기 위해 다음 네 가지 용어, 즉 냉간 가공, 회복, 재결정, 결정립 성장을 살펴보아야 한다.

냉간 가공

냉간 가공(cold work)은 비교적 낮은 온도에서 금속을 기계적으로 변형시키는 것이다. 이 개념은 6.3절에서 기계적 변형과 전위 이동을 관련시켜 소개했다. 냉간 가공량은 압연(rolling)이나 인발(drawing)(그림 10.29 참조)과 같은 과정을 통한 합금 단면적의 상대적인 감소로 정의된다. 냉간 가공도(% CW)는 다음과 같다.

$$\% \text{ CW} = \frac{A_0 - A_f}{A_0} \times 100\% \tag{10.2}$$

여기서 A_0는 본래의 단면적이고, A_f는 냉간 가공 후의 최종 단면적이다. 합금의 경도와 강도는 % CW의 증가와 더불어 증가하며 이 과정을 **변형 경화**(strain hardening)라고 한다. 황동의 기계적 성질과 % CW의 관계는 설계 규격에 대한 논의와 관련지어 그림 11.7에서 설명한다. 이 경화 기구는 냉간 가공에 의해 전위의 밀도가 높아져 소성 변형에 대한 저항성이 생기는 것을 기본 원리로 한다(6.3절 참고). 전위 밀도는 단위 부피당 전위선의 길이(예: m/m^3 또는 개수/m^{-2})로 표현될 수 있다. 어닐링된 합금은 10^{10} m^{-2}과 같은 낮은 전위 밀도를 가져 이에 따라 경도가 낮은 편이다. 심하게 냉간 가공된 합금은 10^{16} m^{-2} 정도의 전위 밀도를 가져 상당히 높은 경도(및 강

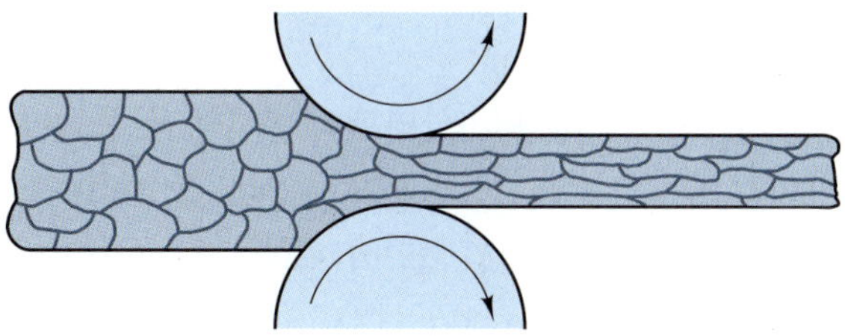

(a)

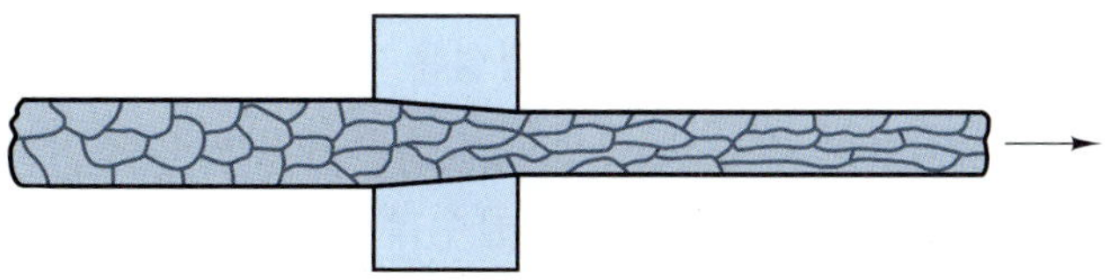

(b)

그림 10.29 냉간 가공 작업의 예. (a) 봉이나 판재의 냉간 압연 (b) 선재의 냉간 인발. 이 도식적 설명에서 냉간 가공 작업으로 인해 생긴 면적 감소는 결정립 구조의 우선 방위와 관련된다는 데 주의하라.

(a) (b)

그림 10.30 어닐링 과정에서는 냉간 가공된 미세구조가 완전하게 재결정화된다. (a) 냉간 가공된 70/30 황동 (b) 450°C에서 1시간 동안 열처리한 후 완전히 재결정화되었다. 두 사진 모두 40배율 (Courtesy of T. G. Edwards, University of California, Davis.)

도)를 나타낼 수 있다.

냉간 가공된 미세구조를 그림 10.30(a)에서 볼 수 있다. 심하게 뒤틀린 결정립은 매우 불안정하다. 따라서 온도가 높아져 원자 이동도가 증가하면 연화되며 새로운 미세구조가 나타날 수 있다.

회복

어닐링에서 가장 구분하기 미묘한 단계가 **회복**(recovery)이다. 전체적인 미세구조 변화는 일어나지 않지만 원자 이동도는 충분하여 결정립 내부에 있는 점 결함의 농도를 감소시키고 또 어떤 경우에는 보다 낮은 에너지 위치로 전위가 이동한다. 이 과정은 약간의 경도 저하를 가져오며, 심한 미세구조 변화가 일어나는 온도 바로 밑에서 일어날 수 있다. 회복 과정에서 점 결합 감소 등 구조적 변화가 생겼을 때 기계적 거동은 크게 영향을 받지 않으나 전기 전도도는 매우 증가한다(전도도와 구조상의 규칙성 간의 상관관계는 13.3절에서 더욱 상세하게 설명한다).

재결정

6.3절에서 중요한 개념을 설명했다. "기계적 성질에 영향을 미치는 데 충분한 원자 이동도를 갖는 온도는 절대 용융점 온도 T_m의 약 1/3~1/2 사이의 온도 범위이다." 이런 온도 범위에서 나타나는 미세구조상의 결과를 **재결정**(recrystallization)이라고 하며, 그림 10.30(a), (b)에서 볼 수 있다. 냉간 가공으로 인해 응력이 집중된 구역에서 응력이 해소된 등방성의 핵이 발생하며, 그림 10.30(b)와 같이 전체 미세구조를 이룰 때까지 성장한다. 핵생성은 계를 안정화하기 위해 일어나는 반응이므로 냉간 가공도가 클수록 핵이 생성되는 양이 많아진다. 결과적으로 재결정된 미세구조의 결정립도는 냉간 가공도가 클수록 작다. 어닐링에 의한 경도 감소는 그림 10.31에서 보여주는 바와 같이 상당히 크다. 끝으로 재결정에 대한 설명 앞부분에서 인용한 유

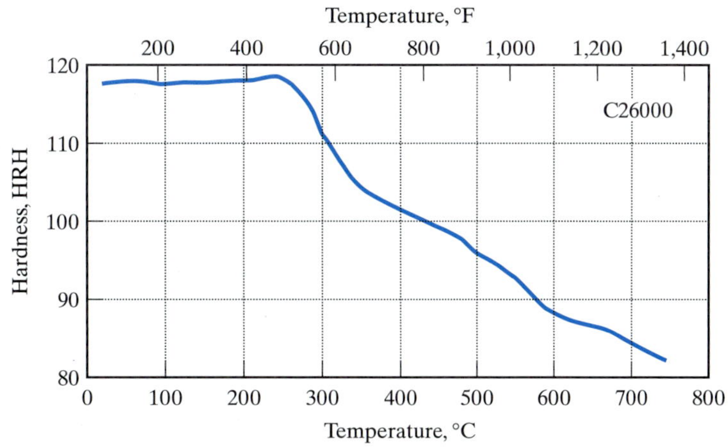

그림 10.31 경도의 급격한 감소는 C26000 합금(카트리지 황동)에 대한 재결정 온도가 약 290°C임을 의미한다. (From *Metals Handbook*, 9th ed., Vol. 4, American Society for Metals, Metals Park, OH, 1981.)

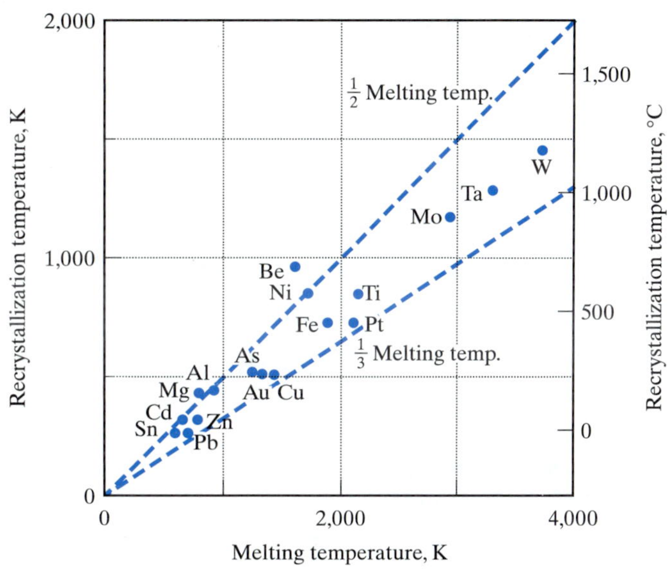

그림 10.32 여러 금속에 관한 용융점 대 재결정 온도의 관계. 이것은 절대 온도 척도로 대략 $\frac{1}{3}$~$\frac{1}{2}T_m$의 온도 이상에서는 원자 이동이 기계적 성질에 영향을 미치는 데 충분하다는 유용한 지침의 도식적 표현이다. (From L. H. Van Vlack, *Elements of Materials Science and Engineering*, 3rd ed., Addison-Wesley Publishing Co., Inc., Reading, MA, 1975.)

용한 지침은 **재결정 온도**(recrystallization temperature)를 효과적으로 정의한다(그림 10.32 참고). 주어진 합금 조성에 대해 정확한 재결정 온도는 냉간 가공도(% CW)에 약간 영향을 받는다. 높은 값의 % CW는 더 많은 변형 경화를 일으키고, 따라서 더 낮은 재결정 온도를 수반한다. 즉 더 적은 열에너지로도 미세구조를 변화시킬 수 있는 것이다(그림 10.33).

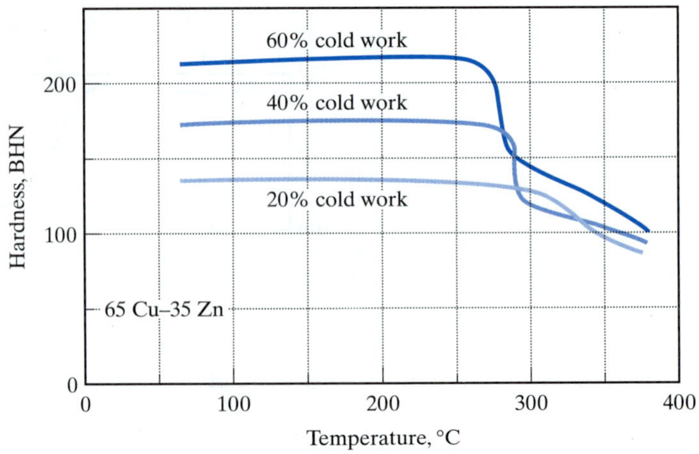

그림 10.33 이 냉간 가공된 황동 합금에 대해 재결정 온도는 냉간 가공도를 증가시킴에 따라 약간씩 감소한다. (From L. H. Van Vlack, *Elements of Materials Science and Engineering*, 4th ed., Addison-Wesley Publishing Co., Inc., Reading, MA., 1980.)

결정립 성장

재결정[그림 10.30(b)] 중의 미세구조 변화는 자발적으로 일어나며 재결정된 구조는 냉간 가공된 구조[그림 10.30(a)]에 비해 안정적이다. 그러나 재결정 과정에서 결정립계가 많이 생성되며, 이러한 고에너지 계면의 수가 적을수록 계는 더 안정화된다. 이와 같은 이유로 조대한 펄라이트는 안정하다(그림 10.10). 어닐링 과정에서 결정립이 성장하여 미세구조가 조대화되는 것 역시 마찬가지의 이유에서이다. **결정립 성장**(grain growth)은 표면적을 감소시키기 위해 비눗방울이 합쳐지는 현상과 다르지 않다. 그림 10.34는 이러한 결정립 성장이 재료를 크게 연화시키지 않는다는 것을 보여준다. 연화는 주로 재결정 과정에서 발생한다.

예제 10.9

카트리지 황동(cartridge brass)은 대략 70 wt % Cu와 30 wt % Zn의 조성으로 되어 있다. 그림 10.32에서 보여주는 경향과 비교하여 이 합금의 재결정 온도 대 용융점의 비는 어떠한가?

풀이

그림 10.31에 의해 표시되는 재결정 온도(T_R)는 약 290°C이다. Cu-Zn 상태도(그림 9.28)에 의해 표시되는 이 조성에 대한 용융점은 약 920°C이다. 용융점에 대한 재결정 온도의 비는 다음과 같다.

$$\frac{T_R}{T_m} = \frac{(290 + 273)\ \text{K}}{(920 + 273)\ \text{K}} = 0.47$$

이것은 그림 10.32에서 점선으로 표시하는 1/3~1/2 범위 안에 놓인다.

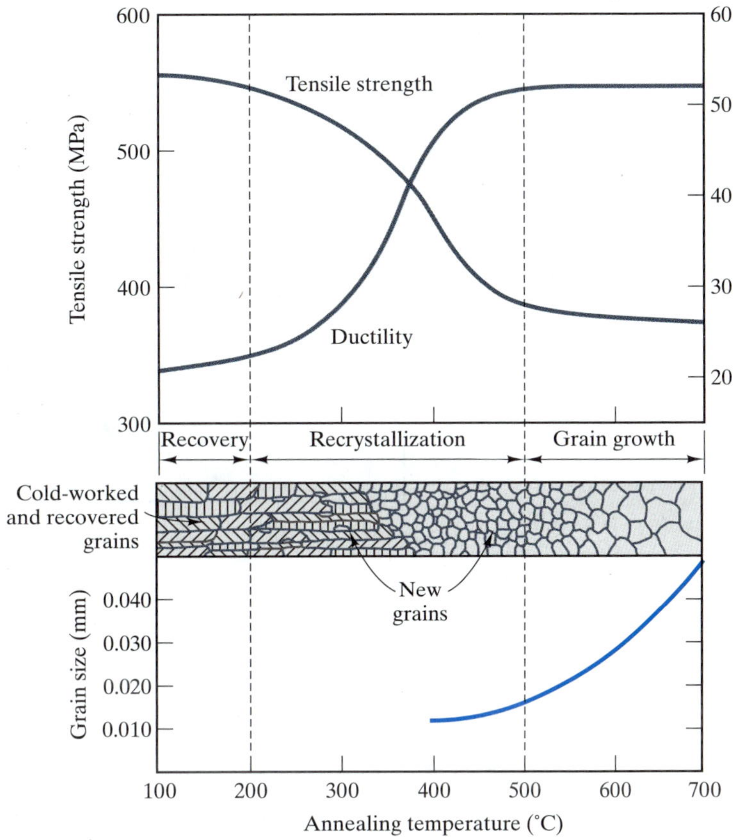

그림 10.34 어닐링 온도가 황동 합금의 강도와 연성에 미치는 영향을 나타낸 그림. 황동 합금은 재결정 과정에서 가장 연화가 잘되는 합금이다. (After G. Sachs and K. R. Van Horn, *Practical Metallurgy: Applied Physical Metallurgy and the Industrial Processing of Ferrous and Nonferrous Metals and Alloys*, American Society for Metals, Cleveland, OH, 1940.)

연습문제 10.9

예제 10.9의 결과에 유의하면서 Cu-Zn 합금의 재결정 온도 영역을 순수한 Cu에서 순수한 Zn까지 조성의 함수로 계산하여 도식적으로 나타내시오.

10.6 비금속의 상변태 속도론

지금까지 9장의 상태도에서 다룬 것과 마찬가지로, 금속 재료의 상변태 속도론도 다루어보았다. 비금속 재료에서 상변태의 속도를 아는 것 역시 금속 재료 못지않게 중요하다. 몇 가지 단일 성분(single component) 고분자의 결정화는 그림 10.5에 나타낸 핵생성과 성장 속도론의 모델과 동일하다. 실리콘의 용융과 응고 속도의 세심한 제어는 반도체 공업의 기본이 되는 큰 단결정의 성장과 연관된 정제(purification)에

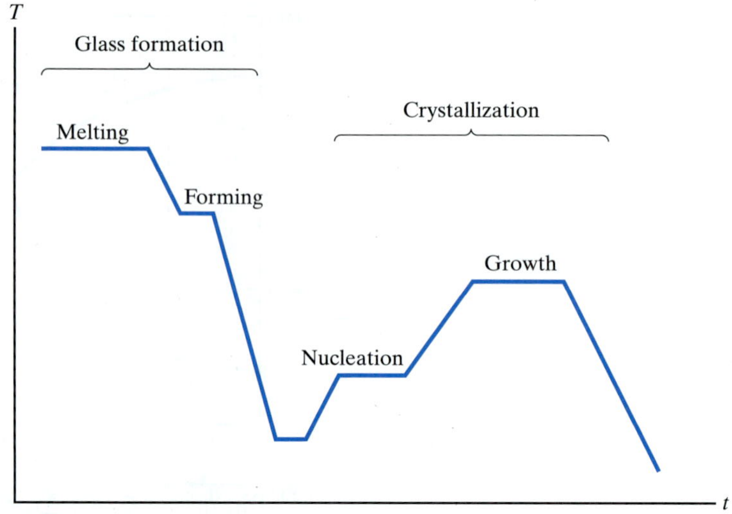

그림 10.35 결정립의 핵생성과 성장을 제어하여 결정화 유리를 생산하기 위한 전형적인 열이력

매우 중요하다. 상태도에서와 같이 세라믹은 고분자나 반도체에 비해 금속 속도론과 유사한 거동을 보인다.

TTT 선도가 이 비금속 재료에는 광범위하게 사용되지 않지만, 유리의 결정화 등 변태 속도가 제조 공정에서 중요한 역할을 하는 경우에는 사용되는 경우가 많다. 이 관점에서 결정화 유리(glass-ceramics)는 핵생성과 성장 속도론과 밀접하게 연관되어 있다. 이러한 제품은 유리로 성형한 후 다결정 특성을 나타내기 위해 결정화 단계를 거친다. 그 결과 형상이 복잡하지만 강한 세라믹을 경제적인 가격으로 만들 수 있다. 결정화 유리를 생산하기 위한 전형적인 온도-시간 과정이 그림 10.35에 나타나 있다. 이러한 흥미 있는 재료는 11장에서 보다 자세히 다룬다.

CaO-ZrO_2 상태도는 그림 9.29에 나타냈다. 안정화 지르코니아(stabilized zirconia)를 만들기 위해서는 입방정 지르코니아 고용체상을 형성하기 위해 ZrO_2에 충분한 CaO(20 mol % 정도)를 첨가해야 함을 알 수 있다. 실제로 2상(단사정 지르코니아 + 입방정 지르코니아) 영역의 조성을 갖는 부분 안정화 지르코니아(PSZ)는 완전하게 안정화된 재료에 비해 우수한 기계적 성질, 특히 열충격 저항(7.4절 참고)을 나타낸다. 전자현미경을 통해 부분 안정화 재료의 냉각 중에 입방정상 내에서 단사정 석출물이 형성되는 것을 볼 수 있다. 이 석출 강화(precipitation strengthening)는 금속에서 석출 경화와 비슷하다. 순수 지르코니아에서 사방정에서 단사정으로의 상변태가 마르텐사이트 형태의 변태임을 전자현미경 사진으로 알 수 있다(그림 10.36).

결정 성장이라는 주제는 최근 수십 년 동안 세라믹 가공 공정의 개발 과정에서 특별히 중요한 역할을 했다. 미세구조적으로 민감한 성질의 첫 번째 예는 다결정 Al_2O_3 세라믹의 투명성이었다(1장의 '재료의 세계' 참고). 만약 내부에 본질적으로

그림 10.36 마르텐사이트 변태의 미세구조적 특성을 보여주는 단사정 지르코니아의 투과 전자현미경 사진. T로 표시된 쌍정이 분명하게 존재한다. 쌍정계면의 원자 규모의 예시에 대한 그림 4.15와 마르텐사이트 강의 미세구조에 관한 그림 10.13을 참고하자. (Courtesy of Arthur H. Heuer.)

기공이 없다면 재료는 거의 투명하게 될 수 있다. 그러나 이것은 고체 확산을 이용한 분말 치밀화 과정을 통해 생성된다. 이 치밀화 단계에서 이웃 입자 사이의 기공은 점진적으로 수축된다. 이 전체 과정을 **소결**(sintering)이라고 하는데 가열에 의해 용융 없이 치밀한 덩어리를 형성하는 과정을 말한다. 이것은 '슬래그'나 '재'를 의미하는 그리스어 *sintar*에서 유래한 용어이다. 이것은 더 일반적인 용어인 *cinder*와 같은 어원을 갖는다. 이웃한 입자들 사이에서 입계로부터 원자가 확산하며 수축이 일어난다. 사실상 기공은 확산되는 물질에 의해 채워진다(그림 10.37). 그러나 결정립 성장은 기공 수축이 완료되기 전에 시작될 수 있다. 그 결과 몇몇 기공이 결정립 내에 포획(trapped)된다. 결정립계로부터 기공으로의 확산 경로는 매우 길어서 기공 제거가 더욱 힘들게 된다(그림 10.38). 알루미늄 산화물에 관한 미세구조는 1장의 '재료의 세계'에서 논의했다. 이 문제의 해결책은 소량(대략 0.1 wt %)의 MgO을 첨가하는 것이며, MgO는 결정립 성장을 심하게 지연시켜서 기공의 소멸을 돕는다. 그에 따른 미세구조 역시 1장의 '재료의 세계'에서 논의했다. 결정립 성장이 지연되는 것은 Mg^{2+} 이온이 핀닝(pinning) 기구에 의해 결정립계의 이동도를 지연시키는 것과 연관이 있다고 알려져 있다. 이러한 연구를 통해 투명한 다결정 세라믹을 제조할 수 있는 기술이 발전했다. (1.3절에서 보았던 투명한 산화물을 떠올려보자.)

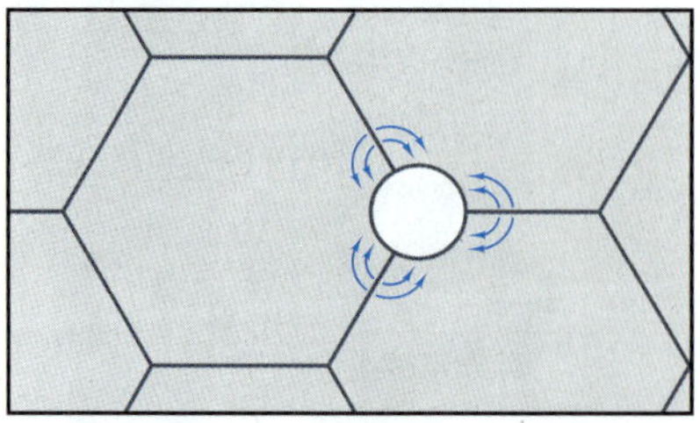

그림 10.37 압분체 수축으로 인한 소결은 결정립계에서 기공으로 원자가 확산되며 일어난다. 각각의 결정립은 원래 최초 압분체 분말의 입자였다.

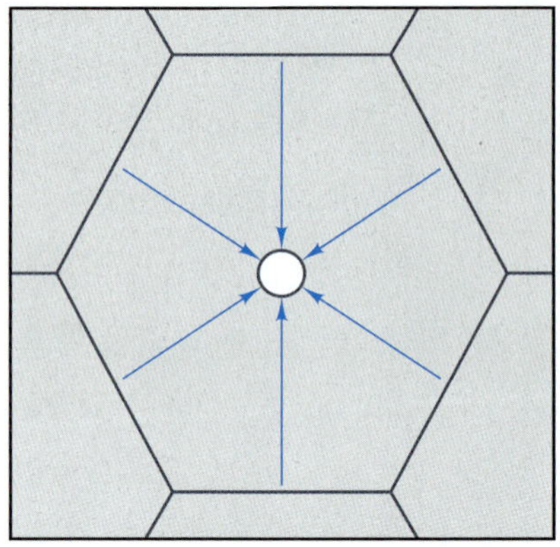

그림 10.38 결정립 성장은 분말 압분체의 치밀화를 방해한다. 결정립계와 결정립 내부에 갇힌 기공의 거리는 매우 멀다.

재료의 세계

자장 활용 소결 기술(FAST)

이 장에서는 상대적으로 높은 용융점을 가지는 재료에서 중요한 제조 기술 중 하나인 소결에 대해 소개하고자 한다. 소결은 각각의 분말 입자가 고상 확산으로 결합하며 일어나는 분말의 치밀화를 통해 이루어진다. 이 치밀화는 용융 후 응고시키는 주조 공정보다 일반적으로 낮은 온도에서 일어난다. 그러나 소결 역시 속도론과 관련하여 살펴볼 요소가 있다. 충분히 높은 온도에서는 분말 입자가 고상 확산을 통해 잘 결합되지만 결정 성장 역시 잘 일어난다(그림 10.38 참고).

이러한 속도론적 결정 성장을 최소화하기 위해 제안된 새로운 해결책으로 **자장 활용 소결 기술**(field-assisted sintering technique, FAST)이 있다. 그림과 같이 도시되는 FAST 기술이 다른 기술과 구별되는 특징은 분말 샘플이 외부 전류에 의해 직접 가열된다는 것이다(기존 소결 공정은 분말 샘플이 코일로 둘러싸여 있는 용기 속에서 흐르는 전류에 의해 간접적으로 가열된다). 부도체 분말 샘플을 FAST 기술을 이용하여 가열하는 경우 다이(die)와 펀치(punch)의 저항으로 인해 발생하는 열을 이용한다.

소결 장비는 분말에 압력을 주기 위한 기계적 장치(다이와 펀치를 포함)와 펄스 전류와 일정한 직류 전류(DC)를 공급해주는 전기장치로 이루어진다. 특정 펄스 전류는 낮은 전압(≈30 V)과 높은 전류(≈1,000 A)를 가함으로써 얻어진다. 짧은 펄스의 주기는 1~300 ms 사이이다. 이러한 짧은 펄스는 소결 공정 동안 또는 일정한 직류 전류를 공급하기 전에 가해질 수 있다.

FAST의 가장 큰 장점은 저온에서 빠르게 소결을 할 수 있다는 점이다. 예를 들어 질화알루미늄(ALN)을 완전히 소결시키기 위해 FAST 기술을 이용하면 2,000 K에서 5분이 걸린다. 그러나 일반적인 방법을 이용하면 2,200 K에서 30시간 이상이 걸리며 밀도는 95%밖에 되지 않는다. 소결 온도가 낮고 소결 시간이 짧다는 특징이 있는 FAST 기술은 나노 크기 결정립을 만드는 데 중요한 기술이다. 미세구조와 달리 나노구조는 15장에서 소개할 나노 기술만의 장점을 갖고 있다.

결론적으로 FAST는 차세대 과학을 이끌어가는 기술

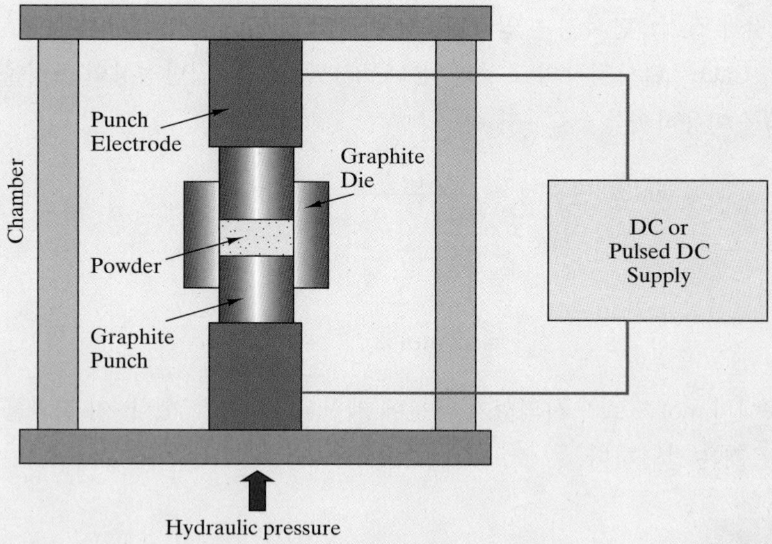

자장 활용 소결 기술(FAST) 시스템 (Courtesy of J. R. Groza, University of California, Davis.)

중 하나임에 틀림없다. FAST 기술은 압력이 가해진 상태에서 분말 입자 간 전기적으로 방전되어 있다는 장점이 있다. 이러한 성공적인 소결 기술은 많은 시행착오 후에 개발되었지만 입자 간 전기적인 방전에 대한 정확한 메커니즘은 아직까지 완전히 밝혀지지 않고 있다. 이 기술은 **스파크 플라스마 소결**(spark plasma sintering, SPS)로 널리 설명되고 있으나, 전기적 스파크나 플라스마 형성이 실제로 일어나는지에 대해서는 약간의 의문점이 있다. 그럼에도 불구하고 주요 세라믹[즉 Al_2O_3, AlN, Si_3N_4, TiN, TiO_2, Al_2TiO_5, 하이드록시아파타이트, $Ca_{10}(PO_4)_6(OH)_2$]을 포함하는 많은 종류의 재료가 이 기술로 생산되고 있다.

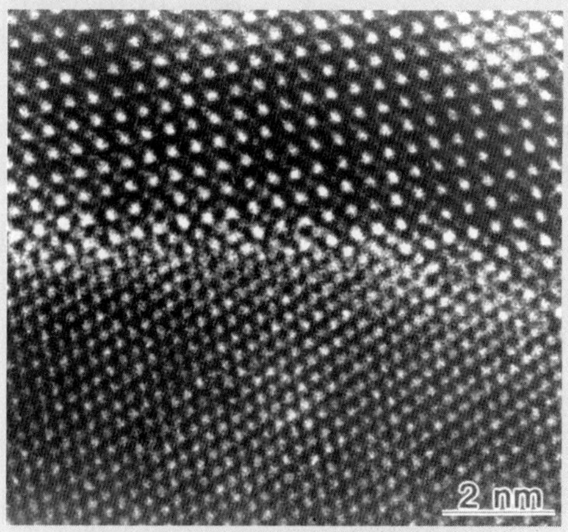

고배율 투과 전자현미경 사진은 FAST 기술에 의해 완전한 치밀화가 이루어진 AlN의 뚜렷한 결정 입계를 보여준다. 각각 완벽한 규칙성을 갖는 결정립이 경계면까지 완전하게 분포하고 있다. (Courtesy of J. R. Groza, University of California, Davis.)

예제 10.10

3.4 wt % CaO의 전체 조성을 갖는 부분 안정화 지르코니아의 미세구조에서 발견할 수 있는 단사정상의 최대량을 계산하시오.

풀이

이것은 상태도와 속도론 사이의 중요한 관계를 다루는 또 다른 예이다. $CaO-ZrO_2$ 계(그림 9.29) 중 상온에서 단사정상의 평형 농도를 계산함으로써 예측할 수 있다.

3.4 wt % CaO 조성은 약 7 mol % CaO에 해당된다(그림 9.29에서 상하 조성 눈금으로 보여주는 것과 같이). 단사정 + 입방정 2상 구역의 상 경계를 상온까지 연장시키면 약 2 mol % CaO의 단사정상의 조성과 약 15 mol % CaO의 입방정상의 조성을 얻는다. 식 (9.9)를 이용하여

$$\text{mol \% 단사정} = \frac{x_{\text{cubic}} - x}{x_{\text{cubic}} - x_{\text{mono}}} \times 100\%$$
$$= \frac{15 - 7}{15 - 2} \times 100\%$$
$$= 62 \text{ mol\%}$$

주: 그림 9.29에서 mol %로 도시되었기 때문에 계산을 mol %로 했다. 이 결과를 wt %로 환산하는 것은 간단하다.

연습문제 10.10

예제 10.10으로부터 얻은 62 mol %를 wt %로 환산하시오.

요약

9장에서 온도와 조성의 2차원 지도로 (1기압의 고정된 압력에서) 상태도를 나타냈다. 이 장에서 미세구조 형성의 속도론을 관찰하기 위해 제3의 차원으로 시간을 추가했다. 시간에 의존하는 상변태는 새로운 상의 핵생성을 시작으로 그 성장이 뒤따른다. 전체 변태 속도는 평형 변태 온도 이하의 어느 정도 낮은 온도에서 최대가 된다. 이것은 온도가 낮아짐에 따라 증가하는 불안정성과 온도가 낮아짐에 따라 감소하는 원자 확산율 사이의 경쟁 때문이다. 온도 대 시간의 도표 위에 변태 백분율을 도시한 것이 TTT 선도이다. TTT 선도의 첫 번째 예는 공석강 조성(0.77 wt % C)에 대해 주어진다. 펄라이트와 베이나이트는 오스테나이트의 냉각에 의해 형성되는 확산 생성물이다. 만약 오스테나이트가 충분히 급냉되면 무확산(또는 마르텐사이트) 변태가 일어난다. 그 생성물은 마르텐사이트라고 알려진 준안정상이며, Fe 내에 C가 과포화된 고용체이다. 확산과 무확산 변태의 제어는 강 열처리에 기초가 된다. 예를 들어 템퍼링은 무확산 마르텐사이트 변태를 위해 오스테나이트를 퀜칭한 후, α-Fe와 Fe_3C의 평형상으로 마르텐사이트를 확산 변태시키기 위해 재가열하는 것이다. 이 템퍼링된 마르텐사이트는 펄라이트나 베이나이트와는 다르다. 마르템퍼링은 약간 다른 열처리로서 강을 마르텐사이트 생성 온도 바로 위까지 퀜칭한 후 마르텐사이트 영역으로 서서히 냉각시킨다. 이 처리는 퀜칭 시 마르텐사이트 변태에 의한 응력을 감소시킨다. 템퍼링된 마르텐사이트를 형성하기 위해 재가열하는 것은 앞에서와 같이 동일하다. 열처리의 세 번째 형태는 오스템퍼링이다. 이것은 다시 마르텐사이트 구역 바로 위에서 퀜칭을 잠시 멈춘다. 그러나 이 경우에는 급냉된 오스테나이트를 베이나이트 형성이 충분히 될 수 있도록 오랫동안 항온에서 유지시킨다. 이것은 재가열 단계가 필요하지 않다. 강이 퀜칭에 의해 경화될 수 있는 능력을 경화능이라고 한다. Jominy 시험을 통해 간단히 평가할 수 있다. Al-Cu 합금계에서 고농도의 Al 합금은 석출 경화의 아주 좋은 예이다. 상태도의 단일상 영역으로부터 냉각시켜 제2상 석출물을 생성하고, 이를 통해 전위 이동이 방해를 받아 재료의 강화가 가능하다. 어닐링은 냉간 가공된 합금에서 경도를 감소시키는 열처리이다. 냉간 가공은 비교적 낮은 온도에서 합금을 기계적으로 변형시키는 것이다. 어닐링과 조합을 이루어, 냉간 가공을 통해 넓은 범위의 기계적 거동을

제어할 수 있다. 어닐링의 초기 단계는 회복이며, 구조적 결함에 미치는 원자 이동도의 효과로 인해 약간의 경도 감소가 일어난다. 원자 이동이 허용되기 위해서는 온도의 상승이 필요하다. 약간 높은 온도에서는 재결정으로 인해 보다 극적인 경도 감소가 일어난다. 심하게 냉간 가공된 미세구조는 작고, 응력이 제거된 결정립으로 변태한다. 시간이 지나면서 새로운 미세구조에서 결정립 성장이 일어난다.

비금속 재료에서 시간은 미세구조의 형성에 결정적인 역할을 한다. 고분자와 세라믹에 대한 몇 가지 예가 주어졌다. 결정화 유리 생산은 유리의 결정화를 응용한 핵생성과 성장 이론의 보편적인 예이다. 구조용 지르코니아 세라믹은 확산형과 무확산형 변태에 의해 형성되는 미세구조를 나타낸다. 투명한 다결정질 세라믹의 생산은 압축된 입자의 치밀화(소결)를 통해 결정립 성장을 적절하게 제어한 결과이다.

주요 용어

결정립 성장(grain growth)
경도(hardness)
경화능(hardenability)
과시효(overaging)
균일 핵생성(homogeneous nucleation)
냉간 가공(cold work)
등온 변태 선도(isothermal transformation diagram)
마르텐사이트(martensite)
마르텐사이트 변태(martensitic transformation)
마르템퍼링(martempering)
무확산 변태(diffusionless transformation)
베이나이트(bainite)
불균형 핵생성(heterogeneous nucleation)
석출 경화(precipitation hardening)
소결(sintering)
속도론(kinetics)
스파크 플라스마 소결(spark plasma sintering, SPS)
시효 경화(age hardening)
어닐링(annealing)
연속 냉각 변태 선도(continuous cooling transformation (CCT) diagram)
열처리(heat treatment)
오스테나이트(austenite)
오스템퍼링(austempering)
용체화 처리(solution treatment)
자장 활용 소결 기술(field-assisted sintering technique, FAST)
재결정(recrystallization)
재결정 온도(recrystallization temperature)
정합 계면(coherent interface)
준안정(metastable)
템퍼링(tempering)
템퍼링된 마르텐사이트(tempered martensite)
펄라이트(pearlite)
핵생성(nucleation)
확산 변태(diffusional transformation)
회복(recovery)
G. P. 구역(Guinier-Preston zone)
Jominy 시험(Jominy end-quench test)
TTT 선도(TTT diagram)

참고문헌

ASM Handbook, Vol. 4A-4E, ASM International, Materials Park, OH, 2013-2016. 이 5권 세트는 광범위한 철, 강철 및 비철 합금의 열처리에 대한 포괄적인 내용을 제공한다.

Carter, C.B., and **M.G. Norton,** *Ceramic Materials: Science and Engineering*, 2nd ed., Springer, New York, 2013.

Chiang, Y., D. P. Birnie III, and **W. D. Kingery,** *Physical Ceramics*, JohnWiley & Sons, Inc., New York, 1997.

복습문제

10.1 _ 시간: 제3차원

10.1 알루미늄 합금계에서 결정 성장에 대한 활성화 에너지는 120 kJ/mol이다. 합금의 온도를 500°C에서 실온(25°C)으로 내렸을 때 결정 성장 변화율을 결정짓는 요인은 무엇인가?

10.2 상변태는 __________에서 가장 빠르게 일어날 것이다.

10.3 비록 10.1절이 액체의 결정핵과 그 성장에 집중되어 있기는 하지만 비슷한 운동 법칙은 고체 상태의 변화에도 적용된다. 예를 들어 식 (10.1)은 10 wt % Sn-90 wt % Pb 합금이 α 상태에서 냉각 과포화될 때 β 석출률을 나타내는 데 사용될 수 있다. 주어진 석출률이 20°C와 0°C에서 각각 $3.77 \times 10^3\ s^{-1}$과 $1.40 \times 10^3\ s^{-1}$일 때 이 과정에 대한 활성화 에너지를 계산하시오.

10.4 균일 핵생성에서 형성된 핵은 __________ 보다 크다면 계속 성장할 것이다.

10.5 그림 10.3과 관련하여 단위 부피당 부피 에너지 감소를 ΔG_v, 핵의 단위 면적당 표면 에너지를 σ라고 했을 때의 함수 r_c에 대한 식을 유도하시오. 구의 면적은 $4\pi r^2$이고 그 부피는 $(\frac{4}{3})\pi r^2$임을 상기하시오.

10.6 액체에서 결정화를 위한 최대 핵생성 속도는 확산도와 __________의 곱의 최댓값이다.

10.7 오스테나이트로부터 펄라이트로 성장되는 비율에 대한 이론적 표현식이 다음과 같다.

$$\dot{R} = Ce^{-Q/RT}(T_E - T)^2$$

여기서 C는 상수, Q는 오스테나이트에서 탄소 확산의 활성화 에너지, R는 기체 상수, T는 평형-변태 온도 T_E보다 낮은 절대 온도이다. 변태 곡선이 꺾어지는 부분인 최대 성장률에 대응하는 온도 T_M에 대한 표현식을 유도하시오.

10.8 액체의 최대 전체 결정화 속도는 핵생성 속도와 __________의 곱의 최댓값에 해당한다.

10.2_ TTT 선도

10.9 (a) 1050 강(0.5 wt % 탄소강)이 10분간 330°C로 퀜칭 후 실온에서 냉각된다. 그 결과로 생성된 미세구조는 어떠한가? (b) 이 열처리의 이름은 무엇인가?

10.10 (a) 공석강이 (i) 500°C로 퀜칭되어, (ii) 5초간 유지되었으며, (iii) 실온으로 퀜칭되다가, (iv) 다시 1시간 동안 300°C로 재가열되다가, (v) 실온으로 냉각되었다. 마지막 상태의 미세구조는 어떠한가? (b) (a)에서 수행한 열처리를 1.13 wt % 탄소강에 동일하게 적용한다면 그 미세구조는 어떻게 되겠는가?

10.11 (a) 1.13 wt % 탄소강이 (i) 200°C로 퀜칭되어, (ii) 하루 동안 유지되었으며, (iii) 실온으로 서냉되었다. 마지막 상태의 미세구조는 어떠한가? (b) 같은 열처리를 0.5 wt % 탄소강에 적용한다면 그 미세구조는 어떻게 되겠는가?

10.12 세 가지 공석강이 다음 열처리를 거쳤다. (a) 600°C로 퀜칭되어 2분 동안 유지되었으며 실온으로 냉각되었다. (b) 400°C로 퀜칭되어 2분 동안 유지되었으며 실온으로 냉각되었다. (c) 100°C로 퀜칭되어 2분 동안 유지되었으며 실온으로 냉각되었다. 이 열처리를 거친 최종 결과물의 경도가 줄어드는 정도로 열처리를 나열하고 그 대답을 설명하시오.

10.13 (a) 공석강이 727°C에서 200°C로 일정하게 하루 동안 냉각되었다. 이 냉각 곡선을 그림 10.11의 TTT 선도에 보충하시오. (b) (a)로부터의 도시 결과에서 처음 상태 변형이 일어나는 온도는 몇 도인가? (c) 관찰되는 처음 상태는 어떠한가? (연속 냉각 과정에 대한 등온 선도는 실제에 대한 근삿값이라는 점을 떠올리자.)

10.14 펄라이트 형성은 __________의 예시이다.

10.15 마르텐사이트 형성은 __________의 예시이다.

10.16 (a) 그림 10.11, 10.15, 10.16을 자료로 이용하여 마르텐사이트 변형이 시작되는 온도인 M_s를 탄소 함유량의 함수로 그리시오. (b) (a)를 마르텐사이트 변형이 50% 완료된 온도인 M_{50}에 대해 반복하시오. (c) (a)를 마르텐사이트 변형이 90% 완료된 온도인 M_{90}에 대해 반복하시오.

10.17 펄라이트와 베이나이트의 미세구조적 차이는 무엇인가?

10.18 펄라이트와 마르텐사이트의 미세구조적 차이는 무엇인가?

10.19 TTT 다이어그램과 비교하여 연속 냉각 변태 선도 곡선은 __________ 이다.

10.20 템퍼링된 마르텐사이트는 __________ 이다.

10.21 그림 10.7의 TTT 선도에서 50% 완료된 점선 곡선이 시작(1%)과 완료(99%) 중간에 있음은 유의할 만하다. 또한 그 변형 발전이 선형으로 이뤄지는 것이 아니라 자연상에서 s-곡선임에도 유의하자. 예를 들어 그림 10.7을 자세히 보면 500°C에서 1%, 50%, 99% 완료는 각각 0.9초, 3.0초, 9.0초에 일어났다. 그 중간의 완료 자료가 다음과 같이 주어졌다.

% completion	t(s)
20	2.3
40	2.9
60	3.2
80	3.8

500°C에서 몇 퍼센트 완료되는지에 대한 log t를 s-곡선으로 그리시오.

10.22 오스템퍼링은 __________ 이다.

10.3 _ 경화능

10.23 (a) 적어도 4140 강에 있는 Rockwell C40의 경도를 보장하기 위한 퀜칭 속도를 지정하시오. (b) 같은 합금에서 Rockwell C40의 경도만 보장하는 퀜칭 속도를 지정하시오.

10.24 4340 강의 표면이 단조되다가 예상치 못하게(700°C에서) 100°C/s 비율로 퀜칭되었다. 원래 단조는 Rockwell C46과 Rockwell C48 사이의 경도를 유지하고자 했는데, 소거 후에도 과연 그렇겠는지 답하시오.

D **10.25** 회전 속도 조절 바퀴의 축이 8640 강으로 만들어졌는데, 그 표면의 경도는 Rockwell C35이다. 경도를 Rockwell C45로 늘리기 위해 필요한 냉각 비율을 계산하시오.

10.26 위 문제 10.25를 9840 강에 대해 반복하시오.

10.27 4140 강 막대를 700°C에서 수조에 휘저어 퀜칭했는데 그 표면은 100°C/s 비율로 퀜칭되었다. Jominy 시험 자료를 가지고 이 퀜칭으로 얻어진 표면 경도를 예상하시오. (주: 여기서 서술된 퀜칭은 Jominy 배열을 따르지 않지만, 그래도 Jominy 자료는 퀜칭 속도 함수에 따른 일반적 정보를 제공한다.)

10.28 20°C/s 퀜칭 속도로 유조에 휘저을 경우에 대해 위 문제 10.27을 반복하시오.

10.29 퀜칭한 철 막대를 액체 속에 휘저어 표면보다 그 중심이 훨씬 더 서냉되도록 했다. 다음 자료는 4140 강 막대의 여러 지름별 처음 퀜칭 속도이다(700°C에서 시작).

Position	Quench rate (°C/s)
center	35
15 mm from center	55
30 mm from center (at surface)	200

(a) 막대가 대칭이라 가정하고 막대의 지름별 퀜칭 속도를 그리시오.
(b) Jominy 시험 자료를 가지고 이 지름별 퀜칭으로 얻어진 표면 경도를 그리시오. (주: 여기서 서술된 퀜칭은 Jominy 배열을 따르지 않지만, 그래도 Jominy 자료는 퀜칭 속도 함수에 따른 일반적 정보를 제공한다.)

10.30 경화능이란 __________ 이다.

D **10.31** 복잡한 모양의 5140 강을 열처리할 때 표면에서 3 mm 아래가 Rocwell C30의 강도를 얻도록 기름에 휘저어 최종 소거했다. 그러나 설계 목적상 Rocwell C45 경도가 요구되기에 이 경도는 적당하지 않다. 열처리 과정이 동일할 때 Rocwell C45 경도를 얻기 위한 합금 대체물을 선택하시오.

10.32 일반적으로 경화능은 합금 첨가가 줄어들수록 줄어든다. 이 개념을 보이기 위해 그림 10.24에 나타낸 다른 xx40 강에 더해 다음 자료를 가지고 보충하여 다시 그리시오.

Distance from quenched end (in sixteenths of an inch)	Rockwell C hardness
2	44
4	27
6	22
8	18
10	16
12	13
14	12
16	11

10.4_석출 경화

10.33 95 Al-5 Cu 합금이 최대 5 wt % θ 석출을 형성할 숙성 온도는 얼마인가?

10.34 석출 경화와 용체화 처리 간의 관계는 무엇인가?

10.35 2차상 석출은 가열로써 활성화되는 과정이며, Arrhenius 표현식으로 최대 경도에 도달하기까지의 시간을 산출할 수 있다[그림 10.27(b) 참고]. 첫 번째 근삿값으로서 t_{max}가 최대 경도에 도달하기까지의 시간일 때 t_{max}^{-1}를 '비율'로 가정할 수 있다. 주어진 알루미늄 합금에 대해 t_{max}는 160°C에서 40시간이고, 200°C에서는 4시간만 걸린다. 식 (5.1)을 이용하여 이 석출 과정의 활성화 에너지를 계산하시오.

10.36 시효 경화와 과시효 간의 관계는 무엇인가?

10.5_어닐링

10.37 90:10 Ni-Cu 합금이 심하게 냉간 가공되었다. 이 가공은 구조적 설계로 사용되어 200°C로 1시간 동안 유지된다. 어닐링 효과가 나타나겠는가?

10.38 어닐링과 냉간 가공 간의 관계는 무엇인가?

10.39 12 mm 지름의 철 막대가 10 mm 지름의 다이를 통해 인발된다. 그 결과로서 냉간 가공은 몇 퍼센트인가?

10.40 어닐링과 회복 간의 관계는 무엇인가?

10.41 재결정은 가열로 활성화되는 과정이며, Arrhenius 표현식으로 특징지을 수 있다[식 (5.1)]. 첫 번째 근삿값으로서 t_R가 미세구조가 완전히 재결정하기까지의 시간일 때 t_R^{-1}을 '비율'로 가정할 수 있다. 주어진 75% 냉간 가공된 알루미늄 합금에 대해 t_R는 250°C에서 100시간이고, 280°C에서는 10시간만 걸린다. 이 재결정 과정의 활성화 에너지를 계산하시오(석출 경화에 대해 비슷한 방법을 적용한 복습문제 10.35 참고).

10.42 어닐링과 재결정 간의 관계는 무엇인가?

10.6_비금속의 상변태 속도론

10.43 세라믹 분말의 소결은 가열로 활성화되는 과정이며, 확산과 재결정에 따른 온도에 대한 유용한 지침을 공유한다. 다음에 대해 최저 소결 온도를 추정하시오. (a) 순수 Al_2O_3, (b) 순수 멀라이트, (c) 순수 첨정석(그림 9.23과 9.26 참고)

10.44 4개의 세라믹 상태도가 그림 9.10, 9.23, 9.26, 9.29에 묘사되었다. 어느 시스템이 석출 경화가 가능한 열처리 방법이겠는가? 간단하게 설명하시오.

10.45 $BaTiO_3$에 대한 총소결률이 750°C와 794°C 사이에서 10배로 증가했다. $BaTiO_3$를 소결하는 데 필요한 활성화 에너지를 계산하시오.

10.46 결정화 유리와 속도론 간의 관계는 무엇인가?

10.47 실온에서 습기 흡수는 일반 공정 고분자인 나일론 조각에서 서서히 나타난다. 이 흡수는 차원을 증가시키면서 더 낮은 힘으로 작동한다. 차원을 안정화하기 위해 나일론 제품은 때때로 뜨거운 물이나 끓는 물에 투입하는 예비적인 '수분 조절'을 거치게 된다. 60°C에서 5 mm 두께의 나일론 조각을 3% 수분 함량으로 조절하는 데 걸리는 시간이 24시간이고, 77°C에서 같은 크기의 조각을 조절하는 데에는 8시간이 걸린다. 원래 이 조절은 확산하는 성질이 있으며, 다른 온도에 대해 걸리는 시간은 Arrhenius 표현식으로 추정할 수 있다[식 (5.1)]. 이 수분 조절 과정에 필요한 활성화 에너지를 계산하시오.

10.48 소결과 속도론 간의 관계는 무엇인가?

PART 2

재료와 응용

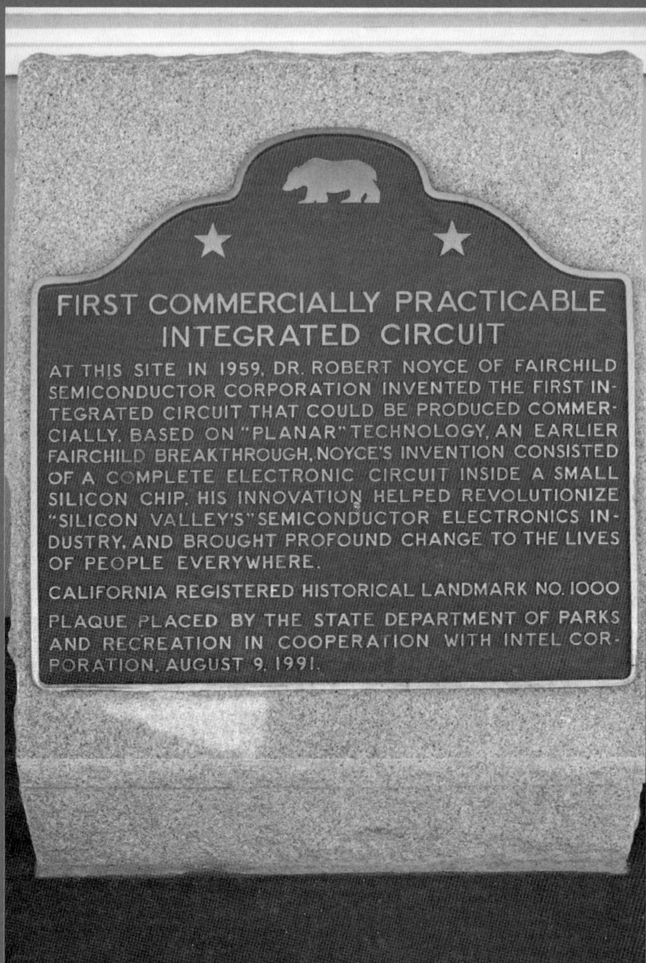

진행 중인 역사! 이 표지판은 우리의 일상생활을 혁신적으로 바꾼 Robert Noyce의 발명품(집적 회로)을 기념하기 위한 것이다. (13장 '재료의 세계' 참고) (© Jason O. Watson/historicalmarkers.org/Alamy.)

현대적 건물은 모든 범주의 구조 재료의 정교한 집합체이다. 캘리포니아 대학교 데이비스 캠퍼스에 있는 이 교습용 와이너리는 미국 그린빌딩위원회(U.S. Green Building Council)로부터 LEED(Leadership in Energy and Environmental Design) 플래티넘 인증을 받은 세계 최초의 와이너리이다. LEED 플래티넘 인증은 에너지와 물의 자급이 지속 가능한 건물에 주어진다.

1부의 재료과학적 기초는 재료의 구조적 응용을 위한 메뉴를 제공한다. 금속, 이온, 공유 결합이 대충 금속, 세라믹/유리, 고분자 분야에 각각 해당된다는 것을 떠올릴 수 있다. 11장과 12장에서는 이 **구조 재료**(structural materials)가 4개의 범주로 나눌 수 있음을 자세히 알아본다(11장에서는 금속, 세라믹, 유리, 12장에서는 고분자). 12장은 복합재료의 5개 범주를 포함한다(4개의 다른 범주의 미시적인 조합). 또한 11장과 12장에서는 공학적으로 적용할 수 있는 구조 재료의 다양한 메뉴에 대한 많은 공정기술을 살펴본다.

재료의 선택은 구조적 응용에만 국한되지 않는다. 우리는 전기적, 광학적, 자기적 응용에서 그 성능 때문에 재료를 선택하기도 한다. 구조적 재료의 메뉴는 이러한 많은 상황에 적용할 수 있지만, 13장에서는 화학적 결합보다는 전기 전도도에 따라 부가적인 여섯 번째 범주, 즉 반도체로 분류할 수 있다는 것을 보여준다. 이 재료는 일반적인 전도체인 금속과 절연체인 세라믹, 유리, 고분자의 중간 정도의 전도도를 가진다. 초전도체는 아주 특수한 경우로서, 특정한 금속과 세라믹은 전기적 비저항이 없으며, 흥미로운 설계를 가능하게 해준다. 13장에서는 또한 넓은 범위의 반도체 재료와 고체 전자 소자 제조를 발전시킨 독특한 공정기술을 개관한다. 14장에서는 상용 창유리에서부터 고도로 발달된 통신용 광섬유를 포함하는 응용에 내포된 광학적 거동을 설명한다. 레이저는 많은 첨단 광학소자에 아주 중요하다. 또한 수많은 금속 및 세라믹 자성 재료도 소개한다. 금속의 강자성과 세라믹의 페리자성은 일반적인 자기적 응용의 광범위한 핵심을 차지한다. 13장에서 논의되는 초전도체의 많은 응용이 본질적으로 자기적이라는 것을 배울 것이다.

재료공학에 중점을 두고 **재료과학 및 공학** 분야의 탐구를 결론짓는다. 15장은 이 책에서 소개한 재료의 특성이 모든 공학설계 공정에서 어떻게 변수로 도입되는지를 보여주는 **재료 선택**을 포함한 주제로서 '공학설계 재료'를 다룬다. 재료 선택은 구조 재료와 전자 재료에서 사례연구를 가지고 설명한다. 공학설계 공정의 논의는 이 설계 공정의 다양한 환경적 측면과 가능한 경우 재료를 재활용하거나 재사용할 필요성을 고려하지 않고서는 제대로 되었다고 할 수 없다. 다양한 형태의 **환경 열화**는 공학설계에서 재료의 응용을 제한할 수 있다.

CHAPTER 11

구조 재료: 금속, 세라믹, 유리

중국 장가계에 있는 이 유리 다리는 300 m 아래 지상을 내려다볼 수 있어 관광객들에게 인기가 높다. 강화유리 바닥 패널의 광투명도가 중요하지만 주변 강철 구조의 구조적 완전성도 마찬가지로 중요하다.

학습목표

1. (a) 다양한 유형의 강철과 주철을 포함하여 구조용으로 널리 사용되는 주요 철금속 합금을 분류한다.
(b) 다양한 공학적 설계에서 그 선택 근거를 식별하면서 광범위한 비철 합금을 분류한다.

2. (a) 주요 규산염, 비규산염 산화물, 비산화물 세라믹을 분류한다.
(b) 주요 규산염과 비규산염 유리를 분류하고, 각각의 원자 규모 구조를 설명하기 위해 망상 형성물, 망상 개질제, 중간물 등의 용어를 이해한다.
(c) 결정화 유리가 어떻게 유리 제품으로 형성된 다음 기계적 및 열적 충격에 우수한 저항성을 갖는 세라믹으로 결정화되는지를 이해하면서 주요 결정화 유리를 분류한다.

3. (a) 구조용 금속, 세라믹, 유리를 가공하기 위한 많은 기술을 분류한다.
(b) 가공 기술이 재료의 성질에 미치는 영향을 설명한다.

금속, 이온, 공유 결합이 대충 금속, 세라믹/유리, 고분자 분야에 각각 해당된다는 것을 떠올릴 수 있다. 11장과 12장에서는 복합재료(3개의 기본 범주의 혼합)를 포함한 **구조 재료**의 네 가지 범주를 규명한다. 11장에서는 금속과 세라믹, 그리고 밀접한 연관을 가지는 유리에 대해 다룬다. 특히 금속은 구조용으로서 응용 범위가 넓다. 이 장에서는 또한 생산하는 데 사용되는 공정기술과 더불어 다양한 **금속 합금**에 대해 상세히 다룰 것이다. **세라믹**과 **유리**는 화학적으로 서로 비슷하지만, 원자 단위의 구조에서 차이가 난다. 이런 다양한 재료군의 공정에는 결정질 세라믹과 비정질 유리의 뚜렷한 특성이 반영된다. 결정화 유리는 유리로 제조된 후 강하고 균열에 잘 견디는 세라믹으로 결정화되는 복잡한 재료이다. 금속, 세라믹, 유리는 구조재료에 쓰이는 대표적인 무기재료이다. 이러한 재료를 제조하는 기술은 각각의 재료에 따라 다양하다.

11.1 금속

1장에서 논의했듯이, 구조용 강 등과 같은 금속보다 공학적인 용도와 더 밀접하게 연관된 재료는 아마 없을 것이다. 이 장에서는 여러 종류의 공업용 금속재료에 대해 더욱 자세하게 탐구해본다. 먼저 주요 예로서 철을 기본으로 하는 **철 합금**(ferrous alloys)에서부터 시작한다. 여기에는 탄소강, 합금강, 주철이 포함된다. **비철 합금**(nonferrous alloys)은 철을 주성분으로 함유하지 않는 다른 모든 금속을 말한다. 그 중에서 특별히 알루미늄, 마그네슘, 타이타늄, 구리, 니켈, 아연, 납을 기본으로 하는 합금, 그리고 내화금속과 귀금속을 살펴볼 것이다.

철 합금

인간이 사용하는 금속재료의 무게비 90% 이상이 철 합금이다. 이것은 넓은 범위의 미세구조와 그와 관련된 성질을 갖는 굉장히 많은 종류의 공업재료가 철 합금임을 의미한다. 구조 하중을 지지하거나 동력을 전달하는 구조물에 필요한 대부분의 공학설계에는 철 합금이 들어간다. 실용적인 문제로서 이 합금은 합금 조성상 탄소의 양에 기초를 두어 크게 두 가지 범주로 나뉜다. **강**(steel)은 일반적으로 0.05~2.0 wt % C를 함유하며, **주철**(cast irons)은 일반적으로 2.0~4.5 wt % C를 함유한다. 탄소 이외의 합금원소가 상당량 사용되었는지 여부에 따라 강의 범주 안에서도 구분이 이루어진다. 탄소가 아닌 전체 첨가 원소 5 wt % 조성을 **저합금강**(low-alloy steels)과 **고합금강**(high-alloy steels)의 경계로 삼는다. 이러한 합금 첨가는 재료 가격을 크게 높이므로 주의해서 선택해야 한다. 즉 높은 강도나 개량된 내식성과 같이 성질을 근본적으로 개선할 수 있는 경우에만 합금을 첨가해야 한다.

표 11.1 탄소강과 저합금강에 대한 AISI-SAE 명칭 시스템

Numerals and digits[a]	Type of steel and nominal alloy content[b]	Numerals and digits[a]	Type of steel and nominal alloy content[b]	Numerals and digits[a]	Type of steel and nominal alloy content[b]
Carbon Steels			**Nickel–Chromium–Molybdenum Steels**		**Chromium Steels**
10XX(a)	Plain carbon (Mn 1.00% max)	43XX	Ni 1.82; Cr 0.50 and 0.80; Mo 0.25	50XXX	Cr 0.50 } C 1.00 min
11XX	Resulfurized			51XXX	Cr 1.02 } C 1.00 min
12XX	Resulfurized and rephosphorized	43BVXX	Ni 1.82; Cr 0.50; Mo 0.12 and 0.25; V 0.03 min	52XXX	Cr 1.45 } C 1.00 min
15XX	Plain carbon (max Mn range—1.00 to 1.65%)				**Chromium–Vanadium Steels**
		47XX	Ni 1.05; Cr 0.45; Mo 0.20 and 0.35	61XX	Cr 0.60, 0.80, and 0.95; V 0.10 and 0.15 min
	Manganese Steels	81XX	Ni 0.30; Cr 0.40; Mo 0.12		
13XX	Mn 1.75	86XX	Ni 0.55; Cr 0.50; Mo 0.20		
		87XX	Ni 0.55; Cr 0.50; Mo 0.25		**Tungsten–Chromium Steel**
	Nickel Steels	88XX	Ni 0.55; Cr 0.50; Mo 0.35	72XX	W 1.75; Cr 0.75
23XX	Ni 3.50	93XX	Ni 3.25; Cr 1.20; Mo 0.12		**Silicon–Manganese Steels**
25XX	Ni 5.00	94XX	Ni 0.45; Cr 0.40; Mo 0.12	92XX	Si 1.40 and 2.00; Mn 0.65, 0.82, and 0.85; Cr 0.00 and 0.65
	Nickel–Chromium Steels	97XX	Ni 0.55; Cr 0.20; Mo 0.20		
31XX	Ni 1.25; Cr 0.65 and 0.80	98XX	Ni 1.00; Cr 0.80; Mo 0.25		**High-Strength Low-Alloy Steels**
32XX	Ni 1.75; Cr 1.07		**Nickel–Molybdenum Steels**	9XX	Various SAE grades
33XX	Ni 3.50; Cr 1.50 and 1.57	46XX	Ni 0.85 and 1.82; Mo 0.20 and 0.25		**Boron Steels**
34XX	Ni 3.00; Cr 0.77	48XX	Ni 3.50; Mo 0.25	XXBXX	B denotes boron steel
	Molybdenum Steels		**Chromium Steels**		**Leaded Steels**
40XX	Mo 0.20 and 0.25	50XX	Cr 0.27, 0.40, 0.50, and 0.65		
44XX	Mo 0.40 and 0.52	51XX	Cr 0.80, 0.87, 0.92, 0.95, 1.00, and 1.05	XXLXX	L Denotes leaded steel
	Chromium–Molybdenum Steels				
41XX	Cr 0.50, 0.80, and 0.95; Mo 0.12, 0.20, 0.25, and 0.30				

[a] 이러한 명칭의 마지막 두 자리 또는 세 자리의 XX 또는 XXX는 탄소 함량(무게 분율의 100분의 1로)이 삽입된다.
[b] 모든 합금 함량은 무게비로 표시된다.
출처: *Metals Handbook*, 9th ed., Vol. 1, American Society for Metals, Metals Park, OH, 1978.

대부분의 철 합금은 **탄소강**(carbon steel)과 저합금강이다. 그 이유는 간단하다. 이러한 합금은 많은 양의 합금 원소가 들어가 있지 않으므로 가격이 적당하며 연성이 충분하므로 성형하는 데 용이하다. 최종 제품은 강하고 오래 견딘다. 뛰어나게 실용적인 이 재료들은 볼 베어링(ball bearing)부터 자동차 차체로 성형되는 금속 박판까지 다양하게 응용된다. 이렇게 유용한 합금에 대한 편리한 명칭 시스템[1)](designation system)을 표 11.1에 나타냈다. 이것은 AISI(American Iron and Steel Institute)-SAE(Society of Automotive Engineers) 시스템으로, 이 중에 처음 두 숫자는 합금 첨가 유형을 지정해주는 코드이고, 끝의 둘 또는 세 숫자는 탄소 함량을 무게비(wt %) 값을 100배 한 코드이다. 한 가지 예로 탄소 0.40 wt %인 탄소강(plain-carbon steel)은 1040 강인 반면에 1.45 wt % Cr, 1.50 wt % C인 강은 52150 강이다. 표 11.1과 같은 합금 명칭에서 인용된 화학 조성은 대략적인 값이어서 공장품질관리상 허용되는 한도 내에서 제품마다 약간씩 달라질 수 있을 명심해야 한다.

고강도 저합금강[high-strength low-alloy (HSLA) steels]으로 알려진 이 흥미로운 합금은 차량 무게 감소에 대한 필요에 따라 등장했다. 많은 상용화된 HSLA 강의 조성은 특허권에 묶여 있으며, 조성보다는 기계적 성질에 의해 특성이 부여된다. 그렇지만 한 가지 전형적인 예가 있는데 0.2 wt % C와 대략 1 wt % 이하의 Mn, P, Si, Cr, Ni, Mo과 같은 원소를 함유할 수 있다. HSLA 강의 높은 강도는 최적의 합금 선택과 열 간 압연(상당한 응력 제거를 허용하도록 충분히 높여진 온도에서 가공)과 같은 조심스럽게 제어된 공정에서 얻어진다.

앞에서 언급한 것처럼 합금 첨가는 합금 원소가 비싸기 때문에 조심스럽게, 합당하게 이루어져야 한다. 이제 공학설계상 필요조건이 높은 합금 조성(즉 탄소를 제외한 전체 첨가 원소가 5 wt % 이상)을 정당화하는 세 가지 경우를 살펴보자. 스테인리스강은 부식성 환경으로부터 손상을 예방하기 위해 합금을 첨가한다. 공구강은 기계 가공에 응용하는 데 충분한 경도를 얻기 위해 합금을 첨가한다. 소위 초합금은 터빈날개(turbine blades)와 같은 고온 응용에 안정성을 얻기 위해 합금을 첨가한다.

스테인리스강은 탄소강과 저합금강에 비해 녹슬고 얼룩지는 데 더 잘 견딘다. 이는 주로 크로뮴을 첨가했기 때문이다. 크로뮴의 양은 적어도 4 wt %이고 통상 10 wt % 이상이다. 30 wt % Cr처럼 높은 수준이 사용될 때도 있다. 여러 가지 일반 스테인리스강은 다음과 같이 네 가지 주요 범주로 나눌 수 있다.

---

1) 합금 명칭은 편리하지만, 그 목록은 AISI와 SAE와 같은 전문적인 기관에 의해 항상 표준화된다. 이 전통적인 명칭은 합금 자체만큼이나 다채로운 경향이 있다. 이 장에서는 전통적인 명칭과 더불어 가능한 대로 일반적인 UNS(Unified Numbering System)를 사용하기로 한다. 이 책에 포함되지 않은 수수께끼 같은 명칭 때문에 어려움을 겪는 학생은 다음 책을 참고하자. *Metals and Alloys in the Unified Numbering System*, 13th ed., SAE International, Warrendale, PA, and ASTM International, West Conshohocken, PA, 2017.

1. **오스테나이트 스테인리스강**(austenitic stainless steels)은 실온에서 그대로 남아 있는 오스테나이트 구조를 갖는다. 3.2절에서 논의한 바와 같이 γ-Fe 또는 오스테나이트는 fcc 구조를 가지며 912°C 이상에서 안정하다. 이 구조는 니켈과 같은 적절한 합금 원소를 첨가하여 안정화할 때 실온에서도 나타난다. bcc 구조는 순철의 경우 실온에서 fcc 구조보다 에너지적으로 더욱 안정한 반면에, 치환형 고용체 중 상당수의 니켈 원자를 함유하는 철에 대해서는 그 반대(fcc 구조가 안정)이다.
2. 첨가되는 니켈 함량이 높지 않으면 **페라이트 스테인리스강**(ferritic stainless steels)에서처럼 bcc 구조가 안정하다. 오스테나이트 스테인리스강처럼 높은 내식성(corrosion resistance)을 요구하는 경우가 아닌 많은 용도에 이러한 저합금(그리고 덜 비싼) 페라이트 스테인리스강은 꽤 쓸모가 있다.
3. 10장에서 논의한 급속 냉각(rapid-quench) 열처리로 마르텐사이트(martensite)라고 하는 한층 복잡한 체심 정방 결정 구조(body-centered tetragonal crystal structure)를 형성하게 된다. 6.3절에서 논의한 바와 같이 이 결정 구조는 높은 강도와 낮은 연성을 지닌다. 결과적으로 **마르텐사이트 스테인리스강**(martensitic stainless steels)은 칼이나 스프링 제조 같은 용도에 우수한 합금이다.
4. 석출 경화는 10장에서 다룬 또 하나의 열처리 방법이다. 본질적으로 그것은 단상(single-phase)으로부터 다상(multiphase)의 미세구조를 형성하는 것이다. 그 결과 전위 이동에 대한 저항이 증가하면서 강도나 경도가 증가하게 된다. **석출 경화 스테인리스강**(precipitation-hardening stainless steels)은 내식성이 있는 구조용 재료로 응용될 수 있다.

이 장에서는 스테인리스강을 이 네 가지 기본적인 유형으로 분류해놓았다. 부식 방지에 관한 기구는 15장에서 논의한다.

공구강(tool steels)은 다른 재료를 절단하거나 성형하는 데 사용된다. 주요 유형은 평탄소강(W1)을 포함한다. 너무 까다롭지 않은 성형 작업 조건에서 이러한 재료는 적합하다. 사실 공구강은 역사적으로 19세기 중반까지 가지각색의 탄소강이었지만, 이제는 높은 합금 첨가가 일반적이다. 더욱 간단한 열처리로 필요한 경도를 얻고 그 경도를 더 높은 작업 온도에서도 유지할 수 있다는 점이 장점이다. 이 재료에 사용되는 주 합금 원소는 텅스텐, 몰리브데넘과 크로뮴이다.

초합금(superalloys)이라는 용어는 승온에서(심지어 1,000°C 이상에서도) 특별히 높은 강도를 지니는 광범위한 종류의 금속을 가리킨다. 많은 스테인리스강은 내열 합금으로서 이중 역할을 담당한다. 이들은 철을 기본으로 하는 초합금이다. 하지만 코발트와 니켈을 기본으로 하는 합금도 포함되어 있다. 대부분 내산화성과 내식성을 위해 크로뮴을 첨가 원소로 함유하고 있다. 이러한 재료는 어떤 경우에는 매우 고가로 비싼 편이지만, 최신 기술이 요구하는 엄격한 조건으로 인해 이와 같은 사용가격이 정당화되고 있다. 1950년과 1980년 사이에 항공기 터보제트 엔진에 사용된 초합금의 양은 무게로 따졌을 때 10%에서 50%로 상승했다. 최근의 제트 엔진 설계 시에는 적어도 무게로 50%의 초합금을 포함하는 것이 일반적이다.

이 점에서 강에 대한 논의를 비철 합금과 긴밀히 연관시킬 수 있다. 우선 모든 비철 합금 분야에 대해 공부하기 전에 전통적이고 중요한 철강계의 합금인 주철과, 전통적이지 않은 범주에 속하는 급냉 응고 철 합금에 관해 논하기로 한다.

앞에서 설명한 바와 같이 **주철**(cast irons)은 2 wt % 이상의 탄소를 지닌 철 합금으로 정의된다. 일반적으로 주철은 탄화물 형성 속도를 조절하기 위해 3 wt %까지의 규소를 함유한다. 주철은 비교적 낮은 용융 온도와 액상에서의 점도를 지니며, 녹여서 부었을 때 바람직하지 않은 표면피막을 형성하지 않으며, 응고와 냉각을 통해 보통의 수축을 받는다. 주철은 단련 합금과 비교해 열등한 기계적 성질을 갖는 대신 복잡한 형상을 만들 수 있는 좋은 성형성(formability)으로 그 단점을 보완한다.

주철은 용융된 금속을 주형에 부어서 최종 형상으로 성형된다. 응고된 금속은 주형의 형태를 지니게 된다. 열등한 기계적 성질은 약간의 기공도(porosity)를 포함하여 미세구조가 덜 균일함에 기인한다. **단련 합금**(wrought alloy)은 애초에 주조되지만 비교적 간단한 최종 형태로 압연되거나 단조된다. [사실 단련(wrought)이란 간단히 말해 '가공'이란 의미이다.]

주철에는 네 가지 일반적인 유형이 있다.

1. **백주철**(white iron)은 특징 있는 흰 결정질 파면(crystalline fracture surface)을 갖는다. 주조 과정을 통해 다량의 Fe_3C가 생겨서 단단하고 취약한 재료가 된다.
2. **회주철**(gray iron)은 미세하게 파단된 조직을 지닌 회색 파면을 갖는다. 상당한 규소 함량(2~3 wt %)은 시멘타이트(Fe_3C)보다는 흑연(C) 석출을 촉진한다. 날카롭고 뾰족한 흑연 박편(graphite flakes)은 회주철에서 특징적인 취성을 일으킨다.
3. 회주철 조성의 용융 금속에 마그네슘을 소량(0.05 wt %) 첨가함으로써 박편이라기보다는 둥글둥글한 모양의 흑연 석출물이 형성된다. 이때 **연성 주철**(ductile iron)이 나타나는데, 연성 주철이라는 이름은 개선된 기계적 성질로부터 유래한다. 이 주철에서 연성은 20배로 증가하고 강도는 배로 높아진다.
4. 더 전통적인 형태의 주철은 상당한 연성을 지니는 **가단 주철**(malleable iron)로서 처음에 백주철로 주조되고, 그다음에 열처리하여 흑연 석출물 덩어리를 형성한다.

그림 11.1에 이 네 가지 주철의 일반적인 미세구조를 나타냈다.

4.5절에서 비정질 금속(amorphous metals)에 관한 비교적 새로운 기술을 소개했

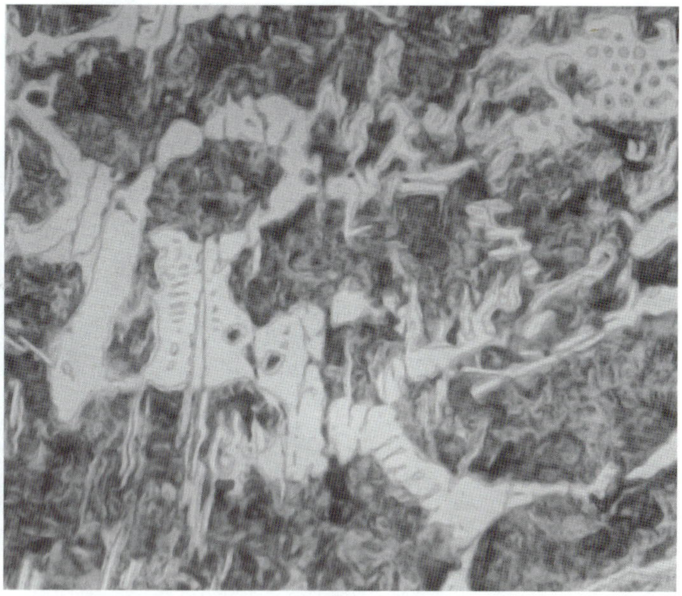

(a)

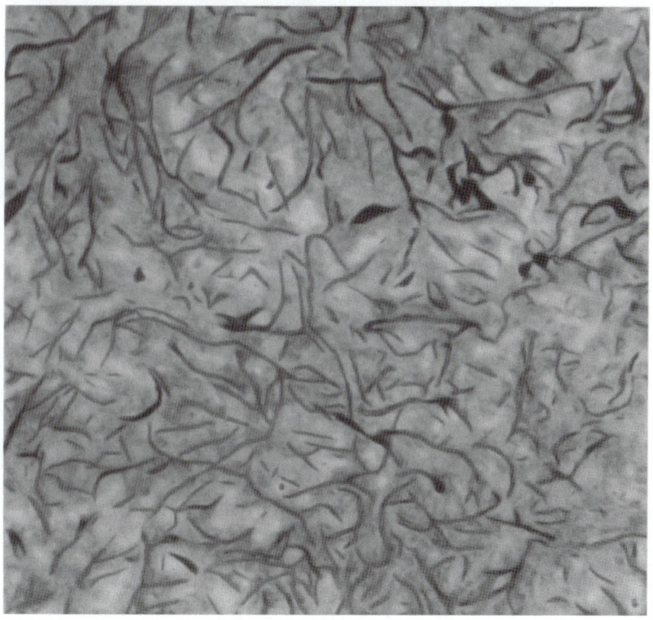

(b)

그림 11.1 주철의 전형적인 미세구조. (a) 백주철(400배율), 공정 탄화물(eutectic carbide, 밝은 성분)과 펄라이트(어두운 성분) (b) 주철(100배율), 흑연 박편이 20% 유리 페라이트(밝은 성분)와 80% 펄라이트(어두운 성분)의 매트릭스 중에 존재한다.

POWERS OF 10

네 가지 일반적인 주철의 매우 다른 미세구조는 앞의 10개 장에서 다룬 기초적인 개념에 의해 설명된 서로 다른 특성과 연관되어 있다.

었다. 이 범주에 속하는 여러 가지 철 합금이 상업적으로 생산되고 있다. 이 시스템에 관한 합금 설계는 원래 공정 조성에 대해 탐색되었는데, 이것은 실용 퀜칭 속도(10^5~10^6°C/s)에서 유리 천이 온도(glass transition temperature)까지 냉각시킬 수 있

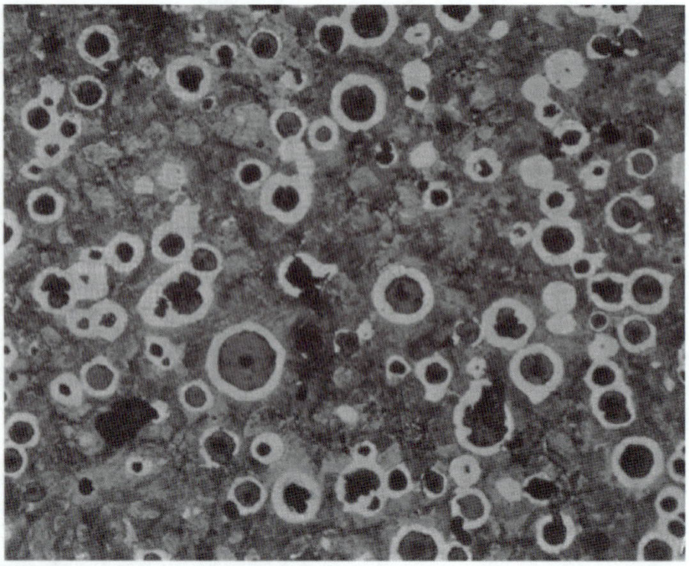

(c)

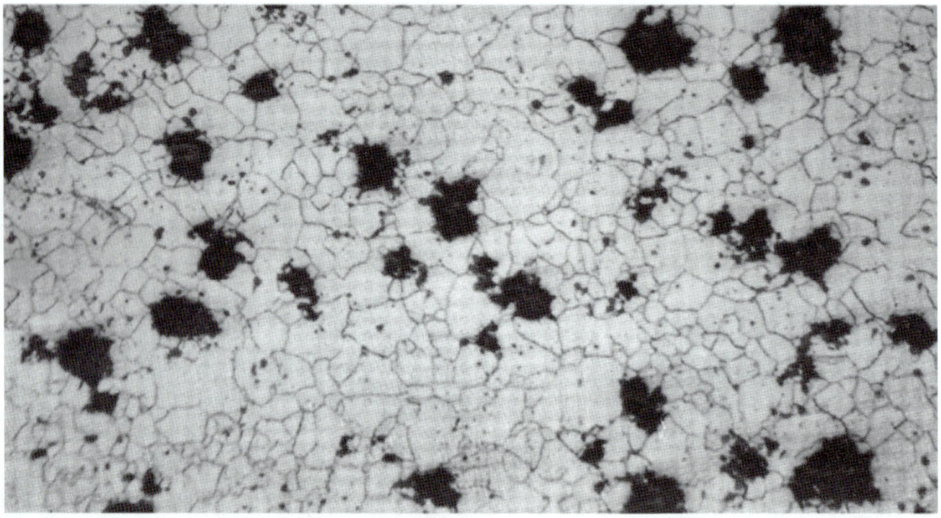

(d)

그림 11.1 (계속) (c) 연성 주철(100배율), 흑연 구형체가 펄라이트 매트릭스 중에 있는 유리 페라이트(흰 부분)로 둘러싸여 있다. (d) 가단 주철(100배율), 흑연 덩어리가 페라이트 매트릭스 중에 있다. (From *Metals Handbook*, 9th ed., Vol. 1, American Society for Metals, Metals Park, OH, 1978.)

는 조성이다. 더욱 최근에는 정밀한 합금 설계를 통해 용질과 용매 원자의 크기상 불일치를 최적화했다. 탄소보다는 붕소가 비정질 철 합금에 대해 주합금 원소가 되어 왔다. 철-규소 합금은 이 새로운 기술을 성공적으로 상업화한 대표적인 예이다. 이러한 합금은 결정립계가 없어 아주 쉽게 자화되므로 특히 연자성 변압기 코어로 매력적이다.

우수한 자기적 성질뿐만 아니라 비정질 금속은 예외적으로 높은 강도, 인성, 내식성을 지닌다. 이러한 모든 장점은 미세구조상의 균일성, 특히 결정립계의 부재와 관련된다. 급냉 응고법은 모든 경우에 비정질인 제품을 진짜로 만들지는 못한다. 그럼에도 불구하고 몇 가지 독특하고 매력적인 재료가 비정질 금속 개발 중에 부산물로 나타났다. 이 새로운 재료(결정질과 비정질 모두)의 적절한 명칭은 **급냉 응고 합금**(rapidly solidified alloys)이다. 급냉 응고가 많은 합금 조성에 대해 비정질 상태를 만들지 않는다고 하더라도 급냉 응고 결정질 합금의 미세구조는 미세한 결정립(예: 종래 합금의 50 μm에 비해 0.5 μm인)으로 특징지을 수 있다. 이 경우 0.1 μm(= 100 nm)보다 작은 결정립이 가능하고 나노 크기의 구조라고 할 수 있다. 게다가 급냉 응고는 준안정상과 새로운 석출물 형태(precipitate morphology)를 만든다. 이에 맞춰 새로운 합금 특성에 초점을 두고 연구개발이 활발히 이루어지고 있다.

비철 합금

최근 공학설계에서 철 합금이 주 금속재료로 사용됨에도 불구하고 **비철 합금**(nonferrous alloy)은 산업 기술에 없어서는 안 될 큰 역할을 담당한다. 철 합금의 경우처럼 비철 합금의 목록 역시 길고 복잡하다. 몇 가지 종류의 중요한 비철 합금과 그 주요 속성을 간단히 목록으로 나타낼 것이다.

알루미늄 합금(aluminum alloys)은 낮은 밀도와 내식성으로 가장 잘 알려져 있다. 전기 전도도, 제작의 용이성, 외관 등이 이 합금의 매력적인 장점이다. 이 때문에 세계의 알루미늄 생산량은 1960년대에서 1970년대 사이에 두 배 가까이 증가했다. 1980년대와 1990년대 동안에는 세라믹스, 고분자 및 복합체에 의한 경쟁 증가로 알루미늄과 다른 금속의 수요는 점차 줄어들었다. 그러나 금속족(metal family) 중에서 알루미늄의 중요성은 비금속재료의 인기를 증가시키는 주요 요인인 낮은 밀도로 인해 증가했다. 예를 들어 새로 나온 미국 자동차 1대당 무게는 1976년과 1986년 사이에 16% 감소하여 1,705 kg에서 1,438 kg이 되었다. 이것은 대부분 관례적인 강의 사용을 29% 감소(941 kg에서 667 kg으로)시키는 반면에 알루미늄 합금의 사용을 63% 증가(39 kg에서 63 kg으로)시킴과 동시에 고분자와 복합체를 33% 증가(74 kg에서 98 kg으로)시킨 결과이다. 미국 자동차에서 총 알루미늄의 양은 1990년대에 102%로 더욱 증가했다. 자동차의 총 알루미늄 함량은 2028년까지 전체 질량의 16%에 도달할 것으로 예상된다. 알루미늄을 함유하는 광석 매장량은 많으며(지각의 8%에 해당함), 알루미늄은 재순환시켜 사용하기가 쉽다. 단련 알루미늄 합금에 대한 명칭 시스템이 표 11.2에 요약되었다.

알루미늄에 관해 금속공학에서 가장 활기차게 개발되는 분야의 하나는 8XXX 계열이며 주 합금 원소로 Li을 함유한다. Al-Li 합금은 특히 낮은 밀도와 더불어 높은 강성(stiffness)을 지닌다. (전통적인 합금 원소에 비해)Li의 가격 상승과 (리튬의 반응성에 기인한)제어된 공정 환경을 통해 이 합금이 여러 최신 항공기에 이용되는 합당한 이유를 알 수 있다.

10장에서 합금의 열처리에 관한 여러 가지를 논의했다. 몇 가지 합금계에 대해서 표준 열처리에 코드 번호가 부여되었고, 이것은 합금 명칭에 절대적으로 필요한 부분이 되었다. 표 11.3에 수록한 알루미늄 합금의 템퍼 명칭이 그 좋은 예이다.

마그네슘 합금(magnesium alloys)은 알루미늄보다 더 낮은 밀도를 가지며, 그 결

표 11.2 알루미늄 합금의 명칭 시스템

Numerals	Major alloying element(s)
1XXX	None (≥ 99.00% Al)
2XXX	Cu
3XXX	Mn
4XXX	Si
5XXX	Mg
6XXX	Mg and Si
7XXX	Zn
8XXX	Other elements

출처: Data from *Metals Handbook*, 9th ed., Vol. 2, American Society for Metals, Metals Park, OH, 1979.

표 11.3 알루미늄 합금의 템퍼 명칭 시스템[a]

Temper	Definition
F	As fabricated
O	Annealed
H1	Strain-hardened only
H2	Strain-hardened and partially annealed
H3	Strain-hardened and stabilized (mechanical properties stabilized by low-temperature thermal treatment)
T1	Cooled from an elevated-temperature shaping process and naturally aged to a substantially stable condition
T2	Cooled from an elevated-temperature shaping process, cold-worked, and naturally aged to a substantially stable condition
T3	Solution heat-treated, cold-worked, and naturally aged to a substantially stable condition
T4	Solution heat-treated and naturally aged to a substantially stable condition
T5	Cooled from an elevated-temperature shaping process and artificially aged
T6	Solution heat-treated and artificially aged
T7	Solution heat-treated and stabilized
T8	Solution heat-treated, cold-worked, and artificially aged
T9	Solution heat-treated, artificially aged, and cold-worked
T10	Cooled from an elevated-temperature shaping process, cold-worked, and artificially aged

주: 더욱 완전한 목록과 자세한 설명은 다음을 참고하라. *Metals Handbook*, 9th ed., Vol. 2, American Society for Metals, Metals Park, OH, 1979, pp. 24 − 27.

[a] 일반적인 합금 명칭: XXXX-템퍼, 여기서 XXXX는 표 11.2에서 가져온 합금 번호이다(예: 6061-T6).

과 항공 설계와 같은 수많은 구조용 재료로 쓰인다. 마그네슘의 밀도는 1.74 Mg/m^3 이고 이것은 사실 일반적인 구조용 금속 중에서 가장 낮은 것이다. 압출된 마그네슘 합금은 테니스 라켓부터 여행가방 프레임에 이르기까지 소비재 제품에 광범위하게 사용된다. 이 구조용 재료는 특별히 높은 강도 대 밀도 비를 보인다. 그림 6.24를 다시 살펴보면, fcc와 hcp 합금의 기계적 거동상의 특징에서 뚜렷한 차이를 나타내는 근거를 보여준다. 알루미늄은 fcc 재료이므로 많은(12개) 슬립 시스템을 가져서 좋은 연성을 지닌다. 대조적으로 마그네슘은 hcp로 3개의 슬립 시스템만을 가지며 취약한 특성을 지닌다.

타이타늄 합금(titanium alloys)은 제2차 세계대전 이래로 널리 사용하게 되었다. 그 이전에는 산화물과 질화물로부터 반응성이 큰 타이타늄 금속을 분리해내는 실용적인 방법이 없었다. 한번 만들어지면 타이타늄의 반응성은 장점으로 작용한다. 얇고 견고한 산화 피복이 표면에 형성되어 탁월한 내식성을 부여한다. 이 **부동태화**(passivation)는 15장에서 자세히 알아볼 것이다. 타이타늄 합금은 알루미늄과 마그네슘처럼 철보다 낮은 밀도를 갖는다. Al과 Mg보다 조밀하지만 타이타늄 합금은 보통 정도의 사용 온도(예: 고속 항공기의 표피 온도)에서 강도를 유지하는 뚜렷한 장점을 지니므로 여러 가지 항공 설계에 응용된다. 타이타늄은 마그네슘과 더불어 hcp 구조를 가져서 연성이 낮은 특징을 보인다. 그러나 바나듐과 같은 합금 원소를 첨가시켜 높은 온도에서의 bcc 구조를 실온으로까지 안정화할 수 있다.

구리 합금(copper alloys)은 많은 우수한 성질을 지닌다. 탁월한 전기 전도도 때문에 구리 합금은 주로 전기배선 재료로 사용된다. 우수한 열전도도는 라디에이터와 열교환기에 활용된다. 월등한 내식성은 해양 및 다른 부식성 환경에서 드러난다. fcc 구조는 이 합금에 일반적으로 높은 연성과 성형성을 부여한다. 그 빛깔은 건축물의 외관에 자주 이용된다. 구리 합금은 역사적으로 널리 사용되어오면서 용어 기술에서 약간의 혼동을 가져왔다. 아연이 주도적인 치환형 용질인 **황동**(brass)은 가장 일반적인 구리 합금이다. 예로서 황색 황동, 해군 황동, 탄피 황동이 있다. 자동차의 라디에이터, 동전, 탄피, 악기, 보석 세공에 활용된다. **청동**(bronze)은 주석, 알루미늄, 규소, 니켈과 같은 원소를 지니는 구리 합금으로 황동에 연관지어 볼 때 높은 내식성과 약간 높은 강도를 준다. 이러한 합금의 기계적 성질은 강에 필적하는 가변성을 지닌다. 고순도의 구리는 유난히 연한 재료이다. 2 wt % 베릴륨을 첨가하여 열처리함으로써 CuBe 석출물을 형성하여 인장 강도를 10^3 MPa 이상으로 충분히 올릴 수 있다.

니켈 합금(nickel alloys)은 구리 합금처럼 많이 이용되는 합금이다. Cu-Ni 계를 완전 고용도(4.1절)의 표준적인 예로서 이미 언급했다. 모넬(Monel)은 Ni-Cu 비가 무게로 대략 2:1인 상용 합금의 이름이다. 이것은 **고용 경화**(solution hardening)의 좋은 예로서 고용체 형성에 기인하여 소성 변형에 제한을 받기 때문에 합금은 강화된다(그림 6.26과 관련된 논의를 떠올려보자). 니켈은 구리보다 더 단단하지만 모넬은 니켈보다 더 단단하다. 용질 원자가 전위 이동과 소성 변형에 미치는 영향은 6.3절에서 설명했다. 니켈은 탁월한 내식성과 고온 강도를 보인다.

인코넬(inconel, 니켈-크로뮴-철)과 **하스텔로이**(hastelloy, 니켈-몰리브데넘-철-크로뮴)는 초합금의 중요한 예이다. 제트 엔진에 널리 사용되며 약 70년의 기간에 걸쳐 개발되었고, 니켈 기반의 초합금은 조성이 Ni_3Al인 석출물을 함유하는 경우가 많다. 이 금속 간 화합물은 그림 4.3에서 보여준 Cu_3Au과 같은 결정 구조를 가지고 있고 Ni은 Cu와, Al은 Au과 각각 대응한다. 가장 일반적인 경우 **감마-프라임상**(gamma-prime phase) 석출물은 그림 4.3(b)와 같은 규칙적인 결정 구조를 갖고 있다. 여러 가지 니켈 합금은 우수한 자기적 특성을 위해 사용된다(14장).

아연 합금(zinc alloys)은 낮은 융점을 가지며 강 도가니 및 다이와 부식 반응을 일으키지 않으므로 다이 캐스팅(die casting)에 이상적으로 적합하다. 자동차 산업에서 아연 합금의 사용량은 무게를 줄이기 위한 목적에서 점차 감소하고 있지만 자동차 부품과 하드웨어는 전형적인 구조용 응용의 예이다. 철 합금 위에 입힌 아연 피복은 부식 방지에 중요한 수단이다. 이 방법을 **용융아연도금법**(galvanization)이라고 하는데 15장에서 논의할 것이다.

납 합금(lead alloys)은 내구성이 있고 다방면으로 쓰이는 재료이다. 영국의 온천 도시 배스(Bath)에 로마인들이 거의 2,000년 전에 설치한 납 파이프는 아직도 사용되고 있다. 납의 높은 밀도와 변형능(deformability)은 낮은 융점과 더불어 이 금속의 융통성을 더해준다. 납 합금의 사용처는 축전지 그리드(칼슘이나 안티모니와의 합금), 땜납(주석과의 합금), 방사선 차폐(radiation shielding) 및 소리 제어 구조물에서 찾을 수 있다. 납은 독성으로 인해 합금의 설계 활용과 취급이 제한된다(무연 땜납을 식별하는 환경적 압력에 관해서는 15장에서 논의한다).

내열 금속(refractory metals)에는 몰리브데넘, 니오븀, 레늄, 탄탈럼과 텅스텐이 포함된다. 이들은 특히 고온에서 초합금보다 더 잘 견딘다. 그러나 일반적으로 산소와의 반응성이 크기 때문에 고온 사용 시에는 제어된 환경에서나 보호 피막을 입혀서 사용할 필요가 있다.

귀금속(precious metals)에는 금, 이리듐, 오스뮴, 팔라듐, 백금, 로듐, 루테늄, 은이 포함된다. 탁월한 내식성에다 여러 가지 본래의 성질 때문에 비싸지만 많이 사용된다. 전자 산업에서의 금 회로(gold circuitry), 여러 가지 치과용 합금, 촉매 전환기(catalytic converter)를 위한 백금 피복은 잘 알려진 몇 가지 예이다. Pt_3Al과 Ni_3Al 같은 백금 기반의 금속 간 화합물은 그림 4.3에 나타낸 Cu_3Au과 결정 구조가 비슷하며, 이들은 높은 융점 때문에 차세대 제트 엔진 재료로 주목받고 있다.

급냉 응고 철 합금은 앞에서 소개했었다. 이 분야의 연구개발은 비철 금속에 대해서도 마찬가지로 활발하게 이루어진다. 여러 가지 비정질 Ni 기반 합금이 우수한 자기적 특성을 위해 개발되었다. 급냉 응고된 결정질 알루미늄과 타이타늄 합금은 승온에서도 우수한 기계적 성질을 과시했다. 급냉 응고에 의해 미세한 결정립의 석출물을 제어해주는 것은 항공 산업에 중요한 이러한 합금에서 꼭 필요한 인자이다. 다양한 합금 원소를 첨가하여 결정화 속도가 충분히 감속되면 **벌크 비정질 합금**(bulk amorphous alloys)이 만들어질 수 있다. 타이타늄계, 지르코늄계 합금은 큰 크기로 제조되어 골프채의 머리 부분을 만드는 데 사용된다.

예제 11.1

새로운 모델연도로 자동차를 재설계하면서 관례적으로 사용해온 강 부품 25 kg을 같은 치수의 알루미늄 합금으로 대체했다. 새 모델에서의 중량 감소를 계산하시오. 합금의 밀도는 각각 순수한 철과 알루미늄의 밀도로 계산하시오.

풀이

부록 1로부터 $\rho_{Fe} = 7.87\ \mathrm{Mg/m^3}, \rho_{Al} = 2.70\ \mathrm{Mg/m^3}$이다. 치환될 강 부품의 부피는

$$V = \frac{m_{Fe}}{\rho_{Fe}} = \frac{25\ \mathrm{kg}}{7.87\ \mathrm{Mg/m^3}} \times \frac{1\ \mathrm{Mg}}{10^3\ \mathrm{kg}} = 3.21 \times 10^{-3}\ \mathrm{m^3}$$

새로운 알루미늄 부품의 무게는

$$m_{Al} = \rho_{Al} V_{Al} = 2.70\ \mathrm{Mg/m^3} \times 3.21 \times 10^{-3}\ \mathrm{m^3} \times \frac{10^3\ \mathrm{kg}}{1\ \mathrm{Mg}} = 8.65\ \mathrm{kg}$$

그 결과로 얻어지는 중량 감소는

$$m_{Fe} - m_{Al} = 25\ \mathrm{kg} - 8.65\ \mathrm{kg} = 16.3\ \mathrm{kg}$$

연습문제 11.1

철 합금을 선정하는 일반적인 기준은 구조용 강과 비교하여 밀도가 낮다는 점이다. 합금 밀도는 구성 원소의 밀도 값을 가중 평균하여 근사치로 삼을 수 있다. 이런 식으로 표 6.1에서 3003-H14는 1.25 wt % Mn, 1.0 wt % Mg, 나머지 Al과 2048 판의 조성 0.40 wt % Mn, 3.3 wt % Cu, 1.5 wt % Mg, 나머지 Al의 경우에 밀도를 계산하시오.

11.2 세라믹과 유리

세라믹과 유리는 공업용으로 가장 먼저 쓰인 재료이며 환경적으로 가장 내구성이 좋은 재료에 속한다. 또한 항공우주 및 전자 산업에서 개발되고 있는 최첨단 재료이기도 하다. 이 장에서는 이렇게 다양한 공업재료를 세 가지 주요 범주로 나눈다.

결정질 세라믹(crystalline ceramics)은 종래의 기술이나 최신 기술에서 두루 사용되고 있는 전통적인 규산염과 각종 산화물 및 비산화물의 화합물을 포함한다. **유리**(glasses)는 결정질 세라믹과 비슷한 조성으로 된 비정질 고체이다. 특수 공정기술로부터 얻어지는 결정성의 결여는 독특한 기계적, 광학적 성질을 가져온다. 유리는 편의상 화학적으로 규산염과 비규산염으로 세분한다. 세 번째 범주로 **결정화 유리**(glass-ceramics)는 결정질 세라믹의 다른 형태로서 먼저 유리로 형성된 다음에 신중하게 제어된 방법으로 결정화된 것이다. 가장 중요한 상업적 예로 Li_2O-Al_2O_3-SiO_2 계라는 특수조성이 이 기술에 의한 것이다.

세라믹: 결정질 재료

결정질 세라믹에 대한 논의는 SiO_2를 기반으로 하는 **규산염**(silicates)을 고찰하는 것에서부터 시작하는 것이 적절할 것이다. 실리콘과 산소는 지각에 있는 원소 가운데 가장 풍부한 원소로, 널리 이용되며 경제적인 재료이다. 현재 사용되는 많은 전통적인 세라믹이 이 범주에 속한다. 초기 문명을 특징짓는 가장 좋은 수단 중 하나가 도기(pottery)로, 대략 B.C. 4000년경부터 상업용 제품이 되어왔다. 도기는 전형적으로 백색이고 미세립으로 된 미세조직을 가지는 상업적 소결체 세라믹인 **자기**(whiteware)라고 알려진 세라믹의 일종이다. 잘 알려진 예는 반투명(translucent) 자기로서 고급 도자기는 이것으로 만들어진다. 도기와 자기 세라믹 외에 **점토**(clay)는 벽돌, 타일 및 하수관과 같은 **구조용 점토 제품**(structural clay products)의 기본이다. 규산염 세라믹의 범위는 국지적 제조공장에서 언제나 가용한 규산염 광물의 다양성을 반영하고 있다. 표 11.4에 몇몇 통상적인 예의 일반적 조성을 요약했다. 이 목록에는 내화 점토를 기반으로 하는 내화물이 포함되어 있다. **내화물**(refractory)은 고온 저항성 구조 재료로서 산업(예: 제강공정)에서 중요한 역할을 한다. 내화물 산업의 약 40%의 생산품은 점토를 기반으로 한 규산염으로 되어 있다. 또한 표 11.4의 목록에 실려 있는 것은 시멘트 산업에서 표본이 되는 것이다. 가장 중요한 예는 포틀랜드 시멘트이며, 이것은 전체적으로 알루미늄규산염 칼슘으로 볼 수 있는 복잡한 혼합물이다.

비규산염 산화물 세라믹(nonsilicate oxide ceramics)은 첨단 세라믹 재료뿐 아니라 1장에서 소개한 널리 사용되는 구조 세라믹 재료인 알루미나(Al_2O_3)와 철강 산업에서 내화물로 널리 사용되는 마그네시아(MgO)와 같은 전통적인 재료를 포함한다. **순수 산화물**(pure oxides)은 불순물 수준이 1 wt % 이하의 화합물이며, 어떤 경우에는 불순물 수준이 100만 분의 1(ppm) 정도이다. 이러한 물질의 화학적 분리와 이에 따르는 공정상의 비용은, 국지적으로 생산이 가능하며 일반적으로 순수하지 않은 광물에서 만들어지는 규산염 세라믹의 경제성과는 심한 대조를 보인다. 이러한 재료는 매우 높은 성능이 요구되는 전자 산업과 같은 영역에서 많이 사용되고 있다. 그

표 11.4 몇 가지 규산염 세라믹의 조성[a]

Ceramic	Composition (wt %)					
	SiO_2	Al_2O_3	K_2O	MgO	CaO	Others
Silica refractory	96					4
Fireclay refractory	50–70	45–25				5
Mullite refractory	28	72				—
Electrical porcelain	61	32	6			1
Steatite porcelain	64	5		30		1
Portland cement	25	9			64	2

[a] 이 값은 기본 성분을 나타내는 근사 조성이다. 불순물의 양은 제품에 따라 크게 변할 수 있다.

러나 한 종류의 산화물이 다량 함유된 제품은 높은 비율의 산화물 첨가제와 불순물을 함유할 수도 있다. UO_2는 **핵 세라믹**(nuclear ceramics)의 가장 대표적인 예이다. 방사성 우라늄을 함유하고 있는 이 화합물은 반응로(reactor)의 연료로 널리 이용되고 있다. 무기급 플루토늄을 사용하여 핵 확산을 줄이려는 수단으로서 무게로 30%까지의 플루토늄 산화물(PuO_2)을 UO_2에 넣은 **혼합 산화물 연료**(mixed oxide fuels)의 사용이 증가하고 있다.

부분 안정화 지르코니아(partially stabilized zirconia, PSZ, ZrO_2)는 대부분 종래 금속으로 이루어진 구조물을 포함하는, 첨단의 구조적 응용을 위한 주된 후보재료이다. 금속을 대체하기 위한 잠재력의 핵심은 8.2절에서 논의한 변태 강화 메커니즘에 있다. $BaTiO_3$와 같은 **전자 세라믹**(electronic ceramics)과 $NiFe_2O_4$(니켈 페라이트)와 같은 **자성 세라믹**(magnetic ceramics)은 산업용 세라믹 시장의 가장 큰 부분을 차지하고 있으며, 각각 13장과 14장에서 논의할 것이다.

탄화규소와 같은 **비산화물 세라믹**(nonoxide ceramics)은 수십 년 동안 일반 산업재료로 사용되어왔다. 탄화규소는 노의 발열체와 연마재로 사용되어왔다. 질화규소와 이와 관련된 재료(예: 산소를 함유한 SiAlON, 'sigh-a-lon'이라고 발음함)는 부분 안정화 지르코니아와 더불어 향상된 가스터빈 부품을 생산하기 위해 40년 이상 많은 연구개발이 진행되어왔다. 자동차를 위한 **세라믹 엔진**(ceramic engine)의 개발은 매우 매력적이기는 하지만 일반적으로 달성하기 어려운 목표이다. 그럼에도 불구하고 탄화규소를 모체로 한 세라믹 복합체는 아직도 초고온 제트 엔진을 위한 매력적인 후보재료이다.

유리: 비정질 재료

비정질(noncrystalline) 고체 또는 **유리**(glass)의 개념은 4.5절에서 설명했다. 해당 절에서 보았듯이 이런 형태의 재료 중에서 전통적인 예가 **규산염 유리**(silicate glass)이다. 결정질 규산염과 마찬가지로 이 유리는 지구 지각에 Si와 O 원소가 풍부하기 때

표 11.5 몇 가지 규산염 유리의 조성

Glass	Composition (wt %)									
	SiO_2	B_2O_3	Al_2O_3	Na_2O	CaO	MgO	K_2O	ZnO	PbO	Others
Vitreous silica	100									—
Borosilicate	76	13	4	5	1					1
Window	72		1	14	8	4				1
Container	73		2	14	10					1
Fiber (E-glass)	54	8	15		22					1
Bristol glaze	60		16		7		11	6		—
Copper enamel	34	3	4				17		42	—

문에 일반적으로 가격이 저렴하다. 대부분의 보통 유리 제조를 위한 SiO_2는 국지적으로 산재해 있는 적합한 순도의 모래 침전물로부터 쉽게 구할 수 있다. 실제로 각종 유리 제품은 결정질 세라믹보다 훨씬 많이 제조되고 있다. 그럼에도 불구하고 세라믹과 관련하여 언급한 모래 퇴적물을 확보하기 위한 치열한 경쟁은 유리 제조의 경제성에 영향을 미치고 있다. 표 11.5는 상업용 규산염 유리 제품의 주요 예이다. 표 11.5는 산화물을 망상 형성물, 개질제 및 중간물로 분류함으로써 조성의 중요성을 이해하는 데 도움을 준다.

망상 형성물(network formers)은 B_2O_3와 같은 낮은 배위수의 다면체를 형성하는 산화물을 포함하고 있다. 이 다면체는 유리질 SiO_2와 연관된 SiO_4^{4-} 사면체의 그물 구조로 연결될 수 있다. Na_2O와 CaO와 같은 알칼리와 알칼리토류 산화물은 유리 구조 중에서 이러한 다면체를 형성하지는 않지만, 대신 고분자와 같은 SiO_2 망상의 연속성을 끊으려는 경향이 있다. 알칼리-규산염 유리의 구조에 대한 모형은 그림 4.21과 4.22에서 볼 수 있다. 망상을 절단한 것을 **망상 개질제**(network modifier)라고 한다. 이 개질제는 유리를 주어진 온도에서 형성하기 쉽게 하지만 사용 환경에서 화학적 반응성을 증가시킨다. Al_2O_3, ZrO_2와 같은 몇 가지 산화물은 그 자체가 유리 형성물은 아니지만, 양이온(Al^{3+} 또는 Zr^{4+})이 망상 사면체 중에 있는 Si^{4+} 이온을 치환할 수 있어 망상의 안정성에 기여한다. 망상 형성물도 아니고 개질제도 아닌 이러한 산화물을 **중간물**(intermediates)이라고 한다.

표 11.5로 되돌아가면 주요 상업용 규산염 유리의 성질을 생각해볼 수 있다.

1. **유리질 규산**(vitreous silica)은 고순도의 SiO_2이다. *Vitreous*는 '유리질의(glassy)'라는 뜻이며, 일반적으로 **무정형**(amorphous) 및 **비정질**(noncrystalline)과 혼용한다. 어떤 중요한 망상 개질제 없이도 유리질 규산은 1,000°C 이상의 사용 온도에 견딜 수 있다. 고온용 도가니와 노의 창이 전형적인 응용 예이다.
2. **붕규산염 유리**(borosilicate glasses)는 유리 형성 망상에 BO_3^{3-} 삼각형 다면체와 SiO_4^{4-} 사면체가 조합되어 있다. 약 5 wt %의 Na_2O는 유리 형성 산화물과 관련

된 내구성을 손상시키지 않고도 유리 용기의 성형성을 좋게 만든다. 붕규산염 은 화학실험기구, 조리용기와 같이 내구성이 필요한 응용에 널리 사용된다.

3. 유리 산업의 대부분이 약 15 wt % Na_2O, 10 wt % CaO, 70 wt % SiO_2와 같은 **소다-석회-규산**(soda-lime-silica) 조성에 집중되어 있다. 대부분의 보통 **창유리**(window glasses)와 **유리 용기**(glass containers)가 적절한 조성 범위 내에 있는 것을 알 수 있다.
4. 표 11.5에 실린 **E-glass** 조성은 가장 일반적인 유리섬유 중 하나이다. 이것이 12.2절에서 다룰 최신 복합계의 섬유 보강 성분의 주된 예일 것이다.
5. **유약**(glazes)은 점토 도기와 같은 세라믹에 응용되는 유리 코팅이다. 유약은 이것을 바르지 않은 재료에 비해 일반적으로 훨씬 더 방수성의 표면을 만들어준다. 14.1절에서 광학적 성질에 대해 논의하는 바와 같이 표면의 모양을 다양하게 제어하는 것이 가능하다.
6. **법랑**(enamels)은 금속 위에 입히는 유리 코팅이다. 이것은 고분자를 기본으로 하는 페인트에 적용되는 에나멜(enamel)과 구별되어야 한다. 법랑에 의한 표면 모양보다 더 중요한 것은 부식 환경에서 금속에 보호층을 만들어주는 것이다. 부식 방지 시스템은 15장에서 설명할 것이다. 표 11.5에 몇 가지 대표적인 유약과 법랑의 조성을 실었다.

또한 많은 **비규산염 유리**(nonsilicate glass)가 존재한다. B_2O_3와 같은 비규산염 산화물 유리는 수증기와 같은 전형적인 환경과의 반응성 때문에 일반적으로 상업적 가치가 떨어진다. 그러나 규산염 유리에 유용한 첨가제가 될 수 있다(예: 보통의 붕규산염 유리). 비산화물 유리 중 일부는 상업적으로 중요하다. 예를 들면 칼코겐화물(chalcogenide) 유리는 흔한 반도체이며 13장에서 다룬다. '구리'라는 의미의 그리스어 *chalco*로부터 유래한 *chalcogenide*라는 용어는 S, Se, Te의 화합물을 의미한다. 이 세 원소는 다른 금속 이온과 마찬가지로 구리와 강한 화합물을 형성한다. 사플루오르화 지르코늄(ZrF_4) 유리섬유는 종래의 규산염 유리에 비해 적외선 영역에서 우수한 광 투과성을 가지는 것이 입증되었다.

결정화 유리

결정화 유리(glass-ceramics)는 가장 복잡 미묘한 세라믹 재료에 속하며, 결정질 세라믹의 특성을 유리와 결합한 것이다. 그 결과 특별히 매력적인 품질을 가진 제품이다(그림 11.2). 결정화 유리는 비교적 평범한 유리 제품에서 시작된다. 중요한 장점은 유리만큼 경제적이며 정밀하게 제품 형상으로 성형할 수 있다는 것이다. 신중하게 제어된 열처리에 의해 유리질 재료의 90% 이상이 결정화된다(그림 10.35 참고). 최종 결정립의 크기는 일반적으로 0.1과 1 μm 사이이다. 소량의 잔류 유리상은 입계 영역을 효과적으로 채워 기공이 없는 조직을 만든다. 최종 결정화 유리 제품은 일반 세라믹에 비해 기계적 및 열충격 저항성이 훨씬 좋다. 6장에서 취성파괴에 대한 세라믹 재료의 민감성에 대해 논의했다. 기계적 충격에 대한 결정화 유리의 저항성은 주로 응력을 집중시키는 기공이 제거된 데서 기인한다. 열충격에 대한 저항성은 이러한 재료의 특징적으로 낮은 열팽창계수 때문이다. 이 중요성은 7.4절에서 다루었다.

균일하고 미세한 결정립으로 된 미세구조의 결정화 유리를 만들기 위해서는 신중하게 제어된 열처리가 중요하다는 것을 언급했고, 열처리의 이론(고체 상태의 반응속도론)은 10장에서 다루었다. 여기서는 유리의 결정화가 안정화 과정이라는 것을 되새길 필요가 있다. 이런 변태는 어떤 불순물의 상(phase) 경계에서 시작된다(또는 핵 생성이 된다). 용융 상태에 있는 일반 유리에서의 결정화는 용융 용기의 표면을 따라 소수의 고립된 흠에서 핵생성이 일어나려는 경향이 있다. 그다음 소수의 큰 결정 성장이 뒤따른다. 결과적인 미세구조는 거칠고 불균질하다. 결정화 유리는 TiO_2와 같은 핵 생성제를 수 wt % 첨가함으로써 달라진다. 미세하게 분산된 작은 TiO_2 입자는 mm^3당 10^{12}이라는 높은 핵밀도를 갖게 한다. TiO_2와 같은 핵 생성제의 정확한 역할에 대해서는 약간의 논란이 있다. 어떤 경우에는 TiO_2가 불안정하여 결정화되는, 미세하게 분산된 2차상인 TiO_2-SiO_2 유리에 기여하여 전체 계의 결정화를 촉발한다. 주어진 조성에서 작은 결정의 핵 생성과 성장에 대한 최적 온도가 존재한다.

표 11.6에 주요 상업용 결정화 유리를 나타냈다. 지금까지 가장 중요한 예는 Li_2O-Al_2O_3-SiO_2 계이다. 이와 같은 조성 범위 내에 있는 각종 상업용 재료는 결정화된 세라믹이 낮은 열팽창 계수를 갖기 때문에 우수한 열충격 저항을 나타낸다. 그 예로는 Corning의 Corning Ware나 Schott Glaswerke의 Ceran이 있다. 낮은 열팽창 계수에 기여하는 것은 β-spodumene($Li_2O \cdot Al_2O_3 \cdot 4SiO_2$) 결정이 특히 작은 열팽창 계수를 갖고 있거나 실제적으로 음의 열팽창 계수를 가지는 β-spodumene($Li_2O \cdot Al_2O_3 \cdot SiO_2$)의 존재 때문이다.

그림 11.2 결정화 유리로 만들어진 조리기구는 좋은 기계적, 열적 특성을 제공한다. 결정화 유리로 제조된 냄비는 높은 온도(불꽃)와 낮은 온도(얼음덩이)의 열충격을 동시에 견뎌낸다. (Courtesy of Corning Glass Works.)

표 11.6 몇 가지 결정화 유리의 조성

Glass-ceramic	Composition (wt %)							
	SiO_2	Li_2O	Al_2O_3	MgO	ZnO	B_2O_3	TiO_2^a	$P_2O_5^a$
Li_2O–Al_2O_3–SiO_2 system	74	4	16				6	
MgO–Al_2O_3–SiO_2 system	65		19	9			7	
Li_2O–MgO–SiO_2 system	73	11		7		6		3
Li_2O–ZnO–SiO_2 system	58	23			16			3

[a] 핵 생성체

출처: Data from P. W. McMillan, *Glass-Ceramics*, 2nd ed., Academic Press, Inc., New York, 1979.

예제 11.2

보통 소다-석회-규산 유리는 Na_2CO_3, $CaCO_3$, SiO_2를 함께 녹여 만든다. 탄산화물은 분해되어 용융 유리의 혼합을 돕는 CO_2 가스 거품을 방출한다. 용기 유리(15 wt % Na_2O, 10 wt % CaO, 75 wt % SiO_2) 1,000 kg을 얻기 위한 원료 배치식(batch formula)을 Na_2CO_3, $CaCO_3$, SiO_2의 wt %로 구하시오.

풀이

1,000 kg의 유리는 Na_2O 150 kg, CaO 100 kg, SiO_2 750 kg으로 이루어져 있다.

부록 1의 데이터를 사용하면

$$\begin{aligned} \text{mol wt } Na_2O &= 2(22.99) + 16.00 \\ &= 61.98 \text{ amu} \\ \text{mol wt } Na_2CO_3 &= 2(22.99) + 12.00 + 3(16.00) \\ &= 105.98 \text{ amu} \\ \text{mol wt } CaO &= 40.08 + 16.00 \\ &= 56.08 \text{ amu} \end{aligned}$$

그리고

$$\begin{aligned} \text{mol wt } CaCO_3 &= 40.08 + 12.00 + 3(16.00) \\ &= 100.08 \text{ amu} \end{aligned}$$

무게로 환산하면

$$\begin{aligned} Na_2CO_3 &= 150 \text{ kg} \times \frac{105.98}{61.98} = 256 \text{ kg} \\ CaCO_3 &= 100 \text{ kg} \times \frac{100.08}{56.08} = 178 \text{ kg} \\ SiO_2 &= 750 \text{ kg} \end{aligned}$$

배치식은 다음과 같다.

$$\frac{256\ \text{kg}}{(256+178+750)\ \text{kg}} \times 100 = 21.6\ \text{wt}\ \%\ Na_2CO_3$$

$$\frac{178\ \text{kg}}{(256+178+750)\ \text{kg}} \times 100 = 15.0\ \text{wt}\ \%\ CaCO_3$$

$$\frac{750\ \text{kg}}{(256+178+750)\ \text{kg}} \times 100 = 63.3\ \text{wt}\ \%\ SiO_2$$

연습문제 11.2

예제 11.2에서 통상적인 소다-석회-규산 유리를 제조하기 위한 배치 조성을 계산했다. 화학적 저항성과 작업 특성을 개선하기 위해 흔히 유리에 Al_2O_3를 첨가한다. 이것은 소다 장석(albite)인 $Na(AlSi_3)O_8$를 배치 조성에 첨가함으로써 얻을 수 있다. 혼합물 2,000 kg의 배치 조성에 이 장석(feldspar) 100 kg을 넣었을 때 얻어지는 유리의 배치 조성을 계산하시오.

11.3 구조 재료 공정

마지막으로, 공업에 적용하기 위해 편리한 형태로 다양한 금속, 세라믹, 유리가 어떻게 만들어지는지 고려할 것이다. 이 **공정**이라는 주제는 두 가지 목적을 준다. 첫째, 각 재료의 성질을 보다 완벽하게 이해할 수 있게 해준다. 둘째, 보다 중요한 것으로, 공정 이력이 특성에 미치는 영향에 대한 이해를 제공해준다.

금속의 공정

표 11.7은 금속에 대한 몇 가지 주요 **공정**(processing) 기법을 요약해놓은 것이다. 특별히 포괄적인 한 가지 예로 **단련 공정**(wrought process)으로 강을 제조하는 일반 공정이 요약되어 있다. 단련 제품의 범위가 넓은 반면에 거기에는 공통된 공정 이력이 있다. 원료는 결합되고 녹아서 거친 주조 형태가 된다. 주조품은 그다음 최종 제품의

표 11.7 금속에 대한 몇 가지 주요 공정 처리법

Wrought processing	Joining
Rolling	Welding
Extrusion	Brazing
Forming	Soldering
Stamping	Powder metallurgy
Forging	Hot isostatic pressing (HIP)
Drawing	Spark plasma sintering (SPS)
Casting	Superplastic forming
	Rapid solidification
	Additive manufacturing

형체로 가공된다. 그림 11.3에 예시된 **주조**(casting)에서 일어나는 잠재적인 문제는 잔류 기공도(residual porosity)의 존재이다(그림 11.4). 단련 공정에서 최종 제품의 형태를 만들기 위해 기계적 변형을 가하면 이 기공도는 거의 제거된다.

일반적으로 복합 구조 설계는 단일 단계 공정으로 제조되지 않는다. 그 대신 비교적 간단한 형체는 단련이나 주조 공정으로 제작되어 함께 접합을 이룬다. 접합기술은 그 자체가 넓은 분야이다. 가장 흔한 예가 **용접**(welding)인데, 여기서 접합되는 금속 부품은 접합 부위에서 부분적으로 녹는다. 용접에서는 보통 금속 용접봉(weld rod)을 사용하는데 이 용접봉 또한 녹는다. **경납땜**(brazing)에서는 경납 금속이 녹지만 접합되는 부품은 녹지 않을 수도 있다. 이때 결합은 대부분 경납 금속이 접합 부품으로 고체 확산되어 들어감으로써 형성된다. **납땜**(soldering)에서는 용융도, 고체

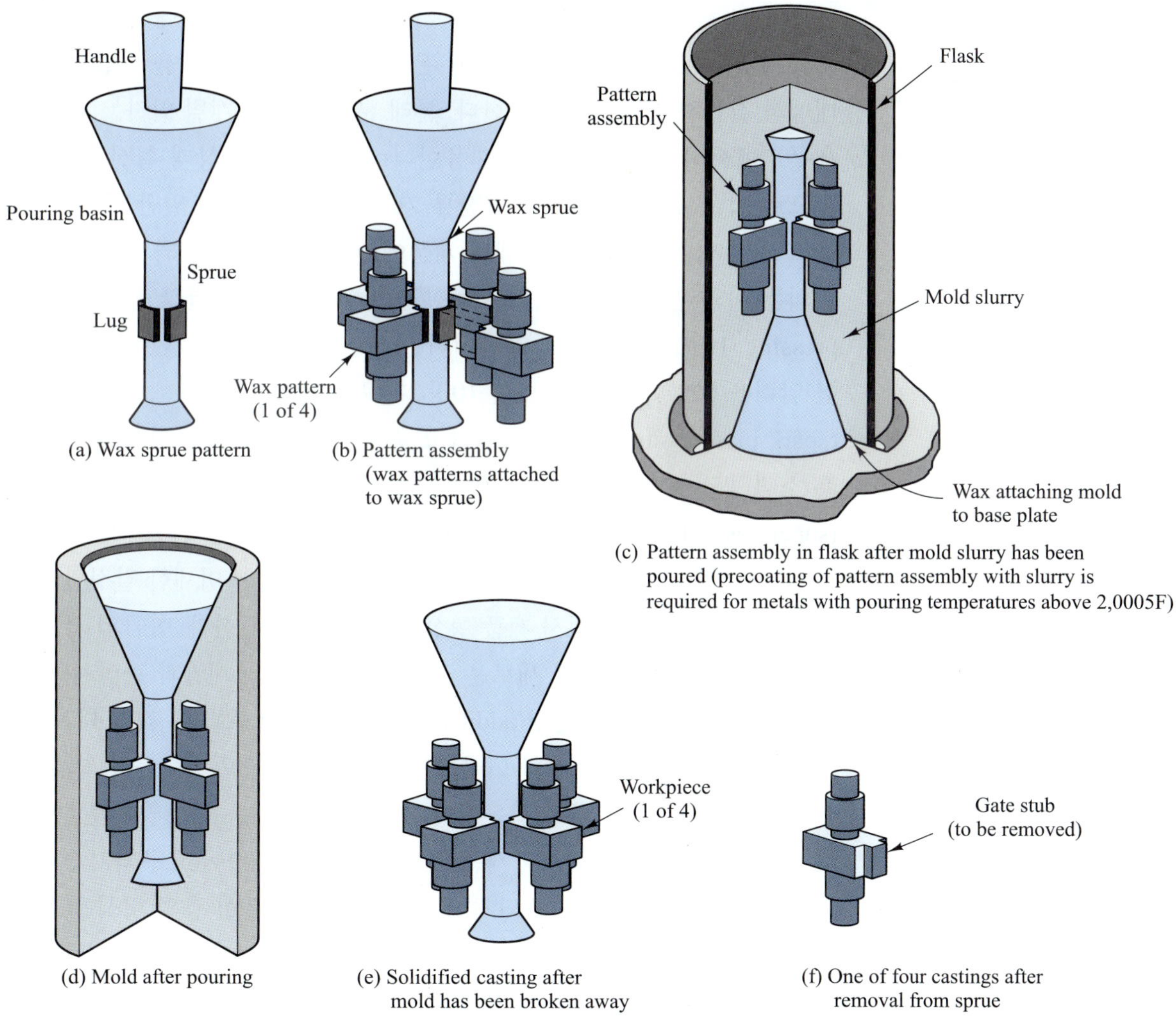

그림 11.3 매몰 조형(investment molding) 공정에 의한 금속 합금 형체의 주조를 보이는 개요도 (From *Metals Handbook*, 8th ed., Vol. 5, *Forging and Casting*, American Society for Metals, Metals Park, OH, 1970.)

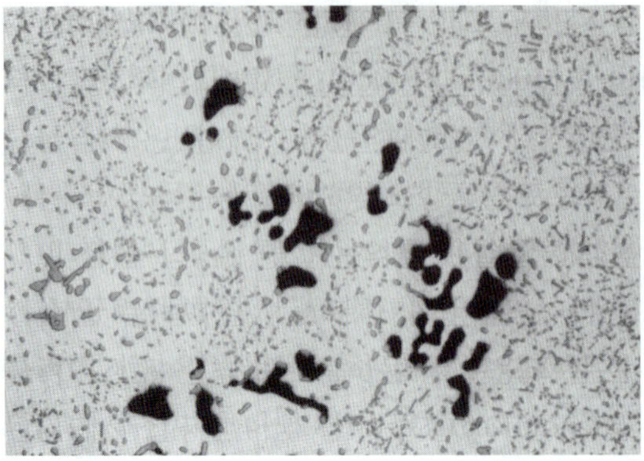

그림 11.4 주조 합금(354-T4 알루미늄)의 미세구조, 50배율. 검은 점은 공동(voids)이고 회색 입자는 규소가 많은 상이다. (From *Metals Handbook*, 9th ed., Vol. 9, *Metallography and Microstructures*, American Society for Metals, Metals Park, OH, 1985.)

확산도 필요하지 않다. 접합은 대개 용융된 땜납이 각각의 금속 부품 표면에 밀착되어 발생한다.

그림 11.5는 더욱 전통적인 공정 기법에 대한 고체 상태에서의 다른 대안을 보여준다. **분말 야금**(powder metallurgy)은 미세한 입자의 분말을 다결정품으로 고체 상태에서 결합하는 내용을 포함한다. 본래 분말 상태의 개별 입자는 최종 다결정의 미세구조에서의 결정립에 거의 대응한다. 충분한 고체 상태 확산은 아주 치밀한 제품으로 이끌 수 있지만 약간의 잔류 기공도가 남는 것이 일반적이다. 이 공정 기법은 고융점 합금과 복잡한 형체의 제품에 유리하다. 10.6절의 세라믹의 소결에 관한 논의는 이와 관련된다. 최근 분말 야금 분야의 발전은 **열간 등압 성형**(hot isostatic pressing, HIP) 법이다. 이 기법에서는 고온 비활성 기체를 이용하여 부품에 균일한 압력을 가한다. 우리는 또한 10장 '재료의 세계'에서 다룬 **스파크 플라스마 소결**(spark plasma sintering, SPS)이라고 종종 불리는 발전을 떠올릴 수 있다. 이 기술은 소결 공정을 가속화하고 소결 온도를 낮추기 위해 전류를 활용한다. **초소성 성형**(superplastic forming)은 최근 발전한 복잡한 형상을 성형하는 데 경제적인 기법이다. 이 공정은 크리프 변형과 긴밀하게 관련된다. 어떤 미세한 결정립의 합금은 수천 퍼센트의 연신율을 보여서 제품 형상을 만들 수 있게 한다. 합금의 급냉 응고는 최근의 비정질 금속 및 다양한 새로운 결정질 미세구조의 개발과 관련지어 이 장 앞부분에서 소개했다. **더하기 공정**(additive manufacturing, AM)은 **직접 디지털 공정**(direct digital manufacturing, DDM)이라고도 하며, 금속 응고 기술을 연장한 것으로, 점점 더 유행하는 3차원 프린팅 접근법을 그물 형상의 제품을 정밀하게 한 층 한 층 쌓는 데 적용한다(즉 일단 성형된 제품은 마무리 성형 공정이 요구되지 않는다). 만일 정밀한 최종 제품 형상이 요구되지 않는다면 보다 급속한 층의 형성을 **근사 정미 형상 공정**(near net-shape processing)이라고 명명한다. AM에는 일반적으로 전자빔이나 레이저빔으로 분말이나 선을 용융하는 것이 포함된다.

표 11.8은 설계 파라미터에 미치는 금속 공정의 영향에 관한 몇 가지 경험 법칙을 모아놓은 것이다. 금속은 공정의 함수로서 아주 넓은 범위의 거동을 보인다. 일

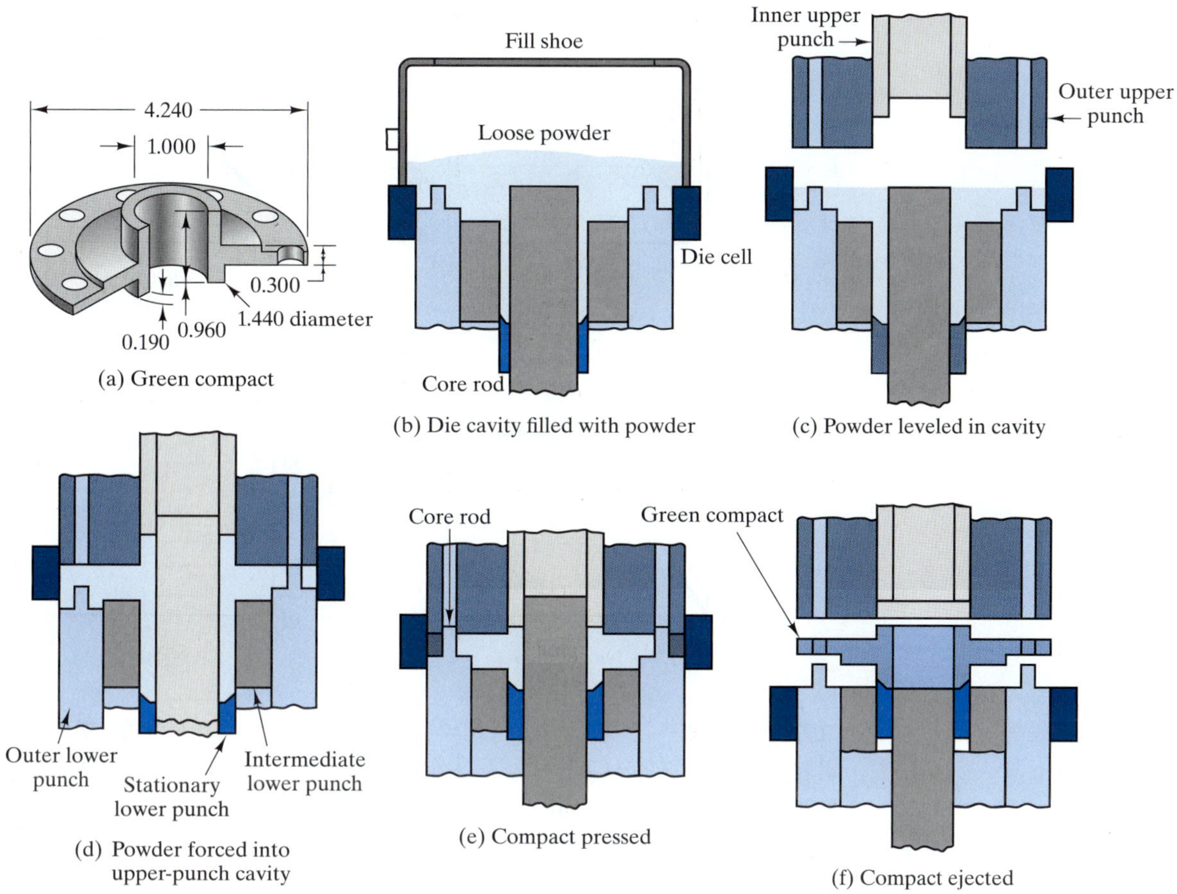

그림 11.5 분말 야금의 개요도. 굽지 않은 압분체(green compact)는 이어서 충분히 높은 온도로 가열되어 이웃 분말 입자 사이에서 고체 상태 확산에 의해 강한 덩어리를 형성한다. (From *Metals Handbook*, 8th ed., Vol. 4, *Forming*, American Society for Metals, Metals Park, OH, 1969.)

반화된 경우와 마찬가지로 예외가 존재한다는 데 주의해야 한다. 이 절에서 논의한 기본 공정에 관한 주제에 더해서 표 11.8은 9장과 10장에서 논의한 미세구조의 형성과 열처리에 관한 문제도 언급하고 있다. 그림 11.6에 특별한 예를 들었는데, 여기서 Cu-Ni 계의 합금 조성에 따라서 강도, 경도, 연성이 어떻게 변하는가를 보여

표 11.8 금속의 특성에 미치는 공정의 몇 가지 일반적인 영향

Strengthening by	Weakening by
Cold working	Porosity (produced by casting, welding, or powder metallurgy)
Alloying (e.g., solution hardening)	Annealing
Phase transformations (e.g., martensitic)	Hot working
	Heat-affected zone (welding)
	Phase transformations (e.g., tempered martensite)

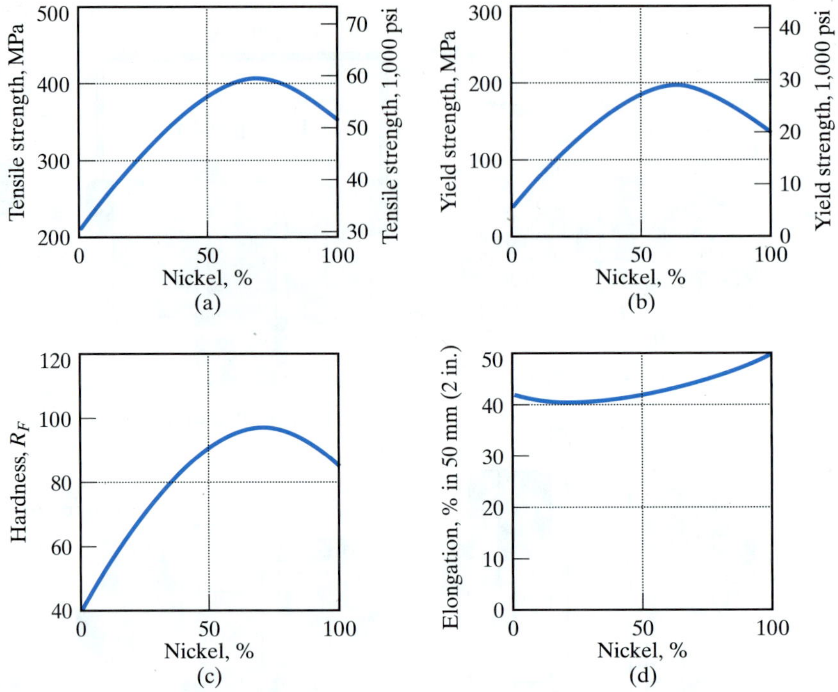

그림 11.6 구리-니켈 합금의 조성에 따른 기계적 성질의 변화. 돌이켜보면 구리와 니켈은 완전한 고용체 상평형도(그림 9.9)를 형성한다. (From L. H. Van Vlack, *Elements of Materials Science and Engineering*, 4th ed., Addison-Wesley Publishing Co., Inc., Reading, MA, 1980.)

준다. 마찬가지로 그림 11.7은 이들의 기계적 성질이 주어진 합금(이 경우엔 황동)의 기계적 이력에 따라 어떻게 변하는가를 보여준다. 합금화학과 가공열처리 이력(thermomechanical history)의 변동은 구조 설계 파라미터의 정밀한 조율에 상당한 허용 범위를 가능하게 한다.

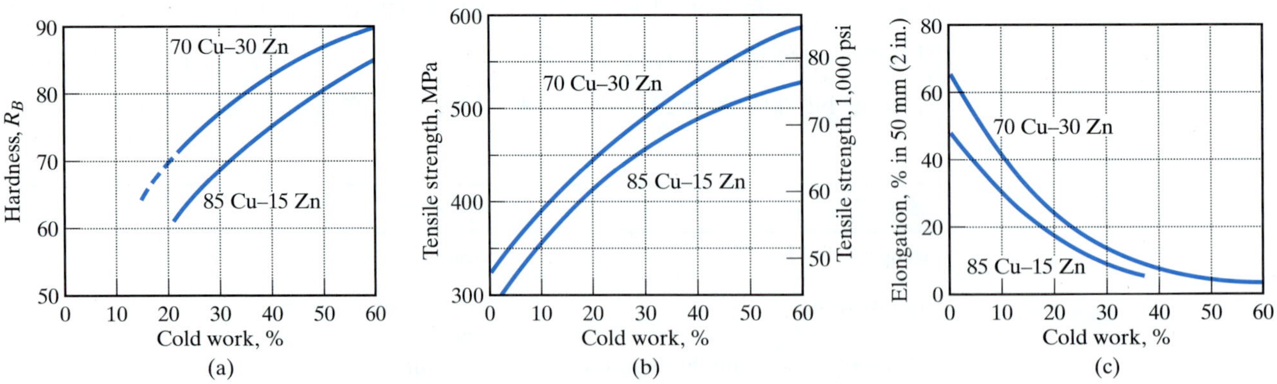

그림 11.7 냉간 가공도에 따른 두 가지 황동 합금의 기계적 성질의 변화 (From L. H. Van Vlack, *Elements of Materials Science and Engineering*, 4th ed., Addison-Wesley Publishing Co., Inc., Reading, MA, 1980.)

재료의 세계

더하기 공정

직접 디지털 공정(DDM)으로도 알려져 있는 더하기 공정(AM)은 급속히 발전하는 3차원 인쇄 기술을 금속 공정에 적용하는 것을 의미한다. 'additive'라는 수식어는, 예를 들면 주조로 성형된 어떤 금속 부품이 최종 형상으로 가공될 때 발생하는 폐기물과 마찬가지로 가공 단계에서 추가 비용이 유발되는 절삭(subtractive) 가공의 'subtractive'와 대조적으로 사용된다. AM에 의해 층을 서서히 쌓으면 부수적인 마무리 단계가 요구되지 않는 최종 형상의 제품을 제조할 수 있다. 허용 가능하다면 보다 빠른 증착 속도로 공칭 마무리 단계가 요구되는 근사 정미 형상(near net-shape)이 될 수 있다. 'direct digital'이라는 수식어는 DDM이 컴퓨터 지원 설계인 CAD와 금속 공정을 합친 것임을 시사한다. CAD 파일은 최종 제품의 상세한 3차원 형상으로 구성되어 있다. 소프트웨어가 전체 형상을 단계별 공사로 최종 제품 형상을 만들 수 있는 다층에 해당되는 면상의 조각으로 변환한다. 열원에는 전자빔과 레이저빔이 있다. 공급 원료는 분말이나 선으로 제공된다. 가공된 부품을 최종 형상으로 만들 수 있는 잠재성 외에도 AM은 다른 수단으로는 창출하기 어려운 내부 형상물을 포함하여 복잡한 형상을 제조하는 데 특히 매력적이다. 다음 그림에 LENS(Laser Engineered Net Shaping) 기술을 도식화했는데, 여기서 고출력 레이저(500 W에서 4 kW)는 금속 분말을 완전히 치밀한 3차원 구조로 녹이는 데 사용된다. 이 예에서는 터빈 날개가 제조되었다.

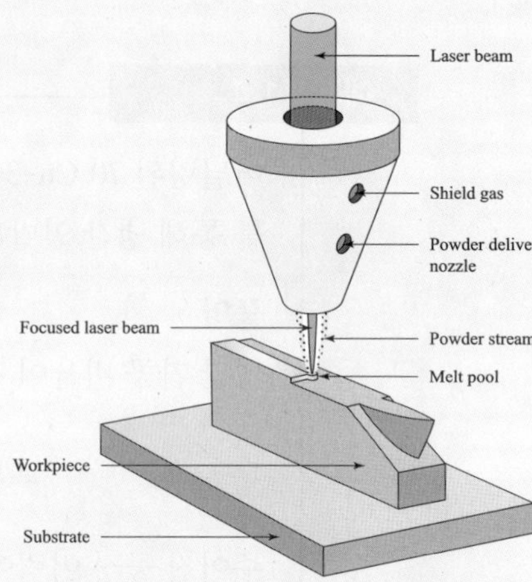

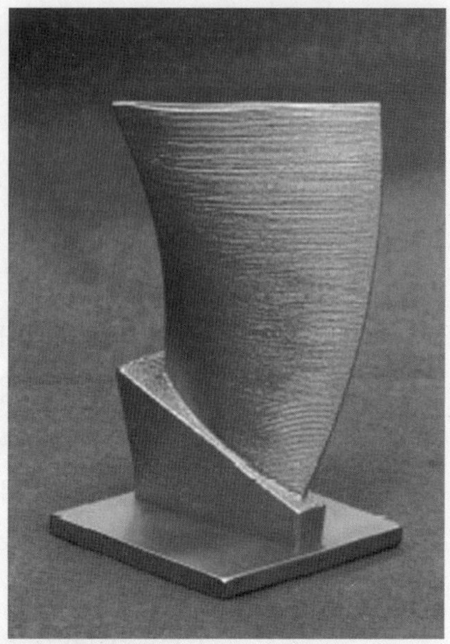

(Courtesy of Optomec Corporation (left) and Sandia National Laboratories (right).)

D **예제 11.3**

구리-니켈 합금은 특수한 구조용으로 필요하다. 그 합금은 400 MPa보다 큰 인장 강도와 45%(길이 50 mm에서) 이하의 연성을 가져야 한다. 허용되는 합금의 조성 범위는 얼마인가?

풀이

그림 11.6을 이용하여 주어진 특성 범위에 상응하는 '창문(window)'을 결정할 수 있다.

인장 강도 > 400 MPa : 59 < %Ni < 79
연신율 < 45% : 0 < %Ni < 79
허용되는 합금 범위 : 59 < %Ni < 79

예제 11.4

어닐링된 70 Cu-30 Zn 황동(10 mm 지름)으로 된 막대기가 8 mm 지름을 갖는 다이를 통해 냉간 인발되었다. 뽑아낸 막대기의 (a) 인장 강도와 (b) 연성은 얼마인가?

풀이

냉간 가공 비율이 결정되기만 하면 그림 11.7로부터 그 결과를 얻을 수 있다.

$$\text{냉간 가공 비율} = \frac{\text{초기 면적} - \text{최종 면적}}{\text{초기 면적}} \times 100\%$$

주어진 공정 이력에 대해서는

$$\text{냉간 가공 비율} = \frac{\pi/4(10\text{ mm})^2 - \pi/4(8\text{ mm})^2}{\pi/4(10\text{ mm})^2} \times 100\%$$

$$= 36\%$$

그림 11.7로부터 (a) 인장 강도는 520 MPa이고 (b) 연성(연신율)은 9%임을 알 수 있다.

D **연습문제 11.3**

(a) 예제 11.3에서 구조용으로 강도와 연성의 요구조건에 합당한 구리-니켈 합금 조성 범위를 결정했다. 같은 방법으로 다음 명세서에 맞는 조성 범위를 결정하시오. 경도는 80 R_F보다 높고 연성은 45%보다 낮은 경우, (b) (a)에서 결정된 구리-니켈 합금 조성의 범위에 대해 가격을 기준으로 할 때 어떤 특수 합금이 선택되겠는가? 구리의 가격은 대략 \$5.0/kg이고 니켈은 \$21.0/kg이다.

연습문제 11.4

예제 11.4에서 냉간 가공된 70 Cu-30 Zn 황동 막대기의 인장 강도와 연성을 계산했다. (a) 인장 강도는 어닐링된 막대기에 비해 몇 퍼센트 증가하는가? (b) 연성은 어닐링된 막대기에 비해 몇 퍼센트 감소하는가?

세라믹과 유리의 공정

표 11.9에 세라믹과 유리에 관한 주요 공정기술 몇 가지가 요약되어 있다. 이 중 대다수가 표 11.7에 소개된 금속 공정과 직접적인 유사성이 있다. 하지만 단련 공정(wrought processing)은 세라믹에는 원래 존재하지 않는다. 세라믹의 가공에 의한 성형은 본래부터 취성 때문에 한계가 있다. 냉간 가공과 열간 가공은 실용성이 없음에도 불구하고 다양한 주조 기술을 사용할 수 있다. **용융 주조**(fusion casting)는 금속 주조와 대등한 공정을 말한다. 이 기법은 일반적으로 세라믹의 높은 융점 때문에 널리 행해지는 방법은 아니다. 낮은 기공률을 가지는 몇 가지 내화물은 이 방법으로 성형되지만 비교적 높은 비용이 든다. **슬립 주조**(slip casting)는 그림 11.8에 나타낸 바와 같이 보다 전형적인 세라믹 공정 기법이다. 여기서 주조는 실온에서 수행된다. '슬립'은 분말-물 혼합체이고 다공질 주형에 부어진다. 많은 수분은 주형에 의해 흡수되어 주형으로부터 떼어낼 수 있을 정도로 비교적 단단한 분말 형태를 남긴다. 강한 제품을 만들려면 이 덩어리를 열처리해야 한다. 처음에는 남아 있는 흡착 수분이 빠져나온다. **소성**(firing)은 고온(전형적으로 1,000°C가 넘는)에서 행해진다. 분말 야금에서와 같이 소성된 덩어리의 강도는 대부분 고체 상태 확산에 기인한다. 많은 세라믹(특히 토기, 질그릇)에서는 고온 반응이 수반된다. 화학적으로 결합된 수분은 떨어져 나오고 여러 가지 상변태가 일어나며, 규산염과 같은 상당량의 유리상이 형성될 수 있다. 소결(sintering)은 분말 야금과 직결되는 동의어이다. 이 주제는 10.6절에서 소개했다. 보통의 세라믹은 높은 융점을 가져서 소결이 널리 쓰이는 공정 기법이다. 분말 야금에서와 같이 열간 등압 성형(HIP)은 점차 세라믹(특히 보다 우수한 기계적 성질을 지닌 아주 치밀한 제품)을 만드는 데 사용되고 있다. 전형적인 **유리 형성**(glass-forming) 공정은 그림 11.9에 도시되어 있다. 유리병 제조와 관련된 여러 단계가 그림 11.10에 나와 있다. 유리 상태에서의 점성은 이 공정에서 중심적인 역할을 담당한다(6.6절 참고). **제어된 실투 현상**(controlled devitrification, 즉 결정화)이 결정화 유리를 형성한다. 이 주제는 이미 앞에서 다루었다(10.6절과 이 절 앞부분 참고). **졸-겔 공정**(sol-gel processing)은 비교적 낮은 온도에서 균일하고 미세한 입자로 이루어진 고순도의 세라믹을 형성하는 방법이다. 이와 같은 분말은 좋은 기계적 성질을 가지는 고밀도로 소결될 수 있다. 이러한 기술의 기본적인 특징은 유기금속 용액(organometallic solution)의 형성이다. 분산된 상인 '졸(sol)'은 견고한 '겔(gel)'로 전환되고 다시 다양한 열처리에 의해 최종 조성으로 환원된다. 졸-겔 공정의 핵심적인 장점은 처음에 액상 경로를 통해 성형된 제품을 통상적인 세라믹 공정에 비해 보

표 11.9 세라믹과 유리의 주요 공정

Fusion casting
Slip casting
Sintering
Hot isostatic pressing (HIP)
Spark plasma sintering (SPS)
Additive manufacturing
Glass forming
Controlled devitrification
Sol–gel processing
Biomimetic processing
Self-propagating high temperature synthesis (SHS)

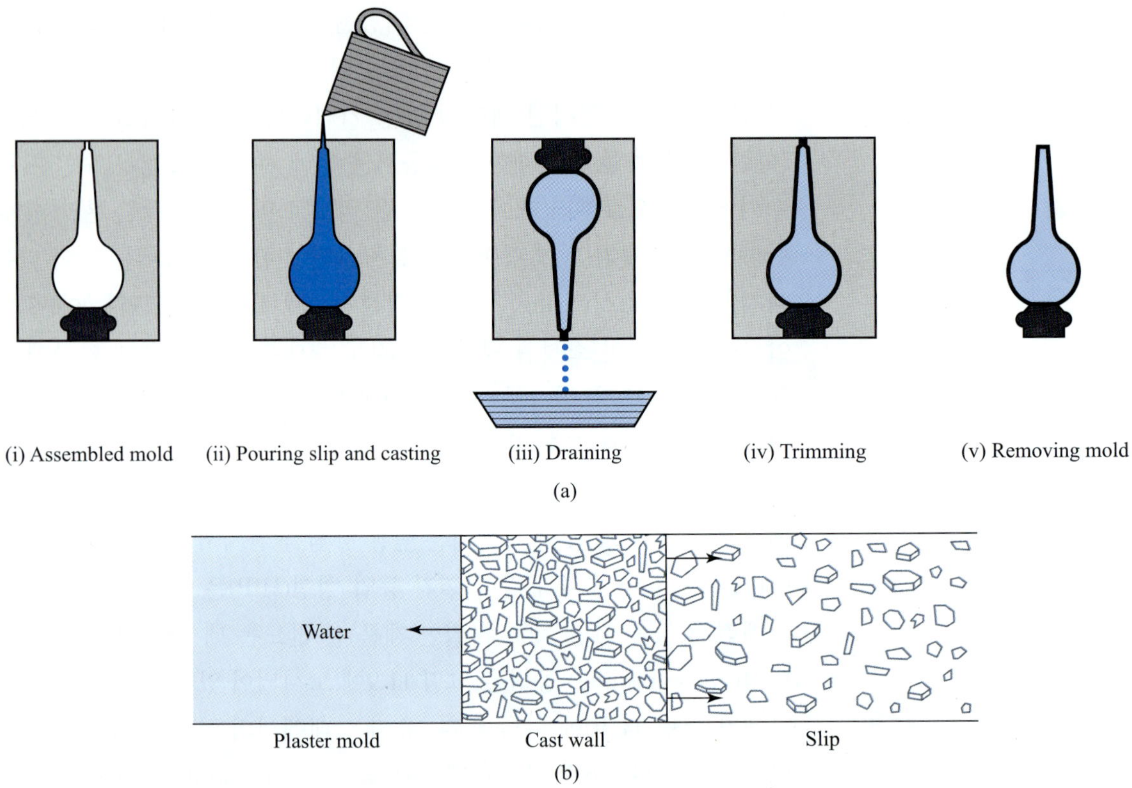

그림 11.8 (a) 세라믹의 슬립 주조를 보이는 모식도. 슬립은 분말-물 혼합체이다. (b) 많은 수분은 다공질 주형에 흡수된다. 구조적으로 강한 덩어리를 만들기 위해 최종 형태는 고온에서 소성되어야 한다. (After F. H. Norton, *Elements of Ceramics*, 2nd ed., Addison-Wesley Publishing Co., Inc., Reading, MA, 1974.)

다 낮은 온도에서 소성할 수 있다는 점이다. 낮은 소성 온도에 따른 원가 절감은 큰 의미를 가질 수 있다. 유리도 졸-겔 공정으로 제조할 수 있다.

최근 세라믹 공학자들은 조개껍데기와 같은 몇 가지 자연적인 세라믹 제조 공정이 궁극적으로 액상 공정의 경로를 택한다는 것을 알아냈다. 과학자들은 전복껍데

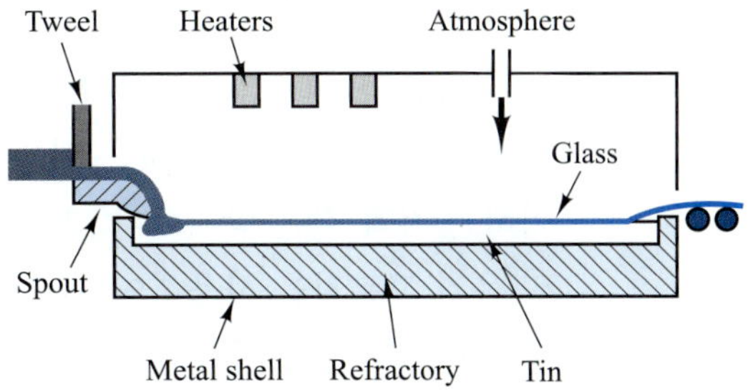

그림 11.9 현대의 건축용 평판 유리에서 얻어지는 고도의 평활성은 유리층을 용융 주석탕에서 끌어내는 부유 유리 공정에 의한 것이다. (After *Engineered Materials Handbook*, Vol. 4, Ceramics and Glasses, ASM International, Materials Park, OH, 1991.)

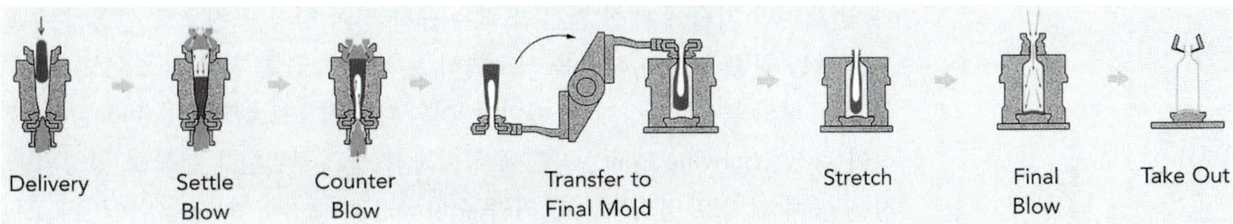

그림 11.10 유리병 제조 자동화에는 여러 단계가 포함된다. (Courtesy of the Corning Museum of Glass.)

기가 소성 단계 없이 전적으로 주변 온도의 수용액 매체 중에서 형성되는 데 주목했다. 이러한 자연적인 생체세라믹(bioceramics)의 매력적인 양상은 주변 조건하에서 쉽게 접할 수 있는 재료로부터 제조된다는 점 외에도, 최종 미세구조가 기공이나 미세균열이 없는 미세결정립으로 되어 있어 높은 강도와 파괴 인성을 갖는다는 점이다. 이와 같은 생체세라믹은 통상적으로 탄산칼슘, 인산칼슘, 규산 또는 산화철의 한정된 범위의 조성에서 느린 형성 속도로 제조된다.

생체모조 공정(biomimetic processing)은 자연적인 공정(즉 생물학적 원리를 채용함으로써 산화물, 황화물 및 다른 세라믹을 낮은 온도의 수용액 합성에 의해 제조하는 공정)을 모방한 공업용 세라믹의 제조 전략에 붙여진 명칭이다. 이 공정에 대해 세 가지 주요 측면이 규명되었는데 (1) 특정 미세 환경(어떤 자리에서는 결정 생성이 고무되며 다른 자리에서는 억제되는) 안에서 발생하고, (2) 정해진 결정 크기와 방위를 가지는 특정 광물이 생성되며, (3) 많은 증식 단위를 함께 꾸려 거시적인 성장을 이루는(결국 특이한 복합 구조를 만드는), 그리고 나중 단계에서 성장과 수선이 일어나는 것으로 확인되었다. 이 자연적인 공정은 조개껍데기뿐만 아니라 뼈와 치아의 법랑질에서도 일어난다. 아직 생체모조 공정으로 자연재료에서 보이는 정교한 제어 수준을 복제할 수는 없다. 그럼에도 불구하고 이 방향으로 많은 노력을 기울였으며, 그에 대한 기대되는 결과가 나오고 있다. 한 가지 간단한 예가 포틀랜드 시멘트 혼합 시에 물에 녹는 고분자를 첨가하여 큰 얼음 결정으로의 성장을 억제시킴으로써 빙결-해빙 손상을 줄이는 것이다. 세라믹 같은 시멘트 입자는 생물의 단단한 조직과 유사하다. 고분자를 첨가하면 시멘트 제품의 경화 작용, 미세구조 및 성질을 변화시킬 수 있는데, 그것은 세포 밖의 생체고분자가 뼈와 조개껍데기의 특성에 기여하는 것과 같은 방식이다. 최근 생체모조 공정의 연구는 생체고분자는 물론 무기 및 유기 고분자를 사용하여 새로운 세라믹 결정핵의 생성과 성장을 제어하는 데 집중되어 있다. 재료공학에서 생체재료의 확장되는 역할은 12장의 '재료의 세계'에서 설명한다.

생체모조 공정의 중요성에 대해 마지막으로 설명하자면, 뼈와 조개껍데기의 자연적인 형성이 부차적으로 매력적인 특성을 보이는 것은 금속의 더하기 공정이 그러하듯이 이것이 **정미 형상 공정**(net-shape processing)을 나타낸다는 것이다. 최근 금속 및 세라믹 기술에 대한 많은 노력은 근사 정미 형상 공정으로 설명될 수 있으며, 그 목표는 최종 형상화 작업을 최소화하는 것이다. 금속 합금의 초소성 성형과 세라믹 및 유리의 졸-겔 공정이 그 예이다. 이와 대조적으로 생체광물(biominerals)은 '움직이는 전방(moving front)' 공정에서 비교적 크고 치밀한 부분으로 형성되며, 이 공정을 통해 기지로 정의되는 단위가 순차적으로 증가하여 광물질화된다. 결과물인 치밀한 재료의 정미 형상 성형은 미세구조적 제어의 특출한 수준을 나타낸다.

세라믹 공정의 최종 유형인 **자체연소 고온 합성**(self-propagating high-temperature synthesis, SHS)이라는 새로운 기법은 화학 반응에서 방출되는 상당한 열을 사용하고, 한번 시작되면 반응을 지속시켜서 최종 생성물을 만든다. 예를 들어 질소 가스 분위기에서 타이타늄 분말을 발화시켜 초기의 질화타이타늄을 제조한다[Ti(고체) + 1/2 N_2(기체) = TiN(고체)]. 이 발열 반응에서 방출되는 상당한 열은 연소 파동(combustion wave)을 만들어 나머지 타이타늄 분말을 통과하여 반응을 지속시킴으로써 모든 타이타늄을 TiN 생성물로 전환한다. 고온이 수반된다고 하더라도 SHS는 비교적 낮은 온도의 졸-겔 및 생체모조 공정의 장점을 두루 가진다. 즉 SHS에서 고온은 주로 스스로 지속되는 반응에 의해 발생되므로 에너지 절약이 장점이다. 게다가 SHS는 비교적 순수한 생성물을 만들 수 있고, 생성물의 성형 및 치밀화를 동시에 가능하게 하는 단순한 공정이다. 다양한 재료가 이런 방법으로 성형되며, 일반적으로 분말 형태로 생산된다. 반면에 치밀한 제품은 연소 과정을 통한 부차적인 소결이나 압력의 동시 적용 또는 주조 작업을 통해 형성될 수 있다. 세라믹의 성형과 더불어 금속 간 화합물(예: TiNi)과 복합체도 SHS에 의해 생산될 수 있다.

예제 11.5

고령토, $Al_2(Si_2O_5)(OH)_4$ 5 kg을 연구실 '노' 안에서 소성하여 규산알루미늄 세라믹을 생산하려면 얼마나 많은 H_2O를 제거해야 하는가?

풀이

예제 9.12에서처럼 다음과 같이 쓸 수 있다.

$$Al_2(Si_2O_5)(OH)_4 = Al_2O_3 \cdot 2SiO_2 \cdot 2H_2O$$

$$Al_2O_3 \cdot 2SiO_2 \cdot 2H_2O \xrightarrow{\text{가열}} Al_2O_3 \cdot 2SiO_2 + 2H_2O \uparrow$$

그러면

$$\begin{aligned} 1\text{몰 } Al_2O_3 \cdot 2SiO_2 \cdot 2H_2O &= [2(26.98) + 3(16.00)]\ \text{amu} \\ &\quad + 2[28.09 + 2(16.00)]\ \text{amu} \\ &\quad + 2[2(1.008) + 16.00]\ \text{amu} \\ &= 258.2\ \text{amu} \end{aligned}$$

$$2\text{몰 } H_2O = 2[2(1.008) + 16.00]\ \text{amu} = 36.03\ \text{amu}$$

결과적으로 제거되어야 할 H_2O의 질량은

$$m_{H_2O} = \frac{36.03\ \text{amu}}{258.2\ \text{amu}} \times 5\ \text{kg} = 0.698\ \text{kg} = 698\ \text{g}$$

예제 11.6

유리병이 온도 680°C에서 점성 10^7 P하에서 성형된다고 하자. 유리의 점성 변형에 대한 활성화 에너지를 460 kJ/mol이라고 할 때 이 제품의 어닐링 온도 범위를 계산하시오.

풀이

6.6절에서의 방법을 따라 식 (6.20)을 이용하면

$$\eta = \eta_0 e^{+Q/RT}$$

680°C = 953 K이므로

$$10^7\text{P} = \eta_0 e^{+(460\times10^3\ \text{J/mol})/[8.314\ \text{J/(mol}\cdot\text{K)}](953\ \text{K})}$$

$$\eta_0 = 6.11 \times 10^{-19}\ \text{P}$$

어닐링 온도 범위에서 $\eta = 10^{12.5}$~$10^{13.5}$ P이다. $\eta = 10^{12.5}$ P에 대해

$$\begin{aligned} T &= \frac{460 \times 10^3\ \text{J/mol}}{[8.314\ \text{J/(mol}\cdot\text{K)}]\ln(10^{12.5}/6.11 \times 10^{-19})} \\ &= 782\ \text{K} = 509°\text{C} \end{aligned}$$

$\eta = 10^{13.5}$ P에 대해

$$\begin{aligned} T &= \frac{460 \times 10^3\ \text{J/mol}}{[8.314\ \text{J/(mol}\cdot\text{K)}]\ln(10^{13.5}/6.11 \times 10^{-19})} \\ &= 758\ \text{K} = 485°\text{C} \end{aligned}$$

그러므로 어닐링 범위는 485~509°C이다.

연습문제 11.5

예제 11.5의 연구실 소성 작업의 규모를 크게 확장하여 생산 수준 6.05×10^3 kg의 고령토를 소성하고자 한다. 이 경우에 얼마나 많은 H_2O를 제거해야 하는가?

연습문제 11.6

예제 11.6에서 기술한 유리병 생산에 대해 제조 공정에서의 용융 범위를 계산하시오.

요약

금속은 공학설계에서 특히 구조 재료로서 주역을 담당한다. 공업에 사용되는 재료의 무게로 90% 이상이 철이거나 철 합금이며, 여기에 강(0.05~2.0 wt % C를 함유하는)과 주철(2.0~4.5 wt % C를 지닌)이 포함된다. 비철 합금에는 개별적인 속성에 따른 광범위한 재료가 포함된다. 알루미늄, 마그네슘, 타이타늄 합금은 경량 구조 재료로서 널리 사용되고 있다. 구리 합금과 니켈 합금은 화학약품과 온도에 견디는 재료와 전기 및 자기 재료로 응용하는 데 매력적이다. 다른 중요한 비철 합금에는 아연 및 납 합금과 내열 금속 및 귀금속이 포함된다.

세라믹과 유리는 공업재료의 다양한 일족을 나타낸다. 세라믹(ceramics)이라는 용어는 주로 결정질 재료에 해당된다. 유리는 화학적으로 결정질 세라믹과 비슷한 비정질 고체이다. 결정화 유리는 처음에는 유리로 가공한 후 조심스럽게 결정화해서 우수한 기계적 성질과 열충격 저항성을 가지는 치밀하고 미세한 입자로 된 세라믹 제품으로 만든 독특한 제품이다.

공학설계 중에 재료의 많은 활용은 재료 처리 공정에 의해 결정된다. 많은 일반 금속 합금은 단련 공정으로 제조되는데, 이 공정에서 단순한 주조 형태가 최종 형상으로 기계가공된다. 다른 합금은 직접 주조에 의해 생산된다. 한층 복잡한 구조 형상은 용접과 같은 접합 기술에 의존한다. 단련 및 주조 공정에 대한 한 가지 대안은 분말 야금이라는 순고체 상태 기법을 사용하는 것이다. 요즘의 금속 성형 기법으로는 HIP, 초소성 성형, 급냉 응고 방법이 있다. 세라믹은 용융 주조에 의해 성형될 수 있으며, 이것은 금속 주조와 유사하다. 슬립 주조는 한층 더 일반적인 것이다. 소결과 열간등압 성형(HIP)은 분말 야금법과 직접적인 유사성을 가진다. 유리 형성에는 과냉된 규산염 액체의 점도를 조심스럽게 제어하는 것이 포함된다. 결정화 유리는 미세한 결정립을 지닌 완전히 결정화된 제품을 형성하도록 부수적인 단계에서 제어된 실투 현상을 필요로 한다. 졸-겔 공정, 생체모조 공정, SHS는 고순도 제품을 경제적으로 생산하도록 하는 에너지를 절약하는 공정이다.

주요 용어

가단 주철(malleable iron)
강(steel)
결정질 세라믹(crystalline ceramic)
결정화 유리(glass-ceramic)
경납땜(brazing)
고강도 저합금강[high-strength, low-alloy(HSLA) steel]
고용 경화(solution hardening)
고합금강(high-alloy steel)
공구강(tool steel)
공정(processing)
귀금속(precious metal)
규산염(silicate)
규산염 유리(silicate glass)
근사 정미 형상 공정(near net-shape processing)
급냉 응고 합금(rapidly solidified alloy)
납땜(soldering)
내열 금속(refractory metal)
내화물(refractory)
단련 공정(wrought process)

단련 합금(wrought alloy)
더하기 공정(additive manufacturing, AM)
마르텐사이트 스테인리스강 (martensitic stainless steel)
망상 개질제(network modifier)
망상 형성물(network former)
백주철(white iron)
벌크 비정질 합금(bulk amorphous alloy)
법랑(enamel)
부분 안정화 지르코니아(partially stabilized zirconia)
분말 야금(powder metallurgy)
붕규산염 유리(borosilicate glass)
비규산염 산화물 세라믹(nonsilicate oxide ceramic)
비규산염 유리(nonsilicate glass)
비산화물 세라믹(nonoxide ceramic)
비철 합금(nonferrous alloy)
생체모조 공정(biomimetic processing)
석출 경화 스테인리스강(precipitation-hardening stainless steel)
소다-석회-규산 유리(soda-lime-silica glass)
소성(firing)
순수 산화물(pure oxide)
스파크 플라스마 소결(spark plama sintering, SPS)
슬립 주조(slip casting)
연성 주철(ductile iron)
열간 등압 성형(hot isostatic pressing, HIP)
오스테나이트 스테인리스강(austenitic stainless steel)
용융 주조(fusion casting)
용접(welding)
유리(glass)
유리 용기(glass container)
유리질 규산(vitreous silica)
유리 형성(glass forming)
유약(glaze)
자기(whiteware)
자성 세라믹(magnetic ceramic)
자체연소 고온 합성(self-propagating high-temperature synthesis, SHS)
저합금강(low-alloy steel)
전자 세라믹(electronic ceramic)
점토(clay)
정미 형상 공정(net-shape processing)
제어된 실투 현상(controlled devitrification)
졸-겔 공정(sol-gel processing)
주조(casting)
주철(cast iron)
중간물(intermediate)
직접 디지털 공정(direct digital manufacturing, DDM)
창유리(window glass)
철 합금(ferrous alloy)
청동(bronze)
초소성 성형(superplastic forming)
초합금(superalloy)
탄소강(carbon steel)
페라이트 스테인리스강(ferritic stainless steel)
핵 세라믹(nuclear ceramic)
황동(brass)
회주철(gray iron)
E-glass

참고문헌

금속

Ashby, M.F., and **D.R.H. Jones,** *Engineering Materials—1 An Introduction to Properties, Application, and Design*, 5th ed., Butterworth-Heinemann, Boston, MA, 2019.

Davis, J. R., Ed., *Metals Handbook,* Desk Ed., 2nd ed., ASM International, Materials Park, OH, 1998. A one-volume summary of the extensive *Metals Handbook* series.

ASM Handbook, Vols. 1 (*Properties and Selection: Irons, Steels, and High-Performance Alloys*) and 2 (*Properties and Selection: Nonferrous Alloys and Special-Purpose Metals*), ASM International, Materials Park, OH, 1990 and 1991.

세라믹과 유리

Carter, C.B., and **M.G. Norton**, *Ceramic Materials: Science and Engineering,* 2nd ed., Springer, New York, 2013.

Chiang, Y., D. P. Birnie III, and **W. D. Kingery,** *Physical Ceramics,* John Wiley & Sons, Inc., New York, 1997.

Engineered Materials Handbook, Vol. 4, *Ceramics and Glasses,* ASM International, Materials Park, OH, 1991.

Reed, J. S., *Principles of Ceramic Processing,* 2nd ed., John Wiley & Sons, Inc., New York, 1995.

Shackelford, J. F., and **R. H. Doremus,** Eds., *Ceramic and Glass Materials,* Springer, New York, 2008.

복습문제

11.1 _ 금속

11.1 (a) 구성 원소의 밀도의 무게 평균을 통해 1040 탄소강의 밀도를 구하시오.

(b) 1040 탄소강의 밀도에서 순수 Fe의 밀도는 몇 퍼센트인가?

11.2 (a) 표 6.1에 있는 타입 304 스테인리스강의 밀도를 구성 원소의 밀도의 무게 평균을 통해 구하시오.

(b) 이 304 스테인리스강의 밀도는 순철 밀도의 몇 퍼센트인가?

D 11.3 Al-Li 합금은 상용 항공기에 쓰이는 7075 합금의 대체물로 고려되고 있다. 이 조성의 비교는 아래 표에 나와 있다. (a) 같은 부피의 물질이 사용된다고 가정했을 때, 이 대체물질에 의한 밀도가 몇 퍼센트 감소하는가? (b) 만약 총무게가 70,000 kg인 7075 합금이 최근 항공기에 사용되고 있다면, Al-Li 합금으로 대체함으로써 생기는 총질량 감소는 얼마인가?

	Primary alloying elements (wt %)					
Alloy	**Li**	**Zn**	**Cu**	**Mg**	**Cr**	**Zr**
Al–Li	2.0		3.0			0.12
7075		5.6	1.6	2.5	0.23	

11.4 표 6.1을 가지고 (a) 마그네슘 합금과 (b) 타이타늄 합금의 합금 밀도를 구하시오.

11.5 1975~1985년 사이에 자동차에 쓰인 모든 철과 강의 부피가 0.162 m^3에서 0.116 m^3로 감소했다. 같은 시기에 모든 알루미늄 합금의 부피는 0.012 m^3에서 0.023 m^3로 증가했다. 순수 Fe과 Al의 밀도를 이용하여 이러한 경향으로 인한 질량 감소량을 예측하시오.

11.6 주철(cast irons)과 단련철(wrought irons)의 차이점은 무엇인가?

11.7 50 wt % Co, 20 wt % Cr, 15 wt % W, 15 wt % Ni로 구성된 인공 엉덩이 관절에 쓰이는 코발트-크로뮴 합금의 밀도를 구하시오.

11.8 알루미늄 합금은 ________(으)로 알려져 있다.

11.2 _ 세라믹과 유리

11.9 그림 9.23의 Al_2O_3-SiO_2 상평형도와 관련하여 알루미나 과잉 멀라이트는 내열(온도 저항성) 생성물을 생성한다. 100 kg의 화학량적 멀라이트에 2.0 kg의 Al_2O_3를 첨가하여 만들어진 내화물의 조성을 계산하시오.

11.10 간단한 조성의 내화점토(fireclay) 내화물은 정제되지 않은 고령석(kaolinite) $Al_2(Si_2O_5)(OH)_4$에서 물을 제거하고 열처리하여 만들 수 있다. 생성된 내화물의 조성(wt % 기반)을 계산하시오. (Al_2O_3-SiO_2 상평형도와 관련된 예제 9.12의 과정을 참고한다.)

11.11 45.9 wt % Al_2O_3, 54.1 wt % SiO_2로 구성된 고령석 기반 내화점토 내화물에 대해 예제 9.12의 결과를 사용하여 최종 미세구조에 존재하는 SiO_2와 멀라이트의 wt %를 구하시오.

11.12 (a) ZrO_2(= 5.60 Mg/m^3)와 CaO(= 3.35 Mg/m^3)의 밀도로 구성된 PSZ(4 wt % CaO 포함)와 (b) 안정화 지르코니아(8 wt % CaO 포함)의 밀도를 구하시오.

11.13 자동차 엔진 설계에서 세라믹 물질이 사용되는 우선적인 이유는 보다 높은 동작 온도와 그로 인한 효율성의 향상이다. 이러한 대체로 인해 중량 또한 감소한다. 1.5 kg의 주철(밀도 = 7.15 Mg/m^3)이 같은 부피의 PSZ(밀도 = 5.50 Mg/m^3)로 대체될 경우의 중량 감소를 구하시오.

11.14 주철(밀도 = 7.15 Mg/m^3) 1.5 kg 대신 질화규소(밀도 = 3.18 Mg/m^3)가 사용될 때의 중량 감소를 계산하시오.

11.15 유리창의 배치 조성은 400 kg Na_2CO_3, 300 kg $CaCO_3$, 1,300 kg SiO_2를 포함한다. 만들어진 유리식(glass formula)을 계산하시오.

11.16 규산염 세라믹과 규산염 유리는 모두 실리카를 함유하고 있다는 명백한 사실 외에 어떤 유사점이 있는가?

11.17 투명한 실리카의 경제적인 대체물은 2상(two phase)의 붕규산염 유리로부터 걸러서 B_2O_3-과잉 상으로

만들어지는 높은 실리카 유리이다(다공성의 마이크로 구조는 열처리를 통해 치밀해진다). 한 전형적인 시작 조성은 주요 합금 원소 81 wt % SiO_2, 4 wt % Na_2O, 2 wt % Al_2O_3, 13 wt % B_2O_3이다. 그리고 전형적인 최종 조성은 96 wt % SiO_2, 1 wt % Al_2O_3, 3 wt % B_2O_3이다. 침출을 통한 SiO_2의 손실이 없다고 가정할 때, 50 kg의 시작 물질로부터 형성되는 생성물의 양은 (kg 단위로) 얼마인가?

11.18 규산염 세라믹과 규산염 유리의 차이점은 무엇인가?

11.19 새로운 전자재료는 유리 조직 안에 약간의 실리콘 입자가 분산되어 있다. 이것의 **양자점**(quantum dots)은 13장에서 설명할 것이다. 만약 총 5 wt %에 해당하는 유리의 mm^3당 4.85×10^{16}의 실리콘 입자가 분산되어 있을 경우 양자점의 평균 입자 크기를 계산하시오. (구형 입자이고 규산염 유리 조직의 밀도는 2.60 Mg/m^3이다.)

11.20 유리와 결정화 유리의 차이점은 무엇인가?

11.21 Li_2O-Al_2O_3-SiO_2 결정화 유리에 TiO_2가 입방 mm당 10^{12}의 입자가 분산되어 있고 총 6 wt %의 양이 균일하게 분포되어 있다고 가정한다면, TiO_2 입자의 평균 크기는 얼마인가? (구형의 입자라고 가정한다. 결정화 유리의 밀도는 2.85 Mg/m^3이고 TiO_2의 밀도는 4.26 Mg/m^3이다.)

11.22 Li_2O-Al_2O_3-SiO_2 결정화 유리에 P_2O_5가 입방 mm당 10^{12}의 입자가 분산되어 있고 총 3 wt %의 양이 균일하게 분포되어 있다고 가정한다면, P_2O_5 입자의 평균 크기는 얼마인가? (구형의 입자라고 가정한다. 결정화 유리의 밀도는 2.85 Mg/m^3이고 P_2O_5의 밀도는 2.39 Mg/m^3이다.)

11.23 6 wt% TiO_2 입자를 갖는 Li_2O-Al_2O_3-SiO_2 결정화 유리의 TiO_2의 vol %는 얼마인가? (결정화 유리의 밀도는 2.85 Mg/m^3이고 TiO_2의 밀도는 4.26 Mg/m^3이다.)

11.24 3 wt% P_2O_5 입자를 갖는 Li_2O-Al_2O_3-SiO_2 결정화 유리의 P_2O_5의 vol %는 얼마인가? (결정화 유리의 밀도는 2.85 Mg/m^3이고 P_2O_5의 밀도는 2.39 Mg/m^3이다.)

11.25 전형적인 세라믹과 결정화 유리의 차이점은 무엇인가?

11.26 전자 세라믹과 자성 세라믹은 __________(을)를 나타낸다.

11.3_구조 재료 공정

11.27 어닐링된 85 Cu-15 Zn(지름 12 mm)의 막대를 10 mm의 지름으로 냉간 압연했다. (a) 인장 강도는 얼마인가? (b) 결과적으로 생성된 막대의 연성은 얼마인가?

11.28 금속 가공에서 접합 기술은 __________(을)를 포함한다.

D **11.29** 2 mm 지름의 85 Cu-15 Zn 황동 와이어가 있다. 이것을 1 mm 지름으로 인발해야 한다. 최종 생산품은 인장 강도가 반드시 375 MPa보다 커야 하고 연성은 20%보다 커야 한다. 이 결과를 내기 위한 공정을 기술하시오.

11.30 전통적인 분말 야금과 열간 등압 성형(HIP)은 어떻게 다른가?

11.31 예제 11.5에서 9장에 있는 Al_2O_3-SiO_2 상평형도를 이용하여 실리카-과잉 액상의 형성을 막는 최대 소성 온도를 결정하시오.

11.32 두 부분의 Al_2O_3와 한 부분의 고령토로 구성된 세라믹(예제 11.5의 세라믹에 비견되는)을 소결하는 문제를 고려해보자. 9장의 Al_2O_3-SiO_2 상태도를 사용하여 실리카-과잉 액상이 형성되지 않도록 최대 소결 온도를 결정하시오.

11.33 단순화된 공정 계산을 위해 유리병을 성형할 수 있는 온도는 연화점($\eta = 10^{7.6}$ P)으로 가지고 갈 수 있고, 연속적인 어닐링 온도는 어닐링 점으로 가지고 갈 수 있다($\eta = 10^{13.4}$ P). 만약 유리병 가공 순서가 유리의 470 kJ/mol의 점성 변형에 대한 활성화 에너지를 가지는 690°C의 성형 온도를 포함하고 있다면 적당한 어닐링 온도를 계산하시오.

11.34 연화점에서 병 형상을 만들고 후속 열처리가 어닐링 온도 680°C(여기서 $\eta = 10^{7.6}$ P)에서 이루어지는 유리병 성형 작업을 고려해보자. 만일 이 유리의 점성

변형을 위한 활성화 에너지가 465 kJ/mol이라면 적당한 어닐링 온도를 계산하시오.

11.35 SHS 공정에 의해 형성된 100 g의 TiN의 N_2 기체는 몇 그램 소모했는가?

11.36 문제 11.35의 SHS 공정에서 처음에 요구되는 Ti 분말은 몇 그램인가?

D 11.37 표 6.4의 탄성률과 강도(파괴 강도) 자료를 이용하여 전기로(furnace) 내화 물질 적용을 위한 다음과 같은 설계 명세에 적합한 소재를 '소결된' 것이 쓰인 세라믹 가운데에서 선택하시오.

탄성률, E: $< 350 \times 10^3$ MPa
파괴 강도, MOR: > 125 MPa

D 11.38 표 6.4의 탄성률과 강도(파괴 강도) 자료를 이용하여 전기로 내화 물질 적용을 위한 다음과 같은 설계 명세에 적합한 모든 세라믹과 유리를 선택하시오.

탄성률, E: $< 350 \times 10^3$ MPa
파괴 강도, MOR: > 125 MPa

D 11.39 항공 우주 적용을 위해 TiN의 부싱(bushing) 설계에서 설계 기술자는 부품이 78 g의 질량을 함유해야 한다고 판단했다. SHS에 의해 이 부품이 생산되기 위해 필요한 초기 Ti 분말의 양은 얼마인가?

D 11.40 항공 우주용으로 78 g의 TiN 부싱을 생산하는 데 소요되는 질소 기체의 양은 얼마인가?

11.41 세라믹의 용융 주입과 슬립 주입은 어떻게 다른가?

11.42 전형적인 유리 성형 공정은 __________(을)를 포함한다.

CHAPTER 12

구조 재료: 고분자와 복합재료

이 멋들어진 자전거의 광학적인 외관 우수성은 탄소 섬유 강화 고분자 복합소재로 구현되었다. (© Hugh Threlfall/Alamy.)

학습목표

1. (a) 고분자 중합의 기본적인 원리를 설명하고 부가중합, 축합중합, 중합도, 탄성체와 같은 관련 용어와 결과물인 고분자 구조를 정의한다.
(b) 다양한 공학설계에서 그 선택의 기준을 설명하면서 열가소성과 열경화성 고분자를 구분한다.
(c) 공업용 고분자에 특정한 성질을 부여하는 다양한 첨가제의 역할을 규명한다.

2. (a) 특정 보강제와 기지 구분과 함께 주요 섬유 강화와 집합 복합재료를 구분한다.
(b) 각 구성요소의 성질을 고려하여 복합재료의 평균 성질을 계산한다.
(c) 이 장에 제시한 표의 데이터를 이용하여 다양한 복합재료의 기계적 물성을 평가한다.

3. (a) 구조 재료로 사용되는 열가소성 고분자, 열경화성 고분자, 유리섬유 강화 복합재료의 다양한 공정 조건을 분류한다.
(b) 공정 조건이 재료의 물성에 미치는 영향에 대해 설명한다.

11장에서는 금속, 세라믹, 유리와 같은 무기 구조 재료를 다루었다. **고분자**는 다양한 종류의 유기 구조용 재료를 통상적으로 칭하는 용어이다. 공유 결합으로 구성된 유기재료는 기존의 금속 합금 재료의 응용분야를 대체하는 물질로 사용되며, 저온 성형이 가능한 재료 공정의 특이성을 보인다. **복합재료**는 금속, 세라믹, 유리와 고분자의 미시적 수준에서의 결합체로 정의된다. 우리가 일상에서 만나는 대부분의 복합재료는 고분자 기질을 가지며 주로 유기재료로 분류된다. 전형적인 예로는 고강도 유리섬유를 고분자 기질 내에 도입한 유리섬유 복합재료가 있다. 매우 독특한 미세구조 재료는 각 구성 성분으로는 구현할 수 없는 물리적 성질을 발현하는 조성의 첨단 복합재료이다. 물론 모든 복합재료가 유기상을 포함하는 것은 아니다. 금속 또는 세라믹 분산상을 가진 금속 기지 복합재료와 세라믹 분산상을 가진 세라믹 기지 복합재료는 중요한 예이다. 복합재료의 제조 공정은 각 구성 재료의 제조법과 관련된 다양한 분야의 기술을 모두 포함한다.

12.1 고분자 재료

앞에서 설명한 금속과 세라믹 재료에 이어서 구조 재료의 세 번째 범주에 속하는 고분자 재료를 소개할 것이다. 고분자와 거의 같은 의미로 쓰이는 말인 **플라스틱**(plastics)은 대부분의 고분자 제품 가공 시의 성형성에서 유래했다. 비평가들에게 '플라스틱'이라는 용어가 현대 문화를 대표하는 말로도 사용된다는 점은, 고분자 재료 전체를 플라스틱으로 칭함의 옳고 그름을 떠나서 고분자 재료가 현재 우리 사회에 미치는 영향을 잘 나타내준다. 고분자 재료, 즉 플라스틱은 섬유, 박막이나 판상, 발포제 및 벌크 그 자체의 형태 등으로 상업적으로 다양하게 이용되고 있다.

지금까지 논의했던 금속, 세라믹, 유리는 무기물질이었던 반면, 이 장에서 설명하는 고분자는 유기물질이다. 유기 중합체로서의 고분자 재료에 대한 논의의 한계를 일반적으로 정했지만 어느 정도는 임의로 정했다. 동일한 반복 단위가 사슬이나 망상 구조로 연결되어 있는 무기물질도 존재한다. 여기서는 종종 규산염 세라믹과 유리를 예로 들 것이다. (2장과 함께 이 장에서는 고분자 재료의 독특한 성질을 이해하는 데 필요한 유기화학의 기본적인 사항을 설명한다.)

중합반응

고분자(polymer)라는 말은 직역한다면 '많은 수의 머'를 뜻하며, 여기서 **머**(mer)는 긴 사슬 구조나 망상 구조의 블록이 쌓인 것이다. 그림 12.1은 **단량체**(monomer)가 화학 반응을 통해 하나로 결합함으로써 어떻게 긴 사슬 구조가 만들어지는가를 보여준다. 단량체와 같은 비교적 작은 유기물 분자가 긴 사슬이나 망상 구조의 거대한

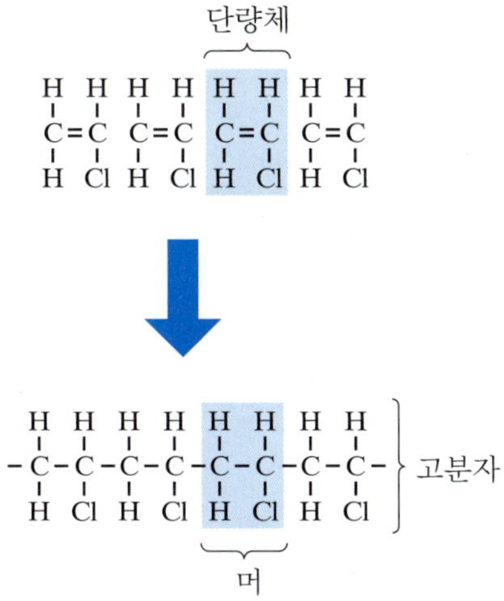

그림 12.1 중합은 각각의 단량체(예: 비닐클로라이드, C_2H_3Cl)를 긴 고분자 사슬로 연결하는 작업이며, 생성된 고분자[$(C_2H_3Cl)_n$]는 많은 수의 단량체(C_2H_3Cl)로 이루어져 있다.

고분자 분자로 이루어지는 공정을 **중합반응**(polymerization)이라고 하며, 부가중합반응과 축합중합반응으로 대표된다. **부가중합반응**(addition polymerization) 혹은 **사슬성장반응**(chain growth)은 대부분 화학적으로 여기된 단량체가 구성 원소의 변화 없이 급격한 연쇄반응으로 진행된다. **축합중합반응**(condensation polymerization) 혹은 **단계성장반응**(step growth)에서는 반응성이 있는 단량체로부터 대부분 물과 같은 분자량이 적은 물질이 제거되면서 반응이 훨씬 느리게 진행된다. 단량체는 서로를 공유 결합으로 연결해주는 반응기(reactive sites)를 함유하고 있다. 부가중합반응의 이중 결합이나 축합중합반응의 관능기가 여기에 속한다. 2장에서 언급한 바와 같이, 각 공유 결합은 이웃하는 원자 사이에 공유되는 한 쌍의 전자로 이루어진다. 이중 결합은 그러한 쌍이 2개가 되는 것이다. 그림 12.1에서의 사슬성장반응은 단량체 내의 이중 결합을 단일 결합으로 바꾸고, 남아 있는 2개의 전자가 이웃하는 단량체를 결합시키는 단일 결합 부분이 된다.

그림 12.2는 사슬성장에 의한 폴리에틸렌(polyethylene)의 형성을 보여주고 있다. 전체적인 반응은 다음과 같이 나타낼 수 있다.

$$nC_2H_4 \rightarrow (C_2H_4)_n \tag{12.1}$$

이 반응은 **개시제**(initiator)—이 경우는 하이드록실(hydroxyl) 자유 라디칼(free radical)로부터 시작된다. 자유 라디칼은 홀전자(unpaired electron)를 갖고 있는 반응성이 있는 원자나 원자 그룹이다. 개시 반응에서 하나의 단량체에 있는 이중 결합은 단일 결합으로 전환된다. 일단 그 반응이 완료되면 결합하지 않고 남아 있는 1개의 전자(그림 12.2의 1′단계)는 가장 가까운 에틸렌 단량체와 반응하여 분자사슬을 한 단위만큼 성장시킨다(2단계). 이 연쇄반응은 빠르게 연속적으로 계속해서 일어날 수 있으며, 이론적으로는 주변에 반응하지 않은 에틸렌 단량체가 존재할 때까지 진행된다. 2단계에서 n단계까지에 걸친 빠른 반응의 진전이 부가중합반응이라는 용어

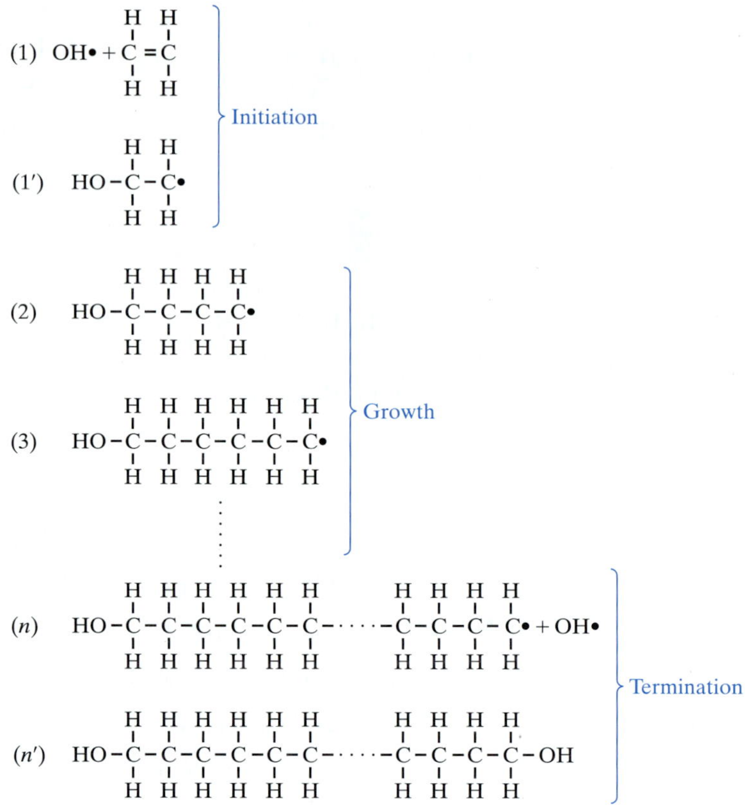

그림 12.2 사슬성장(부가중합)반응에 의한 중합반응의 상세한 도해. 이 경우 과산화수소 분자 H_2O_2가 2개의 하이드록실 라디칼 OH•를 제공하고, 이 라디칼은 에틸렌(C_2H_4)이 폴리에틸렌 $(C_2H_4)_n$으로 되는 중합반응을 시작하고 끝내는 역할을 담당하게 된다. [큰 점(•)은 짝을 이루지 못한 홀전자를 나타낸다. 이러한 2개의 전자를 결합하면 1개의 공유 결합을 만들어 내며 (—)로 표현한다.]

의 근원이다. 궁극적으로 또 다른 하이드록실 라디칼이 **정지제**(terminator)로 작용하여(n단계) n개의 단량체로 이루어진 안정된 분자 구조를 형성하게 된다(n'단계). 하이드록실 기가 개시제와 정지제로 작용하는 이러한 특별한 경우에 과산화수소는 라디칼의 원천이 된다.

$$H_2O_2 \rightarrow 2OH\bullet \tag{12.2}$$

각 과산화수소 분자는 고분자 분자마다 한 쌍의 개시제와 정지제를 제공하게 된다. 그림 12.2에서의 정지 단계를 **재조합**(recombination)이라고 부른다. 이 말은 설명은 간단하지만 가장 일반적인 정지반응은 아니다. 재조합 외에도 **수소 떼기**(hydrogen abstraction)에 이어지는 **불균등화 반응**(disproportionation)이 일반적으로 정지 단계를 설명한다. 수소 떼기 반응에서는 고분자 사슬에서 수소 원자를 홀전자의 형태로 얻게 된다. 불균등화 반응에 의해 고분자 사슬의 말단에 단량체와 같은 이중 결합이

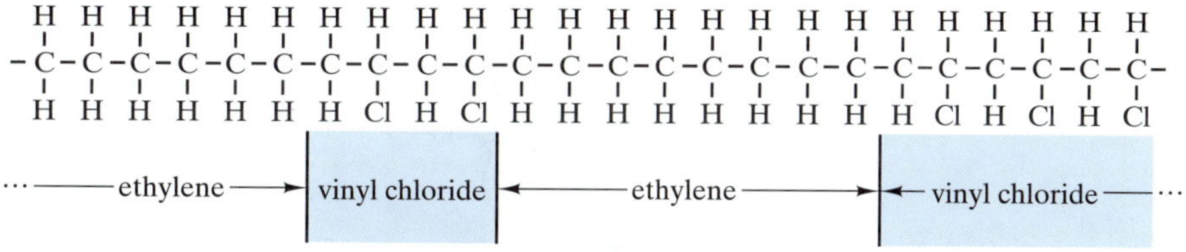

그림 12.3 에틸렌과 비닐클로라이드의 공중합체는 고용체 금속 합금과 유사하다.

형성된다.

서로 다른 구조의 단량체가 하나의 사슬 안으로 중합이 되는 경우 **공중합체**(copolymer)가 형성된다(그림 12.3). 이것은 금속계에서 고용체 합금(그림 4.2)과 유사하다. 그림 12.3은 특히 **블록 공중합체**(block copolymer)를 나타내는데, 이는 각각의 고분자 사슬이 공유 결합을 통해 블록 형태로 연결되어 있는 공중합체이다. 서로 다른 단량체의 상호 반복하는 배열은 규칙적일 수도 있고, (그림 12.3에서 보는 바와 같이)불규칙적일 수도 있다. **블렌드**(blend)는(그림 12.4) 이미 형성된 다른 종류의 고분자 분자가 서로 섞여 있는 또 다른 형태의 합금화(alloying)이다. 이것은 고용도가 한정되어 있는 금속 합금과 매우 유사한 형태를 갖는다.

그림 12.1에서 12.4에 걸쳐 기술된 선형 고분자는 탄소-탄소 사이의 이중 결합을 2개의 단일 결합으로 바꾸면서 형성되는 공통점을 가진다. 포름알데히드(formaldehyde)에 존재하는 탄소-산소 사이의 이중 결합 역시 단일 결합으로 바꿀 수 있으며, 다음과 같은 반응을 통해 그림 12.5에 설명된 방법으로 고분자를 형성한다.

$$nCH_2O \rightarrow \text{(}CH_2O\text{)}_n \tag{12.3}$$

이와 같은 반응으로 생성된 생성물은 폴리포름알데히드(polyformaldehyde), 폴리옥시메틸렌(polyoxymethylene)과 폴리아세탈(polyacetal)과 같은 여러 가지 이름으로 알려져 있다. 중요한 엔지니어링 플라스틱을 형성하는 아세탈 그룹은 그림 12.5의

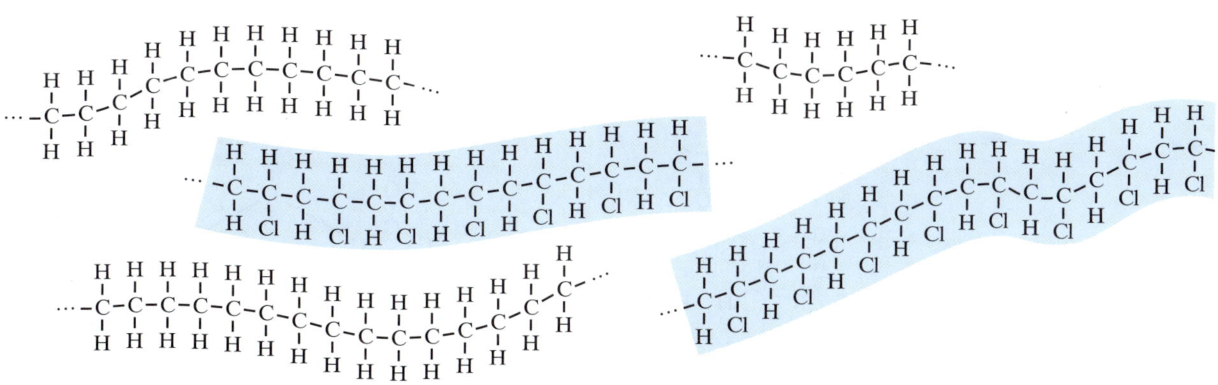

그림 12.4 폴리에틸렌과 폴리비닐클로라이드의 블렌드는 한율고용체를 갖는 금속 합금과 비슷하다.

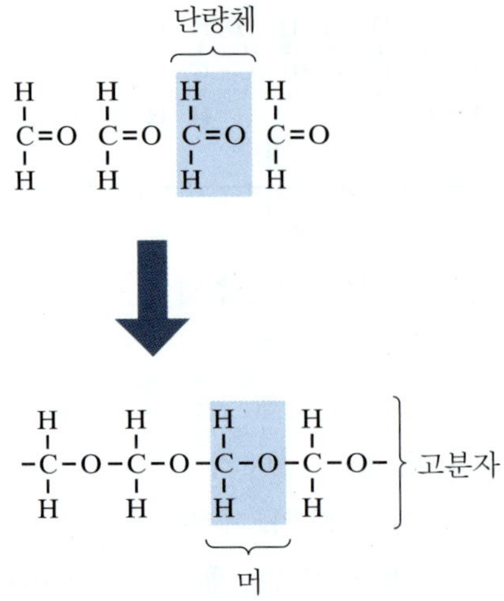

그림 12.5 포름알데히드 중합에 의한 폴리아세탈 형성(그림 12.1과 비교)

반응을 기초로 한 것이다.

그림 12.6은 단계성장을 통한 페놀-포름알데히드의 형성을 설명하며, 이 과정에서 진행되는 다양한 반응 가운데 하나의 예만 소개하고 있다. 2개의 페놀 분자는 포름알데히드 분자에 의해 연결되며, 페놀은 수소 원자를, 포름알데히드는 산소 원자를 내놓아서 부산물인 물 분자(응축부산물)를 만든다. 이러한 3분자 간 반응이 반복적으로 진행되면서 분자량이 증가한 고분자 중합체를 형성하게 된다. 이 반응이 일어나는 데 요구되는 반응시간은 그림 12.2에 나타낸 사슬반응에 비해 상당히 길다. 단계 반응 중 응축부산물이 생성되는 반응의 특징으로 인해 **축합중합반응**이라는 용어가 생겨났다. 그림 12.1에 나타낸 폴리에틸렌 안의 단량체는 이웃하는 각각의 단량체와 2개의 접점으로 연결되어 있으며, **2기능성**(bifunctional)이라고 불린다. 2기능성 단량체의 중합반응을 통해서는 **선형분자구조**(linear molecular structure)가 생성된다. 반면, 그림 12.6에 있는 페놀 분자는 여러 개의 잠재 접점을 갖고 있으며 **다기능성**(polyfunctional) 분자로 정의된다. 실제로 1개의 페놀 분자당 3개의 CH_2 결합 반응이 모두 진행되기에는 어려움이 있을지 모르지만, 폴리에틸렌의 선형구조와는 다르게 3차원적인 **망상분자구조**(network molecular structure)를 만들기에는 기

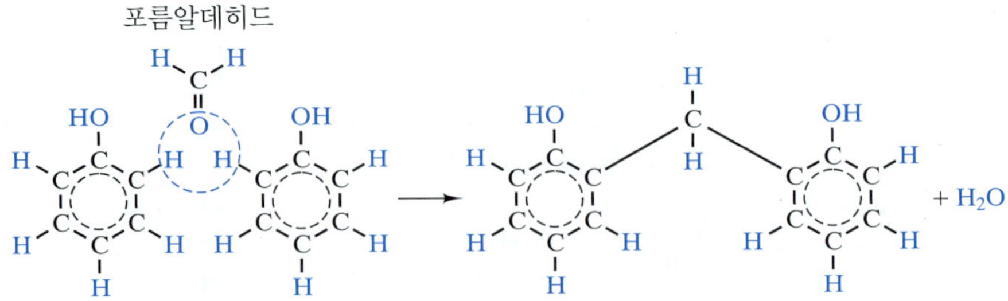

그림 12.6 축합중합반응에 의한 페놀-포름알데히드의 형성에서의 한 반응 단계. 물 분자가 축합반응의 생성물이다.

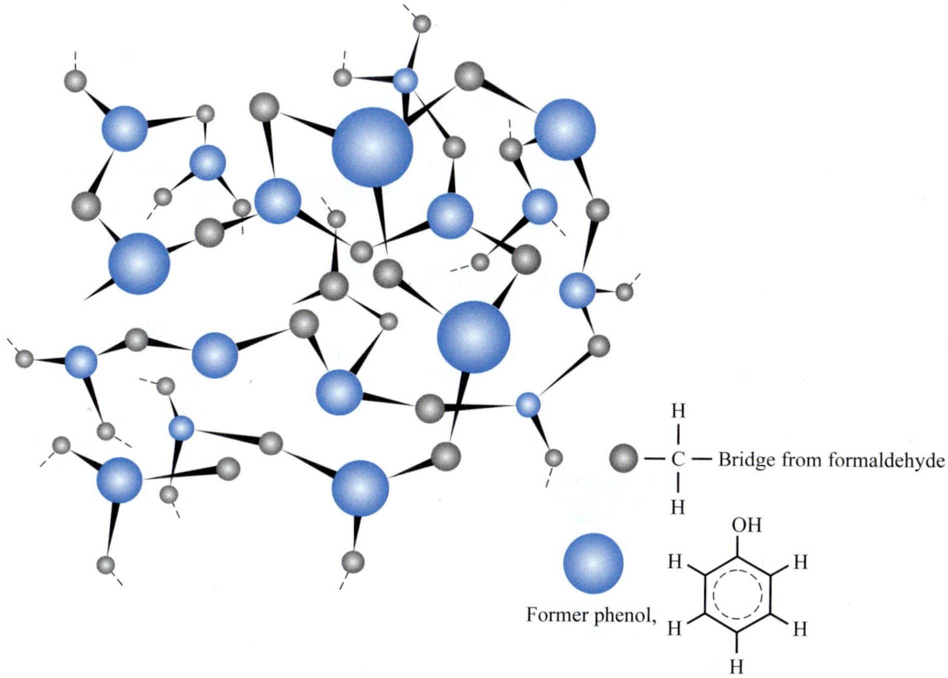

그림 12.7 그림 12.6의 반응을 여러 번 반복한 후에 다기능성 단량체는 3차원적 망상분자구조를 형성한다. (From L. H. Van Vlack, *Elements of Materials Science and Engineering*, 4th ed., Addison-Wesley Publishing Co., Inc., Reading, MA, 1980.)

능성 접점의 수가 충분하다. 그림 12.7은 이러한 망상 구조를 보여준다. 여기에 나오는 용어는 11.2절에서 소개했던 무기질 유리를 연상시킨다. 망상 개질제(network modifier)를 사용하여 실리카 사면체의 망상 구조를 와해시키면 아주 유연한 유리를 만들 수 있다. 동일한 원리로, 선형고분자는 망상고분자보다 부드럽다. 규산염 '중합체'와 이 장에서 소개하는 유기 고분자 간의 주요 차이점은 규산염 물질은 1차 결합을 많이 함유하고 있으며, 이로 인해 점성을 가지기 위해서는 상당히 높은 온도가 요구된다는 것이다. 2기능성 단량체는 사슬성장이나 단계성장 과정을 통해 선형분자를 만들고, 다기능성 단량체는 두 과정 중 어떤 과정을 통해서도 망상 구조를 형성할 수 있다.

예제 12.1

평균 중합도 750의 폴리에틸렌을 중합하기 위해 사용해야 하는 H_2O_2의 양을 계산하시오. 모든 H_2O_2 분자는 OH 그룹으로 분해되어 분자의 정지제로 작용한다는 가정하에 중량 퍼센트로 답하시오.

풀이

그림 12.2를 보면 하나의 폴리에틸렌 분자에 대해 1개의 H_2O_2 분자(즉 2개의 OH 그룹)가 있음을 알 수 있다. 따라서

$$\text{wt \% } H_2O_2 = \frac{\text{mol wt } H_2O_2}{750 \times (\text{mol wt } C_2H_4)} \times 100$$

부록 1에 있는 데이터를 이용하면

$$\text{wt \% } H_2O_2 = \frac{2(1.008) + 2(16.00)}{750[2(12.01) + 4(1.008)]} \times 100$$
$$= 0.162 \text{ wt \%}$$

예제 12.2

중합도 500을 갖는 폴리아세탈 분자의 분자량을 계산하시오.

풀이

$$\text{mol wt } (\text{CH}_2\text{O})_n = n(\text{mol wt CH}_2\text{O})$$

부록 1에 있는 데이터를 이용하면 다음을 얻는다.

$$\text{mol wt } (\text{CH}_2\text{O})_n = 500[12.01 + 2(1.008) + 16.00] \text{ amu}$$
$$= 15{,}010 \text{ amu}$$

연습문제 12.1

(a) 500, (b) 1,000의 평균 중합도가 되기 위해 폴리에틸렌 중합 시 첨가해야 할 H_2O_2의 양을 구하시오(예제 12.1 참고).

연습문제 12.2

분자량이 25,000 amu인 폴리아세탈 분자의 중합도를 구하시오(예제 12.2 참고).

고분자의 구조적 특성

고분자 구조에서 명시해야 하는 가장 중요한 측면은 고분자 분자의 길이이다. 예를 들어 $(C_2H_4)_n$에서 n은 얼마나 큰 값일까? 일반적으로 n은 **중합도**(degree of polymerization)이고 $\overline{DP}$로 표시한다. 이 값은 일반적으로 점도나 빛의 산란도와 같은 물리적 성질을 측정하여 결정할 수 있다. 전형적인 상용고분자의 n은 대략 100~1,000 사이의 범위에 있다. 사슬성장이나 단계성장의 특징을 고려할 때 분자성장 정도는 분자마다 다르다는 것을 알 수 있다. 그 결과로 합성고분자는 하나의 분자량이 아닌 통계적 분포를 가지는 분자량을 가지며, 중합도는 그 분포의 평균값을 나

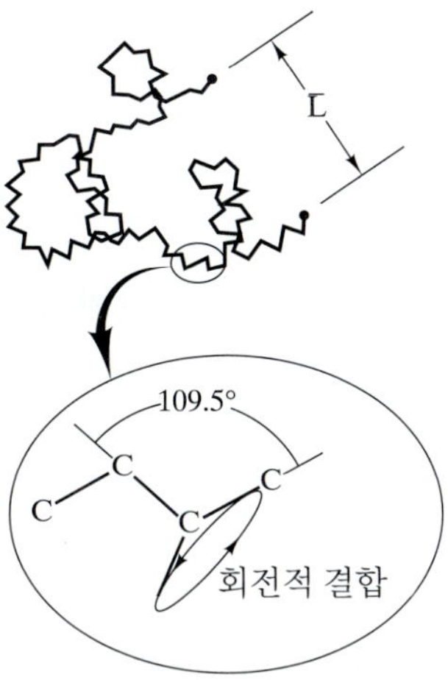

그림 12.8 엉켜진 분자 사슬의 길이는 식 (12.4)로 주어지며, 이는 109.5°인 C-C-C 결합각의 자유로운 회전에서 기인한다.

타낸다. 분자 길이와 직접적인 관계가 있는 것은 분자량으로서, 이 값은 중합도(n)와 각 단량체의 반복단위에 해당하는 분자량의 곱으로 간단히 나타낼 수 있다. 분자 길이라는 개념은 그렇게 간단하지만은 않다. 정의에서 유추할 수 있듯이 망상 구조에는 1차원적인 길이의 개념이 존재하지 않는다. 선형 구조에서는 분자 길이에 해당하는 2개의 지표가 있는데, 그중 하나가 **평균자승-평방근길이**(root-mean-square length)이고, 다음과 같이 나타낸다.

$$\bar{L} = l\sqrt{m} \tag{12.4}$$

이 식에서 l은 탄화수소로 이루어진 사슬의 주 골격(backbone)에 존재하는 단일 결합의 길이이고, m은 결합의 수이다. 식 (12.4)는 그림 12.8에 나타낸 바와 같이 자유롭게 꺾인 선형사슬구조를 통계적으로 분석한 결과이다. 3개의 이웃하는 C 원자 사이의 각 결합각은 109.5°에 가깝지만(2장에서 논의된 것처럼), 그림 12.8에서 보는 바와 같이 이 각은 공간에서 자유롭게 회전할 수 있다. 그 결과 엉키고 꼬인 분자 배열이 나오게 된다. 평균자승-평방근길이는 고체 상태의 고분자(polymeric solid)로 존재하는 선형 분자의 유효길이를 나타낸다. 두 번째 길이 지표는 (결합각에 의한 뒤틀림 없이) 분자가 최대한 곧게 뻗어 있다고 가정한 인자이다.

$$L_{\text{ext}} = ml \sin \frac{109.5°}{2} \tag{12.5}$$

이 식에서 L_{ext}은 **최대한 펼쳐진 길이**(extended length)이다. 최대한 펼져진 분자(extended molecule)의 톱니 형태의 분자 모형을 그림 12.9에 나타냈다. 폴리에틸렌과 폴리비닐클로라이드와 같은 전형적인 선형고분자에는 각 반복 단위마다 2개의 결합길이가 있고, 이는 다음과 같이 표현된다.

$$m = 2n \tag{12.6}$$

여기서 n은 중합도를 나타낸다.

일반적으로, 고분자의 강성과 융점은 중합도가 높아짐에 따라 증가한다. 다른 일반화의 경우처럼 몇 가지 중요한 예외가 존재할 수 있다. 예를 들어 나일론의 융점

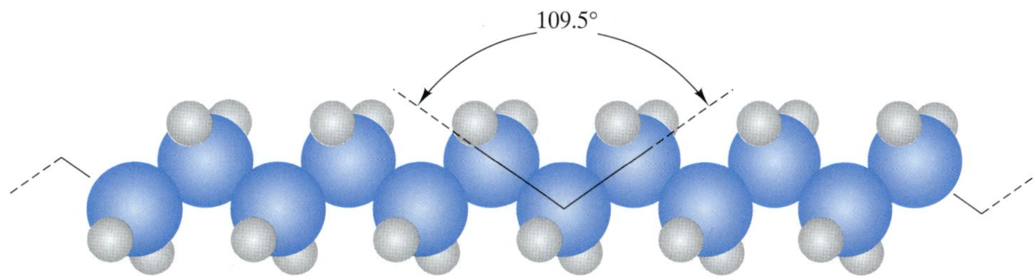

그림 12.9 완전히 펼쳐진 분자의 톱니모양. 탄소와 수소 원자의 상대적 크기가 폴리에틸렌 원자 배열에서 보이고 있다.

은 중합도에 따라 변하지 않는다. 여기에서 분자 구조가 복잡해질수록 강성과 융점은 증가한다는 매우 유용한 관계를 얻을 수 있다. 예를 들어 그림 12.6에 있는 페놀-포름알데히드 구조는 강하고 취성을 갖기도 하는 고분자를 만든다. 그에 비해 그림 12.2에 나타낸 선형 폴리에틸렌 구조는 비교적 유연한 소재를 만든다. 토목공학을 전공하는 학생들은 사슬 간의 교차점이 많은 구조의 강한 재료적 성질을 이해해야 한다. 망상 구조는 존재하는 반복 단위를 연결하고 있는 공유 결합의 강도에 해당하는 강성을 가지게 된다. 반면에 선형 구조는 사슬의 골격을 따라서는 공유 결합이 존재하나, 고분자 사슬 간은 약한 2차 결합(van der Waals 결합)에 의해서만 결합되어 있다. 선형 구조의 고분자 사슬은 서로 비교적 자유롭게 미끄러질 수 있으며, 6.1절에서 논의했듯이 대부분 낮은 탄성률을 가지는 재료를 형성한다. 이제 선형 분자의 복잡성을 더 가중시키는 일련의 구조적 특징을 조사하고 이를 이용하여 망상 구조의 본질을 이해하자.

가장 간단한 이상적인 구조인 탄화수소의 사슬로 이루어진 폴리에틸렌을 생각해보자[그림 12.10(a)]. 몇 개의 수소 원자를 커다란 측쇄(side group, R)로 치환함으로써 대칭성이 감소한 분자를 얻게 된다. 그 측쇄는 규칙적이면서 한쪽으로 모두 정렬하든지(**isotactic**)[그림 12.10(b)], 반대 방향에서 교대로 정렬하게 될 수 있다(**syndiotactic**)[그림 12.10(c)]. 측쇄가 특정한 규칙성 없이 배치된 분자를 **atactic** 구조라고 한다[그림 12.10(d)]. 그림 12.10(b)~(d)에서 $R = CH_3$인 경우가 폴리프로필렌이다. 측쇄가 더욱 커지고 불규칙해짐에 따라 강성과 융점은 두 가지 이유로 높아지게 된다. 첫 번째로, 부피가 큰 측쇄가 분자 미끄러짐을 방해하는 인자로 작용한다. 측쇄가 없는 폴리에틸렌 분자[그림 12.10(a)]는 동일한 응력하에서 상대적으로 훨씬 쉽게 미끄러질 수 있다. 두 번째 이유로, 측쇄의 크기와 복잡성이 증가함에 따라 이웃 분자 사이에 작용하는 2차 결합력이 더 커지게 된다(2장 참고).

큰 측쇄를 도입한다는 개념은 사슬 구조의 측면에 고분자를 첨가하는 방법으로 확대할 수 있다. **가지화**(branching)라 불리는 이 과정은 그림 12.11에 묘사되어 있다. 이 현상은 식 (12.1)에서 설명한 사슬성장의 변화된 형태(여기서 사슬 후방에 있는 하나의 수소는 자유 라디칼에 의해 추출된다)에 기인하거나, 수소 원자를 제거하는 첨가제에 의해 고분자 사슬 내에 자유 라디칼이 생성되고 그곳에서 사슬성장이 일어난 결과이다. 선형 구조에서 망상 구조로의 완전한 변환은 **가교**(cross-linking)에 의해 만들어지며, 그림 6.46에 예시로 **가황**(vulcanization)을 나타냈다. 고무는 가교에 의해 형성된 가장 일반적인 예이다. 2기능성 아이소프렌 단량체에는 초기의 중합 반응 이후에도 여전히 1개의 이중 결합이 남아 있고, 이는 1개의 황 원자가 2개의 이웃하는 사슬 내의 반복 단위와의 공유 결합을 가능하게 한다. 가교의 정도는 첨가된 황의 양으로 조절할 수 있으며, 황 함량을 증가시킴에 따라 고무의 성질을 끈적끈적한 고무상 물질에서 어느 정도의 탄성과 인성을 갖는 물질로, 마침내는 딱딱하고 취

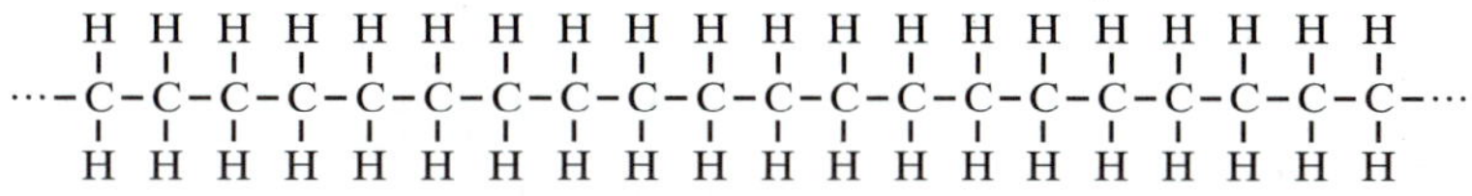

(a)

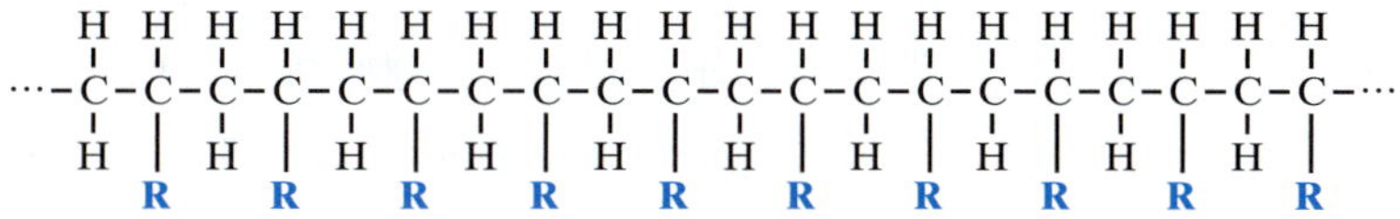

(b)

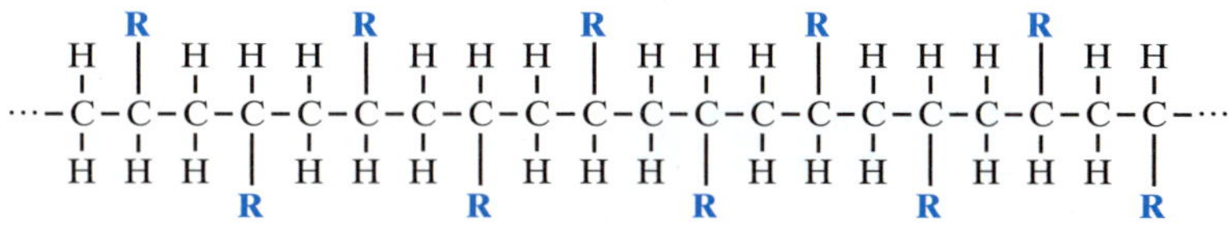

(c)

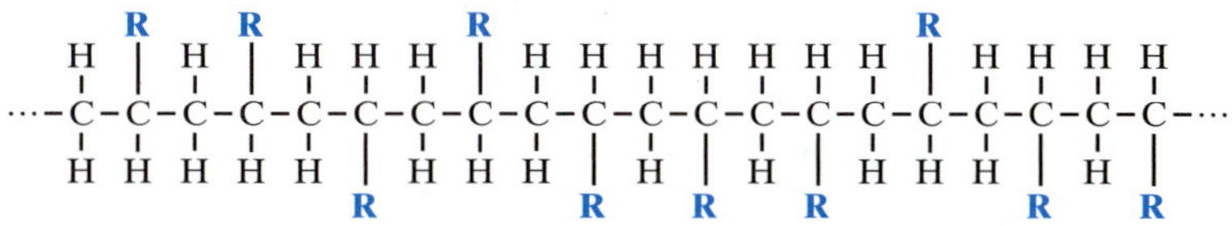

(d)

그림 12.10 (a) 대칭적인 폴리에틸렌 분자 (b) 각각의 반복 단위 내의 하나의 수소(H)를 큰 측쇄(R)로 치환함으로써 생성되는 대칭성이 감소한 분자. Isotactic 구조는 한쪽 측면을 따라 모든 R이 배치되어 있다. (c) Syndiotactic 구조에서는 R이 규칙적으로 반대쪽에 교대로 배치되어 있다. (d) 균형이 가장 모자라는 구조를 atactic이라 하며, 측쇄가 불규칙적으로 배치되어 있다. 불규칙도가 증가함에 따라 결정화도는 감소한다. (b)~(d)의 $R = CH_3$인 경우가 폴리프로필렌의 여러 가지 형태를 보여준다. (이 예시는 그림 12.9를 위에서 바라본 평면도로 생각할 수 있다.)

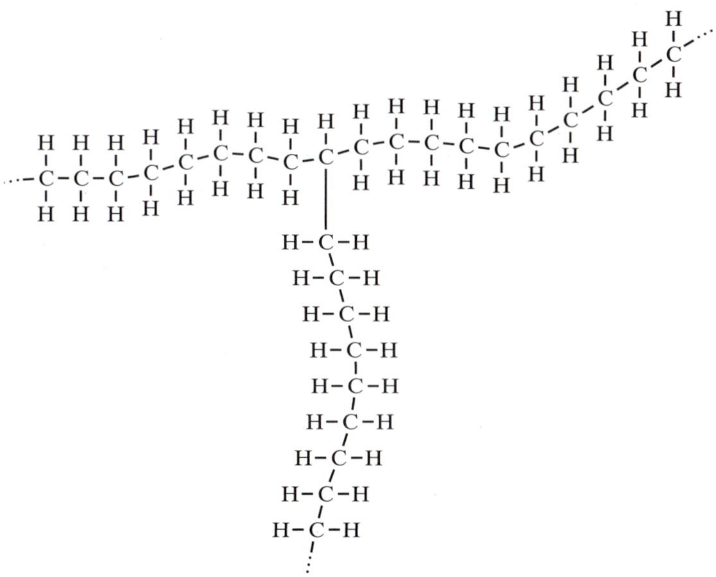

그림 12.11 가지화의 예로 고분자 주쇄 사슬의 측면에 새로운 고분자를 도입하는 과정을 들 수 있다.

성을 갖는 물질로 변화시킬 수 있다.

3장과 4장에서 긴 사슬 분자의 구조가 복잡해질수록 결정 구조도 복잡해지고 상업용 재료에서 비정질 구조가 훨씬 심화됨을 지적했다. 이 절에서 논의한 구조적 복잡성의 증가에 따라 결정도가 떨어진다는 것을 부언할 수 있다. 예를 들어 폴리에틸렌의 가지화는 결정도를 90%에서 40%로 낮춘다. Isotactic 폴리프로필렌의 결정도가 90%인 반면에 atactic 폴리프로필렌은 거의 모두 비결정질 상태이다. 고분자의 1차적 구조를 조절하는 것은, 여러 가지 공업적 측면의 응용에서 금속과 경쟁할 만한 고분자 유기재료 개발에서 중요한 요소이다.

예제 12.3

평균 중합도가 750인 폴리에틸렌이 있다.

(a) 꼬인 길이(coiled length)는 얼마인가?

(b) 평균 분자 하나의 최대한 펼쳐진 길이를 결정하시오.

풀이

(a) 식 (12.4)와 (12.6)을 이용하면

$$\bar{L} = l\sqrt{2n}$$

표 2.2로부터 $l = 0.154$ nm이므로

$$\begin{aligned}\bar{L} &= (0.154\,\text{nm})\sqrt{2(750)}\\ &= 5.96\ \text{nm}\end{aligned}$$

(b) 식 (12.5)와 (12.6)을 이용하면

$$\begin{aligned}L_{\text{ext}} &= 2\,nl\sin\frac{109.5^\circ}{2}\\ &= 2(750)(0.154\ \text{nm})\sin\frac{109.5^\circ}{2}\\ &= 189\ \text{nm}\end{aligned}$$

연습문제 12.3

예제 12.3에서 중합도가 750인 폴리에틸렌의 꼬인 분자 길이와 펼쳐진 분자 길이를 계산했다. 폴리에틸렌의 중합도가 1/3 증가하면(즉 $n = 1{,}000$), (a) 꼬인 길이와 (b) 펼쳐진 길이는 몇 퍼센트가 증가하는가?

열가소성 고분자

열가소성 고분자(thermoplastic polymers)는 가열하면 유연해지고 변형이 가능하다.

이러한 성질은 선형 고분자의 특징이다(가지화된 고분자는 해당되나 가교된 고분자는 포함되지 않는다). 고온 소성은 각각의 사슬이 엉킴 없이 서로 미끄러질 수 있기 때문에 가능하며, 이는 열적으로 활성화되는, 다시 말해 Arrhenius 과정의 또 다른 예이다. 이와 같은 관점에서 볼 때 열가소성 고분자는 고온에서 연성을 얻는 금속(예: 크리프 변형)과 비슷하다. 금속에서와 같이 열가소성 고분자의 연성은 냉각에 따라 감소된다는 데 주목해야 한다. 열가소성 고분자와 금속 간의 가장 중요한 차이점은 '고온'의 정의이다. 열가소성 고분자를 변형시키려면 van der Waals 결합과 같은 2차 결합을 분리시켜야 하며, 이는 일반적으로 100°C 부근에서 가능하다. 반면 금속 결합으로 이루어진 경우 일반적으로 전형적인 합금의 크리프 변형 온도는 1,000°C 정도에 형성된다.

일반적으로 고분자가 전통적인 금속 합금의 기계적인 성질을 완전히 구현하는 것은 기대할 수 없지만, 한때 금속이 대부분을 차지했던 구조 재료의 응용에서 중요한 후보가 되는 데 충분한 강도와 강성을 갖는 고분자를 만들기 위한 주요한 노력이 진행되어왔고, 150~175°C까지 우수한 강도와 강성을 유지하는 **엔지니어링 플라스틱**(engineering polymers)이 개발되었다. 사실 이러한 범주는 상당히 임의적인 것이다. 엔지니어링 플라스틱 중에서 가장 선도적인 주자는 널리 이용되는 섬유 소재 나일론(nylon)이며, 계속해서 가장 중요한 품목으로 인정받고 있다. 그동안 산업계에서 개발한 나일론 기반 공업용 부품은 약 50만 개 이상으로 추정된다. 엔지니어링 플라스틱의 다른 제품도 꾸준히 늘어가고 있다. 이와 같은 재료는 전체 고분자 시장(폴리에틸렌의 경우 약 30%와 비교해서 10% 미만)에서 상대적으로 작은 부분을 차지하고 있지만 재료공학 기술자에게 이 재료의 중요성은 그 이상이다. 그럼에도 불구하고 시장의 대부분은 폴리에틸렌과 같은 **범용 고분자**(general-use polymers)를 이용하고 있다. 이 재료에는 일상생활에서 자주 쓰이는 여러 가지 필름, 직물, 포장물질 등이 있다. 나일론(1%)과 폴리에스테르(5%)의 시장 점유율에는 섬유 제품으로 사용되는 것도 포함되는데, 이것이 나일론이 일반적인 금속 대체물임에도 폴리에스테르의 시장 점유율이 높은 이유이다. 일반적으로 사용되는 범용 고분자에는 폴리머라는 화학 명칭뿐만 아니라 Du Pont의 등록 상표인 Dacron과 Mylar와 같은 친근한 등록 상품 명칭이 있다.

가장 대표적인 열가소성 고분자인 폴리에틸렌은 **저밀도 폴리에틸렌**(low-density polyethylene, LDPE), **고밀도 폴리에틸렌**(high-density polyethylene, HDPE), **초고분자량 폴리에틸렌**(ultra-high molecular weight polyethylene, UHMWPE) 등으로 세분된다. LDPE는 구조적으로 선형인 HDPE에 비해 훨씬 많은 사슬 분지(branching)를 가진다. UHMWPE는 분지 없이 긴 선형 사슬을 갖는다. 사슬의 선형성과 길이가 증가할수록 사슬의 결정화도가 증가하여 융점이 상승하고 고분자 재료의 물리적, 기계적 성질이 향상된다. **선형 저밀도 폴리에틸렌**(linear low-density polyethylene,

LLDPE)은 LDPE보다 사슬 가지화도가 적고 더 좋은 성질을 가지는 α-올레핀(olefins)의 공중합체이다. 폴리에틸렌 전체가 범용 고분자이지만 엔지니어링 플라스틱의 두 가지 좋은 예는 HDPE와 UHMWPE이다. 범용 고분자 중 아크릴로니트릴-부타디엔-스티렌(ABS)은 공중합체 응용의 중요한 예이다. ABS는 그림 12.3에 나타낸 블록 공중합체와 함께 대표적인 **그래프트 공중합체**(graft copolymer)에 해당한다. 아크릴로니트릴과 스티렌의 사슬이 폴리부타디엔으로 이루어진 주쇄사슬에 '그래프트화'된다.

세 번째 범주의 열가소성 물질은 **열가소성 탄성체**(thermoplastic elastomers)이다. **탄성체**(elastomers)는 천연고무와 유사한 기계적 성질을 갖는 고분자이다. 탄성변형은 6.6절에서 논의했다. 전통적인 합성고무는 가황처리하면 이 절 후반부에서 설명할 열경화성 탄성체가 된다. 비교적 신물질인 열가소성 탄성체는 결정성 열가소성 고분자로 이루어진 비교적 유연한 기질에 강한 탄성 고분자의 영역이 존재하는 형태로서 본질적으로 복합재료이다. 열가소성 탄성체의 주요한 이점 중 하나는 성형이 가능하지 않은 전통적인 합성고무와는 달리 열가소성 고분자의 성형성을 가지고 있어 가공이 용이하고 재활용이 가능하다는 점이다.

열경화성 고분자

열경화성 고분자(thermosetting polymers)는 열가소성 고분자와는 반대되는 개념으로 가열하면 단단해지고 경화되며, 이러한 현상은 비가역적 반응이어서 냉각한다고 하여 원상태로 회복되지는 않는다. 이것은 단계성장 기구로 형성된 망상분자구조의 특징이다. 이러한 화학 반응의 단계는 고온에서 더욱 활발하고 비가역적이다. 즉 중합반응은 냉각해도 그대로 유지된다는 것이다. 열경화성 제품은 가공 온도(보통 200~300°C 정도)에서 주형(mold)으로부터 꺼낼 수 있다. 그에 비해 열가소성 제품은 뒤틀림 방지를 위해 주형 안에서 냉각시켜야 한다. 통상적으로 열경화성 고분자는 열경화성 고분자와 탄성 중합체로 크게 세분화된다. 열경화성 고분자는 일반 금속을 대체할 만큼 기계적 성질이 우수하고 강성을 가지는 엔지니어링 플라스틱과 함께 쓰이는 재료를 말한다. 그러나 열경화성 고분자는 재활용할 수 없다는 단점이 있으며, 일반적으로 가공 기술이 다양하지 않다. 앞 절에서 (열가소성 고분자에서) 살펴본 바와 같이 전통적인 탄성 중합체는 열경화성 공중합체이다. 예로는 우리에게 친숙한 Du Pont의 등록 상표인 Neoprene과 Viton 등이 있다. 열가소성 소재로도 가능한 필름, 발포체, 피복재 이외에도 열경화성 고분자는 **접착제**(adhesive)라는 매우 중요한 응용분야에 사용된다. 접착제는 열가소성 고분자의 분자 사슬 사이 결합력과 유사한 2차적인 힘으로 두 고체(접착물)의 표면을 접합하는 데 사용한다. 접착층이 얇고 연속적이며 종종 접착층보다 접착물질 자체가 먼저 떨어질 정도로 강한 결합력을 보인다. 에폭시(epoxy) 종류가 대표적인 예이다.

마지막으로 **망상구조 공중합체**(network copolymer)는 열가소성 고분자 절에서 설명한 블록 공중합체와 그래프트 공중합체의 제조방법과 유사한 방법으로 제조될 수 있다. 망상구조 공중합체는 1개 이상의 다중기능적 단량체를 함유한 중합으로부터 얻어질 수 있다.

예제 12.4

광학 현미경 관찰을 위해 평평하게 연마된 금속 시편은 일반적으로 열경화성 고분자인 페놀-포름알데히드의 원통에 고정된다. 3차원적 망상구조를 가지는 페놀-포름알데히드 고분자는 하나의 커다란 분자로 고려될 수 있다. 부피가 10 cm^3 실린더인 이 고분자의 분자량은 얼마인가? (페놀-포름알데히드의 밀도는 1.4 g/cm^3이다.)

풀이

일반적으로 페놀 분자는 3기능성이다. 즉 하나의 페놀 분자는 3개의 포름알데히드 분자에 의해 3개의 다른 페놀 분자와 연결되어 있다. 그러한 연결고리 하나를 그림 12.6에, 그로부터 형성된 망상구조를 그림 12.7에 예시했다.

2개의 페놀 분자가 하나의 포름알데히드 연결고리를 공유하므로 그림 12.6에 나타나 있는 3차원적 구조를 형성하기 위한 포름알데히드와 페놀의 전체적인 비는 1:2/3, 즉 1:1.5이다. 각 포름알데히드 반응으로 하나의 H_2O 분자가 생성되므로 다음과 같이 나타낼 수 있다.

$$1\ \text{페놀} + 1.5\ \text{포름알데히드} \rightarrow 1\ \text{페놀-포름알데히드 머} + 1.5H_2O\uparrow$$

같은 방법으로 반복 단위(mer)의 분자량을 구하면

$$\begin{aligned}(\text{m.w.})_{\text{mer}} &= (\text{m.w.})_{\text{phenol}} + 1.5(\text{m.w.})_{\text{formaldehyde}} \\ &\quad - 1.5(\text{m.w.})_{H_2O} \\ &= [6(12.01) + 6(1.008) + 16.00] \\ &\quad + 1.5[12.01 + 2(1.008) + 16.00] \\ &\quad - 1.5[2(1.008) + 16.00] \\ &= 112.12\ \text{amu}\end{aligned}$$

이 고분자의 질량은

$$\begin{aligned}m &= \rho V = 1.4\,\frac{\text{g}}{\text{cm}^3} \times 10\ \text{cm}^3 \\ &= 14\ \text{g}\end{aligned}$$

따라서 실린더에 있는 반복 단위(mer)의 수는

$$n = \frac{14\ \text{g}}{112.12\,\text{g}/0.6023 \times 10^{24}\ \text{mers}}$$

$$= 7.52 \times 10^{22} \text{ mers}$$

따라서 분자량은

$$\text{mol wt} = 7.52 \times 10^{22} \text{ mers} \times 112.12 \text{ amu/mer}$$
$$= 8.43 \times 10^{24} \text{ amu}$$

연습문제 12.4

예제 12.4에서 페놀-포름알데히드 제품의 분자량을 계산했다. 이 제품의 중합반응에서는 얼마나 많은 물이 부산물로 생성되는가?

첨가제

공중합체와 블렌드는 이 장 앞부분에서 언급한 바와 같이 금속 합금과 유사함으로 논의되었다. 고분자에 어떤 특정한 특성을 부여하기 위해 전통적으로 고분자 분야에서 사용되어왔던 합금과 비슷한 개념의 여러 가지 **첨가제**(additives)가 있다.

가소제(plasticizer)는 고분자를 연화시키기 위해 첨가된다. 이 첨가제는 원래 분자량이 적은 고분자(약 300 amu 이하)와 혼합한다. 가소제를 많이 첨가하면 액체가 된다. 일반 페인트가 좋은 예이다. 페인트를 건조시키면 가소제는 증발하게 된다(보통 산소에 의한 중합반응과 가교를 수반한다).

반면 **충진제**(filler)는 사슬의 이동성을 제한함으로써 고분자의 강도를 높일 수 있다. 일반적으로 충진제는 형태적 안정성과 비용 감소를 위해 체적 대체를 위해 이용되며, 비교적 불활성인 물질이 이용된다. 짧은 섬유 셀룰로오스(유기물 충진제)와 석면(무기물 충진제)이 그 예이다. 보통 자동차 타이어의 약 1/3이 충진제(카본블랙)이다. 유리섬유(glassfiber)와 같은 **강화제**(reinforcement)도 첨가제로 분류된다. 이러한 강화제는 고분자의 강도와 강성을 개선하기 위해 엔지니어링 플라스틱에 널리 사용됨으로써 금속 대체물로서 그 경쟁력을 증가시키고 있다. 일반적으로 고분자와의 우수한 계면 결합을 확보하여 보강하는 성질의 최대 효율을 보장하기 위해 강화제를 표면처리하기도 한다. 첨가제를 50 vol %까지 함유한 재료도 고분자 재료로 분류된다. 첨가량이 대략 50 vol % 이상이 되면 복합재료로 부르는 것이 적합할 것이다. 좋은 복합재료의 예는 유리섬유로, 12.2절에서 자세히 설명할 것이다.

안정제(stabilizer)는 고분자의 분해를 저하하는 첨가제이다. 여러 가지 분해 기구(산화, 열적, 자외선을 통한 기구)의 존재로 안정제는 대부분 여러 물질의 혼합물이다. 예를 들어 폴리이소프렌은 상온에서 약 15 %까지의 산소를 흡수할 수 있기 때문에, 탄성이 초기 값의 1%까지 감소한다. 천연고무 라텍스에는 복잡한 페놀그룹이 있어 상온에서의 산화반응을 지연시키게 된다. 그러나 이와 같은 자연적으로 일어나는 항산화제(antioxidants) 효과는 고온에서는 기대하기가 어렵고, 추가적인 안정제(페놀, 아민, 황화합물 등)가 타이어로 이용될 고무에 첨가된다.

내연제(flame retardant)는 폴리에틸렌과 같은 고분자 고유의 연소성을 감소시키기 위해 첨가된다. 연소는 단순히 실제적 열의 발산을 동반하는 탄화수소와 산소와의 반응이다. 많은 탄화수소계 고분자는 연소성을 갖지만, 폴리비닐클로라이드(PVC)와 같은 비탄화수소계 고분자는 상대적으로 낮은 연소성을 나타낸다. PVC의 연소에 대한 저항성은 주쇄사슬에서의 염소 원자 방출에 기인한다. 이러한 할로겐 원소는 자유 라디칼의 연쇄반응을 차단함으로써 연소과정을 억제한다. 비할로겐계 고분자에는 염소, 브롬, 인을 함유하는 반응물로 이루어진 첨가제가 이러한 역할을 수행한다.

착색제(colorant)는 재료의 선택에서 외양이 중요한 인자로 작용할 경우 중합체에 특별한 색깔을 부여하기 위한 첨가제이다. 안료와 염료의 두 가지 착색제가 사용된다. **안료**(pigments)는 불용성의 유색물질이며 분말 형태로 첨가된다. 유기물 안료도 사용되고 있으나, 산화 타이타늄과 규산알루미늄과 같은 결정질 세라믹이 대표적인 예이다. **염료**(dyes)는 가용성의 유기 착색제이며 투명한 색깔을 부여할 수 있다. 14장에서 발색의 원리에 대해 논의할 것이다.

예제 12.5

나일론 66이 33 wt %의 유리섬유로 보강되었다. 이 엔지니어링 플라스틱의 밀도를 계산하시오. (나일론 66의 밀도 = 1.14 Mg/m^{3}이고 강화유리의 밀도 = 2.54 Mg/m^{3}이다.)

풀이

1 kg의 완제품에 대해 다음의 유리가 있다.

$$0.33 \times 1\text{ kg} = 0.33\text{ kg}$$

따라서 다음의 나일론 66이 남는다.

$$1\text{ kg} - 0.33\text{ kg} = 0.67\text{kg}$$

이 제품의 전체 부피는

$$\begin{aligned} V_{\text{product}} &= V_{\text{nylon}} + V_{\text{glass}} \\ &= \frac{m_{\text{nylon}}}{\rho_{\text{nylon}}} + \frac{m_{\text{glass}}}{\rho_{\text{glass}}} \\ &= \left(\frac{0.67\text{ kg}}{1.14\text{ Mg/m}^3} + \frac{0.33\text{ kg}}{2.54\text{ Mg/m}^3}\right) \\ &\quad \times \frac{1\text{ Mg}}{1{,}000\text{ kg}} = 7.18 \times 10^{-4}\text{ m}^3 \end{aligned}$$

완제품의 총체적 밀도는 다음과 같다.

$$\rho = \frac{1\ \text{kg}}{7.18 \times 10^{-4}\ \text{m}^3} \times \frac{1\ \text{Mg}}{1{,}000\ \text{kg}} = 1.39\ \text{Mg/m}^3$$

연습문제 12.5

예제 12.5는 높은 강도와 강성을 가진 엔지니어링 플라스틱을 다루었다. 강도와 강성은 유리섬유의 첨가량을 늘릴수록 더 증가할 수 있다. 43 wt %의 유리섬유를 함유하는 나일론 66의 밀도를 구하시오.

12.2 복합재료

구조용 공업재료에 관한 마지막 범주는 복합재료이다. 복합재료는 지금까지 설명한 기본 재료(금속, 세라믹, 유리, 고분자) 가운데 두 가지 이상의 성분을 조합한 것이다. 복합재료의 선택에서 주요한 원리는 두 물질에 의한 시너지 효과, 즉 각 구성 성분의 최고의 성질을 제공해주어야 한다는 것이다. 고전적인 예가 바로 유리섬유이다. 지름이 작은 유리섬유의 강도와 고분자 **기지**(matrix)의 연성이 합쳐져서 각 성분만 단독으로 사용되는 재료보다 탁월한 물성의 제품을 만들 수 있다. 유리섬유와 같은 많은 복합재료는 앞의 3개 절에서 다루었던 재료를 혼합적으로 사용한다. 세라믹 기반 복합재료는 단일 재료 내의 다른 구성성분으로 제조되기도 한다. 일반적으로, 이 장에서는 아주 좁은 정의에서의 복합체를 다룰 것이다. (거시적 규모보다는)미시적 규모에서 다른 성분을 조합한 재료만 고려할 것이다. 9장과 10장에서 거론되었던 일반적인 공정의 결과로 제조한 다상 합금이나 세라믹 재료는 포함하지 않을 것이다. 마찬가지로 13장에서 다룰 미세회로는 각 구성성분이 각자의 독특한 성질을 그대로 유지하고 있는 재료 시스템이므로 이 장에서는 다루지 않을 것이다. 이러한 제약에도 불구하고 복합재료 분야는 평범한 부분부터 가장 세밀한 곳에 이르기까지 아주 다양한 재료를 포함하고 있음을 배울 것이다. 유리섬유는 가장 일반적인 건축재료이다. 항공 산업은 가장 세밀한 복합재료 대부분의 개발을 가속화했다(예: 비금속 재료로 만들어진 고성능 '스텔스' 비행기가 있다). 강도 대 무게 비가 향상된 다리, 연료 효율이 더욱 향상된 자동차처럼 첨단재료는 점진적으로 일상생활에서 활용되고 있다.

이제 두 가지 광의의 복합재료를 생각해본다. 유리섬유 또는 유리섬유 강화 플라스틱은 매우 뛰어난 합성 섬유 강화 복합재료의 예이다. 일반적으로 섬유 강화는 다음의 세 가지 배열, 즉 한 방향으로 배열된 것, 불규칙적으로 절단된 것, 기지와 층상으로 된 직물 구조로 짜인 것 중 하나이다. 서멧(cermet)은 집합 복합체의 한 예로,

섬유가 아닌 세라믹 입자가 금속 기지를 강화한다. 일반적인 두 가지 건축재료로서 목재와 콘크리트는 섬유 강화 복합체와 집합 복합체로서 각각 적합한 예이다.

섬유 강화 복합재료

가장 일반적인 합성 복합재료의 예는 미크론(μm) 단위의 강화섬유를 함유한 것이다. 이 범주 내에는 다시 다음과 같은 2개의 다른 그룹이 있다. (1) 일반적으로 적당히 높은 값의 탄성계수를 갖는 유리섬유를 사용한 복합재료, (2) 좀 더 높은 탄성계수를 갖는 섬유를 사용한 첨단 복합재료이다. 이 합성재료를 중요한 천연 **섬유 강화 복합재료**(fiber-reinforced composite)인 목재와 비교해볼 것이다.

유리섬유(fiberglass)는 현대 복합재료계 분야에서 하나의 고전적인 예이다. 그림 12.12에서 강화섬유를 보여준다. 복합재료의 전형적인 파단면(그림 12.13)은 고분자 기지 내에 함침되어 있는 섬유를 잘 보여준다. 표 12.1에 섬유 강화재료로 사용되는 몇몇 유리 조성을 나타냈다. 각각의 조성은 특수한 용도에 대해 상당한 발전을 통해 최적화되었다. 예를 들면 가장 일반적으로 사용되는 유리섬유 조성은 **E-glass**이다. 여기서 E는 '전기재료 분야'에 사용됨을 의미한다. E-glass는 나트륨 함량이 낮기 때문에 전기 전도도가 특히 낮으며 유전체로서의 응용도 가능하다. 구조용 복합재료로서의 E-glass의 인기는 붕규산염(borosilicate) 조성의 화학적 안정성과 연관이 있다. 표 12.2는 몇몇 일반적인 고분자 기지 재료를 보여준다. 일반적

그림 12.12 유리섬유 복합재료의 강화를 위해 사용한 유리섬유(Courtesy of Owens-Corning Fiberglas Corporation.)

그림 12.13 주사 전자현미경(SEM)으로 찍은 파단면 사진에 유리섬유 복합재료 내의 유리섬유 강화제가 잘 나타나 있다. (Courtesy of Owens-Corning Fiberglas Corporation.)

표 12.1 유리 강화 섬유의 조성

Designation	Characteristic	Composition[a] (wt %)								
		SiO_2	$(Al_2O_3 + Fe_2O_3)$	CaO	MgO	Na_2O	K_2O	B_2O_3	TiO_2	ZrO_2
A-glass	Common soda–lime–silica	72	<1	10		14				
AR-glass	Alkali resistant (for concrete reinforcement)	61	<1	5	<1	14	3		7	10
C-glass	Chemical corrosion resistant	65	4	13	3	8	2	5		
E-glass	Electrical composition	54	15	17	5	<1	<1	8		
S-glass	High strength and modulus	65	25		10					

[a] 근사치이며, 여러 가지 불순물은 포함되지 않았음.

출처: Data from J. G. Mohr and W. P. Rowe, *Fiber Glass*, Van Nostrand Reinhold Company, Inc., New York, 1978.

표 12.2 유리섬유 기반 복합재료에 사용되는 고분자 기지

고분자	특성 및 활용
Thermosetting	
Epoxies	High strength (for filament-wound vessels)
Polyesters	For general structures (usually fabric reinforced)
Phenolics	High-temperature applications
Silicones	Electrical applications (e.g., printed-circuit panels)
Thermoplastic	
Nylon 66	
Polycarbonate	Less common, especially good ductility
Polystyrene	

출처: Data from L. J. Broutman and R. H. Krock, Eds., *Modern Composite Materials*, Addison-Wesley Publishing Co., Inc., Reading, MA, 1967, Chapter 13.

인 세 가지 섬유 배열이 그림 12.14에 예시되어 있다. 그림 12.14(a)와 (b)는 각각 **연속섬유**(continuous fibers)와 **불연속섬유**[discrete (chopped) fibers]를 나타낸다. 그림 12.14(c)는 **직포**(woven fabric) 배열을 보여주는데, 이것은 복합재료 내에 **적층**(laminate) 구조를 형성하기 위해 기지 고분자와 층을 이룬다. 다양한 기하학적 배열 방법과 복합재료의 기계적 물성의 관계에 대해서는 특성 평가 부분에서 논의할 것이다. 복합재료의 최적 강도는 연속 섬유 강화제의 배열 정도에 의해 얻어진다. 그러나 이러한 강도는 단지 섬유축과 평행한 방향으로만 최댓값을 나타내기 때문에 이 강도를 인용할 때 주의해야 한다. 다시 말하면 이 강도는 **이방성**(anisotropic)이 매우 강하고 방향에 따라 물성이 크게 변한다.

첨단 복합재료(advanced composites)는 E-glass보다 더 큰 탄성계수를 갖는 강화섬유를 함유한 시스템으로 구성된다. 예를 들면 대부분의 미국 헬리콥터 날개에 사

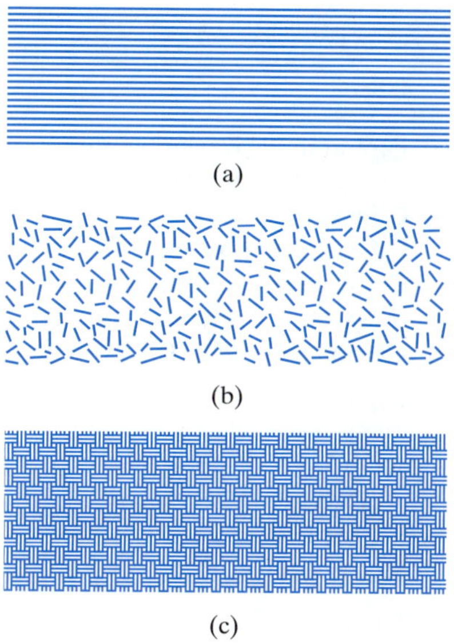

그림 12.14 복합재료 강화를 위한 세 가지 일반적인 섬유 배열. (a) 연속섬유 (b) 불연속섬유 (c) 층상구조를 만들기 위해 사용되는 직포

용되는 유리섬유 강화 복합재료에는 높은 탄성계수의 S-glass가 사용되고 있다(표 12.1 참조). 그러나 첨단 복합재료는 일반적으로 유리 이외의 섬유를 포함한다. 표 12.3에 현재 우수한 재료 성질이 요구되는 응용분야에 사용되는 여러 가지 첨단 복합재료 시스템을 나열했다. 첨단 복합재료 산업의 성장은 제2차 세계대전 중 재료 개발을 시발로 1960년대 우주 개발 경쟁 시대에 급격하게 가속되었다. 그리고 지속적인 상업적 항공 기술과 고기능성 레저용품(골프채, 테니스채 등)에 대한 수요에 따라 성장했다.

탄소와 케블라 섬유 강화제는 **고분자 기지 복합재료**(polymer-matrix composites)에 사용하는 전통적인 유리섬유에 비해 성능이 우수한 재료를 탄생시켰다. 탄소섬유는 결정흑연과 비정질 영역이 혼합된 탄소로 구성되어 있으며 섬유의 지름이 4~10 μm 사이 범위이다. 케블라는 poly p-phenyleneterephthalamide(PPD-T), 파라아라미드의 Du Pont의 상품명이며 화학 구조는 다음과 같다.

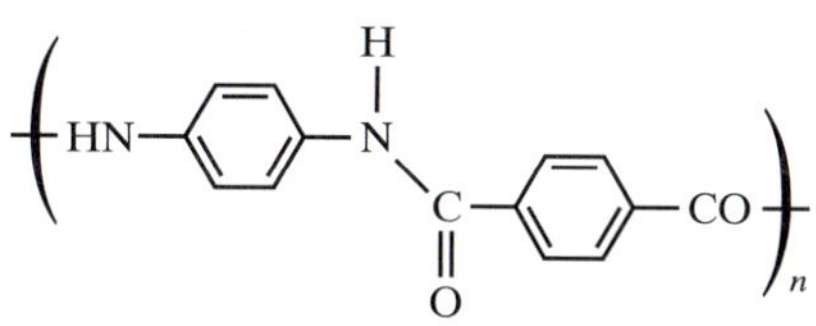

(12.7)

에폭시와 폴리에스테르(열경화성 고분자)는 전통적인 기지 재료이다. 열가소성 고분자 기지는 폴리에테르에테르케톤(polyetheretherketone, PEEK)과 폴리페닐렌 설파이드(polyphenylene sulfide, PPS)의 개발과 같은 상당한 진보가 있었다. 이러한 재료는 인성 증가와 재활용이 가능하다는 장점이 있다. 탄소와 케블라 강화 고분자는 고압용기 재료에 사용되고 케블라 강화제는 타이어에 널리 사용된다. 탄소강화

표 12.3 유리섬유 외의 첨단 복합재료 시스템

Class	Fiber
Polymer matrix	Para-aramid (Kevlar[a])/epoxy Para-aramid (Kevlar[a])/polyester C (graphite)/epoxy C (graphite)/polyester C (graphite)/polyetheretherketone (PEEK) C (graphite)/polyphenylene sulfide (PPS) Carbon nanotube (CNT)/epoxy
Metal matrix	B/Al C/Al Al_2O_3/Al Al_2O_3/Mg SiC/Al SiC/Ti (alloys)
Ceramic matrix	$Nb/MoSi_2$ C/C C/SiC SiC/Al_2O_3 SiC/SiC SiC/Si_3N_4 SiC/Li–Al–silicate (glass-ceramic)

[a] DuPont의 상표명.
출처: Data from K. K. Chawla, University of Alabama, Birmingham; A. K. Dhingra, the DuPont Company; and A. J. Klein, ASM International.

PEEK와 PPS는 우수한 내열성을 가지며, 그 결과 우주항공 재료 분야에 사용되고 있다.

금속 기지 복합재료(metal-matrix composites)는 고분자 기지 복합재료로 구현되기 어려운 환경의 온도, 전도성, 하중 조건에서 사용할 목적으로 개발되었다. 예를 들면 붕소 강화 알루미늄은 우주왕복선에 사용되며, 탄소 강화 알루미늄은 허블 망원경에 이용된다. 알루미나 강화 알루미늄은 자동차 엔진 부품으로 사용된다.

복합재료 분야에서 극적으로 등장한 **세라믹 기지 복합재료**(ceramic-matrix composites)를 개발하게 된 가장 근본적인 이유는 탁월하게 우수한 고온 저항성 때문이다. 종래의 세라믹과는 달리 이 복합재료는 고효율 엔진 설계와 같은 구조적 응용에 필수적인 인성을 얻을 수 있을 것으로 기대된다. 이 범주에서 사용되는 특별한 첨단 복합재료는 **탄소-탄소 복합재료**(carbon-carbon composite)이다. 이 고탄성계수의 고강도 재료 역시 상당히 고가이다. 중합 탄화수소의 열분해(불활성가스 내에서 가열)로 기지의 큰 탄소 사슬 분자를 형성하는 과정 때문에 비용이 상당히 증가하게 된다. 탄소-탄소 복합재료는 내마찰 재료로서 현재 고성능 자동차나 재진입 우주선에 대한 융제용 차폐물 같은 다양한 우주항공용 재료로 사용되고 있다.

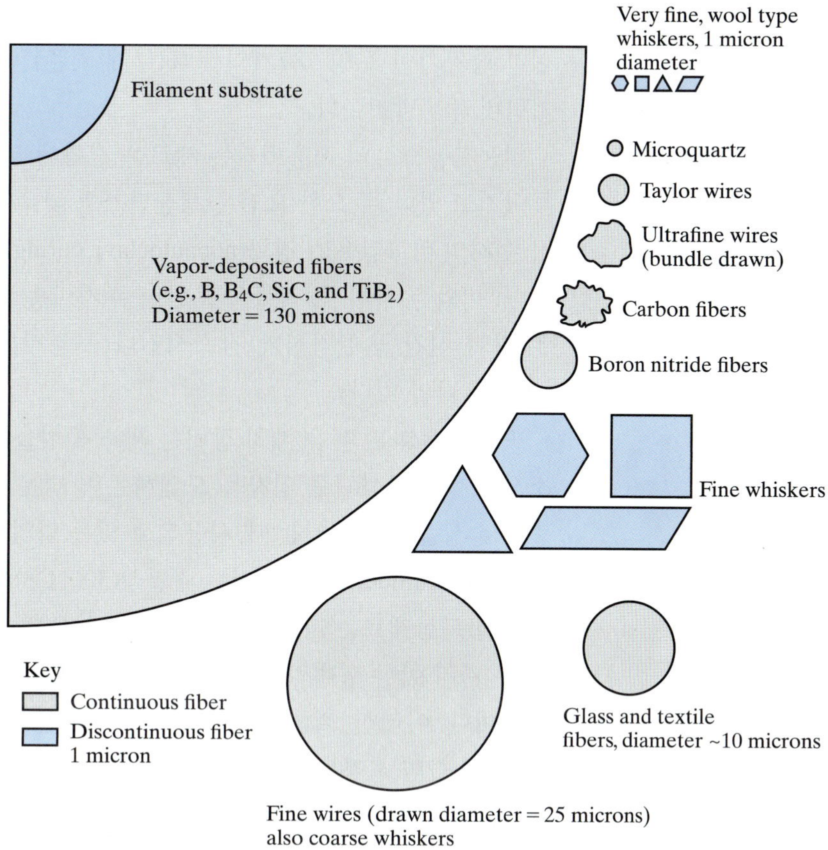

그림 12.15 다양한 기하학적 형태의 단면을 가지는 강화섬유(After L. J. Broutman and R. H. Krock, Eds., *Modern Composite Materials*, Addison-Wesley Publishing Co., Inc., Reading, MA, 1967, Chapter 14.)

금속섬유는 대개 작은 직경을 가지는 와이어이다. 특히 고강도 물성은 작은 크기의 단결정 섬유이며 거의 완전한 결정 구조로 성장된 **위스커**(whisker)에 의해 구현된다. 그러나 위스커는 유리섬유나 금속섬유처럼 연속된 필라멘트 형태로 성장시킬 수 없다는 한계점이 있다. 그림 12.15는 다양한 기하학적 형태의 단면을 가지는 강화섬유를 비교하여 도식화했다.

1980년대에 미국의 첨단 복합재료 생산은 5년마다 두 배씩 증가했다. 그러나 1990년대 초기 3년 동안은 생산이 약 20% 정도 급격히 감소했는데, 이는 냉전의 종식과 그 결과로 인한 국방 예산의 삭감 때문이다. 이런 변화에 따라서 첨단 복합재료 분야에 새로운 경향이 나타났다. 선박 시(예: 고성능 동력선), 향상된 강도 대 무게비를 이용한 토목공학 구조물, 전기자동차 개발 등의 용도로 개발되고 있다. 일반적으로 자동차 산업에서 첨단 복합재료를 폭넓게 사용하기 위해서는 기본적으로 원가절감이 필요하며, 이런 원가 절감은 대량생산 없이는 불가능하다. 결국 자동차 분야에서의 수요 증가 없이는 생산능력이 커지기 어렵다. 최근 수십 년간 소형비행기나 회전날개항공기 분야에서 첨단소재의 80~90%(무게 기준)를 소모하고 있다. 2011년 민간 항공기인 보잉 787기의 50%(무게 기준)를 첨단구조 복합재료로 제작한 것은 기념비적인 발전이다.

비군사용으로의 적용이라는 새로운 경향에 부응하여 특별한 기술적인 개발이 이루어지고 있다. 주요한 요점은 생산단가를 낮추는 것이다. 이와 같은 이유로 열경화성 수지의 비고압용기 경화(nonautoclave curing) 공정이 다리 건설을 위해 개발되고 있다. 이와 유사하게, 직물을 포함한 수지이송성형법(resin transfer molding, RTM)은 경화 시간을 현격하게 감소시킨다(고분자의 이송성형과 관련된 기술은 그림 12.24에 나와 있다).

또한 자동화된 섬유 배치 장비는 제조 공정을 더 단축한다. 열경화성 수지에 열가소성수지나 탄성체구 입자를 도입하는 방법은 파괴 인성을 향상하고, 박리현상과 충격 손상을 감소시키는 데 사용되고 있는 다양한 기술 중 하나이다. 비스말레이미드(Bismaleimide, BMI) 수지는 내열성(300°C 이상) 부분에서 에폭시보다 우수하다.

단일 복합재료는 다양한 형태의 강화섬유를 함유할 수 있다. **하이브리드**(hybrid)는 두 가지 이상 형태의 강화섬유(예: 탄소와 유리 또는 탄소와 아라미드)로 구성된 직물이다. 이러한 조합은 복합재료의 성능을 최적화하기 위한 설계적 접근방법이다. 예를 들면 고강도 비탄소 섬유는 전체 복합재료의 내충격성을 개선하기 위해 탄소섬유에 첨가될 수 있다.

예제 12.6

유리섬유 복합재료는 에폭시 기지에 70 vol %의 E-glass 섬유를 함유한다.

(a) 복합재료 내 유리섬유의 wt %를 계산하시오.

(b) 복합재료의 밀도를 계산하시오. E-glass의 밀도는 2.54 $Mg/m^3 (= g/cm^3)$이고 에폭시의 밀도는 1.1 Mg/m^3이다.

풀이

(a) 1 m^3 복합재료에 0.70 m^3의 E-glass와 $(1.00 - 0.70)\ m^3 = 0.30\ m^3$의 에폭시가 있다. 이 각 성분의 질량은

$$m_{E-glass} = \frac{2.54\ Mg}{m^3} \times 0.70\ m^3 = 1.77\ Mg$$

$$m_{epoxy} = \frac{1.1\ Mg}{m^3} \times 0.30\ m^3 = 0.33\ Mg$$

유리섬유의 wt %는 다음과 같다.

$$\text{wt \% glass} = \frac{1.77\ Mg}{(1.77 + 0.33)\ Mg} \times 100 = 84.3\%$$

(b) 밀도는 다음과 같다.

$$\rho = \frac{m}{V} = \frac{(1.77 + 0.33)\ \text{Mg}}{\text{m}^3} = 2.10\ \text{Mg/m}^3$$

연습문제 12.6

예제 12.6에서 전형적인 유리섬유 복합재료의 밀도를 계산했다. 에폭시 기지에 E-glass 유리섬유가 (a) 50 vol %인 경우와 (b) 75 vol %인 경우에 대해 밀도를 다시 계산하시오.

집합 복합재료

입자가 기지(matrix)를 강화하는 **집합 복합재료**(aggregate composites)에는 여러 가지 예가 있으며, 많은 복합재료 시스템은 입자 강화에 기초를 두고 있다. 그 예가 표 12.4에 정리되어 있으며, 표 12.3의 예와 같이 집합 복합재료 시스템은 가장 정교한 공업용 재료로 구성되어 있다. 현대 복합재료의 두 그룹이 표 12.4에 대분되어 있다. 특히 **입자 복합재료**(particulate composites)는 비교적 큰 입자가 분산되어 있으며(적어도 직경이 수 마이크로미터), 비교적 고농도(25 vol % 이상과 종종 60~90 vol %)로 존재하는 시스템을 말한다. 이 범주에 속하는 충진재 함유 고분자 재료 시스템에 대해서는 12.1절에서 이미 다루었다. 자동차 타이어는 카본블랙 입자가 대략 1/3 정도 함유된 고무임을 떠올리자.

입자 복합재료의 좋은 예는 WC/Co 복합재료로, 이는 우수한 절단 공구 재료이다. 연성 금속 기지 안에 고경도 카바이드가 있는 세라믹-금속 복합재료인 **서멧**(cermet)이 하나의 중요한 예이다. 카바이드는 경화한 철을 절단할 수 있으나, 연성

표 12.4 집합 복합재료 시스템

Particulate composites
Thermoplastic elastomer (elastomer in thermoplastic polymer)
SiC in Al
W in Cu
Mo in Cu
WC in Co
W in NiFe
Dispersion-strengthened metals
Al_2O_3 in Al
Al_2O_3 in Cu
Al_2O_3 in Fe
ThO_2 in Ni

출처: Data from L. J. Broutman and R. H. Krock, Eds., *Modern Composite Materials*, Addison-Wesley Publishing Co., Inc., Reading, MA, 1967, Chapters 16 and 17; and K. K. Chawla, University of Alabama, Birmingham.

기지에 의해 제공되는 인성이 필요하다. 이러한 연성 기지는 또한 깨지기 쉬운 카바이드상의 입자 간 접촉에 의해 야기되는 균열 진행을 막아준다. 세라믹상과 금속상은 모두 내열성이 있기 때문에 기계 공정에 의해 생기는 고온을 견딜 수 있다. **분산 강화금속**(dispersion-strengthened metals)은 작은 산화물 입자(직경이 0.01~0.1 μm)를 매우 낮은 농도(15 vol % 이하)로 함유한다. 산화물 입자는 전위의 이동에 대한 장애물로 작용하여 금속을 강화한다. 이는 6.3절과 그림 6.26에서의 논의를 통해 이해할 수 있다. 이 장 후반부에서 10 vol %의 알루미나(Al_2O_3)를 분산시킨 알루미늄의 인장 강도가 네 배까지 증가함을 설명할 것이다.

목재가 일반적인 구조용 재료이며 섬유 강화 복합재료의 예라면, 콘크리트는 집합 복합재료의 대표적인 예이다. 보통의 콘크리트는 칼슘 알루미나규산염(시멘트) 기지 안에 자갈과 모래가 들어가 있다. 목재와 마찬가지로 콘크리트 건축재료는 엄청난 양이 사용된다. 매년 사용되는 콘크리트의 무게가 모든 금속 화합물의 양을 능가한다.

예제 12.7

분산 강화된 알루미늄은 Al_2O_3를 10 vol % 함유한다. 금속상이 전부 순수 알루미늄이라고 가정하고 복합재료의 밀도를 계산하시오(Al_2O_3의 밀도는 3.97 Mg/m^3).

풀이

부록 1로부터

$$\rho_{Al} = 2.70 \text{ Mg/m}^3$$

1 m^{3}의 복합재료에 대해 0.1 m^{3}의 Al_2O_3와 1.0 − 0.1 = 0.9 m^{3}의 Al을 갖게 된다. 각 성분의 질량은

$$m_{Al_2O_3} = 3.97 \frac{\text{Mg}}{\text{m}^3} \times 0.1 \text{ m}^3 = 0.40 \text{ Mg}$$

$$m_{Al} = 2.70 \frac{\text{Mg}}{\text{m}^3} \times 0.9 \text{ m}^3 = 2.43 \text{ Mg}$$

따라서

$$\rho_{composite} = \frac{m}{V} = \frac{(0.40 + 2.43) \text{ Mg}}{1 \text{ m}^3} = 2.83 \text{ Mg/m}^3$$

연습문제 12.7

구리 기지에 텅스텐이 50 vol % 함유된 입자 강화 복합재료의 밀도를 계산하시오(예제 12.7 참고).

특성 평균화

복합재료의 특성은 각 재료의 특성의 평균을 나타내야 한다. 그러나 '평균'의 정확한 의미는 미세구조적인 형상에 매우 민감하다. 현대 복합재료에서는 이러한 형상이 매우 다양하기 때문에 일반화에 주의해야 한다. 그러나 여기에서는 한 가지 중요한 예를 다룰 것이다.

특성 평균화(property averaging)를 설명하기 위해 탄성계수를 사용할 것이다. 이것은 복합재료의 구조적 응용에 대해 강조한 것과 일치한다. 섬유 강화 복합재료의 일축 응력(섬유 배열 방향과 평행)이 그림 12.16에 나타나 있다. 만약 기지가 강화섬유의 계면 결합력이 매우 강하다면 기지와 섬유의 변형률은 같아야 한다. 이 **등변형**(isostrain) 조건은 각 성분의 탄성계수가 크게 다를지라도 적용된다. 다시 말하면,

$$\epsilon_c = \frac{\sigma_c}{E_c} = \epsilon_m = \frac{\sigma_m}{E_m} = \epsilon_f = \frac{\sigma_f}{E_f} \tag{12.8}$$

이 식의 모든 용어는 그림 12.16에 정의되어 있다. 복합재료에 의해 받게 되는 하중, P_c는 각 성분에 의해 받게 되는 하중의 단순한 합이라는 것이 명확하다.

$$P_c = P_m + P_f \tag{12.9}$$

정의에 의해 각 하중은 단면적에 각 응력을 곱한 것과 같다. 즉

$$\sigma_c A_c = \sigma_m A_m + \sigma_f A_f \tag{12.10}$$

이 식의 각 항도 그림 12.16에 도시되어 있다. 식 (12.8)과 식 (12.10)을 조합하면 다음과 같다.

$$E_c \epsilon_c A_c = E_m \epsilon_m A_m + E_f \epsilon_f A_f \tag{12.11}$$

$\epsilon_c = \epsilon_m = \epsilon_f$라는 것을 알고, 식 (12.10)의 양변을 A_c로 나누면 다음과 같다.

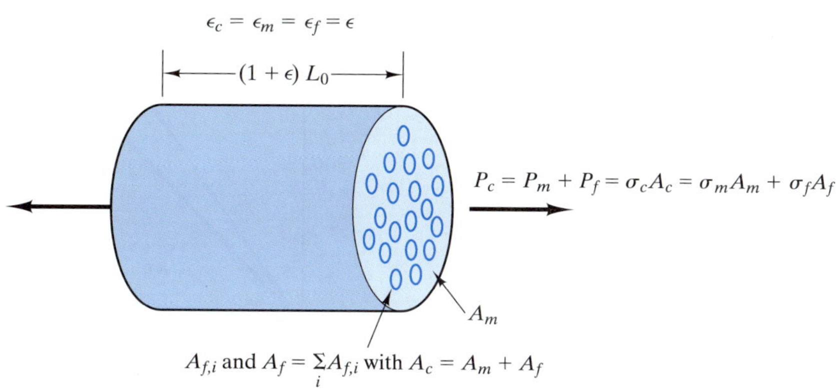

그림 12.16 연속섬유 강화 복합재료의 일축 응력 상태. 하중은 강화섬유의 배열 방향과 평행하다. 식 (12.8)~(12.10)에 사용된 항이 설명되어 있다.

$$E_c = E_m \frac{A_m}{A_c} + E_f \frac{A_f}{A_c} \tag{12.12}$$

그림 12.16의 원통형 구조에 의해 면적 분율은 또한 부피 분율이다. 즉

$$E_c = \nu_m E_m + \nu_f E_f \tag{12.13}$$

여기서 ν_m과 ν_f는 각각 기지와 섬유의 부피 분율이다. 이 경우 $\nu_m + \nu_f$는 물론 1이어야 한다. 식 (12.13)은 중요한 결과이다. 그것은 축방향으로 하중이 걸린 섬유 복합재료의 탄성률은 각 성분 탄성률의 단순한 가중 평균과 같은 것으로 한다. 그림 12.17은 70 vol %의 강화섬유를 가진 복합재료의 응력-변형률 곡선으로 기울기는 탄성계수를 나타낸다. 전형적인 유리섬유(E-glass 강화 에폭시)에서 유리섬유의 탄성계수(72.4×10^3 MPa)는 중합체 기지의 탄성계수(6.9×10^3 MPa)의 약 10배 정도이다. 복합재료의 탄성계수는 비록 유리의 탄성계수와 같지는 않지만 기지의 탄성계수보다는 상당히 높은 편이다.

식 (12.9)에서 축방향으로 하중을 받는 섬유에 의해 전달되는 총 복합재료 하중, P_c의 분율은 복합재료의 탄성계수에 유리섬유가 기여하는 정도와 유사하다. 식 (12.9)로부터 다음을 알 수 있다.

$$\frac{P_f}{P_c} = \frac{\sigma_f A_f}{\sigma_c A_c} = \frac{E_f \epsilon_f A_f}{E_c \epsilon_c A_c} = \frac{E_f}{E_c} \nu_f \tag{12.14}$$

논의 중인 유리섬유 복합재료에 대해 $P_f/P_c = 0.96$, 즉 일축 하중의 거의 전체를 고

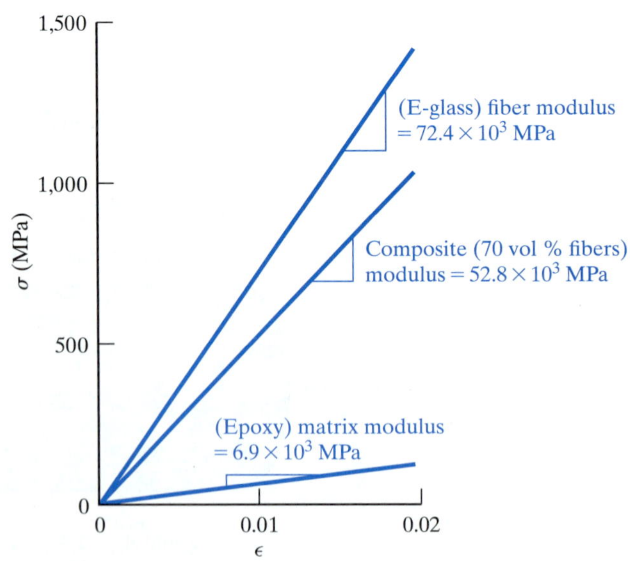

그림 12.17 복합재료의 구성성분인 섬유, 기지, 복합재료 자체의 응력-변형률 곡선. 각각의 기울기는 탄성계수를 나타내며 복합체의 탄성계수는 식 (12.13)에 의해 정의된다.

탄성 섬유의 70 vol %가 지탱한다. 이런 형태는 복합재료의 이상적 응용이다. 섬유의 고탄성 및 고강도 특성은 효과적으로 전체 복합재료에 전달된다. 동시에 기지의 연성은 유리 자체보다 취성이 낮은 복합재료를 만드는 데 유용하다. 식 (12.13)의 결과는 탄성계수에만 적용되는 건 아니다. 많은 중요한 특성이 이러한 거동을 나타내는데, 이것은 특히 이동 특성에 잘 적용된다. 일반적으로 다음과 같은 식이 가능하다.

$$X_c = \nu_m X_m + \nu_f X_f \tag{12.15}$$

여기서 X는 확산도 D(5.3절 참고), 열전도도 k(7.3절 참고), 전기 전도도 σ(13.1절 참고)가 될 수 있다. 강화섬유와 평행한 하중에 대한 Poisson 비는 식 (12.15)로부터 예상될 수 있다.

유사한 분석 방법을 섬유 배열 방향에 수직으로 응력이 가해진 경우, 즉 **등응력**(isostress) 하중에 적용할 수 있다. 추가적인 유도과정 없이도 섬유에 수직으로 가해진 응력에 대한 결과는 다음과 같이 나타낼 수 있음을 알 수 있다.

$$E_c = \frac{E_m E_f}{\nu_m E_f + \nu_f E_m} \tag{12.16}$$

위의 결과는 식 (12.13)에 의해 주어진 복합재료의 등변형조건에서의 탄성계수와 대비된다.

식 (12.16)의 결과에 의해 고탄성 섬유 보강재료의 사용은 크게 효과적이 아닐 수 있다는 실용적인 결론을 유출할 수 있다. 이러한 개념은 매우 고농도의 섬유 보강 조건이 아닌 경우 기지 탄성률이 복합재료의 탄성률에 결정적인 영향을 미친다는 그림 12.18에 의해 증명된다. 섬유 분율이 70 vol %인 경우 등응력하중하에서의 복합

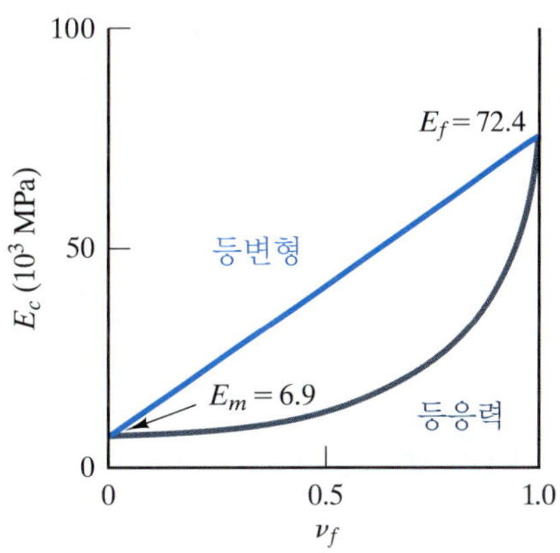

그림 12.18 복합재료의 탄성계수 E_c는 각 구성성분의 탄성계수의 가중평균이다(E_m = 기지 탄성계수, E_f = 섬유 탄성계수). 섬유는 수직하중의 등응력하중 조건[식 (12.16)]보다 평행하중의 등변형 조건[식 (12.13)]에서 복합재료의 탄성계수에 더 크게 기여한다. 유리 강화 에폭시의 경우에 해당하는 그래프이다(그림 12.17 참고).

재료 탄성률은 18.8×10^3 MPa로서, 그림 12.17에서 제시된 등변형 조건에서의 52.8×10^3 MPa에 비해 현격하게 낮은 값이다.

식 (12.13)과 (12.15)의 유사성에서 알 수 있듯이, 탄성계수만 식 (12.16)의 결과를 따르는 기계적 성질은 아니다. 일반적으로 다음과 같은 식이 가능하다.

$$X_c = \frac{X_m X_f}{\nu_m X_f + \nu_f X_m} \tag{12.17}$$

여기서 X는 확산도 D, 열전도도 k, 전기 전도도 σ가 될 수 있다. [전기회로에 익숙한 학생들은 $\rho = 1/\sigma$의 관계를 이용하여 식 (12.13)과 (12.16)이 직렬과 병렬 전기회로의 전기저항식의 정반대임을 알 것이다.]

그 결과, 평균은 등변형 조건에서 얻은 것보다 훨씬 낮다. 따라서 등변형 조건은 일반적으로 설계 응용에 더 많이 이용된다. 더욱이 집합 복합재료의 하중과정에서 얻은 평균 탄성계수는 섬유 강화 복합재료를 위한 등변형과 등응력 사이의 중간값이다.

예제 12.8

등변형 조건에서 60 vol % E-glass로 강화된 폴리에스테르의 복합재료 탄성계수를 표 12.5, 12.6의 데이터를 이용하여 계산하시오.

풀이

식 (12.13)을 바로 적용하면

$$E_c = \nu_m E_m + \nu_f E_f$$

표 12.5와 12.6에서 각 성분의 탄성계수를 찾아보면

$$E_{\text{polyester}} = 6.9 \times 10^3 \text{ MPa}$$

$$E_{\text{E-glass}} = 72.4 \times 10^3 \text{ MPa}$$

따라서

$$\begin{aligned} E_c &= (0.4)(6.9 \times 10^3 \text{ MPa}) + (0.6)(72.4 \times 10^3 \text{ MPa}) \\ &= 46.2 \times 10^3 \text{ MPa} \end{aligned}$$

예제 12.9

폴리에스테르 기지 내에 60 vol % E-glass로 보강된 복합재료의 연속 강화섬유에 평행한 열전도도를 계산하라. [E-glass의 열전도도는 0.97 W/(m·K), 폴리에스테르는 0.17 W/(m·K)이다. 이 두 값은 모두 상온에서의 값이다.]

풀이

이 문제는 예제 12.8의 계산과 비슷하다. 식 (12.15)에서 X를 열전도도 k로 하면

$$
\begin{aligned}
k_c &= \nu_m k_m + \nu_f k_f \\
&= (0.4)[0.17\ \mathrm{W/(m \cdot K)}] + (0.6)[0.97\ \mathrm{W/(m \cdot K)}] \\
&= 0.65\ \mathrm{W/(m \cdot K)}
\end{aligned}
$$

연습문제 12.8

폴리에스테르 기지에 50 vol %의 E-glass를 함유한 복합재료에 대해 복합재료 탄성계수를 계산하시오(예제 12.8 참고).

연습문제 12.9

예제 12.9에서 특정한 유리섬유 복합재료의 열전도도를 계산했다. 폴리에스테르 기지에 50 vol %의 E-glass를 갖는 복합재료의 열전도도를 계산하시오.

유용한 복합재료에서 성질의 평균화는 지금 막 논의한 전형적인 예로 나타낼 수 있다. 그러나 이 절을 끝내기 전에 지금껏 당연한 것으로 간주했던 어떤 중요한 사항에 주목해야 한다. 즉 기지와 불연속상 사이의 계면은 한 상에서 다른 상으로의 기계적 하중으로 인한 응력이나 변형을 옮길 만큼 충분히 강해야 한다. 이런 강도가 없다면 분산상은 기지와 '소통(communicate)'할 수 없다. 이 장 도입부에서 언급한 것처럼 '두 물질의 장점'을 얻기보다는 각 성분의 최악의 거동을 얻을 수도 있다. 기지 내에서 쉽게 미끄러지는 강화섬유가 한 예가 될 수 있다. 그림 12.19는 유리섬유 복

POWERS OF 10

전자현미경을 이용한 미세구조상의 분석은 구조 재료 파괴의 원인을 분석하는 데 도움을 줄 수 있다. 사진 (a)는 섬유와 기지 간 계면 결합력이 부족함을 나타낸다.

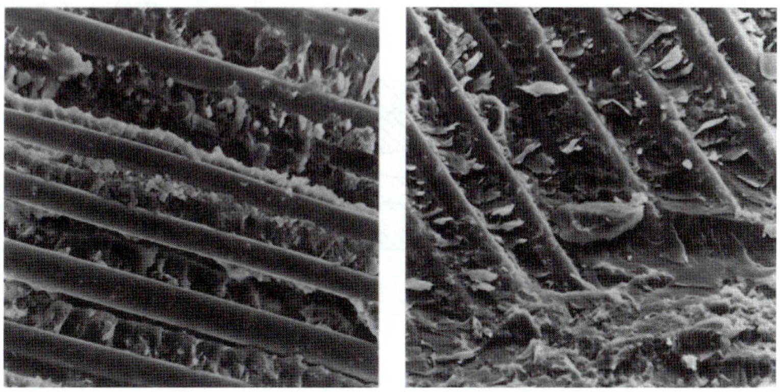

(a) (b)

그림 12.19 고분자 기지 복합재료에서 강화상의 물성에 대한 기여도는 강화제와 기지 사이의 계면 결합 강도에 의존한다. 이 주사 전자현미경 사진은 (a) 불완전한 결합 계면과 (b) 완벽한 결합 계면을 대조적으로 보여준다. 금속 기지 복합재료에서 높은 계면 강도는 복합재료의 전체 강도 확보를 위해서도 요구된다. (Courtesy of Owens-Corning Fiberglas Corporation.)

합재료의 경계면이 (a) 불완전하게 결합된 계면과 (b) 완벽히 결합된 계면과의 대조적인 미세구조를 나타내는 사진이다. 복합재료 분야에서는 **계면 강도**(interfacial strength)를 조절하는 연구에 대해 상당한 노력을 해왔다. 표면처리, 화학적 활성, 온도는 계면 결합의 '기술과 과학'의 관점에서 고려되어야 한다. 요약하자면, 성질의 평균화를 비교적 낮은 응력 수준에서도 적용할 수 있기 위해서는 약간의 계면 강도가 모든 복합재료에서 필요하다.

기본적으로 다른 2개의 개념이 상대적으로 높은 수준의 응력에서 섬유 복합재료의 거동과 관련되어 적용된다. 고분자 기지와 금속 기지 복합재료에서 파손은 강화섬유 내에서 혹은 섬유를 따라서 발생한다. 결과적으로 높은 계면 강도는 복합재료의 전체 강도를 극대화하기 위해 필요하다(그림 12.19). 세라믹 기지 복합재료에서 파손은 일반적으로 기지상 내에서 발생한다. 이런 재료에 대해 파괴 인성을 극대화하기 위해서는 파괴 시 섬유상이 뽑힐 수 있도록 상대적으로 약한 계면 결합을 가지는 것이 바람직하다. 그 결과 기지에서 발생된 균열은 섬유와 기지의 경계를 따라 비켜 나간다. 이와 같은 균열 경로 길이의 증가는 파괴 인성을 상당히 증가시킨다. 파괴 인성을 증가시키기 위한 섬유 인출(pullout) 메커니즘이 그림 12.20에 도시되어 있고, 그림 8.7에 도시된 비강화 세라믹의 두 가지 메커니즘과 비교될 수 있다. 일반적으로 세라믹 복합재료는 20~30 MPa $\sqrt{\mathrm{m}}$ 정도로 비강화 세라믹보다 더 높은 파괴 인성을 얻을 수 있다.

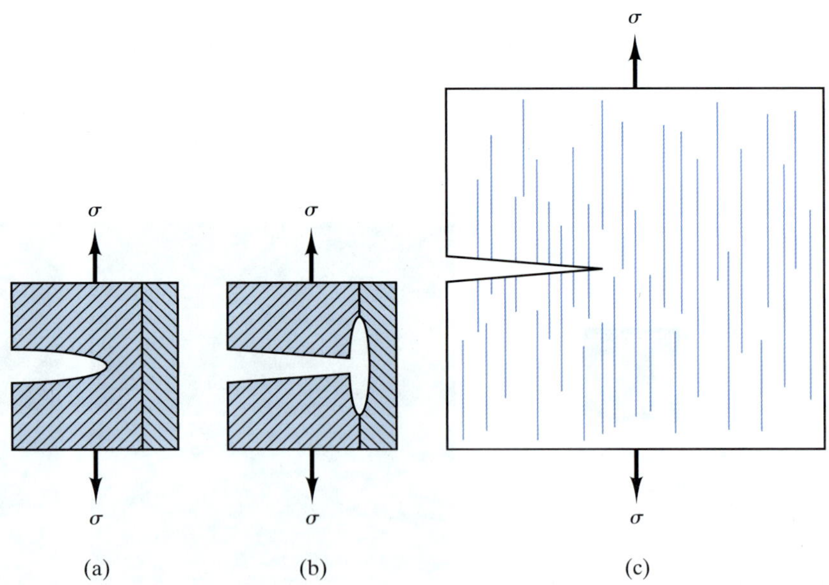

그림 12.20 세라믹 기지 복합재료에서는 낮은 계면 강도가 요구된다(그림 12.18과 같이 연성 기지 복합재료의 경우와 대조적으로). (a) 섬유에 접근하는 기지의 균열이 (b) 섬유 기지 계면을 따라 비켜 가는 것을 볼 수 있다. 전체 복합재료에 대해 (c) 섬유 인출로 인한 균열 경로 길이의 증가는 파괴 인성을 상당히 개선한다(비강화 세라믹에 대한 두 가지 인성 증가 메커니즘은 그림 8.7에 도시되어 있다).

복합재료의 기계적 성질

특성 평균화를 고려할 때 복합재료의 기계적 성질을 하나의 수치로 묘사할 수 있다는 생각은 무리한 시도임을 알 수 있다. 같은 조성의 복합재료에서도 불연속상의 농도와 모양은 기계적 성질의 결정에 중요한 역할을 한다. 따로 언급하지 않는다면 이 장에 인용된 복합재료의 성질은 최적 조건에 해당하는 경우라고 가정한다(즉 강화 섬유에 평행한 하중 조건 등). 복합재료를 구성하는 각 성분 재료에 관한 자료를 가지는 것도 유용하다. 표 12.5는 몇 가지 공통된 기지 재료의 주요한 기계적 성질을 제공한다. 표 12.6은 일반적으로 사용되는 분산상 재료에 대한 유사한 자료이다. 표 12.7은 다양한 복합재료 시스템의 특성을 보여준다. 이 표에 적혀 있는 기계적 특성은 금속의 경우 6.1절에서 처음으로 정의되었다. 표 12.7을 표 12.5와 표 12.6의 금속, 세라믹, 고분자와 비교함으로써 복합재료의 상대적인 기계적 성질을 이해할 수 있다. 비강화 세라믹 대비 세라믹 기지 복합재료의 파괴 인성에서의 놀랄 만한 개선이 그림 12.21에 도시되어 있다. 항공우주 분야에서 복합재료의 중요성을 강조하는 더욱 중요한 비교가 표 12.8에 주어진 **비강도**(specific strength, 강도/밀도) 값의 항목에 나타나 있다. 비강도는 가끔 **무게 대 강도 비**(strength-to-weight ratio)로 불린다. 중요한 점은 많은 '첨단 복합재료' 개발에 소요되는 상당한 비용이 개발 재료의 절대 강도에 의해서만 평가되기보다는 매우 낮은 밀도 조성에서도 적당한 강도를 제공할 수 있다는 측면에 의해서도 평가되어야 한다는 점이다. 연료비 절약만으로도 종종 더 비싼 재료비를 정당화할 수 있다. (표 12.8의 자료와 함께)그림 12.22는 이런 점에서 첨단 복합재료 계의 뚜렷한 장점을 도시한다. 최종적으로 첨단 복합재료의 비교적 높은 재료비용이 높은 비강도 값의 구현은 물론 조립비용을 줄임(예: 일체형 차체)으로써 상쇄될 수 있다는 것도 고려해야 한다.

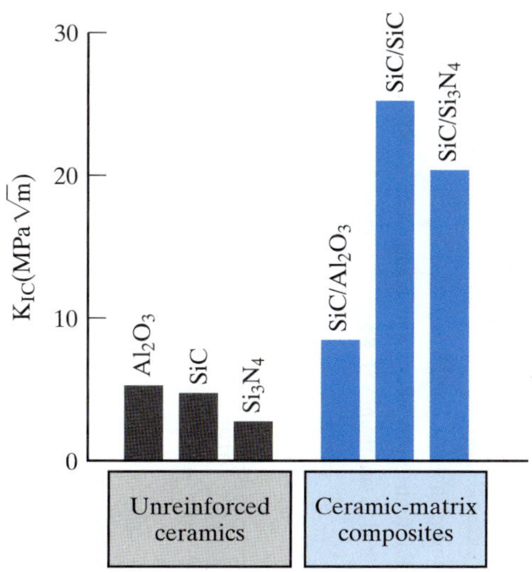

그림 12.21 강화상 사용으로 파괴 인성이 크게 증가하는 구조용 세라믹(인성 강화 메커니즘은 그림 12.20 참고)

표 12.5 일반 기지 재료의 기계적 성질

Class	Example	E [MPa (ksi)]	T.S. [MPa (ksi)]	Flexural strength [MPa (ksi)]	Percent elongation at failure	K_{IC} (MPa $\sqrt{m}$)
Polymers[a]	Epoxy	6,900 (1,000)	69 (10)	—	0	0.3–0.5
	Polyester	6,900 (1,000)	28 (4)	—	0	—
Metal[b]	Al	69×10^3 (10×10^3)	76 (11)	—	—	—
	Cu	115×10^3 (17×10^3)	170 (25)	—	—	—
Ceramic[c]	Al_2O_3	—	—	550 (80)	—	4–5
	SiC	—	—	500 (73)	—	4.0
	Si_3N_4 (reaction bonded)	—	—	260 (38)	—	2–3

[a] From Tables 6.7 and 8.3.

[b] For high-purity alloys with no significant cold working, from *Metals Handbook*, 9th ed., Vol. 2, American Society for Metals, Metals Park, OH, 1979.

[c] 출처: Data from A. J. Klein, *Advanced Materials and Processes* 2, 26 (1986).

표 12.6 일반 분산상 재료의 기계적 성질

Group	Dispersed phase	E [MPa (ksi)]	T.S. [MPa (ksi)]	Percent elongation at failure
Glass fiber[a]	C-glass	69×10^3 (10×10^3)	3,100 (450)	4.5
	E-glass	72.4×10^3 (10.5×10^3)	3,400 (500)	4.8
	S-glass	85.5×10^3 (12.4×10^3)	4,800 (700)	5.6
Ceramic fiber[a]	C (graphite)	$340-380 \times 10^3$ ($49-55 \times 10^3$)	2,200–2,400 (320–350)	—
	SiC	430×10^3 (62×10^3)	2,400 (350)	—
Ceramic whisker[a]	Al_2O_3	430×10^3 (62×10^3)	21×10^3 (3,000)	—
Polymer fiber[b]	Kevlar[c]	131×10^3 (19×10^3)	3,800 (550)	2.8
Metal filament[a]	Boron	410×10^3 (60×10^3)	3,400 (500)	—

[a] 출처: Data from L. J. Broutman and R. H. Krock, Eds., *Modern Composite Materials*, Addison-Wesley Publishing Co., Inc., Reading, MA, 1967.

[b] 출처: Data from A. K. Dhingra, DuPont Company.

[c] DuPont의 상표명.

표 12.7 일반 복합 재료 시스템의 기계적 성질

Class	E [MPa (ksi)]	T.S. [MPa (ksi)]	Flexural strength [MPa (ksi)]	Percent elongation at failure	K_{IC}^{a} (MPa $\sqrt{m}$)
Polymer–matrix					
E-glass (73.3 vol %) in epoxy (parallel loading of continuous fibers)[b]	56×10^3 (8.1×10^3)	1,640 (238)	—	2.9	42–60
Al_2O_3 whiskers (14 vol %) in epoxy)[b]	41×10^3 (6×10^3)	779 (113)	—	—	—
C (67 vol %) in epoxy (parallel loading)[c]	221×10^3 (32×10^3)	1,206 (175)	—	—	—
Kevlar[d] (82 vol %) in epoxy (parallel loading)[c]	86×10^3 (12×10^3)	1,517 (220)	—	—	—
B (70 vol %) in epoxy (parallel loading of continuous filaments)[b]	$210-280 \times 10^3$ ($30-40 \times 10^3$)[c]	1,400–2,100 (200–300)[c]	—	—	46
Metal matrix					
Al_2O_3 (10 vol %) dispersion-strengthened aluminum[b]	—	330 (48)	—	—	—
W (50 vol %) in copper (parallel loading of continuous filaments)[b]	260×10^3 (38×10^3)	1,100 (160)	—	—	—
W particles (50 vol %) in copper[b]	190×10^3 (27×10^3)	380 (55)	—	—	—
Ceramic–matrix					
SiC whiskers in Al_2O_3[e]	—	—	800 (116)	—	8.7
SiC fibers in SiC[e]	—	—	750 (109)	—	25.0
SiC whiskers in reaction-bonded Si_3N_4[e]	—	—	900 (131)	—	20.0

[a] 출처: Data from M. F. Ashby and D. R. H. Jones, *Engineering Materials—An Introduction to Their Properties and Applications*, Pergamon Press, Inc., Elmsford, NY, 1980.

[b] L. J. Broutman and R. H. Krock, Eds., *Modern Composite Materials*, Addison-Wesley Publishing Co., Inc., Reading, MA, 1967.

[c] A. K. Dhingra, DuPont Company.

[d] DuPont의 상표명.

[e] A. J. Klein, *Advanced Materials and Processes* 2, 26 (1986).

표 12.8 비강도(강도/밀도)

Group	Material	Specific strength [mm (in.)]
Noncomposites	1040 steel[a]	9.9×10^6 (0.39×10^6)
	2048 plate aluminum[a]	16.9×10^6 (0.67×10^6)
	Ti–5Al–2.5Sn[a]	19.7×10^6 (0.78×10^6)
	Epoxy[b]	6.4×10^6 (0.25×10^6)
Composites	E-glass (73.3 vol %) in epoxy (parallel loading of continuous fibers)[c]	77.2×10^6 (3.04×10^6)
	Al_2O_3 whiskers (14 vol %) in epoxy[c]	48.8×10^6 (1.92×10^6)
	C (67 vol %) in epoxy (parallel loading)[d]	76.9×10^6 (3.03×10^6)
	Kevlar[e] (82 vol %) in epoxy (parallel loading)[d]	112×10^6 (4.42×10^6)
	Douglas fir, kiln-dried to 12% moisture (loaded in bending)[c]	18.3×10^6 (0.72×10^6)

[a] 출처: Data from *Metals Handbook*, 9th ed., Vols. 1–3, and 8th ed., Vol. 1, American Society for Metals, Metals Park, OH, 1961, 1978, 1979, and 1980.

[b] R. A. Flinn and P. K. Trojan, *Engineering Materials and Their Applications*, 2nd ed., Houghton Mifflin Company, Boston, MA 1981, and M. F. Ashby and D. R. H. Jones, *Engineering Materials*, Pergamon Press, Inc., Elmsford, NY, 1980.

[c] R. A. Flinn and P. K. Trojan, *Engineering Materials and Their Applications*, 2nd ed., Houghton Mifflin Company, Boston, MA 1981.

[d] A. K. Dhingra, DuPont Company.

[e] DuPont의 상표명.

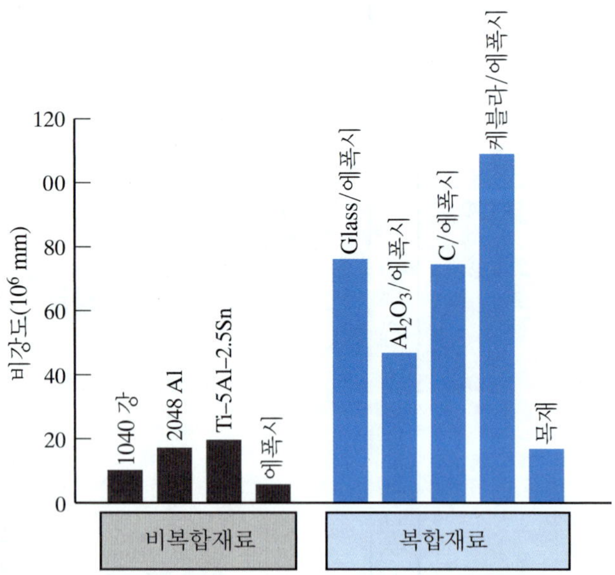

그림 12.22 복합재료에 따라 가능한 비강도의 현격한 증가를 예시한 표 12.8의 자료에 대한 막대그래프

예제 12.10

73.3 vol % E-glass 섬유로 강화된 에폭시의 등변형 탄성계수를 계산하고 결과를 표 12.7에 주어진 측정값과 비교시오.

풀이

식 (12.13)과 표 12.5와 12.6의 자료를 이용하면

$$
\begin{aligned}
E_c &= \nu_m E_m + \nu_f E_f \\
&= (1.000 - 0.733)(6.9 \times 10^3 \text{ MPa}) + (0.733)(72.4 \times 10^3 \text{ MPa}) \\
&= 54.9 \times 10^3 \text{ MPa}
\end{aligned}
$$

표 12.7은 이 경우 $E_c = 56 \times 10^3$ MPa, 즉

$$\% \text{ 오차} = \frac{56 - 54.9}{56} \times 100 = 2.0\%$$

계산값은 측정값의 2% 이내 오차를 가진다.

예제 12.11

예제 12.7에서 분산 강화된 알루미늄의 인장 강도는 350 MPa이다. 순수한 알루미늄의 인장 강도는 175 MPa이다. 이 두 재료의 비강도를 계산하시오.

풀이

비강도는 간단하게

$$\text{sp. str.} = \frac{\text{T.S.}}{\rho}$$

예제 12.7로부터 얻은 밀도와 위에 주어진 강도를 사용하면

$$
\begin{aligned}
\text{sp. str., Al} &= \frac{(175 \text{ MPa}) \times (1.02 \times 10^{-1} \text{ kg/mm}^2)/\text{MPa}}{(2.70 \text{ Mg/m}^3)(10^3 \text{ kg/Mg})(1 \text{ m}^3/10^9 \text{ mm}^3)} \\
&= 6.61 \times 10^6 \text{ mm}
\end{aligned}
$$

$$
\begin{aligned}
\text{sp. str., Al/10 vol \% Al}_2\text{O}_3 &= \frac{(350)(1.02 \times 10^{-1})}{(2.83)(10^{-6})} \text{ mm} \\
&= 12.6 \times 10^6 \text{ mm}
\end{aligned}
$$

주: 이 문제를 풀면서 아마도 조금 낯선 단위 때문에 혼란스러웠을지도 모른다. 강도 항(분자)에서 kg을 밀도 항(분모)에서 함께 없앴다. 물론 이것은 강도 항은 kg 힘을 쓰고 밀도 항은 kg 질량을 쓰기 때문에 엄격히 말하면 옳지 않다. 그러나 이런 형식이 일상적으로 쓰이고 또 사실상 표 12.8에서 수치의 기본이었다. 비강도에서 중요한 것은 절댓값이 아니라 비교되는 구조용 재료의 상댓값이다.

연습문제 12.10

예제 12.10에서 유리섬유 복합재료에 대한 등변형 탄성률이 계산값에 근사하다는 것을 보았다. 표 12.7에 주어진 B(70 vol %)/에폭시 복합재료의 등변형 탄성률

에 대해 이 비교를 반복하시오.

연습문제 12.11

예제 12.11에서 분산 강화된 알루미늄이 순수한 알루미늄보다 실질적으로 더 큰 비강도를 갖는다는 것을 알았다. 유사한 방법으로 표 12.7의 E-glass/에폭시 복합재료의 비강도를 표 12.5의 에폭시와 비교하여 계산하시오. 밀도는 예제 12.6을 참고한다(계산값과 표 12.8의 값을 비교하고 싶을 것이다).

12.3 구조 재료 공정

마지막으로 고분자와 복합재료가 생산되는 여러 가지 방법을 검토해본다.

고분자 공정

표 12.9에 고분자의 주요 공정 기법 몇 가지를 요약했다. 열가소성 고분자의 성형 기법을 그림 12.23에 도해했고, 그중 **사출성형**(injection molding)과 **압출성형**(extrusion molding)이 가장 널리 쓰이는 공정이다. 사출성형에서는 분사 전에 고분자 분말을 용융한다. 사출성형과 압출성형 모두 금속공학적 공정과 유사하지만 상대적으로 낮은 온도에서 수행된다. **블로성형**(blow molding)은 열가소성 고분자에 대한 세 번째 주요 공정 기법으로 떠오르고 있다. 이 특수한 성형 공정은 비교적 낮은 조형 온도가 요구된다는 점을 제외하고는 주형에 공기 제트를 불어넣어 병 모양을 만드는 유리 성형 기법과 아주 유사하다. 유리용기 제작의 경우와 같이 블로성형은 고분자의 용기를 제조하는 데 자주 사용된다. 또한 자동차 차체 부품을 포함한 여러 가지 상용부품을 이 방법을 이용하여 경제적으로 제작할 수 있다. **압축성형**(compression molding)과 **이송성형**(transfer molding)은 열경화성 고분자를 성형하는 공정이며, 그림 12.24에 나와 있다. 압축성형은 일반적으로 열가소성에는 실용적이지 않은데, 그 이유는 부품이 주형으로부터 방출 시에 부품의 형체를 잃지 않도록 하기 위해 방출 전에 주형이 충분히 냉각되는 시간이 필요하기 때문이다. 이송성형에서는 부분적으로 중합된 재료가 닫힌 주형으로 밀려 들어가 최종적인 가교(cross-linking)가 승온과 승압 조건하에 주형 안에서 일어나게 된다.

표 12.9 고분자의 주요 성형 공정

열가소성	열경화성
사출성형	압축성형
압출성형	이송성형
블로성형	

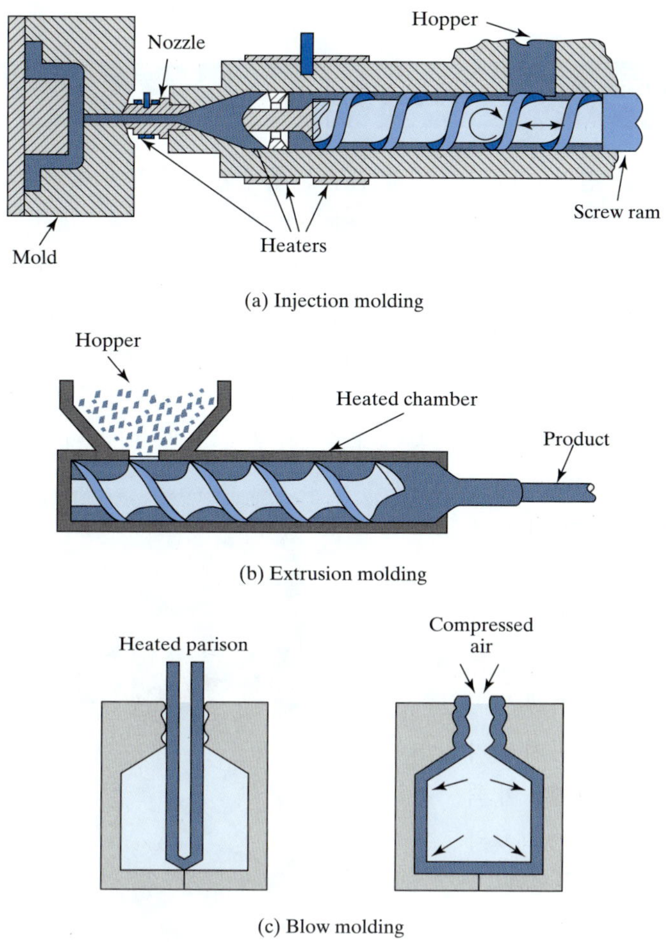

그림 12.23 열가소성 수지의 세 가지 대표적인 성형 공정 요약 (a) 사출성형 (b) 압출성형 (c) 블로성형 (After J. A. Jacobs and T. F. Kilduff, *Engineering Materials Technology*, 3rd ed., Prentice-Hall, Inc., Englewood Cliffs, NJ, 1997.)

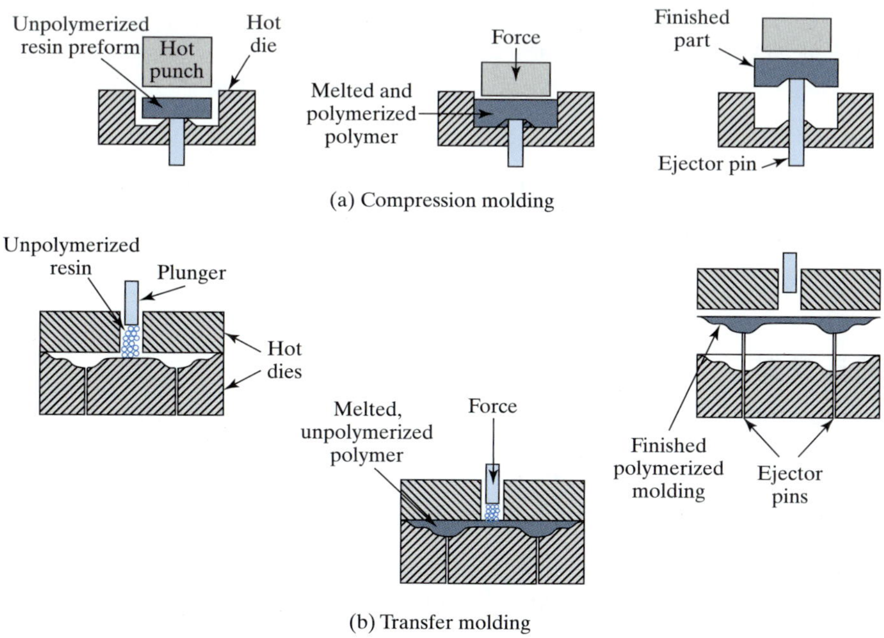

그림 12.24 열경화성 고분자의 두 가지 대표적인 성형 공정 요약 (a) 압축성형, (b) 이송성형 (After J. A. Jacobs and T. F. Kilduff, *Engineering Materials Technology*, 3rd ed., Prentice-Hall, Inc., Englewood Cliffs, NJ, 1997.)

재료의 세계

생물학적 재료: 재료과학과 공학의 첨단 연구 분야 확대

앞선 장에서 뼈처럼 자연적으로 성장하는 천연 세라믹을 첨단 세라믹 소재의 개발에 응용하는 생체모방 기술에 대해 논의했었다. 15장에서는 바이오메디컬 분야에 응용되는 공업재료의 중요한 사례연구를 다룰 것이다. 바이오메디컬 재료는 이 장에서 다루는 유기 고분자 재료를 포함한다. 유기 고분자는 화학적인 구조를 고려할 때(즉 공유 결합으로 연결된 탄화수소) 생물학적 재료와 유사함을 인식할 수 있다. 다른 공학 분야와 마찬가지로 재료공학 분야는 전통적으로 물리학과 관련된 연구 분야가 주를 이루었으나, 최근 반세기간(DNA의 이중 나선 구조를 밝힌 Watson과 Crick의 1953년 논문 이후로) 바이오 분야의 폭발적인 발전은 재료공학을 포함한 모든 공학 분야의 바이오 분야로의 전폭적인 연구 확대를 이끌고 있다. 《뉴욕타임스》의 데이비드 포그와 함께 인기리에 방영되었던 TV 시리즈 "Making Stuff"에서도 이 책에서 주로 다루는 전통적인 금속, 세라믹, 고분자 재료와 함께 바이오 재료를 재료과학의 한 분야로 다루었다. 재료과학자는 생물학자와의 교류를 통해 재료 연구 분야를 확대하고 있다. 철보다 비강도가 높은 거미줄에 관한 연구, 박테리아를 이용한 가솔린 합성 연구, 게코 도마뱀 발바닥에 있는 마이크로 헤어를 이용한 생체모방 접착제 연구 등 유수한 연구 분야가 과학자와 생물학 분야 종사자의 공동 협력을 통해 새롭게 탄생하고 있다. 재료과학과 공학의 미래는 물리과학 분야에서보다 생명과학 분야에서 찾을 수 있을지도 모른다. 전통적인 화학, 물리, 수학적 기반 위에 생물학적 기초를 추가하여 새로운 재료 연구 분야를 확대해가는 것이 향후 생물학적 재료 분야에 종사하게 될 학생들의 사명이 될 것이다.

무당거미는 강철보다 비강도가 높은 거미줄을 만들 수 있다. 미래의 재료과학자는 자연계에 존재하는 기술을 첨단 공학용 재료로 응용하려는 노력을 기울여야 할 것이다. (© Ian Dagnall/Alamy)

6장과 이 장 앞부분에서 기계적 거동에 미치는 고분자 구조의 영향에 관한 많은 설명을 볼 수 있다. 표 12.10에는 고분자의 성형 조건 및 다양한 분자 구조와 기계적 거동의 관계를 요약 정리했다.

복합재료 공정

복합재료는 간단한 공정 기법 목록에서 전 분야를 취급할 수 없을 정도로 광범위한 구조용 재료이다. 표 12.11은 이 장에서 앞서 예시한 복합재료 중에서 중요한 예만 한정해서 수록한 것이다. 전형적인 형태의 복합재료라고 해도 여러 종류의 다양한 공정 기법으로 성형이 가능하다. 그림 12.25는 전형적인 유리섬유 강화 복합재료의 제조법을 나타낸 것이다. 이들은 공정에서의 적절한 시점에 유리섬유를 첨가하는

개방형 몰드 성형법

Contact Molding
수지는 공기와 접촉하고 있으며, 일반적으로 적층판은 상온에서 경화된다. 가열하면 경화가 촉진되며, 셀로판 위에서 닦아내면 노출면을 매끄럽게 만들 수 있다.

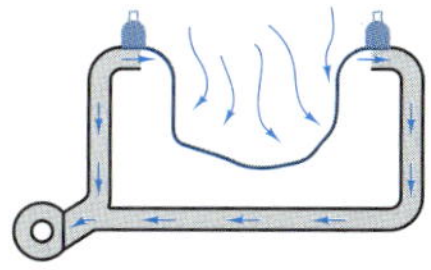

Vacuum Bag
셀로판이나 폴리비닐아세테이트를 적층판 위에 놓고, 접합부를 플라스틱으로 밀봉하여 진공 상태로 만든다. 결과적으로 가해지는 대기압은 공동을 제거하고 갇혀 있던 공기와 나머지 수지를 밀어낸다.

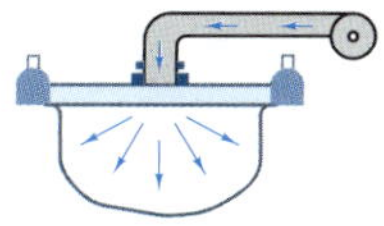

Pressure Bag
보통 고무판으로 재단된 주머니는 적층판 반대편에 놓인다. 50 psi 정도의 공기압 또는 증기압이 압력판과 주머니 사이에 가해진다.

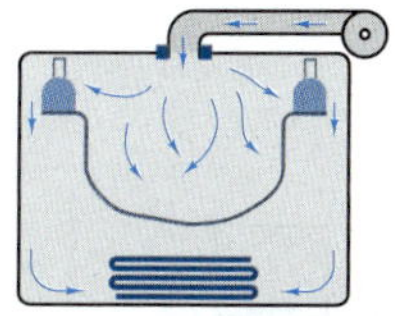

Autoclave
압력 주머니법의 변형. 적층된 구조물을 약 50~100 psi 정도의 증기 압력용기에 넣는다. 부가적인 압력으로 더 높은 유리 충진과 함께 공기를 효과적으로 제거할 수 있다.

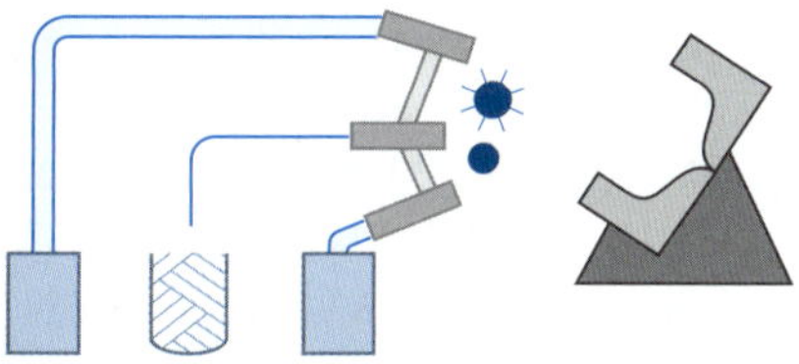

Spray-up
단섬유 형태로 이루어진 조방사(roving)는 두 가지 용사 시스템 중 한 방법으로 흐르는 수지 속으로 들어가 몰드 속으로 공급된다. (1) 하나의 총(gun)은 촉매와 사전 혼합된 수지를 장착하고, 다른 한 총은 촉진제가 사전 혼합된 수지를 장착한다. (2) 성분 원료는 용사 노즐 앞에 있는 단일 혼합기에 공급된다. 둘 중 어느 방법이든 수지 혼합물은 실타래를 미리 코팅하고 담금용사는 작업자에 의해 몰드 안으로 장입된다. 유리와 수지의 혼합물은 공기를 제거하기 위해 수작업으로 롤링하고, 섬유를 수평 배열시키고 표면을 매끄럽게 만든다. 경화 과정은 수작업 적층법(hand lay-up)과 유사하다.

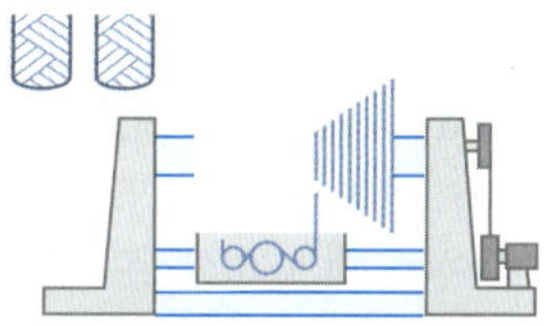

Filament Winding
유리섬유 강도를 효율적 수준으로 얻기 위해 연속 섬유를 강화제로 사용한다. 실대(creel)로부터 공급되는 조방사 또는 연속사는 수지함 침용기를 통과하여 굴대(mandrel)에 감긴다. 미리 함침된 조방사 역시 사용된다. 원하는 방향으로 최대 강도를 얻기 위해 특수한 선반을 사용하여 미리 결정된 패턴으로 유리를 배열한다. 정확한 수의 적층판을 사용하게 되면 감겨진 굴대는 상온이나 오븐 속에서 경화된다.

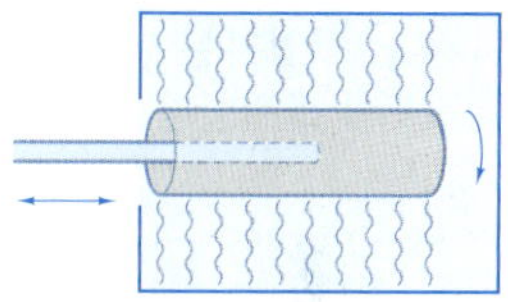

Centrifugal Casting
파이프와 같은 형태의 둥근 물체는 원심 주조법을 이용하여 제조할 수 있다. 단섬유 매트는 속이 비어 있는 굴대 내부에 장착하고, 구조물을 오븐 안에 넣고 회전시킨다. 수지 혼합물은 유리 강화제를 통해 균일하게 분포한다. 유리와 수지는 원심력에 의해 경화 전과 경화하는 동안 회전하는 굴대의 벽에 붙는다. 경화를 촉진하기 위해 뜨거운 공기를 오븐 속으로 통과시킨다.

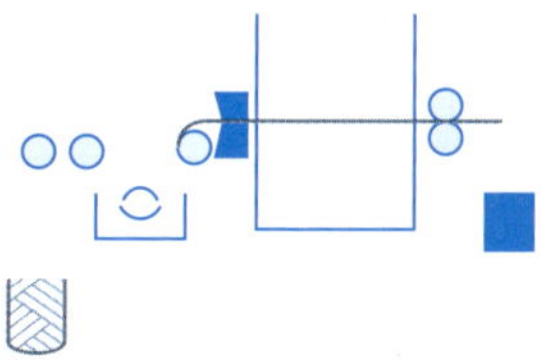

Continuous Pultrusion
연속사(조방사 또는 다른 형태의 강화섬유)를 수지 용기 속에 함침하고 대(stock) 형태에 고정되어 수지 함량을 조절하는 다이를 통해 뽑아낸다. 최종 경화는 적절한 당김 장치에 의해 뽑아내는 대를 통해 오븐에서 완료된다.

(a)

그림 12.25 유리섬유 제품을 처리하는 다양한 공정 기법의 요약 (a) 개방형 몰드 성형법 (b) 예비성형법 (c) 밀폐형 몰드 성형법(After illustrations from Owens-Corning Fiberglas Corporation as abstracted in R. Nicholls, *Composite Construction Materials Handbook*, Prentice-Hall, Inc., Englewood Cliffs, NJ, 1976.)

예비성형법

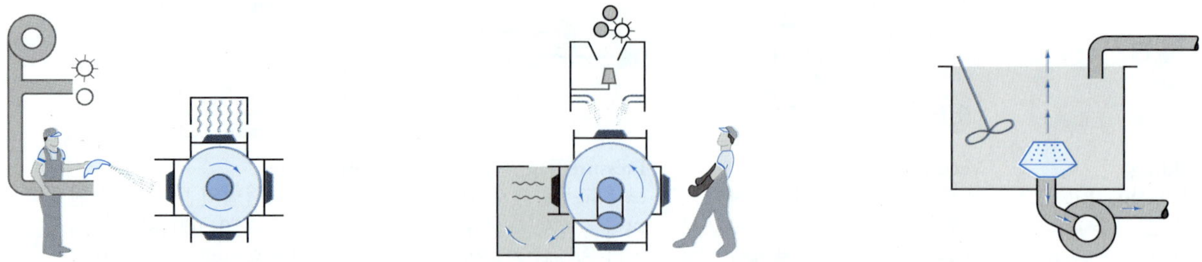

Directed Fiber

1~2인치 정도의 단섬유로 짧게 잘라진 조방사는 유연한 호스를 통해 전구체(preform) 스크린 위로 불어 넣어진다. 흡입기는 결합제가 전구체 위에 용사되고 오븐에서 경화되는 동안 조방사를 일정하게 고정시킨다. 작업자는 단섬유와 결합제의 증착 정도를 조절한다.

Plenum Chamber

조방사는 plenum chamber 위에 장착된 절단기 속으로 공급된다. 짧게 잘린 섬유는 이 섬유를 서로 분리시키고 plenum chamber 내에서 균일하게 분포되도록 회전 섬유 분배기로 공급된다. 낙하하는 섬유는 전구체 스크린 위로 흡착되고, 수지 형태의 결합제가 그 위에 용사된다. 전구체는 경화용 오븐에 장입된다. 반복 공정을 위해 새 스크린은 plenum chamber 내에 표시된다.

Water Slurry

짧게 잘린 섬유는 착색된 폴리에스테르 수지 속에 사전 함침시킨 후 water slurry에서 셀룰로오스 섬유와 함께 혼합된다. 물은 구멍 뚫린 형상의 스크린을 통해 배출되고 유리섬유와 셀룰로오스 재료는 표면에 증착된다. 젖은 전구체는 오븐 속으로 이송되어 전구체 속으로 뜨거운 공기가 흡수된다. 건조된 전구체는 취급과 성형이 가능할 정도로 충분히 강화된다.

(b)

밀폐형 몰드 성형법

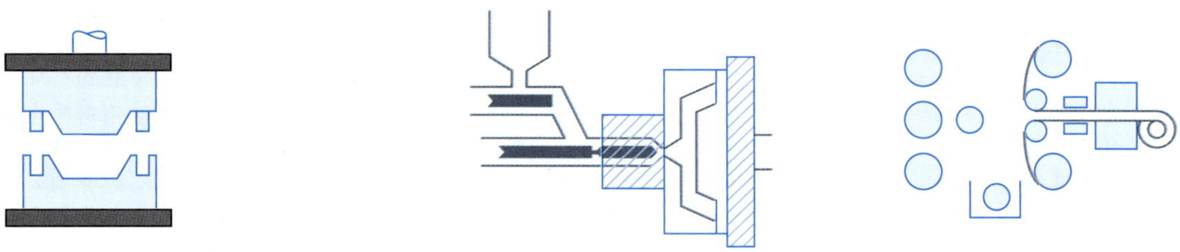

Premix/Molding Compound

성형 전, 보통 짧게 잘린 조방사 형태의 유리 강화제는 수지, 안료, 첨가물과 촉매제와 완전히 혼합된다. 미리 혼합된 재료는 쉽게 다룰 수 있는 로프 형태로 사출되거나 때때로 괴상 형태로 만들어질 수 있다. 사전 혼합물은 일정한 무게로 측정 후 열과 압력이 공급되는 몰드 내부에 장입된다. 가해지는 압력은 100~1,500 psi 정도이다. 단위 공정 시간은 경화 온도, 수지, 몰드 두께에 따라 다르다. 경화 온도는 225 ~ 300°F 정도이며, 경화 시간은 30초에서 5분 정도이다.

Injection molding

압출 성형은 열가소성 재료에 적용한다. 유리와 수지의 혼합물을 가열실에 넣고 연화한다. 연화된 혼합물은 수지의 연화점보다 낮은 온도로 유지되고 있는 몰드 속으로 압출되며, 이후 혼합물은 냉각되고 응고된다.

Continuous Laminating

섬유상 또는 매트상을 수지 용기 속에 담근 후 셀로판 커버판 사이로 보낸다. 적층판은 가열대를 통과하면서 수지가 경화된다. 적층판 두께와 수지 함량은 여러 층이 함께 스퀴즈롤을 통과하면서 조절된다.

(c)

그림 12.25 (계속)

표 12.10 고분자의 공정 기법 및 다양한 분자 구조와 기계적 거동의 관계

Category	Processing technique	Molecular structure	Mechanical effect
Thermoplastic polymers	Addition agent	Branching	Increased strength and stiffness
	Vulcanization	Cross-linking	Increased strength and stiffness
	Crystallization	Increased crystallinity	Increased strength and stiffness
	Plasticizer	Decreased molecular weight	Decreased strength andstiffness
	Filler	Restricted chain mobility	Increased strength and stiffness
Thermosetting polymers	Setting at elevated temperatures	Network formation	Rigid (remaining upon cooling)

표 12.11 유리섬유 복합재료의 주요 공정법

Composite	Processing methods
Fiberglass	Open mold Preforming Closed mold

표준적인 고분자 공정 기법이다. 최종 물성에 영향을 미치는 주요 인자는 섬유의 배열 방향이다. 섬유 배열의 이방성(anisotropy) 관련 문제는 이 절 앞부분에서 논의했다. 개방형 몰드 성형법은 **풀트루전**(pultrusion)을 포함하는데 이는 복잡한 단면 제품의 연속 생산 공정에 적합하다.

요약

고분자, 즉 플라스틱은 중합반응에 의해 작은 분자(단량체)로부터 형성된 긴 사슬 형태나 망상의 유기물 분자로 이루어진 유기물질이다. 열가소성 고분자는 인접 선형 분자 간의 약한 2차 결합의 열적 교란에 의해 가열되면 부드러워진다. 열경화성 고분자는 열을 가하면 망상 구조를 이루며 증가된 강도를 갖게 되고, 여기에는 가교된 탄성(중합)체가 포함된다. 첨가제는 특정한 성질을 부여하도록 고분자에 첨가되는 물질이다.

복합재료는 11장과 12장에서 논의한 다양한 성분의 장점을 하나의 재료에서 구현하고자 한다. 유리섬유 복합재료는 전형적인 합성 섬유 강화 복합재료이다. 유리섬유는 연성을 가지는 고분자 기지에 고강도와 탄성계수를 제공한다. 일반적으로 다양한 구조와 형태의 섬유가 사용된다. 어떠한 경우에도 최종적인 기계적 성질은 복합재료 미세조직 내 섬유상의 배열 정도에 의해 영향을 받게 된다. 고분자 기지 복합재료가 보이는 한계점을 극복하기 위해 새로운 금속 기지와 세라믹 기지 복합재료와 같은 새로운 첨단 복합재료 개발에 많은 노력을 기울이고 있다. 복합재료 내에 한 가지 이상의 성분을 조합한 결과로 생기는 평균 성질은 복합재료의 미세구조 형태에 크게 의존한다. 구조 재료에 중요한 주요 기계적 성질이 여러 가지 복합재료에 대해 요약되었다. 우주항공 응용 분야에 중요한 추가 인자는 비강도, 즉 강도 대 무게 비이며, 높은 비강도를 보이는 많은 첨단 복합재료 시스템이 개발되었다.

열가소성 고분자는 일반적으로 사출성형이나 압출성형 또는 블로성형에 의해 제조된다. 열경화성 고분자는 압축

성형이나 이송성형에 의해 일반적으로 성형된다. 다양한 성질을 가지는 재료가 혼합된 복합재료의 공정은 광범위한 방법으로 이루어져 있으며, 유리섬유 제조의 대표적인 예만 이 장에서 논의되었다.

주요 용어

가소제(plasticizer)
가황(vulcanization)
강화제(reinforcement)
개시제(initiator)
계면 강도(interfacial strength)
고분자(polymer)
고분자 기지 복합재료(polymer matrix composite)
공중합체(copolymer)
그래프트 공중합체(graft copolymer)
금속 기지 복합재료(metal-matrix composite)
기지(matrix)
내연제(flame retardant)
다기능성(polyfunctional)
단계성장반응(step growth)
단량체(monomer)
등변형(isostrain)
등응력(isostress)
망상구조 공중합체(network copolymer)
망상분자구조(network molecular structure)
머(mer)
무게 대 강도 비(strength-to-weight ratio)
부가중합반응(addition polymerization)
분산강화금속(dispersion strengthened metal)
불연속섬유[discrete(chopped) fiber]
블렌드(blend)
블로성형(blow molding)
블록 공중합체(block copolymer)
비강도(specific strength)
사슬성장반응(chain growth)
사출성형(injection molding)
서멧(cermet)
선형분자구조(linear molecular structure)
섬유 강화 복합재료(fiber-reinforced composite)
세라믹 기지 복합재료(ceramic matrix composite)
안료(pigment)
안정제(stabilizer)
압축성형(compression molding)
압출성형(extrusion molding)
엔지니어링 플라스틱(engineering polymer)
연속섬유(continuous fiber)
열가소성 고분자(thermoplastic polymers)
열가소성 탄성체(thermoplastic elastomer)
열경화성 고분자(thermosetting polymers)
염료(dye)
위스커(whisker)
유리섬유(fiberglass)
이방성(anisotropic)
이송성형(transfer molding)
입자 복합재료(particulate composite)
적층(laminate)
접착제(adhesive)
정지제(terminator)
중합도(degree of polymerization)
중합반응(polymerization)
직포(woven fabric)
집합 복합재료(aggregate composites)
착색제(colorant)
첨단 복합재료(advanced composites)
최대한 펼쳐진 길이(extended length)
축합중합반응(condensation polymerization)
충진제(filler)
탄성체(elastomer)
탄소-탄소 복합재료(carbon-carbon composite)
특성 평균화(property averaging)
평균자승-평방근길이(root-mean square length)
플라스틱(plastics)
하이브리드(hybrid)
2기능성(bifunctional)
Atactic
E-glass
Isotactic
Syndiotactic

참고문헌

고분자

Brandrup, J., E. H. Immergut, and **E. A. Grulke,** Eds., *Polymer Handbook*, 4th ed., John Wiley & Sons, Inc., New York, 2003.

Engineered Materials Handbook, Vol. 2, *Engineering Plastics*, ASM International, Materials Park, OH, 1988.

Mark, H. F., Ed., *Encyclopedia of Polymer Science and Technology*, 4th ed., John Wiley & Sons, Inc., New York, 2014.

복합재료

Agarwal, B. D., L. J. Broutman, and **K. Chandrashekhara,** *Analysis and Performance of Fiber Composites*, 4th ed., John Wiley & Sons, Inc., New York, 2017.

Chawla, K. K., *Composite Materials: Science and Engineering*, 3rd ed., Springer, New York, 2012.

ASM Handbook, Vol. 21, *Composites*, ASM International, Materials Park, OH, 2001.

Jones, R. M., *Mechanics of Composite Materials*, 2nd ed., Taylor and Francis, Philadelphia, PA, 1999.

Nicholls, R., *Composite Construction Materials Handbook*, Prentice-Hall, Inc., Englewood Cliffs, NJ, 1976.

복습문제

12.1 _ 고분자 재료

12.1 중합도가 500인 폴리프로필렌$(C_3H_6)_n$의 평균 분자량은 얼마인가?

12.2 중합도가 500인 폴리스티렌$(C_8H_8)_n$의 평균 분자량은 얼마인가?

12.3 중합도가 600인 1 kg의 폴리프로필렌$(C_3H_6)_n$을 중합하기 위해 몇 그램의 H_2O_2가 필요하겠는가? (예제 12.1에 주어진 가정을 사용한다.)

12.4 폴리에틸렌과 PVC의 블렌드가 20 wt % PVC를 함유하고 있다(그림 12.4 참고). PVC의 분자 퍼센트는 얼마인가?

12.5 폴리에틸렌과 PVC의 혼합물이 20 mol % PVC를 함유하고 있다(그림 12.4 참고). PVC의 무게 퍼센트는 얼마인가?

12.6 (a) 20,000 amu의 분자 무게를 가진 저밀도 폴리에틸렌, (b) 300,000 amu의 분자 무게를 가진 고밀도 폴리에틸렌, (c) 4,000,000 amu의 분자 무게를 가진 초고밀도 폴리에틸렌의 경우에 대해 중합도를 계산하시오.

12.7 천연고무(isoprene)의 반복 단위만 고려하면 C_5H_8이다. 중합도가 500일 때 이소프렌 분자의 분자량을 계산하시오.

12.8 중합도가 500일 때 클로로프렌(일반적인 합성 고무) 분자의 분자량을 계산하시오(클로로프렌의 반복 단위만 고려하면 C_4H_5Cl이다).

12.9 고분자의 분자량 분포가 다음 표의 형태로 주어질 때 이 시스템의 평균 중합도를 계산하시오.

n Range	n_i (Mid value)	Population fraction
1–100	50	—
101–200	150	—
201–300	250	0.01
301–400	350	0.10
401–500	450	0.21
501–600	550	0.22
601–700	650	0.18
701–800	750	0.12
801–900	850	0.07
901–1,000	950	0.05
1,001–1,100	1,050	0.02
1,101–1,200	1,150	0.01
1,201–1,300	1,250	0.01
		$\sum = 1.00$

12.10 중합도가 612인 폴리프로필렌의 (a) 꼬여진 분자 길이와 (b) 펼쳐진 분자 길이를 구하시오.

12.11 200 g의 황이 첨가된, 1 kg의 클로로프렌 C_4H_5Cl의 가교 가능 위치 중 가교에 참여 가능한 최대 분율은 어떻게 되는가?

12.12 25,000 amu의 분자 무게를 가진 폴리에틸렌의 평균 (펼쳐진)분자 길이를 계산하시오.

12.13 25,000 amu의 분자 무게를 가진 PVC의 평균 (펼쳐진)분자 길이를 계산하시오.

12.14 100 g의 에틸렌이 0.2 g의 H_2O_2 존재하에서 중합이

될 때 중합된 고분자의 평균 (꼬여진)분자 길이는 얼마인가? (예제 12.1의 가정을 사용한다.)

12.15 100 g의 에틸렌이 0.2 g의 H_2O_2 존재하에서 중합이 될 때 평균 분자의 펼쳐진 길이는 얼마인가?

• **12.16** 그림 12.5의 아세탈 고분자의 주쇄는 물론 C-C 결합이 아닌 C-O 결합으로 이루어져 있다. 그 결과 두 종류의 결합각을 고려할 수 있다. O-C-O 결합각은 C-C-C 결합각(109.5°)과 거의 같다고 추정할 수 있는데, 이는 탄소의 정사면체 결합 배열 때문이다(그림 2.19 참고). 그러나 유연한 C-O-C 결합은 그 결합 각도가 180°까지 변화가 가능하다. (a) 그림 12.9에 보이는 구조를 참조하여 완전히 펼쳐진 폴리아세탈 분자를 그리시오. (b) 중합도가 500일 때 분자의 펼쳐진 길이를 계산하시오(결합길이 자료는 표 2.2 참고). (c) (b)에서 꼬여진 분자 길이를 계산하시오.

12.17 중합도가 500인 폴리테트라플루오르에틸렌 고분자(C_2F_4)에 대해 (a) 분자량, (b) 꼬여진 분자 길이, (c) 펼쳐진 분자 길이를 계산하시오.

12.18 중합도가 750인 폴리프로필렌 고분자(C_3H_6)에 대해 (a) 분자량, (b) 꼬여진 분자 길이, (c) 펼쳐진 분자 길이를 계산하시오.

12.19 분자량이 100,000 amu인 폴리카보네이트 고분자($C_{16}H_{14}O_3$)의 중합도를 계산하시오.

12.20 중합도가 500인 폴리메틸메타크릴산염 고분자($C_5H_8O_2$)의 분자량을 계산하시오.

12.21 부가중합의 특징은 __________ 이다.

12.22 축합중합의 특징은 __________ 이다.

12.23 요소-포름알데히드로부터 만들어진 40,000 mm^3 판의 분자량은 얼마인가? (요소-포름알데히드의 밀도는 1.50 Mg/m^3이다.)

12.24 요소-포름알데히드로부터 40,000 mm^3 판을 제작할 때 얻어진 부산물인 물의 양은 얼마인가? (요소-포름알데히드의 밀도는 1.50 Mg/m^3이다.)

12.25 폴리아이소프렌(polyisoprene)은 1 wt % O_2가 첨가되면 탄성을 잃는다. 만약 이것이 황과 비슷한 교차 메커니즘에 기인한 것이라면 가교에 참여한 이중 결합의 분율은 얼마인가?

12.26 1 wt % O_2에 의한 폴리클로로프렌의 산화 반응에서 가교에 참여한 이중 결합의 분율은 얼마인가?

12.27 에폭시(밀도 = 1.1 Mg/m^3)가 30 vol % E-glass 섬유(밀도 = 2.54 Mg/m^3)로 강화되었다. (a) E-glass 섬유의 무게 퍼센트와 (b) 강화된 고분자의 밀도를 계산하시오.

12.28 밀도가 1.53 Mg/m^3인 엔지니어링 플라스틱이 강 기어를 대체한다고 가정했을 때 몇 퍼센트의 중량 절감이 있을지 계산하시오. (기어의 부피는 둘 다 같다고 하고, 강의 밀도는 순수 철의 밀도로 가정한다.)

12.29 밀도가 1.46 Mg/m^3인 엔지니어링 플라스틱이 알루미늄 합금 기어를 대체하는 경우에 몇 퍼센트의 중량 절감이 있을지 계산하시오. (기어의 부피는 동일하다고 가정하고, 합금의 밀도는 순수 알루미늄의 밀도로 가정한다.)

12.30 주입형 틀로 만들어진 나일론 66은 충진제로 40 wt % 유리구를 가짐으로써 향상된 기계적 성질을 가진다. 만약 평균 유리구의 지름이 100 μm일 때 입방 밀리미터당 입자의 밀도를 추정하시오.

12.31 열가소성 고분자의 특징은 __________ 이다.

12.32 열경화성 고분자의 특징은 __________ 이다.

12.33 베어링 등의 부품은 예외적일 정도로 마찰이 낮아야 하므로 폴리테트라플루오로에틸렌(PTFE)이 첨가된 아세탈 고분자 막을 씌운다. 아세탈과 PTFE의 밀도는 각각 1.42 Mg/m^3와 2.15 Mg/m^3이다. 첨가된 고분자의 밀도가 1.54 Mg/m^3일 때 첨가된 PTFE를 무게 퍼센트로 계산하시오.

12.34 일반적인 고분자 첨가제는 __________ 을(를) 포함한다.

12.2 _ 복합재료

12.35 에폭시 기지의 14 vol % Al_2O_3 위스커로 구성된 섬유 강화 복합재료의 밀도를 계산하시오. Al_2O_3의 밀도는 3.97 Mg/m^3이고 에폭시의 밀도는 1.1 Mg/m^3

이다.

12.36 70 vol % 필라멘트로 구성된 붕소필라멘트 강화 복합재료의 밀도를 계산하시오. 에폭시의 밀도는 1.1 Mg/m^3이다.

12.37 식 (12.7)의 정보를 이용하여 평균 중합도가 500인 아라미드 고분자의 분자량을 계산하시오. [식 (12.7)에서의 육각형 기호는 C_6H_4에 해당한다.]

12.38 표 12.7의 케블라 섬유 강화 에폭시 복합재료의 밀도를 계산하시오. 케블라의 밀도는 1.44 Mg/m^3이고 에폭시의 밀도는 1.1 Mg/m^3이다.

12.39 현대 상용 비행기 외관의 0.28 m^3는 기존의 알루미늄 합금이 아니라 케블라/에폭시 복합재료로 제조된다. 복합재료의 밀도가 1.38 Mg/m^3이고 합금 밀도를 순수 알루미늄의 밀도로 가정할 때 얼마나 많은 중량 감소를 기대할 수 있을지 계산하시오.

12.40 현대 상용 비행기 외관의 0.28 m^3는 기존의 알루미늄 합금이 아니라 탄소/에폭시 복합재료로 제조된다. 복합재료의 밀도가 1.5 Mg/m^3이고 합금 밀도를 순수 알루미늄의 밀도로 가정할 때, 얼마나 많은 중량 감소를 기대할 수 있을지 계산하시오.

12.41 구리 기지의 50 vol % Mo로 이루어진 입자 복합재료의 밀도를 계산하시오.

12.42 10 vol % Al_2O_3로 분산 강화된 구리의 밀도를 계산하시오.

12.43 등변형 조건에서 70 vol % 붕소필라멘트로 강화된 에폭시 복합재료의 탄성률을 계산하시오.

12.44 등변형 조건에서 50 vol % 붕소필라멘트로 강화된 알루미늄 복합재료의 탄성률을 계산하시오.

12.45 등변형 조건에서 60 vol % SiC 섬유로 알루미늄 기지 복합재료가 강화된다고 할 때 금속 기지 복합재료의 탄성계수를 계산하시오.

12.46 등변형 조건에서 60 vol % SiC 섬유로 Al_2O_3 기지 복합재료가 강화된다고 할 때 세라믹 기지 복합재료의 탄성계수를 계산하시오.

12.47 그림 12.17의 응력-변형률 곡선과 유사하게 (a) 60 vol % 섬유(예제 12.8 참고), (b) 50 vol % 섬유(연습 12.8 참고)에 대해 응력-변형률 곡선을 그리시오. 개별 유리와 고분자 도시를 포함시킨다.

12.48 그림 12.17과 유사하게 70 vol % 탄소섬유로 보강된 에폭시 강화 복합재료의 등변형 탄성계수에 대해 도시하시오. (표 12.6의 탄소 탄성률의 중간 범위의 값을 사용하고, 표 12.5의 에폭시 자료를 사용한다. 그림 12.17과의 비교를 명확히 하기 위해 같은 응력과 변형 단위를 쓴다. 기지와 섬유 도시를 개별적으로 포함시킨다.)

12.49 10 vol % Al_2O_3 위스커로 강화된 폴리에스터 복합재료의 등변형 탄성계수를 계산하시오(표 12.5와 표 12.6의 탄성계수 참고).

12.50 SiC 섬유 강화 Si_3N_4 복합재료에 섬유 배열 방향과 평행하게 응력이 가해지고, SiC 함량이 50~75 vol %인 경우에 Poisson 비를 보강 섬유 함량에 대해 도시하시오[식 (12.15)에서의 논의와 표 6.5의 자료 참고).

12.51 60 vol % E-glass 섬유 강화 폴리에스터 복합재료의 연속섬유 배열의 수직 방향으로의 탄성계수와 열전도도를 구하시오.

12.52 50 vol % E-glass 섬유 강화 폴리에스터 복합재료의 연속섬유 배열의 수직 방향으로의 탄성계수와 열전도도를 구하시오.

12.53 50 vol % W 섬유/구리 복합재료의 등변형 탄성계수를 계산하고 표 12.7에 주어진 것과 비교하시오. 텅스텐의 탄성계수는 407×10^3 MPa이다.

12.54 유리섬유 복합체에서 강화섬유로 사용되는 *E-glass*와 창문에 사용되는 일반적인 소다-석회-실리카 유리의 차이점은 무엇인가?

12.55 67 vol % C 섬유로 강화된 에폭시의 등변형 계수가 식 (12.13)에 의해 주어진다고 가정할 때(표 12.7은 실험 데이터 참고) 그 오차를 계산하시오.

12.56 표 12.7에서 케블라/에폭시 복합재료의 비강도를 계산하시오(복습문제 12.38 참고).

12.57 표 12.7에서 B/에폭시 복합재료의 비강도를 계산하시오(복습문제 12.36 참고).

12.58 표 12.7에서 W 입자(50 vol %)/에폭시 복합재료의

비강도를 계산하시오(연습문제 12.7 참고).

12.59 표 12.7에서 W 섬유(50 vol %)/구리 복합재료의 비강도를 계산하시오.

12.60 50 vol % 위스커를 가정하고, 표 12.7에서 SiC/Al_2O_3 세라믹 기지 복합재료의 굽힘 비강도를 계산하시오. (SiC와 Al_2O_3의 밀도는 각각 3.21 Mg/m^3, 3.97 Mg/m^3이다.)

12.61 (i) 전통적 세라믹, (ii) 고인성, 비강화 세라믹, (iii) 세라믹 기지 복합재료의 상대적인 인성을 비교하기 위해 파괴 응력 대 결함 크기 a를 (a) 실리콘 카바이드, (b) 부분적으로 안정된 지르코니아, (c) SiC 섬유로 강화된 실리콘 카바이드에 대해 도시하시오. 식 (8.1)을 사용하고 $Y = 1$이라 한다. 대수 계산자로 a의 범위를 1~100 mm로 한정 짓는다(자료는 표 8.3과 12.7 참고).

12.62 복합재료에 대한 속성 평균 계산은 __________ 에 적용될 수 있다.

12.63 이 장의 '재료의 세계'에서 비강도가 구조강보다 큰 놀라운 천연 물질로 거미줄을 소개했다. 인장 강도가 1.2×10^3 MPa이고, 밀도가 1.30 Mg/m^3인 거미줄에 대해 비강도 값을 구하고 표 12.8의 1040 강의 비강도 값과 비교하라.

12.64 일반적으로 일반 유리섬유와 비교하여 케블라/에폭시 복합재료는 우수한 __________ 을(를) 보여준다.

12.3_구조 재료 공정

12.65 24시간 동안 1 mil(25.4 μm) 두께, 300 mm 폭의 864 km의 폴리에틸렌 랩이 만들어질 때 발생될 열을 계산하시오. (랩의 밀도는 0.910 Mg/m^3이다.)

12.66 열가소성 고분자의 일반적인 가공 기술은 ________ 이다.

D 12.67 표 6.6에 주어진 다양한 열가소성 고분자의 탄성계수와 인장 강도 자료에 대해 다음의 기계 부품 설계 명세에 적합한 고분자를 선택하시오.

탄성계수, E: 2,000 MPa $< E <$ 3,000 MPa
인장강도(T.S.): $>$ 50 MPa

D 12.68 표 6.7에 주어진 다양한 열경화성 고분자의 탄성계수와 인장 강도 자료에 대해 다음의 기계 부품 설계 명세에 적합한 고분자를 선택하시오.

탄성계수, E: 2,000 MPa $< E <$ 3,000 MPa
인장강도(T.S.): $>$ 50 MPa

D 12.69 폴리에틸렌-점토 입자 복합재료 시스템을 이용하여 저가형 케이스를 만드는 사출성형 공정을 고려하자. 점토 함유량이 다음과 같을 때 복합체의 탄성계수는 증가하고, 인장 강도는 하락한다.

Volume fraction clay	Modulus of elasticity (MPa)	Tensile strength (MPa)
0.3	830	24.0
0.6	2,070	3.4

탄성계수와 인장 강도 모두 점토 함유량에 대해 선형으로 변화한다고 가정하고, 적어도 탄성계수는 1,000 MPa, 인장 강도는 10 MPa이 되도록 만드는 점토 조성 허용 범위를 결정하시오.

12.70 열경화성 고분자의 일반적인 가공 기술은 ________ 이다.

CHAPTER 13

전자 재료

이 장에서 소개하는 전자 재료는 우리가 일상생활에서 늘 접하는 많은 기기를 가능하게 한다. (© Blend Images/Alamy.)

학습목표

1. (a) Ohm의 법칙을 사용하여 단순한 전기 회로를 분석한다.
   (b) 재료의 전기 전도도와 그 역수인 비저항을 정의한다.
   (c) 음전하 및 양전하 운반자의 전도도에 대한 기여도를 설명한다.
2. (a) 원자 내 에너지 준위를 채운 전자수를 상세히 설명한다.
   (b) Fermi 함수의 의미를 포함하여 고체 내 원자의 에너지 준위와 에너지대 사이의 관계를 일반적인 방법으로 설명한다.
   (c) 가전자대, 전도대, 에너지대 간격 등의 용어를 정의하고 전기 전도도와의 연관성을 설명한다.
3. (a) 온도와 조성의 함수로 금속 도체의 전도도와 비저항을 설명한다.
   (b) 열전대에서 금속의 전기 전도로 온도를 측정할 수 있는 방법을 설명한다.
   (c) $YBa_2Cu_3O_7$ 등과 같은 일부 세라믹의 보다 극적인 예와 마찬가지로 금속계에서 초전도성을 설명한다.
4. (a) 세라믹과 고분자를 포함한 비금속 절연체의 유전 특성을 설명한다.
   (b) $BaTiO_3$ 등과 같은 페로브스카이트 구조를 갖는 세라믹의 강유전성 거동을 설명한다.
   (c) 변환기로의 중요한 응용을 포함하여 강유전체의 압전성 현상을 설명한다.
5. (a) Arrhenius 도표에서 온도의 함수로 전도도를 스케치하는 능력을 포함하여 진성 원소 반도체의 전도도를 정량화한다.
   (b) Arrhenius 도표에서 온도의 함수로 전도도를 스케치하고 *n*형 및 *p*형 도펀트와 같은 관련 용어를 정의하는 능력을 포함하여 불순물 원소 반도체의 전도도를 정량화한다.
   (c) 다양한 III-V 및 II-VI 화합물 반도체를 분류한다.
   (d) 반도체 재료 공정, 특히 존 정제와 가스 증착 기술을 설명한다.
   (e) 트랜지스터와 점점 더 소형화되는 집적 회로(무어의 법칙과 관련됨)를 포함한 많은 반도체 소자를 분류한다.
6. 구성 재료의 전도도와 분산상의 기하학적 구조를 알고 있다고 가정하고 복합재료의 전도도를 추정한다.
7. 전기 전도도에 따라 공업재료를 분류한다.

재료 선택은 구조적 응용에 한정되어 있지 않다. 전자 응용에서는 성능에 따라 재료를 선택할 수 있다. 이 장에서는 화학적 결합보다 전기 전도도로 재료를 구별할 때 나오는 반도체라는 범주에 대해 살펴볼 것이다. 이러한 재료는 일반적으로 전도성 금속과 절연성 세라믹, 유리, 고분자 사이의 중간 정도 전도도 값을 갖는다. 초전도체는 극적인 예외로, 일부 금속과 세라믹 재료는 전기 비저항을 갖지 않기에 흥미로운 디자인 가능성을 제공한다. 이 장에서는 넓은 범위의 반도체 재료와 고상의 전자제품을 만드는 독특한 기술에 초점을 맞춘다. 이런 기술은 예외적으로 높은 수준의 구조적 완전성과 화학적 순도를 요구한다. 화학적 순도가 높아 불순물 도핑의 정교한 제어가 가능하여 5장의 고체 상태 확산 원리를 잘 보여주는 예이다.

2장에서 원자 결합을 이해하는 것이 공업재료를 구분하는 데 유용하다는 것을 배웠다. 이 장에서는 구분을 더욱 확실히 하기 위해서 재료의 특별한 성질인 **전기적 전도**(electrical conduction)를 다룬다. 이러한 공통성은 결합의 전자적 성질이라는 관점에서 보면 그리 놀랍지 않다. 전기적 전도는 물질 내에 있는 (전자와 같은)전하 운반자의 운동에 의해 발생한다. 여기서 또다시 구조가 성질을 결정한다는 개념을 명백히 알게 된다. 6장에서 원자 구조 및 미시 구조가 다양한 기계적 성질을 결정한다는 것을 배웠다. 전기적 성질은 전자 구조로부터 결정된다.

어떤 재료 내에서 전기적 전도가 일어나기 쉬운가, 어려운가는 2장에서 소개한 에너지 준위의 개념으로 돌아가 이해할 수 있다. 고체에서 불연속 에너지 준위는 에너지대(energy band)를 형성한다. 전도도의 크기를 결정하는 것은 이러한 에너지대의 상대적 간격이다. 금속과 같이 전도도가 큰 물질은 **전도체**(conductor)라고 한다. 전도도가 작은 세라믹, 유리, 고분자를 **절연체**(insulator)라고 한다. 전도도가 중간 값을 갖는 **반도체**(semiconductor)는 그들의 전기적 전도의 고유한 성질에 의해 가장 잘 정의된다.

이 장에서는 재료의 일반적인 전기적 거동과 더불어 특별히 반도성을 집중적으로 설명한다. 14장은 광학 및 자성 재료와 밀접하게 연관된 주제를 다룬다.

13.1 전하 운반자와 전도

재료의 전기적 전도는 **전하 운반자**(charge carrier)라고 하는 원자 크기의 입자에 의한 것이다. 전하 운반자의 가장 단순한 예는 음전하로 0.16×10^{-18} C의 전하량을 가진 입자인 **전자**(electron)이다(2.1절 참고). 조금 더 추상적인 개념이 전자운(electron cloud)에서 전자를 잃어버리는 **정공**(electron hole)이다. 음전하를 띤 전자의 부재로부터 정공은 주위에 비해 상대적으로 0.16×10^{-18} C의 양전하를 가지게 된다. 정공은 반도체의 거동에서 중심 역할을 하며, 이것은 13.5절에서 자세히 논의할 것이다.

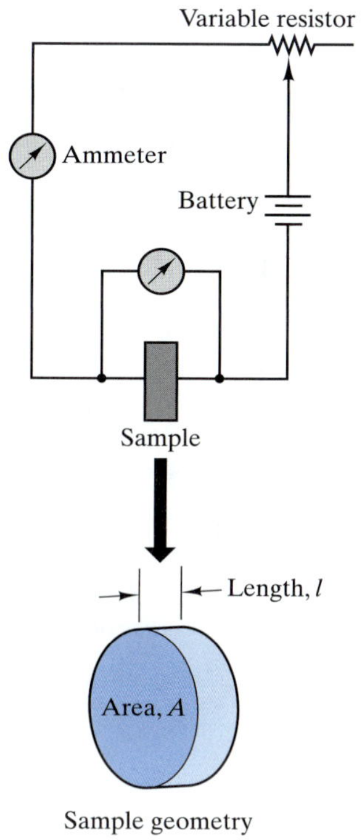

그림 13.1 전기 전도도를 측정하기 위한 회로 구성도. 시편의 치수는 식 (13.2)와 관계가 있다.

이온 결합 물질에서 음이온(anion)은 음전하 운반자로서, 양이온(cation)은 양전하 운반자로서 거동할 수 있다. 2.2절에서 본 것처럼 각 이온의 원자가는 0.16×10^{-18} C의 배수가 되는 음전하 또는 양전하를 나타낸다.

전기 전도를 측정하는 간단한 방법이 그림 13.1에 예시되어 있다. 주어진 **저항**(resistance, R)과 **전압**(voltage, V)에서 회로를 통해 흐르는 **전류**(current, I)의 값은 **Ohm의**[1] **법칙**(Ohm's law)으로 관련되어 있다.

$$V = IR \tag{13.1}$$

여기서 V는 볼트[2], I는 암페어[3]($1\text{ A} = 1\text{ C/s}$), R는 옴(Ω)의 단위를 가진다. 저항값은 시편 모양에 의존하는데, R는 시편 길이 l에 따라 증가하고 시편 면적 A에 따라 감소한다. 결국 주어진 물질의 고유한 특성이 되고 모양에 의존하지 않는 성질은 **비저항**(resistivity) ρ가 된다.

$$\rho = \frac{RA}{l} \tag{13.2}$$

비저항의 단위는 $\Omega \cdot \text{m}$이다. 동일하게 유용한 물질의 성질이 비저항의 역수인 **전도도**(conductivity) σ이다.

$$\sigma = \frac{1}{\rho} \tag{13.3}$$

σ는 $\Omega^{-1} \cdot \text{m}^{-1}$의 단위를 갖는다. 전도도는 재료의 전기적 분류 체계를 위한 가장 편리한 인자가 될 것이다(13.7절).

전도도는 전하 운반자의 밀도 n, 각각으로부터 운반된 전하량 q, 각 운반자의 이동도(mobility) μ의 곱으로 나타낸다.

$$\sigma = nq\mu \tag{13.4}$$

n은 m^{-3}, q는 쿨롱 C, μ는 $\text{m}^2/(\text{V} \cdot \text{s})$ 단위를 가진다. 이동도는 평균 운반자 속도(average carrier velocity) 또는 **유동 속도**(drift velocity) $\bar{v}$를 전기장 E로 나눈 값이다.

$$\mu = \frac{\bar{v}}{E} \tag{13.5}$$

유동 속도는 m/s, **전기장 세기**(electric field strength, $E = V/l$)는 V/m의 단위를 가진다. 양전하와 음전하 운반자가 모두 전도도에 기여할 경우, 식 (13.4)는 두 가지 기

1) George Simon Ohm(1787~1854)은 독일 물리학자로 식 (13.1)을 처음으로 발표했다. 저항에 대한 그의 정의를 기념하여 그의 이름이 저항의 단위가 되었다.

2) Alessandro Giuseppe Antonio Anastasio Volta(1745~1827)는 이탈리아 물리학자로 최초의 건전지 또는 '전압'원을 포함하여 전기를 이해하는 데 주된 공헌을 했다.

3) André Marie Ampére(1775~1836)는 프랑스 수학자이자 물리학자로 '전기역학'(그가 도입한 용어) 분야에서 또 한 명의 주된 공헌자이다.

표 13.1 상온에서 일부 물질의 전기 전도도

Conducting range	Material	Conductivity, $\sigma(\Omega^{-1}\cdot m^{-1})$
Conductors	Aluminum (annealed)	35.36×10^6
	Copper (annealed standard)	58.00×10^6
	Iron (99.99 + %)	10.30×10^6
	Steel (wire)	$5.71-9.35 \times 10^6$
Semiconductors	Germanium (high purity)	2.0
	Silicon (high purity)	0.40×10^{-3}
	Lead sulfide (high purity)	38.4
Insulators	Aluminum oxide	$10^{-10}-10^{-12}$
	Borosilicate glass	10^{-13}
	Polyethylene	$10^{-13}-10^{-15}$
	Nylon 66	$10^{-12}-10^{-13}$

출처: Data from C.A. Harper, Ed., *Handbook of Materials and Processes for Electronics*, McGraw-Hill Book Company, New York, 1970, and J. K. Stanley, *Electrical and Magnetic Properties of Metals*, American Society for Metals, Metals Park, OH, 1963.

여를 설명하기 위해 다음과 같이 확장되어야 한다.

$$\sigma = n_n q_n \mu_n + n_p q_p \mu_p \tag{13.6}$$

아래 첨자 n과 p는 각각 (−), (+) 운반자를 의미한다. 전자, 정공, 1가(monovalent) 이온의 경우 q의 크기는 0.16×10^{-18} C이다. 다원자가 이온의 q는 $|Z_i| \times (0.16 \times 10^{-18}$ C)이며, 여기서 $|Z_i|$는 원자가의 크기이다(예: O^{2-}의 경우 2).

표 13.1은 다양한 공업재료의 전도도 값을 보여준다. 1장과 2장에서 설명했던 형태와 일치하게 전도도의 크기로 재료의 범주가 확연히 구분되는 것이 분명하다. 이 장 끝에서 전기적 분류 체계를 자세히 논의할 것이다. 그러나 그에 앞서 전도도가 일반 공업재료에서 왜 10^{20} 정도 이상의 차이를 갖게 되는지를 이해하기 위해서는 전기 전도도의 본질을 알아야 한다.

예제 13.1

1.2% Mn을 함유한 알루미늄 합금 선(1 mm의 지름과 1 m의 길이)이 그림 13.1에서 보인 것처럼 전기적 회로에 놓여 있다. 10 A의 전류가 흘렀을 때 432 mV의 전압 강하가 선 길이에 따라 측정되었다. 이 합금의 전도도를 계산하시오.

풀이

식 (13.1)로부터

$$R = \frac{V}{I}$$

$$= \frac{432 \times 10^{-3}\ \text{V}}{10\ \text{A}} = 43.2 \times 10^{-3}\ \Omega$$

식 (13.2)로부터

$$\rho = \frac{RA}{l}$$
$$= \frac{(43.2 \times 10^{-3}\ \Omega)[\pi(0.5 \times 10^{-3}\ \mathrm{m})^2]}{1\ \mathrm{m}}$$
$$= 33.9 \times 10^{-9}\ \Omega \cdot \mathrm{m}$$

식 (13.3)으로부터

$$\sigma = \frac{1}{\rho}$$
$$= \frac{1}{33.9 \times 10^{-9}\ \Omega \cdot \mathrm{m}}$$
$$= 29.5 \times 10^{6}\ \Omega^{-1} \cdot \mathrm{m}^{-1}$$

예제 13.2

표 13.1에 있는 구리의 전도도가 완전히 자유 전자[$3.5 \times 10^{-3}\ \mathrm{m}^2/(\mathrm{V} \cdot \mathrm{s})$의 이동도]에 기인한 것이라는 가정하에 상온에서 구리의 자유 전자 밀도를 계산하시오.

풀이

식 (13.4)로부터

$$n = \frac{\sigma}{q\mu}$$
$$= \frac{58.00 \times 10^{6}\ \Omega^{-1} \cdot \mathrm{m}^{-1}}{0.16 \times 10^{-18}\ \mathrm{C} \times 3.5 \times 10^{-3}\ \mathrm{m}^2/(\mathrm{V} \cdot \mathrm{s})}$$
$$= 104 \times 10^{27}\ \mathrm{m}^{-3}$$

예제 13.3

예제 13.2로부터 얻은 구리의 자유 전자 밀도를 원자 밀도와 비교하시오.

풀이

부록 1로부터

$$\rho_{\mathrm{Cu}} = 8.93\ \mathrm{g} \cdot \mathrm{cm}^{-3} \text{ with an atomic mass } = 63.55 \text{ amu}$$

$$\rho = 8.93\ \frac{\mathrm{g}}{\mathrm{cm}^3} \times 10^{6}\ \frac{\mathrm{cm}^3}{\mathrm{m}^3} \times \frac{1\ \mathrm{g} \cdot \mathrm{atom}}{63.55\ \mathrm{g}} \times 0.6023 \times 10^{24}\ \frac{\mathrm{atoms}}{\mathrm{g} \cdot \mathrm{atom}}$$
$$= 84.6 \times 10^{27}\ \mathrm{atoms/m}^3$$

예제 13.2에서 얻은 104×10^{27} electrons/m^{3}와 비교하면,

$$\frac{\text{자유 전자}}{\text{원자}} = \frac{104 \times 10^{27}\ \text{m}^{-3}}{84.6 \times 10^{27}\ \text{m}^{-3}} = 1.23$$

바꾸어 말하면, 구리는 각 원자가 거의 하나의 자유 전자(전도 전자)를 제공하기 때문에 전기 전도도가 높다. 반도체에서는 원자당 제공된 전도 전자의 수가 상당히 적다는 것을 예제 13.13에서 볼 것이다.

예제 13.4

0.5 V/m의 전기장하에 있는 구리에서 자유 전자의 유동 속도를 계산하시오.

풀이

식 (13.5)로부터

$$\begin{aligned}\bar{v} &= \mu E \\ &= [3.5 \times 10^{-3}\ \text{m}^2/(\text{V}\cdot\text{s})](0.5\ \text{V}\cdot\text{m}^{-1}) \\ &= 1.75 \times 10^{-3}\ \text{m/s}\end{aligned}$$

연습문제 13.1

(a) 예제 13.1에서 설명한 전선은 432 mV의 전압 강하를 보였다. 같은 합금의 전선이 지름 0.5 mm(길이는 1 m)를 가질 경우 10 A의 전류를 흘릴 때 전압 강하를 계산하시오.

(b) 2 mm 지름을 가진 전선의 경우 전압 강하가 얼마인지 계산하시오.

연습문제 13.2

지름 1 mm, 길이 10 m의 고순도 구리 전선 내 자유 전자의 수는 얼마인가? (예제 13.2 참고)

연습문제 13.3

예제 13.3에서 구리의 자유 전자 밀도와 원자 밀도를 비교했다. 연습문제 13.2에서 설명한 전선 내에는 구리 원자가 얼마나 많은가?

연습문제 13.4

예제 13.4에서 구리의 자유 전자에 대한 유동 속도를 계산했다. 전압 기울기가 0.5 V/m에서 연습문제 13.2에서 설명한 전선의 전체 길이를 자유 전자가 움직일 때 걸리는 시간은 얼마인가?

13.2 에너지 준위와 에너지대

2.1절에서 단원자 내의 전자 궤도(orbital)가 불연속적인 에너지 준위(그림 2.3)와 어떻게 연관되어 있는지 알았다. 이제 또 다른 유사한 예를 보자. 그림 13.2는 나트륨 단원자의 에너지 준위를 보여준다. 부록 1에서 보여주는 것처럼, 전자 배열은 $1s^22s^22p^63s^1$이다. 에너지 준위 그림은 실제적으로 $2p$ 에너지 준위와 연관된 3개의 궤도가 있고 $1s$, $2s$, $2p$ 궤도 각각은 2개의 전자로 채워져 있다는 것을 가리킨다. 여러 궤도 간 전자의 분포는 **Pauli**[4] **배타 원리**(Pauli exclusion principle)를 따르는데, 이 원리는 양자역학에서 중요한 개념으로 2개의 전자가 동일한 에너지 상태를 점유할 수 없다는 사실을 의미한다. 그림 13.2에 나타낸 수평선은 서로 상이한 궤도(즉 세 양자수의 독특한 조합)를 표시한다. 이러한 궤도는 2개의 다른 상태에 있기 때문에 2개의 전자로 채워질 수 있다. 즉 그들은 서로 반대 방향의 전자스핀(electron spin, 네 번째 양자수에 대해 다른 값을 나타내는)을 갖는다. 일반적으로 전자스핀은 평행하거나 역평행할 수 있다. 바깥 궤도($3s$)는 1개의 전자에 의해 반만 채워져 있다. 부록 1에서 보면, 주기율표상의 다음 원자인 Mg인 경우 $3s$ 궤도는 Pauli 배타 원리에 의해 서로 반대 방향의 전자스핀을 가져야 하는 2개의 전자로 채워져 있다.

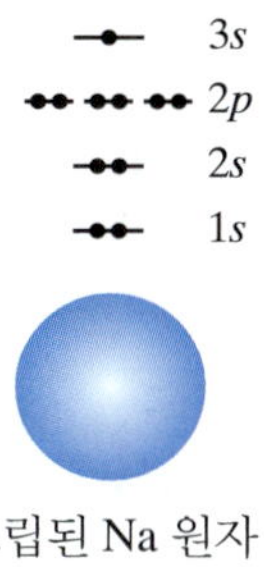

그림 13.2 고립된 나트륨 원자의 에너지 준위 도표

4개의 원자를 가진 가상적인 나트륨 분자 Na_4를 생각해보자(그림 13.3). 내부 전자의 에너지 구조($1s^22s^22p^6$)는 본질적으로 변하지 않는다. 그러나 4개의 바깥 궤도 전자의 경우는 Pauli 배타 원리에 의해 영향을 받는다. 각 Na 원자에 구속되었던 전자들이 이제는 분자 내 4개의 모든 원자에 의해 공유되기 때문에 이러한 전자는 하나의 궤도만 점유할 수 없다. 이 결과로 $3s$ 에너지 준위에서 4개의 미세한 준위로의 '분할(splitting)'이 일어난다. 이로 인해 각 준위가 독자적인 값을 가지고 Pauli 배타 원리를 만족하게 된다. 이 분할이 각각 서로 반대 방향의 스핀으로 된 2개의 전자로 채워진 2개의 준위만 생성할 수도 있을 것이다. 사실 주어진 궤도에서 전자가 쌍을 이루는 것은 주어진 에너지의 모든 준위가 하나의 전자를 가질 때까지 지체되는 경향이 있다. 이것이 **Hund의**[5] **법칙**(Hund's rule)이다. 다른 예로 질소(원소 7)는 3개의 $2p$ 전자를 가지고 있고 각 전자는 동일한 에너지의 다른 궤도에 있다. 단일 궤도에서 서로 반대 방향의 스핀을 가지는 2개의 $2p$ 전자쌍은 원소 8(산소)이 되기 전까지는 일어나지 않는다. 이 분할의 결과는 고립된 원자에서 하나의 $3s$ 준위에 해당하는 에너지 준위의 좁은 대(narrow band)를 형성하게 된다. 이러한 전자 구조의 중요

4) Wolfgan Pauli(1900~1958)는 원자 물리학에 크게 기여한 오스트리아계 미국 물리학자이다. 외각 전자의 존재 형태에 대한 이해(배타 원리를 제공)는 주기율표의 이해를 돕는다. 이 외각 전자는 각 원자의 화학적 거동에서 중심적인 역할을 한다.

5) Friedrich Hermann Hund(1896~1997)는 독일 물리학자로 원자 물리 개발에 수많은 공헌을 했고 1927년 출판된, 그의 이름이 포함된 원리로 기억된다.

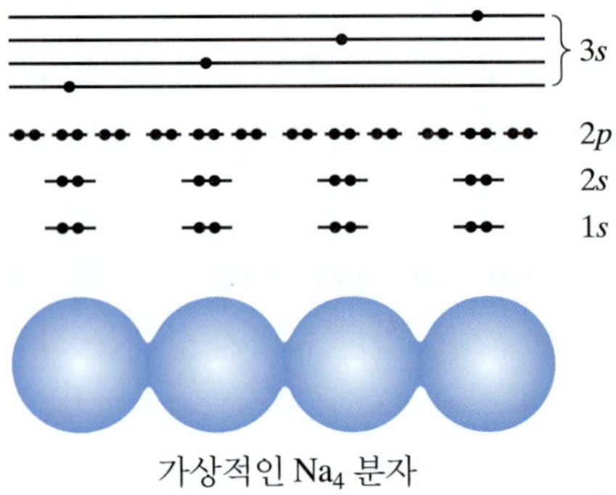

그림 13.3 가상적인 Na_4 분자의 에너지 준위 도표. Pauli 배타 원리로부터 예상된 것처럼 4개가 공유되어 있는 최외각 궤도 전자는 4개의 약간 다른 에너지 준위로 '분할'된다.

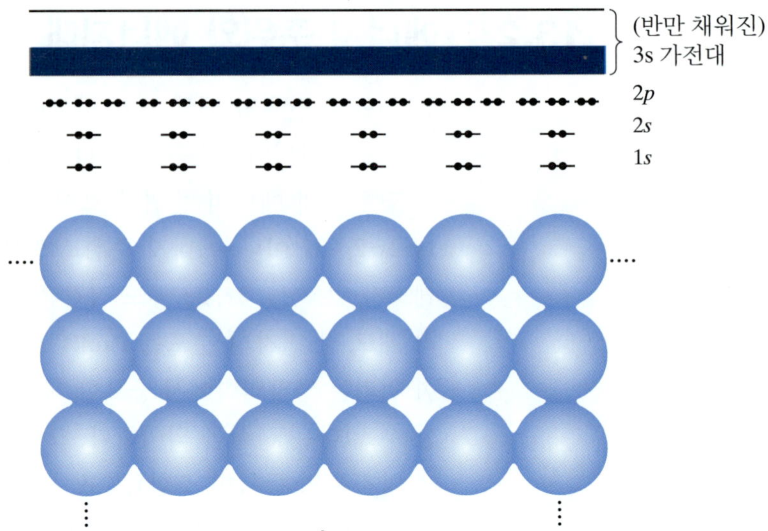

그림 13.4 고체 나트륨의 에너지 준위 도표. 그림 13.2의 불연속적인 3*s* 에너지 준위는 가상적인 연속 에너지대와 같이 보인다. 또한 3*s* 에너지 준위의 분할은 Pauli 배타 원리로부터 예견된다.

한 측면은 고립된 원자의 3*s* 준위에서처럼 Na_4의 3*s*대가 반만 채워져 있다는 것이다. 그 결과 인접한 원자 사이의 전자 이동도는 꽤 높아진다.

4개의 원자를 가진 분자의 가상 모델에서 보인 결과를 간단히 확장한 모습이 그림 13.4이며, 많은 Na 원자가 금속 결합에 의해 고체를 형성하고 있다. 이러한 금속에서 원자의 중심부에 존재하는 전자는 결합에 직접적으로 참여하지 않고 그들의 에너지 도표도 본질적으로 변하지 않는다. 그러나 결합에 참여한 많은 수의 원자(즉 Avogadro수 정도)는 바깥 3*s* 궤도에 대해서는 같은 수만큼의 분할된 에너지 준위를 만든다. 여러 3*s* 궤도의 에너지값의 전 범위는 크지 않다. 오히려 인접한 3*s* 궤도 사이의 간격은 매우 작다. 그 결과 고립된 원자의 3*s* 에너지 준위에 해당하는 가상적 연속(pseudocontinuous) **에너지대**(energy band)를 형성한다. 고립된 Na 원자와 가상적인 Na_4 분자의 경우처럼 금속의 가전자 에너지대는 반만 채워짐으로써 고체 전부를 통해 최외각 전자의 높은 이동도를 가지게 된다. 가전자로부터 생성된 그림 13.4의 에너지대를 **가전대**(valence band)라고도 한다. 중요한 결론은 금속의 가전대가 부분적으로만 채워져 있어서 금속이 좋은 전기적 전도체가 된다는 것이다. 부분적으로 채워진 가전대의 자세한 성질은 몇몇 금속에서 다르더라도 위 언급은 유효하다. 예를 들면 Na(원소 11)에서는 반만 채워져 있던 에너지대가 Mg(원소 12)에서는 2개의 3*s* 전자로 채워져 있다. 그러나 Mg은 채워진 에너지대를 중첩시키는, 더 높고 비어 있는 에너지대를 가진다. 그 결과 부분적으로 채워진 최외각 가전대를 형성한다.

에너지대의 성질이 온도에 따라 어떻게 변하는지 고려함으로써 금속의 전기 전도

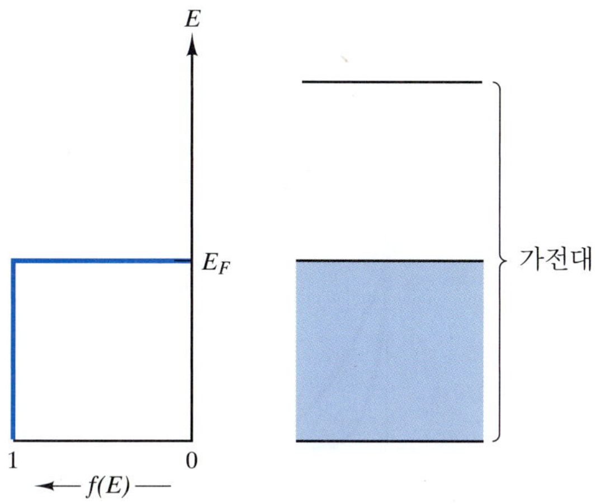

그림 13.5 Fermi 함수 $f(E)$는 에너지 준위의 상대적 충진을 설명한다. 0 K에서 모든 에너지 준위는 E_F 아래에서 완전히 채워져 있고 E_F 위에서 완전히 비어 있게 된다.

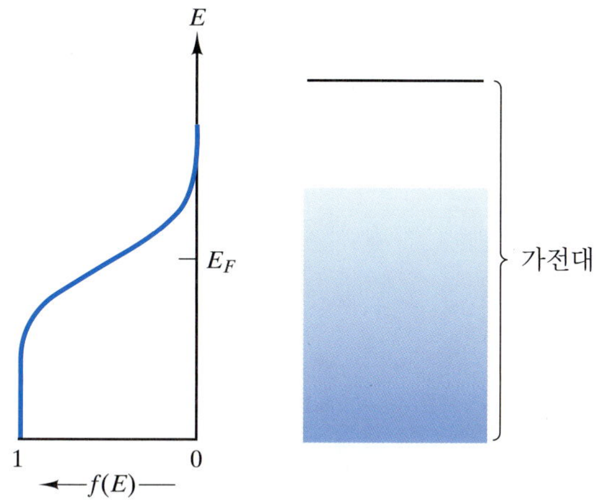

그림 13.6 $T > 0$ K일 때 Fermi 함수 $f(E)$는 일부 전자가 E_F 이상으로 여기됨을 가리킨다.

특성을 더 자세히 이해할 수 있다. 그림 13.4는 가전대에 있는 에너지 준위의 중간점까지는 완전히 차 있고 그 이상에서는 완전히 비어 있는 모습이다. 사실 이것은 절대온도 0 K에서만 성립한다. 이 조건이 그림 13.5에 도시되어 있다. 0 K에서 에너지대가 가장 높이 채워져 있는 상태의 에너지를 **Fermi**[6] **준위**(Fermi level, E_F)라고 한다. 주어진 에너지 준위가 채워져 있는 범위를 **Fermi 함수**(Fermi function) $f(E)$로 나타낸다. 이것은 에너지 준위, E가 전자로 점유되는 확률을 나타내고 0과 1 사이의 값을 가질 수 있다. 0 K에서 $f(E)$는 E_F까지는 1이고, E_F 이상에서는 0이 된다. 따라서 0 K라는 극단적인 경우는 전기 전도가 일어나지 않는다. E_F 아래의 에너지 준위는 전부 채워져 있기 때문에 전도가 일어나려면 E_F 이상의 높은 에너지 준위(즉 점유되지 않는 준위)로 전자의 에너지를 증가시켜야 한다. 이러한 에너지 상승에는 어떤 외부 에너지원이 요구된다. 이러한 에너지를 제공하는 하나의 방법이 바로 0 K 이상으로 재료를 가열함으로써 얻어지는 열적 에너지이다. 결과적으로 얻는 Fermi 함수 $f(E)$는 그림 13.6에 나타나 있다. $T > 0$ K일 때 E_F 바로 아래 몇 개의 전자는 E_F 바로 위의 점유되어 있지 않은 준위로 여기된다. Fermi 함수 $f(E)$와 절대 온도 T 사이의 관계는 다음과 같다.

$$f(E) = \frac{1}{e^{(E-E_F)/kT} + 1} \tag{13.7}$$

여기서 k는 Boltzmann 상수(13.8×10^{-24} J/K)이다. $T = 0$ K라는 극한에서 식 (13.7)

6) Enrico Fermi(1901~1954)는 이탈리아 물리학자로 20세기 과학에 수많은 공헌을 했다. 1942년 최초의 원자로를 포함하여 고체에서 전자 성질의 이해를 발전시킴으로써 이 분야를 20년이나 앞당겼다.

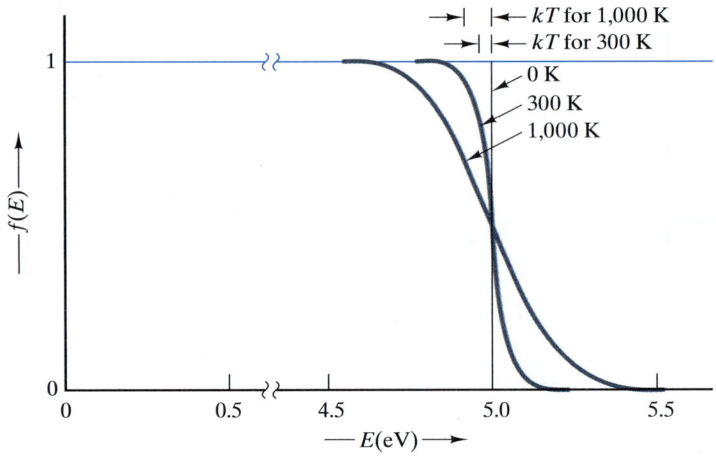

그림 13.7 ($E_F = 5$ eV를 갖는)전형적인 금속에 대한 온도에 따른 Fermi 함수 $f(E)$의 변화. $f(E)$가 1부터 0까지 떨어지는 에너지 범위가 kT의 몇 배와 같다는 데 주목하자.

은 정확하게 그림 13.5처럼 계단 함수로 나타내진다. $T > 0$ K일 때는 $f(E)$가 E_F보다 훨씬 아래일 경우에는 본질적으로 1이고, E_F보다 훨씬 위일 경우 0임을 보여준다. E_F 근처의 $f(E)$값은 0과 1의 두 극한값 사이에서 부드러운 곡선으로 변화한다. E_F에서 $f(E)$의 값은 정확히 0.5이다. 온도가 증가할수록 $f(E)$가 1에서 0으로 떨어지는 범위는 증가하며(그림 13.7), 그 범위는 kT의 크기 정도이다. 요약하면, 열적 에너지가 Fermi 준위 이상의 채워지지 않은 에너지 준위로 전자를 여기시키기에 충분하기 때문에 금속이 좋은 전기 전도체의 성질을 나타내는 것이다. 이런 준위($E > E_F$)에서 인접 원자 간 점유되지 않은 준위로의 접근성이 고체 내 **자유 전자**(free electrons)라고 알려진 전도 전자의 높은 이동도를 만든다.

지금까지 에너지대에 대한 논의는 금속과 어떻게 금속이 좋은 전기적 전도체인지에 관심을 두었다. 이제 전기적 전도가 매우 나쁜 비금속 고체로 다이아몬드 구조를 가지는 탄소를 생각해보자. 2장에서 이 공유 결합 물질의 가전자가 인접한 원자에 의해 공유된다는 것을 배웠다. 그 결과 탄소(다이아몬드)의 가전대가 가득 채워지게 된다. 이 가전대는 고립된 탄소 원자의 sp^3 혼합(hybrid) 에너지 준위에 해당된다(그림 2.3). 고립된 탄소 원자에서 sp^3 준위 이상의 에너지 준위로 전자를 여기하는 것은 금지된 에너지(forbidden energy) 영역을 넘어가야 한다. 유사하게 고체에 대해서도 가전대에서 **전도대**(conduction band)로 전자가 전이하기 위해서는 **에너지대 간격**(energy band gap) E_g를 뛰어넘어야 한다(그림 13.8). Fermi 준위 E_F의 개념은 여전히 적용될 수 있다. 그러나 E_F는 대 간격 중앙에 위치하고 있다. 그림 13.8에서 Fermi 함수 $f(E)$는 상온(298 K)에 해당된다. $f(E)$로부터 예견되는 확률은 단지 가전대와 전도대에서만 현실성이 있다는 것을 명심해야 한다. 전자는 에너지대 간격 내부의 어떤 에너지도 가질 수 없다. 그림 13.8의 중요한 결론은 근본적으로 $f(E)$가

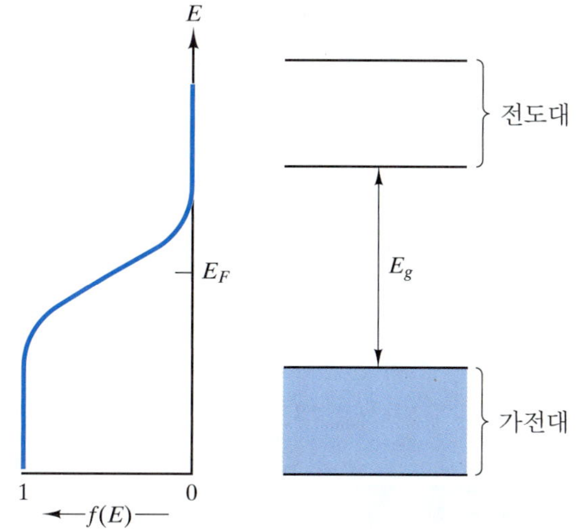

그림 13.8 절연체의 에너지대와 Fermi 함수 $f(E)$의 비교. 에너지대 간격의 크기(> 2 eV) 때문에 전자는 전도대[여기서 $f(E) = 0$)]로 여기되지 못한다.

가전대에서는 1이고 전도대에서는 0과 같다는 것이다. 열에너지에 의해 상당한 수의 전자를 전도대로 여기시키는 것이 매우 어렵기 때문에 다이아몬드는 낮은 전기 전도도를 갖는다.

마지막 예로서 주기율표(그림 2.2)에서 탄소 바로 아래에 위치한 실리콘(Si, 14번)을 생각해보자. 주기율표의 같은 족으로, 실리콘은 화학적으로 탄소와 비슷하게 거동한다. 사실 실리콘은 다이아몬드와 동일한 결정 구조의 공유 결합 고체를 형성한다. 다이아몬드는 3.5절에서 논의한 바와 같이 입방정(cubic) 구조를 가진다. 실리콘

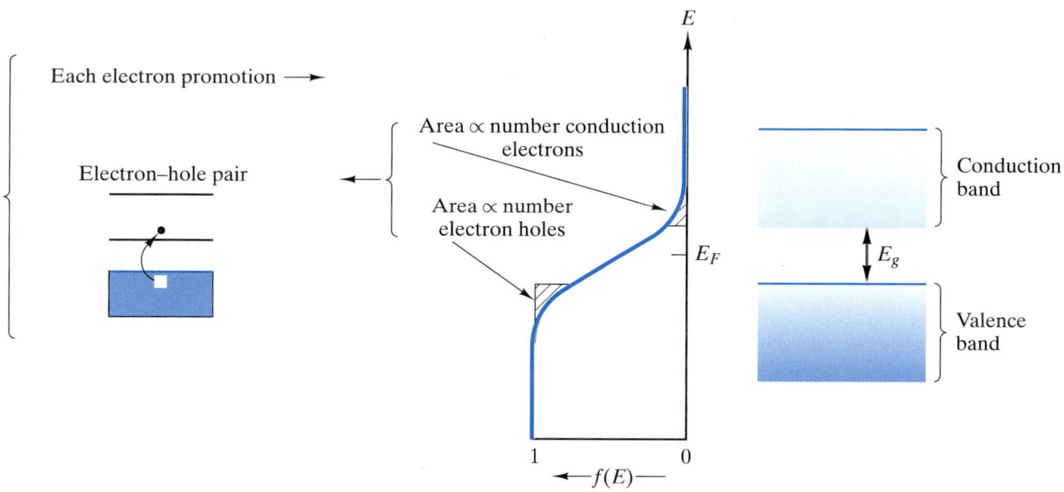

그림 13.9 반도체의 에너지대 구조에 따른 Fermi 함수 $f(E)$의 비교. 상대적으로 작은 에너지대 간격(< 2 eV) 때문에 상당한 전자가 전도대로 여기된다. 각각의 전자 여기는 한 쌍의 전하 운반자(즉 전자정공 쌍)를 만든다.

의 에너지대 구조(그림 13.9) 또한 다이아몬드의 에너지대(그림 13.8) 구조와 매우 유사하다. 가장 큰 차이는 실리콘이 더 작은 에너지대 간격(다이아몬드의 E_g가 대략 6 eV인 데 비해 Si의 E_g는 1.107 eV)을 갖는다는 것이다. 그 결과 상온(298 K)에서의 열적 에너지는 작은 수이나 그래도 상당한 수의 전자를 가전대에서 전도대로 여기시키게 된다. 각 전자 여기는 **전자-정공 쌍**(electron-hole pair)이라고 하는 한 쌍의 전하 운반자를 만든다. 결과적으로, 전도 전자와 같은 수의 정공이 가전대에 형성된다. 이러한 정공은 13.1절에서 언급한 것처럼 양전하 운반자이다. 적정한 수의 (+), (−) 전하 운반자의 존재 때문에 실리콘은 금속과 절연체의 전기 전도도의 중간값을 갖게 된다(표 13.1). 이 간단한 반도체는 13.5절에서 더 논의할 것이다.

예제 13.5

다이아몬드(E_g = 5.6 eV)의 경우 상온(25°C)에서 전도대로 전자가 열적으로 여기될 확률은 얼마인가?

풀이

그림 13.8에서 전도대의 가장 낮은 에너지는 다음에 해당된다.

$$E - E_F = \frac{5.6}{2}\,\text{eV} = 2.8\,\text{eV}$$

식 (13.7)과 $T = 25°\text{C} = 298\text{ K}$로부터

$$\begin{aligned} f(E) &= \frac{1}{e^{(E-E_F)/kT} + 1} \\ &= \frac{1}{e^{(2.8\,\text{eV})/(86.2\times10^{-6}\,\text{eV K}^{-1})(298\,\text{K})} + 1} \\ &= 4.58 \times 10^{-48} \end{aligned}$$

예제 13.6

실리콘(E_g = 1.07 eV)의 경우 상온(25°C)에서 전도대로 전자가 열적으로 여기될 확률은 얼마인가?

풀이

예제 13.5에서처럼

$$E - E_F = \frac{1.107}{2}\,\text{eV} = 0.5535\,\text{eV}$$

$$f(E) = \frac{1}{e^{(E-E_F)/kT} + 1}$$

$$= \frac{1}{e^{(0.5535\ \mathrm{eV})/(86.2\times10^{-6}\mathrm{eV\ K^{-1}})(298\ \mathrm{K})} + 1}$$
$$= 4.39 \times 10^{-10}$$

이 값은 작지만 다이아몬드보다 10^{38}배나 크다(예제 13.5). 그리고 그것은 충분한 전하 운반자(전자정공 쌍)를 만듦으로써 반도체의 성질을 띠게 된다.

연습문제 13.5

온도가 50°C일 때 다이아몬드에서 전자가 전도대로 여기될 확률은 얼마인가? (예제 13.5 참고)

연습문제 13.6

온도가 50°C일 때 실리콘에서 전자가 전도대로 여기될 확률은 얼마인가? (예제 13.6 참고)

13.3 도체

도체(conductors)는 큰 전도도를 갖는 물질이다. 표 13.1은 전형적인 도체의 전도도가 $10 \times 10^6\ \Omega^{-1} \cdot \mathrm{m}^{-1}$ 정도라는 것을 보여준다. 이러한 큰 값의 원인은 앞 절에서 논의했다. 전도도에 대한 일반적인 표현으로서 식 (13.6)을 회상해보면, 도체의 경우 다음과 같이 쓸 수 있다.

$$\sigma = n_e q_e \mu_e \tag{13.8}$$

여기서 아래 첨자 e는 순수한 **전자 전도**(electronic conduction)를 의미하며, 이 경우의 σ는 전자의 운동에 기인한다[일반적인 **전기적 전도**(electrical conduction)는 어떤 전하 운반자의 운동으로 생길 수 있는 σ의 측정치를 말한다]. 앞 절에서 설명한 에너지대 모델의 주요 역할은 금속 도체의 전도도에서 전자 이동도(μ_e)의 중요성을 나타내는 것이다. 이것은 2개의 변수(온도와 조성)가 금속의 전도도에 미치는 영향으로 잘 설명된다.

온도가 금속 전도도에 미치는 영향이 그림 13.10에 설명되어 있다. 일반적으로 상온 이상으로 온도가 증가하면 전도도는 감소한다. 이러한 전기 전도도의 감소는 주로 온도 증가에 따른 전자 이동도(μ_e)의 감소에 기인한다. 이러한 전자 이동도의 감소는 온도가 증가함에 따라 금속 결정 구조의 열적 진동이 증가하기 때문이라고 설명할 수 있다. 전자의 파동적 성질 때문에 이러한 '파속(wave packets)'은 결정 구조가 거의 완벽할 때 가장 효과적으로 결정 구조를 통해 이동할 수 있다. 열적 진동으로부터 생긴 불규칙성은 전자 이동도를 감소시킨다.

식 (13.3)은 비저항과 전도도가 역관계가 있다는 것을 보여주었다. 따라서 전형적인 전도체의 비저항값은 $0.1 \times 10^{-6}\ \Omega \cdot \text{m}$ 정도이다. 마찬가지로 상온 이상으로 온도가 증가함에 따라 비저항값은 커진다. 이 관계[$\rho(T)$]는 $\sigma(T)$보다 더 자주 사용되는데, 그 이유는 비저항이 이 온도 범위에서 온도에 선형적으로 비례하여 증가한다는 것이 실험적으로 발견되기 때문이다. 즉

$$\rho = \rho_{rt}[1 + \alpha(T - T_{rt})] \tag{13.9}$$

여기서 ρ_{rt}는 상온에서의 비저항값, α는 **비저항의 온도 계수**(temperature coefficient of resistivity), T는 온도, T_{rt}는 상온이다. 식 (13.9)를 설명하기 위해 그림 13.10의 값을 그림 13.11로 다시 나타냈다. 표 13.2는 금속 도체의 대표적인 ρ_{rt}와 α값을 보여준다.

표 13.2를 보면, 고용체를 형성할 때 ρ_{rt}가 조성의 함수라는 것이 드러난다(예: $\rho_{rt,\text{ pure Fe}} < \rho_{rt,\text{ steel}}$). 거의 순수한 금속에 약간의 불순물을 첨가한 경우 ρ의 증가는 불순물 첨가량에 따라 거의 직선적으로 비례한다(그림 13.12). 식 (13.9)의 결과를 연상시키는 이러한 관계는 다음과 같이 표현될 수 있다.

$$\rho = \rho_0(1 + \beta x) \tag{13.10}$$

여기서 ρ_0는 순수한 금속의 비저항, β는 주어진 금속-불순물 계의 상수(그림 13.12와 같은 도표에서의 기울기와 관계된)이고, x는 불순물 첨가량이다. 물론 식 (13.10)은 고정된 온도에 적용된다. 온도와 조성을 합한 변화는 α[식 (13.9)로부터]와 β[식 (13.10)으로부터]의 영향을 모두 포함할 수도 있다. 또한 식 (13.10)이 단지 x의 작은 값에만 적용된다는 것을 상기할 필요가 있다. x가 큰 값을 가졌을 때 ρ는 x와 직선

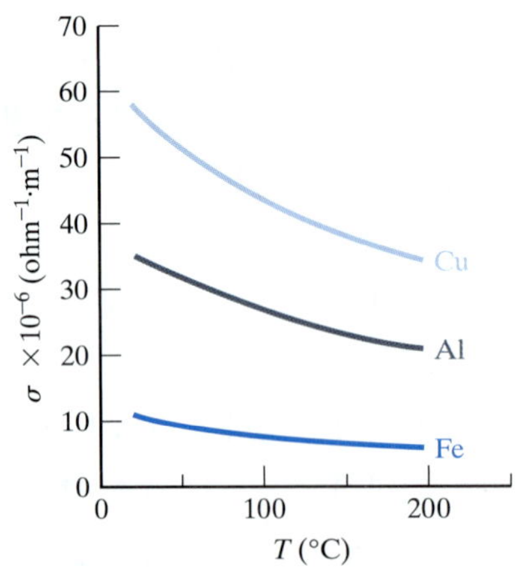

그림 13.10 몇몇 금속에서 온도에 따른 전기 전도도의 변화 (From J. K. Stanley, *Electrical and Magnetic Properties of Metals*, American Society for Metals, Metals Park, OH, 1963.)

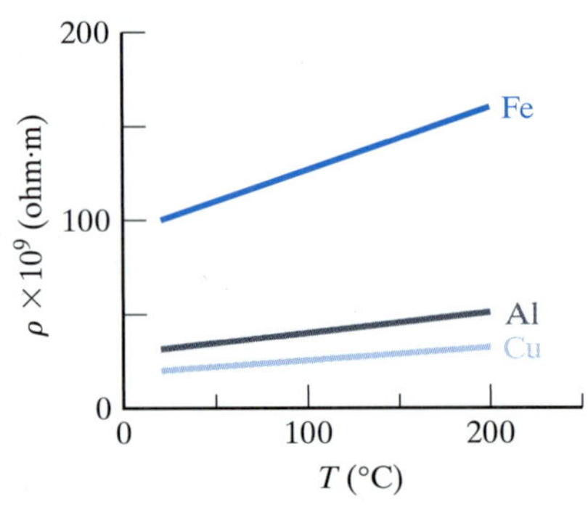

그림 13.11 그림 13.10에 나타낸 금속에 대한 온도에 따른 전기적 비저항의 변화. 이 값의 선형성은 비저항의 온도 계수 α를 정의한다.

적으로 비례하지 않게 된다. 좋은 예가 그림 13.13에 보이는 금-구리 합금계이다. 그림 13.12에서처럼 이 값은 고정된 온도에서 얻어진 것이다. 그림 13.13에서는 그림

표 13.2 몇몇 금속 전도체의 비저항의 온도 계수와 저항

Material	Resistivity at 20°C ρ_{rt} ($\Omega \cdot m$)	Temperature coefficient of resistivity at 20°C α (°C^{-1})
Aluminum (annealed)	28.28×10^{-9}	0.0039
Copper (annealed standard)	17.24×10^{-9}	0.00393
Gold	24.4×10^{-9}	0.0034
Iron (99.99 +%)	97.1×10^{-9}	0.00651
Lead (99.73 +%)	206.48×10^{-9}	0.00336
Magnesium (99.80%)	44.6×10^{-9}	0.01784
Mercury	958×10^{-9}	0.00089
Nickel (99.95% + Co)	68.4×10^{-9}	0.0069
Nichrome (66% Ni + Cr and Fe)	$1,000 \times 10^{-9}$	0.0004
Platinum (99.99%)	106×10^{-9}	0.003923
Silver (99.78%)	15.9×10^{-9}	0.0041
Steel (wire)	$107-175 \times 10^{-9}$	0.006–0.0036
Tungsten	55.1×10^{-9}	0.0045
Zinc	59.16×10^{-9}	0.00419

출처: Data from J. K. Stanley, *Electrical and Magnetic Properties of Metals*, American Society for Metals, Metals Park, OH, 1963.

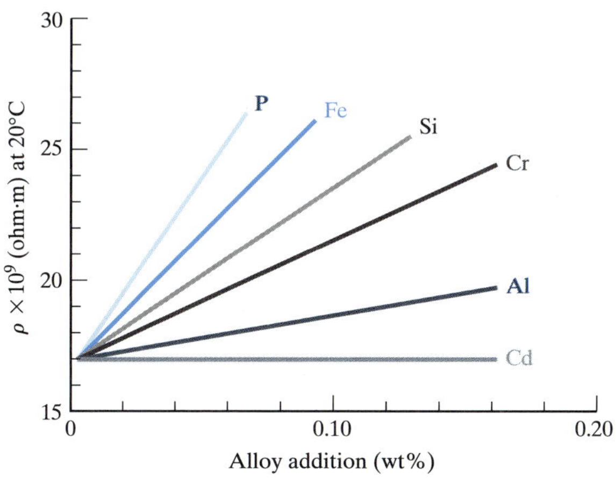

그림 13.12 불순물 첨가량이 적은 구리 합금계의 조성에 따른 전기 저항의 변화. 모든 데이터가 고정된 온도(20°C)에 있다는 것을 주목하자. (From J. K. Stanley, *Electrical and Magnetic Properties of Metals*, American Society for Metals, Metals Park, OH, 1963.)

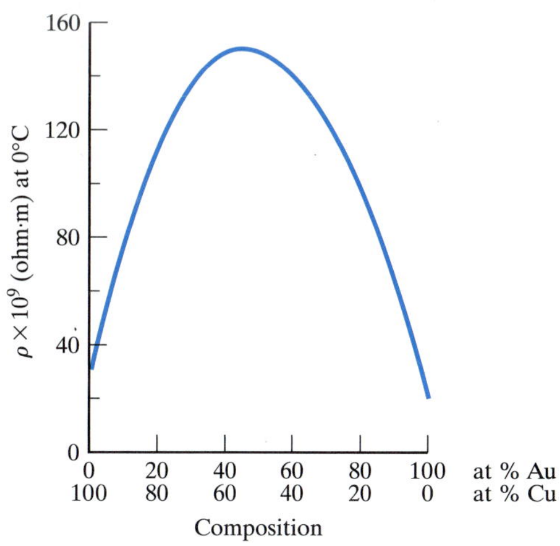

그림 13.13 금-구리 합금계의 큰 조성 변화에 따른 전기 저항 변화. 비저항은 두 순수 금속에 대해 합금 첨가에 따라 증가한다. 그 결과 최대 비저항은 중간 조성을 가질 때이다(약 45 at % 금, 55 at % 구리). 그림 13.12에서처럼 모든 데이터가 고정된 온도(0°C)에 있다는 것을 주목하자. (From J. K. Stanley, *Electrical and Magnetic Properties of Metals*, American Society for Metals, Metals Park, OH, 1963.)

13.12에서처럼 순수한 금속(금 혹은 구리)이 불순물이 첨가된 합금보다 더 낮은 비저항을 보여준다는 데 주목해야 한다. 예를 들어 순수한 금의 비저항은 구리가 10 at % 첨가된 금보다 더 작다. 마찬가지로 순수한 구리의 비저항은 10 at %의 금이 첨가된 구리보다 작다. 이러한 경향의 결과는 금-구리 합금계의 최대 비저항이 어떤 중간 조성(약 45 at % 금, 55 at % 구리)일 때 일어난다는 것이다. 비저항이 불순물 첨가에 따라 증가하는 이유는 온도가 비저항을 증가시키는 이유와 밀접한 관계가 있다. 불순물 원자는 순수한 금속의 결정화 정도를 감소시킨다.

결정 결함이 전기 전도에 미치는 영향을 가시화하는 데 유용한 개념이 전자의 평균 자유도이다. 온도 효과를 논하면서 먼저 다루었듯이 전자의 파동성 운동은 구조적 불균일성에 의해 방해를 받는다. 전자 파동이 구부러짐 없이 이동할 수 있는 평균 거리를 **평균 자유도**(mean free path)라고 한다. 구조적 불균일성은 평균 자유도를 떨어트리고, 이것은 다시 유동 속도와 이동도를 감소시켜서 결국 전도도를 감소시킨다[식 (13.5)와 (13.8) 참고]. 화학적 결합의 본질은 4.1절에서 자세히 다루었다. 지금은 금속 원자 구조의 주기성의 어떠한 감소도 주기적 전자 파동의 운동을 방해한다고만 인식할 필요가 있다. 이러한 이유에서 4장에서 논의된 많은 구조적 결함(예: 점 결함과 전위)이 금속 도체에서 비저항의 증가를 유발하는 것으로 여겨진다.

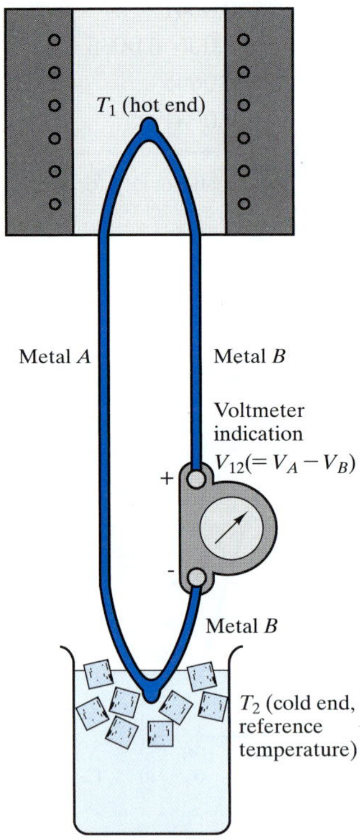

그림 13.14 열전대 설명을 위한 도식도. 측정된 전압 V_{12}는 온도 차이 $T_1 - T_2$의 함수이다. 이 전체 현상을 Seebeck 효과라고 한다.

열전대

도체의 한 가지 중요한 응용은 온도를 측정하는 것이다. **열전대**(thermocouple)라고 알려진 간단한 회로는 두 금속선으로 만들어지며 그림 13.14에 그려져 있다. 열전대의 효과는 궁극적으로 Fermi 함수의 온도 감도를 통해 추적될 수 있다(예: 그림 13.7). 다른 두 온도[T_1(뜨거움)과 T_2(차가움)] 사이에 연결된 한 금속선에서(예: 그림 13.14에서 금속 A), 더 많은 전자가 차가운 쪽에서보다 뜨거운 쪽에서 더 높은 에너지로 여기된다. 이것이 뜨거운 쪽에서 차가운 쪽으로 전자가 이동할 수 있는 구동력을 만든다. 그러면 차가운 쪽은 (−)로 대전되고 뜨거운 쪽은 (+)로 대전되어 전선의 끝단 사이에서 V_A의 전압을 가진다. 이 현상의 유용한 특징은 V_A가 온도 차이 $T_1 - T_2$에만 의존하고 전선을 따르는 온도 분포에는 의존하지 않는다는 데 있다. 그러나 유용한 전압 측정은 전압 측정계를 가지고 있는 두 번째 선(그림 13.14에서 금속 B)이 필요하다. 만일 금속 B와 금속 A가 같은 재료라면 동일한 전압 V_A가 금속 B에 유도될 것이고 계기는 총전압($= V_A - V_A = 0$ V)을 가리킬 것이다. 하지만 다른 금속은 주어진 온도 차이($T_1 - T_2$) 간의 다른 전압차를 발생시키려고 할 것이다. 일반적으로, 금속 A와 다른 금속 B의 경우 그림 13.14의 전압계는 총전압 $V_{12} = V_A - V_B$를 가리킬 것이다. V_{12}의 크기는 온도차, $T_1 - T_2$가 증가할수록 커진다. 이렇게 유도된 전압 V_{12}를 **Seebeck**[7] **전위**(Seebeck potential)라고 하고 그림 13.14에 설명된 전체

7) Thomas Johann Seebeck(1770~1831)은 러시아계 독일인 물리학자로 1821년에 그의 이름으로 불

표 13.3 일반적인 열전대계

Type	Common name	Positive element[a]	Negative element[a]	Recommended service environment(s)	Maximum service temperature (°C)
B	Platinum-rhodium/ platinum-rhodium	70 Pt–30 Rh	94 Pt–6 Rh	Oxidizing Vacuum Inert	1,700
E	Chromel/constantan	90 Ni–9 Cr	44 Ni–55 Cu	Oxidizing	870
J	Iron/constantan	Fe	44 Ni–55 Cu	Oxidizing Reducing	760
K	Chromel/alumel	90 Ni–9 Cr	94 Ni–Al, Mn, Fe, Si, Co	Oxidizing	1,260
R	Platinum/platinum-rhodium	87 Pt–13 Rh	Pt	Oxidizing Inert	1,480
S	Platinum/platinum-rhodium	90 Pt–10 Rh	Pt	Oxidizing Inert	1,480
T	Copper/constantan	Cu	44 Ni–55 Cu	Oxidizing Reducing	370

[a] 합금 조성은 무게 분율로 표시됨.
출처: Data from *Metals Handbook*, 9th ed., Vol. 3, American Society for Metals, Metals Park, OH, 1980.

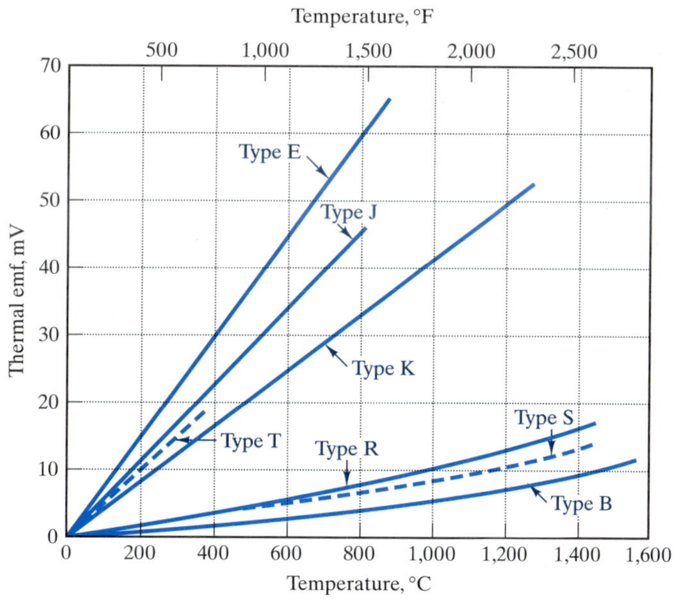

그림 13.15 표 13.3에 나열된 몇 가지 열전대 시스템에서 열전대의 기전력(그림 13.14에서의 V_{12})의 온도를 함수로 나타낸 도표 (From *Metals Handbook*, 9th ed., Vol. 3, American Society for Metals, Metals Park, OH, 1980.)

현상을 **Seebeck 효과**(Seebeck effect)라고 한다. 온도 측정을 위한 간단한 회로의 유용성은 분명하다. 간편한 기준 온도 T_2(일반적으로 고정된 실내 온도나 0°C의 얼음

리는 유명한 효과를 관측했다. 열전기(열과 전기의 상호변환)에서 밀접하게 관련된 문제에서의 그의 논의는 성공하지 못했으며, 다른 논의는 Peltier 효과 및 Thomson 효과와 관련되어 있었다.

물 욕조)를 선택함으로써 측정된 전압 V_{12}는 T_1에 대해 거의 직선적인 함수가 된다. 표 13.3에 나열한 것과 같이 몇 가지 일반적인 열전대 계통에 대해 온도에 대한 V_{12}의 정확한 의존성을 표로 나타냈다. 이러한 일반적인 시스템에서의 온도에 대한 V_{12}의 도표가 그림 13.15에 나타나 있다.

이 장에서는 보다 전통적인 전자 재료와 경쟁하는 반도체의 무수한 예를 배울 것이다. 온도 측정 분야에서 반도체는 전형적으로 금속보다 훨씬 큰 Seebeck 효과를 가진다. 이것은 반도체에서 전도도의 지수 함수적(Arrhenius) 특성과 연관되어 있다. 결과적으로 온도 측정용 반도체 또는 **서미스터**(thermistor)는 극히 작은 온도 변화(10^{-6}°C만큼 작은)를 측정할 수 있다. 그러나 제한된 온도 작동 영역 때문에 일반적인 온도 측정 응용 분야에서 전통적인 열전대를 대체하지는 못했다.

초전도체

그림 13.10은 금속의 전도도가 온도의 감소에 따라 어떻게 점진적으로 증가하는가를 보여주었다. 이러한 경향은 온도가 상온보다 훨씬 낮은 온도까지도 계속된다. 하지만 매우 낮은 온도(수 K)에서도 전형적인 금속은 어떤 전기 전도도 값(즉 0이 아닌 비저항값)을 갖는다. 그러나 몇몇 재료는 극적인 예외를 나타내는데, 그림 13.16이 이러한 경우이다. 임계 온도(critical temperature, T_c)에서 수은(mercury)의 비저항값은 갑자기 0으로 떨어진다. 수은이 **초전도체**(superconductor)가 되는 것이다. 역사적으로 수은이 이러한 거동을 보인다고 알려진 첫 번째 물질이었다. 1911년 H. Kamerlingh Onnes는 헬륨의 액화 및 고화에 대한 연구의 부산물로서 그림 13.16에 나타낸 결과를 처음으로 보고했다. 이후 여러 다른 재료들이 이러한 성질을 가지고 있음이 밝혀졌다[니오븀(niobium)과 바나듐(vanadium), 그리고 그 합금이 좋은 예이다]. 초전도성(superconductivity)에 대한 몇몇 실험적인 사실들이 이전의 초기 연구로부터 알려져 있다. 초전도 현상은 가역적이며, 일반적으로 상온에서 비교적 불량한 전도체였던 금속에서 나타났다. T_c에서 비저항값의 감소가 순수한 금속의 경우는 급격하게, 합금의 경우는 1~2 K의 범위 내에서 발생한다. 주어진 초전도체에서 전이 온도는 전류 밀도나 자기장의 세기를 증가시키면 감소한다. 1980년대까지

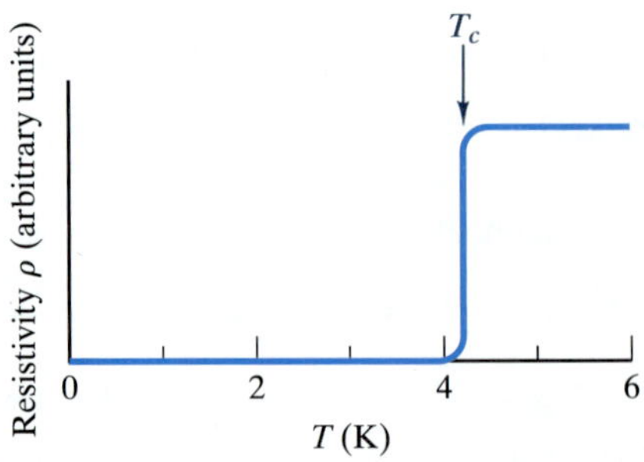

그림 13.16 수은의 비저항은 임계 온도 T_c(= 4.12 K)에서 갑자기 0이 된다. T_c 이하에서 수은은 초전도체이다.

주된 관심 대상은 금속과 합금이었고(특히 Nb계), T_c는 25 K 이하였다. 사실 1911년 4.12 K(Hg)에서 1975년 23.3 K(Nb_3Ge)까지, 높은 T_c 재료의 개발은 시간의 흐름에 대해 거의 직선적으로 발전했다. 그림 13.17에서 설명된 것처럼, T_c의 극적인 도약은 1986년 $(La, Ba)_2CuO_4$ 세라믹이 35 K에서 초전도체로 거동함을 발견하면서 시작되었다. 1987년 $YBa_2Cu_3O_7$은 95 K의 T_c를 갖는다는 것이 밝혀졌는데, 이는 비교적 경제적 저온인 액체 질소의 온도(77 K)보다 훨씬 높은 온도에서 물질이 초전도성을 나타낸다는 기념비적인 발견이었다. 1988년까지 Tl-Ba-Ca-Cu-O 세라믹이 127 K의 T_c를 나타냈다. 다양한 범위의 세라믹 화합물 등을 포함하여 집중적인 연구가

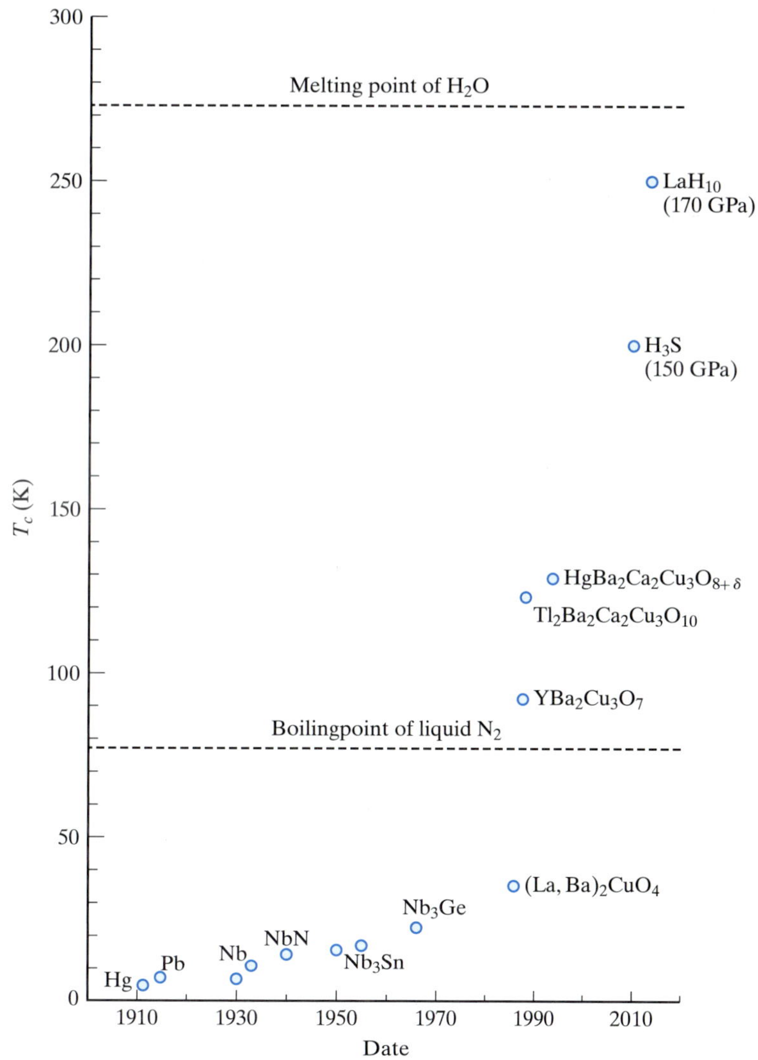

그림 13.17 T_c의 최고치는 1980년대 세라믹 산화물 초전도체가 보다 경제적인 온도 수준 이상(액체질소 기화점 이상)의 값을 나타낼 때까지 꾸준히 증가했다. 높은 T_c값이 고압의 재료에서 빙점에 접근한다는 최근 연구결과는 더욱 경제적인 '상온 초전도'에 대한 희망을 새롭게 일깨워준다.

진행되었음에도 불구하고, 1993년 Tl을 Hg로 대치하여 133 K의 T_c를 얻기까지 5년 동안 127 K의 기록은 깨지지 않았다. 매우 높은 압력(예: 235,000 atm)하에서 이 물질의 T_c를 150 K 정도까지 높일 수 있다고 최근 연구에서 보고된 바 있다. 이러한 실험 환경의 비현실성, Tl과 Hg의 독성 때문에 $YBa_2Cu_3O_7$은 고온 T_c 물질 중에서 가장 많이 연구되었다. 그럼에도 불구하고 일부 물질의 고압하의 T_c 증가 능력은 상온 초전도라는 궁극적인 목표에 접근하기 위한 지속적인 과학적 탐구로 이어졌다. 그림 13.17과 같이 황화수소의 고압 형태는 T_c가 200 K 이상으로 증가했고, 고압하의 수산화란탄은 250 K에 도달했다. 이러한 성과는 '상온초전도'라고 불릴 수 있는 한계점인 빙점(273 K)에 가까워지고 있다. 이러한 재료를 적당한 압력 수준에서 생산할 수 있다면 전력망, 데이터 전송, 전기 모터와 같은 다양한 응용에서 극적인 개선이 뒤따를 수 있다.

$YBa_2Cu_3O_7$ 세라믹 초전도체의 비저항은 그림 13.18에 나타나 있다. 이미 서술했던 금속 초전도체의 특성을 확장해보면, 상당히 높은 T_c를 갖는 이 물질에서 비저항의 갑작스런 감소 영역이 좀 더 넓어졌다(≈ 5 K)는 것이 관심을 끈다. 또한 전도성이 떨어지는 금속이 초전도성을 나타내는 것처럼 전도성이 훨씬 나쁜 세라믹 산화물이 더 높은 온도까지 초전도성을 나타낼 가능성도 있다.

$YBa_2Cu_3O_7$의 단위정이 그림 13.19(a)에 나와 있다. 이 물질은 세 금속 이온의 첨자를 따서 **1-2-3 초전도체**(1-2-3 superconductor)라고도 한다. 비록 이 초전도체의 구조가 상당히 복잡해 보이나 그림 13.19(b)의 $CaTiO_3$ 페로브스카이트(perovskite) 구조와 상당히 가깝다. 간단한 페로브스카이트에서는 산소 이온 3개당 2개의 금속 이온 비를 가진다. 1-2-3 초전도체에서는 7개의 산소 이온당 6개의 금속 이온 비를 가지며, 부족한 2개의 산소 이온은 페로브스카이트 배열의 작은 뒤틀림(distortion)에 의해 수용된다. 사실 그림 13.19(a)의 단위정은 아래와 위의 단위정 중앙에 각각

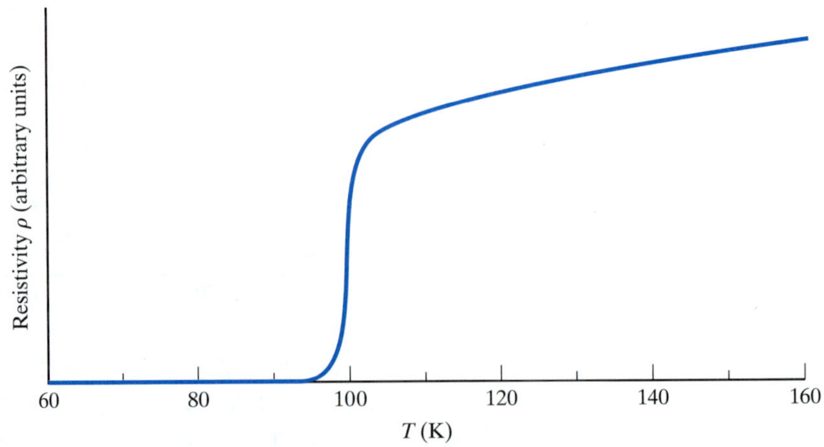

그림 13.18 온도에 따른 $YBa_2Cu_3O_7$의 비저항. $T_c \approx 95$ K를 나타낸다.

1개의 Ba^{2+} 이온과 가운데 단위정의 중심에 1개의 Y^{3+} 이온을 가지는 3개의 변형된 페로브스카이트 단위정과 등가인 것으로 생각할 수 있다. 이 페로브스카이트와 유사한 부단위정 사이의 경계면은 구리와 산소 이온의 변형된 층이다. 그림 13.19(a)의 단위정에서 양이온과 음이온 사이의 전하 균형을 세밀하게 분석하면 전하 중성도를 맞추기 위해 3개의 구리 이온 중 하나는 다른 두 양이온이 2^+라는 통상의 값을 가지는 반면에 3^+라는 특이한 가전자를 가져야 한다는 것을 알 수 있다. 단위정은 사방정계(orthorhombic)이다. 정방정계(tetragonal)의 단위정을 갖고 화학적으로 위와 등가인 재료는 초전도성을 나타내지 않는다. 비록 앞의 그림 13.19(a)의 구조가 이 책에서 가장 복잡한 구조 중 하나이지만, 여전히 약간 이상적으로 표현한 것이다. 실제로 1-2-3 초전도체는 $YBa_2Cu_3O_7{-}x(x \approx 0.1)$의 미소한 비화학양론적(nonstoichiometry) 조성을 가진다.

초전도체의 이론적인 모델링은 상당히 발전해왔다. 통상적인 도체에서 비저항의 원인이 되는 격자 진동이 역설적으로 금속에서 초전도성의 근원이다. 충분히 낮은 온도에서는 규칙 효과(ordering effect)가 원자와 전자 사이에서 발생한다. 특히 규칙 효과는 격자 내 원자 진동과 전도 전자의 파동적 운동(반대 스핀의 쌍과 연관된) 사이의 동시성(synchronization)이다. 이러한 협동적 운동은 비저항의 완전한 손실을 일으킨다. 격자-전자 규칙성의 본질은 금속에서 전통적으로 낮은 T_c를 설명한다. 비록 고온 초전도체의 초전도성 역시 전자쌍에 관계되지만 전도 기구의 본질이

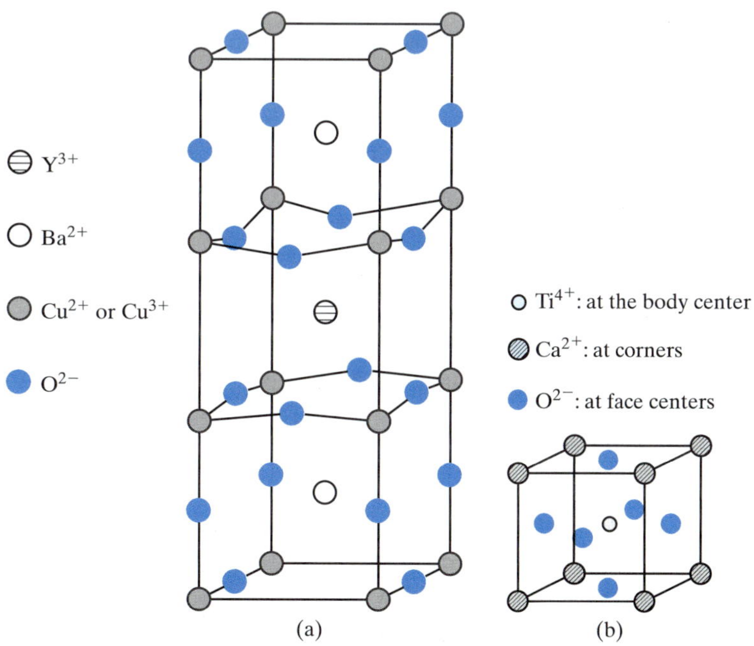

그림 13.19 (a) $YBa_2Cu_3O_7$의 단위정은 (b) $CaTiO_3$에서 보여주는 형태의 3개의 변형된 페로브스카이트 단위정과 비슷하다.

완전히 이해되지 못하고 있다. 특히 전자쌍 형성(electron pairing)은 격자 진동과의 동시성이라는 형태가 원인이 되는 것 같지는 않다. 분명한 것은 구리-산소 면[그림 13.19(a)]이 초전도 전류의 통로라는 것이다. 1-2-3 초전도체에서 전류는 정공에 의해 전달된다. 정공이 아닌 전자에 의해 전류가 전달되는 다른 세라믹 산화물이 개발되어왔다.

전류가 전자에 의해 전달되든 정공에 의하든 T_c의 급격한 증가로 생긴 초전도체의 전망은 다른 중요한 재료 인자, 말하자면 재료의 초전도성이 없어질 때의 전류로 정의되는 **임계 전류 밀도**(critical current density)의 벽에 부딪혔다. 대규모 입자가속기의 자석과 같은 것에 적용되는 금속 초전도체는 10^{10} A/m^2 단위의 임계 전류 밀도를 갖는다. 세라믹 초전도체 박막에서 이러한 크기의 임계 전류 밀도를 갖지만, 부피가 큰 시편은 그 크기의 1/100 정도의 값을 갖는다. 역설적으로, 전류 밀도의 제한은 T_c값이 증가할수록 더 심해지고 있다. 이러한 문제는 전류와 유동 자력선속(mobile magnetic flux line) 사이의 상호작용으로 유효 저항을 생성하면서 재료 내부로 주위 자장이 통과하는 것에 의해 발생한다. 자력선속이 낮은 온도에서는 움직이지 않기 때문에 이 문제는 금속 초전도체에서는 존재하지 않는다. 77 K보다 높은 중요 온도 영역에서 이 효과가 커지며 온도가 증가함에 따라 더 증가된다. 결과적으로 1-2-3 재료에서 발견된 것보다 훨씬 더 큰 T_c값이 별 이점이 없는 것으로 보이며, 자력선속의 고정은 박막 형태 혹은 미세 구조적 제어라는 어떤 특별한 형태를 필요로 한다.

만약 임계 밀도의 한계가 도전해야 할 재료과학 연구의 난제라고 생각한다면, 상대적으로 복잡하고 취성을 가진(brittle) 세라믹 복합체를 유용한 제품 형태로 제작하는 것은 재료공학에서 풀어야 할 도전과제임이 분명하다. 구조 재료로서 세라믹 재료의 성질을 언급했던 6.1절에서 나타났던 문제들이 여기서도 문제가 된다. 박막 소자 응용, 전선, 솔레노이드로의 응용을 위한 작은 지름의 전선 생산 등 고온 초전도체의 초기 상업화에서 전류 밀도에 의한 제약과 마찬가지로 재료 공정의 난제를 해결하려는 노력이 집중되고 있다. 전선 생산에는 일반적으로 1-2-3 초전도체 입자에 금속 은(metallic silver)을 첨가하는 것이 포함된다. 이러한 복합체는 뚜렷한 초전도 현상의 희생 없어도 적절한 기계적 성능을 가진다.

송전을 위해 대규모 초전도체의 개발은 매우 중요하다. 액체 질소를 이용하여 냉각된 초전도체 전선이 오일로 냉각된 구리선을 대체하면 전기 수송 능력을 5배 정도 올릴 수 있으며, 이는 경제적, 환경적으로 명백한 이점이 있다. 연구개발 노력은 현재 진행 중이다.

한편 초전도체의 첫 번째 중요한 상업적 응용의 하나가 휴대전화 기지국에 쓰이는 필터 재료로 박막을 사용하는 것이었다. 전형적인 구리-금속계 기술과 비교하여 초전도 필터는 기지국 범위를 증가시킬 수 있고, 채널 간섭을 줄일 수 있으며, 끊김 현상을 감소시킬 수 있다. 초전도체의 다른 응용 분야는 금속과 세라믹 초전도체 모두 일반적으로 그것의 자기적 거동과 관련되어 있고 여기에 대해서는 14장에서 더 다룰 것이다.

고온 초전도체가 반도체만큼의 기술적 혁신을 이룰지는 모르지만, 1980년대 후반에 개발된 새로운 고온 T_c 재료 개발의 비약적 발전은 트랜지스터 개발 이래 재료 공학에서 가장 흥미로운 발전의 하나로 여전히 꼽히고 있다.

예제 13.7

200°C에서 금의 전기 전도도를 계산하시오.

풀이

식 (13.9)와 표 13.2로부터

$$\begin{aligned}\rho &= \rho_{\text{rt}}[1 + \alpha(T - T_{\text{rt}})] \\ &= (24.4 \times 10^{-9}\ \Omega \cdot \text{m})[1 + 0.0034°\text{C}^{-1}(200 - 20)°\text{C}] \\ &= 39.3 \times 10^{-9}\ \Omega \cdot \text{m}\end{aligned}$$

식 (13.3)에서

$$\begin{aligned}\sigma &= \frac{1}{\rho} \\ &= \frac{1}{39.3 \times 10^{-9}\ \Omega \cdot \text{m}} \\ &= 25.4 \times 10^{6}\ \Omega^{-1} \cdot \text{m}^{-1}\end{aligned}$$

예제 13.8

100°C에서 Cu-0.1 wt % Si 합금의 비저항을 산출하시오.

풀이

온도와 조성의 영향이 각각 독립적이고, 순수 구리의 비저항 온도 계수가 Cu-0.1 wt % Si에도 매우 근사하다고 가정하면 다음과 같이 쓸 수 있다.

$$\rho_{100°\text{C, Cu}-0.1\ \text{Si}} = \rho_{20°\text{C, Cu}-0.1\ \text{Si}}[1 + \alpha(T - T_{\text{rt}})]$$

그림 13.12로부터

$$\rho_{20°\text{C, Cu}-0.1\ \text{Si}} \simeq 23.6 \times 10^{-9}\ \Omega \cdot \text{m}$$

그러면

$$\begin{aligned}\rho_{100°\text{C, Cu}-0.1\ \text{Si}} &= (23.6 \times 10^{-9}\ \Omega \cdot \text{m})[1 + 0.00393°\text{C}^{-1}(100 - 20)°\text{C}] \\ &= 31.0 \times 10^{-9}\ \Omega \cdot \text{m}\end{aligned}$$

주: 합금의 비저항 온도 계수가 순수한 금속의 값과 같다는 가정은 일반적으로 합금 첨가량이 적을 때에만 유효하다.

예제 13.9

chromel/constantan 열전대가 열처리 노의 온도를 조절하는 데 사용되고 있다. 얼음물 욕조에 대한 출력 전압이 60 mV이다.

(a) 노 안의 온도는 얼마인가?

(b) chromel/alumel 열전대에서 (얼음물 욕조에 대한)출력 전압은 얼마인가?

풀이

(a) 표 13.3은 chromel/constantan 열전대가 'E 타입'임을 보여준다. 그림 13.15는 E 타입 열전대가 800°C에서 60 mV의 출력 전압을 가짐을 보여준다.

(b) 표 13.3은 chromel/alumel 열전대가 'K 타입'임을 보여준다. 그림 13.15에서 K 타입 열전대가 800°C에서 33 mV의 출력 전압을 가짐을 보여준다.

예제 13.10

$YBa_2Cu_3O_7$ 초전도체가 두께 1 μm × 폭 1 mm × 길이 10 mm의 박막으로 제작되었다. 77 K에서 길이 방향으로 17 A의 전류가 흐를 때 초전도성을 잃어버린다. 이 박막의 임계 전류 밀도는 얼마인가?

풀이

단면적당 전류는

$$\text{임계 전류 밀도} = \frac{17\text{ A}}{(1 \times 10^{-6}\text{ m})(1 \times 10^{-3}\text{ m})}$$
$$= 1.7 \times 10^{10}\text{ A/m}^2$$

연습문제 13.7

200°C에서 (a) 구리(어닐링된 표준)와 (b) 텅스텐의 전기 전도도를 구하시오(예제 13.7 참고).

연습문제 13.8

200°C에서 구리-0.06 wt % 인(phosphorus) 합금의 비저항을 구하시오(예제 13.8 참고).

연습문제 13.9

예제 13.9에서 800°C에 대한 K 타입 열전대의 출력을 구했다. Pt/90 Pt-10 Rh 열전대의 출력은 얼마인가?

연습문제 13.10

예제 13.10의 1-2-3 초전도체를 5 mm × 5 mm × 20 mm 형태의 시편으로 만들 때 길이 방향으로의 전류가 3.25×10^3 A에서 초전도성이 사라졌다. 이 경우 임계 전류 밀도는 얼마인가?

13.4 절연체

절연체(insulator)는 낮은 전기 전도도를 갖는 물질이다. 표 13.1은 대략 10^{-10}~10^{-15} $\Omega^{-1} \cdot m^{-1}$ 범위의 값을 갖는 전형적인 절연체의 전기 전도도 크기를 보여준다. 대략 10^{20} 정도의 급격한 전기 전도도의 감소(전형적인 금속에 비교하여)는 2 eV 이상(금속의 경우 0과 비교하여)의 에너지대 간격을 갖는 결과이다. 이러한 낮은 전기 전도도의 물질이 전자 산업에서 중요한 역할을 담당하고 있다는 사실을 주목해야 한다. 예를 들어 전 세계 세라믹 시장의 80% 정도가 이 범주에 속하며, 11장에서 다루었던 구조 세라믹이 나머지 20% 정도를 차지한다. 전자 세라믹 물질의 주요 산업적 용도는 그것이 가진 자기적 특성에 기초한 여러 응용 분야를 포함한다. 흔한 예로 변압기 코어와 스피커에 사용되는 라디오 자석을 들 수 있으며, 14장에 더 논의한다.

금속에 대한 식 (13.8)에 필적하는 절연체에 대한 전기 전도도 방정식을 얻기 위해 식 (13.6)의 방정식을 다시 쓰는 것은 단순하지가 않다. 분명히 전자 운반자의 밀도 n_e는 넓은 에너지대 간격 때문에 매우 작다. 많은 경우에 절연체의 낮은 전기 전도도 값은 에너지대 간격을 뛰어넘는 열적 여기의 결과가 아니다. 대신 그것은 재료 내 불순물과 관계된 전자 때문일 것이다. 또한 이온 운송(예: NaCl에서의 Na^+)으로부터 기인할 수도 있다. 따라서 식 (13.6)의 특별한 형태는 관련되어 있는 특별한 전하 운반자에 의존하게 된다.

그림 13.20은 평행판 **커패시터**(capacitor)라는 전형적인 절연체 또는 **유전체**(dielectric)의 응용에서 전하 축적의 성질을 보여준다. 원자 크기에서 볼 때 이러한 전하 축적은 유전체 내부 전기 쌍극자의 정렬에 기인한다. 이 개념은 강 유전체 및 압전체와 관련하여 자세히 설명할 것이다. **전하 밀도**(charge density) D(C/m^2 단위)가 발생되고, 이 크기는 전기장의 세기 E(V/m 단위)에 비례하는 값이다.

$$D = \epsilon E \tag{13.11}$$

여기서 비례 상수 ϵ을 유전체의 **유전율**(electric permittivity)이라고 하며 $C/(V \cdot m)$의 단위를 갖는다. 그림 13.20에서 평행판 사이가 진공 상태라면 전하 밀도는

$$D = \epsilon_0 E \tag{13.12}$$

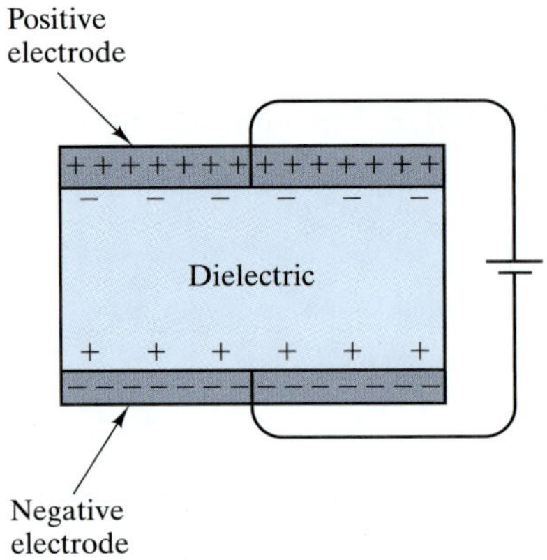

그림 13.20 평행판 커패시터는 2개의 금속 전극 사이에 절연체 또는 유전체가 채워진 형태이다. 커패시터 표면에 축적된 전하 밀도는 식 (13.13)에 의해 표현되는 재료의 유전 상수와 관계된다.

이다. 여기서 ϵ_0는 진공의 유전율이며 8.854×10^{-12} C/(V·m)의 값을 갖는다. 일반적인 유전체에 대해 식 (13.11)을

$$D = \epsilon_0 \kappa E \tag{13.13}$$

으로 다시 쓸 수 있으며, κ는 상대 유전율, 상대적 유전 상수 또는 더 일반적으로 **유전 상수**(dielectric constant)라고 하는, 단위가 없는 물질 상수이다. 이 값은 그림 13.20의 계에서 진공 대신 유전체를 끼워 넣음으로써 축전량의 증가하는 정도를 나타내는 요소이다. 주어진 유전체에는 아주 큰 전류 흐름(또는 breakdown 상태)이 발생하는 **유전 강도**(dielectric strength)라고 명명된 한계 전압 기울기가 존재하고 이때 유전체는 못쓰게 된다. 표 13.4에 각종 유전체의 대표적인 유전 상수 값과 유전 강도 값을 나타냈다.

표 13.4 몇 가지 절연체의 유전 상수와 유전 강도

Material	Dielectric constant,[a] κ	Dielectric strength (kV/mm)
Al_2O_3 (99.9%)	10.1	9.1[b]
Al_2O_3 (99.5%)	9.8	9.5[b]
BeO (99.5%)	6.7	10.2[b]
Cordierite	4.1–5.3	2.4–7.9[b]
Nylon 66-reinforced with 33% glass fibers (dry-as-molded)	3.7	20.5
Nylon 66-reinforced with 33% glass fibers (50% relative humidity)	7.8	17.3
Acetal (50% relative humidity)	3.7	19.7
Polyester	3.6	21.7

[a] 10^3 Hz에서.
[b] 60 Hz에서의 평균 RMS값.
출처: Data from *Ceramic Source '86*, American Ceramic Society, Columbus, OH, 1985, and *Design Handbook for DuPont Engineering Plastics*.

강유전체

이제 약간은 독특하고 유용한 전기적 성질을 갖는 절연체로 관심을 돌려보자. 이 논의를 대표적인 세라믹 재료인 티타늄산 바륨(barium titanate, $BaTiO_3$)에 집중하자. 결정 구조는 그림 13.19(b)에 보이는 ($CaTiO_3$의 경우처럼) 페로브스카이트 형태를 갖는다. $BaTiO_3$의 경우 그림 13.19(b)에 보이는 입방정 구조는 120°C 이상에서 발견된다. 120°C 바로 아래로 냉각시킬 때 $BaTiO_3$는 정방정 변조(그림 13.21)로 상변태를 일으킨다. 상변태가 일어나는 온도(120°C)를 초전도체에서 불렀던 것과 같은 맥락으로 임계 온도 T_c라고 한다. 이 경우 $BaTiO_3$를 T_c 이하에서 **강유전체**(ferroelectric)라고 한다(즉 자발 분극을 일으킨다). 이러한 조건을 이해하기 위해 $BaTiO_3$의 정방정 상온 구조[그림 13.21(b)]는 비대칭적이라는 점에 주목해야 한다. 결과적으로 단위정 내의 양이온 분포에 대한 양전하 전체의 중심이 음이온 분포에 대한 음전하 전체의 중심과 분리되어 있다. 이 구조는 정방정 단위정(그림 13.22) 내의 영구적인 전기 쌍극자에 해당된다. 그림 13.23은 입방정 물질과 대조적으로 정방

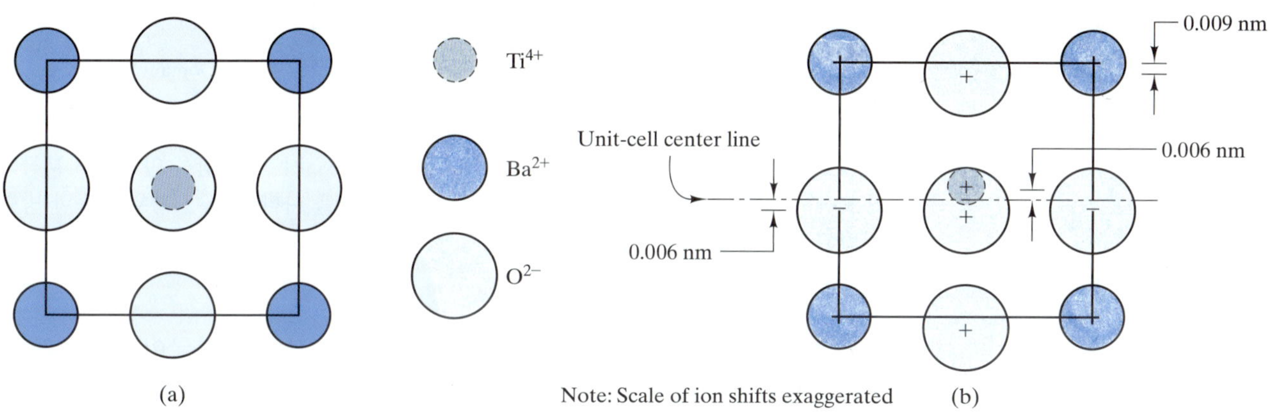

그림 13.21 (a) 입방정 $BaTiO_3$ 구조의 정면도. 이 구조는 그림 13.19(b)에 나타낸 구조와 비교될 수 있다. (b) 120°C 이하에서 구조의 정방정 변형이 발생한다. 최종 결과는 양이온의 위로 이동과 음이온의 아래로 이동이다.

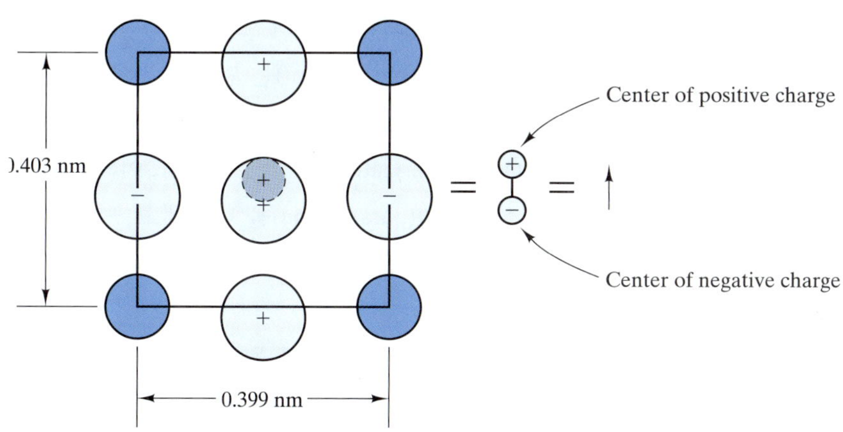

그림 13.22 그림 13.21(b)에 나타낸 정방정 단위정은 (전하와 분극된 거리의 곱과 같은 양을 갖는) 전기적 쌍극자에 해당된다.

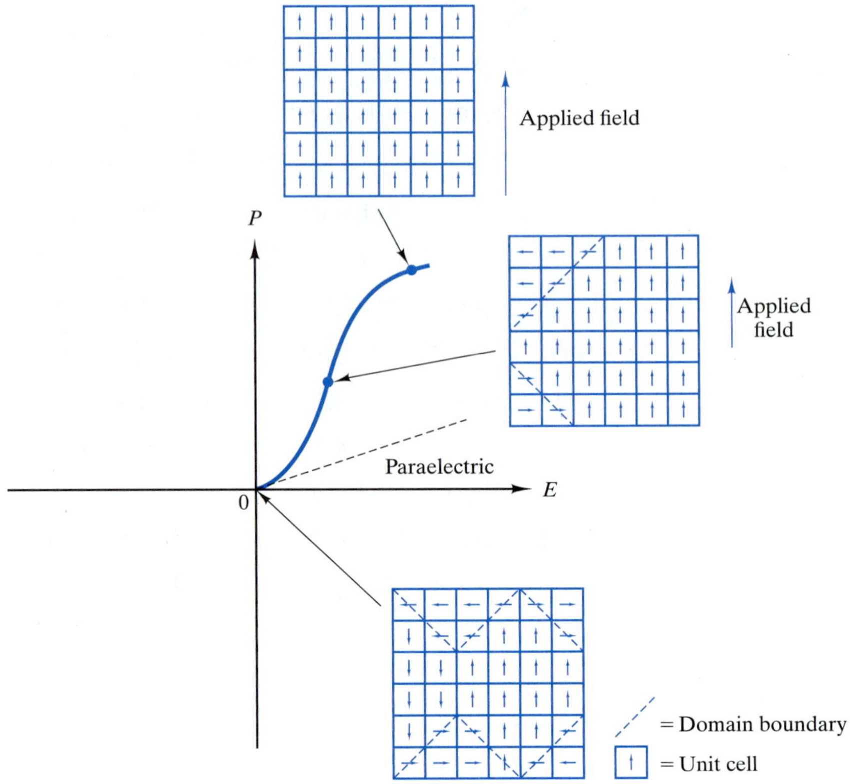

그림 13.23 분극(P)과 인가 전기장(E)의 그림 위에 상유전 재료는 전기장을 인가하면 분극의 수준이 보통 정도이다. 이에 반해 강유전 재료는 자발 분극을 나타내고 이 경우 비슷한 방향으로 정렬된 단위정은 그와 유사한 방향의 전기장을 증가시키면 성장한다.

정 단위정의 쌍극자 구조는 인가 전기장에 반응하여 물질의 큰 분극이 일어나게 한다. 이것이 결정학적 효과와 마찬가지로 미세 구조적 효과로 나타난다.

강유전 재료는 인접한 단위정의 c축이 공통 방향을 갖는 미세한 **도메인**(domain)의 불규칙 방위 때문에 제로 인가 전기장하에서도 제로 분극을 가질 수 있다. 전기장 인가 시 인가된 전기장 방향으로 대략 평행한 단위정 쌍극자 방위가 선호된다. 이 경우 그러한 방위를 갖는 도메인은 다른 덜 선호되는 방위의 도메인을 차지하며 '성장'한다. 도메인 벽 움직임의 특별한 작용 원리(mechanism)는 단순히 단위정 내 이온의 위치가 조금 이동해서 정방정의 c축 방향의 변화를 유발하는 것이다. 그러한 도메인 벽의 이동은 **자발 분극**(spontaneous polarization)을 발생시킨다. 이와는 대조적으로 대칭적 단위정을 갖는 물질은 **상유전성**(paraelectric)을 나타내고, 인가된 전기장(혹은 전계)이 미세하게 유도된 쌍극자(양이온이 음극으로 약간 끌리고 음이온은 양극으로 끌림)를 발생시킬 때 가능해진다.

그림 13.24는 전기장이 반복적으로 순환(즉 교류가 인가)될 때 초래되는 **이력곡선**(hysteresis loop)을 요약한 것이다. 전기장에 대한 분극의 변화 그래프는 명백하

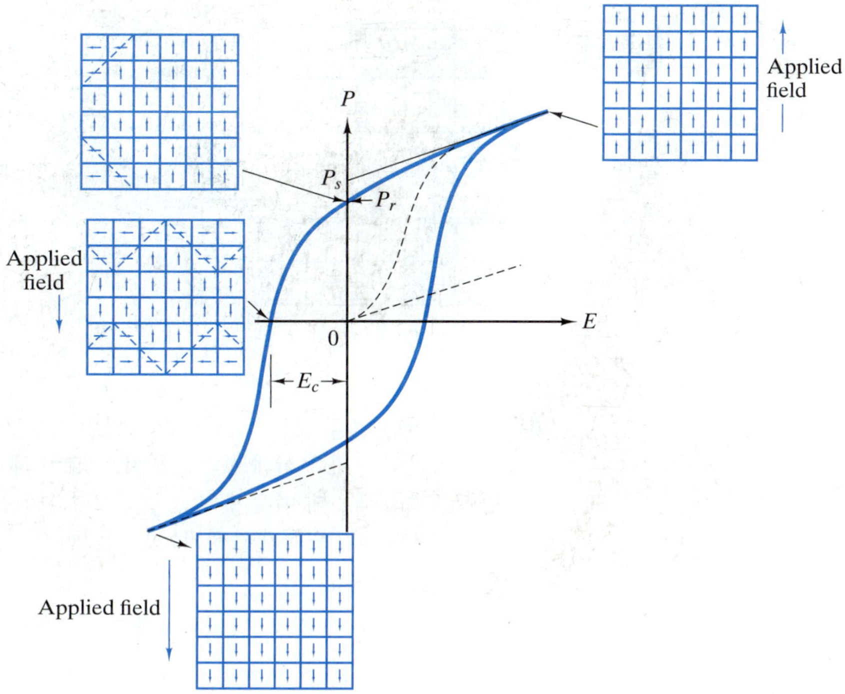

그림 13.24 강유전 이력곡선은 교류 전기장의 인가로 생긴 것이다. 점선은 그림 13.23에 나타낸 초기 자발 분극을 나타낸다. 포화 분극(P_s)은 최대 도메인 성장의 결과(제로 전기장으로 외삽되는)이다. 실제적으로 전기장을 제거하면 약간의 잔류 분극(P_r)이 남는다. 보전력(E_c)은 제로 분극(반대되는 도메인이 같은 부피)에 도달하기 위해 요구된다.

게 가역적이지 않다. 몇몇 주요 변수가 이력곡선을 정량화한다. **포화 분극**(saturation polarization) P_s는 최대 도메인 성장에 의한 분극이다. P_s는 도메인의 재정렬에 기인하지 않는 유도 분극을 교정하기 위해 제로 전기장($E = 0$)으로 외삽된다는 점에 유의하라. **잔류 분극**(remanent polarization) P_r는 실제 전기장이 제거될 때에도 남아 있는 분극을 나타낸다. 그림 13.24에 보인 것처럼 E를 0으로 감소시켜도 같은 양의 반대 방향 분극을 갖는 도메인 구조로 돌아오지 않는다. 이런 결과를 얻으려면 전기장을 E_c[**보자력**(coercive field)] 수준으로 반전시키는 것이 필요하다. 이것이 강유전성이라는 이름을 갖게 하는 특징적인 이력곡선이다. Ferro-는 물론 철을 함유한 소재와 관련된 접두사이다. 그러나 그림 13.24에 있는 P-E 곡선의 성질은 강자성체(예: 그림 14.24)의 자기 유도(B)-자기장(H) 그래프와 매우 유사하다. 강자성 재료는 일반적으로 철을 함유하고 있다. 강유전체는 유사한 이력곡선을 가지기 때문에 붙여진 이름이고 철을 주요 구성성분으로 거의 포함하지 않는다.

압전체

강유전성이 흥미로운 현상이기는 하지만, 강자성 재료가 보이는 실제적인 중요성

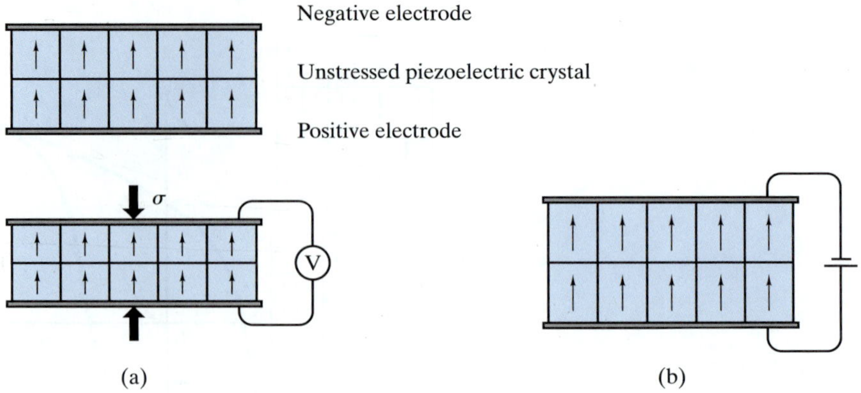

그림 13.25 압전 변환기의 모식도를 이용하면 다음을 알 수 있다. (a) 압전성 결정 내 단위정의 크기가 가해진 응력에 의해 변하게 되고, 그로 인해 전기 쌍극자가 바뀌게 된다. 그 결과 전압의 변화가 측정되는데 이것이 압전 현상이다. (b) 이와 반대로 전압을 인가하면 쌍극자가 변화하여 결정의 크기 변화가 측정되는데 이것이 역압전 현상이다.

(정보의 자기 기록과 같은 영역)을 갖지 않는다. 강유전체의 거의 모든 응용은 매우 밀접한 현상인 **압전성**(piezoelectricity)으로부터 비롯된다. 접두사 piezo-는 압력을 뜻하는 그리스어에서 유래한 것이다. 압전 재료는 기계적 압력을 가할 때 전기적 반응을 보인다. 반대로 전기적 신호는 압전 재료를 압력 발생기로 만들 수 있다. 전기적 에너지를 기계적 에너지로 또는 그 반대로 변환하는 이러한 능력은 일반적으로 한 형태에서 다른 형태의 에너지로 바꾸어주는 장치인 **변환기**(transducer)의 좋은 예이다. 그림 13.25는 압전 변환기의 동작을 보여준다. 그림 13.25(a)는 특히 응력이 가해졌을 때 측정 가능한 전압의 변화가 발생하는 **압전 현상**(piezoelectric effect)을 보여준다. 그림 13.25(b)는 가해진 전압이 압전 재료의 분극의 크기를 바꾸고 결과적으로 압전체의 두께를 변화시키는 **역압전 현상**(reverse piezoelectric effect)을 보여준다. 두께의 변화를 제한하면(예: 압전체를 어떠한 물체로 눌러) 인가한 전압이 기계적 응력을 발생시킨다. 그림 13.25로부터 압전 변환기의 작동은 인접한 단위정의 분극의 공통 방향에 의존한다는 것을 명백히 알 수 있다. 이러한 분극 방향을 확보하는 간단한 방법은 단결정 변환기를 쓰는 것이다. 단결정 석영(SiO_2)은 흔한 예이며 제2차 세계대전 직후 널리 사용되었다. $BaTiO_3$는 SiO_2보다 높은 **압전 결합 계수**(piezoelectric coupling coefficient) k(= 기계적 에너지가 전기적 에너지로 변환되는 비율)를 갖는다. $BaTiO_3$의 k는 대략 0.5이고 석영은 0.1이다. 하지만 $BaTiO_3$는 단결정 형태로 쉽게 제조할 수가 없다. $BaTiO_3$를 압전 변환기로 사용하기 위해서 의사단결정(pseudo-single crystal) 형태가 제조된다. 이 과정에서 $BaTiO_3$의 고운 분말 입자가 강한 전기장 내에서 단결정의 형태로 배열되고 소결 과정을 통해 단단하게 굳는다. 이렇게 얻어진 단결정의 결정 배열을 갖는 다결정체는 **전기적으로 극화**(electrically poled)되었다고 한다. 이 제조 공정 덕분에 $BaTiO_3$는 1950년대에 압전

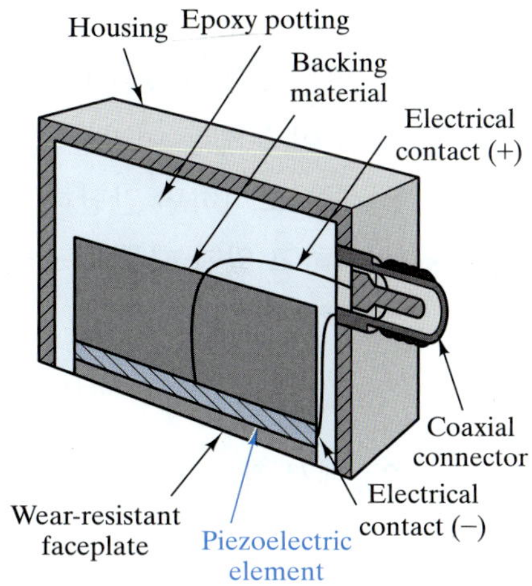

그림 13.26 압전 재료의 통상적인 응용이 초음파 변환기이다. 이 단면도에서 압전성의 결정(또는 '원소')은 편리한 덮개로 감싸진다. 뒷면 재료의 제약으로 앞면 판이 검사받는 고체에 의해 눌릴 때 역압전 현상[그림 13.25(b)]으로 인해 압력을 발생시킨다. 변환기가 이와 같은 방식(초음파 송신기)으로 작동될 때 AC 전기 신호(보통 메가헤르츠 영역)가 그와 동일한 주파수의 초음파(탄성파) 신호를 발생시킨다. 변환기가 초음파 수신기로 작동할 때에는 압전 현상[그림 13.25(a)]이 적용된다. 그러한 경우 면판으로 전파되는 고주파수 탄성파가 같은 주파수의 전압 진동을 발생시킨다. (From *Metals Handbook*, 8th ed., Vol. 11, American Society for Metals, Metals Park, OH, 1976.)

변환기의 재료로 가장 널리 쓰이게 되었다. $BaTiO_3$가 아직도 널리 쓰이기는 하지만 1960년대부터 $PbTiO_3$와 $PbZrO_3$의 고용체[$Pb(Ti, Zr)O_3$ 또는 PZT]가 좀 더 널리 쓰이게 되었다. 이러한 변화의 가장 큰 이유는 상당히 높은 임계 온도인 T_c 때문이다. 앞에서도 언급했듯이, $BaTiO_3$의 T_c는 120°C이다. 다양한 $PbTiO_3/PbZrO_3$ 고용체가 200°C 이상의 T_c값을 가질 수 있다.

마지막으로 그림 13.26은 초음파 송신기 및 수신기로 이용되는 압전 변환기의 전형적인 설계를 나타낸다. 이런 통상의 응용에서는 메가헤르츠 대역의 전기적 신호(전압 발진)가 같은 주파수 대역의 초음파를 생성하거나 감지한다.

예제 13.11

$BaTiO_3$ 내의 분극 성질은 전하 Q와 분리 거리 d로 정의되는 쌍극자 모멘트라는 개념을 사용하여 정량화할 수 있다.

(a) 정방정계 $BaTiO_3$ 단위정의 쌍극자 모멘트를 구하시오.
(b) 입방정계 $BaTiO_3$ 단위정의 쌍극자 모멘트를 구하시오.

풀이

(a) 그림 13.21(b)를 참조하여 단위정의 중단면(그림에서 가운데에 있는 선)에 관해

모든 쌍극자 모멘트의 합을 계산할 수 있다. ΣQd를 구하는 간단한 방법은 각 이온 또는 그것의 중단면과 관련된 분율의 Qd의 곱을 계산하여 합하는 것이다. 하지만 이 문제는 이러한 합이 이온의 상대적인 이동에 의한 알짜 값을 가진다는 사실을 고려하면 간단해진다. 예를 들어 Ba^{2+} 이온은 단위정 내에 대칭적으로 위치하고 있기 때문에 고려할 필요가 없다. Ti^{4+} 이온은 위쪽으로 0.006 nm만큼 이동하게 된다.

$$Ti^{4+}\text{ 모멘트} = (+4q)\,(+0.006\text{ nm})$$

2장에서 정의한 q의 단위 전하($= 0.16 \times 10^{-18}$ C)

$$\begin{aligned} Ti^{4+}\text{ 모멘트} &= (1\text{이온})(+4 \times 0.16 \times 10^{-18}\text{ C/이온}) \\ &\quad (+6 \times 10^{-3}\text{ nm})(10^{-9}\text{ m/nm}) \\ &= +3.84 \times 10^{-30}\text{ C}\cdot\text{m.} \end{aligned}$$

그림 13.1(b)에 나타낸 페로브스카이트 단위정의 $BaTiO_3$에서 2/3에 해당하는 O^{2-} 이온은 (아래쪽으로 0.006 nm 이동한) 중단면의 위치에 놓여 있다.

$$\begin{aligned} O^{2-}\text{ (중단면) 모멘트} &= (2\text{이온})(-2 \times 0.16 \times 10^{-18}\text{ C/이온}) \\ &\quad (-6 \times 10^{-3}\text{ nm})(10^{-9}\text{ m/nm}) \\ &= +3.84 \times 10^{-30}\text{ C}\cdot\text{m.} \end{aligned}$$

남은 O^{2-} 이온은 아래쪽으로 0.009 nm 이동한 기초 위치에 놓여 있다.

$$\begin{aligned} O^{2-}\text{ (기초 위치) 모멘트} &= (1\text{이온})(-2 \times 0.16 \times 10^{-18}\text{ C/이온}) \\ &\quad (-9 \times 10^{-3}\text{ nm})(10^{-9}\text{ m/nm}) \\ &= +2.88 \times 10^{-30}\text{ C}\cdot\text{m.} \end{aligned}$$

따라서

$$\begin{aligned} \sum Qd &= (3.84 + 3.84 + 2.88) \times 10^{-30}\text{ C}\cdot\text{m} \\ &= 10.56 \times 10^{-30}\text{ C}\cdot\text{m} \end{aligned}$$

(b) 입방정계 $BaTiO_3$[그림 13.21(a)]에서는 이동이 없다.

$$\sum Qd = 0$$

예제 13.12

강유전성의 분극은 쌍극자 모멘트의 밀도로 정의된다. 정방정계 $BaTiO_3$의 분극을 계산하시오.

풀이

예제 13.11(a)의 결과와 그림 13.22의 단위정을 이용하면 다음을 얻는다.

$$P = \frac{\sum Qd}{V}$$

$$= \frac{10.56 \times 10^{-30}\ \text{C} \cdot \text{m}}{(0.403 \times 10^{-9}\ \text{m})(0.399 \times 10^{-9}\ \text{m})^2}$$

$$= 0.165\ \text{C/m}^2$$

연습문제 13.11

예제 13.11의 결과를 이용하여 초음파 변환기에 사용되는 두께 2 mm × 지름 2 cm의 원반 모양 $BaTiO_3$의 총 쌍극자 모멘트를 구하시오.

연습문제 13.12

$BaTiO_3$ 단위정의 고유 분극은 예제 13.12에서 계산했다. 전기장하에서 단위정의 분극은 0.180 C/m^{2}까지 증가한다. 이 단위정의 기하학적 구조를 계산하고, 결과를 설명하기 위해 그림 13.21(b)와 13.22에 나타낸 것과 유사한 도식을 이용하시오.

13.5 반도체

도체와 절연체의 중간 정도의 전도도를 갖는 물질을 **반도체**(semiconductors)라고 한다. 표 13.1에서 반도체의 전기 전도도는 10^{-4}~10^{+4} $\Omega^{-1} \cdot \text{m}^{-1}$ 범위에 속한다. 이러한 중간 크기의 범위는 2 eV보다 작은 에너지대 간격에 해당한다. 그림 13.9에 나타낸 바와 같이 전자와 정공이 모두 단순한 반도체의 전하 운반자이다. 그림 13.9의 순수한 실리콘의 예에서는 전도 전자의 수와 정공의 수가 같다. 이러한 형태의 순수하고, 단원소로 이루어진 반도체를 **진성 반도체**(intrinsic semiconduction)라고 한다.

진성 반도체의 경우에는 일반 전기 전도도 방정식[식 (13.6)]을 진성 반도체의 경우에 대한 특별한 형태로 변형시킬 수 있다.

$$\sigma = nq(\mu_e + \mu_h) \tag{13.14}$$

여기서 n은 전도 전자의 밀도(= 정공의 밀도), q는 전자의 전하량(= 정공의 전하량 = 0.16×10^{-18} C), μ_e는 **전도 전자**(conduction electron)의 이동도, μ_h는 정공의 이동도이다. 표 13.5는 몇 가지 종류의 대표적인 μ_e와 μ_h값을 에너지대 간격(E_g)과 상온에서의 운반자 밀도와 함께 보여준다. 이동도 데이터를 살펴보면 μ_e가 μ_h보다 일관되게 큰(때로는 아주 큰) 값을 보인다. 가전대에서 정공의 전도는 상대적인 개념

표 13.5 상온(300 K)에서 몇 가지 일반적인 반도체의 성질

Material	Energy gap, E_g (eV)	Electron mobility μ_e [m²/(V·s)]	Hole mobility, μ_h [m²/(V·s)]	Carrier density, $n_e(=n_h)(m^{-3})$
Si	1.107	0.140	0.038	14×10^{15}
Ge	0.66	0.364	0.190	23×10^{18}
CdS	2.59[a]	0.034	0.0018	—
GaAs	1.47	0.720	0.020	1.4×10^{12}
InSb	0.17	8.00	0.045	13.5×10^{21}

[a] 이 수치는 반도체를 정의하는 데 필요한 2 eV의 한계점보다 크다. 이러한 수치는 약간 임의적이다. 추가로 대부분의 상업적 소자는 실질적으로 에너지대 간격의 특성을 변화시킬 정도의 불순물 준위를 포함한다.

출처: Data from C. A. Harper, Ed., *Handbook of Materials and Processes for Electronics*, McGraw-Hill Book Company, New York, 1970.

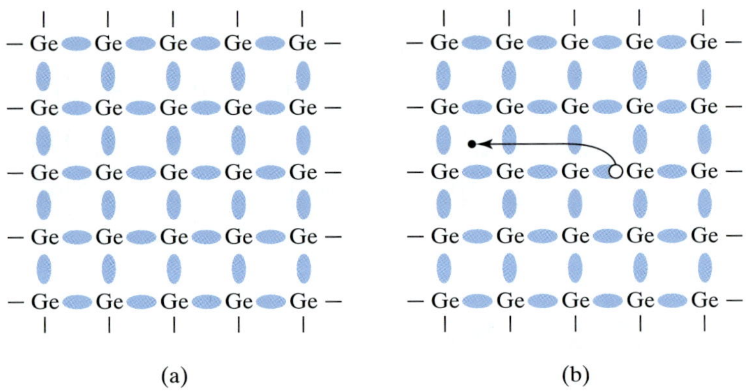

그림 13.27 반도체(예를 들면 게르마늄)의 전도 전자와 정공의 발생. (a) (가전대가 채워진) 원자 간 공유 결합과 연관된 전자의 도식도 (b) (가전대에 있는)정공은 가전대 전자가 (양극을 향해 왼쪽으로 움직이는)전도 전자가 될 때 가전대에 남겨진다. (From L. H. Van Vlack, *Elements of Materials Science and Engineering*, 4th ed., Addison-Wesley Publishing Co., Inc., Reading, MA, 1980.)

이다. 실제로 정공은 원자가 전자와 관련되어서만 존재한다. 즉 하나의 정공은 원자가 전자를 하나 잃는 것이다. 주어진 방향으로 정공이 움직인다는 것은 원자가 전자가 반대 방향으로 움직인다는 것을 나타낸다(그림 13.27). 가전대의 원자가 전자의 협동적 운동(μ_h로 나타낸)은 전도 전자의 운동(μ_e로 나타낸)보다 본질적으로 더 느린 과정이다.

진성, 원소 반도체

13.3절에서 금속 전도체의 전도도는 온도가 증가함에 따라 감소한다는 것을 알았다. 이와 대조적으로, 반도체의 전도도는 온도가 증가함에 따라 증가한다(그림 13.28). 이런 반대 경향에 대한 이유는 그림 13.9를 고려해봄으로써 알 수 있다. 전하

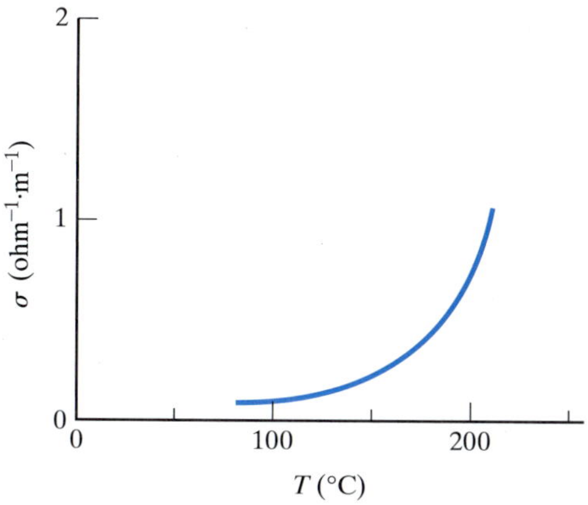

그림 13.28 실리콘 반도체의 온도에 따른 전기 전도도 변화. 그림 13.10에 있는 금속에 대한 거동과 비교해보자. [이 그림은 식 (13.14)와 (13.16)을 이용하여 구한 표 13.5의 데이터를 근거로 한 것이다.]

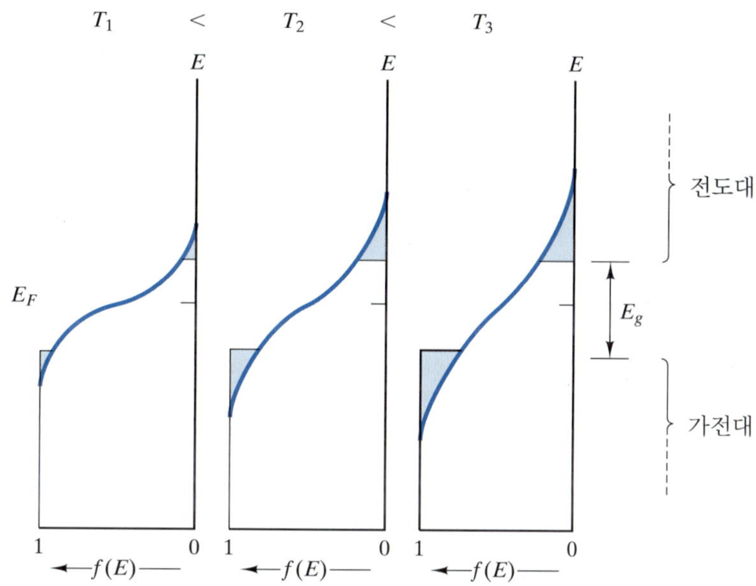

그림 13.29 온도 증가가 어떻게 Fermi 함수 $f(E)$가 전도대 및 가전대와 겹치는 영역을 증가시켜 전하 운반자의 수를 증가시키는지에 대한 도식적 설명(그림 13.9 참고)

운반자의 수는 가전대 및 전도대와 Fermi 함수 곡선의 '꼬리' 부분이 겹치는 정도에 의존한다. 그림 13.29는 온도가 증가함에 따라 Fermi 함수가 확장되면서 더 많은 겹침(즉 더 많은 전하 운반자 생성)이 어떻게 일어나는가를 보여준다. 반도체에서 전도도의 특정 온도에 대한 의존성 $\sigma(T)$는 그림 13.9와 13.29에서 설명되는 것처럼 열적 활성화의 메커니즘을 따른다. 이러한 메커니즘에서 운반자의 밀도는 온도에 따라 지수 함수적으로 증가한다. 즉

$$n \propto e^{-E_g/2kT} \tag{13.15}$$

여기서 E_g는 에너지대 간격, k는 Boltzmann 상수, T는 절대 온도이다. 이것은

Arrhenius 거동의 또 다른 형태이다(5.1절). 여기서 식 (13.15)가 식 (5.1)로 주어지는 일반적인 Arrhenius 식 형태와는 약간 다르다는 데 주목하자. 식 (13.15)의 지수항에 있는 숫자 2의 인자는 열적 여기가 일어나는 전자 하나당 2개의 전하 운반자, 즉 전자-정공 쌍이 생성된다는 사실에 기인한다.

식 (13.14)로 돌아가면 $\sigma(T)$는 n뿐만 아니라 μ_e, μ_h의 온도 의존성에 의해 결정된다는 것을 알 수 있다. 금속 전도체의 경우와 마찬가지로 온도가 증가함에 따라 μ_e와 μ_h는 약간 감소하지만, n의 지수 함수적 증가가 σ의 전체적인 온도 의존성을 지배한다. 식으로 나타내면

$$\sigma = \sigma_0 e^{-Eg/2kT} \tag{13.16}$$

이다. 여기서 σ_0는 Arrhenius 식과 관계된 유형의 지수 앞 상수이다(5.1절). 식 (13.16)의 양변에 로그를 취하면 다음 식을 얻는다.

$$\ln \sigma = \ln \sigma_0 - \frac{E_g}{2k}\frac{1}{T} \tag{13.17}$$

이 식은 $\ln \sigma$ 대 T^{-1}의 준로그 그래프를 그리면 $-E_g/2k$의 기울기를 갖는 직선이 됨을 보여준다. 그림 13.30은 그림 13.28의 데이터를 Arrhenius 도표로 다시 그린 것으로, 이러한 직선성을 보여준다.

주기율표에서 IV A족의 진성 원소 반도체로는 실리콘(Si), 게르마늄(Ge), 주석(Sn)이 있다. 이는 아주 간단한 목록이다. 이러한 재료는 의도적으로 매우 높은 순도를 갖도록 만들었기 때문에 불순물 준위를 나타낼 필요가 없다. 불순물의 역할에 대해서는 다음 절에서 다룬다. 이 세 가지 재료는 모두 주기율표에서 IV A족에 속하고 작은 E_g값을 갖는다. 비록 이 목록은 작은 것일지 몰라도 현대 기술에서 매우 큰 중

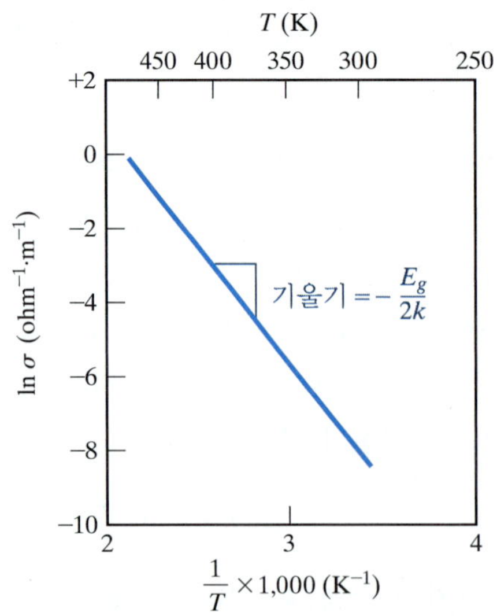

그림 13.30 그림 13.28에 주어진 실리콘 전기 전도도의 Arrhenius 도표. 도표의 기울기는 $-E_g/2k$이다.

요성을 갖는다. 실리콘이 전자 산업에 미치는 역할은 철강이 자동차와 건설 산업에 미치는 역할과 같다. 20세기 대부분 동안 피츠버그는 '철강 도시'로 알려져 있었고, 캘리포니아의 산타클라라 밸리는 한때 농업으로 알려졌으나 현재는 고체 상태 기술의 주요 발달로 '실리콘밸리'로 유명하다.

IV A족 근방의 몇몇 원소(예: III A족의 B와 VI A족의 Te) 역시 반도체이다. 그러나 상업적 중요성이 월등히 큰 것은 IV A족의 Si와 Ge이다. 회색 주석(Sn)은 13°C에서 백색 주석으로 변태한다. 상온에서 회색 주석이 다이아몬드 입방정에서 정방정 구조로 변태가 일어나므로 이를 어떠한 소자로도 응용할 수 없다.

상온에서 2개의 진성 원소 반도체인 Si, Ge에 대한 에너지대 간격(E_g), 전자 이동도(μ_e), 홀 이동도(μ_h), 상온에서의 전도 전자 밀도(n)를 표 13.5에 나타냈다. 이동도는 조성에 크게 의존하지 않으므로 이 값은 다음 절에서 논의할 불순물을 약간 첨가한 불순물 반도체에도 적용할 수 있다.

예제 13.13

상온에서 하나의 전도 전자를 생성하는 Si 원자의 분율을 계산하시오.

풀이

예제 13.3에서처럼 부록 1의 데이터를 이용하여 원자의 밀도를 계산한다.

$$\rho_{Si} = 2.33\ \text{g}\cdot\text{cm}^{-3} \text{ with an atomic mass } = 28.09 \text{ amu}$$

$$\rho = 2.33\,\frac{\text{g}}{\text{cm}^3} \times 10^6\,\frac{\text{cm}^3}{\text{m}^3} \times \frac{1\ \text{g}\cdot\text{atom}}{28.09\ \text{g}} \times 0.6023 \times 10^{24}\,\frac{\text{atoms}}{\text{g}\cdot\text{atom}}$$

$$= 50.0 \times 10^{27}\ \text{atoms/m}^3$$

표 13.5로부터

$$n_e = 14 \times 10^{15}\ \text{m}^{-3}$$

그러면 전도 전자를 생성하는 원자의 분율은

$$\text{분율} = \frac{14 \times 10^{15}\ \text{m}^{-3}}{50 \times 10^{27}\ \text{m}^{-3}} = 2.8 \times 10^{-13}$$

주: 이것은 전도 전자와 원자의 비율이 거의 1:1인 구리와 비교된다(예제 13.3).

예제 13.14

200°C에서 게르마늄의 전도도를 계산하시오.

풀이

식 (13.14)에서

$$\sigma = nq(\mu_e + \mu_h)$$

표 13.5의 데이터를 사용하면 다음과 같다.

$$\begin{aligned}\sigma_{300\text{ K}} &= (23 \times 10^{18}\text{ m}^{-3})(0.16 \times 10^{-18}\text{ C})(0.364 + 0.190)\text{ m}^2/(\text{V}\cdot\text{s}) \\ &= 2.04\ \Omega^{-1}\cdot\text{m}^{-1}\end{aligned}$$

식 (13.16)으로부터

$$\sigma = \sigma_0 e^{-E_g/2kT}$$

σ_0를 얻기 위해

$$\sigma_0 = \sigma e^{+E_g/2kT}$$

다시 표 13.5의 데이터를 이용하면

$$\begin{aligned}\sigma_0 &= (2.04\ \Omega^{-1}\cdot\text{m}^{-1})e^{+(0.66\text{ eV})/2(86.2\times10^{-6}\text{ eV/K})(300\text{ K})} \\ &= 7.11 \times 10^5\ \Omega^{-1}\cdot\text{m}^{-1}\end{aligned}$$

그러므로 다음과 같다.

$$\begin{aligned}\sigma_{200°\text{C}} &= (7.11 \times 10^5\ \Omega^{-1}\cdot\text{m}^{-1})e^{-(0.66\text{ eV})/2(86.2\times10^{-6}\text{ eV/K})(473\text{ K})} \\ &= 217\ \Omega^{-1}\cdot\text{m}^{-1}\end{aligned}$$

예제 13.15

어떤 새로운 반도체의 특성 평가를 요청받았다. 만약 20°C에서의 전도도가 250 $\Omega^{-1}\cdot\text{m}^{-1}$이고, 100°C에서는 1,100 $\Omega^{-1}\cdot\text{m}^{-1}$이면 에너지대 간격 E_g는 얼마인가?

풀이

식 (13.17)로부터

$$\ln \sigma_{T_1} = \ln \sigma_0 - \frac{E_g}{2k}\frac{1}{T_1} \quad \text{(a)}$$

$$\ln \sigma_{T_2} = \ln \sigma_0 - \frac{E_g}{2k}\frac{1}{T_2} \quad \text{(b)}$$

(a)에서 (b)를 빼면

$$\begin{aligned}\ln \sigma_{T_1} - \ln \sigma_{T_2} &= \ln \frac{\sigma_{T_1}}{\sigma_{T_2}} \\ &= -\frac{E_g}{2k}\left(\frac{1}{T_1} - \frac{1}{T_2}\right)\end{aligned}$$

그러면

$$-\frac{E_g}{2k} = \frac{\ln(\sigma_{T_1}/\sigma_{T_2})}{1/T_1 - 1/T_2}$$

$$E_g = \frac{(2k)\ln(\sigma_{T_2}/\sigma_{T_1})}{1/T_1 - 1/T_2}$$

$T_1 = 20^\circ\text{C}(= 293\text{ K}), T_2 = 100^\circ\text{C}(= 373\text{ K})$로 놓으면 다음과 같다.

$$E_g = \frac{(2 \times 86.2 \times 10^{-6}\text{ eV/K})\ln(1{,}100/250)}{\frac{1}{373}\text{K}^{-1} - \frac{1}{293}\text{K}^{-1}}$$
$$= 0.349\text{ eV}$$

연습문제 13.13

표 13.5의 데이터를 이용하여 (a) 전체 전도도와 (b) 상온에서 Si의 저항을 계산하시오(예제 13.13 참고).

연습문제 13.14

(a) 100°C에서 게르마늄의 전도도를 계산하시오. (b) 27~200°C의 온도 범위에 대해 그림 13.30과 같은 Arrhenius 형태의 도표와 같이 전도도를 도시하시오(예제 13.14 참고).

연습문제 13.15

예제 13.15에서 어떤 반도체의 특성 평가 시에 그 에너지대 간격을 계산했다. 그 결과를 이용하여 50°C에서의 전도도를 계산하시오.

불순물, 원소 반도체

진성 반도성은 순수한 재료의 물성이다. **불순물 반도성**(extrinsic semiconduction)은 **도펀트**(dopant)로 알려진 불순물 첨가에 기인한 것이고, 이러한 성분의 첨가 과정을 **도핑**(doping)이라고 한다. 여기서 불순물(impurity)이라는 용어는 앞 장에서 쓰인 것과는 다른 의미를 가진다. 예를 들면 금속 합금과 구조 세라믹스의 경우 많은 불순물은 원료에서 '따라오는' 구성 원소였다. 반도체에서 불순물은 진성 재료를 화학적 고순도로 제조한 후 신중하게 첨가된다. 금속 전도체의 전도도가 합금 조성에 민감하다는 것을 13.3절에서 보여주었다. 지금부터는 반도체에서 조성의 영향을 탐구해 본다. 불순물 반도체에는 두 가지 다른 유형이 있다: (1) n형(음전하 운반자가 지배적)과 (2) p형(양전하 운반자가 지배적). 각각의 형태를 만드는 원리는 실리콘 주위 주기율표의 작은 부분을 보여주는 그림 13.31에 설명되어 있다. 진성 반도체 실리콘은 4개의 가전자(외각 전자)를 가지고 있다. 인(P)은 5개의 가전자를 가지므로 n형

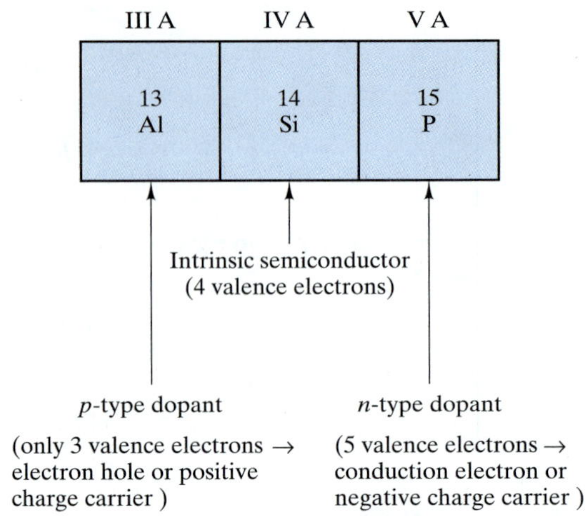

그림 13.31 원소 주기율표의 작은 부분. IV A족의 실리콘은 진성 반도체이다. 여기에 V A족의 인을 소량 첨가함으로써 잉여 전자(실리콘과의 결합에 쓰이지 않음)를 제공할 수 있다. 결과적으로 인은 n형 도펀트이다(즉 음전하 운반자를 생성하는 첨가제). 유사하게 III A족의 알루미늄은 가전자의 결손을 유발하여 양전하 운반자를 생성하는 p형 도펀트이다.

도펀트이다. 1개의 잉여 전자는 쉽게 전도 전자가 될 수 있다(즉 음전하 운반자). 반면에 Al은 3개의 가전자를 가지므로 p형 도펀트이다. 이 1개의 전자 부족은 (실리콘의 4개 가전자와 비교해볼 때) 쉽게 정공을 생성할 수 있다(양전하 운반자).

IV A족의 실리콘 결정에 인(P)과 같은 V A족 원자를 고용시키면 반도체의 에너지대 구조에 영향을 미친다. 인 원자의 5개 가전자 중 4개는 배위수 4의 다이아몬드 입방정 구조(3.5절 참고)를 가지며 인접한 4개의 실리콘 원자와 결합하는 데 쓰인다. 그림 13.32는 결합에 불필요한 잉여 전자가 상대적으로 불안정하여 전도대 근처에 **donor 준위**(donor level, E_d)를 형성하는 것을 보여준다. 결과적으로 전도 전자 형성에 대한 에너지 장벽($E_g - E_d$)은 진성 반도체인 경우(E_g)보다 훨씬 작다. 연관된 Fermi 함수의 상대적 위치를 그림 13.33에 나타냈다. 도핑 과정에서 나온 잉여 전자 때문에 Fermi 준위(E_F)가 위로 이동했다.

V A족 원자에 의해 제공된 전도 전자는 가장 많은 전하 운반자이기 때문에 전도도에 관한 식은 다음과 같이 쓸 수 있다.

$$\sigma = nq\mu_e \tag{13.18}$$

여기서 모든 용어는 앞에서의 식 (13.14)에서 정의되었고, n은 도펀트 원자에 의한 전자의 수이다. V A족의 도펀트에 의한 전도 전자 생성 도표가 그림 13.34에 나타나 있다. 이것은 그림 13.27의 진성 반도체에 대한 것과 대조된다.

불순물 반도성은 Arrhenius 거동을 하는 또 다른 열적 활성화 과정이다. ***n*형 반도체**(*n*-type semiconductor)의 경우 다음 식과 같이 쓸 수 있다.

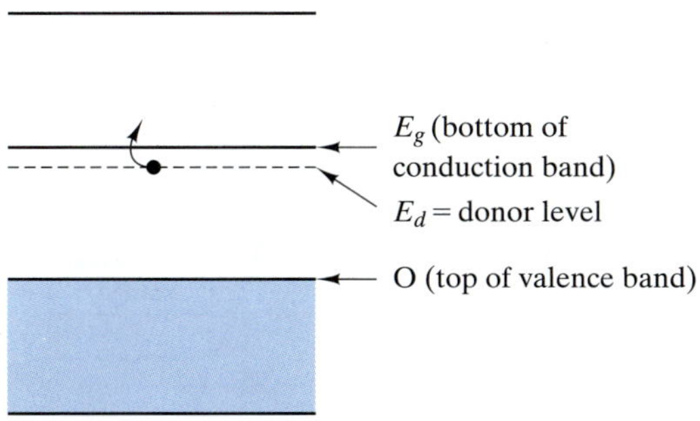

그림 13.32 n형 반도체의 에너지대 구조. V A족 도펀트에 의한 잉여 전자는 전도대 근처에 donor 준위(E_d)를 만든다. 이것은 전도 전자의 생성을 비교적 쉽게 해준다. 이 그림은 그림 13.9에 있는 진성 반도체의 에너지대와 대조된다.

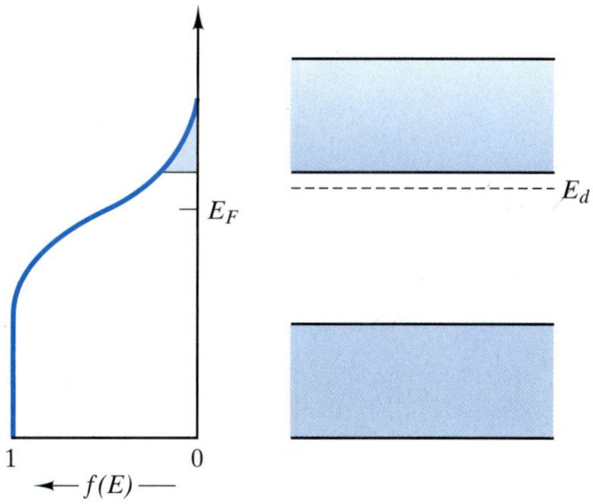

그림 13.33 n형 반도체의 에너지대 구조와 Fermi 함수 $f(E)$의 비교. 그림 13.9(진성 반도체의 경우 에너지대 간격의 중앙에 Fermi 준위가 위치)와 비교할 때 잉여 전자는 Fermi 준위(E_F)를 위로 이동시킨다.

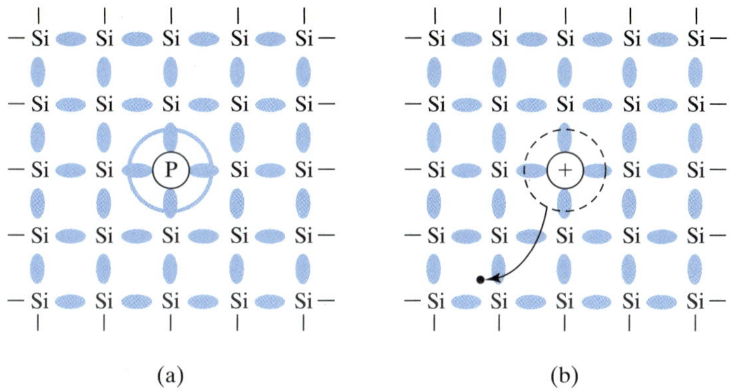

그림 13.34 n형 반도체(예로 인을 도핑한 실리콘)에서 전도 전자 생성에 대한 도식도. (a) P 원자가 갖는 잉여 전자는 (b) 전도대로 쉽게 올라가서 양극이 있는 좌측으로 움직이는 전하 운반자가 되고 이온화된 인(P) 원자를 남긴다. 이 그림은 그림 13.27의 진성 반도체에 대한 그림과 대조적이다. (From L. H. Van Vlack, *Elements of Materials Science and Engineering*, 4th ed., Addison-Wesley Publishing Co., Inc., Reading, MA, 1980.)

$$\sigma = \sigma_0 e^{-(E_g - E_d)/kT} \tag{13.19}$$

여기서 여러 가지 항목은 식 (13.16)의 용어가 다시 쓰이고 E_d는 그림 13.32에서 정의되었다. 식 (13.16)과는 달리 식 (13.19)에는 지수에 2라는 숫자가 없다. 불순물 반도체인 경우 2개의 반대 전하를 가진 운반자가 만들어지는 진성 반도체와는 다르게 열적 활성화에 의해 1개의 전하 운반자가 생성된다. 식 (13.19)의 Arrhenius 도표를 그림 13.35에 나타냈다.

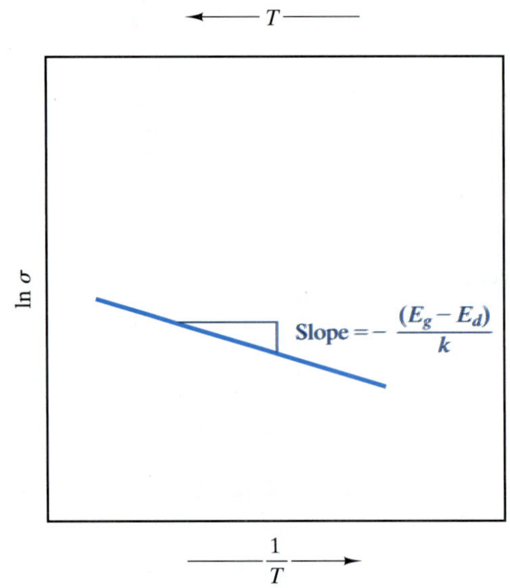

그림 13.35 n형 반도체에 대한 전기 전도도의 Arrhenius 도표. 이것은 그림 13.30의 진성 반도체의 경우와 대조된다.

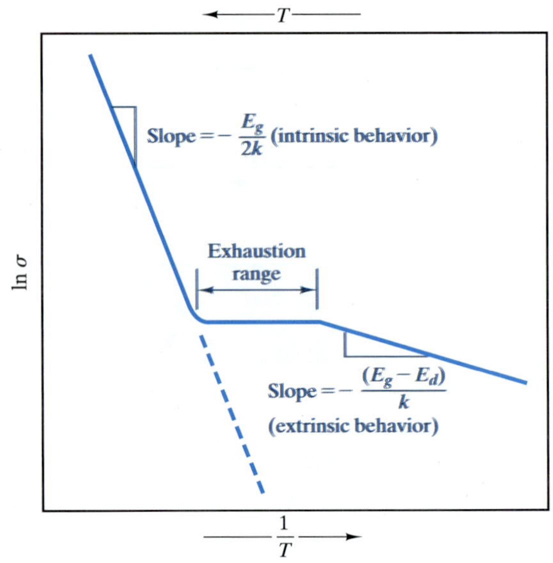

그림 13.36 그림 13.35의 온도보다 더 넓은 온도 범위에서의 n형 반도체에 대한 전기 전도도의 Arrhenius 도표. 낮은 온도(높은 $1/T$)에서는 불순물형이고, 높은 온도(낮은 $1/T$)에서는 진성형이다. 중간 부분은 모든 '잉여 전자'가 전도대로 여기된 고갈 영역이다.

n형 불순물 반도체의 온도 범위는 한정되어 있다. V A족 원자에 의해 제공된 전자는 진성 반도체의 경우보다 열적으로 전도 전자를 생성하기가 더 쉽다. 그러나 불순물 전도 전자의 수는 불순물 원자의 수보다 더 많을 수 없다(1개의 불순물 원자당 1개의 전도 전자가 생성되므로). 결과적으로 그림 13.35의 Arrhenius 도표는 모든 가능한 불순물 전자가 전도대로 여기될 수 있는 온도에 대응하는 상한 값을 보여준다. 그림 13.36이 이것을 보여준다. 그림 13.36은 불순물 거동에 대한 식 (13.19)와 진성 거동에 대한 식 (13.16)을 함께 도표화한 것이다. 각 온도 영역에서 σ_0 값이 다른 점에 주목하자. 낮은 온도(높은 $1/T$값)에서는 불순물형 거동[식 (13.19)]이 지배적이다. **고갈 영역**(exhaustion range)은 전하 운반자의 수(= 도펀트 원자의 수)가 고정되어 있어 거의 수평을 이룬다. 실제로 온도가 증가($1/T$ 감소)하면 열적 동요(thermal agitation)가 증가하므로 전기 전도도는 약간 감소한다. 이러한 변화는 전도 전자의 수는 고정되어 있으나 이동도가 온도에 의해 약간 떨어지는 금속의 변화와 유사하다(13.3절 참고). 온도가 계속 올라가면 전도도는 궁극적으로 불순물형 전하 운반자에 의한 것보다는 진성 재료(순수한 실리콘)의 영향을 더 많이 받는다(그림 13.36). 고갈 영역은 전기 회로에서 온도 보상의 필요를 최소화하는 데 유용한 개념이다. 이 영역에서는 온도가 바뀌어도 전도도가 거의 일정하다.

Al과 같은 III A족 원자가 실리콘에 고용되면 3개의 가전자만 가지고 있으므로 4개의 인접 실리콘 원자와의 결합에 필요한 전자가 1개 모자란다. 그림 13.37은 그 결

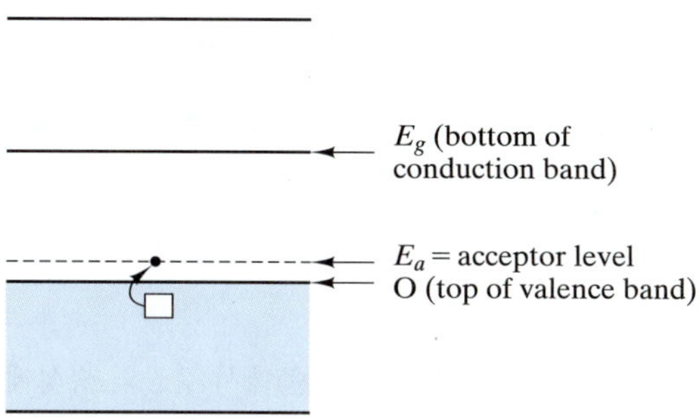

그림 13.37 p형 반도체의 에너지대 구조. III A족 도펀트의 가전자 결핍으로 가전대 근처에 억셉터 준위(E_a)가 생성된다. 정공은 이러한 비교적 작은 에너지 장벽을 넘길 수 있는 열적 여기에 의해 생성된다.

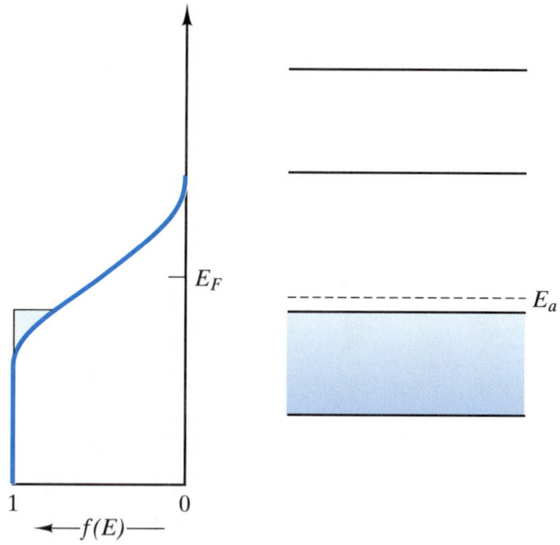

그림 13.38 p형 반도체에 대한 Fermi 함수와 에너지대 구조의 비교. 전자의 결핍에 의해 그림 13.9와 비교해볼 때 Fermi 준위가 아래로 이동했다.

과 실리콘의 에너지대는 가전대 근처에 **억셉터 준위**(acceptor level)를 갖는다는 것을 보여준다. 실리콘의 가전자는 1개의 정공(양전하 운반자)을 생성하면서 이 준위로 쉽게 여기될 수 있다. n형과 마찬가지로 전하 운반자를 만들 수 있는 에너지 장벽(E_a)은 진성(E_g)인 경우보다 훨씬 작다. p형인 경우는 Fermi 함수가 아래로 이동한다(그림 13.38). 적절한 전도 방정식은

$$\sigma = nq\mu_h \tag{13.20}$$

여기서 n은 정공 밀도이다. III A족 도펀트에 의해 정공이 생성되는 도식도가 그림 13.39에 나타나 있다.

p형 반도체(p-type semiconductor)의 Arrhenius 방정식은

$$\sigma = \sigma_0 e^{-E_a/kT} \tag{13.21}$$

이다. 여기서 항목은 식 (13.19)의 것이 다시 적용되고, E_a는 그림 13.37에서 정의되었다. 식 (13.19)와 마찬가지로 지수에 2라는 수가 없는 것은 단지 1개의 양전하 운반자만 포함하기 때문이다. 그림 13.40은 p형에 대한 ln σ 대 $1/T$을 Arrhenius 도표화한 것이다. 이것은 n형에 대한 그림 13.36과 매우 비슷하다. 불순물형과 진성 영역 사이의 평탄한 부분은 p형에 대해서는 고갈 영역이라기보다는 **포화 영역**(saturation range)이라고 한다. 모든 억셉터 준위(= III A족 원자의 수)가 전자에 의해 점유될 때 포화가 일어난다.

반도체 기술에 쓰이는 몇 가지 불순물, 원소 반도체를 표 13.6에 나타냈다. 표 13.7

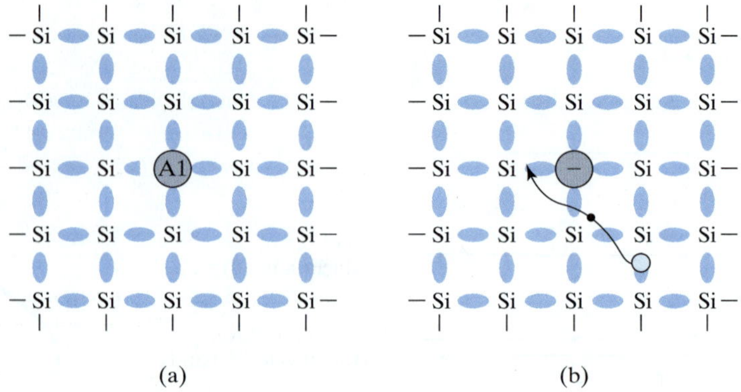

그림 13.39 p형 반도체(예로 알루미늄이 도핑된 실리콘)에서 정공의 생성에 대한 도식도. (a) Al 원자는 3개의 가전대 전자만 가지므로 1개가 빈 상태이고, (b) 따라서 Si 원자로부터 가전대 전자를 쉽게 받아들여 음극을 향해 우측으로 움직이는 정공을 Si 원자 가전대 내에 만들어 낸다. 전공의 움직임은 물론 유기적으로 연관된 전자의 움직임에 기인한다. 이 그림은 그림 13.27의 진성 반도체 및 그림 13.34의 n형 반도체 그림과 대조적이다. (From L. H. Van Vlack, *Elements of Materials Science and Engineering*, 4th ed., Addison-Wesley Publishing Co., Inc., Reading, MA, 1980.)

은 에너지대 간격에 관계된 donor 준위 값($E_g - E_d$)과 억셉터 준위 값(E_a)을 다양한 n형 및 p형의 donor에 대해 보여준다.

다음으로 금속과 반도체 간의 차이를 설명하고자 한다. 반도체에서 온도와 조성의 효과는 금속과 반대이다. 금속의 경우 소량의 불순물의 첨가는 전도도를 감소시킨다[그림 13.12에서 첨가 준위에 따라 $\rho(= 1/\sigma)$가 증가함을 알 수 있다]. 유사하게 온도의 증가는 전도도를 감소시킨다(그림 13.10 참고). 이 두 가지 효과는 결정질 질서(crystalline order)의 감소로 인한 전자 이동도의 감소에 기인한 것이다. 반도체의 경우 적절한 불순물이나 온도를 증가시키면 전도도가 증가한다는 것을 이해했다. 이 두 가지 효과는 에너지대 모형과 Arrhenius 거동으로 설명된다.

4.5절에서 **비정질**(비결정) **반도체**(amorphous semiconductors)의 경제적인 장점을 언급했다. 비정질 재료에 대한 기술은 결정질에 대한 것보다 다소 뒤처져 있고, 비정질 고체에서 반도성의 과학적 이해도 크게 뒤떨어져 있다. 그러나 비정질 반도체의 상업적 발전은 큰 시장의 문턱에 도달했다. 이러한 재료는 태양전지 시계나 노트북과 같은 휴대 가능한 제품에 이용되는 태양광 시장의 거의 1/4을 차지하고 있다. 한 예로 '비정질 실리콘'은 실레인(silane, SiH_4)을 분해하여 얻어질 때가 많다. 이 공정은 종종 불완전할 때가 있으며 '비정질 실리콘'은 사실 실리콘-수소 합금이다. 또 다른 예로는 텔루르화카드뮴(CdTe), 많은 칼코겐화물(S, Se, Te과 이들의 화합물), 그리고 (전하를 띤 이미지 형성이 되는 광전도 피복으로서) 건조 인쇄(xerography) 공정에 중심적인 역할을 해온 비정질 셀레늄을 들 수 있다.

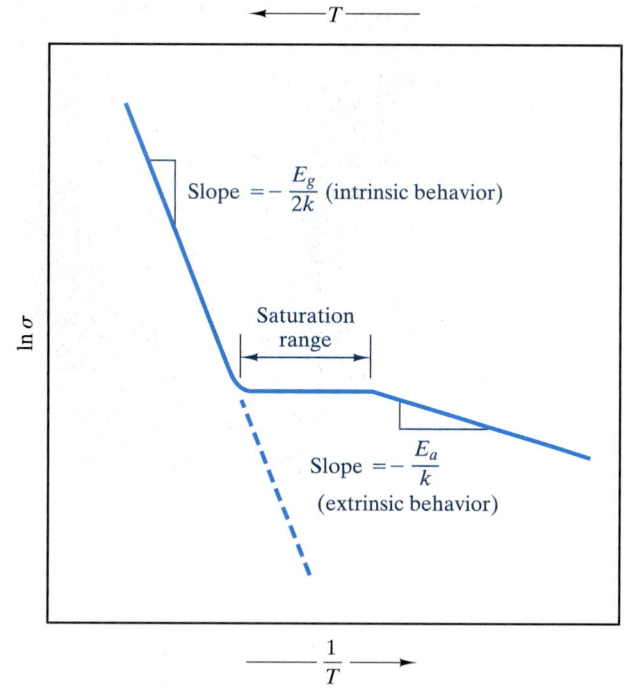

그림 13.40 넓은 온도 범위에서 p형 반도체에 대한 전기 전도도의 Arrhenius 도표. 이것은 그림 13.36에 나타난 거동과 매우 유사하다. 진성형과 불순물형 거동 사이의 영역을 모든 억셉터 준위가 전자에 의해 '포화' 또는 점유되었다는 의미에서 포화 영역이라고 한다.

표 13.6 몇 가지 불순물, 원소 반도체

Element	Dopant	Periodic table group of dopant	(Maximum solid solubility of dopant atoms/m^3)
Si	B	III A	600×10^{24}
	Al	III A	20×10^{24}
	Ga	III A	40×10^{24}
	P	V A	$1{,}000 \times 10^{24}$
	As	V A	$2{,}000 \times 10^{24}$
	Sb	V A	70×10^{24}
Ge	Al	III A	400×10^{24}
	Ga	III A	500×10^{24}
	In	III A	4×10^{24}
	As	V A	80×10^{24}
	Sb	V A	10×10^{24}

출처: Data from W. R. Runyan and S. B. Watelski, in *Handbook of Materials and Processes for Electronics*, C. A. Harper, Ed., McGraw-Hill Book Company, New York, 1970.

표 13.7 불순물형 반도체에 대한 불순물의 에너지 준위

Semiconductor	Dopant	$E_g - E_d$(eV)	E_a(eV)
Si	P	0.044	—
	As	0.049	—
	Sb	0.039	—
	Bi	0.069	—
	B	—	0.045
	Al	—	0.057
	Ga	—	0.065
	In	—	0.160
	Tl	—	0.260
Ge	P	0.012	—
	As	0.013	—
	Sb	0.096	—
	B	—	0.010
	Al	—	0.010
	Ga	—	0.010
	In	—	0.011
	Tl	—	0.010
GaAs	Se	0.005	—
	Te	0.003	—
	Zn	—	0.024
	Cd	—	0.021

출처: Data from W. R. Runyan and S. B. Watelski, in *Handbook of Materials and Processes for Electronics*, C. A. Harper, Ed., McGraw-Hill Book Company, New York, 1970.

높은 에너지 변환 효율과 낮은 재료 및 공정 비용으로 인해 매력적인 페로브스카이트 단위정[그림 13.19(b)]을 기반으로 하는 다양한 조성의 페로브스카이트 태양전지에 대한 활발한 연구도 진행되고 있다.

예제 13.16

불순물형 실리콘이 무게비로 100 ppb의 Al을 포함한다. Al의 원자량(%)은 얼마인가?

풀이

불순물이 첨가된 100 g의 실리콘의 경우

$$\frac{100}{10^9} \times 100\text{ g Al} = 1 \times 10^{-5}\text{g Al}$$

부록 1의 데이터를 이용하면

$$\text{no. g} \cdot \text{atoms Al} = \frac{1 \times 10^{-5}\text{g Al}}{26.98\text{ g/g} \cdot \text{atom}} = 3.71 \times 10^{-7}\text{g} \cdot \text{atom}$$

$$\text{no. g} \cdot \text{atoms Si} = \frac{(100 - 1 \times 10^{-5})\text{ g Si}}{28.09\text{ g/g} \cdot \text{atom}} = 3.56\text{ g} \cdot \text{atoms}$$

그리고 다음과 같다.

$$\text{atomic \% Al} = \frac{3.71 \times 10^{-7}\ \text{g} \cdot \text{atom}}{(3.56 + 3.7 \times 10^{-7})\ \text{g} \cdot \text{atom}} \times 100$$
$$= 10.4 \times 10^{-6}\ \text{atomic \%}$$

예제 13.17

인이 첨가된 실리콘(n형)에서 Fermi 준위(E_F)는 0.1 eV만큼 위로 이동된다. 상온(25°C)에서 실리콘(E_g = 1.107 eV)에 있는 전자가 전도대로 열적 여기될 확률은 얼마인가?

풀이

그림 13.33과 식 (13.7)에서 언급했듯이

$$E - E_F = \frac{1.107}{2}\ \text{eV} - 0.1\ \text{eV} = 0.4535\ \text{eV}$$

그러면

$$f(E) = \frac{1}{e^{(E-E_F)/kT} + 1}$$
$$= \frac{1}{e^{(0.4535\ \text{eV})/(86.2 \times 10^{-6}\ \text{eV} \cdot \text{K}^{-1})(298\ \text{K})} + 1} = 2.20 \times 10^{-8}$$

이것은 매우 작은 수이지만 예제 13.6에서 계산된 진성 실리콘인 경우보다 대략 두 자릿수 정도가 더 크다.

예제 13.18

E_g = 1 eV이고, E_d = 0.9 eV인 가상적인 n형 반도체에 대해 상온(25°C)에서 전도도가 100 $\Omega^{-1} \cdot \text{m}^{-1}$이다. 30°C에서 전도도를 계산하시오.

풀이

30°C까지 불순물형 거동을 한다면, 식 (13.19)를 적용할 수 있다.

$$\sigma = \sigma_0 e^{-(E_g - E_d)/kT}$$

25°C에서

$$\sigma_0 = \sigma e^{+(E_g - E_d)/kT}$$
$$= (100\ \Omega^{-1} \cdot \text{m}^{-1}) e^{+(1.0-0.9)\ \text{eV}/(86.2 \times 10^{-6}\ \text{eV} \cdot \text{K}^{-1})(298\ \text{K})}$$
$$= 4.91 \times 10^{3}\ \Omega^{-1} \cdot \text{m}^{-1}$$

그러면 30°C에서는 다음과 같다.

$$\sigma = (4.91 \times 10^3\ \Omega^{-1} \cdot \text{m}^{-1})e^{-(0.1\ \text{eV})/(86.2 \times 10^{-6}\ \text{eV} \cdot \text{K}^{-1})(303\ \text{K})}$$
$$= 107\ \Omega^{-1} \cdot \text{m}^{-1}$$

예제 13.19

인이 첨가된 게르마늄 반도체에 대해 불순물형 거동을 하는 상한 온도는 100°C이다. 이 점에서 불순물형 전도도는 60 $\Omega^{-1} \cdot \text{m}^{-1}$이다. 첨가된 인의 양을 무게의 ppb로 구하시오.

풀이

이 경우 모든 첨가 불순물 원자는 하나의 donor 전자를 제공한다. 결과적으로 donor 전자의 밀도는 불순물 인의 밀도와 같다. donor 전자의 밀도는 식 (13.18)을 재정렬함으로써 계산할 수 있다.

$$n = \frac{\sigma}{q\mu_e}$$

표 13.9의 데이터를 이용하면 다음을 얻는다.

$$n = \frac{60\ \Omega^{-1} \cdot \text{m}^{-1}}{(0.16 \times 10^{-18}\ \text{C})[0.364\ \text{m}^2/(\text{V} \cdot \text{s})]} = 1.03 \times 10^{21}\ \text{m}^{-3}$$

주: 표 13.5와 표 13.9의 운반자 이동도는 진성형 재료뿐만 아니라 불순물형에서도 적용할 수 있다. 예를 들어 게르마늄에서의 전도 전자의 이동도는 첨가량이 많지 않은 한 불순물의 첨가량에 의해 크게 변하지 않는다.

부록 1의 데이터를 이용하여 다음을 얻는다.

$$[P] = 1.03 \times 10^{21}\ \frac{\text{atoms P}}{\text{m}^3} \times \frac{30.97\ \text{g P}}{0.6023 \times 10^{24}\ \text{atoms P}}$$
$$\times \frac{1\ \text{cm}^3\ \text{Ge}}{5.32\ \text{g Ge}} \times \frac{1\ \text{m}^3}{10^6\ \text{cm}^3}$$
$$= 9.96 \times 10^{-9}\ \frac{\text{g P}}{\text{g Ge}} = \frac{9.96\ \text{g P}}{10^9\ \text{g Ge}} = \frac{9.96\ \text{g P}}{10\text{억 g Ge}}$$
$$i = 9.96\ \text{ppb P}$$

예제 13.20

예제 13.19의 반도체에 대해

(a) 고갈 영역에 대한 상한 온도를 구하시오.

(b) 300 K에서 불순물성 전도도를 구하시오.

풀이

(a) 고갈 영역(그림 13.36 참고)에 대한 상한 온도는 진성형의 전도도가 불순물형 전도도의 최댓값과 일치하는 점이다. 표 13.5의 데이터와 식 (13.14)와 (13.16)을 이용하면 다음과 같다.

$$\sigma_{300\text{ K}} = (23 \times 10^{18}\text{ m}^{-3})(0.16 \times 10^{-18}\text{C})$$
$$(0.364 + 0.190)\text{ m}^2/(\text{V}\cdot\text{s}) = 2.04\ \Omega^{-1}\cdot\text{m}^{-1}$$

$$\sigma = \sigma_0 e^{-E_g/2kT} \qquad \sigma_0 = \sigma e^{+E_g/2kT}$$

$$\sigma_0 = (2.04\ \Omega^{-1}\cdot\text{m}^{-1})e^{+(0.66\text{ eV})/2(86.2 \times 10^{-6}\text{ eV/K})(300\text{ K})}$$
$$= 7.11 \times 10^5\ \Omega^{-1}\cdot\text{m}^{-1}$$

그러므로 예제 13.19의 값을 이용하면

$$60\ \Omega^{-1}\cdot\text{m}^{-1} = (7.11 \times 10^5\ \Omega^{-1}\cdot\text{m}^{-1})\ e^{-(0.66\text{ eV})/2(86.2 \times 10^{-6}\text{ eV/K})T}$$

결론적으로 다음과 같다.

$$T = 408\text{ K} = 135^\circ\text{C}$$

(b) n형 반도체에 대한 불순물성 전도도를 계산하기 위해 식 (13.19)를 이용하면

$$\sigma = \sigma_0 e^{-(E_g - E_d)/kT}$$

예제 13.19에서 100°C에서 $\sigma = 60\ \Omega^{-1}\cdot\text{m}^{-1}$이고, 표 13.7에서 P가 첨가된 Ge에 대해 $E_g - E_d$가 0.012 eV임을 볼 수 있다. 그 결과

$$\sigma_0 = \sigma e^{+(E_g - E_d)/kT}$$
$$= (60\ \Omega^{-1}\cdot\text{m}^{-1})e^{+(0.012\text{ eV})/(86.2 \times 10^{-6}\text{ eV/K})(373\text{ K})}$$
$$= 87.1\ \Omega^{-1}\cdot\text{m}^{-1}$$

300 K에서 다음과 같다.

$$\sigma = (87.1\ \Omega^{-1}\cdot\text{m}^{-1})e^{-(0.012\text{ eV})/(86.2 \times 10^{-6}\text{ eV/K})(300\text{ K})}$$
$$= 54.8\ \Omega^{-1}\cdot\text{m}^{-1}.$$

예제 13.21

예제 13.19와 13.20의 P가 첨가된 Ge의 전도도를 그림 13.36과 비슷한 방법으로 그리시오.

풀이

주요 데이터는

불순물형:

$$\sigma_{100°C} = 60\ \Omega^{-1}\cdot m^{-1} \qquad \ln\sigma = 4.09\ \Omega^{-1}\cdot m^{-1}$$
$$\text{at } T = 100°C = 373\ K \qquad 1/T = 2.68 \times 10^{-3}\ K^{-1}$$
$$\sigma_{300\ K} = 54.8\ \Omega^{-1}\cdot m^{-1} \qquad \ln\sigma = 4.00\ \Omega^{-1}\cdot m^{-1}$$
$$\text{at } T = 300\ K \qquad 1/T = 3.33 \times 10^{-3}\ K^{-1}.$$

진성형:

$$\sigma_{408\ K} = 60\ \Omega^{-1}\cdot m^{-1} \qquad \ln\sigma = 4.09\ \Omega^{-1}\cdot m^{-1}$$
$$\text{at } T = 408\ K \qquad 1/T = 2.45 \times 10^{-3}\ K^{-1}$$
$$\sigma_{300\ K} = 2.04\ \Omega^{-1}\cdot m^{-1} \qquad \ln\sigma = 0.713\ \Omega^{-1}\cdot m^{-1}$$
$$\text{at } T = 300\ K \qquad 1/T = 3.33 \times 10^{-3}\ K^{-1}.$$

이 데이터를 이용해 다음과 같이 그릴 수 있다.

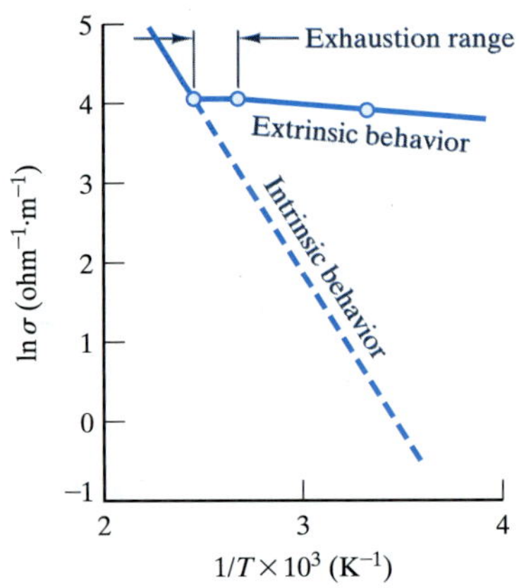

주: 이러한 계산을 '시각화'하기 위한 도표의 중요성은 아무리 강조해도 지나치지 않다.

연습문제 13.16

예제 13.16에서 Al 100 ppb 도핑은 10.4×10^{-6} mol % 첨가로 이루어짐을 알았다. 이 불순물 반도체에서 Al 원자의 원자 밀도는 얼마인가? (표 13.6에 주어진 최대 고용도와 답을 비교해보자.)

연습문제 13.17

예제 13.17에서 25°C일 때 P가 첨가된 실리콘에서 전자가 전도대로 이동할 확률을 계산했다. 50°C에서는 그 확률이 얼마인가?

연습문제 13.18

25°C와 30°C에서 n형 반도체의 전도도를 예제 13.18에서 알아보았다. (a) 50°C에

서는 얼마인가? (b) 그림 13.35와 같은 Arrhenius형 도표로 25~50°C 범위의 전도도를 도시하시오. (c) (a)와 (b)의 결과의 타당성을 입증하기 위해 해야 할 중요한 가정은 무엇인가?

연습문제 13.19

예제 13.19~13.21에서 P가 첨가된 Ge 반도체에 대한 자세한 계산을 했다. 불순물 전도도가 100°C에서 60 $\Omega^{-1} \cdot m^{-1}$이 되어 그 온도를 Al이 첨가된 Ge의 불순물 거동의 상한 값이라고 가정하자. (a) 도핑된 Al의 첨가량을 무게 ppb로 구하시오. (b) 포화 영역의 상한 온도를 구하시오. (c) 300 K에서 불순물 전도도를 구하시오. (d) 예제 13.21과 그림 13.40에 나타낸 바와 유사하게 결과를 도시하시오.

화합물 반도체

주기율표에서 IV A족 근처에 있는 원소로부터 만들어진 많은 화합물은 반도체이다. 3장에서 언급했듯이 이 **화합물 반도체**(compound semiconductor)는 일반적으로 IV A족 원소와 '평균적으로' 같아 보인다. 많은 화합물이 인접 원자 자리에서 양이온과 음이온이 번갈아 있는 다이아몬드 입방정 구조인 섬아연광(zinc blende) 구조를 하고 있다(그림 3.21). 전자적으로 이 화합물은 IV A족의 평균 성질을 갖고 있다. **III-V족 화합물**(III-V compound)은 MX 조성을 가지고 있는데, M은 3가 원소, X는 5가 원소를 말한다. 평균적으로 4가 원소인 이들은 IV A족의 원자가와 일치하며, 더욱 중요한 것은 그림 13.9의 에너지대 구조와 비슷하다는 것이다. 마찬가지로 **II-VI족 화합물**(II-VI compound)도 2가 원소와 6가 원소가 결합한 것이다. 원자당 평균 4개의 가전자는 반도체 화합물의 좋은 첫 번째 규칙이다. 그러나 그러한 모든 규칙이 그렇듯 여기에도 예외가 존재한다. 몇 개의 IV-VI 화합물(GeTe와 같은)이 그 예이다. $Fe_3O_4(= FeO \cdot Fe_2O_3)$는 또 다른 예이다. 큰 전자 이동도는 $Fe^{2+} - Fe^{3+}$ 상호교환과 관련되어 있다.

순수한 III-V족과 II-VI족 화합물은 진성 반도체이다. 원소 반도체에서와 같은 방식으로 불순물을 첨가함으로써 불순물 반도체로 만들 수 있다(앞 절 참고). 몇 가지 전형적인 화합물 반도체를 표 13.8에 나타냈다. 표 13.9는 다양한 진성, 화합물 반도체에 대해 에너지대 간격(E_g), 전자 이동도(μ_e), 정공 이동도(μ_h), 상온에서의 전도 전자 밀도(n)를 나타낸다. 원소 반도체에서와 같이 이동도 값은 불순물 화합물 반도체에서도 적용된다.

비정질 반도체의 용도가 증가하는 것은 원소 반도체와 관련하여 논의했다. CdTe, GaAs와 칼코겐화물(S, Se, Te)의 화합물을 포함한 많은 비정질 화합물 반도체가 개발되어왔다.

표 13.8 몇 가지 화합물 반도체

Group	Compound	Group	Compound
III–V	BP	II–VI	ZnS
	AlSb		ZnSe
	GaP		ZnTe
	GaAs		CdS
	GaSb		CdSe
	InP		CdTe
	InAs		HgSe
	InSb		HgTe

표 13.9 상온(300 K)에서 몇 가지 진성, 화합물 반도체의 전기적 성질

Group	Semiconductor	E_g (eV)	μ_e [$m^2/(V \cdot s)$]	μ_h [$m^2/(V \cdot s)$]	n_e ($=n_h$) (m^{-3})
III–V	AlSb	1.60	0.090	0.040	—
	GaP	2.25	0.030	0.015	—
	GaAs	1.47	0.720	0.020	1.4×10^{12}
	GaSb	0.68	0.500	0.100	—
	InP	1.27	0.460	0.010	—
	InAs	0.36	3.300	0.045	—
	InSb	0.17	8.000	0.045	13.5×10^{21}
II–VI	ZnSe	2.67	0.053	0.002	—
	ZnTe	2.26	0.053	0.090	—
	CdS	2.59	0.034	0.002	—
	CdTe	1.50	0.070	0.007	—
	HgTe	0.025	2.200	0.016	—

출처: Data from W. R. Runyan and S. B.Watelski, in *Handbook of Materials and Processes for Electronics*, C. A. Harper, Ed., McGraw-Hill Book Company, New York, 1970.

예제 13.22

진성 반도체 GaAs(n형)가 무게로 100 ppb의 Se를 포함한다. Se의 mol %는 얼마인가?

풀이

불순물이 첨가된 100 g의 GaAs를 고려하고, 예제 13.16과 같은 방법으로 하면

$$\frac{100}{10^9} \times 100 \text{ g Se} = 1 \times 10^{-5} \text{ g Se}$$

부록 1의 데이터를 이용하여 다음을 얻는다.

$$\text{no. g}\cdot\text{atom Se} = \frac{1 \times 10^{-5} \text{ g Se}}{78.96 \text{ g/g}\cdot\text{atom}} = 1.27 \times 10^{-7} \text{ g}\cdot\text{atom}$$

$$\text{no. moles GaAs} = \frac{(100 - 1 \times 10^{-5}) \text{ g GaAs}}{(69.72 + 74.92) \text{ g/mol}} = 0.691 \text{ mol}$$

결국 다음과 같다.

$$\text{mol \% Se} = \frac{1.27 \times 10^{-7}\ \text{g}\cdot\text{atom}}{(0.691 + 1.27 \times 10^{-7})\ \text{mol}} \times 100$$
$$= 18.4 \times 10^{-6}\ \text{mol \%}$$

예제 13.23

50°C에서 GaAs의 진성 전도도를 구하시오.

풀이

식 (13.14)로부터

$$\sigma = nq(\mu_e + \mu_h)$$

표 13.9의 데이터를 이용하면 다음과 같다.

$$\sigma_{300\ \text{K}} = (1.4 \times 10^{12}\ \text{m}^{-3})(0.16 \times 10^{-18}\ \text{C})(0.720 + 0.020)\ \text{m}^2/(\text{V}\cdot\text{s})$$
$$= 1.66 \times 10^{-7}\ \Omega^{-1}\cdot\text{m}^{-1}$$

식 (13.16)으로부터

$$\sigma = \sigma_0 e^{-E_g/2kT}$$

$$\sigma_0 = \sigma e^{+E_g/2kT}$$

표 13.9의 데이터를 다시 이용하면 다음을 얻고,

$$\sigma_0 = (1.66 \times 10^{-7}\ \Omega^{-1}\cdot\text{m}^{-1})\ e^{+(1.47\ \text{eV})/2(86.2 \times 10^{-6}\ \text{eV/K})(300\ \text{K})}$$
$$= 3.66 \times 10^{5}\ \Omega^{-1}\cdot\text{m}^{-1}$$

따라서 다음과 같다.

$$\sigma_{50°\text{C}} = (3.66 \times 10^{5}\ \Omega^{-1}\cdot\text{m}^{-1})\ e^{-(1.47\ \text{eV})/2(86.2 \times 10^{-6}\ \text{eV/K})(323\ \text{K})}$$
$$= 1.26 \times 10^{-6}\ \Omega^{-1}\cdot\text{m}^{-1}$$

예제 13.24

진성 반도체 CdTe에서 전자에 의한 전류의 분율과 정공에 의한 전류의 분율을 구하시오.

풀이

식 (13.14)를 이용하면

$$\sigma = nq(\mu_e + \mu_h)$$

그러므로

$$전자에\ 의한\ 분율 = \frac{\mu_e}{\mu_e + \mu_h}$$

$$정공에\ 의한\ 분율 = \frac{\mu_h}{\mu_e + \mu_h}$$

표 13.9의 데이터를 사용하면 다음과 같다.

$$전자에\ 의한\ 분율 = \frac{0.070}{0.070 + 0.007} = 0.909$$

$$정공에\ 의한\ 분율 = \frac{0.007}{0.070 + 0.007} = 0.091$$

연습문제 13.20

예제 13.22는 100 ppb Se이 도핑된 GaAs 반도체를 설명했다. 이러한 불순물 반도체에서 Se 원자의 원자 밀도는 얼마인가? (GaAs의 밀도는 5.32 Mg/m^3이다.)

연습문제 13.21

50°C에서 InSb의 진성 전도도를 계산하시오(예제 13.23 참고).

연습문제 13.22

진성 InSb에 대해 전자에 의해 운반되는 전류와 정공에 의해 운반되는 전류의 분율을 계산하시오(예제 13.24 참고).

반도체 공정

반도체 공정의 가장 두드러진 특징은 병립하지 않는 구조적 완전성과 화학적 완전성을 동시에 갖는 재료를 제조할 수 있는 능력이다. 3장과 9장의 '재료의 세계'에서는 어떻게 이런 완전성을 얻을 수 있는가를 설명한다. 융체를 성장시켜 반도체 재료의 고품질 단결정을 제조하는 데 사용되는 많은 단결정 성장 기술이 있다. 화학적 완전성은 9장의 '재료의 세계'에 그림으로 나와 있듯이 **구역 정제법**(zone refining)이라고 하는 공정으로 순도를 높인다. 상평형도는 액상 속에 불순물의 양이 고체보다 훨씬 많다는 것을 보여준다. 이것은 **편석 계수**(segregation coefficient) K를 다음과 같이 정의할 수 있도록 한다.

$$K = \frac{C_s}{C_l} \tag{13.22}$$

여기서 C_s와 C_l은 각각 고상과 액상에 들어 있는 불순물의 농도이다. 물론 K는 9장 '재료의 세계'의 경우 1보다 훨씬 작고, 상태도의 끝부분에서는 고상선(solidus line)

과 액상선(liquidus line)이 상당히 직선적이므로 어느 정도의 온도 영역에서는 K값이 일정하다. 마지막으로, 현대 반도체 제조에서 높은 수준의 '완벽함' 이면에는 막대한 비용이 있다는 점을 주목할 가치가 있다. 이러한 반도체가 생산되는 제조 공장(또는 '팹')은 때로는 수십억 달러의 비용이 드는 새로운 설비가 있는 지구상에서 가장 비싼 공장에 속한다.

전위(dislocation) 등과 같은 구조적 결함은 다음 절에서 설명하는 실리콘을 모체로 사용하는 소자의 기능에 악영향을 미친다. 이러한 결함은 실리콘의 산소 용해도에 의해 발생하는 흔한 부산물이다. **게터링**(gettering)으로 알려진 공정이 소자의 전기 회로망이 구성되는 실리콘 영역에서 산소를 '제거'(혹은 **포획**)하기 위해 사용된다. 역설적으로 전위를 생성하는 산소는 종종 웨이퍼의 '뒷면'(여기서 '앞면'은 회로가 만들어지는 면으로 정의됨)에 전위를 주입하여 제거한다. 기계적 손상(마모, 레이저 충격 등)은 전위를 생성하고 SiO_2 침전물이 생성되는 게터링 위치로 작용한다. 이러한 접근법이 **외적 게터링**(extrinsic gettering)이다. 더 섬세한 접근법은 실리콘 웨이퍼를 열처리하여 SiO_2가 웨이퍼 내에 형성되게 하되, 회로 구성에 방해가 되지 않도록 앞면에서 충분히 안쪽에 생기도록 하는 것이다. 이 방법이 **고유 게터링**(intrinsic gettering)이라고 알려져 있고, 섭씨 600~1,250°C의 온도에서 2~3시간 유지하는 어닐링을 세 번씩이나 불연속적으로 수행하는 단계가 포함된다. 이 두 게터링(외적, 고유)은 주로 반도체 공정에 사용된다.

결정을 제조한 후 다이아몬드가 박혀 있는 날이나 선을 이용하여 얇은 웨이퍼(wafer)로 자른다. 연마된 웨이퍼는 미세 회로를 만드는 데 필요한 복잡한 일련의 단계에 들어간다. 일련의 단계는 아래 반도체 소자와 연관해서 논의할 것이다. 게다가 많은 전자 소자는 층과 기판 사이의 특수한 결정학적 관계를 유지하면서 한 반도체의 박막층을 다른 반도체 위에 적층하는 것을 기초로 한다. 이 **증기 증착**(vapor deposition) 기술을 **에피텍시**(epitaxy)라고 한다. **동종 에피텍시**(homoepitaxy)는 본질적으로 기판과 같은 재료의 박막(예: Si 위에 Si)을 증착하는 것이다. **이종 에피텍시**(heteroepitaxy)는 조성이 매우 다른 두 물질(예: GaAs 위에 $Al_xGa_{1-x}As$)을 사용하는 경우이다. 에피 성장의 장점은 세심한 조성 제어와 원하지 않는 결함과 불순물 농도의 감소를 달성할 수 있다는 것이다. 그림 13.41은 고도로 제어된 초진공 증착 공정인 **분자 빔 에피텍시**(molecular-beam epitaxy, MBE)의 공정을 나타낸다. 에피층은 가열된 기판 위에 적절한 원자나 분자의 가열된 빔을 충돌시켜 성장시킨다. **분출 셀**(effusion cell) 혹은 **Knudsen**[8] **셀**(Knudsen cell)은 초당 원자(혹은 분자)의 유량 F를 제공한다.

8) Martin Hans Christian Knudsen(1871~1949)은 덴마크 물리학자이다. 코펜하겐대학교에서 그의 눈부신 업적은 저압에서 가스의 성질에 대한 많은 선구적 연구에 집중되었다. 또한 수로학(hydrography)에도 관심이 많아 바닷물의 다양한 특성을 규명할 수 있는 방법을 확립했다.

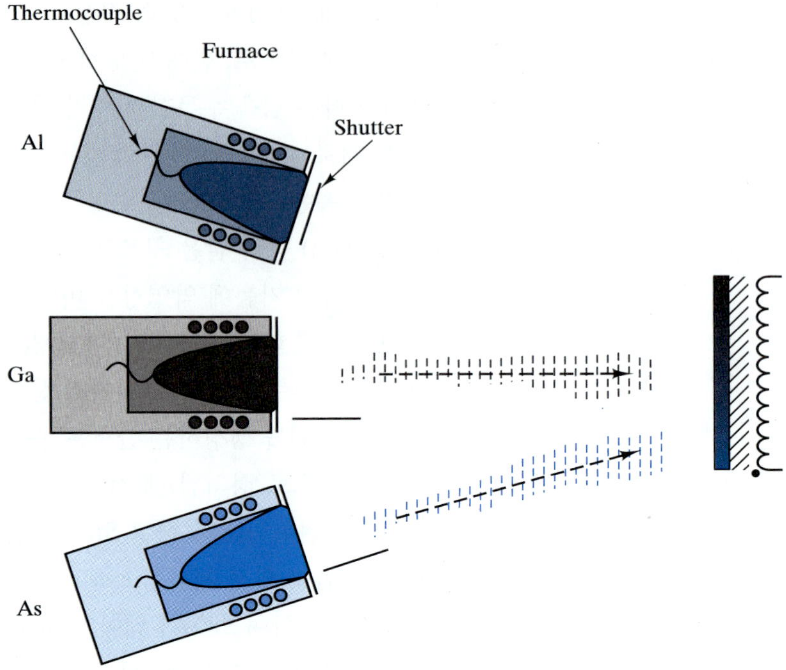

그림 13.41 분자 빔 에피텍시 기술의 도식도. 저항 가열로(분출 셀 혹은 Knudsen 셀이라고도 함)는 원자나 분자의 빔(약 10 mm 반지름)을 발생시킨다. 셔터는 가열된 기판 위에 각 빔의 증착을 제어한다. (From J. W. Mayer and S. S. Lau, *Electronic Materials Science: For Integrated Circuits in Si and GaAs*, Macmillan Publishing Company, New York, 1990.)

$$F = \frac{pA}{\sqrt{2\pi mkT}} \tag{13.23}$$

여기서 p는 분출 셀 압력, A는 구경 면적, m은 단일 원자나 분자의 질량, k는 Boltzmann 상수, T는 절대 온도이다.

예제 13.25

구역 정제법의 원리를 설명하기 위해 Al-Si 상태도(그림 9.13)를 사용할 수 있다. 불순물로 알루미늄만 들어 있는 실리콘 막대가 있다고 가정하고 (a) Si가 많은 영역에서 편석 계수 K를 계산하고, (b) 용융 영역이 한 번 통과한 후 99 wt % Si의 순도를 계산하시오. (고상선은 1,190°C에서 99.985 wt % Si 조성과 1,414°C에서 100 wt % Si 조성 사이에 직선으로 간주할 수 있다는 것에 주목하자.)

풀이

(a) 그림 9.13을 자세히 보면 액상선은 1,360°C에서 90% Si 조성 선과 교차하는 것을 알 수 있다.

고상선은 다음과 같이 표시할 수 있다.

$$y = mx + b$$

여기서 y는 온도이고 x는 Si의 조성(wt %)이다. 문제에 언급된 조건에 대해

$$1{,}190 = m(99.985) + b$$

$$1{,}414 = m(100) + b$$

해를 구하면

$$m = 1.493 \times 10^4 \qquad b = -1.492 \times 10^6$$

1,360°C(여기서 액상 조성은 90% Si)에서 고상의 조성은 다음과 같이 주어진다.

$$1{,}360 = 1.493 \times 10^4 x - 1.492 \times 10^6$$

$$x = \frac{1{,}360 + 1.492 \times 10^6}{1.493 \times 10^4} = 99.99638$$

편석 계수 K는 불순물의 준위에 의해 계산된다. 즉

$$c_s = 100 - 99.99638 = 0.00362 \text{ wt \% Al}$$

$$c_l = 100 - 90 = 10 \text{ wt \% Al}$$

따라서

$$K = \frac{c_s}{c_l} = \frac{0.00362}{10} = 3.62 \times 10^{-4}$$

(b) 액상선에 대해 유사한 직선 표현을 주어진 값으로 나타내면

$$1{,}360 = m(90) + b$$

$$1{,}414 = m(100) + b$$

따라서

$$m = 5.40 \qquad b = 874$$

99 wt % Si 막대가 가지는 액상선 온도는

$$T = 5.40(99) + 874 = 1{,}408.6^\circ\text{C}$$

여기에 해당되는 고상선 조성은 다음과 같이 주어진다.

$$1{,}408.6 = 1.493 \times 10^4 x - 1.492 \times 10^6$$

$$x = \frac{1{,}408.6 + 1.492 \times 10^6}{4{,}924} = 99.999638 \text{ wt \% Si}$$

다른 조성 표현으로 나타내면

$$\frac{(100 - 99.999638)\ \%\ \text{Al}}{100\%} = 3.62 \times 10^{-6}\ \text{Al}$$

또는 3.62 ppm Al이다.

주: 이 계산은 반올림 때문에 실수를 범하기 쉽다. 고상선 식에서 m과 b의 값은 소수점 이하 여러 자리 수까지 구해야 한다.

연습문제 13.23

구역 정제법을 한 번 행한 후 99 wt % Si 막대의 순도는 예제 13.25에서 찾았다. 두 번 행한 후 순도는 무엇인가?

반도체 소자

이 책에서는 공업재료의 최종 응용에 대한 상세한 내용을 거의 다루지 않았다. 여기서의 관심은 재료 자체의 성질에 관한 것이다. 구조적 및 광학적 응용에 대해서는 상세한 설명이 불필요할 때가 많다. 구조용 강과 현대식 건물의 유리는 친숙하지만 반도체 재료의 소형화된 응용은 일반적으로 덜 친숙하다. 이 절에서는 고체 상태 **소자**(devices)에 대해 간단히 살펴본다.

소형화된 전기 회로는 p형과 n형 반도체의 독창적인 조합의 결과물이다. 특별히 간단한 예가 그림 13.42에 나타낸 **정류기**(rectifier) 또는 **다이오드**(diode)이다. 이것은 단일 ***p*-*n* 접합**(p-n junction), 즉 p형과 n형 재료 사이의 경계로 이루어져 있다. 이 접합은 하나의 p형과 하나의 n형 재료 두 조각을 물리적으로 접합해서 만들 수 있다. 원래 진성 재료의 인접한 영역에 서로 다른 불순물(n형과 p형)을 확산시킴으로써 이런 접합을 만드는 보다 정교한 방법에 대해서는 나중에 살펴볼 것이다. 이 소자에 그림 13.42(b)와 같이 전압이 가해지면 전하 운반자는 접합에서 먼 쪽으로 이동한다(양전하인 정공은 음극으로 음전하인 전자는 양극으로). 이러한 **역방향 바이어스**(reverse bias)가 걸리면 정류기가 즉시 분극된다. 각 영역에 있는 다수의 전하 운반자는 인접한 전극으로 이동하고, (진성 전하 운반자에 의한)극소 전류만 흐를 수 있다. 전압을 반대로 하면 그림 13.42(c)에서처럼 **순방향 바이어스**(forward bias)가 걸리게 된다. 이 경우 각 영역의 다수 전하 운반자는 접합 쪽으로 이동해서 거기서 계속 재결합한다(각 전자와 정공이 결합). 이것은 전체적인 회로에 계속 전류를 흐르게 해준다. 전극의 도움으로 계속적인 전류가 흐른다. 외부 회로에서의 전자의 흐름은 양전극에서 새로운 정공을 제공해주고(즉 전자를 제거하고), 음전극에서는 새로운 전자를 제공해준다. 그림 13.43(a)는 이상적인 정류기에서의 전류를 전압의 함수로 보여준다. 반면 그림 13.43(b)는 실제 소자에서의 전류를 보여준다. 이상형 정류기는 역방향 바이어스일 때는 0의 전류가 흐르고, 순방향 바이어스일 때에는 비저항

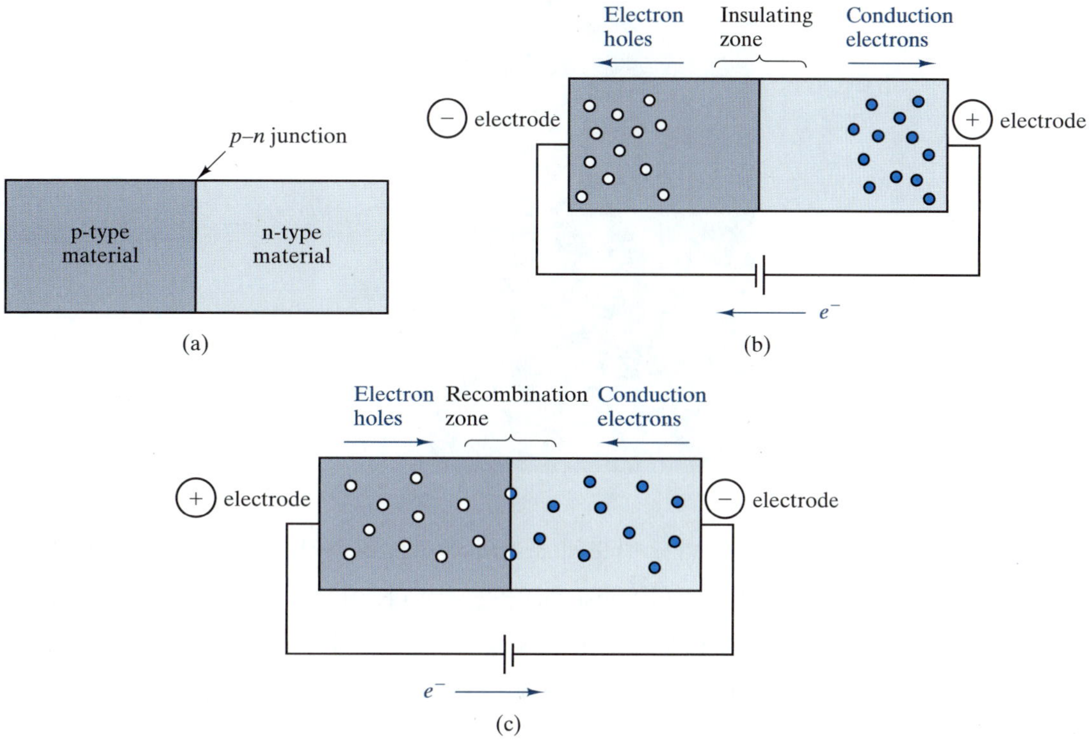

그림 13.42 (a) 단일 p–n 접합을 가지는 반도체 정류기, 즉 다이오드 (b) 역방향 바이어스에서는 분극이 일어나 전류가 거의 흐르지 않는다. (c) 순방향 바이어스에서는 각 영역에서 다수의 운반자가 접합부를 향해 이동하고 접합부에서 계속 재결합된다.

이 0이다. 실제 소자는 역방향 바이어스일 때 약간의 작은 전류가 흐르고(소수 운반자에 의해), 순방향일 때는 작은 비저항을 가진다. 이 간단한 고체 상태 소자가 비교적 큰 진공관 정류기(그림 13.44)를 대체했다. 1950년대에 여러 종류의 진공관을 대신할 수 있는 고체 상태 소자로 전기 회로의 실질적인 소형화를 이룰 수 있었다.

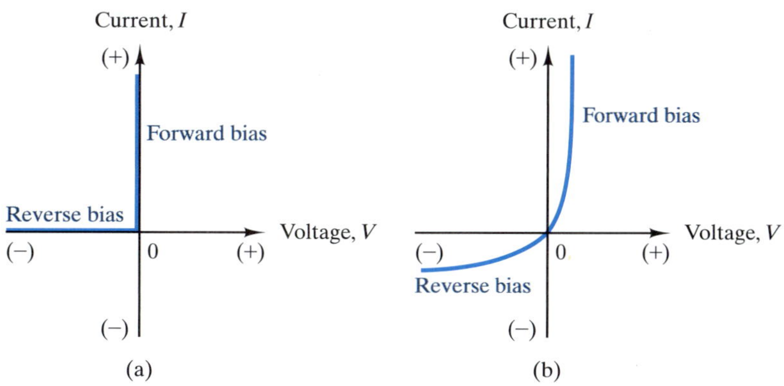

그림 13.43 (a) 이상적인 정류기와 (b) 그림 13.42에서 보여준 실제 소자에서의 전압 변화에 따른 전류 변화

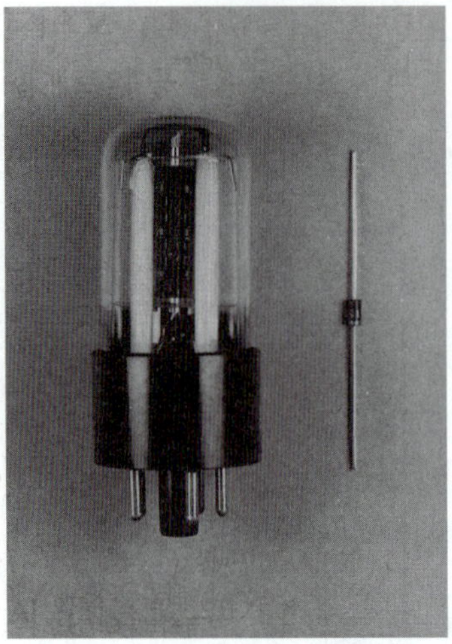

그림 13.44 진공 정류기와 고체 상태 정류기의 비교. 이러한 소자는 고체 상태 기술의 초창기에 실질적인 소형화를 가능하게 했다. (Courtesy of R. S. Wortman.)

아마도 반도체 소자의 혁신으로 가장 잘 알려진 요소는 그림 13.45에 나타낸 **트랜지스터**(transistor)였을 것이다. 이 소자는 한 쌍의 인접한 p-n 접합으로 되어 있다. 트랜지스터의 세 영역은 각각 **에미터**(emitter), **베이스**(base), **컬렉터**(collector)라고 한다. 접합 1(에미터와 베이스 사이)은 순방향 전압이 걸린다. 이 접합은 그림 13.42(c)의 정류기와 동일하게 보인다. 그러나 트랜지스터의 기능은 정류기에서 고려하지 않았던 거동을 필요로 하게 된다. 특히 그림 13.42에서 볼 수 있는 전자와 정공의 재결합이 즉시 일어나지 않는다. 사실 많은 전하 운반자가 접합을 쉽게 가로질러 이동한다. 만약 베이스 영역(n형)이 충분히 좁다면 많은 정공(과잉 전하 운반자)이 접합 영역 2를 통과하게 될 것이다. 통상 베이스 영역의 폭은 1 μm 이하이다. 일단 컬렉터에 도달하면 정공은 다시 자유롭게 이동하게 된다(다수 전하 운반자로서). 접합 1을 넘는 정공의 '통과량'은 에미터 전압 V_e에 대해 지수 함수적이다. 이 때문에

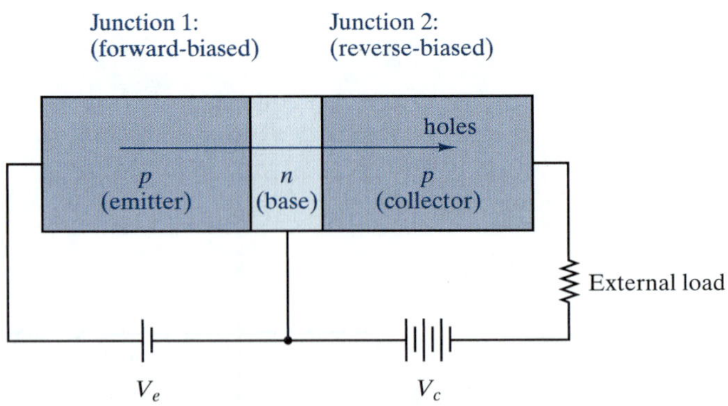

그림 13.45 트랜지스터(p-n-p 샌드위치)의 도식도. 베이스(n형 영역)를 가로지르는 정공은 에미터 전압 V_e의 지수 함수이다. 마찬가지로, 컬렉터 전류(I_c)가 V_e의 지수 함수이므로 이러한 소자는 증폭기로 사용된다. n-p-n형 트랜지스터도 전체 전류의 원인이 정공이 아니고 전자라는 점을 제외하면 마찬가지 기능을 한다.

컬렉터 전류 I_c는 V_e에 대해 지수 함수 관계를 갖는다.

$$I_c = I_0 e^{V_e/B} \tag{13.24}$$

여기서 I_0와 B는 상수이다. 약간의 에미터 전압의 증가로 큰 컬렉터 전류를 생성할 수 있으므로 트랜지스터는 **증폭기**(amplifier)이다. 그림 13.45에 있는 *p-n-p* '샌드위치' 접합만이 유일한 트랜지스터 설계는 아니다. *n-p-n*계도 정공이 아닌 전자가 전체적인 전류의 원천이 되어 흐름으로써 유사한 방법으로 작동한다. 집적회로 기술에서는 그림 13.45에 나온 구조를 **양극성 접합 트랜지스터**(bipolar junction transistor, BJT)라고도 한다. 트랜지스터 설계의 현대적 발전은 분자 빔 에피텍시(MBE)에 의해 생성된 구조인 에미터 및 베이스 영역에 서로 다른 반도체 재료를 사용하는 이종접합 양극성 트랜지스터(HBT)이다.

또 다른 최근의 트랜지스터 설계의 변화를 그림 13.46에 나타냈다. **전계 효과 트랜지스터**(field effect transistor, FET)는 **소스**(source)와 **드레인**(drain)(그림 13.45에서 각각 에미터와 콜렉터에 해당) 사이의 '채널(channel)'을 결합시킨다. **게이트**(gate, 그림 13.45에서 베이스에 해당)에 음 전압을 걸어주면 (비정질 실리카의 절연층 밑부분에) 전도성을 띤 *p*형 채널이 형성된다. 게이트 음 전압에 의한 채널의 전계는 기판의 정공을 끌어당긴다(사실 실리카층 바로 아래의 *n*형 재료는 전기장에 의해 *p*형으로 변한다). 그 결과 *p*형 소스에서 *p*형 드레인으로 정공이 자유롭게 이동할 수 있다. 게이트의 전압을 제거하면 전체적인 전류의 흐름을 막는 효과가 있다.

n-채널 FET는 그림 13.46과 유사하다. 그러나 *p*형과 *n*형의 영역이 바뀌면 정공이라기보다는 전자가 전하 운반자로 작용한다. 고속 전자 소자의 작동 주파수는 전자가 *n*형 채널을 통해 소스에서 드레인으로 가는 데 걸리는 시간에 의해 제한된다. 실리콘을 기반으로 하는 **집적 회로**(integrated circuit, IC) 기술에서 주된 노력은 통상 게이트 길이를 현재 최솟값인 10 nm 이하로 줄이는 것이다. 다른 선택은 GaAs의 경

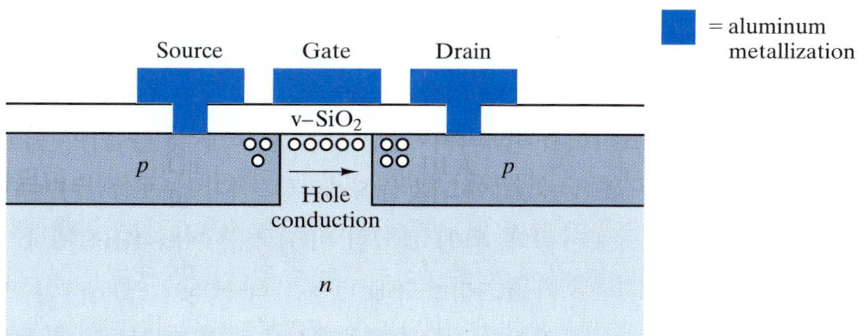

그림 13.46 전계 효과 트랜지스터(FET)의 단면도. 음 전압이 게이트에 걸리면 비정질 실리카층 밑에 전기장이 형성되어 소스와 드레인 사이에 *p*형 전도성 채널이 생긴다. 시간이 지남에 따라, 게이트의 너비는 그림 1.17b에서 볼 수 있듯이 현재 10 nm 미만의 치수를 갖는 상용 장치를 사용하여 마이크로미터 범위에서 나노미터 범위로 축소되었다.

그림 13.47 그림 1.17에서 보여준 형태의 수많은 칩을 가지고 있는 실리콘 웨이퍼의 근접 촬영 모습 (© Dave Porter/Alamy.)

우와 같이 더 높은 전자 이동도를 가지는 반도체를 쓰는 것이다(Si와 GaAs에 대한 μ_e의 상대 값은 표 13.5 참고). GaAs의 사용은 보다 높은 비용과 보다 어려운 공정 기술 사이에 조화를 이루어야 한다.

현대 기술은 매우 빠른 속도로 발전하고 있다. 그러나 고체 상태 기술만큼 매우 빠른 속도로 발전하는 것은 찾아보기 어렵다. 다이오드나 트랜지스터 같은 고체 상태 회로 소자가 진공관을 대체했을 때 실질적인 소형화가 이루어졌다. 독립적인 고체 상태 소자를 하나로 묶음으로써 더욱더 소형화가 이루어졌다. 그림 1.17에서 보았던 것과 같은 복잡한 전기적 **미세 회로**(microcircuit)는 단결정 실리콘의 단일 **칩**(chip) 안에 수많은 소자를 만들기 위해 확산 가능한 n형과 p형 도펀트의 정밀한 패턴을 적용해야 생산할 수 있다. 그림 13.47은 고순도의 원통형 실리콘 단결정을 얇게 자른 실리콘 **웨이퍼**(wafer)에 형성된 여러 칩이 정렬한 모습이다. 전형적인 웨이퍼의 지름은 150 mm(6 in.), 200 mm(8 in.), 300 mm(12 in.)이고, 두께는 250 μm이며, 칩 크기는 세로가 5~10 mm이다. 각각의 회로 요소 패턴은 **리소그래피**(lithography) 공정에 의해 만들어지는데, 이는 원래 다공질 석재 위에 잉크의 패턴을 형상화하는 인쇄 기술이다(접두어 litho는 '돌'을 의미하는 그리스어 lithos에서 유래했다). 실리콘 위에 투명한 SiO_2 층을 생성하는 데 사용되는 일련의 단계를 그림 13.48에 나타냈다. 원래 균일한 SiO_2 층은 900~1,100°C에서 실리콘의 열적 산화에 의해 형성된다. IC 리소그래피 공정의 핵심은 고분자인 **포토레지스트**(photoresist)를 사용하는 것이다. 이 포토레지스트의 제조에는 액상 용액을 급회전하는 디스크 위에 증착하여 1 m 정도의 균일한 코팅 두께로 만들 수 있는 스핀 코팅(spin coating)이 적용된다. 그림 13.48에서 '양각의' 포토레지스트가 사용되는데, 이 물질은 자외선 복사에 노출되면 분해되는 고분자이다. 용매가 **노출된**(exposed) 포토레지스트를 제거하는

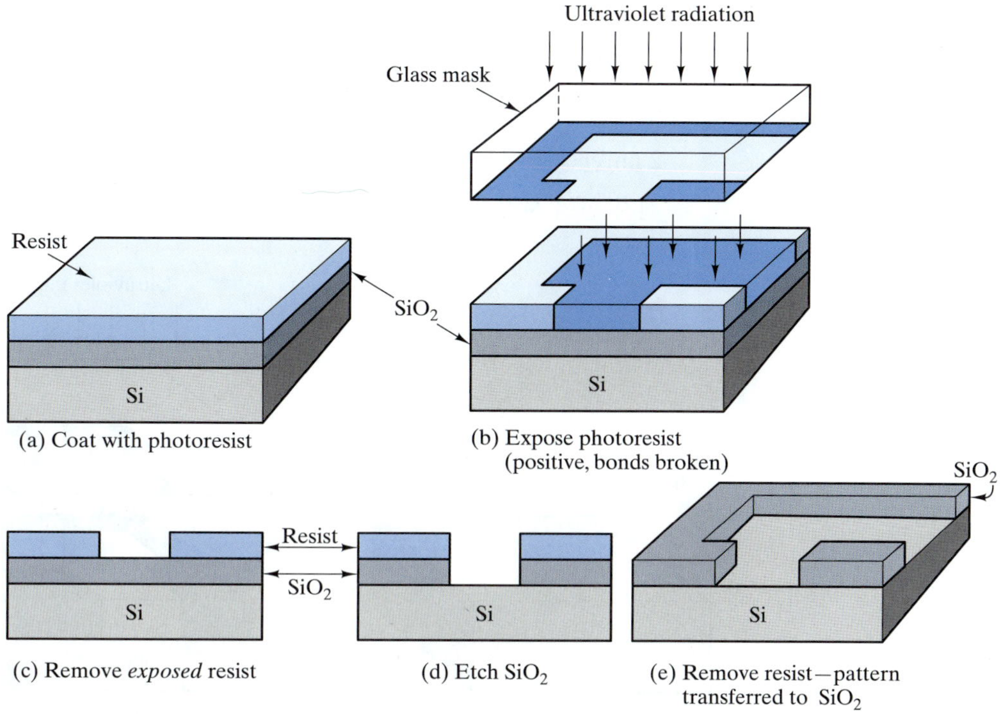

그림 13.48 실리콘 웨이퍼 위에 비정질 SiO_2 패턴을 만들기 위한 리소그래피 공정 단계의 도식도 (From J. W. Mayer and S. S. Lau, *Electronic Materials Science: For Integrated Circuits in Si and GaAs*, Macmillan Publishing Company, New York, 1990.)

데 사용된다. '음각의' 포토레지스트는 그림 13.49와 같이 금속화(metallization) 공정에 사용되는데, 자외선 복사를 하면 고분자의 가교 반응을 이루어 용매로 하여금 노출되지 않은(unexposed) 재료를 제거할 수 있도록 한다.

회로 제작의 마지막 단계 동안 금속선 사이의 절연 박막 혹은 절연성 보호막으로 실리콘 위에 산화물과 질화물 층이 입혀지는 경우가 많다. 이 층은 일반적으로 **화학적 증기 증착**(chemical vapor deposition, CVD)에 의해 입혀진다. SiO_2 박막은 다음의 실레인과 산소의 반응에 의해 250~450°C의 온도에서 만들어진다.

$$SiH_4 + O_2 \rightarrow SiO_2 + 2\,H_2 \quad (13.25)$$

실리콘 질화물 박막은 실레인과 암모니아의 반응에 의해 다음과 같이 만들어진다.

$$3\,SiH_4 + 4\,NH_3 \rightarrow Si_3N_4 + 12\,H_2 \quad (13.26)$$

궁극적으로 마이크론 이하 규모의 집적 회로 패턴은 지름 25~50 μm의 비교적 큰 금속선에 의해 큰 전자 '패키지'에 연결되어야 한다(그림 13.50). 이 접합의 덩어리는 금 선을 알루미늄 본드 패드에 초음파나 열초음파(열과 함께 초음파 진동을 가하는)로 용접한 것이다.

현재 개발이 활발한 분야는 **양자 우물**(quantum wells), 즉 2 nm만큼 작은 층 두께 내에 파동성의 전자가 갇혀 있는 반도체 재료의 박막을 만드는 것이다. 이러한 갇힌 영역을 2차원[**양자선**(quantum wires)]이나 3차원[**양자점**(quantum dots), 다시 한 면이 2 nm만큼 작은]으로 개발하기 위해 진보된 공정 기술이 사용된다. 이런 작은 치수는 전자 전이 시간을 피코초(picosecond)보다 작게 만들어, 소자의 작동 속도를 높인다.

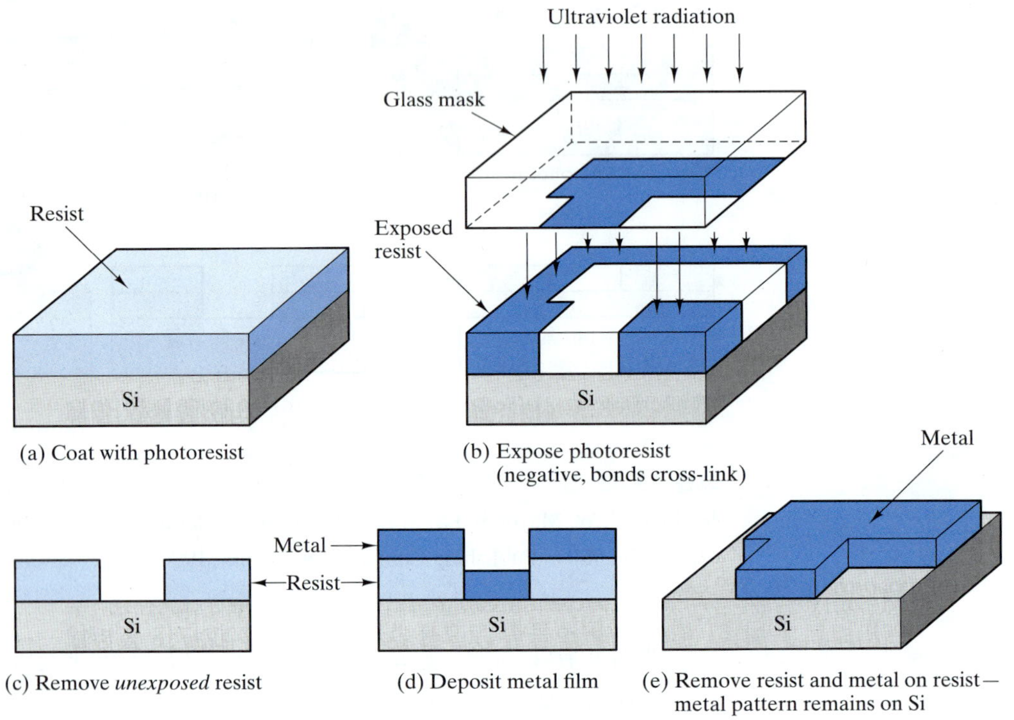

그림 13.49 실리콘 웨이퍼 위에 금속 패턴을 만들기 위한 리소그래피 공정 단계의 도식도 (From J. W. Mayer and S. S. Lau, *Electronic Materials Science: For Integrated Circuits in Si and GaAs*, Macmillan Publishing Company, New York, 1990.)

그림 13.50 집적 회로에 전형적인 금속선 결합 (Dr Jeremy Burgess/Science Source)

요약하면, 반도체 소자는 전자 회로의 소형화를 이루어 현대 생활의 혁신을 가져왔다. 다이오드나 트랜지스터와 같이 규모가 큰 전통적인 요소를 분리된 고체 상태 요소로 대체함으로써 변혁이 시작되었다. 집적된 미세 회로의 개발은 이러한 큰 변화를 가속했다. 소형화 작업은 미세 회로 요소의 크기를 줄임으로써 계속되고 있다. 처음에는 컴퓨터와 회로 소자의 크기가 작아야 하고, 또한 전력 소모가 적어야 하는 항공 산업이 전자 장비의 소형화를 주도했다. 이러한 개발에 수반되는 비용이 지속적이고 극적으로 감소됨에 따라 소비 전자 산업뿐 아니라 산업 생산 및 제어로 그 응용 분야가 확대되었다.

기술의 극적인 변화는 컴퓨터 분야에서 가장 뚜렷이 나타난다. 앞에서 다룬 전기 신호의 증폭 외에 트랜지스터와 다이오드는 스위칭 소자로도 작동한다. 이러한 응용은 컴퓨터의 정보 저장 능력과 계산 기능의 기초가 된다. 미세 회로 내의 요소는 디지털 회로의 이원 연산(binary arithmetic)의 두 가지 상태('off' 또는 'on')를 나타낸다. 이러한 응용에서의 소형화는 대형 컴퓨터에서 벗어나 개인용 컴퓨터, 더 나아가 휴대용 컴퓨터로 이끌었다. 이러한 경향과 동시에 가격의 지속적 감소와 계산 능력의 증가가 이루어지고 있다.

그림 13.51은 컴퓨터 칩의 소형화에서 극적인 진전을 보여준다. 단일 칩의 미세

Moore의 법칙이란 현대 공학에서 10억 분의 1(Powers of Ten)의 본질적 예이다. 마이크로프로세서의 비교적 짧은 역사에서 밀리미터 크기의 컴퓨터 칩이 트랜지스터보다 10만 배의 성장이 있었다. 현재 칩의 내부 밀도는 나노프로세서라는 용어로 쓸 수 있다.

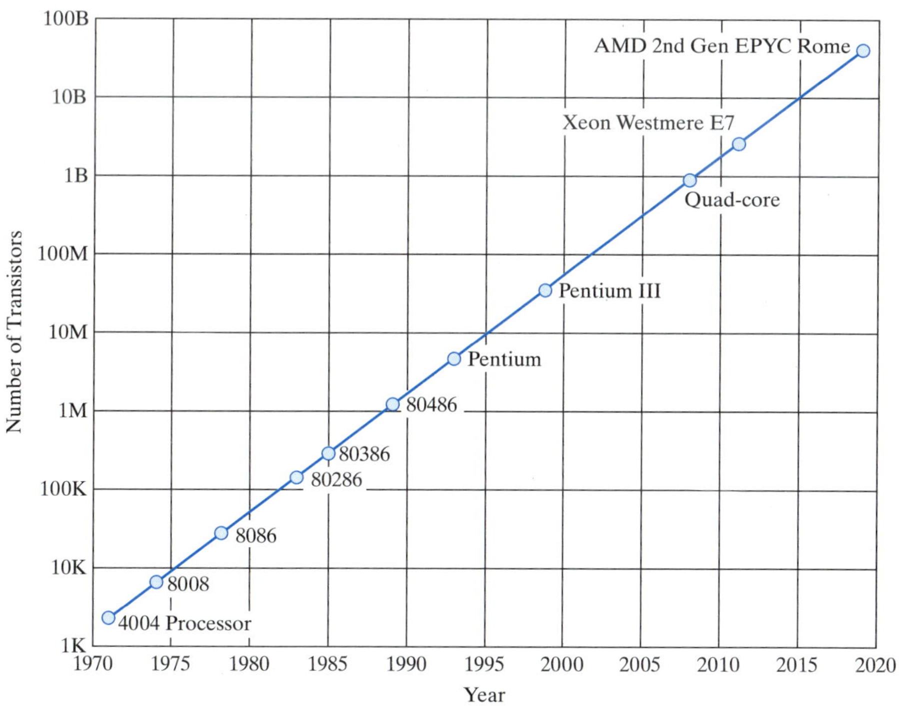

그림 13.51 단일 칩이 가지는 트랜지스터 수의 급격하고도 점진적인 성장은 그 수가 2년마다 대략 두 배 증가한다는 Moore의 법칙을 통상적으로 따라왔다. (After data from Intel Corporation and AMD, Inc.)

회로에 들어가는 트랜지스터의 수는 대략 40배가 넘게 수천에서 수십억 개가 되었다. 이 숫자는 놀랄 만큼 점진적으로 2년마다 두 배로 증가해왔다. 이러한 소형화 경향은 집적 회로 기술의 초창기에 이를 예측한 Intel의 공동 창립자인 Gordon Moore의 이름을 따서 **Moore의 법칙**(Moore's law)으로 널리 알려지게 되었다. 현재의 리소그래피 기술로 폭 10 nm 이하를 만들 수 있으며, 이는 짧은 파장의 자외선과 엑스선 리소그래피를 사용하고자 하는 집중적인 연구를 수행한 결과이다. UV와 엑스선 파장은 가시광선보다 훨씬 짧다. 그림 13.51은 거의 50년간 Moore의 법칙과 일치하는 놀라운 직선형 반대수 그래프(linear semi-log plot)이지만 Moore를 포함한 많은 관측자들은 축소되는 회로 요소가 물리적 한계에 도달함에 따라 가까운 장래에 그래프가 평탄해질 것으로 예측한다.

예제 13.26

주어진 트랜지스터는 에미터 전압이 5 mV일 때 컬렉터 전류가 5 mA이다. 에미터 전압이 25 mV(5배)로 증가했을 때 컬렉터 전류는 50 mA(10배)로 증가했다. 에미터 전압이 50 mV로 증가했을 때의 컬렉터 전류를 구하시오.

풀이

식 (13.24)를 이용하여

$$I_c = I_0 e^{V_e/B}$$

다음이 주어진다.

$$I_c = 5\text{ mA}\ (V_e = 5\text{ mV일 때})$$

$$I_c = 50\text{ mA}\ (V_e = 25\text{ mV일 때})$$

그러므로

$$\frac{50\text{ mA}}{5\text{ mA}} = e^{25\text{ mV}/B - 5\text{ mV}/B}$$

$$B = 8.69\text{ mV}$$

$$I_0 = 5\text{ mA}e^{-(5\text{ mV})/(8.69\text{ mV})} = 2.81\text{ mA}$$

따라서

$$I_{c,50\text{ mV}} = (2.81\text{ mA})e^{50\text{ mV}/8.69\text{ mV}} = 886\text{ mA}$$

연습문제 13.24

예제 13.26에서 주어진 트랜지스터에 대해 50 mV로 에미터 전압을 올려줌에 따른 컬렉터 전류를 계산했다. 5~50 mV 범위에서 컬렉터 전류 대 에미터 전압을 연속적으로 도시하시오.

재료의 세계

전자의 간단한 역사

현대 생활에서 전자 부품의 광범위한 역할을 생각하면 전자 그 자체가 19세기 말엽에 '발견'되었다는 것이 아마도 놀라울 것이다. 1897년에 영국 케임브리지대학교의 J. J. Thomson 교수가 텔레비전 튜브의 원시적 형태에 해당되는 어떤 장치의 음극선이 음의 전하를 가지는 입자의 흐름이라는 것을 보였다. 그는 이 입자를 미립자(corpuscles)라고 불렀다. 그는 미립자가 이동하는 곳에 가해주는 전계와 자계의 양을 바꾸어줌으로써 질량 m과 전하량 q의 비를 측정할 수 있었다. 더욱이 Thomson은 그 미립자가 모든 물질의 기본 구성요소이고 가장 가볍다고 알려진 수소 원자보다 1,000분의 1 이상 가볍다는 대담한 주장을 폈다. 이 두 가지 주장은 옳았다(전자의 질량은 수소 원자의 질량의 1/1,836.15이다). Thomson의 m/q 측정은 그의 대담하고 정확한 주장과 함께 그를 전자의 발견자로 기억하게 만든 요인이 되었다.

5년 후 뉴저지에 있는 Bell 연구소에서 John Bardeen, Walter Brattain, William Shockley는 작은 게르마늄 단결정이 전자 신호를 증폭한다는 것을 발견했다. 이 최초의 트랜지스터가 고체 상태 전자 부품의 시대를 열었다. 1955년에 Shockley 박사는 Bell 연구소를 떠나 캘리포니아 마운틴 뷰에 소재한 Beckman Instruments에서 Shockley 반도체 연구소를 세웠다. 1963년에는 스탠퍼드대학교로 옮겨 와 여러 해 동안 공학 교수로 재직했다. 1957년에 Shockley는 Shockley 반도체 연구소에서 그가 채용한 '배반의 8인'이라는 젊은 엔지니어 그룹이 Fairchild Camera and Instrument Company의 후원을 받아 그들의 회사인 Fairchild Semiconductor를 만들려고 떠나는 뼈아픈 일을 겪었다. 그리고 이 젊은 배신자들 가운데는 Gordon Moore와 Robert Noyce가 있었다.

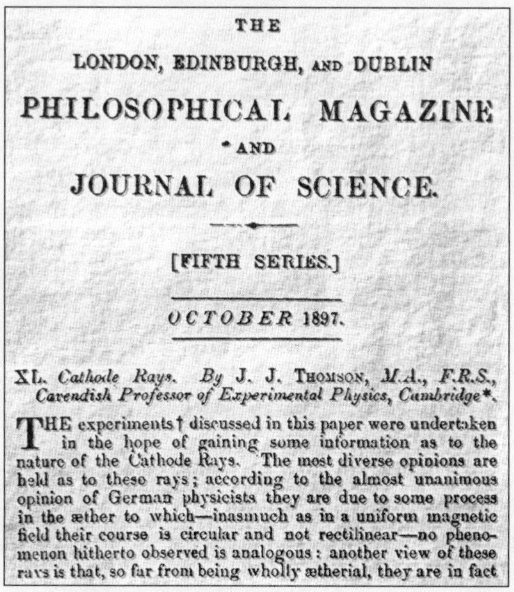
THE

LONDON, EDINBURGH, AND DUBLIN

PHILOSOPHICAL MAGAZINE

AND

JOURNAL OF SCIENCE.

[FIFTH SERIES.]

OCTOBER 1897.

XL. *Cathode Rays. By* J. J. Thomson, *M.A., F.R.S., Cavendish Professor of Experimental Physics, Cambridge*.*

THE experiments† discussed in this paper were undertaken in the hope of gaining some information as to the nature of the Cathode Rays. The most diverse opinions are held as to these rays; according to the almost unanimous opinion of German physicists they are due to some process in the æther to which—inasmuch as in a uniform magnetic field their course is circular and not rectilinear—no phenomenon hitherto observed is analogous: another view of these rays is that, so far from being wholly ætherial, they are in fact

(Courtesy of the Philosophical Magazine.)

1968년에 Moore와 Noyce는 Fairchild에 환멸을 느끼게 되었다. 그들만이 아니었다. 많은 엔지니어가 기술이 노동 현장의 정책으로 대체되고 있다는 생각으로 떠나고 있었다. Moore와 Noyce는 Fairchild를 떠나 Intel이라는 새로운 회사를 차렸다. 그들은 전에 Fairchild에 고용되었던 Andrew Grove와 함께 이 벤처 회사를 차렸다. 이 당시 세상에는 3만 대의 컴퓨터가 있었다. 대부분은 방 하나를 채울 만큼 큰 대형 컴퓨터였다. 나머지는 대략 냉장고 크기의 소형 컴퓨터였다. 컴퓨터 코드는 펀치 카드를 사용하여 기계적으로 입력했다. 젊은 회사인 Intel은 컴퓨터의 기억장치를 만드는 데 꽤 성공했지만 1971년에 마이크로프로세서라는 극히 새로운 생산품을 일본의 Busicom이라는 고객의 주문으로 개발하게 되면서 비약적으로 성장했다. 4004라는 생산품을 개발하는 데 9개월이 걸렸고, 단일 칩 위에 2,300개의 트랜지스터가 들어갔다. 오늘날의 기준으로 보면 4004는 1946년에 발명된 ENIAC이라는 최초의 컴퓨터(무게가 27 Mg이고 18,000개의 진공관으로 이루어짐)와 대등한 계산 능력을 보였다. Intel은 대단한 가능성의 생산품을 가지게 되었음을 깨닫고, 역으로 Busicom으로부터 4004 마이크로프로세서에 대한 디자인과 시장 권리를 6만 달러를 주고 사들였다. 이후에 Busicom은 도산했다. 나머지는, 소위 역사이다.

13.6 복합재료

복합재료(composite)의 특성이라고 할 수 있는 특별한 크기의 전도도는 없다. 12장에서 논의한 대로 복합재료는 네 가지 기본적인 재료 형태의 조합으로 정의된다. 둘 또는 그 이상의 금속으로 이루어진 복합재료는 도체이다. 둘 또는 그 이상의 절연체로 이루어진 복합재료는 절연체이다. 그러나 금속과 절연체를 둘 다 포함하는 복합재료는 전도상(conducting phase)과 비전도상(nonconducting phase)의 기하학적 분포에 의존하여 극단적인 또는 중간값의 전기 전도도 특성을 가진다. 12.2절에서 전기 전도도를 포함한 복합재료의 많은 성질이 기하학적인 모양에 민감하다는 것을 알았다[예: 식 (12.15)].

13.7 재료의 전기적 분류

이제 표 13.1의 값에 내포된 분류 체계를 요약할 준비가 되었다. 그림 13.52는 이러

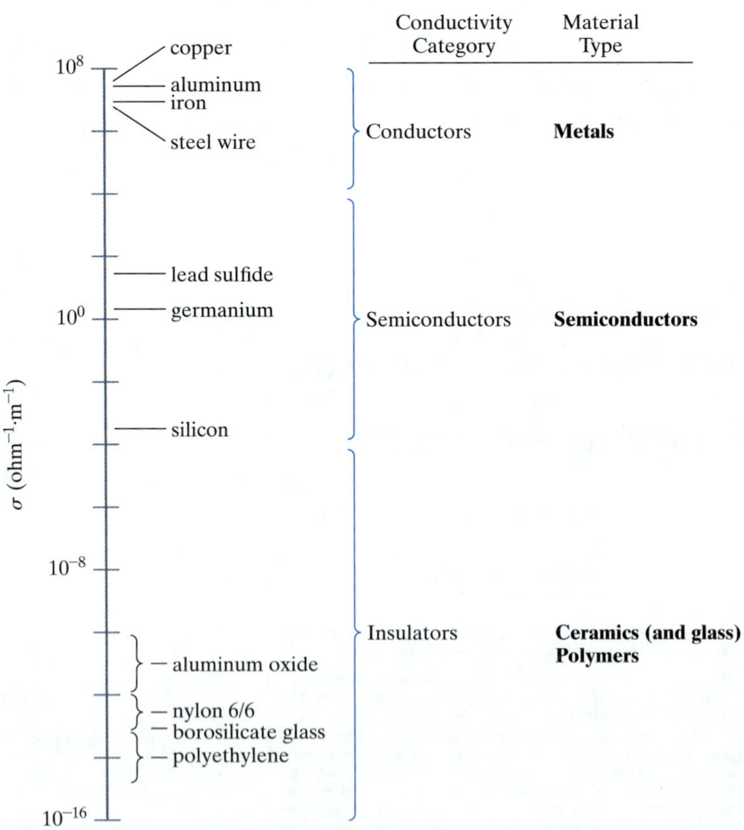

그림 13.52 표 13.1의 전기 전도도 값에 대한 도표. 전도도 범위는 공업재료의 네 가지 기본 형태에 해당한다.

한 값을 로그 값으로 보여준다. 2장에서 원자 결합에 의해 정의되었던 네 가지 기본적인 재료의 구분이 이제 전기 전도도에 대한 재료의 상대적인 성능에 따라 분류된다. 금속은 좋은 전도체이다. 반도체는 전자 전도에 대해 작지만 측정 가능한 에너지 장벽(에너지대 간격)에 의한 중간 정도의 값으로 잘 정의된다. 세라믹, 유리, 고분자는 전자 전도에 대해 큰 장벽으로 특징지어지는 절연체이다. 그러나 ZnO과 같은 재료는 전기적 분류로 보면 반도체일 수 있고, 결합 분류(2장)에 의하면 세라믹스가 될 수 있다. 또한 13.3절에서 어떤 산화물은 초전도성을 보인다는 것을 설명했다. 그러나 전체적으로 세라믹스는 11장에서 논의한 바와 같이 통상 절연체이다. 복합체는 그것을 이루는 성분의 성질과 그 성분의 기하학적 분포에 의존하므로 전도도 값의 모든 영역에서 볼 수 있다.

요약

전기 전도도는 원자 결합처럼 공업재료를 분류하는 기초를 제공한다. 전기 전도도의 크기는 적절한 전하 운반자 수와 그러한 운반자의 상대 이동도 둘 다에 의존한다. 여러 가지 전하를 띤 것이 운반자로서의 역할을 할 수 있으나 주된 관심은 전자에 있다. 고체에서는 고립된 원자 내의 불연속 에너지 준위에 해당하는 에너지대가 존재한다. 금속은 그들의 높은 전기 전도도 값으로 인해 도체라고 한다. 이는 채워지지 않는 가전대에 의한 결과이다. 열에너지는 심지어 상온에서도 많은 수의 전자가 Fermi 준위를 넘어 가전대의 위쪽 반으로 여기시키기에 충분하다. 온도 증가 또는 불순물 첨가는 금속의 전기 전도도를 감소(비저항을 증가)시킨다. 결정 구조의 완전성을 감소시키는 모든 것은 금속을 통과하는 전자 '파동'의 능력을 감소시킨다. 도체의 중요한 예에는 열전대와 초전도체가 포함된다.

세라믹, 유리, 고분자는 전기 전도도가 금속 도체보다 10^{20} 정도 낮기 때문에 절연체라고 한다. 그 이유는 가전대와 전도대 사이의 에너지대 간격이 너무 커서(2 eV보다 큼) 열적 에너지로는 Fermi 준위를 넘어 전도대로 충분한 양의 전자를 여기시킬 수 없기 때문이다. 절연체의 중요한 예는 강유전체와 압전체이다(극적인 예외는 비교적 높은 온도에서도 초전도성을 나타내는 세라믹 산화물의 능력이다).

중간값의 전도도를 갖는 반도체는 그 전도도 특성을 통해 가장 잘 정의된다. 그들의 에너지대 간격은 상온에서 상당한 전자의 수가 Fermi 준위를 넘어 전도대로 여기될 정도의 작은 값이다(일반적으로 2 eV보다 작다). 이 경우 전하 운반자는 전자 여기에 의해 생긴 전도 전자와 가전대에서 생성되는 정공이 모두 포함된다. 불순물 원소 반도체에서 불순물의 효과를 고려했다. P과 같은 V A족 불순물을 Si와 같은 IV A족 물질에 도핑하면 음전하 운반자(전도 전자)가 지배적인 *n*형 반도체를 만들 수 있다. V A족 첨가에 의한 잉여 전자는 반도체의 에너지대 구조에 donor 준위를 만든다. 진성 반도체와 마찬가지로 불순물 반도체도 Arrhenius 거동을 나타낸다. *n*형 재료에서 불순물형과 진성형 거동 사이의 온도 구간을 고갈 영역이라고 한다. *p*형 반도체는 Al과 같은 III A족 불순물을 IV A족 재료에 도핑하여 만든다. III A족 원소는 하나의 전자 부족을 가져서 에너지대 구조에 억셉터 준위를 만들고 양전하 운반자(정공)를 형성한다. *p*형에서의 불순물형과 진성형 거동 사이의 영역을 포화 영역이라고 한다.

진성 반도체를 구별하는 데 필요한 주요 전기적 성질은 상온에서 에너지대 간격, 전자 이동도, 정공 이동도, 전도 전자 밀도(= 정공 밀도)이다. 불순물 반도체인 경우 donor 준위(*n*형 재료에서) 또는 억셉터 준위(*p*형 재료에서)를 식별할 필요가 있다.

화합물 반도체는 보통 원자당 평균 4개의 가전자를 가진 MX 조성을 하고 있다. III-V와 II-VI 화합물이 일반적인 예이다. 비정질 반도체는 반도성 거동을 하는 비정질 재료이다. 이 범주에는 원소형과 화합물 재료 둘 다 포함된다. 칼코겐 화합물도 이 범주의 중요한 구성원이다.

반도체 공정은 예외적으로 고품질의 결정 구조와 10억분의 1(ppb) 수준의 화학적 불순물이 함께 요구되는 상업적 재료를 생산한다는 것이 특징적이다. 구조적 완전성은 다양한 결정 성장 기술에 의해 얻어진다. 화학적 완전성은 구역 정제법 공정으로 얻어진다. 분자 빔 에피텍시 등과 같은 진공 증착 기술은 진보된 전자 소자를 위한 박막 증착에 사용된다.

반도체의 응용을 알기 위해 지난 수십 년 동안 개발되어 왔던 고체 상태 소자 몇 가지를 다시 살펴보자. 반도체 정류기 또는 다이오드는 하나의 *p*-*n* 접합을 가지고 있다. 이 접합에 순방향 전압을 걸어주면 쉽게 전류가 흐른다. 그러나 역방향의 전압을 걸어주면 거의 완전히 전류가 흐르지 않는다. 트랜지스터는 *p*-*n* 접합을 접촉시킨 쌍으로 된 소자이다. 그 결과가 고체 상태 증폭기이다. 이와 같은 반도체 소자를 진공관에 대체시켰을 때에 실질적인 전기 회로의 소형화가 이루어졌다. 단결정 칩 위에 *n*형과 *p*형의 패턴이 정밀하게 구성된 미세 회로의 생성에 의해 소형화가 더 진전을 이루었다. 소형화의 정밀도를 증가시키는 것이 이런 집적 회로 기술의 나아갈 목표이다.

복합체는 성분과 그 성분의 기하학적 분포에 따라 도체에서 절연체 범위의 어떤 전기 전도도 값도 가질 수 있다.

주요 용어

가전대(valance band)
강유전체(ferroelectric)
게이트(gate)
게터링(gettering)
고갈 영역(exhaustion range)
고유 게터링(intrinsic gettering)
구역 정제법(zone refining)
다이오드(diode)
도메인(domain)
도체(conductor)
도펀트(dopant)
동종 에피텍시(homoepitaxy)
드레인(drain)
리소그래피(lithography)
미세 회로(microcircuit)
반도체(semiconductor)
베이스(base)
변환기(transducer)
보자력(coercive field)
분자 빔 에피텍시(molecular-beam epitaxy, MBE)
분출 셀(effusion cell)
불순물 반도성(extrinsic semiconduction)
비저항(resistivity)
비저항의 온도 계수(temperature coefficient of resistivity)
비정질 반도체(amorphous semiconductor)
상유전성(paraelectric)
소스(source)
소자(device)
순방향 바이어스(forward bias)
압전 결합 계수(piezoelectric coupling coefficient)
압전성(piezoelectricity)
압전 현상(piezoelectric effect)
양극성 접합 트랜지스터(bipolar junction transistor, BJT)
양자 우물(quantum well)
양자선(quantum wire)
양자점(quantum dot)
억셉터 준위(acceptor level)
에너지대 간격(energy band gap)
에너지대(energy band)
에미터(emiter)
에피텍시(epitaxy)
역방향 바이어스(reverse bias)
역압전 현상(reverse piezoelectric effect)
열전대(thermocouple)
외적 게터링(extrinsic gettering)
웨이퍼(wafer)
유동 속도(drift velocity)
압전성(piezoelectricity)
유전 강도(dielectric strength)
유전 상수(dielectric constant)
유전율(electric permittivity)
유전체(dielectric)
이력곡선(hysteresis loop)
이종 에피텍시(heteroepitaxy)
이종접합 양극성 트랜지스터 (heterojunction bipolar transistor, HBT)
임계 전류 밀도(critical current density)
자발 분극(spontaneous polarization)
자유 전자(free electron)
잔류 분극(remanent polarization)
저항(resistance)
전계 효과 트랜지스터(field-effect transistor, FET)
전기장 세기(electric field strength)
전기적으로 극화(electrically poled)
전기적 전도(electrical conduction)
전도대(conduction band)

전도도(conductivity)
전도 전자(conduction electron)
전류(current)
전압(voltage)
전자 전도(electronic conduction)
전자-정공 쌍(electron-hole pair)
전하 밀도(charge density)
전하 운반자(charge carrier)
절연체(insulator)
정공(electron hole)
정류기(rectifier)
증기 증착(vapor deposition)
증폭기(amplifier)
진성 반도체(intrinsic semiconductors)
집적 회로(integrated circuit, IC)
초전도체(superconductor)
칩(chip)
커패시터(capacitor)
컬렉터(collector)
트랜지스터(transistor)
편석 계수(segregation coefficient)
평균 자유도(mean free path)
포토레지스트(photoresist)
포화 분극(saturation polarization)
포화 영역(saturation range)
화학적 증기 증착(chemical vapor deposition, CVD)
화합물 반도체(compound semiconductor)
1-2-3 초전도체(1-2-3 superconductor)
donor 준위(donor level)
Fermi 준위(Fermi level)
Fermi 함수(Fermi function)
Hund의 법칙(Hund's rule)
III-V족 화합물(III-V compound)
II-VI족 화합물(II-VI compound)
Knudsen 셀(Knudsen cell)
Moore의 법칙(Moore's law)
n형 반도체(n-type semiconductor)
Ohm의 법칙(Ohm's raw)
Pauli 배타 원리(Pauli exclusion principle)
p-n 접합(p-n junction)
p형 반도체(p-type semiconductor)
Seebeck 전위(Seebeck potential)
Seebeck 효과(Seebeck effect)

참고문헌

Harper, C. A., *Electronic Materials and Processes Handbook,* 3rd ed., McGraw-Hill, New York, 2004.

Irene, E.A., *Electronic Materials Science,* John Wiley & Sons, Inc., New York, 2005.

Kittel, C., *Introduction to Solid State Physics,* 8th ed., John Wiley & Sons, Inc., New York, 2005. 비록 이 교재는 수준이 높지만 고체 특성에 대한 정보는 고전적이다.

Mayer, J. W., and **S. S. Lau,** *Electronic Materials Science: For Integrated Circuits in Si and GaAs,* Macmillan Publishing Company, New York, 1990.

Tu, K. N., J. W. Mayer, and **L. C. Feldman,** *Electronic Thin Film Science,* Macmillan Publishing Company, New York, 1992.

복습문제

13.1 _ 전하 운반자와 전도

13.1 (a) 시편이 그림 13.1에서와 같은 전기적 회로라고 가정하고, 1 cm 지름에 길이 10 cm의 원통형 강 막대(steel bar)는 $7.00 \times 10^6\ \Omega^{-1} \cdot m^{-1}$의 전기 전도도를 가지고 있다. 이 막대에서 10 mV의 전압에 의한 전류는 어떻게 될 것인가? (b) (a)와 마찬가지로 같은 크기의 고순도 실리콘 막대에서 전류는 어떻게 될 것인가? (표 13.1 참고) (c) (a)와 마찬가지로 같은 크기의 붕규산 유리(borosilicate glass) 막대에서 전류는 어떻게 될 것인가? (표 13.1 참고)

13.2 백열전구는 110 V의 선전압(line voltage)으로 작동한다. 만약 필라멘트의 저항이 200 Ω이라 하면 필라멘트를 통해 이동하는 초당 전자 수를 계산하시오.

13.3 반도체 웨이퍼의 두께는 0.6 mm이다. 이 두께를 통해 100 mV의 전압이 걸린다. (a) 만약 이동도가 0.2 $m^2/(V \cdot s)$라고 한다면 전자 유동 속도는 얼마인가? (b) 전자가 이 두께를 가로질러 이동하려면 얼마의 시간이 걸리는가?

D 13.4 지름 1 mm의 전선은 10 A의 전류를 흘릴 수 있다. 하지만 전선은 반드시 10 W/m보다 작은 전력 손실

(I^2R)을 가져야 한다. 표 13.1에 나열된 재료를 참조하여 어떤 재료가 전선에 적합한지 서술하시오.

13.5 고체 소자에서 알루미늄 배선 한 가닥은 1 mm 길이에 두께가 1 μm, 너비는 6 μm이다. 이 배선 한 가닥의 저항은 얼마인가?

13.6 재료의 전도를 담당하는 전하 운반자에는 ________ (이)가 있다.

D 13.7 구조적 설계는 전기적 전류를 흘릴 수 있는 지름 2 mm의 강(steel) 전선을 포함한다. 만약 이 전선의 저항이 25 Ω이라 하면, 표 13.1에 주어진 데이터를 활용하여 이 전선의 최대 길이를 계산하시오.

13.8 재료의 비저항은 __________ 이다.

13.2 _ 에너지 준위와 에너지대

13.9 은(silver)에서 전자의 에너지 준위 5.60 eV가 25% 채워지는 온도는 얼마인가? (은의 Fermi 준위는 5.48 eV이다.)

13.10 7.04 eV의 Fermi 준위를 가지는 구리의 1,000 K 온도에서의 Fermi 함수의 변화를 그림 13.7과 같이 나타내시오.

13.11 InSb(안티몬화 인듐)에서 전자가 전도대로 여기될 확률은 얼마인가? 다음 온도에 따라 계산하시오. (a) 25°C, (b) 50°C

13.12 어떤 온도에서 다이아몬드는 25°C 실리콘에서와 같은 전자가 전도대로 여기될 확률을 가지는가? (이 문제의 답은 다이아몬드가 어떠한 온도 범위에서 절연체라기보다는 반도체에 가깝다는 것을 알려준다.)

13.13 갈륨은 다양한 VA족 원소가 결합하여 반도성 화합물을 만든다. 에너지대는 VA족 원소의 원자 번호가 증가함에 따라 체계적으로 감소한다. 예를 들면 III-V족 반도체 GaP, GaAs, GaSb의 에너지대는 각각 2.25 eV, 1.47 eV, 0.68 eV이다. 이 반도체의 전자가 25°C에서 전도대로 여기될 확률을 각각 계산하시오.

13.14 Cd는 다양한 6족 원소와 반도성 화합물을 형성하고 6족 원소의 원자 번호가 증가하면 에너지대 간격이 체계적으로 감소한다. 예를 들어 CdS와 CdTe의 에너지대 간격은 각각 2.59 eV와 1.50 eV이다. 25°C에서 각 반도체의 전자가 전도대로 여기될 확률을 계산하시오.

13.3 _ 도체

13.15 고체 소자에서 구리 배선 한 가닥은 길이 1 mm에 두께 1 μm, 너비는 6 μm이다. 만약 0.1 V의 전압이 길이 방향으로 걸리면 결과적으로 생기는 전류는 얼마인가?

13.16 지름 1 mm에 15 m 길이의 금속 전선에 0.1 A의 전류가 흐르고 있다. 만약 금속이 30°C의 순수한 구리라고 한다면 이 전선에서의 전압 강하는 얼마인가?

13.17 지름 1 mm에 15 m 길이의 금속 전선에 0.1 A의 전류가 흐르고 있다. 30°C에서 전선이 Cu-0.1 wt % Al 합금인 경우 전선의 전압 강하는 얼마인가?

13.18 K형 열전대는 100°C(증류수가 끓는 것에 따라 정의됨)의 기준 온도에서 동작한다. 열전대 전압이 30 mV라면 이 도가니의 온도는 얼마인가?

13.19 chromel/constantan 열전대가 100°C(증류수가 끓는 것에 따라 정의됨)의 기준 온도에서 동작한다. 만일 열전대 전압이 30 mV라면 이 도가니의 온도는 얼마인가?

13.20 실리콘을 산화시키기 위한 노(furnace)는 1,000°C에서 동작한다. (a) S형, (b) K형, (c) J형 열전대에서 출력(얼음물 욕조와 연관된)은 어떻게 되겠는가?

13.21 재료 공정 영역에서 금속 전도체는 주로 저항 가열로의 금속선 형태로 이용된다. 저항 가열로 중에서 열전대 역시 몇몇 합금이 이용된다. 예를 들어 110 V로 작동하는 실험실 노에서 1 kW용 코일을 생산하기 위해 1 mm 직경의 chromel 전선을 사용하는 것을 고려하자. 이 노를 제작하기 위해 필요한 선의 길이는 얼마인가? (주: 저항 가열선의 전력은 I^2R과 같으며, chromel 선의 비저항은 1.08×10^6 Ω · m이다.)

13.22 합금의 비저항은 일반적으로 __________ 이다.

13.23 열전대는 __________(이)라고 설명할 수 있다.

13.24 백열전구의 텅스텐 필라멘트의 길이는 9 mm이고,

지름은 100 μm이다. 작동하는 온도는 1,000°C이며 110 V의 선전압이 인가되었을 때 필라멘트에 흐르는 전류는 얼마인가?

13.25 초전도체는 보통의 금속 도체와 어떻게 다른가?

13.26 1-2-3 초전도체 벌크의 임계 전류 밀도가 1×10^8 A/m^{2}일 때 지름 1 mm의 전선을 통해 흐를 수 있는 최대 초전도 전류는 얼마인가?

13.27 만약 1975년 이후 초전도체의 T_c를 높이는 과정이 지속적이고 선형적으로 진행되었다면, T_c가 95 K에 도달하는 연도는 언제인가?

13.28 13.3절에 제시된 초전도체 $YBa_2Cu_3O_7$의 단위정 내에 하나의 Cu^{3+}가 존재하는 이유를 증명하시오.

13.29 그림 13.19(a)의 단위정 구조를 통해 $YBa_2Cu_3O_7$의 화학식을 증명하시오.

• **13.30** 그림 13.19(b)의 페로브스카이트의 단위정과 그림 13.19(a)의 $YBa_2Cu_3O_7$에서 (a) 1층과 3층, (b) 2층의 차이점과 유사점을 각각 기술하시오

13.4_절연체

13.31 1 kV의 전압이 인가되었을 때 99.5% Al_2O_3로 이루어진 3 mm 두께의 커패시터 전하 밀도를 계산하시오.

13.32 항복(breakdown) 전압 구배(= 유전 강도)가 인가될 때 99.5% Al_2O_3로 이루어진 3 mm 두께의 커패시터 전하 밀도를 계산하시오.

13.33 3 kV/mm의 파괴 유전 강도를 가진 코디어라이트(cordierite)로 제작된 커패시터의 전하 밀도를 계산하시오. 유전 상수는 4.5이다.

13.34 만일 유전 상수가 5.0이라면 전압 기울기 3 kV/mm에서 작동하는 코디어라이트 커패시터의 전하 밀도를 계산하시오.

13.35 (예제 13.11과 13.12에서 소개된)분극 P의 다른 정의는

$$P = (\kappa - 1)\epsilon_0 E$$

이다. 여기서 κ, ϵ_0, E는 식 (13.11)과 (13.13)에 관련하여 정의되어 있다. 5 kV/mm로 인가된 전기장하에 99.9% Al_2O_3에 대한 분극을 계산하시오. (구한 답을 예제 13.12에 있는 강유전성을 보이는 정방정 $BaTiO_3$의 고유 분극과 비교해보자.)

13.36 강유전체는 보통의 세라믹 유전체와 어떻게 다른가?

13.37 상온에서 $BaTiO_3$는 __________ 의 매우 우수한 예이다.

13.38 $BaTiO_3$에 100°C의 열을 가하면 단위정의 크기가 (그림 13.21의 값에 비해) a = 0.400 nm 및 c = 0.402 nm로 바뀐다. 게다가 그림 13.21(b)에 나타낸 바와 같이 이온의 이동이 반으로 줄어든다. 100°C에서 (a) $BaTiO_3$ 단위정의 쌍극자 모멘트와 (b) 분극을 계산하시오.

13.39 만일 $BaTiO_3$의 c축 방향 탄성률이 109×10^3 MPa이라면 이것의 분극을 0.1% 줄이기 위해 필요한 응력은 얼마인가?

• **13.40** 강유전성과 압전성의 발현 기구를 이해하기 위한 핵심은 재료의 결정 구조를 형상화하는 것이다. 페로브스카이트 구조[그림 13.21(b)]의 정방정 변형의 경우에 대해 (a) (100), (b) (001), (c) (110), (d) (101), (e) (200), (f) (002) 면 내의 원자 배열을 그리시오.

• **13.41** 그림 13.40에서와 같이 입방정 페로브스카이트 구조[그림 13.21(a)]의 (a) (100), (b) (001), (c) (110), (d) (101) 면 내의 원자 배열을 그리시오.

• **13.42** 문제 13.40에서와 같이 입방정 페로브스카이트 구조[그림 13.21(a)]의 (a) (200), (b) (002), (c) (111) 면 내의 원자 배열을 그리시오.

13.5_반도체

13.43 상온에서 전도 전자를 제공하는 Ge 원자의 분율을 계산하시오.

13.44 (a) 전자와 (b) 정공에 의한 상온에서 진성 실리콘의 전도도의 분율은 얼마인가?

13.45 (a) 게르마늄과 (b) CdS의 경우 상온에서 (i) 전자와 (ii) 정공에 의한 전도도의 분율은 얼마인가?

13.46 표 13.5를 이용하여 상온에서 진성 GaAs의 전도도를 계산하시오.

13.47 표 13.5를 이용하여 상온에서 진성 InSb의 전도도를 계산하시오.

13.48 진성 InSb 반도체의 경우, 전도도에 기여하는 (a) 전자와 (b) 정공의 분율은 얼마인가?

13.49 표 13.5를 이용하여 그림 13.30과 같은 그래프를 27~200°C 범위에서 진성 실리콘과 진성 게르마늄에 대해 그리시오.

13.50 진성 원소 반도체의 전도도는 __________(을)를 포함한다.

13.51 반도체의 에너지대 간격은 미세한 온도 의존성이 있다. 실리콘에서 이 의존성은 다음과 같이 표현될 수 있다.

$$E_g(T) = 1.152\ \text{eV} - \frac{AT^2}{T + B}$$

여기서 $A = 4.73 \times 10^{-4}$ eV/K, $B = 636$ K, T는 켈빈 온도이다. 200°C에서의 에너지대 간격이 상온에서의 에너지대 간격과 같아지면 백분율 오차(percentage error)는 얼마인가?

13.52 GaAs에 대해 문제 13.51을 반복하시오. 여기서

$$E_g(T) = 1.567\ \text{eV} - \frac{AT^2}{T + B}$$

이고, $A = 5.405 \times 10^{-4}$ eV/K이고, $B = 204$ K이다.

13.53 n형 반도체의 실리콘 내에 무게비로 100 ppb의 P 도핑이 되어 있다. P의 (a) 몰 백분율과 (b) 원자 밀도를 구하고, (b)에서 구한 답을 표 13.6의 최고 고용도와 비교하시오.

13.54 상온에서 As를 도핑한 실리콘의 전도도가 $2.00 \times 10^{-2}\ \Omega^{-1} \cdot \text{m}^{-1}$이다. (a) 이 재료에서 주된 전하 운송자는? (b) 이 전하 운송자의 밀도는 얼마인가? (c) 200 V/m 전기장하에서 이 운송자의 표류 속도는 얼마인가? (μ_e와 μ_h값은 표 13.5에서 찾을 수 있고 낮은 불순물 농도도 또한 적용된다.)

13.55 상온에서 Ga가 도핑된 실리콘의 전도도가 $2.00 \times 10^{-2}\ \Omega^{-1} \cdot \text{m}^{-1}$이다. (a) 이 재료에서 주된 전하 운송자는? (b) 이 전하 운송자의 밀도는 얼마인가? (c) 200 V/m 전기장하에서 이 운송자의 표류 속도는 얼마인가? (μ_e와 μ_h값은 표 13.5에서 찾을 수 있고 낮은 불순물 농도도 또한 적용된다.)

13.56 B(붕소)가 포화 영역의 10 ppb 도핑된 실리콘의 전도도를 계산하시오.

13.57 불순물 원소 반도체의 전도도는 __________(이)가 주도한다.

13.58 Sb가 고갈 영역의 10 ppb 도핑된 실리콘의 전도도를 계산하시오.

13.59 n형 반도체의 경우 전도도는 __________에서 비교적 일정하다.

13.60 p형 반도체의 경우 전도도는 __________에서 비교적 일정하다.

13.61 n형 반도체의 경우 전도도는 에너지대 간격 내에 __________ 준위를 만드는 도핑 원소에 의해 증가한다.

13.62 B가 도핑된 실리콘의 전도도에 대해 주어진 다음 데이터를 이용하여 그림 13.40과 유사한 방식으로 전도도 그래프를 그리시오.

T (°C)	σ ($\Omega^{-1} \cdot \text{m}^{-1}$)
27	3.99×10^{-4} (extrinsic behavior)
110	7.89 (saturation range – lower limit)
200	1.00 (intrinsic behavior)
285	7.89 (saturation range – upper limit)

13.63 p형 반도체의 경우 전도도는 에너지대 간격 내에 __________ 준위를 만드는 도핑 원소에 의해 증가한다.

13.64 Sb가 도핑된 실리콘의 전도도에 대해 주어진 다음 데이터를 이용하여 그림 13.40과 유사한 방식으로 전도도 그래프를 그리시오.

T (°C)	σ ($\Omega^{-1} \cdot \text{m}^{-1}$)
27	2.07 (extrinsic behavior)
80	2.59 (exhaustion range – lower limit)
200	1.00 (intrinsic behavior)
236	2.59 (exhaustion range – upper limit)

D **13.65** B가 도핑된 실리콘 기반 고체 소자를 설계할 때 작동 상태에서 (상온에서의 값과 비교했을 때)전도도가

10% 이상 증가하지 않는 것이 중요하다. 이 한 가지 요인만 감안할 때 이 설계에서 가장 높은 작동 온도는 얼마인가?

D **13.66** As가 도핑된 실리콘 기반 고체 소자를 디자인할 때 작동 상태에서 (상온에서의 값과 비교했을 때)전도도가 10% 이상 증가하지 않는 것이 중요하다. 이 한 가지 요인만 감안할 때 이 디자인에서 가장 높은 작동 온도는 얼마인가?

• **13.67** (a) 온도에 대한 반도체의 민감성은 매우 정확한 온도를 측정하는 일반적인 열전대를 능가한다고 13.3절에서 언급했다. 각각의 소자는 서미스터를 참고한다. 간단하게 예를 들면 지름이 0.5 mm이고, 길이가 10 mm인 선을 진성 실리콘으로 만들었다. 만약 저항값이 10^{-3} Ω이면 300 K에서 이 소자의 온도 민감성은 얼마인가? (힌트: 매우 작은 차이는 $d\sigma/dT$와 같은 형식으로 표현할 수 있다.) (b) 같은 조건에서 게르마늄 선에 대해 반복하시오. (c) 같은 조건으로 구리(annealed standard)선에 대해 반복하고 금속 전도체와의 온도 민감성을 비교하시오(여기서 필요한 데이터는 표 13.2에서 찾을 수 있다).

13.68 진성 InSb의 에너지대 간격이 0.17 eV이다. 전도도가 (a) 10%, (b) 50%, (c) 100% 증가할 수 있는 온도는 얼마인가? (상온은 25°C이다.)

13.69 n형 반도체의 경우, 전도도는 __________ 도핑 원소로 첨가로 증가된다.

13.70 진성 ZnSe의 에너지대 간격은 2.67 eV이다. 전도도가 (a) 10%, (b) 50%, (c) 100% 증가할 수 있는 온도는 얼마인가? (상온은 25°C이다.)

13.71 비정질 반도체는 일반적으로 같은 조성의 단결정 반도체보다 __________(을)를 갖는다.

13.72 주변 온도가 300 K에서 시작하여, 진성 InSb의 전도도가 두 배가 되려면 온도의 증가량은 얼마가 되어야 하는가?

13.73 주변 온도가 300 K에서 시작하여, 진성 GaAs의 전도도가 두 배가 되려면 온도의 증가량은 얼마가 되어야 하는가?

13.74 주변 온도가 300 K에서 시작하여, 진성 CdS의 전도도가 두 배가 되려면 온도의 증가량은 얼마가 되어야 하는가?

13.75 순수한 GaAs의 전도도가 1% 증가하기 위해 (상온일 경우와 비교하여) 얼마만큼의 온도가 증가해야 하는가?

13.76 전도도를 1% 증가시키려면 (상온일 경우와 비교하여) 얼마만큼의 온도 상승이 필요한지 각각에 대해 답하시오. (a) Se가 도핑된 GaAs, (b) Cd가 도핑된 GaAs.

13.77 진성 반도체 GaAs에서 전자에 의한 전류의 분율과 정공에 의한 전류의 분율을 계산하시오.

13.78 불순물(extrinsic) 거동 범위에서 (a) Se가 도핑된 GaAs, (b) Cd가 도핑된 GaAs의 경우 전자에 의한 전류의 분율과 정공에 의한 전류의 분율을 계산하시오.

13.79 실리콘 막대에서 알루미늄의 불순물 레벨이 1 ppb에 도달될 때 이전 과정에서의 액체의 순도는 얼마나 되어야 하는가?

13.80 불순물 Pb가 들어간 99 wt % Sn 막대를 생각해보자. (a) 한 번의 구역 정제 과정 후에 불순물의 레벨을 결정하시오. (b) 두 번, (c) 세 번 과정 후 불순물의 레벨은 어떻게 되겠는가? (그림 9.16의 Pb-Sn 상태도 참고)

13.81 반도체 및 반도체 소자의 제조에는 종종 __________(이)가 포함된다.

13.82 (a) 압력은 2.9×10^{-6} atm, 온도는 970°C, 구경(aperture)의 영역 500 mm^{2}에서 MBE 분출 셀의 갈륨 원자 유량(flux)은 얼마인가? (b) (a)에서의 원자 유량이 생장 챔버(growth chamber)의 기판 영역에서 45,000 mm^{2}의 면적으로 투사된다면, 갈륨 원소의 단층막이 생기기 위해서는 얼마만큼의 시간이 필요한가? (단순하게 인접한 Ga 원자의 정사각형 격자를 가정하시오.)

13.83 고체 소자의 고주파수에서 작동은 FET의 소스와 드레인 사이의 게이트를 가로지르는 전자의 통과 시간에 의해 제한받을 수 있다. 1 GHz(10^9 s^{-1})에서 작동하는 소자는 10^{-9} s의 통과 시간이 필요하다. (a) 1

μm의 게이트를 가로지를 때 이 통과 시간을 얻으려면 전자의 속도는 얼마가 되어야 하는가? (b) 실리콘에서 위의 전자 속도를 얻기 위해 얼마만큼의 전기장 강도가 필요한가? (c) 같은 게이트 너비와 전기장 강도에서 더 높은 전자 이동도를 갖는 반도체 GaAs의 작동 주파수는 얼마가 되어야 하는가?

13.84 그림 13.45에서 보인 *p-n-p* 경우와 유사한 *n-p-n* 트랜지스터의 개략도를 그리시오.

13.85 그림 13.46에서 보인 *p*-채널 FET와 유사한 *n*-채널 FET의 개략도를 그리시오.

13.86 그림 13.50은 IC 회로와 소통되기 위해 상대적으로 큰 금속 연결이 도식화되어 있다. IC 회로에서 집적되는 크기 증가의 제한은 내부 접속의 밀도이다. 소자 패키지의 input/output(I/O) 핀에서 신호의 수를 추측하기 위한 유용한 실험 방정식은 $P = \mathrm{K}\mathrm{G}^{\alpha}$이다. 여기서 K와 α는 실험 상수이고 G는 IC 회로의 게이트 수이다(하나의 게이트는 대략적으로 4개의 트랜지스터와 같다). K와 α의 값이 각각 7과 0.2일 경우 아래의 게이트 수에 따른 소자의 핀 수를 계산하시오. (a) 1,000 게이트, (b) 10,000 게이트, (c) 100,000 게이트.

13.87 반도체 소자를 생산하는 데 쓰이는 몇몇 주요 재료 부품에는 __________(이)가 포함된다.

13.88 현대 전자 산업의 발전을 설명하는 데 Moore의 법칙의 유용성은 __________에 기인한다.

13.89 최초의 Intel 마이크로프로세서(4004)는 1971년에 2,300개의 트랜지스터를 갖고 있었다. 1999년에 소개되었을 때 펜티엄 III에 탑재되어온 트랜지스터의 수를 평가하기 위해 Moore의 법칙을 이용하고 자신의 답을 실제 수(3,200만)와 비교하시오.

13.90 1971년 2,300개의 트랜지스터를 갖는 Intel 마이크로프로세서(4004)가 최초로 도입되고 40년 후 Xeon Westmere E7은 26억 개의 트랜지스터를 내장했다. Moore의 법칙을 사용하여 트랜지스터 수를 평가하고 실제 값과 비교하시오.

13.6_ 복합재료

13.91 표 12.7의 Cu-matrix 복합재료에서 텅스텐 필라멘트와 평행한 전도도를 구하시오(온도가 20°C일 경우).

13.92 25 vol % W 필라멘트인 비슷한 화합물이라고 가정할 경우, 문제 13.91을 반복하여 계산하시오.

CHAPTER 14

광학 및 자성 재료

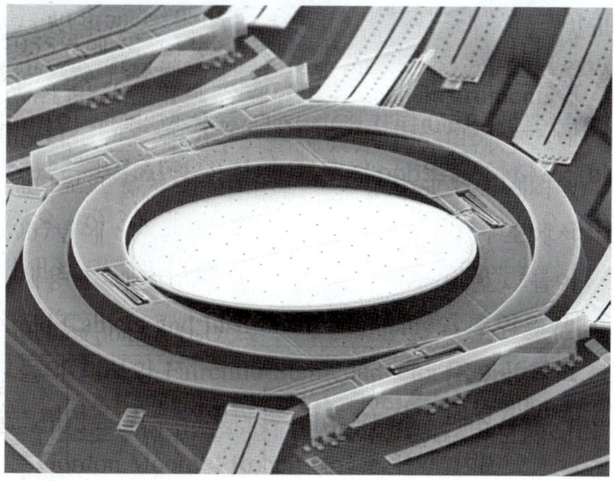

아주 작은 거울로 만들어진 광학 스위치는 광자(데이터)의 흐름을 특정한 방향으로 보낸다. (Alcatel-Lucent/Bell Labs/Science Source.)

학습목표

1. (a) 전자기 스펙트럼 내 위치부터 파동과 입자(광자)로서의 성질에 이르기까지 가시광선의 기본적인 물리를 기술한다.
   (b) 굴절률, 반사율, 반사(정반사 및 난반사), 다양한 광 투과도, 가시광선대의 부분 흡수와 연관된 색상 및 관련 현상을 포함한 주요 광학 속성을 정의한다.
   (c) 레이저, 광섬유, 액정 디스플레이(LCD), 광전도체를 포함한 다양한 광학 소자와 시스템을 분류한다.
2. (a) 자기에 대한 기본적인 물리를 기술하고 자기 유도, 자기장 강도, 투자율, 자화, 반자성, 상자성을 포함한 주요 용어를 정의한다.
   (b) 특히 철과 기타 전이 금속을 포함하는 특정 금속의 강자성 거동을 기술한다.
   (c) 특히 철과 기타 전이 금속 이온을 포함하는 특정 세라믹의 페리자성 거동을 기술한다.
   (d) 초전도 자석의 특수한 경우뿐만 아니라 연자석과 경자석을 구별하는 것을 포함하여 다양한 금속 자석을 분류한다.
   (e) 페라이트와 같은 전통적인 자석과 금속으로 가능한 수준 이상의 온도에서 초전도 자석을 구별하는 것을 포함하여 다양한 세라믹 자석을 분류한다.

어떤 물질에서는 광학적 거동이 (어떻게 가시광선을 반사하고 흡수하고 통과시키는지와 같은) 물질의 기계적 거동(6장)보다 더 중요하다. 광학적 거동은 전기적 거동(13장)과도 밀접하게 관련된다. 11장에서 설명한 유리는 중요한 구조 재료의 응용에서 광학적 거동이 주요 역할을 하는 고전적인 예이다. 통신 산업은 광학적 거동의 정교한 새로운 형태의 수많은 응용과 관련되어 있다.

3장에서 소개한 엑스선과 함께 가시광선은 전자기 복사 스펙트럼의 일부이다. 광학적 응용에 널리 사용되는 유리, 결정 세라믹, 유기 고분자 등은 특정한 광학적 특성을 요구한다. 굴절률은 표면에서 빛의 반사와 물질 내에서 빛의 투과 성질과 밀접한 관계가 있는, 본질적으로 중요한 특성이다. 어떤 물질의 투과성은 이차상의 미세구조(다공성 또는 기지와 다른 굴절률을 가진 고체상)의 특성에 의해 제한된다. 광투과성 물질의 색은 Fe^{2+}나 Co^{2+}와 같은 이온에 의해 특정한 파장이 흡수되는 것에 따라 결정된다. 현대의 광범위한 광학적 응용은 특정한 에너지를 흡수한 후 가시광선을 발산하는 성질을 가진 발광 재료를 포함한다. 금속 물질 특유의 반사와 불투명한 성질은 이러한 물질의 전도대에서의 높은 전자 밀도에 의한 직접적인 결과이다. 현대 기술의 가장 중요한 장치(system)와 소자 중 일부는 그 광학적 거동으로 인해 유용하게 사용된다. 그 예로 레이저, 광섬유, 액정 소자, 광전 소자 등이 있다.

자성 재료를 설명하기 위해 앞 장에서 다룬 전자 현상과 밀접하게 관련된, 물리학의 주요 분야인 **자성**(magnetism)에 대해 간단히 검토할 필요가 있다. 서론 부분이 조금 자세한데 이는 이 책 앞부분(예: 기본적인 화학적 및 기계적 개념)에서와는 달리 자기적 특성의 용어와 단위 등과 관련된 기본적인 단어가 익숙하지 않기 때문이다.

물질이 다양한 자기적 거동을 나타내지만 그중 가장 중요한 것 가운데 하나는 철을 포함한 금속합금과 관련된, 철을 함유한다는 ferro-가 의미하듯이, **강자성**(ferromagnetism)이다. 이러한 물질에서 미세 단위의 **도메인 구조**(domain structure)가 자기장에 대한 다른 반응을 만든다. **페리자성**(ferrimagnetism, 준강자성)은 많은 세라믹 화합물에서 발견되는 성질로, 강자성과 미묘한 차이를 가진다. **금속 자석**(metallic magnets)은 전통적으로 강자성의 상대적인 세기에 따라 '연성(soft)'과 '경성(hard)'으로 구분한다. 이 명칭은 편리하게도 기계적인 경도와 관련되어 있다. 대표적인 **연자석**(soft magnets)은 철-실리콘 합금으로, 이는 합금(변압기 코어 내)의 자기화 방향이 쉽게 역전되는 전력 애플리케이션에 일반적으로 사용된다. 이에 반해 어떤 합금은 **영구 자석**(permanent magnets)에 유용한 **경자석**(hard magnets)이다. **세라믹 자석**(ceramic magnets)은 **역스피넬**(inverse spinel) 결정 구조에 기반한 많은 **페라이트**(ferrite) 화합물에서 가장 잘 보이고 널리 사용된다. 세라믹 자석 중에는 **초전도성**(superconductivity)이라는 독특한 특성을 보이는 것이 있다. 세라믹 초전도체는 금속 초전도체와는 다르게 상대적으로 높은 온도에서 작동한다는 것이 증명되었다. 따라서 더 넓은 분야에 응용할 수 있는 가능성이 크다.

14.1 광학 재료

광학적 거동의 본질을 이해하기 위해서는 3.7절에서 소개한 전자기 방사선 스펙트럼으로 돌아가야 한다. 그림 14.1은 엑스선보다 가시광선이 강조된 것 외에는 그림 3.30과 매우 비슷하다. **가시광선**(visible light)은 전자기 스펙트럼에서 인간의 눈으로 감지되는 영역이다. 일반적으로 이는 400~700 nm의 파장 영역에 해당한다. 그림 14.2에서 보여주듯이 빛의 파동성은 전파 방향에 따른 전기장과 자기장 성분의 주기적인 변화를 나타낸다. 진공에서 빛의 속도 c는 0.2998×10^9 m/s이다. 전기적 및 자기적 특성과 빛의 관계를 정연하게 보여주는 것이 빛의 속도가 정확히 2개의 기본적인 상수로 표현된다는 사실이다.

$$c = \frac{1}{\sqrt{\epsilon_0 \mu_0}} \tag{14.1}$$

여기서 ϵ_0는 진공의 전기적 유전율이고, μ_0는 진공의 자기 투자율이다. 여느 파동 형태에서 그러하듯이 주파수 ν와 파장 λ의 관계는 파동의 속도로 표현된다. 빛의 경우는 다음과 같다.

$$\nu = c/\lambda \tag{14.2}$$

2.1절에서는 전자가 파동성 거동과 입자성 거동을 동시에 보이는 파동-입자의 이

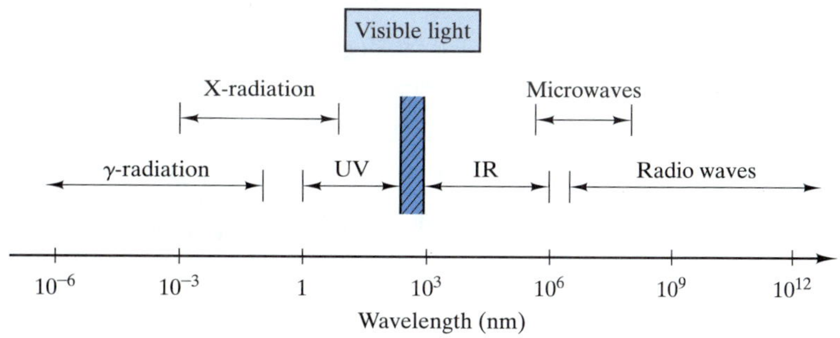

그림 14.1 (400 nm에서 700 nm 파장대의)가시광선이 중심에 있는 전자기 복사 스펙트럼

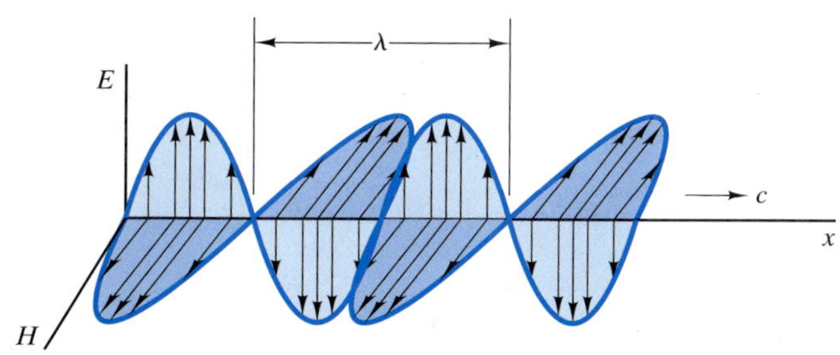

그림 14.2 빛과 같은 전자기파의 파동성. 전기장(E)과 자기장(H) 성분 모두 정현파(sinusoidal)처럼 움직이고 E와 H의 진동은 서로 수직인 평면에서 일어난다. 파장, λ와 광속 c가 표시되어 있다.

재료의 세계

의료용 엑스선 평판 디스플레이

현대 광학 재료의 주요 응용 분야 중 하나는 예전 TV에 쓰였던 부피가 큰 음극선 디스플레이를 평판 디스플레이(flat panel display, FPD)로 대치하는 것이다. 이 장 뒷부분에서 논의할 액정 디스플레이(liquid crystal display, LCD)는 휴대용 컴퓨터의 평판 디스플레이로 주로 사용된다. LCD의 다른 응용은 일반적인 필름과 같은 품질을 가진 의료용 엑스선의 FPD 영상을 제공하는 것이다. LCD는 300 mm × 400 mm 크기의 평판 디스플레이의 초고해상도를 가능하게 함으로써 디지털 엑스선 영상을 필름처럼 선명하게 만들어 의사와 의료전문가들이 환자의 엑스선과 의료기록을 온라인으로 볼 수 있게 해준다. 예전에는 CRT(cathode-ray tube)의 해상도와 선명도의 한계 때문에 병원과 의료센터에서 온라인 협업이 제한적으로 이루어져 왔다. (각각 4,096개의 명암 수준을 가진)500만 개의 픽셀로 이루어진 해상도를 가진 평판 디스플레이는 더 선명하고 더 명확하고 왜곡이 없는 영상을 만든다. 이 시스템은 일반적인 백라이트 필름의 '느낌'을 가지게 하고 디지털 보관 및 검색 기능의 장점을 합한 것이다. 이것과 비교할 만한 FPD 기술로 비정질 실리콘 검출기를 사용하는 방법은 다음 란에서 설명한다.

디지털 방사선 사진은 원격 진료라는 새로운 분야의 주요 사례이다. 환자의 중요한 정보를 좀 더 쉽게 얻을 뿐만 아니라 필름의 현상과 관련된 시간, 비용, 재료의 낭비를 없앤다. 이러한 특별한 FPD는 가슴이나 유방 엑스선 촬영을 포함한 큰 흑백 영상 파일에 최적화된 것이다. 이는 초음파 다중 영상을 보기에도 적합하다(예: 태아 모니터링). 이 FPD는 또한 컴퓨터 단층스캔 촬영(computer-aided tomography, CAT) 또는 이와 비슷한 자기공명영상(magnetic resonance imaging, MRI) 같은 것을 보여주기에도 효과적이다. CAT나 MRI 같은 경우 영상의 전체 시리즈가 모두 완벽한 해상도로 명확히 보인다. FPD는 실시간 투시를 위한 풀모션 비디오를 지원한다. 또한 이러한 고품질 디지털 이미지는 인간에 의한 진단 분석과 비슷하거나 이것을 뛰어넘을 수 있는 인공지능(AI)에 의한 진단 분석이 더 많이 이루어지도록 해준다.

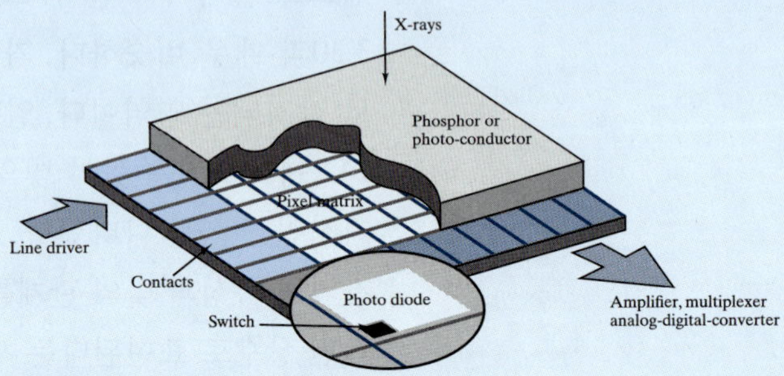

중성을 가진 예로 생각했다. 유사한 방법으로, 전자기 복사는 **광자**(photon)라고 불리는 에너지 파속(packet)으로 이루어진 입자성의 관점으로 볼 수 있다. 광자의 에너지는

$$E = h\nu = h(c/\lambda) \tag{14.3}$$

로 나타내는데, 여기서 h는 플랑크[1] 상수($= 0.6626 \times 10^{-33}$ J·s)이다.

[1] Max Karl Ernst Ludwig Plank(1858~1947)는 독일 물리학자이다. 그의 생애는 19세기와 20세기에 걸쳐 있는데, 이는 고전 물리(19세기)와 현대 물리(20세기)를 연결하는 데 대한 그의 업적을 상징한다. 그는 1900년대에 식 (14.3)과 양자라는 용어를 도입했고 '흑체 복사'로부터 나오는 에너지 스펙트럼에 대한 성공적인 모델을 개발했다. 독일의 권위 있는 Max Planck 연구소는 그의 이름을 딴 것이다.

예제 14.1

가시광선 스펙트럼 400 nm의 짧은 파장대(파란색) 광자의 에너지를 계산하시오.

풀이

식 (14.3)은

$$E = \frac{hc}{\lambda}$$
$$= \frac{(0.6626 \times 10^{-33}\ \mathrm{J \cdot s})(0.2998 \times 10^{9}\ \mathrm{m/s})}{400 \times 10^{-9}\ \mathrm{m}} \times \frac{6.242 \times 10^{18}\ \mathrm{eV}}{\mathrm{J}}$$
$$= 3.1\ \mathrm{eV}$$

에너지와 파장의 역관계 때문에 이 광자는 가시광선에서 에너지가 가장 높은 빛이다.

연습문제 14.1

가시광선 스펙트럼의 700 nm의 긴 파장대(빨간색) 광자의 에너지를 계산하시오 (예제 14.1 참고).

광학적 특성

먼저 11장에 나온 가장 흔한 광학 재료인 산화물 유리와 가시광선이 상호작용하는 다양한 방법에 초점을 맞출 것이다. 이러한 다양한 **광학적 특성**(optical property)은 또한 많은 다른 비금속 물질, 광투과성 결정 세라믹(11장)과 유기 고분자(12장)에도 적용된다. 마지막으로 금속(11장) 물질은 일반적으로 빛을 투과시키지는 않지만 반사도와 색이라는 특성을 가진다는 것을 보여줄 것이다.

빛이 특정한 각도로 공기에서 투명한 물질로 진행할 때 빛은 굴절되거나 '휘어진다'(빛의 경로가 바뀐다). 가장 기본적인 광학적 성질은 **굴절률**(refractive index) n으로 다음과 같이 정의된다.

$$n = \frac{v_{\mathrm{vac}}}{v} = \frac{\sin \theta_i}{\sin \theta_r} \tag{14.4}$$

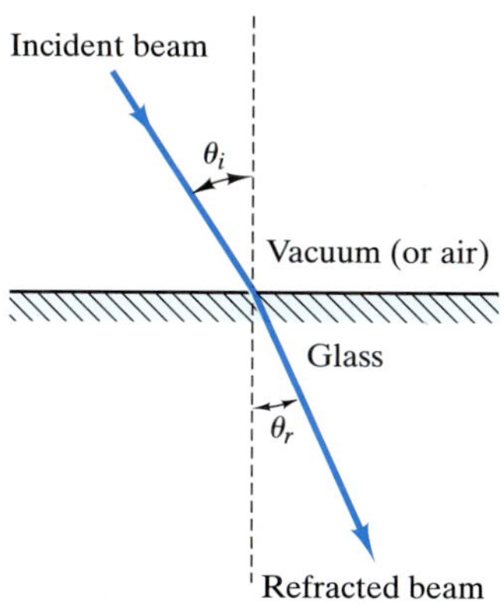

그림 14.3 빛이 진공(또는 공기)에서 투명한 물질로 진행할 때의 굴절

여기서 그림 14.3에서 정의된 바와 같이 v_{vac}은 진공에서의 빛의 속도이고(공기에서와 거의 차이가 없음), v는 투명한 물질에서의 빛의 속도, θ_i와 θ_r는 각각 입사와 굴절 각도를 나타낸다. 대체로 세라믹과 유리의 값은 1.5~2.5, 고분자는 1.4~1.6 정도로, 이는 빛의 속도가 진공에서보다 고체 내에서 상당히 느리다는 것을 의미한다. 표 14.1은 여러 세라믹과 유리의 굴절률 값을 보여준다. 대부분의 규산염 유리는 n = 1.5에 가까운 값을 가진다. 표 14.2는 다양한 고분자의 굴절률 값을 보여준다.

굴절률 n의 크기가 함축하는 것 중 하나는 특징적인 외양이다. 다이아몬드나 유리 공예품에서 보이는 특유의 '반짝임'은 높은 굴절률에 의해 내부에서 빛 반사가 여러

표 14.1 다양한 세라믹과 유리의 굴절률 값

재료	평균 굴절률
Quartz (SiO_2)	1.55
Mullite ($3Al_2O_3 \cdot 2SiO_2$)	1.64
Orthoclase ($KAlSi_3O_8$)	1.525
Albite ($NaAlSi_3O_8$)	1.529
Corundum (Al_2O_3)	1.76
Periclase (MgO)	1.74
Spinel ($MgO \cdot Al_2O_3$)	1.72
Lead Oxide (PbO)	2.61
Zirconium Dioxide (ZrO_2)	2.19
Silica glass (SiO_2)	1.458
Borosilicate glass	1.47
Soda–lime–silica glass	1.51–1.52
$CaO \cdot SiO_2$ glass (39 mol % CaO)	1.59
$PbO \cdot SiO_2$ glass (37 mol % PbO)	1.76
Glass from orthoclase	1.51
Glass from albite	1.49

출처: From data collections in W. D. Kingery, H. K. Bowen, and D. R. Uhlmann, *Introduction to Ceramics*, 2nd ed., John Wiley & Sons, Inc., NY, 1976, M. W. Barsoum, *Fundamentals of Ceramics*, McGraw-Hill, NY, 1997, and J. F. Shackelford and W. Alexander, Eds., *CRC Materials Science and Engineering Handbook*, 3rd ed., CRC Press, Boca Raton, FL, 2001.

표 14.2 다양한 고분자의 굴절률 값

고분자	평균 굴절률
Thermoplastic polymers	
Polyethylene	
High-density	1.545
Low-density	1.51
Polycarbonate	1.586
Polyvinyl chloride	1.54–1.55
Polypropylene	1.47
Polystyrene	1.59
Acrylics	1.485–1.500
Cellulosics	1.46–1.50
Polyamides (nylon 66)	1.53
Polytetrafluoroethylene (Teflon)	1.35–1.38
Thermosetting polymers	
Phenolics (phenol-formaldehyde)	1.47–1.50
Urethanes	1.5–1.6
Epoxies	1.55–1.60
Polyesters	1.50–1.58
Elastomers	
Polybutadiene/polystyrene copolymer	1.53
Polyisoprene (natural rubber)	1.52
Polychloroprene	1.55–1.56

출처: From data collections in J. Brandrup and E. H. Immergut, Eds., *Polymer Handbook*, 2nd ed., John Wiley & Sons, Inc., NY, 1975, C. T. Lynch, Ed., *CRC Handbook of Materials Science*, Vol. 3, CRC Press, Boca Raton, FL, 1975, and *Engineered Materials Handbook*, Vol. 2, *Engineering Plastics*, ASM International, Metals Park, OH, 1988.

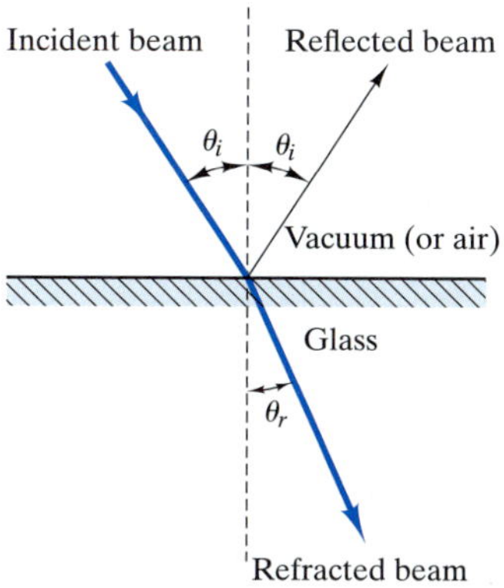

그림 14.4 투명한 물질의 표면에서 일어나는 굴절과 반사

번 이루어지기 때문이다. 규산염 유리에 납($n = 2.60$)을 첨가하면 굴절률이 증가하며, 고급 '크리스털' 유리 제품 특유의 외양(그리고 이에 따른 비용)을 만든다.

투명한 물질에 입사하는 모든 빛이 앞에서 기술한 것처럼 굴절되는 것은 아니다. 그림 14.4에서처럼 일부는 반사된다. 이때 입사각의 크기는 반사각의 크기와 같다. **반사율**(reflectance), R는 이처럼 계면에서 반사되는 빛의 비율을 나타내며, **Fresnel의**[2] **공식**(Fresnel's formula)에 따라 다음과 같이 굴절률로 표현된다.

$$R = \left(\frac{n - 1}{n + 1}\right)^2 \tag{14.5}$$

식 (14.5)는 엄밀하게는 수직 입사인 경우($\theta_i = 0$)에만 해당하지만, 넓은 입사각 영역에서 좋은 근삿값이다. 식에서 보듯이 굴절률이 큰 물질에서는 반사도 잘된다. 광택 에나멜 코팅에서처럼 어떤 경우에는 이런 반사도가 바람직하다. 다른 상황에서는, 예를 들면 렌즈에 사용하는 것과 같은 경우 높은 반사율은 바람직하지 않은 광 손실을 만든다. 이런 문제를 해결하기 위해 흔히 특수한 코팅 처리를 한다(그림 14.5).

주어진 물질의 일반적인 외양은 정반사와 난반사의 상대적인 양에 의해 크게 영향을 받는다. **정반사**(specular reflection)는 그림 14.6에서와 같이 '평균'적인 표면에서의 반사를 정의하며, **난반사**(diffuse reflection)는 표면의 거칠기에 따라 국소적으로 달라지는 반사를 말하는데 이는 실제 표면이 평균 표면과는 다르기 때문에 생긴다. 표면에서의 정반사와 난반사의 순 균형은 **극 도면**(polar diagram)으로 가장 잘

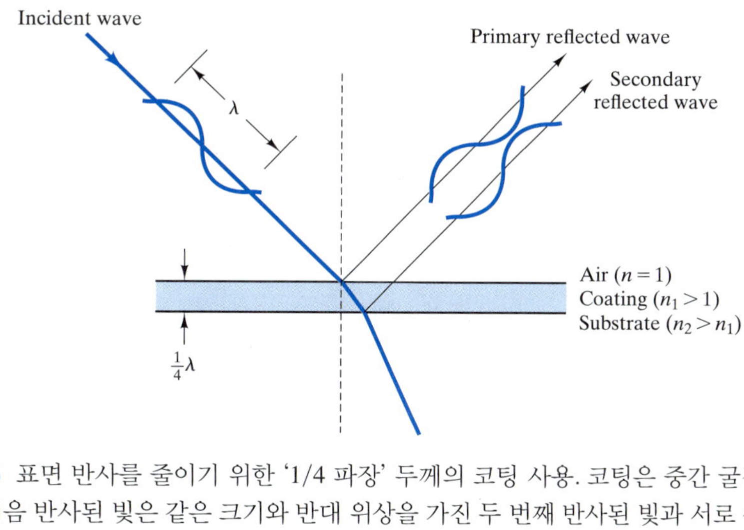

그림 14.5 표면 반사를 줄이기 위한 '1/4 파장' 두께의 코팅 사용. 코팅은 중간 굴절률 값을 가지고, 처음 반사된 빛은 같은 크기와 반대 위상을 가진 두 번째 반사된 빛과 서로 상쇄된다. 이러한 코팅은 현미경 렌즈에 흔히 사용된다.

2) Augustin Jean Fresnel(1788~1827)은 프랑스 물리학자로 빛의 이론에 크게 기여했다. 그의 주요 업적은 빛 파동의 진행에서 횡파 모드를 밝혀낸 것이다.

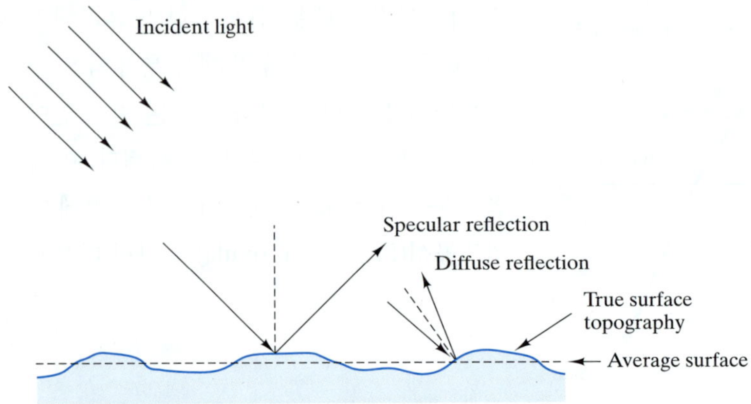

그림 14.6 정반사는 '평균'적인 표면에 대해 일어나고, 난반사는 국소적으로 표면에 평행하지 않은 부분에서 일어난다.

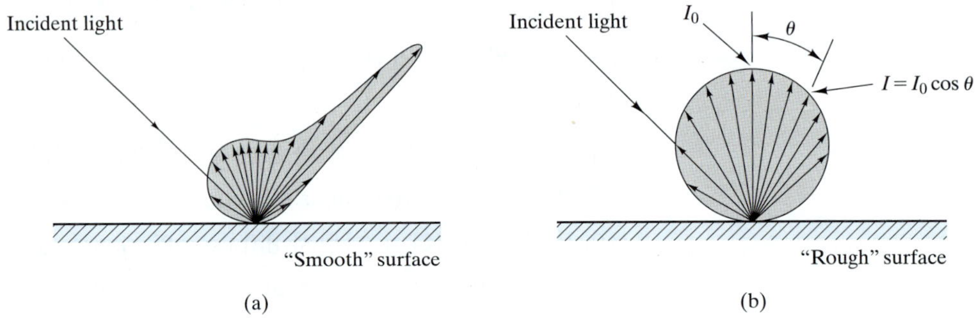

그림 14.7 극 도면은 (a) 정반사가 우세한 '부드러운' 표면에서, (b) 완전히 난반사인 '거친' 표면에서 반사하는 방향에 따른 반사 강도를 도시한다.

표현된다. 이와 같은 도표에서 주어진 방향에서 반사되는 강도는 벡터의 상대적인 길이로 나타내진다. 그림 14.7은 2개의 극 도면을 보여주는데, (a) 주로 정반사인 경우의 '완만한' 또는 '거울 같은' 표면과 (b) 모두 난반사인 '거친' 표면으로 구별해서 나타냈다. 그림 14.7(b)에서 보이는 완벽한 원형의 극 도면은 산란의 **코사인 법칙**(cosine law)의 한 예이다. 반사의 상대적인 강도는 각도 θ가 변함에 따라 다음과 같이 주어진다.

$$I = I_0 \cos\theta \tag{14.6}$$

여기서 I_0는 $\theta = 0°$에서 산란된 강도를 나타낸다. 어떤 영역 A도 각도 θ에서 보면 줄어들기 때문에 그림 14.7(b)의 확산 표면의 밝기는 보는 각도와 상관없이 상수가 된다.

$$\text{밝기} = \frac{I}{A} = \frac{I_0 \cos\theta}{A_0 \cos\theta} = \text{상수} \tag{14.7}$$

이제 우리는 유리나 유리 코팅(유약과 에나멜) 모두 높은 굴절률[식 (14.5)]과 부드러운 표면[그림 14.7(a)] 때문에 높은 **표면 광택**(surface gloss)을 가진다고 요약할 수 있다.

많은 세라믹과 유리, 고분자는 빛을 통과시키는 데 매우 효과적인 물질이다. 투과의 정도는 **투명**, **반투명**, **불투명**으로 나타낸다. **투명**(transparency)은 단순히 분명한 이미지를 통과시킨다는 것을 의미한다. 1장의 '재료의 세계'에서 다결정 Al_2O_3의 다공성을 없앴더니 거의 투명한 물질이 되는 것을 보았다. 반투명과 불투명은 투명하지 않은 물질에 대한 조금 더 주관적인 용어이다. 일반적으로 **반투명**(translucency)은 흐릿한 영상이 통과하는 것이고, **불투명**(opacity)은 어떤 영상도 통과하지 않는 것이다. 그림 14.8은 반투명을 설명한 그림이다. 앞에서 의미하듯이, 산란의 미시적 메커니즘은 작은 이차상 기공이나 입자에 의한 빛의 산란이다. 그림 14.9는 단일 기공에서 굴절에 의해 빛이 어떻게 산란되는지를 보여준다. 다공성이 불투명의 원인일 경우 굴절은 기공에서는 $n = 1$이고, 고체에서는 $n > 1$인 굴절률의 차이에 기인하다. 많은 유리와 유약은 유리의 굴절률($n \simeq 1.5$)보다 큰 굴절률을 가지는 SnO_2(굴절률 $n = 2.0$)와 같은 이차상을 포함하는데, 이는 **불투명체**(opacifier)라고 한다. 기공이나 입자에 의한 불투명한 정도는 이들의 평균 크기, 밀도, 굴절률의 차이에 의해 결정된다. 각각의 기공이나 입자의 크기가 가시광선의 파장(400~700 nm)보다 작으면 이는 가시광선의 산란에 전혀 효과가 없다. 산란의 효과는 기공이나 입자의 크기

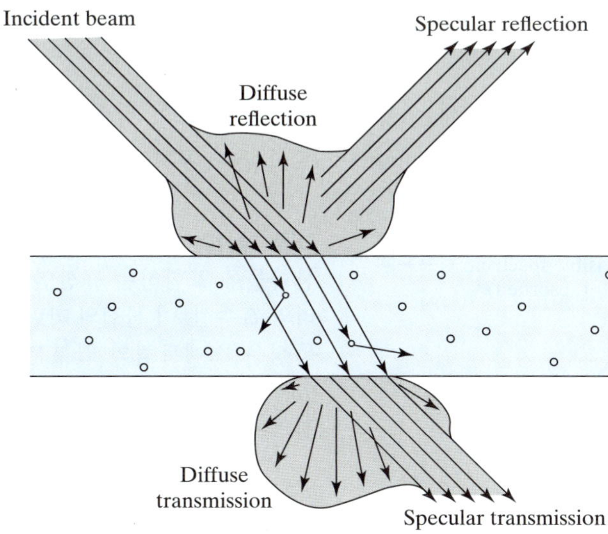

그림 14.8 반투명 유리판을 통한 빛의 투과와 반사에 대해 도시한 극 도면. 유리의 산란 중심(다공성)은 표면에서의 반사에 비해 정투과에 대한 난투과의 비를 증가시킨다. 그림 14.9는 단일 기공에서 산란이다.

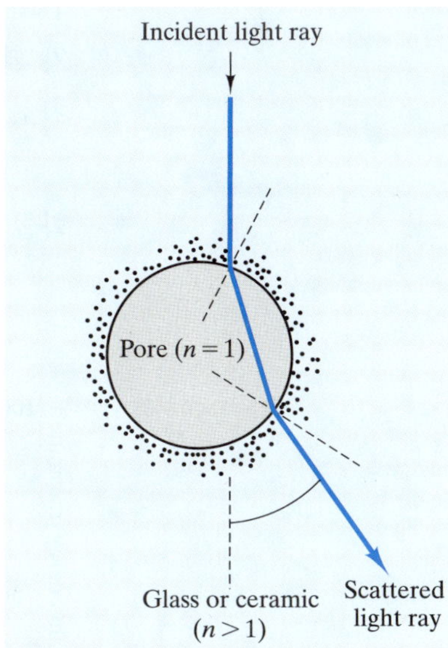

그림 14.9 빛의 산란은 이차상이나 기공과의 계면에서 일어나는 국소적인 굴절의 결과이다. 그림에 단일 기공에 의한 산란이 도시되어 있다.

가 400~700 nm 정도일 때 극대화된다. 기공이 없는 고분자는 상대적으로 만들기 쉽다. 고분자가 불투명한 이유는 많은 경우 비활성 첨가제 때문이다(12.1절 참고).

세라믹, 유리, 고분자의 경우 불투명성은 산란 기제(scattering mechanism)에 의해 설명됨을 보였다. 반면에 금속에서의 불투명성은 전도도와 밀접한 관계를 가진 흡수 기제(absorption mechanism)에 의한 결과이다. 전도 전자는 가시광선대의 빛을 흡수해서 모든 금속을 불투명하게 만든다. 세라믹이나 유리가 투명한 이유는 전도 전자가 없기 때문이다. 그러나 이러한 물질에서 빛의 흡수는 **색**(color)이라는 중요한 광학적 성질을 결정한다.

세라믹과 유리에서 색은 전이 금속 이온 내의 전자가 가시광선의 특정한 파장의 에너지를 선택적으로 흡수하면서 전이하는 것 때문에 나타난다. 예를 들어 그림 14.10은 1% 정도의 코발트 산화물(여기서 코발트는 Co^{2+} 이온 상태로 존재함)을 포함한 규산염 유리의 흡수선을 보여준다. 대부분의 가시광선 스펙트럼이 효율적으로 통과하는 것에 비해 스펙트럼 끝부분에 있는 장파장대의 빨간색은 대부분 흡수된다. 스펙트럼 끝부분 대의 빨간색 영역을 제외한 나머지 부분은 파란색을 만든다. 다양한 금속 이온에 의해 만들어지는 색은 표 14.3에 정리했다. (Co^{2+}와 같은)하나의 이온이 다른 유리에서는 다른 색을 만들 수 있다. 이는 다른 종류의 유리에서는 이온의 배위수가 달라지기 때문이다. 광자를 흡수하는 전자의 전이 에너지 크기는 이온의 배위에 의해 결정된다. 따라서 흡수선이 달라지고, 이에 따라 색도 달라진다.

'광학 시스템과 소자'에 대해 다음 절에서 논의하듯이, 빛이 투과할 때의 일반적인 문제점은 현대 광섬유 통신 시스템에 사용되는 유리 광섬유에는 치명적인 문제가 된다. 수 킬로미터 길이의 단일 섬유는 빛의 산란 또는 빛을 흡수하는 불순물이 최소가 되도록 만들어야 한다.

고분자의 경우, 12.1절에서 소개한 첨가제는 불투명한 색을 만드는 타이타늄 산화물과 같은 비활성 **안료**(pigment), **착색제**(colorant)를 포함한다. 투명한 색은 빛의

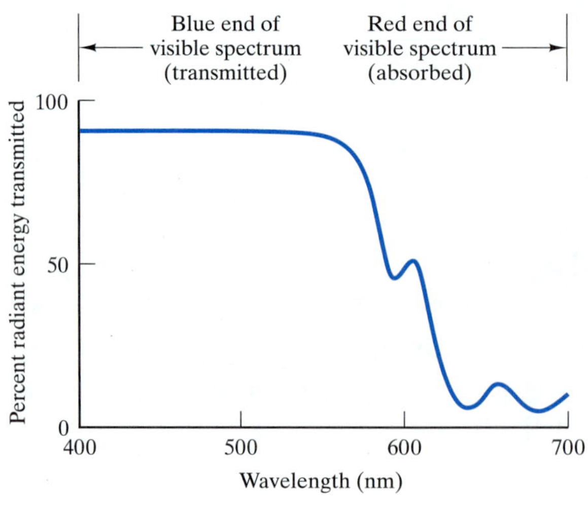

그림 14.10 1% 정도의 코발트 산화물을 포함하는 규산염 유리의 흡수선. 이 물질의 파란색 특성은 스펙트럼의 끝부분에 있는 빨간색이 대부분 흡수된 결과이다.

표 14.3 다양한 금속 이온에 의한 규산염 유리의 색

	In glass network		In modifier position	
이온	배위수	색	배위수	색
Cr^{2+}				Blue
Cr^{3+}			6	Green
Cr^{6+}	4	Yellow		
Cu^{2+}	4		6	Blue-green
Cu^{+}			8	Colorless
Co^{2+}	4	Blue-purple	6–8	Pink
Ni^{2+}		Purple	6–8	Yellow-green
Mn^{2+}		Colorless	8	Weak orange
Mn^{3+}		Purple	6	
Fe^{2+}			6–8	Blue-green
Fe^{3+}		Deep brown	6	Weak yellow
U^{6+}		Orange	6–10	Weak yellow
V^{3+}			6	Green
V^{4+}			6	Blue
V^{5+}	4	Colorless		

출처: F. H. Norton, *Elements of Ceramics*, 2nd ed., Addison-Wesley Publishing Co., Inc., Reading, MA, 1974.

산란에 의한 메커니즘을 제외하면 고분자에 녹인 **염료**(dye)에 의해 결정된다. 염료가 색을 만드는 메커니즘은 안료(또한 세라믹)와 비슷한데, 이는 가시광선 스펙트럼의 일부가 흡수되기 때문이다. 규산염 유리의 색에 대한 표 14.3과는 달리 염료의 경우는 색상에 대한 단순한 표는 없다. 빛의 흡수에 의한 메커니즘은 같지만 염료에서 색의 형성은 분자의 화학 및 구조에 따른 복잡한 함수이기 때문이다.

색이 가시광선 스펙트럼대 광자의 일부가 흡수되는 것에 의해 결정됨을 보았다. 빛의 흡수의 다른 부산물은 **발광**(luminescence)인데, 이는 광자가 흡수된 후 다른 가시광선의 광자를 방출하는 것이다. **발광**이라는 용어는 다른 형태의 에너지(열, 기계, 화학 에너지)나 입자(고에너지 전자)를 흡수한 후 가시광선의 빛을 방출할 때에도 사용된다. 실제로 물질 내에서 온도를 올리는 것 외의 어떤 형태의 빛의 방출도, 어떤 이유에 의한 것이든지 모두 **발광**이라고 한다. 일반적으로 물질 내에서 원자는 에너지를 흡수하여 에너지가 높은 상태로 여기된 후 다시 기저 상태로 돌아갈 때 전자기적 에너지를 가진 빛을 방출한다(그림 14.11).

방출이 일어나는 시간에 따라 두 종류의 발광으로 나눌 수 있다. 재방출이 아주 짧은 시간(10 나노초 이내)에 이루어지는 경우를 **형광**(fluorescence)이라고 한다. 그보다 긴 시간이 걸리는 경우는 **인광**(phosphorescence)이라고 한다. 세라믹 황과 세라믹 산화물을 포함한 많은 다양한 물질에서 이런 일이 일어난다. 일반적으로 이러한 현상은 불순물을 잘 제어하여 첨가했을 때 생긴다.

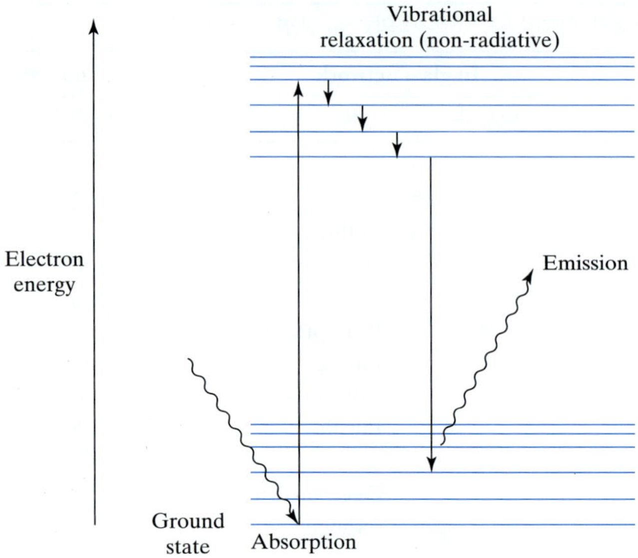

그림 14.11 발광 메커니즘에 대한 개요도(도식적인 예)

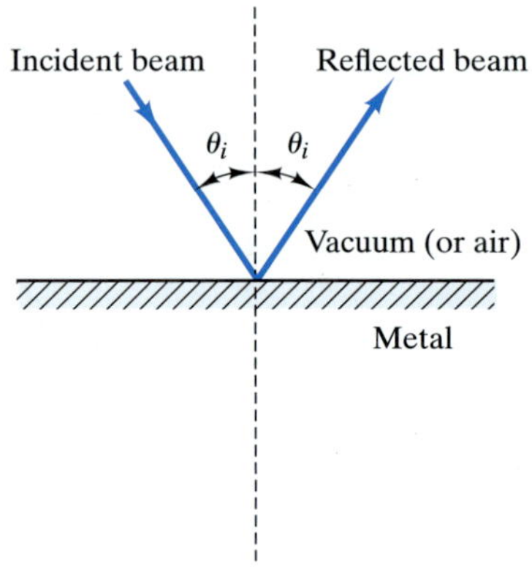

그림 14.12 불투명한 금속 표면에서 굴절 없이 이루어지는 빛의 반사

발광의 일반적인 예는 형광등인데, 유리 내부가 텅스텐산염이나 규산염 막으로 코팅되어 있다. 관에서 수은불꽃의 방전에 의해 발생한 자외선이 코팅 막에서 형광을 발하여 흰색 빛을 방출한다. 이와 비슷하게 초기 TV 스크린은 전자빔이 앞뒤로 빠르게 주사할 때 형광을 발하도록 만드는 물질로 코팅되어 있었다.

추가적인 용어는 원자의 여기 상태로 이끄는 에너지원이 무엇인지에 따라 정해진다. 예를 들어 광자가 에너지원인 경우는 **광발광**(photoluminescence), 전자가 에너지원인 경우는 **전기발광**(electroluminescence)이라는 용어를 사용한다.

색에 대해 논의하면서 금속의 불투명성이 금속의 전도 전자에 의해 가시광선 스펙트럼이 모두 흡수된 결과라는 것에 주목했다. 100 nm보다 두꺼운 금속 박막은 완전히 흡수한다. 가시광선 파장의 전체 영역이 모두 흡수되는데, 이는 그림 13.6에서 가전대 중 전자가 채워지지 않은 상태로 표현된, 전자가 여기할 수 있는 비어 있는 상태가 연속적으로 존재하기 때문이다. 금속 외표면에서 흡수된 빛의 90~95%는 같은 파장의 가시광선으로 재방출된다. 나머지 5~10%의 에너지는 열로 소모된다. 금속 표면에서의 반사는 그림 14.12에 나타나 있다.

특정 금속의 독특한 색상은 파장에 따라 반사 정도가 다르기 때문에 나타난다. 구리(붉은 주황색)와 금(노란색)은 가시광선 스펙트럼의 단파장(파란색) 부분의 재방출이 낮다. 알루미늄이나 은의 밝고 빛나는 색상은 전 스펙트럼의 파장대에서 균일하게 재방출되기 때문이다(즉 백색광).

예제 14.2

빛이 높은 굴절률의 매질에서 낮은 굴절률의 매질로 통과할 때 특정한 임계 입사각 θ_c가 있어 이 각도보다 크면 빛이 표면을 통과할 수 없다. 이 θ_c는 $\theta_{\text{refraction}} = 90°$가 되는 값으로 정의된다. 빛이 실리카 유리에서 공기로 진행할 때 θ_c는 얼마인가?

풀이

이 문제는 그림 14.3에서 보인 것과 반대의 경우이다. 여기서 θ_i는 유리에서, θ_r는 공기에서의 값이다. 즉

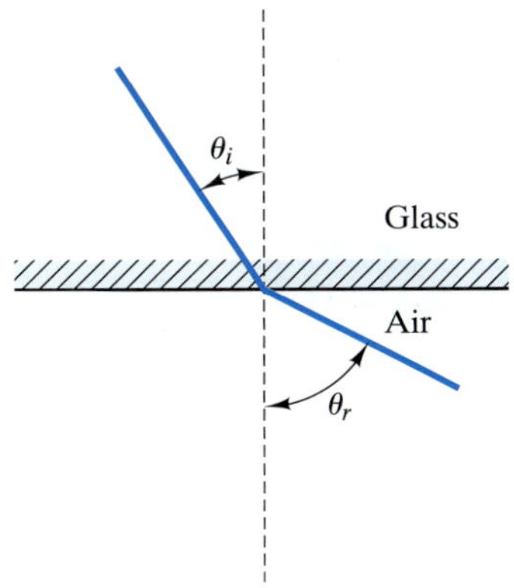

그러므로 식 (14.4)는 다음의 관계를 가진다.

$$\frac{\sin\theta_i}{\sin\theta_r} = \frac{v_{\text{glass}}}{v_{\text{air}}} = \frac{1}{n}$$

임계점에서

$$\frac{\sin\theta_c}{\sin 90°} = \frac{1}{n}$$

또는

$$\theta_c = \arcsin\frac{1}{n}$$

표 14.1에서 실리카 유리의 n값을 대입하면

$$\theta_c = \arcsin\frac{1}{1.458} = 43.3°$$

주: 이것은 실리카 유리섬유가 빛의 전송에 뛰어난 효율성을 보이는 이유이다. 작은 지름의 섬유 안으로 빛이 진행할 때 입사각 θ_i가 43.3°보다 적당히 크면 거의 유리/공기 표면과 평행하게 진행한다. 그 결과 빛은 적은 투과 손실로 이런 섬유를 따라 수 킬로미터를 진행할 수 있다. 다른 주변 물질로 굴절되어 생기는 손실이 전혀 없는 전반사이다.

예제 14.3

Fresnel의 공식을 이용하여 폴리스티렌 판의 반사율 R를 계산하시오.

풀이

식 (14.5)를 통해

$$R = \left(\frac{n - 1}{n + 1}\right)^2$$

표 (14.2)에 있는 n값을 대입하면

$$R = \left(\frac{1.59 - 1}{1.59 + 1}\right)^2 = 0.0519$$

예제 14.4

실리카 유리의 반사율과 순수한 PbO(n = 2.60)의 반사율을 비교하시오.

풀이

이 문제는 식 (14.5)를 응용한 것이다.

$$R = \left(\frac{n - 1}{n + 1}\right)^2$$

표 14.1에서 실리카 유리의 n값을 사용하면

$$R_{SiO_2,\ gl} = \left(\frac{1.458 - 1}{1.458 + 1}\right)^2 = 0.035$$

PbO의 경우

$$R_{PbO} = \left(\frac{2.60 - 1}{2.60 + 1}\right)^2 = 0.198$$

또는

$$\frac{R_{PbO}}{R_{SiO_2,\ gl}} = \frac{0.198}{0.035} = 5.7$$

예제 14.5

전이 금속 이온에 의한 가시광선 흡수와 관련된 에너지 전이 크기의 범위를 계산하시오.

풀이

각각의 경우 흡수 메커니즘은 광자가 자신이 가진 에너지를[식 (14.3)에 주어진 E =

hc/λ] 전자에 주어 전자가 높은 에너지 상태로 여기하게 하는 것이다. 전자의 ΔE가 광자의 에너지와 같다.

가시광선의 파장 범위는 400~700 nm이다. 따라서

$$\Delta E_{\text{blue end}} = E_{400\text{ nm}} = \frac{hc}{400\text{ nm}}$$
$$= \frac{(0.663 \times 10^{-33}\text{ J}\cdot\text{s})(3.00 \times 10^{8}\text{ m/s})}{400 \times 10^{-9}\text{ m}}$$
$$= 4.97 \times 10^{-19}\text{ J} \times 6.242 \times 10^{18}\text{ eV/J} = 3.10\text{ eV}$$
$$\Delta E_{\text{red end}} = E_{700\text{ nm}} = \frac{hc}{700\text{ nm}}$$
$$= \frac{(0.663 \times 10^{-33}\text{ J}\cdot\text{s})(3.00 \times 10^{8}\text{ m/s})}{700 \times 10^{-9}\text{ m}}$$
$$= 2.84 \times 10^{-19}\text{ J} \times 6.242 \times 10^{18}\text{ eV/J} = 1.77\text{ eV}$$

그리고 ΔE의 범위는 $2.84 \times 10^{-19} \sim 4.97 \times 10^{-19}$ J (= 1.77 ~ 3.10 eV)

연습문제 14.2

예제 14.2에서 실리카 유리에서 공기로 굴절될 때의 입사 임계각을 계산했다. 공기 대신 물(n = 1.333)이었다면 임계각은 얼마인가?

연습문제 14.3

Fresnel 공식을 이용하여 (a) 폴리프로필렌 판, (b) 폴리테트라플루오로에틸렌 판의 반사율을 구하시오(1.35의 평균 굴절률)(예제 14.3 참고).

연습문제 14.4

광학 및 전자 재료로 널리 사용되는 단결정 사파이어의 반사율을 구하시오(사파이어는 순수한 Al_2O_3와 거의 비슷하다)(예제 14.4 참고).

연습문제 14.5

광자의 에너지와 파장 간 관계는 예제 14.5에서 논의했다. 유용하게 사용할 수 있는 법칙(rule of thumb)이 E(eV 단위) = $K\lambda$(λ는 나노미터 단위)이다. K값은 얼마인가?

광학 시스템과 소자

지금부터는 지난 수십 년 동안 연구 발견 단계에서 현대 기술의 주요 구성요소가 된 몇 개의 시스템과 소자에 초점을 맞춘다. 현재 진행 중인 새로운 광학 재료에 대한

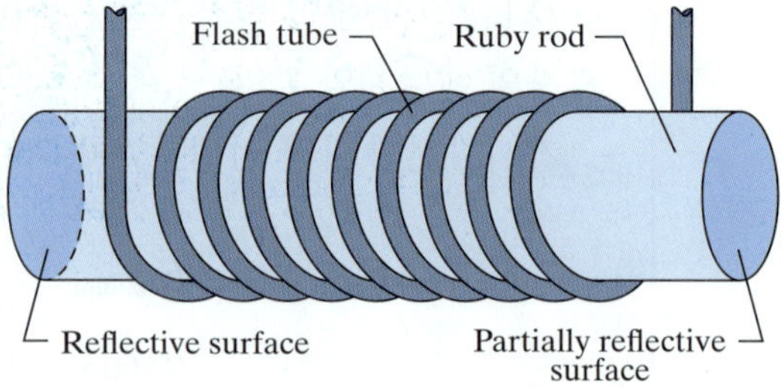

그림 14.13 루비 레이저의 개요도 (After R. Wolfson and J. M. Pasachoff, *Physics*, 3rd ed., *With Modern Physics*, Addison-Wesley, Reading, MA, 1999.)

활발한 연구는 앞으로 수십 년 후에 놀랍고도 새로운 개발을 이끌 것이다.

앞에서 흔한 형광 불빛이 발광의 한 예라는 것을 설명했다. 이러한 전통적인 광원은 **결어긋난**(incoherent) 상태라고 하는데, 이는 빛 파동을 만드는 전자 전이가 임의로 이루어져 이것에 의해 생성된 빛 파동의 위상이 서로 무관하기 때문이다. 1950년대 후반에 이루어진 중요한 발견은[3] 유도 방출 복사선에 의한 빛의 증폭, 줄여서 **레이저**(laser, Light Amplification by Stimulated Emission of Radiation의 두문자어)라고 알려진 것인데, 이는 빛의 파동이 같은 위상을 가지는 **결맞는**(coherent) 상태이다.

여러 종류의 레이저가 개발되었지만 작동 원리는 일반적인 고체 상태 레이저 도안으로 보여줄 수 있다. 단결정 Al_2O_3는 상대적으로 순수한 상태인 경우 사파이어로 불리고, 그 안에 Cr_2O_3가 충분히 많이 고용되어 있어 Cr^{3+} 이온이 특유의 붉은빛을 내는 경우 루비라고 불린다. 루비 레이저는 그림 14.13에 나타냈다. 루비는 주위를 둘러싼 제논 섬광등에서 나오는 560 nm 파장의 광자가 주는 에너지를 흡수하여 Cr^{3+} 이온의 전자를 기저 상태에서 여기 상태로 전이시킨다(그림 14.14). 일부 전자는 즉시 다시 기저 상태로 돌아오지만 나머지는 준안정 상태인 중간 상태로 가서 기저 상태로 돌아가기 전 3밀리초(ms) 정도의 시간 동안 머문 후에 붕괴한다. 3밀리초의 시간 간격은 몇 개의 Cr^{3+} 이온이 동시에 준안정 여기 상태에 있을 수 있을 정도로 충분히 긴 시간이다. 그러면 이러한 일부 전자의 기저 상태로의 초기 자발적 붕괴는 준안정 상태에 있는 나머지 전자의 사태(catastrophe)를 일으킨다.

그림 14.15는 일반 레이저의 개요도이다. 원통형 루비 결정의 한쪽 끝 면은 완벽하게 은으로 덮여 있지만 다른 한쪽 끝 면은 부분적으로 은으로 되어 있는 것을 주의해서 보자. 광자는 모든 방향으로 방출되지만, 루비 결정의 장축에 평행하게 진행하는 광자만 레이저 효과를 만드는 광자이다. 전반적으로 빛이 이 막대를 따라 앞뒤로 반사되면서 유도 방출이 증가하고 따라서 빛의 강도도 증가한다. 결과적으로 결맞는 상태로 높은 강도를 가지고 매우 평행하게 진행하는 레이저빔 펄스가 부분적으로 은으로 덮인 면으로 전송된다. 이렇게 만들어진 694.3 nm의 단일 파장의 **단색**

3) C. H. Townes and A. L. Schawlow, U.S. Patent 2,929,922, March 22, 1960.

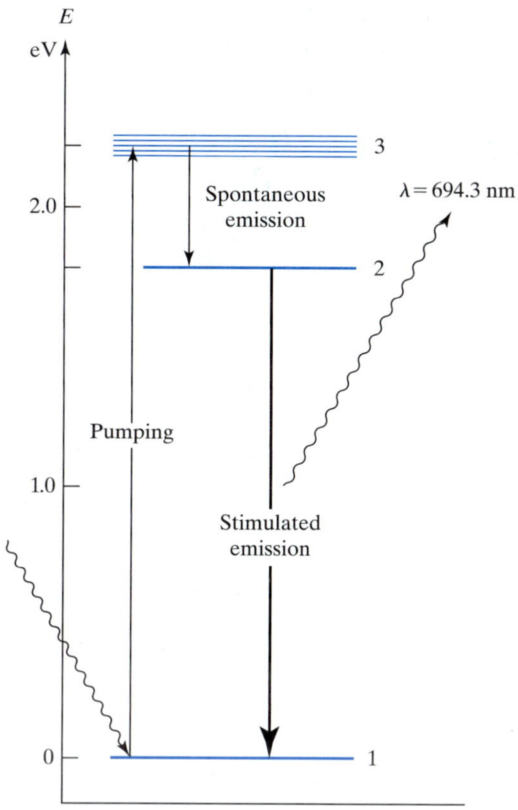

그림 14.14 루비 레이저에서 Cr^{3+} 이온의 전자가 여기되고 붕괴하는 메커니즘에 대한 개요도. 기저 상태의 전자가 여러 에너지 상태로 여기되지만, 준안정 상태에서 기저 상태로의 마지막 붕괴가 694.3 nm 파장의 레이저 광을 만들어낸다. 준안정 상에서 머무르는 3밀리초 정도의 시간이 많은 수의 Cr^{3+} 이온이 동시에 방출하는 것을 가능하게 하여 큰 값의 레이저 펄스를 생성한다. (After H. C. Ohanian, *Modern Physics*, 2nd ed., Prentice-Hall, Upper Saddle River, NJ, 1995.)

(monochromatic) 선은 가시광선 스펙트럼의 빨간색 끝부분이다.

GaAs와 같은 반도체로도 유용한 레이저를 만들 수 있다. 이 경우 가시광선 광자는 전압을 인가하여 전자-정공 쌍을 만든 후(그림 13.9 참고), 에너지대 간격으로 나뉘어 있던 전자와 정공이 다시 합해지면서 만들어진다. 가시광선 영역인 400~700 nm의 파장에 해당하는 광자를 만들려면 에너지대 간격 E_g는 이에 해당하는 적절한 영역에 있어야 한다. 광자의 파장은 식 (14.3)을 정리해서 다음과 같이 얻을 수 있다.

$$\lambda = hc/E_g \tag{14.8}$$

표 14.4에 상업화된 여러 종류의 레이저를 요약했다. 레이저는 세계 곳곳의 실험실에서 수천의 다른 파장의 광자를 방출하는 수백 개의 재료로 만들어져 왔다. 널리 사용되는 상업화된 레이저는 상대적으로 작동이 쉽고, 높은 동력을 가지고, 에너지 효율이 높다(입력 에너지의 1% 정도의 빛이 나오는 경우 좋은 성능이라고 한다). 레이저 매질은 기체, 액체, 유리, 결정체(부도체 또는 반도체)이다. 상업화된 레이저의 경우 연속 레이저의 동력은 10^{-6} W에서 25 kW의 범위를 가지며, 방위 산업에 활용될 경우 메가와트(MW)보다 큰 값을 가지기도 한다. 펄스 레이저의 경우 훨씬 높은 최대 동력을 가지지만 시간에 대해 평균하면 연속 레이저와 비슷한 수준의 동력이

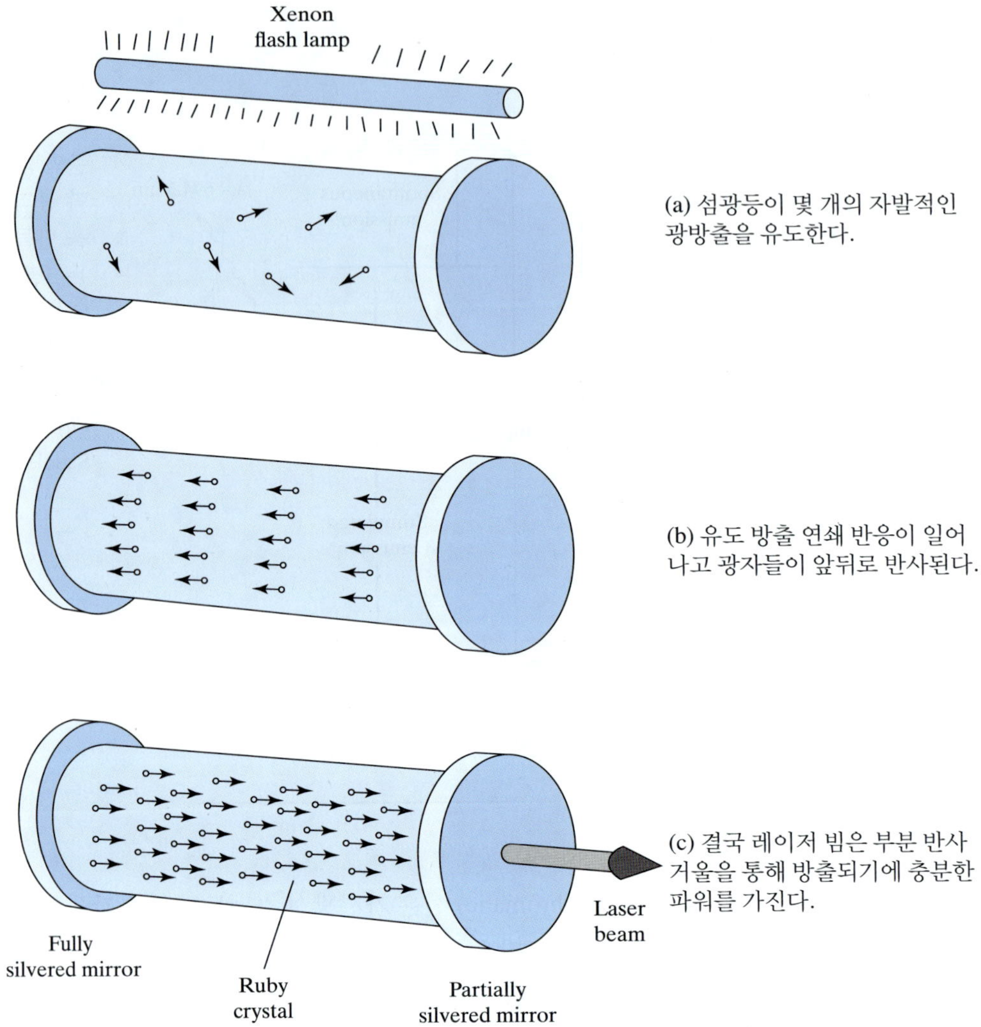

그림 14.15 루비 레이저의 개요도. 전반적으로, 제논 램프에서의 섬광등은 루비 결정의 자발적 방출을 시작하게 만든다. 방출의 연쇄 반응이 일어나고 빛은 막대를 따라 앞뒤로 반사된다. 자극에 의한 방출이 증가하면서 빔 세기도 증가하고, 레이저 빔은 결국 부분 반사 거울(부분 투과)을 통해 나타난다.

다. 반도체 레이저가 일반적으로 20~40° 정도 분포의 발산각을 가지는 반면, 대부분의 기체나 고체 상태 레이저는 1밀리라디안(1,000분의 1라디안) 정도의 아주 작은 발산각을 갖는다. 레이저의 작동 원리는 가시광선에만 국한되지 않고, 적외선, 자외선, 심지어는 엑스선 영역을 복사하는 레이저도 있다. 레이저는 다양한 광통신 시스템에서 광원으로 사용된다. 빔의 높은 결맞는 성질 때문에 레이저는 높은 정밀도로 거리를 측정할 때 사용된다. 레이저 빔은 초점을 맞추었을 때 절단, 용접, 심지어는 외과 시술을 위한 국소 가열도 가능하게 한다. (11장 '재료의 세계'에서 금속의 적층 제조에서 레이저의 역할을 떠올려보자.)

표 14.4 상업화된 여러 종류의 레이저

Laser	Wavelengths μm	Output type and power
Gas		
He–Ne	0.5435–3.39	CW,[a] 1–50 mW
Liquid		
Dye	0.37–1.0	CW,[a] to a few watts
Dye	0.32–1.0	Pulsed, to tens of watts
Glass		
Nd–silicate	1.061	Pulsed, to 100 W
Solid-state		
Ruby	0.694	Pulsed, to a few watts
Nd-yttrium aluminum garnet (YAG)	1.064	Pulsed, to 2×10^4 W
Semiconductor		
InGaAsP	1.2–1.6	CW,[a] to 100 mW

[a] CW = continuous wave.

출처: From data collections in J. Hecht, in *Electrical Engineering Handbook*, R. Dorf, Ed., CRC Press, Boca Raton, FL, 1993, and J. Wilson and J. F. B. Hawkes, *Lasers: Principles and Applications*, Prentice-Hall, NY, 1987.

광섬유(optical fiber)는 **광재료**(photonic material)의 한 예인데(그림 14.16), 전자 재료에서 전자에 의해 이루어지는 것에 반해 빛에 의해 신호 전달이 이루어진다. 예제 14.2에서 언급한 바와 같이 전반사 성질을 가지고 있고 주변으로 굴절되는 빛에 의한 손실이 없기 때문에 높은 효율로 빛이 유리 광섬유를 통과한다. 이는 빛이 높은 굴절률의 매질에서 낮은 굴절률의 매질로 임계각보다 큰 각도로 입사했을 때 나타나는 결과이다. 실질적으로 상업화된 광섬유는 유리로만 되어 있지 않다. 유리는 피

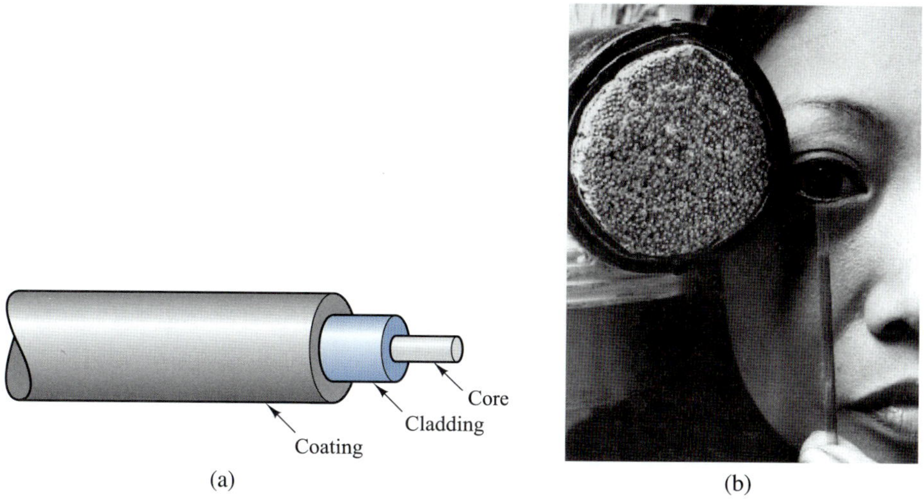

그림 14.16 (a) 상업화된 광섬유의 동축 디자인 개요도 (b) 오른쪽의 작은 케이블은 144 유리 섬유를 포함하여 전통적인(그리고 훨씬 큰) 왼쪽의 구리선 케이블보다 세 배나 더 많은 전화 통화를 전달할 수 있다. (© Bettmann/CORBIS.)

복막(clad)에 내장되어 있는 코어(core, 중심) 부분인데, 이 피복막은 코팅막으로 둘러싸여 있다[그림 14.16(a)]. 빛 펄스 신호는 코어를 통해 진행한다. 피복막 층은 낮은 굴절률을 가진 유리로, 피복막의 굴절률이 공기의 굴절률보다는 코어의 굴절률과 훨씬 가까운 값이므로 더 높은 임계각을 가지기는 하지만, 예제 14.2와 마찬가지로 전반사를 일으킨다. 코팅은 코어와 피복막을 외부 훼손으로부터 보호한다.

통신 분야의 주요 혁명은 전통적인 금속 케이블에서 광 유리섬유로의 전환과 함께 발생했다(그림 14.16). Alexander Graham Bell이 전화기를 발명한 직후에 광선을 통해 수백 미터 음성을 전달했지만 거의 한 세기 동안 이 개념을 실제로 대규모로 적용하기에는 기술적인 한계가 있었다. 이 접근방식이 재탄생한 열쇠는 1960년 레이저의 발명이었다. 1970년까지 Corning Glass Works의 연구원들은 630 nm(가시광선 범위 내)의 파장에서 20 dB/km의 낮은 손실을 가진 광섬유를 개발했다. 1980년대 중반에 1.6 μm(적외선 범위)에서 0.2 dB/km의 낮은 손실을 가지는 실리카 섬유가 개발되었다. 결과적으로 전화 통화 및 기타 모든 형태의 디지털 데이터는 구리 케이블에서 사용되는 전기 신호가 아닌 레이저 광 펄스로 전송될 수 있다. 유리섬유는 전자재료의 전자가 아니라 광자에 의해 신호 전송이 발생하는 광재료의 좋은 예이다.

그림 14.16(b)에 나와 있는 유형의 유리섬유 다발은 1970년대 중반 Bell Systems에서 상업적으로 사용되었다. 엄청난 양의 데이터 전송이 비용과 크기의 감소와 함께 광통신 시스템 구축의 급속한 성장을 이끌었다. 이제 거의 모든 통신이 이러한 방식으로 전송된다. 100억 개의 디지털 비트가 수만 개의 전화 통화를 전달하는 현 시스템의 광섬유를 따라 1초 만에 전송될 수 있다.

코어는 고순도의 실리카 유리로 만들어지는데 지름은 5~100 μm이다. 그림 14.17은 상업화된 광섬유의 세 가지 일반적인 구성을 보여준다. 그림 14.17(a)는 **단계-굴절률 광섬유**(step-index fiber)인데, 커다란 코어(100 μm까지)를 가지고 있고 코어/피복막 계면에서 굴절률이 갑자기 달라지는 것을 보여준다. 코어를 따라 여러 경로의 지그재그로 움직이는 광선은 광섬유 끝에 각기 다른 시간에 도착한다. 이 현상은 광 펄스폭을 넓게 만들어 1초당 전송되는 펄스의 수가 제한된다. 이런 종류의 광섬유는 의료 내시경과 같이 상대적으로 짧은 전송 거리에 가장 적합하다.

그림 14.17(b)는 **점진-굴절률 광섬유**(graded-index fiber)를 보여주는데, 여기에서는 코어 내 포물선 형태의 굴절률 변화에 의해(실리카 유리에 B_2O_3나 GeO_2와 같은 다른 유리를 형성하는 물질의 체계적인 첨가를 통해) 지그재그가 아니라 나선형의 경로를 만든다. 다양한 경로로 진행하는 빛은 광축을 따라 이동한 빛과 거의 같은 시간에 도착한다(광섬유 축의 경로는 짧지만 중앙에서의 높은 굴절률 때문에 느리다). 그러므로 디지털 펄스는 왜곡의 정도가 덜하고 높은 밀도로 정보의 전송을 가능하게 한다. 이러한 광섬유는 지역 회로망에 적합하다.

그림 14.17(c)는 빛이 대부분 축에 평행하게 진행하여 디지털 펄스의 왜곡이 작

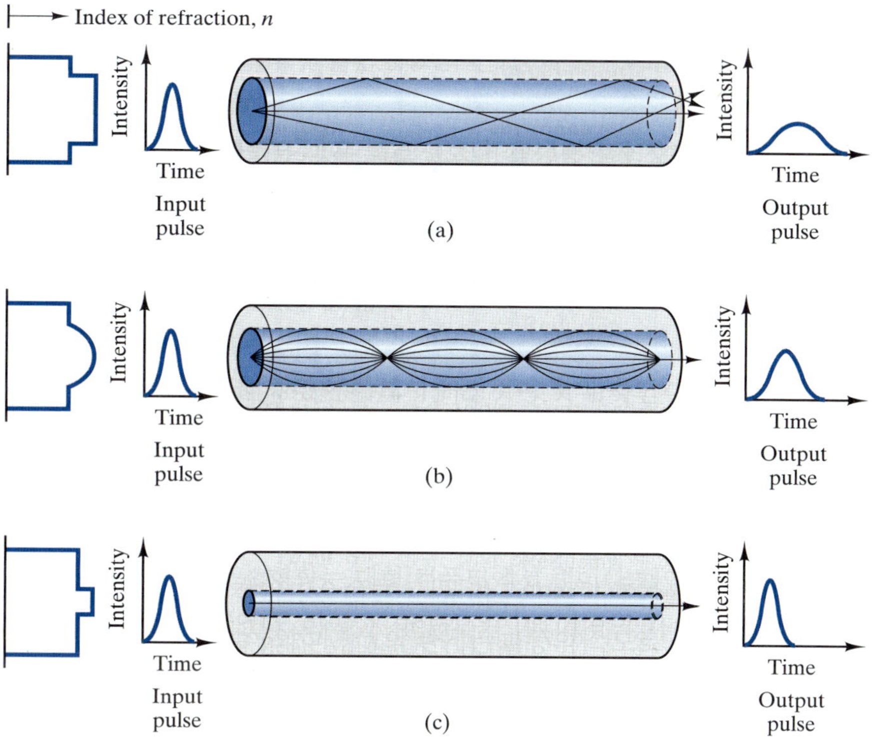

그림 14.17 (a) 단계 굴절률 (b) 점진 굴절률 (c) 단일 모드 광섬유 디자인의 개요도

도록 만든, 좁은 코어($5\ \mu m \leq 8\ \mu m$)의 **단일 모드 광섬유**(single-mode fiber)를 보여준다. 단일 모드란 단일한 축 방향의 경로를 가진, 따라서 왜곡되지 않은 펄스 형태를 일컫는다. 반면 단계-굴절률이나 점진-굴절률 구조는 다중 모드라고 한다. 단일 모드 광섬유는 TV나 케이블 TV 방송망을 위한 수백만 킬로미터의 광섬유에 사용된다.

액정 고분자는 결정체나 비결정체 구조라는 기존 정의에서 벗어나 있다. 그림 14.18은 액정의 독특한 특징을 나타낸다. 확장된 형태의 단단한 막대 모양의 분자로 이루어진 액정 분자는 용융된 상태에서도 고도로 정렬되어 있다. 응고 시 분자 정렬은 특정한 분자 간격을 가진 도메인 구조로 유지된다. 이 독특한 고분자는 주로 **액정 디스플레이**(liquid crystal display, LCD)로 사용되는데, 이는 디지털시계나 휴대용 컴퓨터와 같은 다양한 디지털 디스플레이에서 익숙하게 보아온 기능이다. 이 시스템에서 상온 액정 용융물은 (투명한 전자 전도 막으로 코팅된) 2개의 유리판 사이에 들어 있다. 문자를 이루는 숫자/글자 요소는 디스플레이 표면에 식각된다. 문자를 이루는 영역 근처에 인가된 전압은 액정 분자의 정렬을 방해하여 어둡게 함으로써 문자를 볼 수 있게 만든다.

그림 13.9에서 열에너지가 반도체의 가전대에 있는 전자를 전도대로 올려서 전도대의 전자와 가전대의 정공을 모두 만드는 것을 보았다. 다른 형태의 에너지가 투

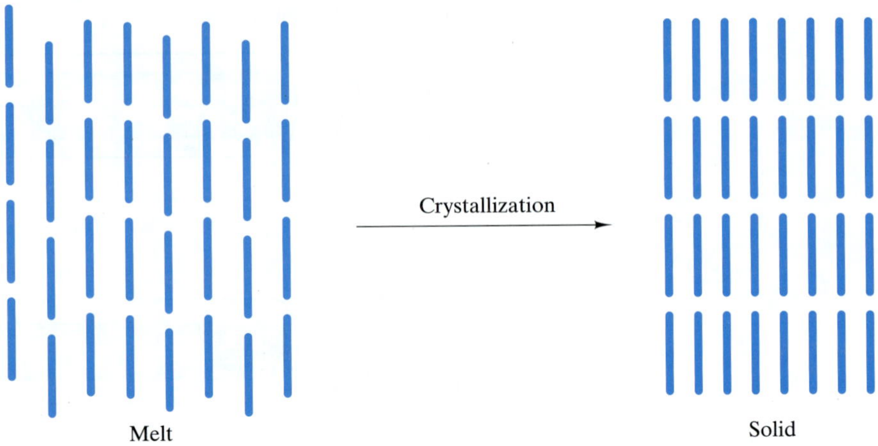

그림 14.18 액정 고분자의 독특한 구조 형태의 개요도

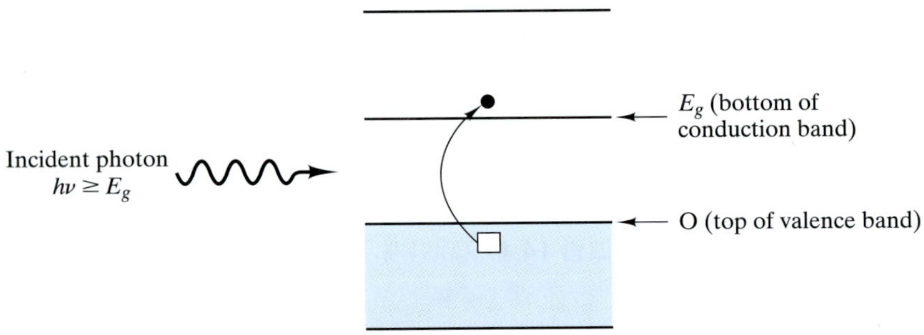

그림 14.19 광전도의 개요도

입되어도 이러한 전자의 여기를 만든다. 에너지대 간격과 같거나 큰 에너지를 가진 빛이 반도체에 부딪치면, 각각의 광자 하나에 대해 한 쌍의 전자-정공이 만들어진다(그림 14.19). 이러한 **광전도체**(photoconductor)는 사진 조도계로 가장 잘 설명된다. 광유도 전류는 단위 시간당 계량기로 돌진하는 입사 빛의 강도(광자의 수)에 대한 직접적인 함수이다(이 절 앞부분에서 설명한 GaAs와 같은 반도체 레이저는 광전도체의 원리에서처럼 전자의 여기를 이용하지만, 레이저 광선을 만들기 위한 전자-정공의 재결합에 좌우된다). 황화카드뮴(CdS)은 사진 조도계로 널리 사용되는 물질이다.

예제 14.6

GaAs 반도체 레이저에서 표 13.5에 주어진 GaAs의 에너지대 간격에 해당하는 광자의 파장을 계산하시오.

풀이

식 (14.8)을 이용하고 표 13.5의 GaAs 에너지대 간격을 대입하면

$$\lambda = hc/E_g$$
$$= ([0.663 \times 10^{-33}\ \text{J}\cdot\text{s}][0.300 \times 10^{9}\ \text{m/s}]/[1.47\ \text{eV}]) \times (6.242 \times 10^{18}\ \text{eV/J})$$
$$= 844 \times 10^{-9}\ \text{m} = 844\ \text{nm}$$

주: 이 파장은 전자기 스펙트럼의 적외선 영역에 해당한다. 반도체의 온도나 화학성분의 변화로 에너지대 간격을 높일 수 있고, 따라서 파장이 가시광선 영역으로 짧아질 수 있다.

예제 14.7

예제 14.2를 참조하여, 광선이 유리 광섬유 코어(굴절률 n = 1.470)에서 피복막(n = 1.460)으로 가는 단계-굴절률 광섬유에서 임계 입사각 θ_c를 계산하시오.

풀이

이 경우 식 (14.4)는 다음과 같다.

$$\frac{\sin\theta_i}{\sin\theta_r} = \frac{v_{\text{core}}}{v_{\text{cladding}}} = \frac{n_{\text{cladding}}}{n_{\text{core}}}$$

임계 조건에서

$$\frac{\sin\theta_c}{\sin 90^\circ} = \frac{n_{\text{cladding}}}{n_{\text{core}}}$$

또는

$$\theta_c = \arcsin\frac{n_{\text{cladding}}}{n_{\text{core}}}$$
$$= \arcsin\left(\frac{1.460}{1.479}\right) = 83.3^\circ$$

예제 14.8

표 13.5에서 주어진 에너지대 간격을 이용하여 광전도체 CdS에서 전자-정공 쌍을 만드는 데 필요한 광자의 파장의 최댓값을 구하시오.

풀이

예제 14.6과 같이 식 (14.8)을 이용하여 에너지대 간격과 파장 간의 관계를 알 수 있다. 표 13.5의 에너지대 간격을 대입하면

$$\lambda = hc/E_g$$
$$= ([0.663 \times 10^{-33}\ \text{J}\cdot\text{s}][0.300 \times 10^{9}\ \text{m/s}]/[2.59\ \text{eV}]) \times (6.242 \times 10^{18}\ \text{eV/J})$$
$$= 479 \times 10^{-9}\ \text{m} = 479\ \text{nm}$$

연습문제 14.6

예제 14.6에서 언급한 바와 같이 반도체의 에너지대 간격은 성분의 함수이다. GaAs에 약간의 GaP를 더하면 에너지대 간격은 1.78 eV까지 증가할 수 있다. 이 증가된 에너지대 간격에 해당하는 레이저 광의 파장을 구하시오.

연습문제 14.7

예제 14.7에서 유리 광섬유 코어에서 피복막으로 입사하는 빛의 임계각을 구했다. 코어 굴절률이 $n = 1.460$이고 피복막 굴절률이 그보다 약간 작은 $n = 1.458$인 단일 모드 광섬유의 임계 입사각을 구하시오.

연습문제 14.8

예제 14.8에서처럼 에너지대 간격 2.67 eV를 가진 ZnSe 광전도체에서의 파장을 계산하시오.

14.2 자성 재료

자성(magnetism)의 간단한 예는 그림 14.20에서 보이는 바와 같이 특정 물질 간의 인력과 관련된 물리적 현상이다. 전류 고리는 물리적인 인력이 작용하는 영역 혹은 **자기장**(magnetic field)을 발생시키는데 이는 **자속선**(magnetic flux line)으로 표현된다. 전류 고리 근처의 각 위치에서 자기장의 크기와 방향은 벡터양 **H**로 주어진다. 어떤 물질은 본질적으로 자성을 띤다. 즉 거시적인 전류가 없어도 전기장을 발생시킨다. 그림 14.21에서 보이는 막대자석이 그 간단한 예이다. 이것은 식별 가능한 **쌍극자**(dipole, 북-남) 방향을 가진다. 자성 활용의 많은 부분은 당연히 인력을 이용한

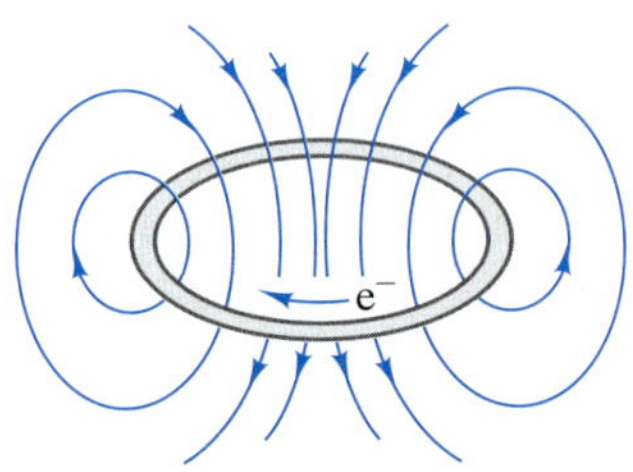

그림 14.20 전류 고리 근처에 발생되는 (자석선으로 표현된)자기장을 보여주는 자성의 간단한 도시

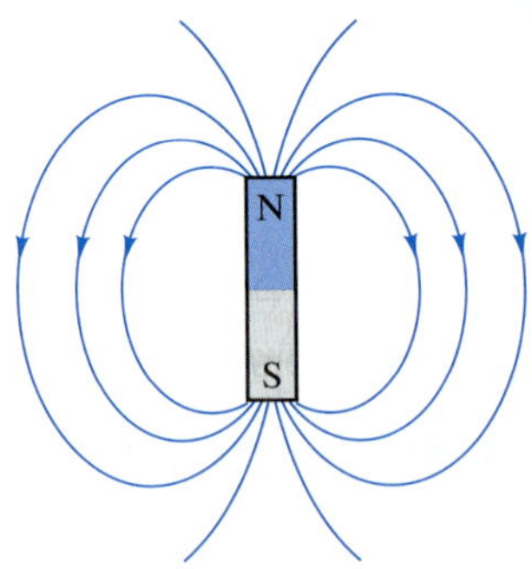

그림 14.21 자성 재료는 전류 없이 자기장을 발생시킨다. 이 간단한 막대자석이 그 예이다.

그림 14.22 2개의 근접한 막대자석 간의 인력

것이다. 그림 14.22는 가까이 있는 두 막대자석 간에 서로 끌어당기는 개념을 도시한다. 두 막대자석의 방향을 주의 깊게 보자. 쌍극자가 '쌍'을 이루는 것은 자기적 물질 내 원자 수준에서 일어나는 전자 궤도 간의 상호작용을 의미한다. 이 장 뒷부분에서 강자성을 정의할 때 다시 이에 대해 언급할 것이다.

자기장 원을 둘러싸는 진공 공간에서 **자기 유도**(induction) **B**를 정의할 수 있는데, 이것의 크기가 **자속 밀도**(flux density)이다. 자기 유도는 **자기장 세기**(magnetic field strength) **H**와 아래와 같은 관계를 가진다.

$$\mathbf{B} = \mu_0\mathbf{H} \tag{14.9}$$

여기서 μ_0는 진공의 **투자율**(permeability)이다. 고체가 자기장 안에 들어가면 자기 유도의 크기가 변하는데 역시 비슷한 형태의 식으로 표현된다.

$$\mathbf{B} = \mu\mathbf{H} \tag{14.10}$$

여기서 μ는 고체의 투자율이다. 자기적 거동에 대한 이 기본적인 식이 전기적 거동의 Ohm의 법칙과 직접적인 유사성을 가지고 있다는 것을 아는 것은 중요하다. 13장을 통해 Ohm 법칙의 기본적인 기술,

$$V = IR \tag{13.1}$$

을 가지고 와서, 이를 비저항과 전도도의 정의와 합하면(역시 13장에서)

$$\rho = \frac{RA}{l} \tag{13.2}$$

$$\sigma = \frac{1}{\rho} \tag{13.3}$$

다른 형태의 Ohm 법칙을 얻을 수 있다.

$$\frac{I}{A} = \sigma\frac{V}{l} \tag{14.11}$$

여기서 I/A는 전류 밀도이고, V/l는 전압 변화도이다. 그러면 자기적 자기 유도(**B**)는 전압 차이(전기장의 세기, **H**)와 유사하고, 투자율(μ)은 전도도에 대응된다. 고체가 있을 때는 자기 유도가 달라진다. 고체의 경우 각각의 기여하는 부분을 나누어서 표현한 것이 아래와 같은데

$$\mathbf{B} = \mu\mathbf{H} = \mu_0(\mathbf{H} + \mathbf{M}) \tag{14.12}$$

여기서 **M**은 고체의 **자화량**(magnetization)이라고 하고 μ_0**M**은 고체와 연관된 '추가적인' 자기 유도를 나타낸다. 자화량 **M**은 고체의 전자 구조와 연관된 자기 쌍극자의 단위 부피당 밀도이다.

이러한 다양한 자기적 용어의 단위 B(**B**의 크기)는 webers[4]/m^2, μ는 webers/ampere-meter 또는 henries[5]/m, M과 H는 amperes/m이다. μ_0의 크기는 $4\pi \times 10^{-7}$ H/m(= N/A^2)이다. 때로는 고체의 자기적 거동을 **상대 투자율**(relative permeability, μ_r)로 기술하는 것이 편리할 때가 있는데, 이는

$$\mu_r \equiv \frac{\mu}{\mu_0} \tag{14.13}$$

으로 주어지고, 이 값은 당연히 차원이 없다. 이러한 여러 단위는 meter-kilogram-second(mks) 체계로 표현되었고 SI 체계에서 사용하는 것과 일치한다.

구리나 금처럼 높은 전도성을 가지는 금속과 같은 어떤 고체는 1(정확히는 약 0.99995)보다 아주 조금 작은 상대 투자율을 가진다. 이런 물질은 **반자성**(diamagnetism)을 보인다. 실제로 물질의 전자 구조는 인가된 자기장에 약한 역방향 장을 만들도록 반응한다. 많은 고체 물질은 1(1.00과 1.01 사이)보다 조금 큰 상대 투자율 값을 가진다. 이런 물질은 **상자성**(paramagnetism)을 보인다. 전자 구조가 인가된 방향과 같은 방향으로 강화하는 장을 만들게 하는 것이다. 반자성과 상자성 물질의 자기적 효과는 작다. 그림 14.23은 이러한 두 범주에 속하는 물질에서의 B-H 도표를 나타낸다. 자기적 성질에서 B-H 도표는 기계적 거동에서는 σ-ϵ 도표에 상응한다. 이는 이 장의 나머지 부분에서 자주 사용할 것이다. 다른 범주의 자기적 거동을 나타내는 물질이 있는데 이 물질의 상대 투자율은 1보다 훨씬 크다(10^6 정도). 이와 같은 큰 값은 중요한 공학적인 활용을 가능하게 하며, 다음에 다룰 주제이다.

예제 14.9

(일반적인 막대자석에 의해 생긴) 2.0×10^5 amperes/m의 자기장이 상대 투자율 1.01의 상자성 물질에 인가되었다. |**B**|와 |**M**|의 크기를 계산하시오.

풀이

식 (14.12)를 다음 같이 다시 쓸 수 있는데

$$B = \mu H = \mu_0 (H + M)$$

여기서

4) Wilhelm Eduard Weber(1804~1891)는 독일 물리학자로 Gauss의 오랜 공동 연구자이다. Gauss가 개발한 자성의 체계를 보완하여 전기에서의 단위를 위한 논리적인 체계를 개발했다. 또한 Gauss와 함께 최초의 실질적인 전신 중 하나를 만들었다.

5) Joseph Henry(1797~1878)는 미국 물리학자이다. Weber와 마찬가지로 Henry도 전신을 개발했으나, 금전적 보상에는 관심이 없었다. 그는 그 아이디어를 특허로 낼 수 있는 기회를 Samuel Morse에게 넘겼다. 그의 세대에서 가장 강력한 전자석을 성공적으로 만들었으며 나중에는 전기 모터에 대한 개념을 발전시켰다.

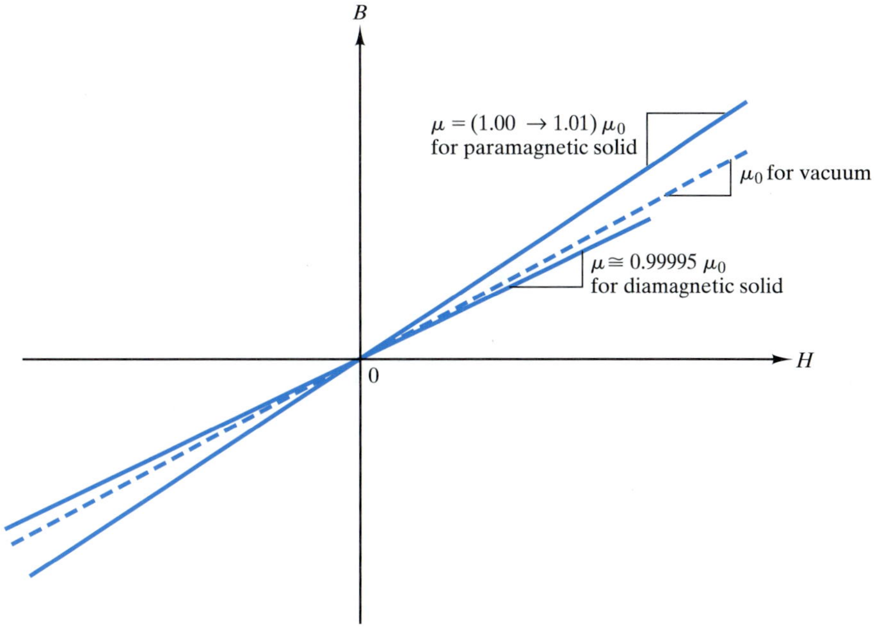

그림 14.23 자기 유도(B) 대 자기장의 세기(H) 도표에서 반자성과 상자성의 비교. 두 현상 모두 발생되는 자기 유도의 크기가 크지 않기 때문에 실제로 공학적인 중요성은 없다.

$$B = |\mathbf{B}|,\ M = |\mathbf{M}|$$

첫 번째 방정식을 사용하면 다음 값을 얻는다.

$$\begin{aligned} B &= \mu H = \mu_r \mu_0 H \\ &= (1.01)(4\pi \times 10^{-7}\ \text{henry/m})(2.0 \times 10^5\ \text{amperes/m}) \\ &= 0.254\ \text{henry} \cdot \text{amperes/m}^2 \\ &= 0.254\ \text{weber/m}^2 = |\mathbf{B}| \end{aligned}$$

두 번째 방정식을 사용해서 다음 값을 얻는다.

$$\mu H = \mu_0(H + M)$$
$$\mu H - \mu_0 H = \mu_0 M$$

또는

$$\frac{\mu}{\mu_0}H - H = M$$

정리하면

$$\begin{aligned} M &= \left(\frac{\mu}{\mu_0} - 1\right)H = (\mu_r - 1)H \\ &= (1.01 - 1)(2.0 \times 10^5\ \text{amperes/m}) \\ &= 2.0 \times 10^3\ \text{amperes/m} = |\mathbf{M}| \end{aligned}$$

연습문제 14.9

예제 14.9에서 인가된 장의 세기가 2.0×10^5 amperes/m일 때 상자성 물질의 자기 유도와 자화량을 계산했다. 이 계산을 상대 투자율이 1.005인 상자성 물질에 대해 다시 계산하시오.

강자성

어떤 물질에서는 자기장의 강도가 증가할수록 자기 유도가 급격히 증가한다. 그림 14.24는 이런 현상인 **강자성**(ferromagnetism)이 그림 14.23의 단순한 선형적인 거동과 분명한 대비를 보이는 것을 도시한다. 여기서 **강자성**이란 용어는 철을 함유한 물질(ferrous)에서 보였던 현상에서 유래한다. 13.4절에서 강유전성 물질을 그렇게 부르는 이유가 그림 14.24의 B-H 곡선과 비슷한 분극(polarization) 대 전기장의 도표를 보여주기 때문이라는 것을 상기해야 한다. 일반적으로, 강유전성 물질은 중요한 성분으로 철을 포함하고 있지는 않다.

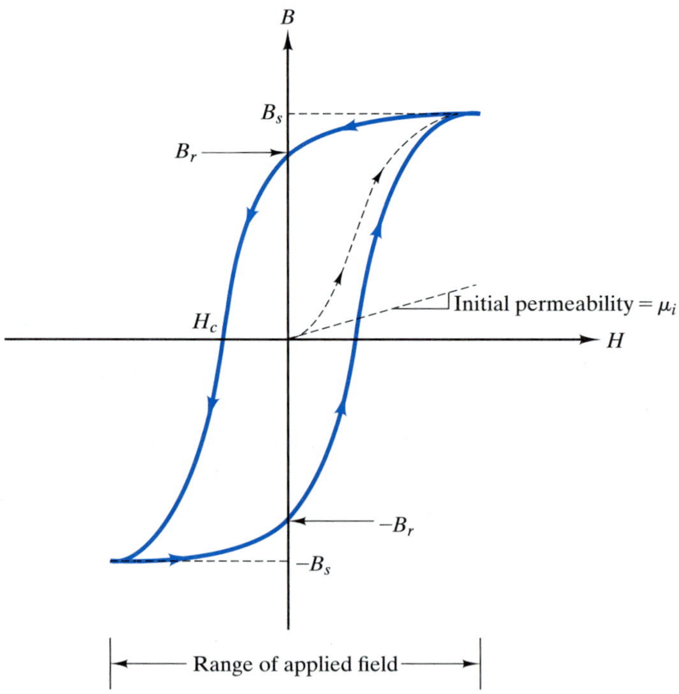

그림 14.24 그림 14.23의 도표와는 다르게 강자성 재료의 B-H 도표는 공학적 활용에 상당히 유용하다. 초기 자화 과정 중에 B의 값이 증가한다(점선으로 표기). 자기 유도는 충분히 큰 자기장이 인가되면 높은 포화된 값, B_s에 이른다. 자기 유도의 많은 부분은 자기장이 없을 때에도 B_r = 잔류 자기 유도를 유지한다. 보자력 장(H_c)은 자기 유도가 0이 되도록 만들기 위해 필요한 자기장의 세기이다. 자기장의 세기를 보이는 구간 내에서 순환할 때 B-H 도표는 연속적으로 실선으로 표시된 경로를 따른다. 이 경로를 이력곡선이라고 한다.

그림 14.24의 화살표는 자기장의 강도 H의 함수로 자기 유도 B가 변하는 것을 따라간다. 처음에, 측정하는 시편은 자기장이 없는 상태($H = 0$)에서 $B = 0$인 비자화 상태이다. 초기에 인가된 자기장은 상자성 물질과 유사한 방법으로 자기 유도가 약간 증가하도록 만든다. 그러나 중간 정도의 세기로 증가시키면 자기 유도가 급격하게 증가한다. 자기장의 세기를 더 증가시키면 자기 유도는 **포화 자기 유도**(saturation induction) 값, B_s에서 비슷한 값을 유지한다. 식 (14.12)에서 소개한 자화량, M이 실제로 포화되는 양이다. 그 식을 들여다보면 B가 $\mu_0 H$ 항을 포함하고 있어 H가 증가할수록 B가 증가하게 된다. 포화 지점에서는 B의 크기가 $\mu_0 H$보다 훨씬 크기 때문에 B의 값이 그 수준을 유지하는 것으로 보이고, **포화 자기 유도**라는 용어를 사용하는 것이다. 실제로 자기 유도는 절대 포화되지 않는다.

큰 B_s값을 가진다는 것만큼 중요한 성질은 자기장을 제거한 후에도 대부분의 자기 유도가 유지된다는 것이다. 자기장을 제거할 때 B-H 곡선에 따르면(왼쪽으로 가는 화살), 전계 강도 $H = 0$에서, 자기 유도는 0이 아닌 값, **잔류 자기 유도**(remnant induction), B_r로 떨어진다. 이 잔류 자기 유도를 없애기 위해서는 반대 방향의 자기장을 가해야 한다. 이때 B는 **보자력 장**[coercive field, 혹은 **보자력**(coercive force)], H_c에서 0이 된다. 반대 방향으로 인가하는 자기장의 크기가 증가함에 따라 물질은 다시 포화 상태가 된다($-B_s$에서). 앞에서와 같이 잔류 자기 유도($-B_r$) 자기장이 0이 될 때 남아 있다. 그림 14.24의 점선 화살표는 초기 자화를 나타내지만, 실선은 자기장이 표시된 한계까지 앞뒤로 순회하는 동안 계속 따라가는, 완전히 가역적인 경로를 나타낸다. 이 실선을 **이력곡선**(hysteresis loop)이라고 한다.

이 이력곡선의 본질을 이해하기 위해서는 이 재료의 원자 수준 및 미시 수준의 구조에 대해 모두 탐구해야 한다. 이 절 앞부분에서 언급했듯이 전류 고리는 특정 방향의 자기장을 만드는 근원이다(그림 14.20 참고). 이 고리가 원자 내에서 전자의 궤도 운동이 자기적 성질에 기여한다는 기본 모델을 제공한다. 현재 논의에서 더 중요한 것은 **전자스핀**(electron spin)이 자기에 기여하는 부분이다. 이 현상은 궤도 운동과는 무관한, 자전하는 행성의 운동과 연관시키기도 한다. 이 스핀의 기여에 대한 현상을 잘 보여주기 위한 유용한 개념이기는 하지만 전자스핀은 전자의 내재적인 각 운동량과 연관된 상대적인 효과이다. 어떤 경우이건 전자스핀에 의한 자기 쌍극자 또는 **자기 모멘트**(magnetic moment)의 크기는 **Bohr**[6] **마그네톤**(Bohr magneton), $\mu_B (= 9.27 \times 10^{-24}$ ampere · m^2)이다. 이것은 양의 값을 가지기도 하고('스핀 업'의 경우), 음의 값을 가지기도 한다('스핀 다운'의 경우). 스핀의 방향은 물론 상대적이지만 이 관련된 전자의 자기 기여의 의미에서는 중요하다. 꽉 찬 원자 껍질에서 전자

6) Niels Henrik David Bohr(1885~1962)는 덴마크 물리학자로 원자 물리를 발전시키는 데 중요한 공헌을 했다. 그는 특성 스펙트럼을 설명하는 것을 가능하게 한 단순한 수소 원자 모델의 개발로 가장 잘 알려져 있다.

는 모두 반대 방향의 스핀을 가진 전자의 쌍으로 이루어져 있어 순 자기 모멘트는 0이다($+\mu_B - \mu_B = 0$). 원자 내의 전자 배치는 2.1절에서 논의했고 각 원소에서의 자세한 내용은 부록 1에 있다. 부록 1을 자세히 보면, 1번(수소)에서 18번(아르곤) 원소까지 단순하고 체계적인 방법으로 궤도 껍질의 전자를 채워가고 있음을 알 수 있다. 19번 이상의 원소에서는 전자를 더하는 방식이 달라진다. 19번(포타슘)과 20번(칼슘) 원소에서는 전자가 4*s* 궤도에 먼저 채워지고, 그다음 다시 3*d* 전자를 채운다. 다 채워지지 않은 내각 궤도의 존재는 홀전자(unpaired electron)를 생성할 가능성을 만드는데, 이에 해당하는 것이 21번(스칸듐)에서 28번(니켈)까지의 원소이다. 이러한 원소를 **전이 금속**(transition metal)이라고 하는데, 주기율표에 있는 원소들은 I A와 II A 집단의 강한 양전기(electro-positive) 원소에서 I B와 II B 집단의 조금 더 음전기(electro-negative)인 원소로 점차 이동한다. 21번에서 28번 원소는 실제로 전이 금속의 첫 번째 그룹이다. 부록 1을 보면, 내각 궤도가 체계적으로 채워지면서 홀전자를 만드는 것을 알 수 있다. 그림 14.25는 전이 금속의 3*d* 궤도의 전자 구조를 더 자세히 보여준다. 각 홀전자는 금속의 '자기적 성질'에 1 Bohr 마그네톤씩 기여한다. 원소당 Bohr 마그네톤의 수는 그림 14.25에 주어졌다. 여기서 철(26번 원소)이 전이 금속 중 하나이고, 4개의 홀전자를 가져서 4 Bohr 마그네톤을 기여함을 알 수 있다. 따라서 강자성은 철과 관계가 있지만, 여러 다른 전이 금속도 이와 같은 거동을 보임을 알 수 있다.

여기서 전이 금속이 높은 자기 유도 값을 가지는 이유를 인지할 수 있다. 결정 구조의 주변 원자가 같은 순 자기 모멘트를 가지도록 정렬되면 벌크 결정은 결과적으

원자 번호	원소	3*d* 전자 구조					모멘트
21	Sc	↑					1
22	Ti	↑	↑				2
23	V	↑	↑	↑			3
24	Cr	↑	↑	↑	↑	↑	5
25	Mn	↑	↑	↑	↑	↑	5
26	Fe	↑↓	↑	↑	↑	↑	4
27	Co	↑↓	↑↓	↑	↑	↑	3
28	Ni	↑↓	↑↓	↑↓	↑	↑	2
29	Cu	↑↓	↑↓	↑↓	↑↓	↑↓	0

↑= 전자스핀 방향

그림 14.25 전이 금속의 3*d* 궤도의 전자 구조. 홀전자가 이러한 금속에서 자기적 성질에 기여한다.

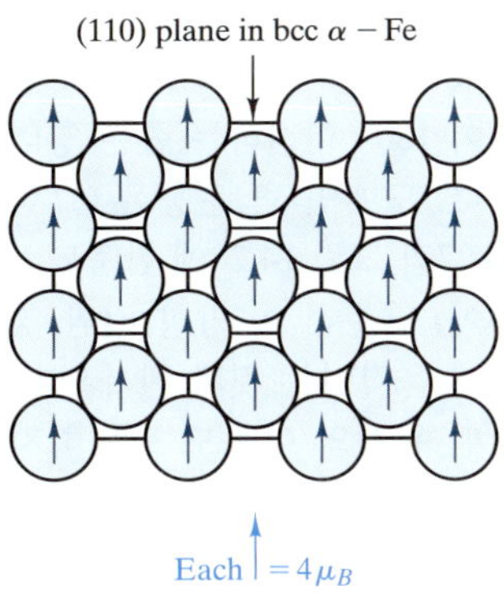

그림 14.26 인접한 원자 간의 자기 모멘트 정렬은 고체에서의 높은 순 자기 모멘트(그리고 B-H 도표에서 B_s)를 만든다. 그림은 상온에서 순수 bcc 철에 대한 예이다.

로 상당히 큰 자기 모멘트를 가진다(그림 14.26). 근접한 원자가 같은 자기 모멘트를 가지는 방향으로 정렬하려는 성향은 근접한 원자의 근접한 전자스핀 간 **교환 상호작용**(exchange interaction)의 결과이다. 이것은 단순히 어떤 시스템을 안정시키려는 전자 배치이다. 그런 의미에서 공유 결합에서 전자를 공유하는 이유와 비슷하다(2.3절). 교환 상호작용은 결정 구조와 밀접한 관계를 가지는 함수이다. α(bcc) 철에서 상호작용의 정도는(그리고 그에 따른 포화 자기 유도는) 결정 방향에 따라 다르다. 더 중요한 것은 γ(fcc) 철은 상자성이라는 것인데, 이는 '비자성' 강을 설계할 때 오스테나이트계 스테인리스강(11.1절)을 사용할 수 있게 한다.

그림 14.26은 높은 자기 유도(B_s)가 어떻게 가능한지를 보여주지만, 자기 유도가 어떻게 0이 될 수 있는지에 대한 의문을 남긴다. 이 문제에 대한 답과 이와 관련된 강자성 이력곡선의 모양에 대한 설명은 미세구조 단위에서 할 수 있다. $B = 0$으로 자화되지 않은 철 결정을 보여주는 것이 그림 14.27이다. 미세구조는 **도메인**(domain)으로 되어 있는데, 다결정 결정립(polycrystalline grain)과 비슷한 외형을 가지고 있다. 그렇지만 이 예시는 단결정을 나타낸다. 모든 도메인은 같은 결정 방위를 가진다. 인접한 도메인은 결정 방위가 다른 것이 아니라 자기 모멘트의 방향이 다른 것이다. 반대 방향으로 향한 같은 부피의 모멘트가 있으면 순 효과는 0인 자기 유도가 된다. 초기 자화되는 동안의 급격한 자기 유도 값의 상승은 인가된 전압과 평행한 방향으로 정렬하려는 각 원자의 모멘트가 많은 부분을 차지하기 때문이다(그림 14.28). 사실상 인가된 전압과 다른 방향인 도메인이 줄어들면서 같은 방향인 도

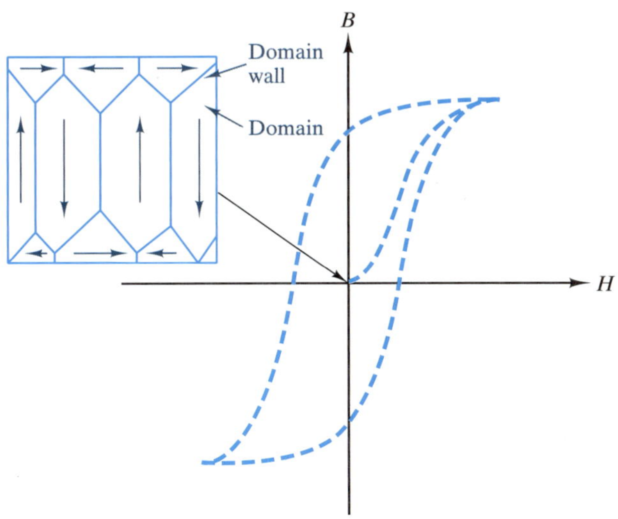

그림 14.27 그림 14.26에서 나타냈듯이 개개의 도메인에서는 높은 자기 모멘트를 가지더라도 자화되지 않은 철에서 도메인 구조는 $B = 0$의 값을 준다.

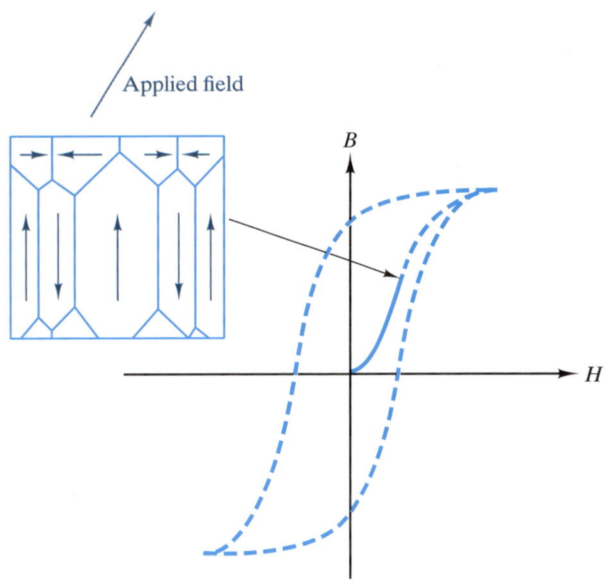

그림 14.28 초기 자화 과정 중 B의 급격한 증가는 도메인 성장 때문이다.

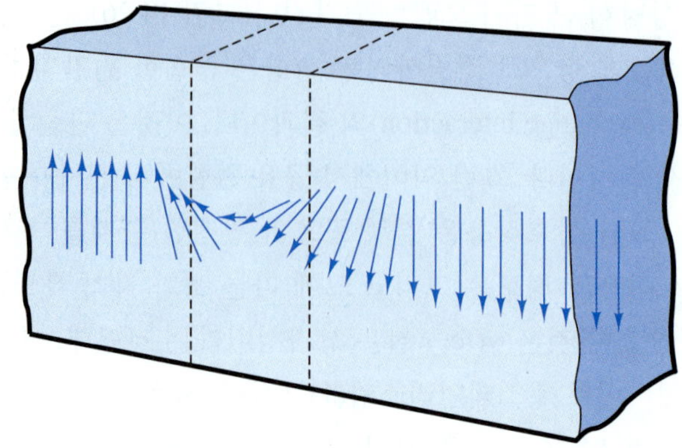

그림 14.29 도메인 벽 또는 Bloch 벽은 원자의 모멘트 방향이 180° 회전하는 좁은 영역이다. 도메인 벽 운동은 (그림 14.27과 그림 14.28에 함축되었듯이) 단순히 이 방향 전환 영역이 움직이는 것과 관계된다. 어떤 원자의 이동도 필요하지 않다.

메인이 '성장'한다. 인접한 도메인 간 경계에서 자기 '구조'를 주의해서 보면 이 성장이 어떻게 이루어지는지를 알 수 있다. 그림 14.29에서 **Bloch**[7] **벽**(Bloch wall)은 원자 모멘트의 방향이 180° 체계적으로 변하는 좁은 영역이다. 도메인이 성장하는 동안 **도메인 벽**(domain wall)은 도메인이 인가된 자기장 방향과 같은 방향이 되는 데 유리하도록 움직인다. 그림 14.30은 강자성 이력곡선을 순환하는 동안 도메인 미세구조가 변하는 것을 따라가며 보여준다.

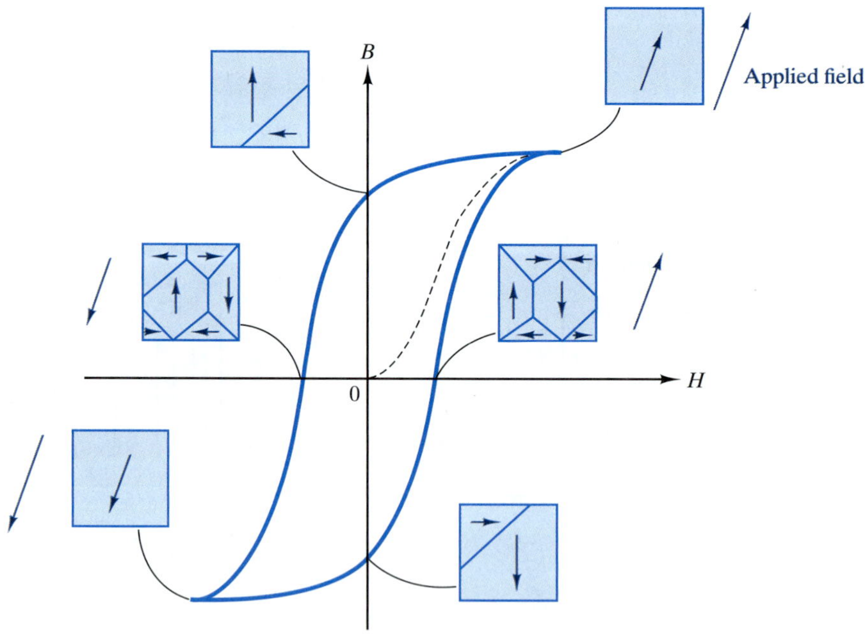

그림 14.30 강자성 이력곡선을 따라가는 동안 도메인 미세구조 요약

7) Felix Bloch(1905~1983)는 스위스계 미국인 물리학자로 고체 상태의 자성을 이해하는 데 기여했다. 뿐만 아니라 핵물리에서 그의 연구는 분석화학 분야에 중요한 장비 가운데 하나이자 최근에는 의료 영상에 사용되고 있는 핵자기 공명의 개발을 이끌었다.

예제 14.10

그림 14.25에서는 전이 금속 열(Sc에서 Cu)에 대한 3*d* 궤도의 전자 구조를 보여준다. Y에서 Pd까지의 열에 대한 4*d* 궤도에서 비슷한(그리고 결과적인 자기 모멘트) 그림을 만드시오.

풀이

이 도식은 직관으로 만들 수 있다. 부록 1에서 4*d* 전자의 수를 알 수 있다. *d* 궤도를 채울 때 전자가 5개가 넘으면 '최후 수단'으로 하나씩 쌍을 이루게 넣는다.

Atomic number	Element	Electronic structure of 4*d*	Moment (μ_B)
39	Y	[↑] [ ] [ ] [ ] [ ]	1
40	Zr	[↑] [↑] [ ] [ ] [ ]	2
41	Nb	[↑] [↑] [↑] [↑] [ ]	4
42	Mo	[↑] [↑] [↑] [↑] [↑]	5
43	Tc	[↑↓] [↑] [↑] [↑] [↑]	4
44	Ru	[↑↓] [↑↓] [↑] [↑] [↑]	3
45	Rh	[↑↓] [↑↓] [↑↓] [↑] [↑]	2
46	Pd	[↑↓] [↑↓] [↑↓] [↑↓] [↑↓]	0

예제 14.11

다음 자료는 그림 14.24처럼 쿠니페(cunife, 구리-니켈-철) 합금에서 안정 상태 강자성 이력곡선을 만드는 동안 측정하여 얻은 것이다.

H (amperes/m)	*B* (weber/m^2)
6×10^4	0.65 (saturation point)
1×10^4	0.58
0	0.56
-1×10^4	0.53
-2×10^4	0.46
-3×10^4	0.30
-4×10^4	0
-5×10^4	−0.44
-6×10^4	−0.65

(a) 자료를 가지고 도표를 그리시오.

(b) 잔류 자기 유도는 얼마인가?

(c) 보자력은 얼마인가?

풀이

(a) 도표는 이력곡선의 반을 나타낸다. 나머지 반은 거울상을 이용하여 만들 수 있다.

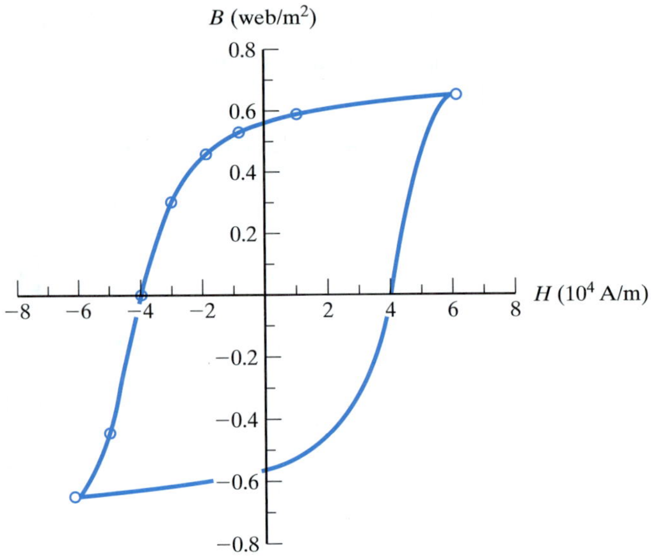

(b) $B_r = 0.56$ weber/m^2 ($H = 0$에서)

(c) $H_c = -4 \times 10^4$ amperes/m ($B = 0$에서)

주: H_c의 음수 값은 이력곡선의 대칭성 때문에 다소 임의적이다.

연습문제 14.10

예제 14.10에서 전이 금속 계열의 4*d* 궤도의 전자 구조와 그로 인한 자기 모멘트를 보였다. Lu에서 Au까지의 열의 5*d* 궤도에서 비슷한(그리고 결과적인 자기 모멘트) 그림을 만드시오.

연습문제 14.11

강자성에 대한 논의 초반에 지적한 것처럼 강자성 이력(hysteresis) 동안 포화하는 것은 자기 유도가 아니라 자화량이다. (a) 예제 14.11에서 포화 자기 유도는 얼마인가? (b) 이 값에서 포화 자화량은 얼마인가?

페리자성

페리자성은 이 절 뒷부분에서 논의할 유용한 금속성 자석의 대부분을 설명하는 토대이다. 세라믹 자석은 약간 다른 메커니즘이 관여되어 있다. 그림 14.24를 보면 이력 거동은 본질적으로 같다. 그러나 가장 흔한 자성 세라믹의 결정 구조는 **반평행 스핀 쌍**(antiparallel spin pair)을 만들어(여기서 반평행이란 평행하지만 방향이 반대인 것을 정의한다), 금속일 경우에 가능한 값보다 낮은 순 자기 모멘트 값을 가지게 된다. 이 현상을 강자성(ferromagnetism)과 비슷하지만 철자가 조금 다른 **페리자성**(ferrimagnetism)이라고 구별한다. 그림 14.30에서와 같이 이력곡선과 연관된 도메인의 구조 및 이동의 본질이 다르지 않기 때문에 원자 수준에서 나타나는 차이를 보자. 가장 중요한 상업화된 세라믹 자석은 그림 14.31에서 도시한 스피넬($MgAl_2O_4$)

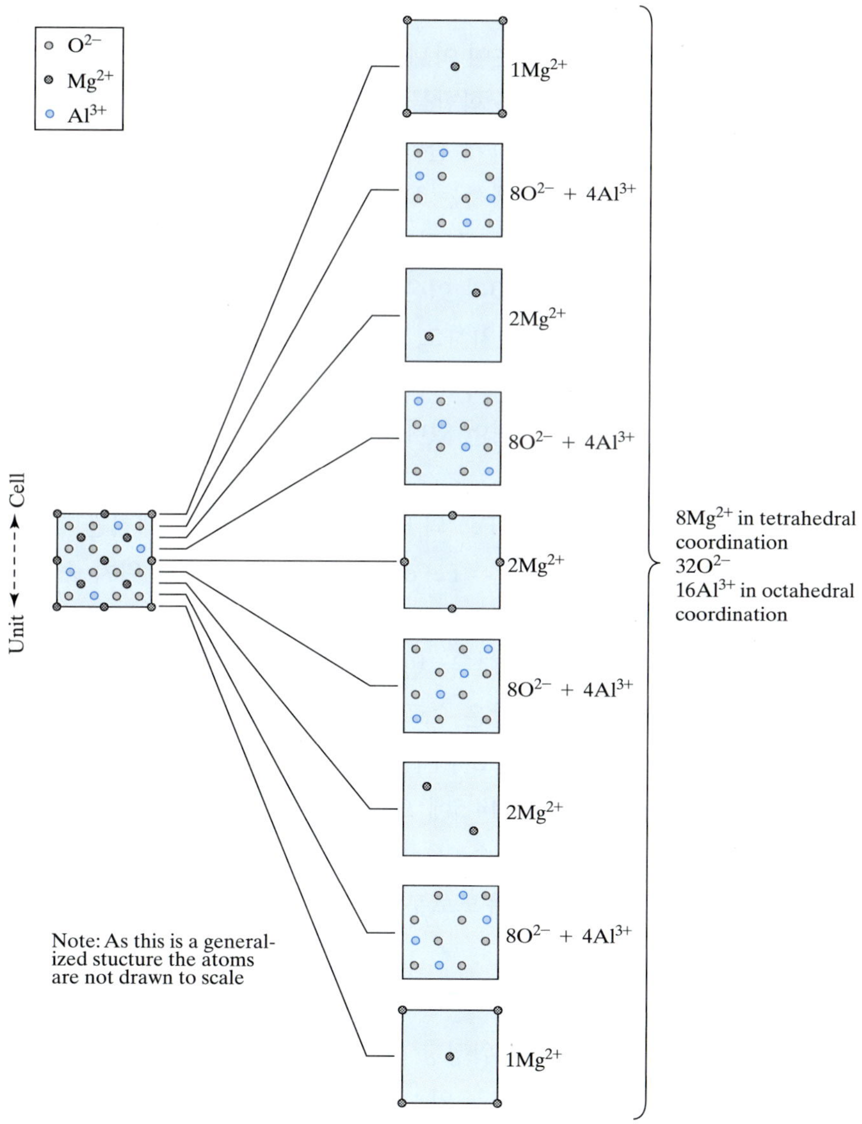

그림 14.31 정스피넬($MgAl_2O_4$) 구조의 단위정 (After F. H. Norton, *Elements of Ceramics*, 2nd ed., Addison-Wesley Publishing Co., Inc., Reading, MA, 1974.)

표 14.5 여러 전이 금속 이온에 대한 자기 모멘트

Ion	Moment (μ_B)[a]
Mn^{2+}	5
Fe^{2+}	4
Fe^{3+}	5
Co^{2+}	3
Ni^{2+}	2
Cu^{2+}	1

[a] μ_B = 1 Bohr 마그네톤 $= 9.27 \times 10^{-24}$ ampere · m^2

결정 구조를 가진다. 이 구조는 3장에서 다룬 다른 세라믹 구조에 비해 상대적으로 복잡한 결정 구조이다. 입방 단위정은 56개의 이온으로 이루어져 있는데, 그중 32개는 O^{2-} 음이온이다. 자기적 거동은 남은 24개의 양이온의 위치와 관련된다. 물론 Mg^{2+}와 Al^{3+}가 전이 금속 이온이 아니기 때문에 스피넬 자체는 비자성이다. 그러나 전이 금속 이온을 포함한 다른 화합물이 이 구조로 결정화될 수 있다. 심지어 더 많은 수의 화합물이 이와 밀접하게 관련된 **역스피넬**(inverse spinel) 구조로 결정화된다. '정(normal)'스피넬 구조에서는 2가 이온(M_{I}^{2+})은 O^{2-} 이온에 의해 사면체(4배위)로 배위되고, 3가 이온(M_{II}^{3+})은 팔면체(6배위)로 배위된다. 이 구조는 한 단위정당 8개의 2가 이온과 16개의 3가 이온을 가진 구조이다. 역스피넬 구조에서는 3가 이온이 사면체 자리(site)에 위치하고 있고, 팔면체 자리의 반을 차지하고 있다. 2가 이온이 나머지 반을 채운다. 이 구조에서 16개의 3가 이온은 반이 사면체 전부를, 나머지 반이 팔면체의 반에 나뉘어 있다. 8개의 2가 이온 모두는 나머지 팔면체 자리에 위치하고 있다.

전통적인 대표 자성 재료는 Fe^{2+}와 Fe^{3+} 이온이 역스피넬 배치를 가지고 분포되어 있는 **자철광**(magnetite, $Fe_3O_4 = FeFe_2O_4$)이다. 가능한 원자 위치 중 양이온의 분포에 대해 자세히 고려하는 이유는 다음의 중요한 사실 때문이다. 팔면체 자리와 사면체 자리의 양이온의 자기 모멘트는 반평행하다. 따라서 결정에서 역스피넬 구조에서 3가 이온이 이 두 자리에 같은 수로 분포되어 있으면 이로써 순수 자기 모멘트는 서로 상쇄된다. 순수 모멘트는 2가 이온에 의해 결정된다. 여러 전이 금속 이온에 의한 Bohr 마그네톤의 수는 표 14.5에 요약되어 있다. 자철광 한 단위정당 순수 자기 모멘트는 이 표로부터 예측할 수 있는데, 2가 Fe^{2+} 이온의 8배($= 8 \times 4\ \mu_B = 32\ \mu_B$)로, 이는 자철광의 포화 자기 유도로부터 측정한 값 32.8 μ_B와 잘 일치한다.

예제 14.12

본문에서 계산한 자철광의 단위정당 자기 모멘트(32 μ_B)는 측정한 값 32.8 μ_B와 근접한 값이다. 측정된 값이 18.4 μ_B인 니켈 페라이트에 대해 비슷하게 계산하시오.

풀이

자철광의 경우처럼 사면체와 팔면체(반평행) 위치에 있는 Fe^{3+} 이온의 수는 같다. 순수 자기 모멘트는 8개의 2가 이온(Ni^{2+})에 의해 온전히 결정된다. 표 14.5를 사용하면,

$$\text{자기 모멘트/단위정} = (Ni^{2+}\text{ 개수/단위정})(\text{모멘트 } Ni^{2+})$$
$$= 8 \times 2\,\mu_B = 16\,\mu_B$$

주: 계산은 다음과 같은 차이를 보인다.

$$\frac{18.4 - 16}{18.4} \times 100\% = 13\%$$

이 불일치는 상업화된 페라이트 물질의 화학량(stoichiometry)이 정확하지 않은 것이 주 이유로, Fe^{3+} 이온에 의한 자기 모멘트가 어느 정도 기여를 하기 때문이다.

예제 14.13

예제 14.12에 기술된 니켈 페라이트에서 포화 자화량 $|\boldsymbol{M}_s|$는 얼마인가? (니켈 페라이트의 격자 상수는 0.833 nm이다.)

풀이

자화량은 식 (14.12)에서 단위 부피당 자기 쌍극자 모멘트로 정의된다. 포화 상태를 가정했을 때(즉 8개의 Ni^{2+}의 모멘트가 모두 평행하게 정렬되어 있을 때), 단위정당 자기 모멘트는 예제 14.12에서 18.4 μ_B로 주어졌다. 따라서 포화 자화량은

$$|\boldsymbol{M}_s| = \frac{18.4\,\mu_B}{\text{단위정의 부피}}$$
$$= \frac{(18.4)(9.274 \times 10^{-24}\ \text{A} \cdot \text{m}^2)}{(0.833 \times 10^{-9}\ \text{m})^3}$$
$$= 2.95 \times 10^5\ \text{A/m}$$

연습문제 14.12

구리 페라이트 단위정의 자기 모멘트를 계산하시오(예제 14.12 참고).

연습문제 14.13

연습문제 14.12에서 기술된 구리 페라이트의 포화 자기 유도를 계산하시오. (구리 페라이트의 격자 상수는 0.838 nm이다.)(예제 14.13 참고)

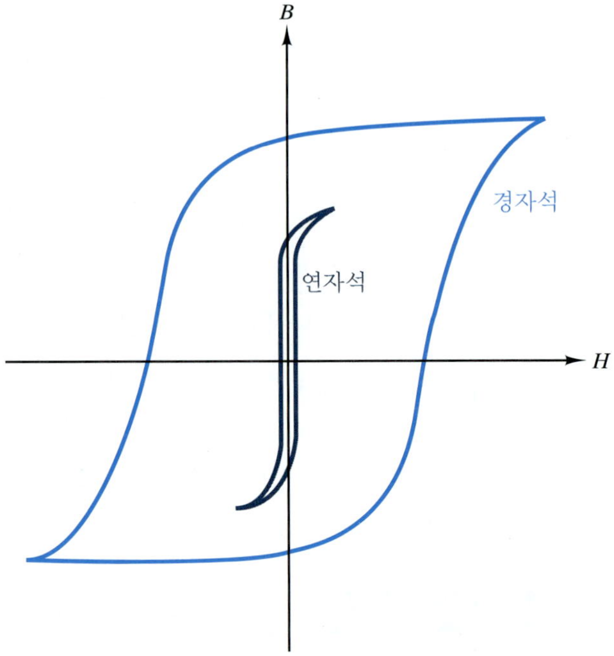

그림 14.32 연자석과 경자석의 전형적인 이력곡선의 비교

금속성 자석

상업적으로 중요한 **금속성 자석**(metallic magnet)은 강자성이다. 일반적으로 이러한 물질은 연자석 또는 강자석으로 분류된다. 인가된 전압에 의해 도메인 벽이 쉽게 움직이면 **연자석**(soft magnet)이라고 한다. 도메인 벽이 쉽게 움직이지 않으면 **경자석**(hard magnet)이라고 한다. 자기적 경도를 야기하는 성분과 구조적 요인은 대체로 기계적 경도의 경우와 같다(6.4절 참고). 연성과 경성 재료의 이력곡선의 상대적인 모양은 그림 14.32에 나타나 있다. 최근에 세라믹 초전도체가 개발되기 전까지 초전도 자석은 Nb나 그 합금과 같은 금속 종류였다.

자성 재료의 가장 큰 용도는 동력 발전이다. 흔한 예의 하나가 변압기의 강자성 철심(core)이다. 여기에는 연자석이 필요하다. 강자성 이력곡선 안의 면적은 이 고리를 지나가면서 소비되는 에너지를 나타낸다. 교류(AC) 동력 애플리케이션(power application)에서 고리는 50~60 Hz(hertz[8]), 1초당 회전수)의 주파수로 순회할 수 있다. 결과적으로, 연자석의 이력 선의 작은 면적이 작은 **에너지 손실**(energy loss)의 원인이 된다. 물론 작은 고리 면적도 중요하지만 변압기 철심의 크기를 줄이기 위해서는 높은 포화 자기 유도(B_s)도 요구된다.

AC 애플리케이션에서 두 번째 에너지 손실 원인은 변동 자기장에 의해 유도되

8) Heinrich Rudolf Hertz(1857~1894)는 독일 물리학자로, 요절했지만 19세기를 선도하는 과학자 중 한 사람이다. 주요 업적으로는 실험적으로 전자기 파동의 본질을 증명한 것이 있다.

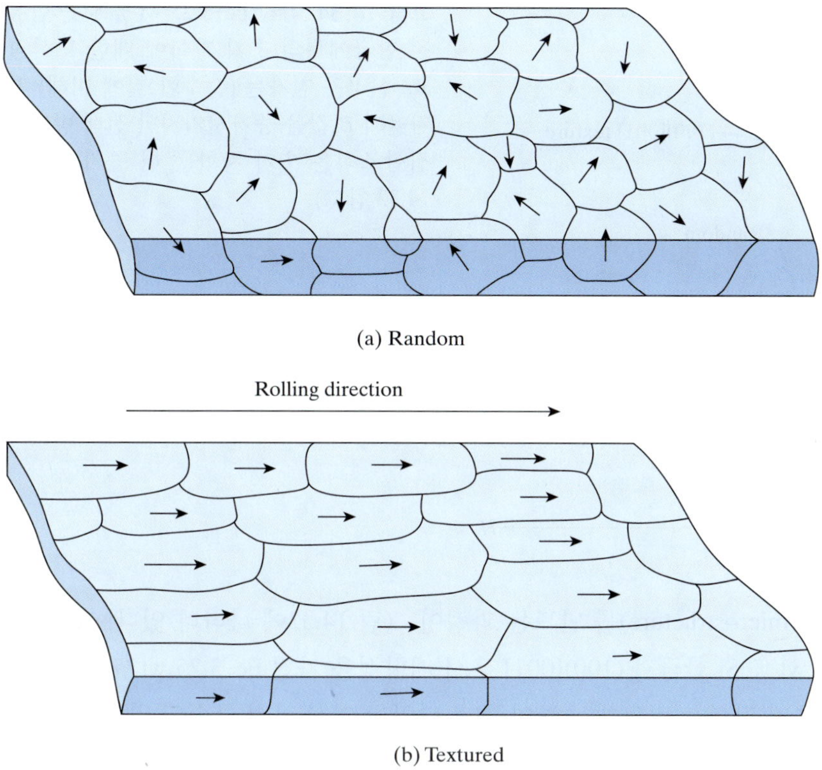

그림 14.33 다결정 철-실리콘 합금 판에서 (a) 무작위 (b) 집합조직된(선택 방향성) 미세구조의 비교. 선택 방향성은 냉간 압연의 결과이다(그림 10.29의 냉간 압연 논의를 떠올리자). 작은 벡터는 각 결정립의 결정 구조에서 단위정의 [001] 방향을 나타낸다. (a)에서 [001] 방향은 일반적으로 표면에 한정되어 있지 않다. (b)의 선택 방향성은 (100)[001]로 나타내는데, 판의 형상에 대한 단위정의 면과 방향에 해당한다. 그림 14.34는 조직된 미세구조가 자기적 성질의 결정학적 이방성을 어떻게 활용하는지를 보여준다.

는 변동 전류[**맴돌이 전류**(eddy current)]이다. 에너지 손실은 **Joule**[9] **발열**(Joule's heating)(= I^2R, 여기서 I는 전류, R는 전압)의 직접적인 결과이다. 이 손실은 물질의 비저항을 높임으로써 줄일 수 있다. 처음 보기에는 비저항이 저항과 비례하기 때문에 비저항을 높이는 것은 I^2R 항을 증가시키는 것으로 보인다. 그러나 제곱의 항인 전류 I에서의 감소가 R가 증가하는 크기를 상쇄하고도 남는다[즉 $I^2R = (V^2/R^2)R = V^2/R$]. 이러한 이유로 저주파수 동력 애플리케이션[10]에서 높은 비저항을 가지는 철-실리콘 합금이 낮은 비저항을 가지는 탄소강을 대체한 것이다. 실리콘을 첨가하면 자기 투자율과 이에 따른 B_s를 증가시키기도 한다. 실리콘 강의 냉간 압연 판재를 만들면 자기적 특성은 더욱 향상된다(그림 10.29에 있는 냉간 압연에 대한 논의를 떠올리자). 이 과정은 특정한 결정 방향을 따라 투자율이 더 크다는 것을 이용한 것이다. 이러한 **우선 배향성**(preferred orientation) 또는 **집합조직**(textured)을 가지는

9) James Prescott Joule(1818~1889)은 영국 물리학자이다. 전류에 의한 열의 정량적 발견은 그의 (20대) 초기 업적이다. 열의 동등한 기계적 측정을 완성하려는 그의 결연한 노력에 존경의 의미를 담아 그의 이름을 따서 에너지의 기본 단위를 정했다. 생애 후반기에 그는 영국에서 가장 저명한 과학자 중 한 명이 되었다. 그의 공로를 인정받기까지 얼마간 시간이 필요했는데, 이는 그가 과학적인 연구와 가업인 양조장 관리를 동시에 했기 때문이다.

10) Charpy 충돌 실험의 발명자 Augustin Charpy에 대한 각주를 떠올려보자. 동력 애플리케이션에 사용되는 실리콘 강의 개발은 그의 주요 업적 중 하나이다.

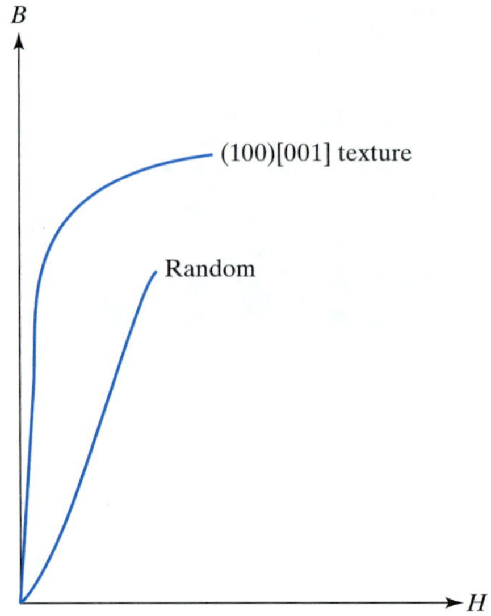

그림 14.34 각각 Fe-3.25 wt % Si를 함유한 두 철 합금에서의 초기 자화에 대한 도식적인 비교. 실리콘 첨가는 (순수한 철에 비해) 자기 투자율과 B_s값을 증가시키지만 선택 방향성 또는 집합조직은 초기 자화를 더 증가시킨다(그림 14.33 참고).

미세구조(microstructure)를 만드는 과정이 그림 14.33에 나타나 있다. 그림 14.34는 Fe-3.25 wt % Si 합금과 (100)[001] 우선 배향성을 가진 Fe-3.25 wt % Si 합금 두 재료에서 초기 자화를 비교해서 보여준다. 다양한 연성 자성 금속의 몇 가지 자성 특성이 표 14.6에 나와 있다. 목록에 있는 철-니켈 합금은 낮은 자기장에서 높은 투자율을 가지고 있어 고성능 통신 장비에서 월등한 성능을 제공한다. 이 월등한 성능은 포화 자기 유도가 낮아짐으로써 가능하다.

비정질 금속(4.5절, 11.1절)의 초기 상업화된 응용 중 하나는 연자석 리본이었다. 이

표 14.6 다양한 연성 자성 금속의 일반적인 자기적 특성

Material	Initial relative permeability (μ_r at $B \sim 0$)	Hysteresis loss (J/m^3 per cycle)	Saturation induction (Wb/m^2)
Commercial iron ingot	250	500	2.16
Fe–4% Si, random	500	50–150	1.95
Fe–3% Si, oriented	15,000	35–140	2.00
45 Permalloy (45% Ni–55% Fe)	2,700	120	1.60
Mumetal (75% Ni–5% Cu–2% Cr–18% Fe)	30,000	20	0.80
Supermalloy (79% Ni–15% Fe–5% Mo)	100,000	2	0.79
Amorphous ferrous alloys			
(80% Fe–20% B)	—	25	1.56
(82% Fe–10% B–8% Si)	—	15	1.63

출처: From data collections in R. M. Rose, L. A. Shepard, and J. Wulff, *The Structure and Properties of Materials*, Vol. 4: *Electronic Properties*, John Wiley & Sons, Inc., NY, 1966, and J. J. Gilman, "Ferrous Metallic Glasses," *Metal Progress*, July 1979.

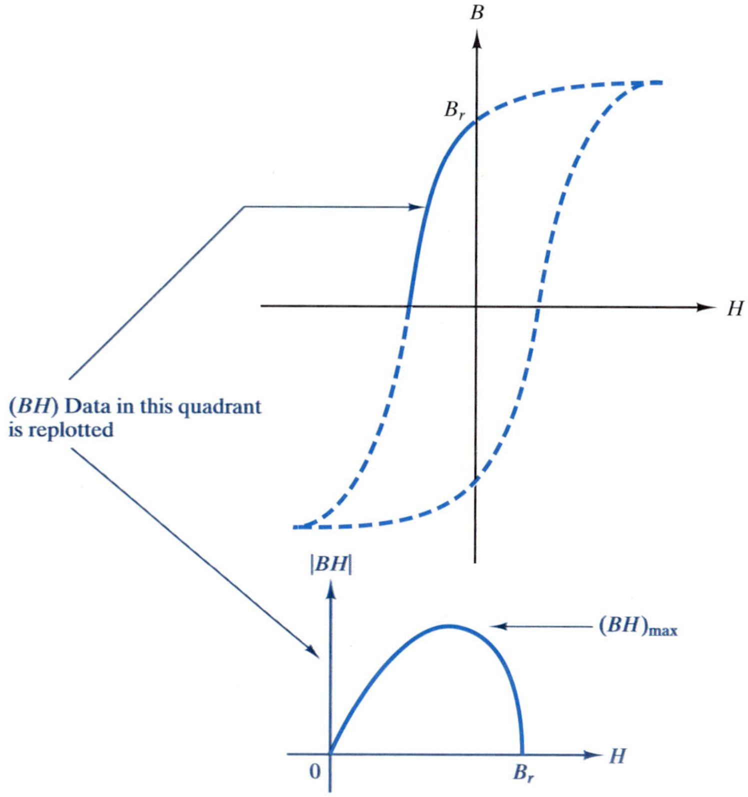

그림 14.35 이력 선 중 '비자화 사분면' 구간의 데이터를 다시 그려서 $|BH|$ 곱의 최댓값, $(BH)_{max}$를 보여준다. 이 양은 영구 자석의 '동력'을 편리하게 측정한 값이다. 표 14.7은 여러 경자석의 $(BH)_{max}$ 값을 주고 있다.

철을 함유한 합금은 일반적인 철과는 화학적으로 구별되는데, 이는 주요 합금 원소가 탄소가 아니라 붕소이기 때문이다. 이 물질 내에는 명백히 입계가 없어서 도메인 벽의 움직임이 쉽다. 이 요인과 함께 상대적으로 낮은 비저항 때문에 변압기 철심과 같은 재료에 응용하기에 적합하다. 표 14.6은 비정질 철 합금 데이터를 포함한다.

AC 동력 애플리케이션에는 안 맞지만 경자석(그림 14.32)은 **영구 자석**(permanent magnet)에 이상적인 물질이다. 이력곡선 안의 넓은 영역은 큰 AC 손실을 의미하고, 이는 동시에 영구 자석의 '동력'을 정의한다. 특히 이력곡선을 따라 비자화하는 동안 B와 H의 곱이 최댓값, $(BH)_{max}$에 이르는 점이 있는데, 이 최댓값이 일반적으로 이 동력의 측정값이다(그림 14.35). 표 14.7은 다양한 경자석의 $(BH)_{max}$ 값을 보여준다. 알니코(alnico) 합금은 상업적으로 특별히 중요한 물질이다.

13.3절에서 초전도의 재미있는 특성이 소개되었다. **초전도 자석**(superconducting magnet)은 고감도 자력계 등의 다양한 잠재적인 응용 가능성을 보여준다. 금속 초전도 자석은 지속적인 동력 낭비 없는 고자기장 솔레노이드나 고속 스위칭 컴퓨터 회로를 만드는 것을 가능하게 한다. 광범위한 응용을 어렵게 하는 가장 큰 원인은 초

표 14.7 다양한 경성 자성 금속의 $(BH)_{max}$ 값

Alloy	$(BH)_{max}$ (A·Wb/m^3)
Samarium–cobalt	120,000 – 170,000
Neodymium–iron-boron	255,000
Platinum–cobalt	70,000
Alnico	36,000
Cunife	12,000

출처: From data collections in R. A. Flinn and P. K. Trojan, *Engineering Materials and Their Applications*, 2nd ed., Houghton Mifflin Company, Boston, MA, 1981, and *ASM Handbook*, Vol. 2, *Properties and Selection: Nonferrous Alloys and Special-Purpose Materials*, ASM International, Materials Park, OH, 1990.

전도성이 없어지는 온도인 임계 온도 T_c가 낮다는 것이다. 산화물 초전도체의 높은 T_c는 자성 물질의 더 넓은 분야에서 응용 가능성을 높인다. 고온 초전도체의 개발은 13.3절에 요약되어 있다. 초전도체 세라믹 자석에 대한 내용은 이 절 끝부분에서 다시 논의한다.

예제 14.14

예제 14.11에 있는 표는 대표적인 경자석에 대한 데이터이다. 자석의 에너지 손실(즉 고리 내의 면적)을 계산하시오.

풀이

예제 14.11의 도표의 면적을 측정하면 다음과 같다.

$$\text{면적} = 8.9 \times 10^4 (\text{amperes/m})(\text{webers/m}^2)$$
$$= 8.9 \times 10^4 \frac{\text{amperes} \cdot \text{webers}}{\text{m}^3}$$

1 ampere weber는 1 joule이다. 그러면 계산한 면적은 단위 부피당 에너지 손실이 된다.

$$\text{에너지 손실} = 8.9 \times 10^4 \text{ J/m}^3$$
$$= 89 \text{ kJ/m}^3 \text{ (단위 회전당)}$$

주: 이 결과를 표 14.6에 주어진 연자석 재료의 값과 비교하면 왜 경자석이 AC 애플리케이션에 불리한지를 알 수 있다.

예제 14.15

예제 14.14에서 논의된 경자석에서 자석의 동력[즉 $(BH)_{max}$ 값]을 계산하시오.

풀이

예제 14.11의 데이터를 그림 14.35처럼 다시 그리면 다음의 값을 얻는다.

B (webers/m^2)	H (A/m)	$\lvert BH \rvert$ (weber · A/m^3 = J/m^3)
0	-4×10^4	0
0.30	-3×10^4	9×10^3
0.46	-2×10^4	9.2×10^3
0.53	-1×10^4	5.3×10^3
0.56	0	0

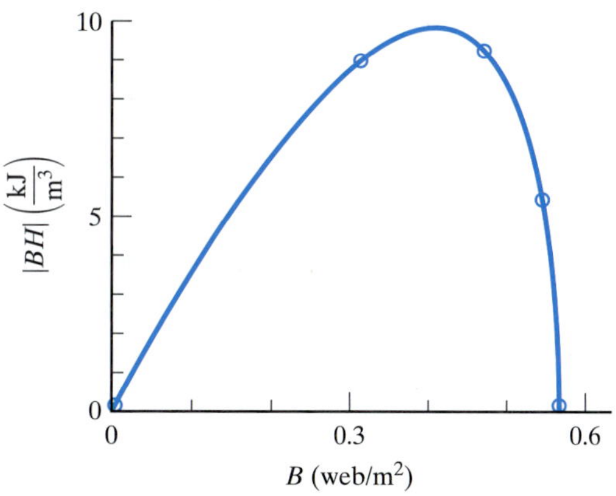

또는

$$(BH)_{max} \approx 10 \times 10^3 \text{ J/m}^3$$

주: 예제 14.14에서는 이 재료의 큰 에너지 손실이 불리한 이유이지만, 여기서의 큰 값은 이 합금을 영구 자석으로 선택하는 이유가 된다.

연습문제 14.14

예제 14.14에서는 경자석(쿠니페) 데이터를 분석했다. 복습문제 14.29에 주어진 연자석(암코철)의 데이터를 이용하여 에너지 손실을 계산하시오.

연습문제 14.15

연습문제 14.14에서 언급된 연자석에 대해 예제 14.15에서 한 것처럼 자석의 동력을 계산하시오.

세라믹 자석

세라믹 자석(ceramic magnet)은 두 분류로 나눌 수 있다. 전통적인 부류는 대부분의 세라믹처럼 낮은 전도도를 가진다. 13.4절에서 지적했듯이 전 세계 산업에서 사용되는 세라믹의 대략 80%는 그 전기적 거동 또는 자기적 거동 때문에 사용된다. 이 절 앞부분에서 논의했듯, 가장 극적인 초전도 자석은 세라믹 산화물 종류이다.

상업적으로 중요한 전통적 세라믹 자석은 **페라이트**(ferrite)이다. 가장 중요한 예는 그림 14.31과 비교하여 조금 자세히 설명했던 역스피넬 결정 구조에 기반한 페라

표 14.8 상업화된 페라이트 조성

Name	Composition	Comments
Magnesium ferrite	$MgFe_2O_4$	
Magnesium-zinc ferrite	$Mg_xZn_{1-x}Fe_2O_4$	$0 < x < 1$
Manganese ferrite	$MnFe_2O_4$	
Manganese-iron ferrite	$Mn_xFe_{3-x}O_4$	$0 < x < 3$
Manganese-zinc ferrite	$Mn_xZn_{1-x}Fe_2O_4$	$0 < x < 1$
Nickel ferrite	$NiFe_2O_4$	
Lithium ferrite	$Li_{0.5}Fe_{2.5}O_4$	Li^+ occurs in combination with Fe^{3+}, producing a $(Li_{0.5}Fe_{0.5})^{2+}Fe_2^{3+}O_4$ configuration.

이트이다. 이 절 앞부분에서 철강 합금이 변압기 철심 재료로 선택된 이유가 맴돌이 전류 손실을 줄이기 위한 최대 비저항 값 때문이라고 기술했다. 고주파 애플리케이션에서는 어떤 금속 합금도 상당한 맴돌이 전류 손실을 방지할 만큼 충분히 큰 비저항 값을 가지지 않는다. 세라믹의 특징적인 높은 비저항(13.4절 참고) 값 때문에 페라이트는 이런 종류의 애플리케이션에 적합하다. 통신 산업체의 많은 변압기가 페라이트로 만들어진다. 초기 TV 화면에서 전기 영상을 만들기 위해 사용했던 편향 변압기가 흔한 예이다. 대표적인 상업화된 페라이트가 표 14.8에 나열되어 있다. **페라이트**라는 용어가 때로는 **자성 세라믹**(magnetic ceramic)이라는 용어와 서로 바꿔어 사용되기도 하지만, 페라이트는 페리자성 거동을 보이는 세라믹 결정 구조를 가진 한 그룹이다. 다른 그룹으로 **석류석**(garnet)이 있는데, 이는 자연적인 보석 석류석, $Al_2Mg_3Si_3O_{12}$처럼 상대적으로 복잡한 결정 구조를 가진다. 이 구조에서 양이온은 세 종류의 결정 내 위치를 가진다. Si^{4+}는 사면체 배위, Al^{3+}는 팔면체 배위, Mg^{2+}는 12면체(8배위) 위치에 있다. 예를 들면 이트륨 철 석류석(yttrium iron garnet, YIG)은 $Fe_2^{3+}[Y_3^{3+}Fe_3^{3+}]O_{12}^{2-}$ 식을 가진다. 이 식의 첫 번째 두 Fe^{3+} 이온은 팔면체 위치에 있다. 3개의 Y^{3+} 이온은 12면체 위치에 있다. 석류석은 마이크로파 통신에서 도파로 부분에 사용되는 주요 물질이다. 표 14.9는 상업화된 석류석 조성 목록이다.

페라이트와 석류석은 모두 연자석이다. 일부 세라믹은 자성이 경성을 가지도록 개발된다. 중요한 예가 **마그네토플럼바이트**(magnetoplumbite)이다. 이 재료는 광물 마그네토플럼바이트처럼 화학 조성 $MO \cdot 6Fe_2O_3$(M = 2가 양이온)에 육면체 결정 구조를 가진다. 석류석처럼 마그네토플럼바이트의 결정 구조도 페라이트 스피넬보다 상당히 복잡하다. 실제로 양이온이 위치할 수 있는 배위 환경은 다섯 종류이다(역스피넬의 2, 석류석의 3과 대조적으로). 상업적으로 가장 관심을 받는 3개의 2가 이온은 스트론튬(Sr^{2+}), 바륨(Ba^{2+}), 납(Pb^{2+})이다. 이러한 재료로 만든 영구 자석은 높은 보자력과 낮은 비용을 특징으로 한다. 이것은 작은 DC 모터, 라디오 스피커, 자기 문 걸쇠 등에 응용된다.

표 14.9 상업화된 석류석 조성

Name	Composition	Comments
Yttrium iron garnet (YIG)	$Y_3Fe_5O_{12}$	
Aluminum-substituted YIG	$Y_3Al_xFe_{5-x}O_{12}$	Al^{3+} prefers tetrahedral sites.
Chromium-substituted YIG	$Y_3Cr_xFe_{5-x}O_{12}$	Cr^{3+} prefers octahedral sites.
Lanthanum iron garnet (LaIG)	$La_3Fe_5O_{12}$	
Praseodymium iron garnet (PrIG)	$Pr_3Fe_5O_{12}$	Many of the pure garnets are not commercially prepared; all form at least limited solid solutions with each other (e.g., $Pr_x Y_{3-x} Fe_5O_{12}$ with $x_{max} = 1.5$).

세라믹 자석의 더 흔한 예 중 하나는 플라스틱 테이프 위에 정렬된 γ-Fe_2O_3 미세 입자로 만든 녹음테이프이다. 그렇게 만들어진 Fe_2O_3 박막은 '경(hard)' 이력곡선을 가진다. 고성능 녹음은 필름의 잔류 자화가 소리에 의해 생성된 전기 신호에 비례하기 때문이다. 같은 개념이 컴퓨터의 플로피 디스크와 하드 디스크를 생산하는 데에도 적용되었다. 플로피 디스크는 유연한 플라스틱 기판 위에 비슷한 방법으로 산화철을 코팅하여 만들었다. 하드 디스크는 대체로 아주 평평하고 부드러운 알루미늄 합금 기판을 가지고 있다.

자기 기록의 일반적인 원리는 그림 14.36에 예시되어 있는데, 정렬된 바늘처럼 생긴 γ-Fe_2O_3 입자가 어떻게 입자의 방향(그림에서 앞 방향 또는 뒤 방향을 가리키는지)에 따라 0 또는 1의 이진법 정보를 가지고 저장하는지를 보여준다. 코일의 전기 신호에 의해 테이프나 디스크에 '쓰인' 데이터는 기록 헤드 간극에 자기장을 발생시킨다. 이 자기장은 간극 주변의 작은 영역의 기록 매체를 자화한다. 매체 영역이 기록 헤드를 지나면 자화 상태는 남아 있고 신호는 저장된다. 같은 헤드가 저장된 데이터를 '읽기'도 한다. 기록 헤드는 니켈 아연 페라이트나 망간 아연 페라이트와 같은 세라믹 페라이트로 이루어져 있다. 초기 기록 헤드로는 이러한 세라믹으로 충분했다. 그러나 고밀도 기록 애플리케이션에는 더 높은 보자력 장이 요구되어 간극 내에 금속 합금 박막을 사용하게 되었다. 퍼멀로이(Permalloy, NiFe)나 센더스트(Sendust, FeAlSi) 합금이 이러한 용도로 사용된다. γ-Fe_2O_3는 초기 녹음테이프의 저장 매체로 흔히 사용되었고 현재도 호텔 키와 같은 단기간의 마그네틱 스트라이프 카드에 사용되는 것에 반해 바륨 페라이트와 같은 더 높은 보자력을 가진 재료는 신용카드와 같은 장기적으로 활용되는 제품에 사용한다.

13.3절에서 소개한 바와 같이 세라믹 재료의 특정한 군은 초전도성을 나타낸다. 도입부에서 언급했듯 금속의 초전도성은 몇 개의 원소와 합금에서만 제한되어서 나타나는데, 이 경우 임계 온도 T_c보다 높은 온도에서는 전도성이 나쁘다. 이와 유사하

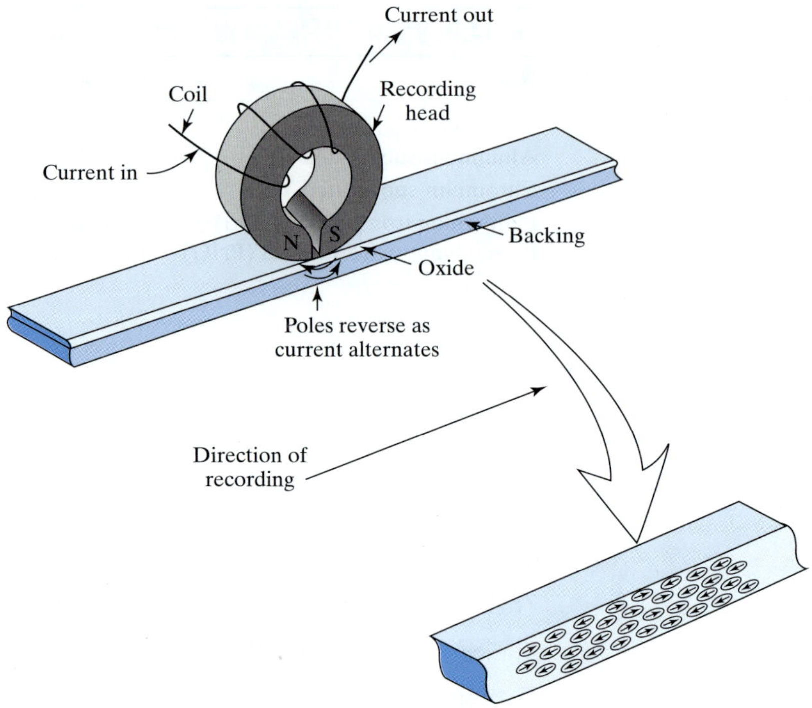

그림 14.36 바늘 형태의 γ-Fe_2O_3 입자로 이루어진 기록 매체를 사용한 자기 저장 및 검색의 개요도. 이 도식에서는 기록 헤드의 남극과 북극 사이의 간극이 과장되어 있다는 데 주의하자. (After A. J. Zaza, *Mechanics of Sound Recording*, Prentice-Hall, Englewood Cliffs, NJ, 1991.)

게 전통적으로는 절연체에 속하는 산화물 세라믹의 특정 군은 최고의 금속 초전도체에서 가능한 T_c보다 훨씬 더 높은 T_c의 초전도성을 보인다는 것이 밝혀졌다. 13.3절에서 임계 온도 T_c의 고무적인 상승은 임계 전류 밀도의 실망스러운 한계와 대비되었다. 초전도체가 가지는 세 번째 주요 특성이 있는데, 이는 **임계 자기장**(critical magnetic field)이라는 것으로 그보다 큰 자기장에서는 재료가 초전도성을 잃게 된다. 임계 전류 밀도와는 다르게, 임계 자기장은 고온 초전도체 물질의 임계 온도가 올라갈 때 같이 증가한다(그림 14.37). 유감스럽게도, (자기장 침투에 의한)제한된 전류 밀도가 주요 장애물로 남는데, 이는 특히 동력 전송이나 수송 같은 대형 애플리케이션에서 문제가 된다. 13.3절에서 지적한 것처럼 이러한 신소재의 가장 유망한 애플리케이션은 박막 소자일 수 있는데, 초전도층 사이에 얇은 절연층으로 이루어진 **Josephson**[11] **접합**(Josephson junction)과 같은 박막 소자가 있다. 이러한 소자는

11) Brian David Josephson(1940~)은 영국 물리학자이다. 아직 케임브리지대학교의 대학원생이었을 때 층 접합(layered junction)에서의 이론적 개념을 발전시켰고, 이는 이후에 그의 이름을 따서 Josephson 접합으로 불리게 되었다. 이후 실험적 검증을 통해 자성 초전도체에서의 전도성에 대한 그의 초기 이론 모델이 증명되었다.

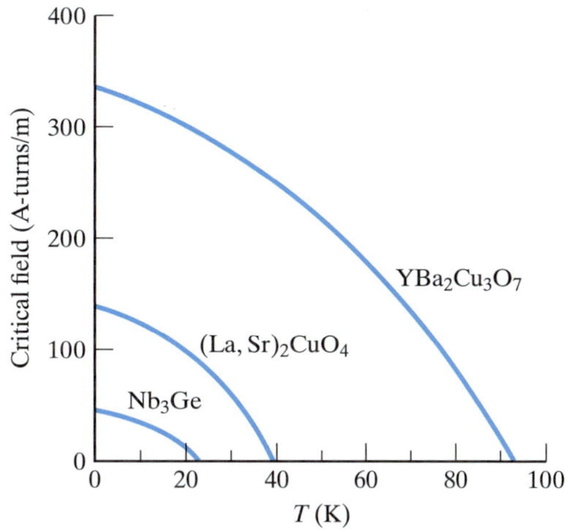

그림 14.37 금속 초전도체(Nb_3Ge)와 두 세라믹 초전도체에서 온도 대 임계 자기장의 비교

일반적인 소자에 비해 아주 높은 주파수에서 전압 스위칭을 하는 반면 훨씬 더 적은 에너지를 소모한다. 그 결과 고감도 자기장 검출기 등에 응용이 가능하다. 또한 13.3절에서 솔레노이드 코일이나 휴대전화 기지국에 사용되는 박막 필터에 요구되는 기계적 특성과 초전도 특성을 가진 복합체(금속성 은/$YBa_2Cu_3O_7$) 초전도선의 개발을 다루었다. 대량 동력 전송은 여전히 흥미 있는 목표이다.

예제 14.16

자기 기록에 사용되는 γ-Fe_2O_3 세라믹에서 Fe^{3+} 이온이 팔면체 배위를 가져야 함을 부록 2에 있는 데이터와 2.2절의 원리를 이용하여 증명하시오.

풀이

부록 2에서 다음을 찾을 수 있다.

$$r_{Fe^{3+}} = r = 0.067 \text{ nm}$$

$$r_{O^{2-}} = R = 0.132 \text{ nm}$$

따라서 반지름의 비는 다음과 같으며

$$\frac{r}{R} = \frac{0.067 \text{ nm}}{0.132 \text{ nm}} = 0.508$$

표 2.1에서 6배위(팔면체)인 경우에 해당하는 0.414와 0.732 사이의 값이다.

예제 14.17

많은 상업적인 페라이트는 정스피넬 또는 역스피넬 구조의 조합으로 만들 수 있다. 망간 페라이트의 단위정 내의 자기 모멘트를 (a) 역스피넬, (b) 정스피넬, (c) 역스피넬과 정스피넬이 각각 50:50의 비율로 혼합되어 있을 때 각각 구하시오.

풀이

(a) 역스피넬 구조에서는 예제 14.12의 예를 따를 수 있다. 표 14.5에서 Mn^{2+}의 모멘트가 5 μ_B임을 사용하여

$$\text{자기 모멘트/단위정} = 8 \times 5\ \mu_B = 40\ \mu_B$$

(b) 정스피넬 구조에서는 모든 Mn^{2+} 이온이 사면체 배위에 있고 모든 Fe^{3+} 이온은 팔면체 배위에 있다. 정스피넬 구조에서 사면체와 팔면체 위치에 있는 자기 모멘트는 서로 반평행이다. 임의로 사면체 위치의 자기 모멘트를 음의 값으로 하고 팔면체 위치의 자기 모멘트를 양의 값으로 하면 다음과 같은 값을 얻을 수 있다.

$$\begin{aligned}\text{자기 모멘트/단위정} &= -(Mn^{2+}\ \text{개수/단위정})(Mn^{2+}\text{의 모멘트}) \\ &\quad + (Fe^{3+}\ \text{개수/단위정})(Fe^{3+}\text{의 모멘트}) \\ &= -(8)(5\ \mu_B) + (16)(5\ \mu_B) = 40\ \mu_B\end{aligned}$$

(c) 50:50으로 혼합된 경우는 다음과 같다.

$$\text{자기 모멘트/단위정} = (0.5)(40\ \mu_B) + (0.5)(40\ \mu_B) = 40\ \mu_B$$

주: 이 경우 특별히 총모멘트는 두 구조를 어떻게 혼합하더라도 모두 같다. 좀 더 일반적인 경우, 즉 2가 이온의 모멘트가 5 μ_B가 아닌 경우에는 서로 다른 값이 얻어진다. 참고로, 망간 페라이트는 일반적으로 80%의 정스피넬과 20%의 역스피넬 구조를 가진다.

연습문제 14.16

예제 14.16에서는 γ-Fe_2O_3 내 Fe^{3+}의 팔면체 배위를 확인하기 위해 반지름의 비를 계산했다. 예제 14.12에서 소개된 역스피넬 구조의 니켈 페라이트에서 Ni^{2+}와 Fe^{3+}에 대해 비슷한 계산을 하시오.

연습문제 14.17

(a) 역스피넬 구조를 가진 $MgFe_2O_4$의 단위정 내 자기 모멘트를 계산하시오. (b) 정스피넬 구조에서 (a)에서와 같은 계산을 하시오. (c) $MgFe_2O_4$의 단위정 내의 자기 모멘트가 8.8 μ_B라면 이 페라이트의 역스피넬 구조의 비율은 얼마인가? (예제 14.7 참고)

요약

많은 재료의 공학적인 응용은 이들의 [전자기 스펙트럼의 가시광선(400~700 nm 파장대) 영역이나 또는 그 근처의 자외선이나 적외선 영역에서의]광학적인 거동에 의존한다. 많은 광학적 특성은 일반적으로 다양한 결정체 세라믹이나 유기 고분자에도 똑같이 잘 적용되지만, 가시광선이 흔한 유리와 반응하는 방식에 의해 가장 쉽게 설명된다. 굴절률(n)은 투명한 고체 또는 코팅의 외관에 큰 영향을 미치며, n은 Fresnel 공식에 의한 표면에서의 반사와도 관련되어 있다. 표면 거칠기는 정반사와 난반사의 상대적인 양을 결정한다. 투과도는 산란 중심의 역할을 하는 이차상 기공이나 입자에 의해 제한된다. 색상은 가시광선 스펙트럼의 특정한 파장대의 흡수에 의해 만들어진다. 발광은 색상의 경우처럼 광자 흡수의 부산물인데, 이 경우 가시광선대의 광자의 재방출을 필요로 한다. 빠른 재방출은 형광이라고 하고, 더 긴 시간이 필요한 경우에 인광이라고 한다. 금속의 전기 전도도는 금속 특유의 불투명성과 반사도와 관련된다. 금속의 반사도의 파장 의존성은 금속 고유의 색상을 만든다.

최근 수십 년간 다양한 광학 재료가 실험실 수준의 탐구에서 시작하여 현대 기술의 주요 구성요소가 되었다. 극적인 예의 하나가 레이저인데, 이는 높은 세기를 가진, 결맞는 상태의 단색, 그리고 아주 평행하게 진행하는 빛을 내보낸다. 레이저는 광통신 시스템에서 외과 수술 도구에 이르기까지 널리 제품으로 사용된다. 고효율의 디지털 빛 신호를 송신하는 광섬유는 광재료의 아주 좋은 예이다. 여러 다양한 형태의 광섬유가 사실상 모든 현대 통신을 포함한 다양한 분야에 응용된다. 디지털시계나 휴대용 컴퓨터에 널리 사용되는 액정 다스플레이는 결정체와 비결정체의 일반적인 정의에서 벗어난 새로운 고분자 시스템이다. 사진 조도계와 같은 광전도체는 빛의 광자에 노출될 때 전도성을 가지는 전자-정공 쌍이 만들어지는 반도체이다.

자성 재료의 특성을 분석하는 주요 수단은 B-H 도표인데, 자기장의 세기($\mathbf{H}$)에 따른 자기 유도(B)의 변화를 추적한다. 이 도표는 기계적 응용을 위해 σ-ϵ 도표가 필요하듯이 자기적 응용에 도움이 된다. 반자성과 상자성은 작은 기울기를 가진 선형 B-H 도표를 나타내는데, 이는 상업적으로는 거의 의미가 없다. 이력곡선이라고 하는 높은 비선형 B-H 도표는 강자성의 특징이다. 강자성 재료에서 가능한 높은 포화 자기 유도(B_s) 값은 상업적으로 아주 중요한 의미를 가진다. 자기 유도의 값을 0으로 만들기 위해 필요한 보자력(H_c)의 크기는 물질이 연자석(작은 H_c)인지 경자석(큰 H_c)인지를 알려준다. 이름이 의미하듯이 강자성은 ferrous(철을 함유한) 합금이다. 그렇지만 비슷한 전자 구조 때문에 다양한 전이 금속이 이런 거동을 보인다. 전이 금속은 완전히 차 있지 않은 내각 궤도를 가져서 쌍으로 되어 있지 않은 전자스핀이 원자의 순수 자기 모멘트에 1 또는 그보다 큰 Bohr 마그네톤을 더해준다. 이 전자 구조는 B_s의 크기는 설명하지만 이력곡선의 형태는 도메인 벽 운동, 즉 미세구조의 특징에 기인한다. 철-실리콘 합금은 연자석의 아주 좋은 예이다. B-H 이력곡선 안의 작은 면적은 AC 애플리케이션에서 작은 에너지 손실을 의미한다. 순수 탄소강에 비해 더 큰 비저항은 맴돌이 전류 손실을 줄여준다. 알니코(alnico) 합금과 같은 경자석은 큰 이력곡선과 $(BH)_{max}$의 특징을 가지고 있다. 금속 초전도체 자석은 초감도 자기장 검출기 등에 실제를 응용될 수 있지만, 그 응용은 주로 상대적으로 낮은 작동 온도 범위에 의해 제한된다.

페리자성은 강자성과 밀접한 관련을 가진 현상이다. 이 현상은 자성 세라믹 화합물에서 일어난다. 이러한 시스템에서는 강자성 물질에서 전이 금속 원자가 하듯이 전이 금속 이온이 자기 모멘트를 준다. 그 차이는 특정 양이온에서의 자기 모멘트는 반평행한 스핀 쌍에 의해 상쇄된다는 데 있다. 순수 포화 자기 유도는 강자성 금속에 비해 줄어든다. 강자성 금속처럼 세라믹 자석도 자기적으로 연하거나 경하다. 대표적인 예는 역스피넬 구조를 가진 페라이트이다. YIG는 페리자성 세라믹의 다른 예인데, 이 경우 보석 석류석의 결정 구조를 기반으로 한다. 페라이트와 석류석 모두 연자석이다. 광물 마그네토플럼바이트의 구조를 가진 육면체의 세라믹 화합물은 높은 보자력과 저렴한 가격의 특징을 가진 경자석이다. γ-Fe_2O_3는 초기 녹음테이프 제작 시 일반적인 기록 매체였고, 바륨 페라이트와 같은 더 높은 보자력을 가진 재료는 마그네틱 스트라이프 신용카드에 사용된다. 세라믹 초전도체는 금속 초전도체보다는 상당히 높은 작동 온도를 가지고 있어 초전도체의 응용 범위를 확장하고 있는데, 특히 필터를 위한 박막 소자, 초감도 자기장 검출기, 솔레노이드 코일을 위한 선재 개발 등의 응용에 유망하다.

주요 용어

가시광선(visible light)
강자성(ferromagnetism)
결맞는(coherent) 상태
결어긋난(incoherent) 상태
경자석(hard magnet)
광발광(photoluminescence)
광섬유(optical fiber)
광자(photon)
광재료(photonic material)
광전도체(photoconductor)
광학적 특성(optical property)
교환 상호작용(exchange interaction)
굴절률(refractive index)
극 도면(polar diagram)
금속성 자석(metallic magnet)
난반사(diffuse reflection)
단계-굴절률 광섬유(step-index fiber)
단색(monochromatic)
단일 모드 광섬유(single-mode fiber)
도메인(domain)
도메인 벽(domain wall)
레이저(laser)
마그네토플럼바이트(magnetoplumbite)
맴돌이 전류(eddy current)
반사율(reflectance)
반자성(diamagnetism)
반투명(translucency)
반평행 스핀 쌍(antiparallel spin pairing)
발광(luminescence)
보자력(coercive force)
보자력 장(coercive field)
불투명(opacity)
상대 투자율(relative permeability)
상자성(paramagnetism)
색(color)
석류석(garnet)
세라믹 자석(ceramic magnet)
쌍극자(dipole)
안료(pigment)
액정 디스플레이(liquid crystal display, LCD)
에너지 손실(energy loss)
연자석(soft magnet)
염료(dye)
영구 자석(permanent magnet)
우선 배향성 미세구조(preferred-orientation microstructure)
이력곡선(hysteresis loop)
인광(phosphorescence)
임계 자기장(critical magnetic field)
자기 모멘트(magnetic moment)
자기 유도(induction)
자기장(magnetic field)
자기장 세기(magnetic field strength)
자성(magnetism)
자속 밀도(flux density)
자속선(magnetic flux line)
자철광(magnetite)
자화량(magnetization)
잔류 자기 유도(remanent induction)
전기발광(electroluminescence)
전이 금속(transition metal)
전자스핀(electron spin)
점진-굴절률 광섬유(graded-index fiber)
정반사(specular reflection)
집합조직 미세구조(textured microstructure)
착색제(colorant)
초전도 자석(superconducting magnet)
코사인 법칙(cosine law)
투명(transparency)
투자율(permeability)
페라이트(ferrite)
페리자성(ferrimagnetism)
포화 자기 유도(saturation induction)
표면 광택(surface gloss)
형광(fluorescence)
Bloch 벽(Bloch wall)
Bohr 마그네톤(Bohr magneton)
Fresnel의 공식(Fresnel's formula)
Josephson 접합(Josephson junction)
Joule 발열(Joule heating)

참고문헌

Carter, C.B., and **M.G. Norton**, *Ceramic Materials: Science and Engineering*, 2nd ed., Springer, New York, 2013.

Cullity., B.D., and **C.D. Graham**, *Introduction to Magnetic Materials*, 2nd ed., John Wiley & Sons, Inc., New York,

2011.

Doremus, R. H., *Glass Science*, 2nd ed., John Wiley & Sons, Inc., NY, 1994.

Dorf, R. C., *Electrical Engineering Handbook,* 3rd ed., CRC Press, Boca Raton, FL, 2006.

Kingery, W. D., H. K. Bowen, and **D. R. Uhlmann,** *Introduction to Ceramics*, 2nd ed., John Wiley & Sons, Inc., NY, 1976.

Kittel, C., *Introduction to Solid State Physics*, 8th ed., John Wiley & Sons, Inc., NY, 2005.

Mark, H. F. Ed., *Encyclopedia of Polymer Science and Engineering,* 4th ed., John Wiley & Sons, Inc., NY, 2014.

Suzuki, T. et al., Ed., *Magnetic Materials—Microstructure and Properties*, Materials Research Society, Pittsburgh, PA, 1991.

복습문제

14.1 _ 광학 재료

14.1 루비 레이저는 694.3 nm에 해당하는 단색 광자 빔을 만든다. 이에 해당하는 (a) 광자의 주파수와 (b) 광자 에너지를 구하시오.

14.2 진공의 자기 투자율이 $4\pi \times 10^{-7}$ N/A^{2}으로 주어질 때, 부록 3의 상수와 전환 인자를 이용하여 식 (14.1)을 증명하시오.

14.3 '결정' 유리를 포함한 납산화물($n = 1.7$)은 순수 실리카 유리에 비해 임계 입사각의 차이가 몇 퍼센트인가?

14.4 빛이 단결정 Al_2O_3로부터 실리카 유리 코팅으로 투과할 때 입사 임계각은 얼마인가?

• **14.5** (a) 얇은 정장석 유리 코팅(유약)이 되어 있는 반투명한 정장석 세라믹을 생각해보자. 관측자가 어느 가시광선 파장이라도 세라믹-유약 계면에서 제품을 통과하여 (공기로) 투과할 수 있게 하는 최대 입사각을 구하시오. (세라믹을 통한 유리 투과만을 고려한다.) (b) (a)에서 유약 코팅이 제거되면 답은 어떻게 달라질 것인가? (c) 정창석 유리로 코팅되어 있지 않고 얇고 투명한 결정성 정장석으로 코팅되어 있으면 답은 어떻게 달라지는가? 간단히 설명하시오.

14.6 '결정' 유리를 포함한 납산화물($n = 1.7$)은 순수 실리카 유리에 비해 반사율의 차이가 몇 퍼센트인가?

14.7 실리카 유리는 자주 석영으로 잘못 언급된다. 이것은 전통적인 용어인 용융 석영을 약어로 부르기 때문인데, 원래 석영 분말을 녹여서 실리카 유리를 만들던 기법을 가리키는 말이다. 실리카 유리의 반사율은 석영의 굴절률을 이용하여 계산한 값과 몇 퍼센트의 차이를 보이는가?

14.8 정밀 광학 장치에 사용되는 단결정 Al_2O_3 디스크에서 (a) 진공에서 $\theta_i = 30^\circ$ 각도로 입사하는 빛의 굴절각을 계산하시오. (b) 그 각도에서 Al_2O_3로 입사하는 투과된 빛의 비율을 계산하시오.

14.9 공기와 나일론 66 계면에서 임계 입사각을 구하시오.

14.10 문제 14.9에서 공기 대신 물($n = 1.333$)이었을 때 임계 입사각을 구하시오.

14.11 15장에서 많은 물질이 다양한 종류의 방사에 의해 손상될 수 있음을 배울 것이다. 고분자는 흔히 자외선 빛 손상에 예민하다. C-C 단일 결합을 끊는 데 필요한 자외선의 파장을 계산하시오(결합 에너지는 표 2.2에 있다).

14.12 광자의 에너지는 __________ 이다.

14.13 가시광선대의 가장 높은 에너지를 가진 광자는 스펙트럼의 파란색 끝의 가장 짧은 파장을 가진다. 결정 구조 분석을 위해 3.7절에서 사용한 CuK_α 엑스선의 에너지는 이보다 몇 배가 더 큰가? (예제 14.5 참고)

14.14 가시광선대의 가장 낮은 에너지를 가진 광자는 스펙트럼의 붉은색 끝의 가장 큰 파장을 가진다. 이는 10^7 nm 파장의 일반적인 마이크로 빛에 비해 에너지가 몇 배가 더 큰지 계산하시오.

14.15 빨간색($\lambda = 700$ nm) 가시광선은 $\lambda = 5\ \mu$m인 적외선보다 에너지가 얼마나 더 큰가?

14.16 그림 14.10의 파란색 유리에서 흡수된 빛의 에너지 영역은 얼마인가?

14.17 예제 14.6에서 보았듯 반도체의 에너지대 간격은 온도의 함수이다. 액체 질소 온도(77 K)에서 GaAs 에너지대 간격, $E_g = 1.508$ eV에 해당하는 레이저 광의 파장을 계산하시오.

14.18 통신용 광섬유에는 __________이(가) 포함된다.

14.19 코어 굴절률이 $n = 1.460$인 단일 모드 광섬유에서 단일 광 펄스가 케이블 TV 선을 따라 1 km의 길이를 진행하는 데 걸리는 시간은 얼마인가?

14.20 코어 굴절률이 $n = 1.470$인 단계 지표 광섬유에서 내과 환자의 위 내부를 보기 위한 내시경을 따라 단일 광 펄스가 1 m 이동하는 데 걸리는 시간은 얼마인가?

14.21 에너지대 간격 2.26 eV를 가진 ZnTe이 광전도체인 것은 가시광선의 어느 범위의 파장대에서인가?

14.22 문제 14.21을 에너지대 간격이 1.50 eV인 CdTe에 대해 계산하시오.

14.2_자성 재료

14.23 $\mu_r = 0.99995$인 비자성 재료가 2.0×10^5 amperes/m의 세기로 인가된 자기장 내에 있을 때 자기 유도와 자화량을 계산하시오.

14.24 $\mu_r = 1.001$인 상자성 재료가 5.0×10^5 amperes/m의 세기로 인가된 자기장 내에 있을 때 자기 유도와 자화량을 계산하시오.

14.25 문제 14.24의 상자성 재료에서 -5.0×10^5 A/m $< H < +5.0 \times 10^5$ A/m 범위에서 B 대 H의 도표를 그리시오. 진공의 자기적 거동에 대한 선을 점선으로 표시하시오.

14.26 강자성과 페리자성의 차이를 설명하시오.

14.27 다음 데이터는 자기장하에서 어떤 금속에서 얻은 것이다.

H (amperes/m)	B (weber/m^2)
0	0
4×10^5	0.50263

(a) 이 금속의 상대 투자율을 계산하시오.
(b) 어떤 종류의 자성 특성을 보여주고 있는가?

14.28 다음 데이터는 자기장하에서 어떤 세라믹에서 얻은 것이다.

H (amperes/m)	B (weber/m^2)
0	0
4×10^5	0.50668

(a) 이 세라믹의 상대 투자율을 계산하시오.
(b) 어떤 종류의 자성 특성을 보여주고 있는가?

14.29 다음 데이터는 정상 상태 강자성 이력곡선을 생성하는 동안 암코철(armco iron) 합금에서 얻은 것이다.

H (amperes/m)	B (weber/m^2)
56	0.50
30	0.46
10	0.40
0	0.36
−10	0.28
−20	0.12
−25	0
−40	−0.28
−56	−0.50

(a) 데이터를 그리시오.
(b) 잔류 자기 유도는 얼마인가?
(c) 보자력 장은 얼마인가?

14.30 다음 데이터는 정상 상태 강자성 이력곡선을 생성하는 동안 암코철 합금에서 얻은 것이다.

H (amperes/m)	B (weber/m^2)
56	0.50
30	0.46
10	0.40
0	0.36
−10	0.28
−20	0.12
−25	0
−40	−0.28
−56	−0.50

(a) 포화 자기 유도는 얼마인가?

(b) 포화 자화량은 얼마인가?

14.31 다음 데이터는 정상 상태 강자성 이력곡선을 생성하는 동안 니켈-철 합금에서 얻은 것이다.

***H* (amperes/m)**	***B* (weber/m²)**
50	0.95
25	0.94
0	0.92
−10	0.90
−15	0.75
−20	−0.55
−25	−0.87
−50	−0.95

(a) 데이터를 그리시오.

(b) 잔류 자기 유도는 얼마인가?

(c) 보자력 장은 얼마인가?

14.32 다음 데이터는 정상 상태 강자성 이력곡선을 생성하는 동안 니켈-철 합금에서 얻은 것이다.

***H* (amperes/m)**	***B* (weber/m²)**
50	0.95
25	0.94
0	0.92
−10	0.90
−15	0.75
−20	−0.55
−25	−0.87
−50	−0.95

(a) 포화 자기 유도는 얼마인가?

(b) 포화 자화량은 얼마인가?

14.33 다 채워지지 않은 6*d* 궤도를 가진 무거운 원소 No와 Lw에 대해 전자 구조와 그에 따른 자기 모멘트를 그려 설명하시오.

• **14.34** 실제로는 포화되지 않은 자기 유도와 실제로 포화되는 자화량의 차이에 대해 더 살펴보자. 아래는 쿠니페(Cu-Ni-Fe) 합금의 강자성 이력곡선을 위한 데이터이다.

***H* (amperes/m)**	***B* (weber/m²)**
6×10^4	0.65 (포화 점)
1×10^4	0.58
0	0.56
-1×10^4	0.53
-2×10^4	0.46
-3×10^4	0.30
-4×10^4	0
-5×10^4	−0.44
-6×10^4	−0.65

(a) 자기장의 크기가 포화 자기 유도에 이를 때의 자기장의 세기보다 10배가 큰 60×10^4 amperes/m인 경우 자기 유도는 얼마인가? (b) 자기장의 세기가 -60×10^4에서 $+60 \times 10^4$ amperes/m 사이로 순환할 때의 이력곡선을 정량적으로 그리시오.

14.35 (a) 망간 페라이트 단위정의 자기 모멘트를 계산하시오. (b) 주어진 격자 상수가 0.850 nm일 때 이에 해당하는 포화 자화량을 계산하시오.

14.36 그림 14.31을 복사하시오. 이 그림이 역스피넬 구조의 $CoFe_2O_4$ 단위정이 되도록 이온의 이름을 다시 붙이시오.

14.37 $CoFe_2O_4$ 단위정의 자기 모멘트를 계산하시오.

14.38 $CoFe_2O_4$ 단위정의 포화 자화량을 계산하시오.

14.39 스피넬 $MgAl_2O_4$(그림 14.31)에 기반한 페라이트 결정 구조의 핵심 요소는 금속 이온이 O^{2-}에 사면체 또는 팔면체 배위되려는 성향이다. (a) Mg^{2+}, (b) Al^{3+}의 반지름의 비를 계산하시오. 각각의 경우 해당하는 배위수를 적으시오. (반지름의 비와 배위수의 관계는 2.2절에 있음을 떠올리자.)

14.40 문제 14.39와 관련하여 (a) Fe^{2+}, (b) Fe^{3+}의 반지름의 비를 계산하시오. 각각의 경우 역스피넬 구조를 가진 자철광 Fe_3O_4에서 해당하는 배위수를 적으시오.

14.41 에너지 손실(이력곡선 내의 면적)이 44 J/m³인 연자석 암코철에서 이력곡선이 60 Hz의 주파수로 순회

한다고 가정하고 이 자석의 에너지 손실률(즉 동력 손실)을 계산하시오.

14.42 에너지 손실(이력곡선 내의 면적)이 89 kJ/m^{3}인 경자석 쿠니페(Cu-Ni-Fe)에서 이력곡선이 60 Hz의 주파수로 순회한다고 가정하고 이 자석의 에너지 손실률(즉 동력 손실)을 계산하시오.

14.43 경자석과 연자석의 차이는 무엇인가?

14.44 전통적인 낮은 전도도의 세라믹은 그 자기적 성질 때문에 널리 __________에 사용된다.

14.45 에너지 손실(이력곡선 내의 면적)이 67 J/m^{3}인 NiFe 연자석에서 이력곡선이 60 Hz의 주파수로 순회한다고 가정하고 이 자석의 에너지 손실률(즉 동력 손실)을 계산하시오.

14.46 에너지 손실(이력곡선 내의 면적)이 67 J/m^{3}인 NiFe 연자석에서 이력곡선이 1 kHz의 주파수로 순회한다고 가정하고 이 자석의 에너지 손실률(즉 동력 손실)을 계산하시오.

14.47 연자석의 이력곡선은 일반적으로 W/m^{3}의 단위로 주어진다. 표 14.6에 있는 Fe-B 비정질 금속이 60 Hz의 주파수로 순회할 때 에너지 손실을 이 단위로 계산하시오.

14.48 표 14.6에 있는 Fe-B-Si 비정질 금속의 이력 손실을 60 Hz의 주파수로 순회할 때 계산하시오.

• **14.49** 높은 T_c와 H_c를 가진 금속 초전도체(예: $T_c = 18.5$ K를 가진 Nb_3Sn) 중 다수는 A_3B β-텅스텐 구조를 가지고 있는데, B 원자가 만든 bcc 단위정 내 A 원자는 사면체 위치[(0 1/2 1/4)형 위치]에 있다. 이런 물질의 단위정을 그리시오. (힌트: 주어진 단위정 면의 4개의 A 위치 중 2개만 점유되어 있고, 인접한 단위정의 A 원자는 3개의 직교하는 사슬을 만든다.)

14.50 자기 기록 애플리케이션에 많이 사용되는 세라믹 재료는 __________을(를) 포함한다.

14.51 반지름 비율 계산을 이용하여 YIG의 양이온의 이온 배위수를 계산하시오.

14.52 반지름 비율 계산을 이용하여 알루미늄 치환된 YIG의 양이온의 이온 배위수를 계산하시오.

14.53 반지름 비율 계산을 이용하여 크로뮴 치환된 YIG의 양이온의 이온 배위수를 계산하시오.

D • **14.54** (a) 2가 이온 모멘트가 $n\mu_B$이고 역스피넬 구조의 비율이 y(정스피넬 구조의 비율이 $1 - y$)일 때 페라이트의 단위정의 자기 모멘트에 대한 일반식을 유도하시오. (b) (a)에서 유도한 식을 사용하여 열처리 후에 25%의 정스피넬 구조, 75%의 역스피넬 구조를 가지는 구리 페라이트의 자기 모멘트를 계산하시오.

14.55 그림 14.37에서의 Nb_3Ge와 같은 금속 화합물의 H_c 대 T 도표는 다음과 같은 2차식으로 근사될 수 있다.

$$H_c = H_0\left[1 - \left(\frac{T^2}{T_c^2}\right)\right]$$

여기서 H_0는 0 K에서 임계 자기장이다. 15 K에서 Nb_3Ge의 H_c는 22×10^4 A-turns/m이다. (a) 위 식을 이용하여 H_0를 계산하고 (b) 실험 결과 $H_0 = 44 \times 10^4$ A-turns/m와 비교하여 계산 결과가 몇 퍼센트의 오차를 보이는지 계산하시오.

14.56 그림 14.37에서 보인 1-2-3 초전도체에서 H_c와 T의 관계를 기술하는 데 2차식의 유용성을 평가하기 위해 다음 식을 고려해보자.

$$H_c = H_0\left[1 - \left(\frac{T^2}{T_c^2}\right)\right]$$

여기서 H_0는 0 K에서 임계 자기장이다. T_c가 93 K이고, H_c가 60 K에서 174×10^4 A-turns/m로 주어질 때 (a) 위 식을 이용하여 H_0를 계산하고, (b) 실험 측정값 $H_0 = 328 \times 10^4$ A-turns/m와 비교하여 계산 결과가 몇 퍼센트의 오차를 보이는지 계산하시오.

14.57 상업화된 세라믹 자석 Ferroxcube A는 주기당 40 J/m^{3}의 이력 손실을 가진다. (a) 이력곡선은 60 Hz의 주파수로 순회한다고 가정하고 이 자석의 동력 손실을 계산하시오. (b) 이것은 연자석인가 아니면 경자석인가?

14.58 상업화된 세라믹 자석 Ferroxdur는 주기당 180 kJ/m^{3}의 이력 손실을 가진다. (a) 이력곡선이 60 Hz의 주파수로 순회한다고 가정하고 이 자석의 동력 손실을 계산하시오. (b) 이것은 연자석인가 아니면 경자석인가?

CHAPTER 15

공학설계 재료

새로운 첨단 소재의 개발과 함께 재료 선택의 폭은 계속해서 넓어지고 있다. 이 장에서 논의되는 바와 같이, 최신 탄소나노튜브(CNT) 기반 직포형 재료는 목성으로의 주노 임무(Juno mission)에서 방사선과 전자기장으로부터 전자 부품과 케이블을 보호하기 위한 기존 구리 차폐제의 경량 대체 재료로 사용된다. (Courtesy of the National Aeronautics and Space Administration [NASA])

학습목표

1. (a) 공학설계에서 요구하는 성질에 기반해서 재료를 선택한다.
(b) 탄성률-밀도 조합과 같은 물성 조합과 관련된 공업재료의 여러 범주를 시각적으로 분류하는 데 재료물성도표를 이용한다.

2. 구조 재료를 포함한 다양한 사례연구에서 재료 선택 기준을 이해하고 수업 중에 제시되는 다른 예시를 분석하는 능력을 갖춘다.

3. 전자 재료, 광학 재료, 자성 재료를 포함한 다양한 사례연구에서 재료 선택 기준을 이해하고 수업 중에 제시되는 다른 예시를 분석하는 능력을 갖춘다.

4. (a) 다양한 구조 응용에서 금속 합금에 발생하는 산화와 부식 과정의 기초가 되는 기본적인 화학적 원리를 분석한다.
(b) 공업재료의 환경 손상에 기여하는 방사선 노출과 기계적 마모와 같은 추가적인 요인을 설명한다.
(c) 다양한 법적 규제 준수를 포함하여 설계 공정에 끌어들일 수 있는 환경적 고려사항을 체계적인 방법으로 특징짓는다.
(d) 공학설계에서 재료의 초기 역할 이후에 그것을 재활용하고 재사용하는 방법을 규명한다.

이제 재료공학에 초점을 맞춘 재료과학과 공학 분야에 대한 탐험을 마치려 한다. 이 장에서는'공학설계에서 재료'를 주제로 다룬다. **재료 선택**이라는 주제는 이 책을 통해 소개된 재료 특성이 어떻게 전반적인 공학설계 공정의 지표가 되는가를 알려준다. 소위 말하는 재료물성도표는 두 재료 특성이 서로 비교 구성되는데, 다른 부류의 재료의 상대적 성능을 시각화하는 데 특히 유용하다. 구조 재료와 전자 재료의 사례연구를 통해 실제 재료 선택에 대해 설명한다. 공학설계 공정에 관한 논의를 위해서는 재료와 환경과의 관계, 환경 열화와 재활용의 필요성에 대한 이해, 여러 가지 환경 양상에 대한 고려가 필수적이다.

15.1 재료의 성질: 공학설계의 파라미터

1~10장에서는 기초 내용을, 11~14장에서는 재료의 범주를 살펴보면서 공업재료의 다양한 기초 특성을 정의했다. 재료과학적 측면에서는 이러한 본질적 특성 자체를 이해하는 것이 목적이며, 이러한 본질적 특성은 물질의 고체 상태를 이해하는 기반을 제공한다. 재료공학적인 측면에서 기초 특성은 **설계 파라미터**(design parameter)로서 주어진 응용에 적합한 재료를 선택하기 위한 기본 자료이다. 이에 대한 공업적인 예를 그림 15.1에 나타냈으며, 6장에 정의되어 있는 몇 가지 기초 기계적 성질은

Specifications
UNS number. A92036

Chemical Composition
Composition limits. 0.50 max Si; 0.50 max Fe; 2.2 max Cu; 0.10 to 0.40 Mn; 0.30 to 0.6 Mg; 0.10 max Cr; 0.25 max Zn; 0.15 max Ti; 0.05 max others (each); 0.15 max others (total); bal Al

Applications
Typical uses. Sheet for auto-body panels

Mechanical Properties

Tensile properties. Typical, for 0.64 to 3.18 mm (0.025 to 0.125 in.) flat sheet, T4 temper; tensile strength, 340 MPa (49 ksi); yield strength, 195 MPa (28 ksi); elongation, 24% in 50 mm or 2 in. Minimum, for 0.64 to 3.18 mm flat sheet, T4 temper; tensile strength, 290 MPa (42 ksi); yield strength, 160 MPa (23 ksi); elongation, 20% in 50 mm or 2 in.

Hardness. Typical, T4 temper: 80 HR15T strain-hardening exponent, 0.23

Elastic modulus. Tension, 70.3 GPa (10.2×10^6 ksi); compression, 71.7 GPa (10.4×10^6 ksi)

Fatigue strength. Typical, T4 temper: 124 MPa (18 ksi) at 10^7 cycles for flat sheet tested in reversed flexure

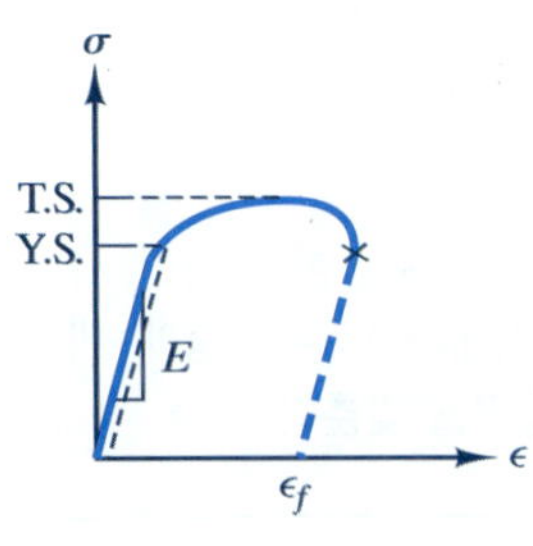

그림 15.1 6장에서 소개한 인장실험을 통해 얻은 기본적인 기계적 성질을 이용하여 주어진 합금에 대한 공학설계 파라미터 목록을 작성할 수 있다. (The parameters are reproduced from a list in *ASM Handbook*, Vol. 2, *ASM International*, Materials Park, OH, 1990.)

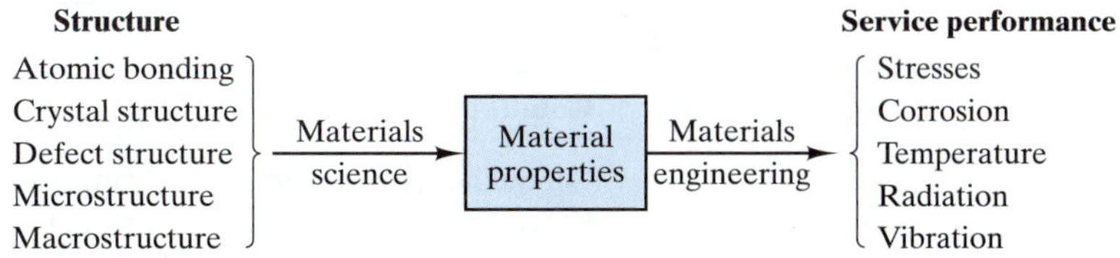

그림 15.2 재료 선택에서 재료 성질의 중심 역할에 대한 모식도. 재료 성질은 재료과학의 이론적 문제와 재료공학의 실무적 문제의 매개체다. (From G. E. Dieter, in *ASM Handbook*, Vol. 20: *Materials Selection and Design*, ASM International, Materials Park, OH, 1997, p. 245.)

공학 안내서에 파라미터로 나와 있다. 좀 더 넓은 관점에서 볼 때 그림 15.2에 나타낸 바와 같이 재료의 특성은 재료과학과 재료공학을 연결하는 역할을 한다. 또한 그림 1.19는 재료(와 그 성질), 재료의 처리 공정 및 공학설계에서 재료의 효과적인 사용 간의 종합적인 상관관계를 예시한다.

재료 선택을 용이하게 하는 편리한 포맷(format)은 특정 물성 값을 증가하는 순서로 표에 수록한 자료이다. 예를 들면 표 15.1은 여러 가지 공구강의 인장 강도를 강도가 증가하는 순서로 수록해놓은 것이다. 마찬가지로 표 15.2는 표 15.1에 수록된 공구강의 연성이 증가하는 순서를 연신율(%)을 기준으로 정리한 것이다.

표 15.1 공구강의 인장 강도 비교

Type	Condition	Tensile strength (MPa)
S7	Annealed	640
L6	Annealed	655
S1	Annealed	690
L2	Annealed	710
S5	Annealed	725
L2	Oil quenched from 855°C and single tempered at 650°C	930
L6	Oil quenched from 845°C and single tempered at 650°C	965
S5	Oil quenched from 870°C and single tempered at 650°C	1,035
S7	Fan cooled from 940°C and single tempered at 650°C	1,240
L2	Oil quenched from 855°C and single tempered at 540°C	1,275
L6	Oil quenched from 845°C and single tempered at 540°C	1,345
S5	Oil quenched from 870°C and single tempered at 540°C	1,520
L2	Oil quenched from 855°C and single tempered at 425°C	1,550
L6	Oil quenched from 845°C and single tempered at 425°C	1,585
L2	Oil quenched from 855°C and single tempered at 315°C	1,790
S7	Fan cooled from 940°C and single tempered at 540°C	1,820
S5	Oil quenched from 870°C and single tempered at 425°C	1,895
S7	Fan cooled from 940°C and single tempered at 425°C	1,895
S7	Fan cooled from 940°C and single tempered at 315°C	1,965
L2	Oil quenched from 855°C and single tempered at 205°C	2,000
L6	Oil quenched from 845°C and single tempered at 315°C	2,000
S7	Fan cooled from 940°C and single tempered at 205°C	2,170
S5	Oil quenched from 870°C and single tempered at 315°C	2,240
S5	Oil quenched from 870°C and single tempered at 205°C	2,345

표 15.2 공구강의 연신율 비교

Type	Condition	Elongation (%)
L6	Oil quenched from 845°C and single tempered at 315°C	4
L2	Oil quenched from 855°C and single tempered at 205°C	5
S5	Oil quenched from 870°C and single tempered at 205°C	5
S5	Oil quenched from 870°C and single tempered at 315°C	7
S7	Fan cooled from 940°C and single tempered at 205°C	7
L6	Oil quenched from 845°C and single tempered at 425°C	8
S5	Oil quenched from 870°C and single tempered at 425°C	9
S7	Fan cooled from 940°C and single tempered at 315°C	9
L2	Oil quenched from 855°C and single tempered at 315°C	10
S5	Oil quenched from 870°C and single tempered at 540°C	10
S7	Fan cooled from 940°C and single tempered at 425°C	10
S7	Fan cooled from 940°C and single tempered at 540°C	10
L2	Oil quenched from 855°C and single tempered at 425°C	12
L6	Oil quenched from 845°C and single tempered at 540°C	12
S7	Fan cooled from 940°C and single tempered at 650°C	14
L2	Oil quenched from 855°C and single tempered at 540°C	15
S5	Oil quenched from 870°C and single tempered at 650°C	15
L6	Oil quenched from 845°C and single tempered at 650°C	20
S1	Annealed	24
L2	Annealed	25
L2	Oil quenched from 855°C and single tempered at 650°C	25
L6	Annealed	25
S5	Annealed	25
S7	Annealed	25

출처: (표 15.1과 15.2) Data from *ASM Metals Reference Book*, 2nd ed., American Society for Metals, Metals Park, OH, 1984, as reconfigured in J. F. Shackelford, W. Alexander, and J. S. Park, *CRC Practical Handbook of Materials Selection*, CRC Press, Boca Raton, FL, 1995.

특정한 기계적 성질에 대해 서로 다른 부류의 재료들이 보이는 상대적인 거동을 비교하기 쉽게 전체적으로 도표화한 것이 소위 말하는 **Ashby**[1] **도표**(Ashby charts)이고, 그림 15.3에 나와 있다. 이 도표는 비교하고자 하는 두 가지 물성에 대한 각 재료의 물성 값을 도식화하고 있으며, 도표 내의 위치는 특정 재료의 기계적 물성 값에 의해 결정된다. 그림 15.3에는 Young 탄성계수 E가 밀도 ρ에 대해 로그스케일로 그려져 있다. 도표에서 명확하게 나타나듯 특정 범주에 속하는 구조용 재료는 서로 무리를 짓는 경향을 보이는데, 예를 들면 금속 합금에 대한 탄성률-밀도 조합은 일반적으로 세라믹스와 유리, 고분자, 복합재료와 현저하게 차이가 난다.

재료 선택 시 재료물성도표를 사용할 때 다음의 일반적인 4단계 설계 철학을 따라야 한다.

1. 설계 필요사항을 재료에 해당하는 규격으로 변환한다.

1) Michael F. Ashby(1935~)는 기초과학분야를 연구하는 재료과학자로서 재료 선택의 문제를 Ashby 도표를 작성하여 적용시켰다.

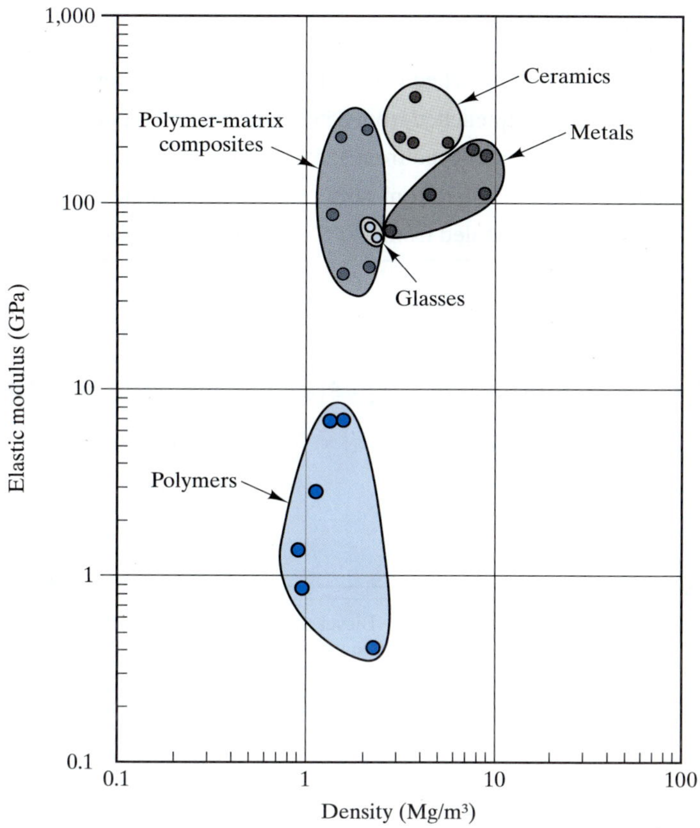

그림 15.3 관련 재료의 특성을 포괄적 관점에서 나타낸 재료물성도표. 탄성계수와 밀도 데이터(로그스케일)의 도표는 다른 범주의 구조용 재료가 비슷한 경향을 보이는 것을 나타낸다. (부록 4에 정리된 데이터 이용)

2. 제약 조건을 만족하지 못하는 재료는 배제한다.
3. (적절한 재료 지수를 사용하여)목적에 부합하는 능력에 따라 재료의 순위를 결정한다.
4. 유망 후보 재료에 대한 부가 정보를 찾는다.

그림 15.4는 자전거의 가격과 중량 사이의 절충점(trade-off)을 가장 효과적으로 최적화하는 간단하고 실용적인 예를 보이고 있다. 재료물성도표의 곡선 혹은 **트레이드오프 곡면**(trade-off surface)을 기준으로 요약된 많은 설계 중에서 하나를 선택할 수 있으며, 이는 최적의 설계를 의미한다. 물론 부담할 수 있는 가격 대비 가벼운 자전거를 만든다는 명제는 여전히 유효하다.

D **예제 15.1**

기계공작을 위해 공구강을 선택해야 하는데 인장 강도 ≥ 1,500 MPa, % 연신율 ≥ 10%인 재료가 설계 사양으로 요구된다. 어떤 합금이 이 사양을 만족하겠는가?

풀이

표 15.1과 15.2를 살펴보면 다음의 합금/열처리 조합이 이 사양을 만족함을 알 수 있다.

Type	Condition
S5	Oil quenched from 870°C and single tempered at 540°C
L2	Oil quenched from 855°C and single tempered at 425°C
L2	Oil quenched from 855°C and single tempered at 315°C
S7	Fan cooled from 940°C and single tempered at 540°C
S7	Fan cooled from 940°C and single tempered at 425°C

D **연습문제 15.1**

예제 15.1에서 논의된 기계공작을 위한 공구강을 재차 주문하면서 설계 사양이 갱신되었다. 새로운 기준인 인장 강도 ≥ 1,800 MPa, % 연신율 ≥ 10%를 충족하는 합금은 무엇인가?

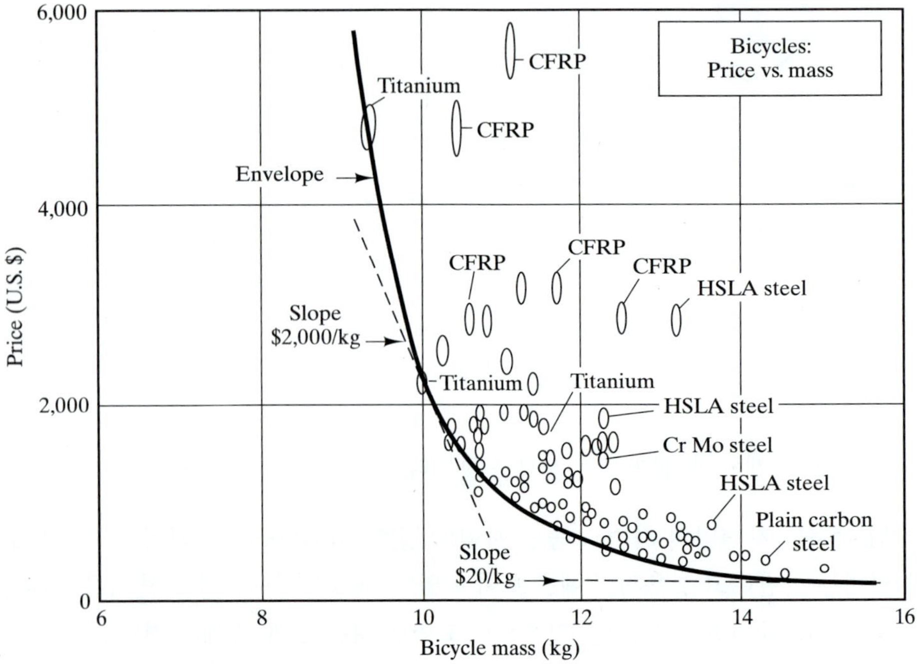

그림 15.4 자전거의 질량과 비용의 균형도. 최적 선택은 곡선을 따라가거나 트레이드오프 곡면을 따라가는 것이다. (From M. F. Ashby, Granta Design Limited.)

15.2 구조용 재료의 선택: 사례연구

1장에서는 재료 선택에 관한 개념을 소개했다(그림 1.19 참고). 이 과정은 어떠한 종류의 구조용 재료(금속, 세라믹, 고분자 또는 복합재료)를 선택할 것인가로 시작된다. 지난 14장까지에 소개된 광범위한 상업용 재료와 성질(파라미터)을 가지고 이제 재료 선택 범위에 대해 더욱 분명한 아이디어를 가지게 된다. 9장과 10장에서 이 구조용 설계 파라미터를 매우 정밀하게 조정(fine tuning)하는 기초를 닦아놓았다. 일반적으로 주어진 용도에 대해 강도와 연성의 최적 균형을 찾게 된다. 12장에서 서술한 복합재료의 몇 가지 일반적인 예는 강한(그러나 취약한) 분산상(dispersed phase)이 연성의(그러나 약한) 기지와 결합하여 균형을 잡았다. 12장에서 다룬 많은 고분자는 성형성과 적당한 가격을 고려하여 적절한 기계적 성질을 선정한다. 그렇지만 재료 선택에서 객관적인 설계 파라미터보다 더 많은 것을 고려해야 할 때도 있다. 소비자 선호도 같은 주관적인 인자도 고려해야 한다. 1939년 나일론 66로 만든 스타킹이 소개되었는데 첫해에만 6,400만 켤레나 팔렸다.

연성(ductility)이 중요하지 않을 때 비교적 취약한 세라믹스(11장)는 고온 내구성이나 화학적 내구성과 같은 다른 속성을 위해 사용될 수 있다. 많은 유리(11장)와 고분자(12장)는 투명성과 색깔 같은 광학적 성질을 위해 선정된다. 또한 이러한 재료 특성에 관한 고정적인 관념은 파괴인성이 높은 세라믹스와 같은 신소재 개발에 의해 바뀌어가고 있다.

파손 예방과 환경 열화(environmental degradation) 문제를 고려해야(8장과 15.4절 참고) 합리적인 재료 선택이 가능하다. 설계 시 배열에 대한 고려가 중요하다(예: 응력을 집중시키는 기하학적 배치나 피로를 일으키는 주기적인 하중이 명시된 경우). 화학반응, 전기화학적인 부식, 방사능 손상, 마모 특성으로 인해 보다 나은 재료 선택이 제한될 수 있다.

설계 선택 과정은 몇 가지 특별한 사례연구를 통해 예시될 수 있다. 정형외과의 고관절 교체 수술을 위한 재료 선택을 자세히 살펴본 다음, 여러 가지 다른 사례연구를 간단히 다룰 것이다.

고관절과 무릎관절 교체를 위한 재료

신소재 응용에서 가장 극적인 발전은 의학 관련 응용 분야에서 이루어지고 있다. 가장 성공적인 한 가지 예가 고관절 **보철술**(prosthesis, 없어진 신체 부위를 대체하는 장치)이다. 그림 15.5는 손상된 고관절을 보철술로 교체하는 수술 절차를 보여준다. 그림 15.6은 한 가지 전형적인 예로 코발트-크롬 합금(예: 50 wt % Co, 20 wt % Cr, 15 wt % W, 10 wt % Ni, 5 wt % 다른 원소들)이 주대(main stem)와 머리를 이루고, 초고분자량의 폴리에틸렌(분자량이 1~4 $\times 10^6$ amu) 컵이 볼과 소켓 시스템을 갖추고 있다. 용어 '전체 고관절 교체(total hip replacement, THR)'는 잘 고안된 재료로 볼과 소켓을 동시에 대체함을 의미한다. 정형외과 의사는 퇴행성 고관절을 제거하고 대(stem)와 잘 맞도록 대퇴부 뼈에 공동(cavity)을 뚫는다. 주대는 PMMA (polymethylmethacrylate) 시멘트로 고정하거나 다공성 표면 코팅('시멘트 없는 고착') 속으로 뼈를 성장시켜 골격시스템에 고정된다. 컵은 일반적으로 금속 받침에 부착되는데 자연 금속으로 만든 뼈 나사(bone screw)로 히프에 부착시킨다. 티탄 합

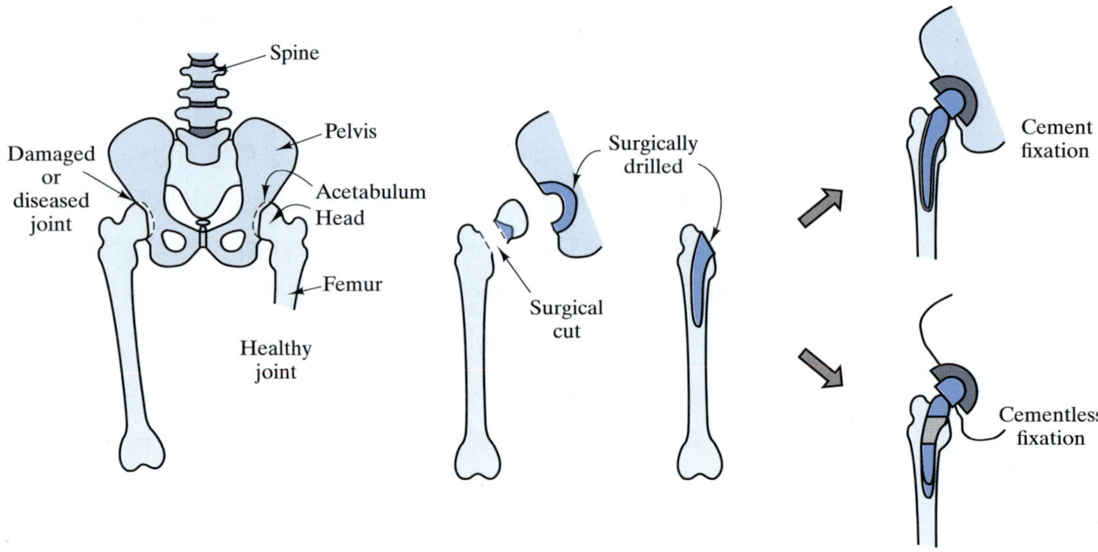

그림 15.5 전체 고관절 교체(THR) 외과 수술의 도식도. 일반적으로 인공 대퇴 주대는 얇은 층(몇 mm의 두께)의 PMMA 시멘트나 대퇴부 축의 주대에 딱 맞는 시멘트가 없는 시스템에 의해 뼈에 고정된다. 시멘트가 없는 고정법에서는 주대 위쪽의 1/3 지점에 소결된 금속 합금의 다공성 코팅을 적용한다. 다공성 표면으로 뼈가 성장하면서 주대가 기계적으로 고정된다.

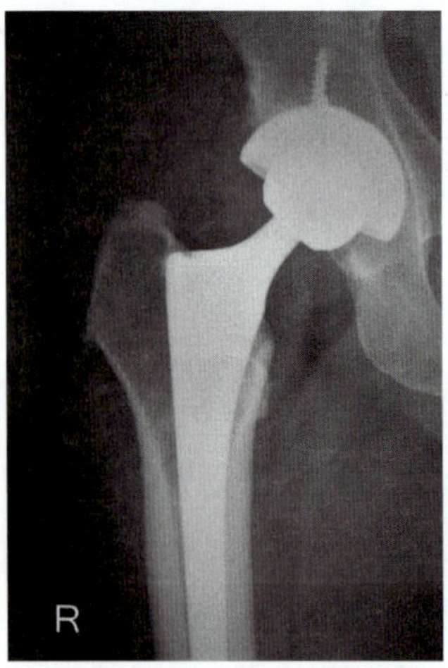

그림 15.6 전체 고관절 교체(THR)의 엑스선 영상 (Edward Olive/123RF.)

금 Ti-6Al-4V(표 6.1 참조)는 일반적으로 시멘트 없는 시술에 선호된다. Ti-6Al-4V의 탄성계수(1.10×10^5 MPa)는 코발트-크롬(2.42×10^5 MPa)보다 뼈의 값(1.4×10^4 MPa)에 더 근접하여 계수불일치로 인해 뼈에 가해지는 스트레스를 감소시킨다(코발트-크롬은 비슷한 이유로 시멘트를 사용하는 이식용으로 선호된다. Ti-6Al-4V의 낮은 탄성계수는 계면의 시멘트에 과잉 하중을 가져온다). 타이타늄 합금과 코발트-크롬 합금으로 제작된 대(stem)의 경우, 코발트-크롬 합금이 우수한 마모 성능으로 인해 대퇴골두로의 사용에 선호된다.

금속/고분자 계면은 마찰이 적은 접촉면을 이루고, 또 개별 재료(금속과 고분자)는 부식성이 높은 체액으로 인한 열화 방지에 우수한 저항성을 갖는다. 일찍이 인공 고관절 설계는 시멘트 고착법을 이용하여 5년의 일반적인 수명(주로 기계적 느슨함에 의해 제한됨)을 가지는데, 노년의 환자에게는 적합하지만 청년에게는 고통스런 대체수술이 필요하다. 시멘트 없는 고착법은 이식수명을 3배 연장할 수 있으며 대략 30만 건이 넘는 THR 수술이 매년 미국에서 이루어지며 유럽에서도 비슷한 수로 수행된다.

금속 합금과 고분자는 전체 고관절 교체(THR)와 관련된 **생체재료**(biomaterial)의 예이며 생물학과 의학에서의 활용을 위해 창안된 공업재료로 정의될 수 있다. 생체재료는 자연적으로 생기는 뼈와 대조적이며, 뼈는 **생물학적 재료**(biological material)의 한 예이다. 이러한 새로운 용어는 11장에서 소개한 생체모조 재료

(biomimetic material)에서 설명되었다. 낮은 온도, 액상 공정 처리 루트를 통해 정교하게 생성되는 이 재료 중 몇 가지는 다음 세대의 생체재료로서 주요한 후보들이다. 지속적으로 증가하고 있는 생물학적 재료의 재료과학과 공학 분야에서의 중요성은 12장의 '재료의 세계'에서 소개했다.

대략 40년 동안 세라믹스와 유리는 잠재적으로 생체재료로서의 활용에 연구 초점이 맞추어져 있었다. THR 볼에 가해지는 압축하중은 Al_2O_3와 같은 고밀도 구조용 세라믹을 사용 가능하게 하며 이와 같은 인체 내 대체재료 분야에서 구조용 세라믹스가 지닌 낮은 표면 마모성은 큰 장점으로 부각된다. 유사한 방식으로 THR 컵도 Al_2O_3로 제조될 수 있다. 공학설계에서 세라믹스는 잠재적인 활용 가능성이 높음에도 고유한 취성과 낮은 파괴인성으로 인해 THR에서의 용도에 제한을 받는다.

하지만 1990년대에 바이오메디컬 분야에서 활용된 예를 세라믹 시스템에서 찾아볼 수 있다. 고정을 위한 PMMA 시멘트가 중요하다 해도 세라믹으로의 대체는 시멘트 없는 설계의 전통적인 다공성 표면, 즉 하이드록시아파타이트(hydroxyapatite) 코팅에서 찾아볼 수 있다. 하이드록시아파타이트와 같은 우수한 재료가 최근에서야 생체재료로서 유행하기 시작했다는 것은 아이러니하다. 하이드록시아파타이트, $Ca_{10}(PO_4)_6(OH)_2$는 뼈의 주요 광물질로 중량의 43%를 차지한다. 이 재료는 안전하고, 불활성이며, 생체와 조화를 이루는 뚜렷한 생리화학적(physiochemical) 장점을 지닌다. 생의학에서 하이드록시아파타이트의 가장 성공적인 활용의 예로서 그림 15.7에 보인 바와 같이 보철 이식에서의 얇은 코팅을 들 수 있다. 이 코팅은 Co-Cr 및 Ti-6Al-4V 합금상에 모두 플라스마-스프레이(plasma-sprayed) 처리되었다. 최상의 성능은 코팅 두께 25~30 μm 정도에서 나타난다. 이식과 뼈 사이의 계면 강도는 피복되지 않은 시편과 비교하여 5~7배만큼 커진다. 향상된 계면상의 발육은 중간

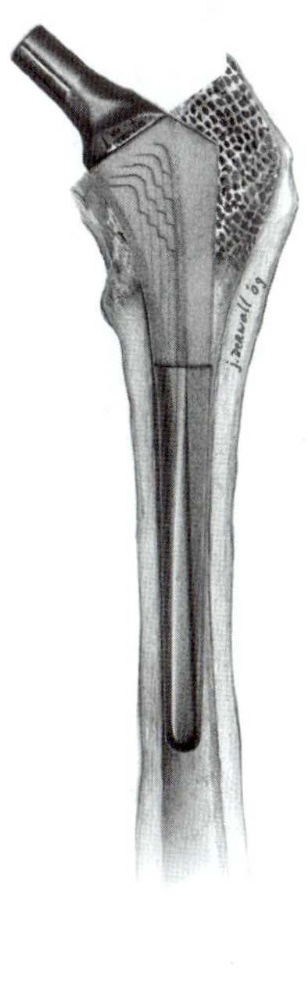

그림 15.7 고관절 대체 보철물. 고관절 부분의 대퇴골 부분. 이 보철물이 대퇴골이 제거된 부분에 이식된다. 보철물 상단부분은 하이드록시아파타이트로 코팅되어 주변 골조직과의 접합성을 향상한다. 구형 부분은 이식된 골반(그림에는 도식되지 않음)에 맞게 설계되어 있다. 이러한 설계의 보철물은 수술 후 환자의 보행을 가능하게 하며 심각한 관절염이나 사고로 인한 고관절 골절 환자에게 시술된다. 이 보철물은 Omnifit의 제품이다. (D&L Graphics/Science Source.)

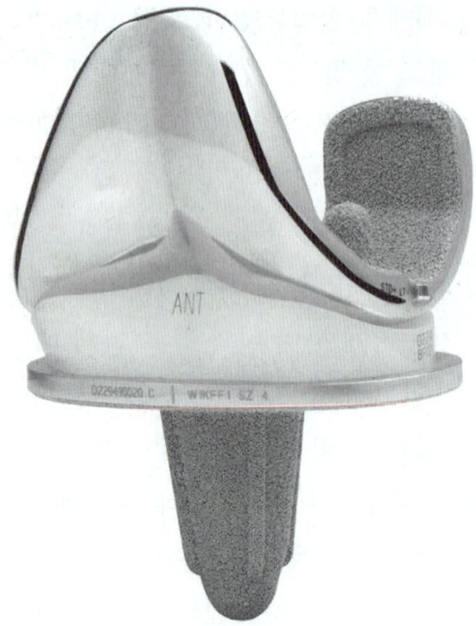

그림 15.8 무릎 관절 대체용 보철물은 THR 용 보철물과는 완전히 다른 구조로 제작되었으나, 사용된 재료와 공학적 설계, 수술에 사용되는 고정물 등은 상당히 유사하다. (Courtesy of DePuy Synthes Companies of Johnson and Johnson.)

섬유 조직층 없이 하이드록시아파타이트 표면상에 직접 뼈로의 광물질화가 이루어지기 때문이다. 교체되는 다공질 금속 코팅과는 달리 이 세라믹 대체물은 다공질일 필요가 없다. 뼈의 밀착은 평활한 하이드록시아파타이트 표면에 직접적으로 발생할 수 있다. 이 코팅 시스템의 확실한 성공으로 THR 수술에서 그 활용 범위를 넓혀가고 있다.

1960년대 영국의 John Charnley 박사의 선구적인 노력으로 THR 수술이 시작되고 성장했다. THR 수술 시장이 성장해감에 따라 1970년대에는 정형외과 분야에서 무릎 관절의 완전 교체 수술이 THR 수술과 유사한 방식으로 완성되었으며, 이 수술에는 그림 15.8에 예시된 무릎의 해부학적 용도에 적합한 보철물이 사용되었다. 무릎 관절 대체 보철물에는 THR 수술 시와 같은 금속 합금, 고분자 재료, 동일한 보철물 고정재료가 사용되었다.

정형외과 분야의 생체재료의 미래 발전 가능성은 매우 유망하다. 2030년에는 미국 전체 인구의 20%가 65세 이상이 되며, 이 인구의 60% 정도가 관절염과 관련된 질병을 가지게 될 것이다. 2050년에는 미국 내 100세 이상 고령인구가 10배 이상 증가하여 80만 명에 이를 것으로 예상된다. 비만과 육체적인 활동 증가에서 기인하는 관절에 대한 부담은 꾸준히 증가할 것이다. 이러한 관점에서 볼 때 연간 고관절 교체 수술은 2050년에는 50만 건 이상이 될 것으로 예상되며, 무릎 관절 교체 수술도 대략 연간 350만 건에 도달할 것으로 추정된다. 이러한 정형외과 수술은 미국에만 국한되지 않고, 전 세계적으로 동일한 경향을 보일 것으로 예상된다.

금속을 대체하는 복합재료

금속을 낮은 밀도의 복합재료로 대체하려는 추세의 주요한 예는 상업용 항공기 산

그림 15.9 보잉 787 Dreamliner는 복합재료가 기체 구성의 주 재료로 사용된 최초의 민간 항공기이다. (© Jonathan Ayres/Alamy.)

업에서 찾아볼 수 있다. 1970년대 초까지 역학 개선과 가격 절감을 위해 항공기 제조회사는 유리섬유 부품을 개발했다. 1970년대 중반에는 '석유파동'이 발생하여 연료비가 몇 년 사이에 직접 운용비의 18%에서 60%로 급격하게 상승했다(상업용 제트비행기에서 1 kg의 '자체무게'는 연간 연료 830리터를 소모한다). 연료절약을 위한 재료 대체 필요성의 초기 대응방안은 Lockheed L-1011-500 장거리용 항공기에서 1,100 kg 이상의 케블러 강화 복합재료의 사용으로 나타났다. 그 결과 2차 외부 구조물에서 총 366 kg의 무게가 절감되었으며 그 후 모든 L-1011 모델에서 유사한 복합재료의 대체를 시도했다. 이런 노력의 가장 대표적인 예가 최근 설계한 보잉 767의 경우이다. 기체 외부의 상당한 부분이 주로 케블라와 흑연이 보강된 신소재 복합재료로 구성되며, 그 결과 무게는 신소재 복합재료 사용 시 570 kg가량이 줄어든다. 보잉 787 Dreamliner의 경우 무게 기준으로 최소 50% 이상이 첨단 구조 복합재료로 제작되었다(그림 15.9).

예제 15.2

상업용 항공사가 소유한 보잉 767 항공기 50대의 비행단에서 복합체를 사용하여 무게를 감소시킴으로써 얻을 수 있는 연간 연료절약을 계산하시오.

풀이

15.2절에서 논의한 사례연구의 정보를 사용하여 연료절약을 계산할 수 있다.

$$\text{연료절약} = (\text{항공기당 절약무게}) \times \frac{(\text{연간 연료})}{\text{무게}} \times \text{항공기 50대}$$

$$= (570\ \text{kg}) \times (830\ \text{l/yr})/\text{kg} \times 50$$

$$= 23.7 \times 10^6\ \text{l}$$

연습문제 15.2

예제 15.2에서 연간 연료절약을 계산해보았다. 이 상업용 항공사에서 50대의 L-1011 비행단 운영 중 예상되는 연료절약을 계산하시오(15.2절 사례연구 참고).

15.3 전자, 광학, 자성 재료의 선택: 사례연구

13장에서 고체재료가 자연적으로 세 가지 범주인 도체, 부도체, 반도체 중 하나로 분류됨을 보았다. 도체의 선택은 비전도도 수치뿐만 아니라 성형성과 가격에 의해 결정된다. 절연체의 선택도 이와 같은 인자에 의해 결정될 수 있다. 세라믹 기판의 선택은 금속 도체와의 결합력에 의해 결정될 수 있다. 그렇지 않다면 가격이 낮은 절연 고분자가 전도성 와이어로 사용될 수도 있을 것이다. 어떤 경우에는 공학설계상 새로운 개념이 아주 새로운 재료의 선택을 가능하게 만들 수 있다(예: 14장에 나오는 광학 유리섬유).

1장에서는 적합한 설계와 재료 선택이 반도체 산업에서는 특별한 상승효과를 나타내고 있음을 알았다. 재료기사와 전자기사는 '칩(chip)'에서 n형과 p형 반도성 영역의 복합 패턴(complex pattern)이 최적의 효용을 갖는 미세회로가 되도록 노력해야 한다.

구조용 재료에서처럼 몇 가지 대표적인 사례연구를 살펴봄으로써 전자 재료를 선택하는 과정을 충분히 이해할 수 있다. 먼저 발광 다이오드에 대해 알아보고, 스마트폰과 태블릿에 사용되는 터치스크린, 에너지 절약용 비정질 금속 변압기의 사례연구에 대해 간단히 살펴볼 것이다.

발광 다이오드

발광(luminescence)은 14장에서 언급한 바와 같이 여러 가지 형태의 에너지 흡수에 수반되는 광방출로 정의된다. 전자발광(electroluminescence)은 전자유도 광방출(electron-induced light emission)에 대한 용어이다. 전자발광의 중요한 형태는 13.5절에서 소개된 p-n 접합 순방향 바이어스 전위가 가해진 결과이다. 접합 부근의 재결합 영역 안에서는 전자와 홀(holes)이 서로 상쇄되어 가시광선의 광자를 방출할 수 있다. 방출된 파장은 식 (15.1)로 주어진다.

$$\lambda = hc/E_g \tag{15.1}$$

여기서 h는 플랑크[2] 상수($= 0.6626 \times 10^{-33}$ J·s), c는 빛의 속도($= 0.2998 \times 10^9$

2) Max Karl Ernst Ludwig Planck(1858~1947)는 독일 물리학자이다. 그는 19세기와 20세기의 과도기를 보내며 고전물리학과 현대물리학에 공헌했다. '흑체 복사'로부터의 에너지 스펙트럼 모델을 개발했으며 1900년에 광자 에너지와 파장, 양자와의 관계를 발표했다. 독일의 Max Planck Institutes는 그의 이름에서 유래했다.

표 15.3 일반적인 발광 다이오드 조성과 파장[a]

Compound	Wavelength (nm)	Color
GaP	565	Green
GaAsP	590	Yellow
GaAsP	632	Orange
GaAsP	649	Red
GaAlAs	850	Near IR
GaAs	940	Near IR
InGaAs	1,060	Near IR
InGaAsP	1,300	Near IR
InGaAsP	1,550	Near IR

[a] From R. C. Dorf, *Engineering Handbook*, CRC Press, Boca Raton, FL, 1993, p. 751.

m/s), E_g는 밴드갭(band gap)이다.

E_g와 방출된 대응파장은 반도체 조성의 함수로서 표 15.3에서 다양한 일반적 예시를 보여주고 있다. 실제로 전자 전이(electron transition)는 전도대역의 하단에 있는 작은 범위의 에너지로부터 가전대 상단에 있는 작은 범위의 에너지로 이동하는 것이다(그림 15.10). E_g값의 범위에 따라서 몇 nm까지의 **스펙트럼 폭**(spectral width)을 갖는 빛을 만들 수 있다. 그림 15.11은 이러한 **발광 다이오드**(light-emitting diodes, LEDs)에 대한 표면 및 측면 방출 배열을 모두 보여준다. 흔히 볼 수 있는 LEDs에 기초한 디지털 디스플레이 장치 구조를 그림 15.12에 나타냈다. 많은 레이저는 대부분의 광섬유 네트워크를 위한 운송파(carrier wave)의 역할을 하며, LEDs의 중요한 예이다.

LED 분야의 역동적인 새로운 발전은 반도체 거동을 보이는 고분자 물질을 새로운 발광물질로 사용하는 분야이다. 상대적으로 낮은 분자량의 고분자에 대해 이러한 디바이스를 **유기 발광 다이오드**(organic light-emitting diodes, OLEDs)라고 한다

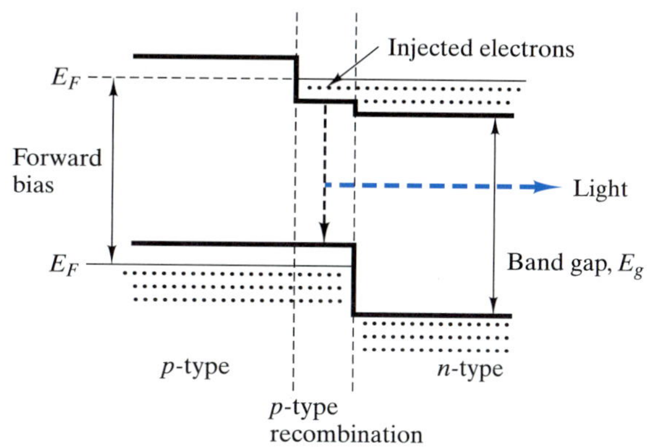

그림 15.10 발광 다이오드(LED)의 에너지대 구조의 도식도 (After R. C. Dorf, *Electrical Engineering Handbook*, CRC Press, Boca Raton, FL, 1993, p. 750.)

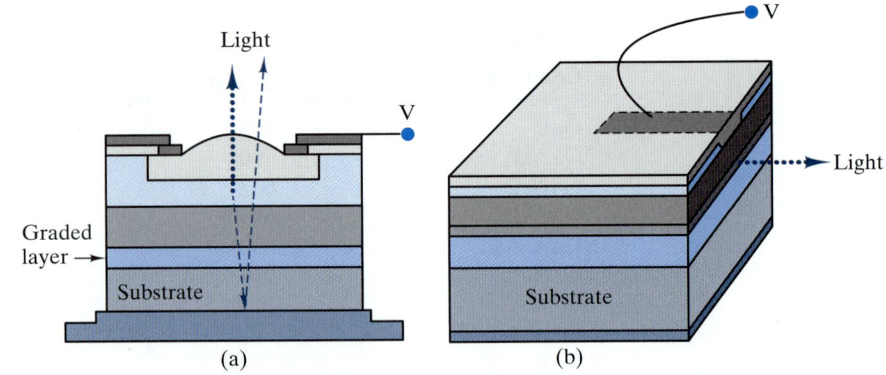

그림 15.11 (a) 표면 발광 다이오드 (b) 가장자리 방출형 발광 다이오드 (After R. C. Dorf, *Electrical Engineering Handbook*, CRC Press, Boca Raton, FL, 1993, p. 750.)

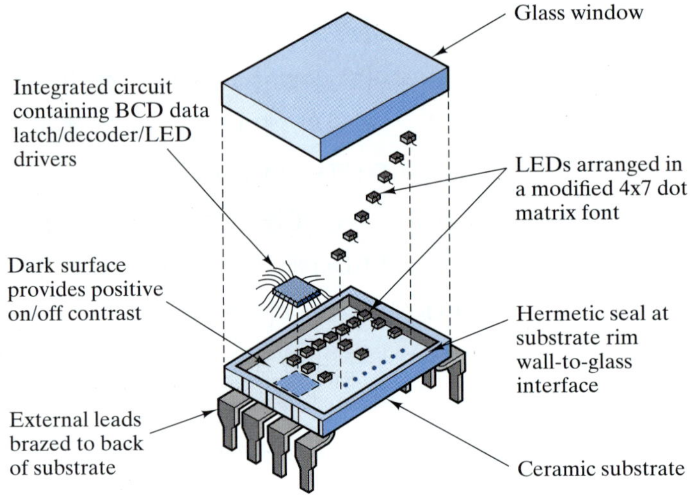

그림 15.12 발광 다이오드의 배열을 적용한 디지털 디스플레이의 개략도 (From S. Gage et al., Optoelectronics/Fiber-Optics Applications Manual, 2nd ed., Hewlett-Packard/McGraw-Hill, New York, 1981.)

(그림 15.13). 현재 상용되는 반도체 LED의 제품 수명이 상대적으로 길긴 하지만, OLED도 다양한 색상 선택과 간단한 제작 공정 등의 다양한 장점을 가진다. 저가 OLED를 이용한 얇은 디바이스는 디지털 카메라의 고감도 다색상 이미지와 휴대전화 등의 분야에서 다양하게 사용되고 있다. 유기재료가 위 디바이스에서 가장 중요한 요소이지만 유리판도 투명기판으로서 중요한 역할을 한다.

최근 몇 년 동안 LED 기술의 가장 두드러진 응용 중 하나는 헤드라이트 및 테일라이트를 포함한 자동차 라이트에서 LED 사용의 증가이다(그림 15.14). 2007년 최초의 전 LED 헤드라이트가 도입된 이후로 자동차 산업의 애플리케이션은 꾸준히 성장해왔다. LED의 단가가 낮아짐에 따라 자동차 산업에서의 LED 사용은 고급 자동

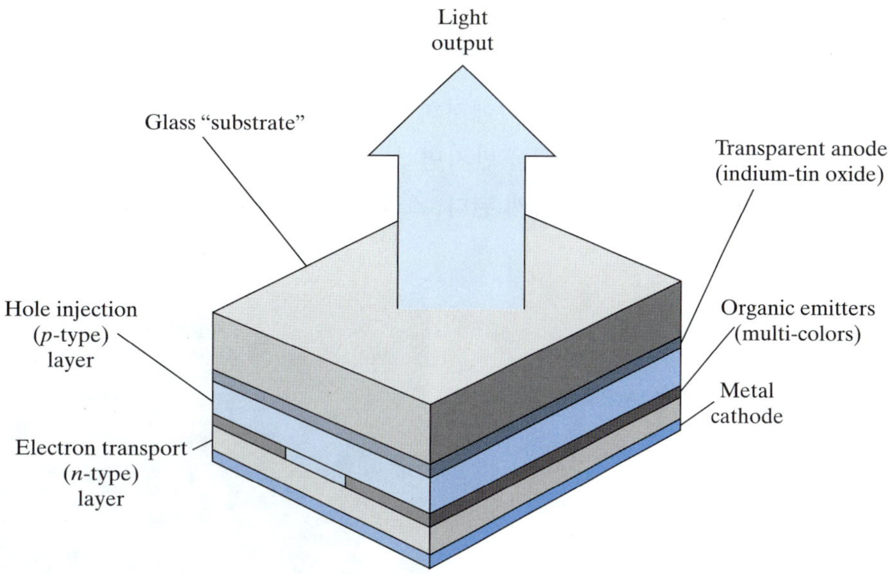

그림 15.13 유기 발광 다이오드(OLED) 디바이스 모식도

그림 15.14 위 헤드라이트 디자인과 같이 자동차 라이트 산업으로 광범위하게 응용되고 있는 발광 다이오드(LED) 기술 (© Riccardo Sala/Alamy.)

차에서 중저급 모델 자동차로 확대되었다. 그 결과 다양하고 독특한 새로운 자동차 라이트 디자인이 탄생했다.

스마트폰과 태블릿의 터치스크린용 유리

1.3절에서 소개한 유리 재료의 설명에서와 같이 스마트폰과 태블릿에는 커버글라스가 사용되었다. 스마트폰이나 태블릿은 OLED 디스플레이를 사용하거나, 좀 더 전통적인 **액정 디스플레이**(LCD)를 사용하고 있지만 사람과 기계 간 접속(interface)에 혁신적인 변화를 가져온 발명은 '터치스크린(touch screen)'이다. 이러한 기능이 가

능하게 된 것은 **정전용량 시스템**(capacitive system) 기술의 개발이다(13장의 커패시터 도입 부분을 떠올려보자). 그림 15.15(b)는 전하를 저장할 수 있는 유리 스크린 표면 박막에서의 정전용량 시스템의 기작을 모식화한 것이다. 사용자의 손가락이 스크린을 만지면 스크린의 전하가 손가락으로 이동하여 정전용량 시스템의 전하는 감소하게 된다. 스크린의 각 모서리에 위치한 전기회로는 이러한 감소량을 측정한다.

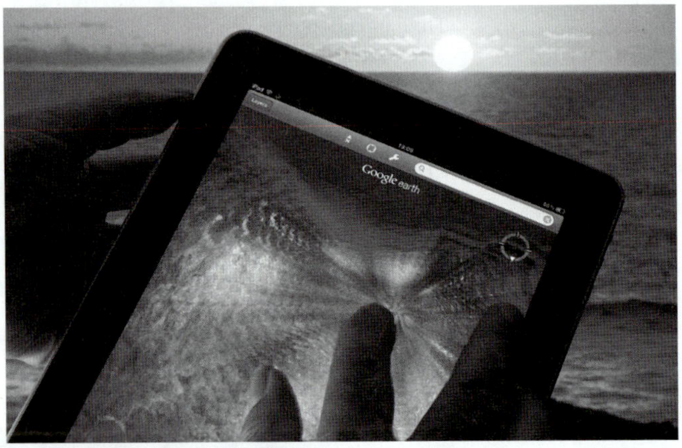

(a)

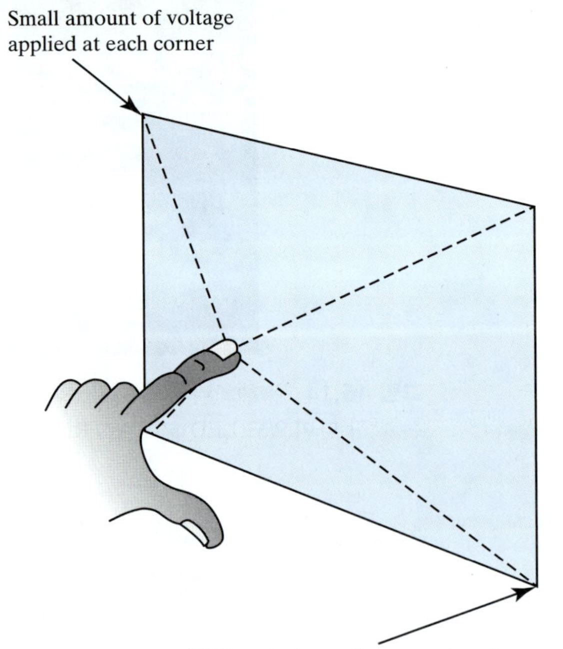

(b)

그림 15.15 (a) 이 예시와 같이 스마트폰과 태블릿은 터치스크린 기술을 사용하여 인간/기계 인터페이스를 변화시켜 왔다. (© Ian Shaw/Alamy.) (b) 터치스크린 디스플레이용 정전식 시스템은 디스플레이 스크린 각 모서리에서의 미세한 차별적 전하 감소에 의해 사용자의 손가락 위치를 감지할 수 있다.

각 모서리에서의 차별적인 전하 감소량으로부터 스크린을 만진 위치를 역으로 계산하여 추적하게 된다. 정전용량 시스템의 장점은 디스플레이를 통하여 투과되는 빛의 90%를 수용할 수 있다는 점이다. 1.3절에서 논의한 바와 같이, 사용되는 스크린 유리의 내구성은 굉장히 중요하다. Corning의 Gorilla® Glass는 요구되는 기계적 성질을 만족하는 제품이다. 알칼리 알루미노규산염 판(sheet)은 6장에서 설명한 이온 교환법(ion exchange technology)에 의해 강화되었다. 나트륨 이온을 부피가 큰 알칼리 이온으로 교체함으로써 표면에서 막대한 아북잔류응력(compressive residual stress)을 생성시켜, 결과적으로 우수한 긁힘 저항성을 가지게 된다.

배전을 위한 비정질 금속

최근 수십 년 동안 비정질 금속은 변압기 코어 재료로 개발되어 널리 사용되었다. 비정질 금속이 중요시되는 핵심은 결정립계가 없다는 것인데, 이것이 더 쉬운 도메인 벽 이동(domain wall motion)을 가능하게 한다. 높은 비저항(와류를 감쇄시킨다)과 결정 이방성이 없다는 점 또한 도메인 벽의 이동도(mobility)에 기여한다. 철계 '유리'(ferrous 'glasses')는 모든 강자성 재료 중에서 가장 쉽게 자성화될 수 있는 재료이다. 비정질 리본과 와이어의 제조비가 감소됨에 따라 낮은 코어 손실로 인한 에너지 보존은 이 합금을 상업용으로 활용할 수 있게 했다. Fe-B-Si 코어는 일찍이 1982년에 상업용으로 개발되어 가정과 산업시설에 전력을 공급했다. 또한 결정립 배향(grain-oriented) 규소강을 비정질 금속으로 교체하여 변압기 코어의 코어 손실을 75% 감소시켰다. 일찍이 합당한 치속도(quench rate)에서 비정질 구조를 형성할 수 있는 합금 조성을 예측했는데, 그것은 금속 원소가 메탈로이드(metalloid)와 합금을 이룰 때 나타나는 경향이다. 더욱이 이런 합금 계는 원자에서 대략 20%의 메탈로이드 조성에서 '과도한 공정(deep eutectic)'을 형성하는 경향이 있으며 여기서 '과도한 공정'이란 순수한 금속과 메탈로이드의 용융점에 비해 낮은 공정 온도로 정의된다. 사실상 이 공정 조성은 비교적 낮은 온도에서는 액체 금속으로 되어 비정질 상태이고, 한층 쉽게 '얼어'버릴 수 있다. 비정질 금속을 급냉 응고와 공정 조성에 관련시키는 것은 합금 설계(alloy design)의 기초이다. 상업용 비정질 금속 변압기 코어는 일반적으로 원자의 80% Fe과 나머지는 주로 B, P, C와 같은 메탈로이드임을 주목할 필요가 있다. 세계의 정치적 및 경제적인 추세는 전력회사로 하여금 경비를 절감하고 서비스를 개선하도록 하고 있으나 이런 변화는 근본적으로 환경에 대한 관심에 반하므로 적절한 균형을 유지해야 한다. 비정질 금속 변압기 기술은 최근 급변하는 두 나라, 중국과 인도에서 많은 발전이 이루어지고 있다. 표 15.4는 이런 관점에서의 잠재적인 이득을 나타낸다.

표 15.4 특정 국가에서의 비정질 금속 변압기의 환경 영향 예측

Country	Annual energy savings	Annual CO_2 emission reduction
	(10^9 kW·h)	(10^9 kg)
United States	40–50	30–40
Japan	10–15	8–10
China	18–25	20–25
India	3–5	4–5

From various industrial sources.

예제 15.3

GaAs LED와 관련하여 표 13.5에 주어진 GaAs 주파수 공백에 대응하는 광자 파장을 계산하시오.

풀이

식 (15.1)을 사용하고, 표 13.5로부터 GaAs 주파수 공백을 참고한다.

$$\begin{aligned}\lambda &= hc/E_g \\ &= ([0.663 \times 10^{-33}\ \text{J}\cdot\text{s}][0.300 \times 10^9\ \text{m/s}]/[1.47\ \text{eV}]) \times (6.242 \times 10^{18}\ \text{eV/J}) \\ &= 844 \times 10^{-9}\ \text{m} = 844\ \text{nm}\end{aligned}$$

주: 이 파장은 전자기 스펙트럼의 적외선 영역에 있다. 온도 변화와 반도체의 화학 조성은 주파수 공백을 증가시킬 수 있다. 이 때문에 파장을 가시광선 영역으로 줄인다.

연습문제 15.3

예제 15.3에 기술된 것처럼 반도체의 주파수 공백은 구조의 함수이다. GaAs에 약간의 GaP를 더하면 주파수 공백은 1.78 eV까지 증가할 수 있다. 이 레이저 주파수 공백에 상응하는 광자 파장을 계산하시오.

15.4 재료와 우리의 환경

공업재료의 활용은 환경과의 반응에 의해 제한될 수 있다. 엔지니어로서 우리가 살아가야 할 환경에 공업재료가 해로운 영향을 주지 않도록 보장할 책임이 점차 늘고 있으며 재활용은 재료가 환경에 미치는 해악을 줄이는 유효적절한 방법 중 하나다.

재료의 환경 열화

일반적으로 금속과 합금은 고온에서 공기 중에 노출되면 안정한 산화물을 형성한다. 금과 같이 몇 가지 드문 예외의 금속은 귀금속으로 분류된다. 순수한 금속에 비

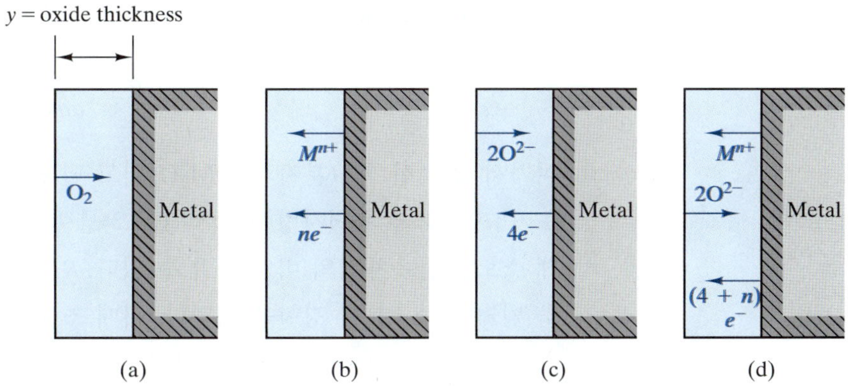

그림 15.16 네 가지 금속 산화 메커니즘. (a) 통기성 필름은 산소 분자가 계속적으로 금속 표면에 접근하는 것을 보호하지 못해 산화반응이 일어나는 메커니즘, (b)~(d)는 산소 분자의 침투를 방지하는 통기성이 없는 필름이다. (b)의 경우 필름을 통해 양이온이 발산되어 표면에서 산소와 재결합을 한다. (c)의 경우 O^{2-} 이온이 금속 표면으로 침투하는 것이고 (d)의 경우 음이온과 양이온이 서로 확산을 하여 거의 같은 비율로 들어와 필름을 산화시킨다.

해 산화물이 비교적 높은 용융점을 가지는 것에서 금속 산화물의 안정도를 확인할 수 있다. 예를 들어 Al은 660°C에서 용융되는 반면에 Al_2O_3는 2,054°C에서 용융된다. 몇 가지 금속은 실온에서 얇은 표면 산화물 층이 형성될 수 있다. 이러한 금속에서 대기 중 산소와의 반응성 또는 **산화**(oxidation)는 공학적인 활용을 제한하는 요인이다. 이 과정은 긍정적인 역할을 수행하기도 하는데, 산화피막이 환경 영향으로부터 금속을 보호하는 것이 그 예이다.

그림 15.16에 나타낸 것과 같이 금속과 합금의 산화는 네 가지 금속산화 메커니즘으로 나타낼 수 있다. 주어진 금속이나 합금의 산화는 통상 이 네 가지 확산과정 중 하나로 볼 수 있다. 이것은 (a) 분자형 산소(O_2)가 연속적으로 통과하여 금속-산화물 계면에서 반응할 수 있는 '비보호성' 다공질 산화피막, (b) 양이온이 피막을 통해 확산하여 외부의 (공기-산화물) 계면에서 산소와 반응하는 비다공질 피막, (c) 금속-산화물 계면에서 금속과 반응하기 위해 O^{2-} 이온이 확산하는 비다공질 피막, (d) 양이온과 O^{2-} 음이온이 거의 같은 속도로 확산하여 계면에서보다는 산화물 피막 내에서 산화반응이 일어나는 비다공질 피막의 네 가지 경우이다. 이 시점에서 5.3절에 있는 이온 확산에 관한 논의를 재검토해보고 싶을 것이다. 또한 메커니즘 (b)~(d)에서 전하의 중성화(neutrality)가 이온과 더불어 전자의 협동적인 이동을 필요로 함을 인지해야 한다. 메커니즘 (b)~(d)에서 확산하는 이온은 두 가지 별개의 메커니즘, 즉 금속-산화물 계면에서 $M \rightarrow M^{n+} + ne^-$ 반응과 공기 산화물 계면에서 $O_2 + 4e^- \rightarrow 2O^{2-}$ 반응의 결과인지는 명백하지 않다.

금속이 보호성 산화물 코팅을 형성하는 경향은 **Pilling-Bedworth**[3] 비(Pilling-

3) N. B. Pilling and R. E. Bedworth, *J. Inst. Met. 29*, 529 (1923).

Bedworth ratio), R로 알려진 아주 간단한 파라미터로 표시할 수 있다. 즉

$$R = \frac{Md}{amD} \tag{15.2}$$

여기서 M은 산화물(분자식은 M_aO_b이고 밀도가 D인 분자)의 분자량이고, m은 (밀도가 d인) 금속의 원자량이다. 식 (15.2)를 분석하면 R는 단지 생성된 산화물 체적 대 소모된 금속체적의 비임을 알 수 있다. $R < 1$인 경우 산화물의 체적은 금속기판을 덮기에 불충분한 경향을 보인다. 이때 초래되는 산화물 코팅은 다공질이고 비보호성의 경향을 띠게 된다. R가 1과 같거나 1보다 약간 큰 경우에 산화물은 보호성을 띠게 된다. R가 2보다 큰 경우에는 큰 압축응력이 산화물 내에 존재하여 코팅이 **박리**(spalling)로 알려진 과정에 의해 벗겨지게 된다. 표 15.5에 일반적인 용도로서 산화물 코팅의 보호성을 예측하는 데 사용되는 Pilling-Bedworth 비를 나타냈다. 비보호성 산화물은 일반적으로 1보다 작거나 2보다 큰 R값을 갖지만, 1과 2 사이의 R값을 갖는다고 해서 항상 보호성 코팅과 관련되어 있지는 않다. 보호성 코팅을 형성하는 데에는 R값뿐만 아니라 많은 인자가 도움을 주어야 한다. 열팽창계수가 유사하거나 좋은 밀착력을 갖는다는 것은 이런 추가적인 인자에 속한다.

널리 활용되는 두 가지 보호성 산화물 코팅은 양극산화 알루미늄과 스테인리스강의 피막이다. **양극산화 알루미늄**(anodized aluminum)으로는 보호성 산화물인 Al_2O_3를 입힌 광범위한 알루미늄 합금족을 들 수 있다. 하지만 산화물 코팅은 대기 중에서의 산화라기보다는 산성용액(acid bath) 중에서 형성된다. 스테인리스강은 11.1절에

표 15.5 다양한 금속산화물의 Pilling-Bedworth 비

Metal	Oxide	P-B ratio	Protectiveness[a]
Ca	CaO	0.64	NP
Mg	MgO	0.81	P
Al	Al_2O_3	1.28	P
Pb	PbO	1.28	NP
Cd	CdO	1.42	NP
Zr	ZrO_2	1.57	P
Zn	ZnO	1.58	NP
Cu	Cu_2O	1.67	P
Ni	NiO	1.70	P
Ti	Ti_2O_3	1.76	NP
Fe	FeO	1.78	P
U	UO_2	1.97	NP
Cr	Cr_2O_3	2.02	P
Si	SiO_2	2.27	P
Co	Co_2O_3	2.40	P
Ta	Ta_2O_5	2.47	NP
Mo	MoO_3	3.27	NP

[a] P: Protective, NP: Not Protective

출처: After D. A. Jones, *Principles and Prevention of Corrosion*, Macmillan, New York, 1992.

서 소개했다. 결정적인 합금 첨가는 크롬이며, 보호성 코팅은 철-크롬 산화물이다. 이 코팅에 대해서는 여러 가지 형태의 부식방지법 검토 부분에서 다시 다룰 것이다.

산화에 관한 내용을 마무리하기 전에 명심해야 될 것은 공업재료가 처하는 환경에서 산소가 화학적으로 반응성이 큰 유일한 성분이 아니라는 점이다. 어떤 조건에서 대기 중의 질소는 질화물 층을 형성한다. 더 일반적인 문제는 황화수소와 여러 가지 산업 공정에 내재하는 황을 지니는 기체로부터 나오는 황의 반응이다. 제트 엔진에서는 니켈기초합금(nickel-based superalloy)이라 하더라도 황을 포함하는 연소 생성물과 빠른 반응을 보이는데 (코발트의 자원량이 한정되어 있으나) 코발트기초합금이 대체 합금으로 사용될 수 있다. 대기의 영향이 아주 은밀히 진행되는 예는 **수소취성**(hydrogen embrittlement)인데, 여러 가지 공정에서 공통적으로 발견되는 수소기체는 타이타늄과 같은 금속으로 침투하여 들어가 상당한 내부 압력을 형성하고 또 반응을 일으켜 취약한 수소화합물을 형성하여 그 결과 연성이 저하하게 된다.

부식(corrosion)은 금속이 수용액 환경에 용해하여 들어가는 것이다. 금속 원자는 이온으로 녹아 들어간다. 이와 같은 **aqueous 부식**(aqueous corrosion)의 간단한 모형이 그림 15.17에 주어져 있다. **전기화학 전지**(electrochemical cell)에서 화학적 변화(예: 전극인 철의 부식)는 전기적 전류에 의해 수행된다. 그림 15.17에 예시되어 있는 구체적인 부식은 **농담 전지**(concentration cell)라고 불리며, 부식과 그로 인한 전

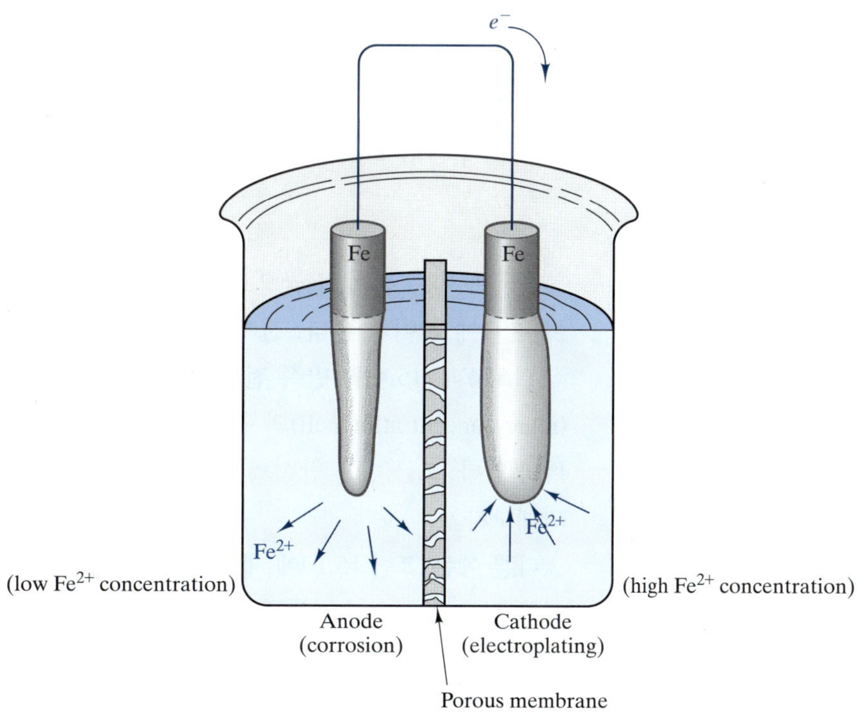

그림 15.17 이 전기화학 전지에서는 양극에서 부식이 일어나고, 음극에서는 도금이 진행된다. 양극의 '반쪽 전지' 반응의 구동력은 농도 차이이다.

그림 15.18 Cu^{2+} 이온 함유 수용액에서 회전하는 구리 디스크는 표면 가까이에 이온 농도 구배를 형성하게 된다. 회전하는 디스크 가장자리 근처에서 조금 더 빠르게 움직이는 면 바로 옆에서의 Cu^{2+} 농도가 낮아지고, 그 결과 가장자리가 산화전극으로 작용하여 부식하게 된다. 이는 그림 15.17의 이온 농도 전지와 유사한 문제이다.

류의 흐름은 이온 농도의 차이에서 기인한다. 전지 좌측에 위치한 금속봉은 **양극**(anode, 산화전극)으로서 금속이 녹으면서, 즉 부식되면서 외부 회로에 전자를 공급한다. **양극 반응**(anodic reaction)은 다음과 같이 나타낼 수 있다.

$$Fe^0 \rightarrow Fe^{2+} + 2e^- \qquad (15.3)$$

이 반응은 전체 전지 양편의 이온 농도를 평형화하는 경향이 있다. 양쪽 극 사이의 기공막은 양쪽 극의 확연한 농도 차이를 유지시켜 주면서, 양 방향으로의 Fe^{2+} 이온 수송이 가능하게 한다(그로 인해 전체 전기회로를 완성). 전지 우측에 위치한 금속봉은 **음극**(cathode, 환원전극)으로서, 다음의 **음극 반응**(anodic reaction)에 의해 금속 이온이 외부에서의 전자를 수용하여 중화된다.

$$Fe^{2+} + 2e^- \rightarrow Fe^0 \qquad (15.4)$$

음극에서는 전기 도금으로 알려진 과정을 통해 부식과는 반대로 중화된 금속이 전극에 쌓이게 된다. 전기화학 전지의 양극을 **반쪽 전지**(half cell)이라고 하며, 식 (15.3)과 (15.4)를 **반쪽 전지 반응**(half-cell reaction)이라고 한다. **이온 농담 전지**(ionic concentration cell)의 원리로 인해 실제로 부식이 일어나는 예가 그림 15.18에 나와 있다. 조금 다른 방식의 전기화학 전지와 관련된 다양한 부식의 예시에 대해 논의해보자.

다른 예는 그림 15.19에 제시된 **갈바닉 부식**(galvanic corrosion)이다. 갈바닉 전기화학 전지에서도 화학적 변화(예: 양극인 철의 부식)가 전류의 흐름을 동반한다. 전기화학 전지 좌측에 위치한 금속봉은 양극이며 다음과 같은 양극 반응에 의해 부식된다.

$$Fe^0 \rightarrow Fe^{2+} + 2e^- \qquad (15.5)$$

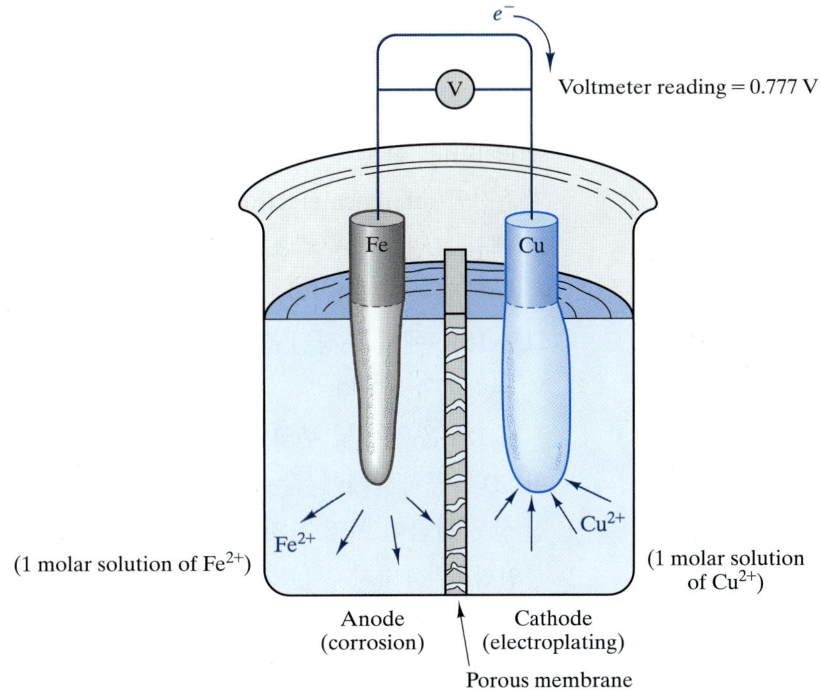

그림 15.19 갈바닉 전지는 종류가 다른 두 가지 금속으로 구성되고, 이온화 정도가 큰 금속이 부식된다.

이 반응은 전반적인 전지의 양편에서 이온 농도를 평형화하는 경향이 있다. 이 기공막은 Fe^{2+} 이온이 전지의 두 지역 사이의 이동을 가능하게 한다(그로 인해 전체 전기회로를 완성한다). 두 가지 서로 다른 금속이 수용액 중에서 동일한 각 이온 농도로 둘러싸여 있다고 하더라도 두 금속 사이에 전지가 형성될 수 있음을 보인다. 이 **갈바닉[4] 전지**(galvanic cell)에서 철봉은 Fe^{2+}의 1몰 용액에 둘러싸여 양극으로 부식된다(1몰의 용액은 1리터 용액에 1그램 원자량의 이온을 함유하는 용액이다). 구리봉은 Cu^{2+}의 1몰 용액에 둘러싸여 음극으로 Cu^0가 봉에서 '석출'된다. 음극 반응은 다음과 같다.

$$Cu^{2+} + 2e^- \rightarrow Cu^0 \tag{15.6}$$

그림 15.19의 전체 전지에서 구동력은 각각의 금속이 이온화하려는 상대적인 경향이다. 철봉으로부터 구리봉 쪽으로 전자의 순 흐름(net flow)이 발생하는데 그것은 철의 이온화 경향이 더 큰 결과이다. 0.777 V의 전압이 전체 전기화학적 과정에

4) Luigi Galvani(1737~1798)는 이탈리아 해부학자이다. 5.3절의 의료과학 분야에서 재료과학의 중요한 공헌과 같이 볼로냐대학교의 해부학 교수인 Galvani는 전기의 기본적 이해에 큰 공헌을 했다. Benjamine Franklin의 전기실험에서 착안하여 개구리 다리 근육을 이용하여 전류의 흐름을 관찰하다가 동과 철에 동시에 접촉할 경우 전류가 흐름에 주목하여 갈바닉 전지를 발명했다. 1820년에 전류 측정 장치가 고안되었을 때 Ampère(13.1절 참고)는 galvanometer로 명명하기를 제안했다.

관련된다.

갈바닉 전지에서 흔하게 발생하는 반쪽 전지 반응과 관련된 전압을 규칙적으로 수집하여 나열했다. 표 15.6에 주어진 것이 **기전력 시리즈**[electromotive force(emf) series]이다. 물론 반쪽 전지는 쌍으로만 존재한다. 표 15.6에 주어진 모든 emf값은 기준전극(reference electrode)에 대해 상대적으로 정의되며, 기준전극은 통상적으로 백금 표면상에서 수소 기체의 이온화로 정한다. emf 시리즈의 아래쪽에 있는 금속은 **활성**(즉 양극)이라고 말한다. 위쪽에 있는 금속은 **불활성**(즉 음극)이라고 한다. 그림 15.19에서 측정된 전체 전압은 두 반쪽 전지 전위의 차이[+0.337 V − (−0.440 V) = 0.777 V]이다.

표 15.6은 갈바닉 부식의 경향에서 유용한 가이드라인임에도 약간 이상론적인 면이 있다. 공학설계에서는 표준농도용액 중 순수한 금속이 관여되는 예는 드물다. 대신 상용 합금이 여러 가지 수용액 환경에서 사용된다. 이런 경우 표준전압의 표는 활성인가, 부식되지 않는가의 상대적인 경향을 간단하고 정성적인 순위로 나타내는 것보다 유용하지 않다. 한 가지 예로서 해수 중에서 **갈바닉 시리즈**(galvanic series)가 표 15.7에 실려 있다. 이 목록은 설계 엔지니어가 해양 적용 시 근접 재료의 상대적인 거동을 예측하는 데 유용한 가이드이다. 이 갈바닉 시리즈를 면밀하게 검토하면 합금 조성은 부식의 경향에 심각한 영향을 줄 수 있음을 알 수 있다. 예를 들어 탄소강은 시리즈의 활성인 끝부근에 있는 데 반해 몇몇 passive 스테인리스강은 가장 부식되지 않는 합금 가운데에 위치한다. 강과 황동은 꽤 멀리 떨어져 있으며, 그림 15.20은 갈바닉 부식을 이용한 전형적인 응용 예로 강 볼트가 해양의 환경에서 황동판을 죄는 데 선정된 경우이다. 그림 15.21은 두 가지 상으로 이루어진 미세구조가 작은 규모의 갈바닉 전지를 이루어 개별적이고 거시적 규모의 전극이 아니더라도 부식을 일으킬 수 있음을 보여준다.

지금까지의 예시는 양극에서의 부식과 음극에서의 도금되는 경우를 나타냈지만, 도금이 동반되지 않은 부식 작용의 경우도 많이 존재한다. 사실 이러한 경우는 상당히 일반적이다[예: 녹(rusting)]. 도금이 환원 전지 반응의 유일한 과정은 아니다. 그림 15.22는 **gaseous reduction** 반응에 기반한 화학전기 전지 모델을 예시한다. 양극 반응은 식 (15.3)에 의해 주어지며, 음극 반응은 다음과 같다.

$$O_2 + 2H_2O + 4e^- \rightarrow 4OH^- \tag{15.7}$$

2개의 물 분자는 4개의 전자를 소모하며 하나의 산소 분자를 4개의 하이드록실 이온으로 환원한다. 음극의 철은 전자의 유일한 공급원으로 작용하고, 도금되는 기질의 역할은 수행하지 않는다. 그림 15.22는 이온 농담 전지인 그림 15.17과 대비되어 **산소 농담 전지**(oxygen concentration cell)라고 명명된다. 실제적인 상황에서의 산화 전지에 대한 예시가 그림 15.23에 도시되어 있으며, 이는 부식에 의해 야기되는

표 15.6 기전력 시리즈

	Reaction	Standard potential versus standard hydrogen electrode (V)
Noble	$Au^{3+} + 3e^- = Au$	+1.498
	$Pt^{2+} + 2e^- = Pt$	+1.2
	$Ag^+ + e^- = Ag$	+0.799
	$Hg_2^{2+} + 2e^- = 2Hg$	+0.788
	$Fe^{3+} + e^- = Fe^{2+}$	+0.771
	$Cu^{2+} + 2e^- = Cu$	+0.337
	$2H^+ + 2e^- = H_2$	0.000
	$Pb^{2+} + 2e^- = Pb$	−0.126
	$Sn^{2+} + 2e^- = Sn$	−0.136
	$Ni^{2+} + 2e^- = Ni$	−0.250
	$Co^{2+} + 2e^- = Co$	−0.277
	$Cd^{2+} + 2e^- = Cd$	−0.403
	$Fe^{2+} + 2e^- = Fe$	−0.440
	$Cr^{3+} + 3e^- = Cr$	−0.744
	$Zn^{2+} + 2e^- = Zn$	−0.763
	$Al^{3+} + 3e^- = Al$	−1.662
	$Mg^{2+} + 2e^- = Mg$	−2.363
	$Na^+ + e^- = Na$	−2.714
Active	$K^+ + e^- = K$	−2.925

출처: After A. J. de Bethune and N. A. S. Loud, as summarized in D. A. Jones, *Principles and Prevention of Corrosion*, Macmillan, New York, 1992.

표 15.7 해수 환경[a]에서의 갈바닉 시리즈

Cathodic (noble)
Platinum
Gold
Graphite
Titanium
Silver
Zirconium
AISI Type 316, 317 stainless steels (passive)
AISI Type 304 stainless steel (passive)
AISI Type 430 stainless steel (passive)
Nickel (passive)
Copper-nickel (70-30)
Bronzes
Copper
Brasses
Nickel (active)
Naval brass
Tin
Lead
AISI Type 316, 317 stainless steels (active)
AISI Type 304 stainless steel (active)
Cast iron
Steel or iron
Aluminum alloy 2024
Cadmium
Aluminum alloy 1100
Zinc
Magnesium and magnesium alloys
Anodic (active)

[a] (Active) and (passive) indicate whether or not a passive, oxide film has been developed on the alloy surface.

출처: D. A. Jones, *Principles and Prevention of Corrosion*, Macmillan, New York, 1992.

손상의 전형적인 문제이다. 예를 들면 그림 15.23(a)의 표면 균열은 상대적으로 산소 농도가 낮은 침수 정체 부분이다. 결과적으로 부식은 균열의 끝에서부터 시작되어 균열의 성장으로 이어진다. 균열의 깊이가 증가할수록 산소의 결핍도 늘어나게 되고, 결과적으로 부식을 촉진한다. 우리에게 가장 친숙한 부식 문제인 철 합금의 녹슮은 양극 반응인 산소 환원의 한 예이다. 전체 반응은 그림 15.24에 모식화되어 있다. 녹은 철 표면에 침전된 반응 산물인 $Fe(OH)_3$이다. 지금 산소 환원을 예로 들고

POWERS OF 10

이 예시는 공학설계에서 고려해야 하는 가시적인 범위(밀리미터에서 미터 규모, 그림 15.20)와 비가시적인 범위인 마이크로 규모(그림 15.21)에서의 상관관계를 보여준다.

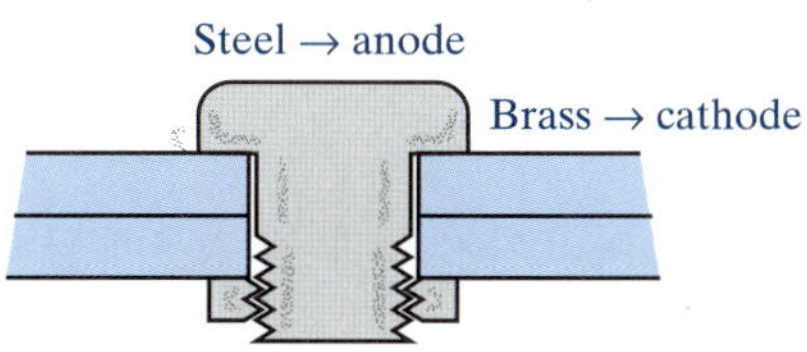

그림 15.20 동판과 철제 볼트가 결합되면 갈바닉 전지가 되어 그림 15.19의 시스템과 유사한 반응을 보인다.

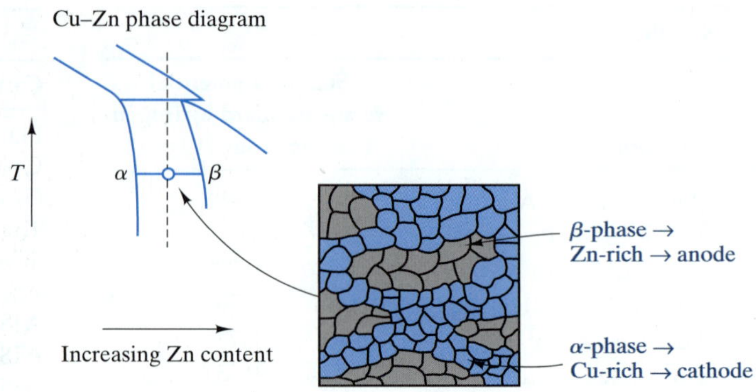

그림 15.21 갈바닉 전지는 마이크로 규모에서도 형성될 수 있다. 여기서 β동(bcc 구조)은 아연 성분이 증가하면 양극이 되고 α동(fcc 구조)은 구리 성분이 많아지면 음극이 된다.

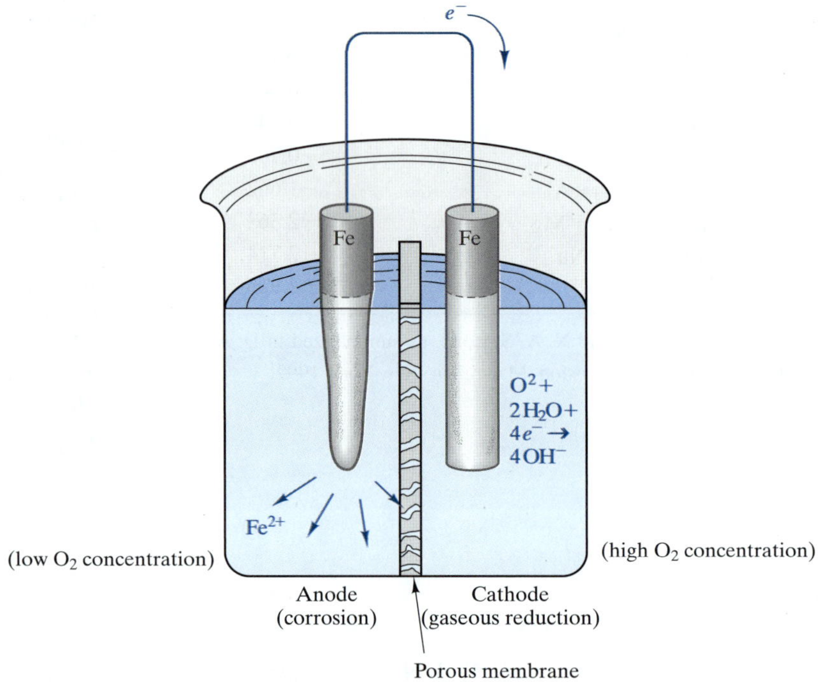

그림 15.22 산소 농담 전지에서의 구동력은 산소 농도의 차이이다. 부식은 산소 결핍의 양극에서 진행되고, 음극에 해당하는 환원 반응은 공기 중에서 일어난다.

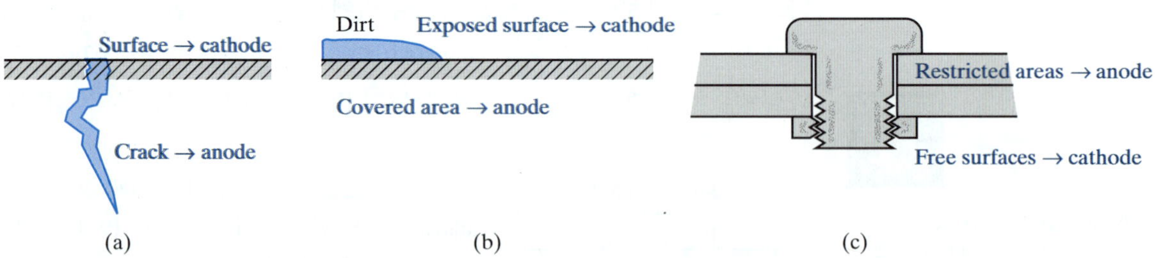

그림 15.23 산소 농담 전지 원리에 의한 부식의 여러 가지 실례. 각 경우에 금속 부식은 수분 존재하의 산소가 부족한 부분에서 일어난다.

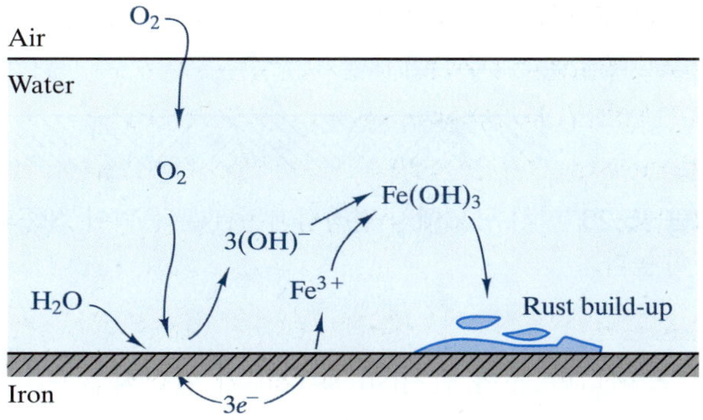

그림 15.24 철 합금의 녹슮은 gaseous reduction과 관련된 부식의 한 예이다.

있지만, 많은 기체상 반응은 음극으로서의 역할도 가능하다. 산(acid)에 담겨진 금속의 경우 음극 반응은 다음과 같다.

$$2H^+ + 2e^- \rightarrow H_2\uparrow \tag{15.8}$$

높은 농도의 수소 이온은 수소 기체로 환원되고, 수용액으로부터 배출된다.

부식에 이르는 다양한 화학적 인자 외에 **기계적인 응력**(mechanical stress)도 부식을 유발할 수 있다. 재료의 고응력 환경에 노출된 부분은 낮은 응력 부분과 비교하여 상대적으로 산화극의 역할을 하게 된다. 사실 응력이 쌓인 고에너지 상태의 금속은 이온화가 쉽게 일어난다. 그림 15.25(a)는 전기 화학 응력 전지의 모델을 나타내고

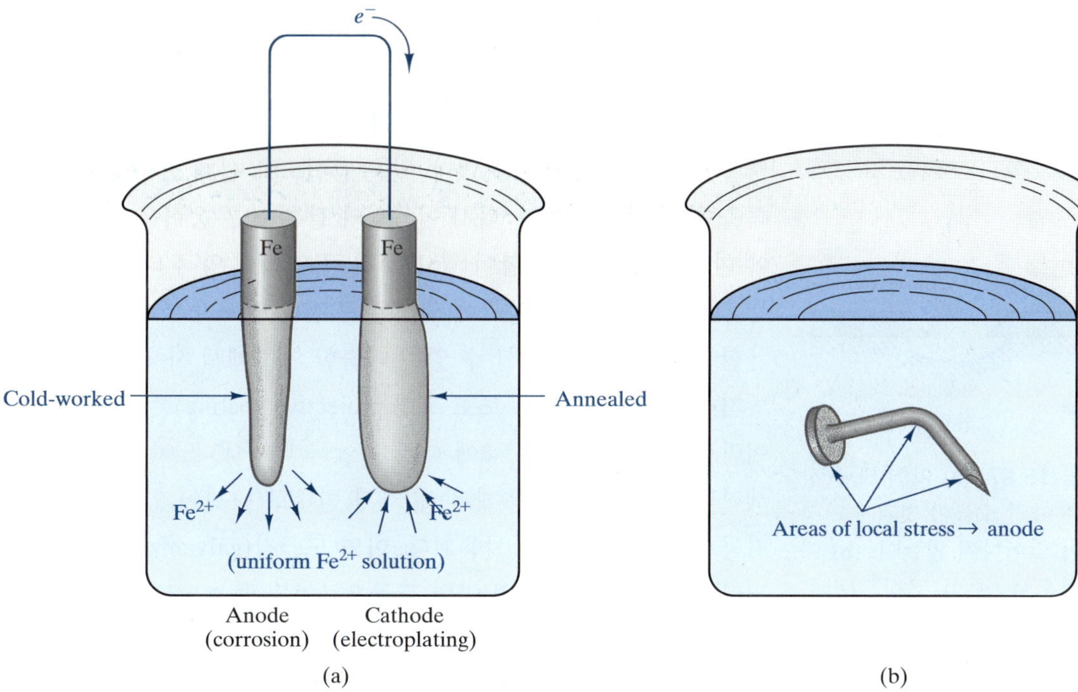

그림 15.25 (a) 전기화학 응력 전지 모델. 좀 더 높은 응력이 가해진 전극이 양극으로 작동하며 부식된다. (b) 응력 전지의 실례. 습식 환경에서 공정 중이나 사용 중에 응력에 노출된 못은 노출 부분이 부분적으로 부식된다.

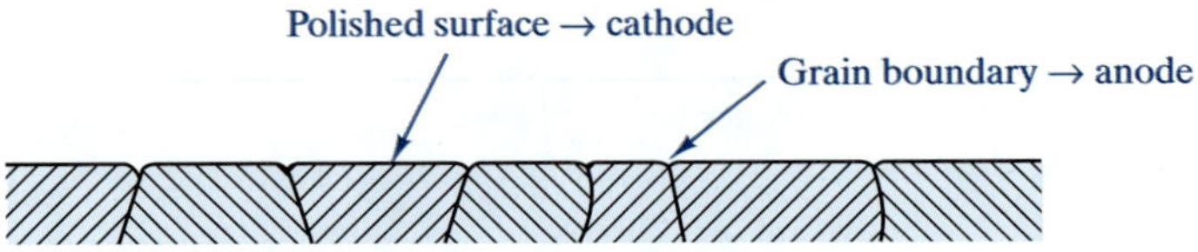

그림 15.26 미시 규모에서 결정립계는 부분 응력이 집중되는 장소이고 부식이 진행될 가능성이 높다.

있다. 이러한 **응력 전지**(stress cell)의 실질적인 예를 그림 15.25(b)에 나타냈다. 공정 과정이나 사용 중에 응력에 노출된 못은 지협적으로 부식이 진행된다. 결정립계(grain boundary)는 고에너지의 미세구조 영역이다(4.4절 참고). 결과적으로 결정립계는 부식 환경에서 쉽게 반응에 참여하게 된다(그림 15.26). 이러한 부식은 입계 파괴와 같은 문제의 원인이 될 수도 있겠지만 현미경 관찰용 연마 시편의 식각과 같은 유용한 공정이 되기도 한다.

이제 공학설계에서 원치 않는 부식을 방지하는 일반적인 방법을 검토할 필요가 있다. 현재 해마다 부식으로 인해 수십억 달러의 비용이 낭비되고 있다. 공기 중의 얇게 축적된 수분층조차도 금속 합금을 부식시키는 다습한 환경을 초래할 수 있다. 따라서 모든 엔지니어가 설계에 적합한 금속을 선택하는 데 중요한 요인 중 하나는 내부식성이다. 완벽한 부식 방지는 불가능하므로 부식을 최소화해야 한다. 다양한 부식 문제에 적합하고 넓은 범위의 방지 수단은 가능하다.

기본적인 부식 방지법은 적합한 **재료 선택**(materials selection)이다. 뱃놀이에 열중하는 사람은 배 본체의 황동 부분에 강철 볼트를 사용하지 않아야 한다는 사실을 빨리 습득한다. 재료공학자는 이 장의 내용을 주의 깊게 적용하여 주어진 부식 환경에 적합한 합금을 선택할 수 있다. 같은 방법으로 **설계 선택**(design selection)을 하면 부식을 최소화할 수 있다. 나사 이음쇠와 같은 높은 응력을 받는 부분은 가능하면 피해야 한다. 또한 전지 결합이 필요할 때 큰 영역의 양극 다음에 작은 영역의 음극이 오는 것을 피해야 한다. 양극에 생성된 큰 전류 밀도가 부식을 더 활성화하기 때문이다.

합금이 부식이 발생할 수 있는 다습한 환경에서 사용되어야 할 때 부식과 열화를 방지하는 기술이 있다. **보호 코팅**(protective coating)은 금속과 주변 환경 사이에 방어막을 제공한다. 표 15.8에 다양한 예를 나타냈다. 이 코팅은 기본 구성재료(금속, 세라믹, 고분자)에 대응해서 세 가지 범주로 나뉘어 있다. 크롬 도금은 전통적으로 자동차의 외장 장식에 사용된다. **아연 도금강**(galvanized steel)은 다른 원리로 적용된다. 그림 15.27을 보면 아연 도금으로부터 보호되고 있다. 아연은 철보다 양극성이 강하기 때문에 철은 음극이 되며 부식으로부터 보호된다. 아연 코팅면이 파손되더라도 철의 부식은 진행되지 않는다. 아연은 비활성 코팅과 비교할 수 있다[그림 15.27(b) 강 위의 주석 코팅]. 먼저 거론되었던 바와 같이 금속 표면의 안정된 산화피

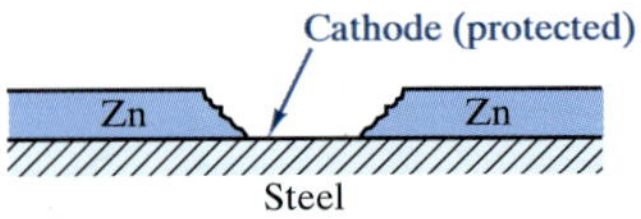

(a)

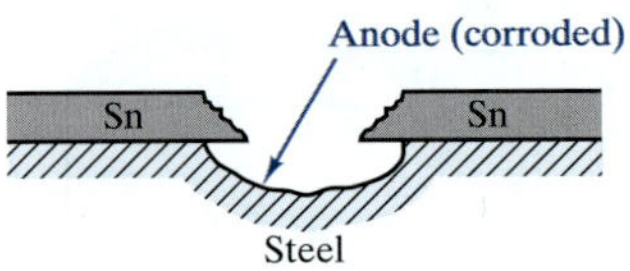

(b)

그림 15.27 (a) 아연 도금 강판은 아연 도금이 벗겨져도 부식이 일어나지 않는다. (b) 대조적으로, 주석 코팅 철판은 코팅이 완전한 상태에서는 안전하게 보호되나 코팅이 벗겨지면 강판에 우선적인 부식이 발생한다.

표 15.8 부식 방지를 위한 보호 코팅

Category	Examples
Metallic	Chrome plating Galvanized steel
Ceramic	Stainless steel Porcelain enamel
Polymeric	Paint

막은 부식을 방지할 수 있다. 스테인리스강 표면의 산화피막(Fe, Cr)이 전형적인 예이다. 그러나 그림 15.28에 이 재료의 한계점의 모식화를 예시했다. 과도한 가열(예: 용접)은 결정립계에서 크롬 카바이드 침전의 원인이 된다. 침전 인근 부분은 크롬의 농도가 감소하고 그 부분의 부식을 촉진한다. 산화 반응층의 대안은 세라믹 증착 코팅이다. **자기 에나멜**(porcelain enamel)은 모재의 열팽창 계수와 알맞은 값을 가지는 규산염 유리 코팅이다. 고분자 코팅은 보통 더 낮은 비용으로 비슷한 보호 효과를 볼 수 있다. 페인트는 가장 일반적인 예이다(유기 고분자 코팅인 에나멜 페인트와 규산염 유리인 자기 에나멜을 구분해야 한다).

아연 도금 강(표 15.8 참고)은 **희생 양극**(sacrificial anode)의 특별한 예이다. 일반적인 무코팅 **갈바닉 부식 방지법**(galvanic protection)의 예가 그림 15.29에 나와 있다. 다른 방법은 **인가전압**(impressed voltage)을 사용하는 것이다. 외부 전압은 전기화학 반응 때문에 발생하는 전압에 대항해서 사용된다. 인가전압은 부식 반응이 진

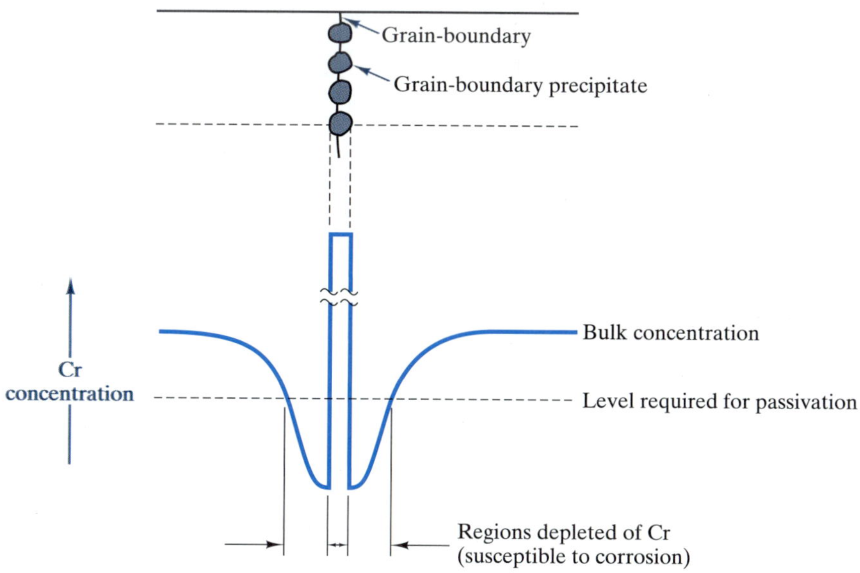

그림 15.28 스테인리스의 가열은 크롬 카바이드 입자를 촉진하고, 크롬이 고갈된 미세구조의 인근 부분을 부식이 쉬운 상태로 만든다. 이 효과는 용접된 스테인리스강 부품을 적용하는 것을 피하는 일반적인 이유이다.

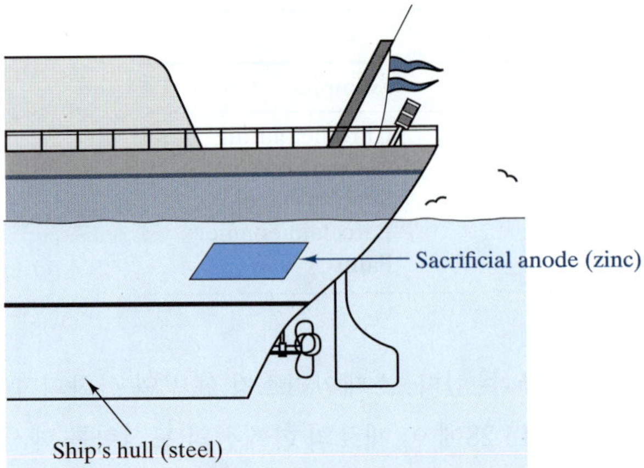

그림 15.29 희생 양극은 갈바닉 부식 방지법의 간단한 형태이다. 그림 15.27(a)의 아연 도금된 강은 이 부식 방지의 특별한 형태이다.

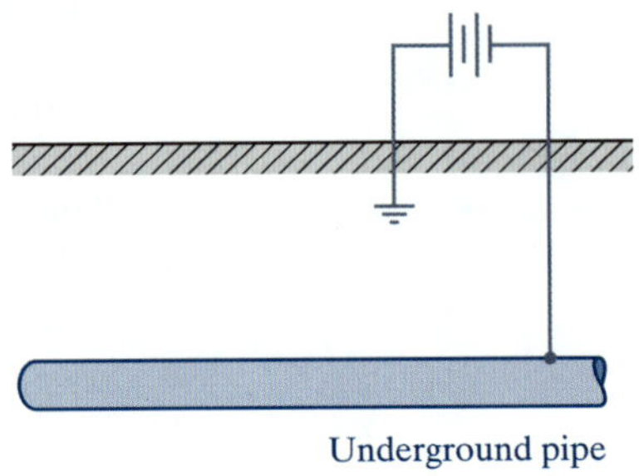

그림 15.30 인가전압은 부식 전위에 대응하는 갈바닉 부식 방지법의 한 형태이다.

행되는 데 필요한 전자의 흐름을 차단한다. 그림 15.30에 이 기술의 일반적인 예를 나타냈다.

부식 방지의 마지막 접근 방식은 부식률을 감소시키는 **억제제**(inhibitor)를 낮은 농도로 사용하는 것이다. 대부분의 억제제는 유기화합물이다. 이 유기화합물은 이전에 거론된 보호 코팅과 비슷한 효과를 보이면서 금속 표면에 흡착된 층을 이루는 형태이다.

세라믹과 고분자는 높은 전기 저항성 때문에 부식 메커니즘에 적용되지 않는다. 금속 표면의 세라믹과 고분자 보호 코팅의 사용은 이러한 비금속 재료가 불활성('inert')이라는 관점에서 비롯된다. 사실상 어떤 재료도 화학 반응이 일어나기 적합한 환경에 노출되면 당연히 해당되는 화학 반응이 일어날 것이다. 대체로 세라믹과 고분자는 금속이 주변 환경과 반응하는 것에 비해 상대적으로 저항성이 있다. 전기화학 메커니즘에 의한 부식에 해당하는 경우가 아니더라도 몇몇의 직접적인 화학 반응이 일어나는 곳에서는 해당 재료를 사용할 수 없다. 좋은 예로 물과 규산염의 반응을 들 수 있는데, 이 반응은 정적 피로 현상에 이르게 한다(8.3절 참고). 또한 주조 공정에서 용해된 금속의 화학 반응에 저항하기 위해 세라믹 내열물질이 가능한 많이 채택된다.

우리는 재료와 주변 환경의 화학 반응에 집중해왔다. 재료가 방사선에 노출되는 경우는 점점 증가하고 있다. 재료가 방사선 환경에서 견뎌야 하는 분야는 핵 발전, 방사능치료, 그리고 심한 방사선 환경에서의 통신위성에 사용되는 재료 등을 들 수 있다. **방사선**(radiation)에 의한 손상 형태는 전자기 방사선 스펙트럼 끝부분의 높은 에너지(짧은 파장) 및 중성자, 전자와 같은 소립자를 포함한다(그림 3.30 참고). 주어진 방사선 형태에 대한 다른 재료의 반응은 매우 다양하다. 마찬가지로 주어진 재료는 다른 방사선 형태에 의해 전적으로 다르게 영향을 받는다. 방사선은 또한 전기적,

자기적 재료의 성능에 강하게 영향을 미칠 수 있다. 통신위성에 사용되는 반도체에 대한 방사선 손상은 설계에서 중요한 제한사항이 될 수 있다.

방사선 손상과 같이 **마모**(wear)는 일반적으로 재료 열화의 (화학적이라기보다는) 물리적인 형태이다. 특히 마모는 기계적인 작동으로 인한 재료 표면의 제거 현상으로 정의할 수 있다. 상대적으로 압도적으로 큰 마모량은 필요하지 않다(1,500 kg의 자동차는 미끄럼 접촉 표면에서의 단 몇 그램의 손실로 인해 '닳아 헤진' 상태가 될 수 있다). 마모의 체계적인 연구는 이 현상에서 몇 개의 해석 단서를 드러냈다. 마모의 네 가지 중요한 형태가 확인되었다. (1) **응착 마멸**(adhesive wear)은 2개의 부드러운 표면이 서로 미끄러지고 이때 한 표면으로부터 파편이 떨어져 나와 다른 쪽에 점착할 때 나타난다. 이 범주의 과정은 접촉 표면에 교차한 인접 원자 간의 강한 접합 혹은 점착력으로부터 나타난다. (2) **연삭 마멸**(abrasive wear)은 거칠고 딱딱한 표면이 부드러운 표면 위에서 미끄러질 때 나타난다. 그 결과는 부드러운 재료의 연속된 홈과 마모 입자의 형성으로 나타난다. (3) **표면 피로 마멸**(surface-fatigue-wear)은 궤도를 따라서 미끄럼 혹은 구름이 반복되는 중에 나타난다. 표면 혹은 표면 아래의 균열이 형성 표면의 파괴에 이르게 된다. (4) **부식 마모**(corrosive wear)는 부식 환경에서 미끄럼 운동을 하고 물론 마모의 물리적 효과에 화학적 열화도 더해질 때 발생한다. 그러한 미끄럼 운동은 부동태 층을 파괴할 수 있고, 그것에 의해 높은 부식률을 유지할 수 있다. 수성 부식과 기계적 마모의 결합은 추가적인 환경 열화를 유발한다. 8장에서 처음 소개했던 예인 **응력부식 파괴**(stress-corrosion cracking)와 **부식 피로**(corrosion fatigue)가 여기에 해당된다.

비금속 구조 재료는 뛰어난 마모 저항성 때문에 자주 선택된다. 고경도 세라믹은 일반적으로 뛰어난 마모 저항성을 갖는데, 예를 들어 산화알루미늄의 경우에 안정화된 산화지르코늄과 탄화텅스텐(코팅제)을 부분적으로 안정화하는데, 15.2절의 세라믹으로 만든 인체의 고관절이 좋은 예이다. 고분자와 고분자 기질 복합재료는 베어링, 캠, 기어, 미끄럼 부품에 사용되던 기존 금속재료의 대체품으로 사용되고 있다. PTFE는 자기 윤활 고분자의 예로서 마모 저항에 널리 사용된다. PTFE의 섬유 강화는 마모 성능의 저하 없이 기계적 특성을 향상한다. 유사하게 탄소나노튜브로 보강된 금속이나 세라믹 기질 복합재료는 탁월한 내마모성을 보인다. 또 다른 흥미로운 예가 이 장의 마지막 '재료의 세계'에 소개되어 있다.

예제 15.4

주어진 Cu_2O의 밀도는 6.00 Mg/m^3이다. 구리의 Pilling-Bedworth 비를 계산하시오.

풀이

Pilling-Bedworth 비는 식 (15.2)로 정의된다.

$$R = \frac{Md}{amD}$$

Cu_2O 외의 추가적인 데이터는 부록 1을 참고한다.

$$R = \frac{[2(63.55) + 16.00](8.93)}{(2)(63.55)(6.00)}$$
$$= 1.68$$

이것은 표 15.5에 주어진 값과 유사하다.

예제 15.5

(그림 15.17과 같은)이온 농담 부식 전지의 실험실 측정에서 10 mA의 전류가 측정되었다. 식 (15.3)에서 보여준 반응이 초당 몇 번이나 일어났는가?

풀이

전류는 전자 흐름의 속도이다.

$$I = 10 \times 10^{-3}\text{A} = 10 \times 10^{-3}\,\frac{C}{s} \times \frac{1\,\text{electron}}{0.16 \times 10^{-18}\text{C}}$$
$$= 6.25 \times 10^{16}\,\text{electrons/s}$$

각 철 이온의 산화는[식 (15.3)] 2개의 전자를 생성한다.

$$\text{반응 속도} = (6.25 \times 10^{16}\,\text{electrons/s})(1\text{ reaction/2 electrons})$$
$$= 3.13 \times 10^{16}\text{ reactions/s}$$

예제 15.6

그림 15.19와 유사한 갈바닉 전지를 실험으로 실현하는데 전극으로서 아연과 철을 사용해야 한다고 가정하자. (a) 어느 쪽 전극이 부식될 것인가? (b) 만일 전극이 각각의 이온 1몰 용액에 담겨 있다고 하면 전극 사이에 측정된 전압은 얼마인가?

풀이

(a) 표 15.6을 보면 아연이 철에 대해 양극이라는 것을 알 수 있다. 그러므로 아연이 부식할 것이다.

(b) 다시 표 15.6을 이용하면 전압은 다음과 같이 계산된다.

$$\text{전압} = (-0.440\text{ V}) - (-0.763\text{ V}) = 0.323\text{ V}$$

예제 15.7

그림 15.22와 같은 산소 농담 전지에서 100 g의 철을 부식시키기 위해 음극에서

소모되어야 하는 산소 기체의 부피를 STP 조건하에서 구하시오[STP 조건은 0°C(=273 K)와 1 atm].

풀이

부식 반응[식 (15.3)]과 기체 환원 반응[식 (15.7)]의 연결은 전자의 생성(소모)과 관련되어 있다.

$$Fe^0 \rightarrow Fe^{2+} + 2e^- \tag{15.3}$$

$$O_2 + 2H_2O + 4e^- \rightarrow 4OH^- \tag{15.7}$$

1몰의 철은 2몰의 전자를 생성하지만, 2몰의 전자를 소모하기 위해서는 $\frac{1}{2}$몰의 산소 기체가 필요하다. 부록 1의 데이터를 사용하면

$$\begin{aligned}\text{moles of } O_2 \text{ gas} &= \frac{100 \text{ g Fe}}{(55.85 \text{ g Fe/g}\cdot\text{atom Fe})} \times \frac{\frac{1}{2}\text{ mole } O_2}{1 \text{ mole Fe}}\\ &= 0.895 \text{ mole } O_2.\end{aligned}$$

이상 기체 법칙과 STP 조건을 이용하여 다음과 같은 계산을 할 수 있다.

$$pV = nRT \quad \text{또는} \quad V = \frac{nRT}{p}$$

$$\begin{aligned}V &= \frac{(0.895 \text{ mole})(8.314 \text{ J/mol}\cdot\text{K})(273 \text{ K})}{(1 \text{ atm})(1 \text{ Pa}/9.869 \times 10^{-6} \text{ atm})}\\ &= 0.0201 \frac{\text{J}}{\text{Pa}} = 0.0201 \frac{\text{N}\cdot\text{m}}{\text{N/m}^2}\\ &= 0.0201 \text{ m}^3\end{aligned}$$

연습문제 15.4

(a) 예제 15.4에서 구리의 Philling-Bedworth 비를 계산했다. 이러한 경우 Cu_2O가 형성된다고 가정할 수 있다. 대체하는 CuO의 형성을 위한 Philling-Bedworth 비를 계산하시오(CuO의 밀도는 6.40 Mg/m^3). (b) 보호 피막이 되는 CuO를 만들어 낼 수 있는가? 간략히 설명하시오.

연습문제 15.5

예제 15.5에서 설명한 실험에서 식 (15.4)에서 주어진 환원(도금) 반응은 초당 몇 번 일어나는가?

연습문제 15.6

예제 15.6에서 간단한 아연-철 전극으로 구성된 갈바닉 전지를 분석했다. 1몰 이온 용액에 침지되어 있는 구리-아연 전극으로 구성된 갈바닉 전지에 대해 유사한

분석을 하시오.

연습문제 15.7

STP 조건하에서 100 g 크롬을 부식시키기 위해 소모되는 산소 기체의 부피를 계산하시오(이 경우 3가 Cr^{3+} 이온이 양극에서 존재함)(예제 15.7 참고).

설계에서 환경적 관점

공학설계 분야에서 재료의 대체를 위한 구동력은 경제적인 면과 환경적인 면으로 볼 수 있다. 공공정책(public policy)은 점진적인 공해 배출의 감소를 위해 산업 전반에 경제적인 불이익을 감수하더라도 오염 배출의 감소를 요구하고 있다. 미국에서는 환경보호국(Environmental Protection Agency, EPA)이 환경수행(environmental performance)에 관한 많은 규정을 관장하는데 지난 50여 년간의 주요 환경 관련 입법은 표 15.9에 요약되어 있다. EPA에 의한 이러한 규정의 집행은 형법으로 다루며 유사한 수준의 규정이 각 주에 존재한다. 환경 규정을 준수함에 따른 인센티브는 충분히 크므로 공학설계과정에서 규제 수용을 구체화하는 체계적 전략이 진행된다. 특히 **환경을 위한 설계**(design for the environment, DFE)는 '요람에서 무덤까지' 환경 및 에너지 영향의 평가를 주어진 제품설계에 포함하여 **수명주기 평가**(life-cycle assessment, LCA)를 수행하는 것을 일컫는다. **환경영향평가**(environmental impact assessment, EIA)는 LCA와 관련되는데 잠재적 주요 문제를 확인하도록 배출 영향에 관한 연구를 구조화하는 것이 그 목적이다. 분명히 환경 규정은 중요한 새로운 용어를 창출했고 이를 간단히 **녹색공학**(green engineering)이라고 부르기도 한다.

엔지니어는 향상된 환경 성능을 설계에 통합해야 하는 책임이 점점 더 커지고 있다. 15.1절에서 소개한 재료물성도표를 떠올리면, 그림 15.31은 다양한 건축 자재에 대한 입방 미터당 내재 에너지에 대해 도식화된 공통 구조 설계 매개변수인 밀도를 보여준다. 여기서 **내재 에너지**(embodied energy)는 전체 수명주기 동안 재료와 관련된 모든 에너지 소비의 합으로 정의될 수 있다. 에너지에 대한 완전한 감사와 진단에는 원자재 추출, 운송, 처리 및 최종 폐기가 포함된다.

POWERS OF 10

나노 기술과 공중보건 보장 관련 초미세 입자. 100 nm 이하의 입자가 호흡기와 관련된 문제를 야기할 수 있다는 사실에 근거하여 나노 기술 관련 업계에서는 다량의 나노 입자를 취급하는 동안 나노 입자 공기로의 유출을 최소화하는 데 최대한의 노력을 기울이고 있다. 이러한 문제는 전통적인 산업이나 화산 활동, 화로 내 연소 등 자연적이거나 전통적인 산업에서 발생하는 초미세 입자보다 더 관심을 기울여야 하는 사항이다.

환경오염 감소를 위한 노력의 예로서 국가유해공해물배출표준(National Emission Standard for Hazardous Air Pollutants, NESHAPS)이 있는데 이것은 청정공기법(표 15.9 참고)의 40장 112절이다. NESHAPS는 표 15.10에 수록된 화학물질의 배출을 규제하며, 이 책 앞부분에서 다룬 많은 일반 재료 공정 처리 기술의 부산물에 대한 여러 가지 조합의 배출도 규제한다.

대기 중 **연무**(aerosol)로 알려진 공기 중의 입자는 환경 규제의 초점으로 중요성이 증가하고 있다. 이런 공해의 잠재적 치명성이 종종 알려지는데, 특히 유명한 예로 1952년 런던에서 1주일 내내 연무가 지속된 경우가 있었다. 이때 수천 명의 어린

표 15.9 미국의 환경법[a]

Clean Air Act (CAA), 1970	Controlled chemicals list, which allowed EPA to assess risk and act to prevent harm. EPA is allowed to enforce the law without proof of harm. In 1990, the Maximum Achievable Control Technology (MACT) was established in place of previous public health standards. Emission levels are set by EPA or the states (reauthorized 1996, amendments 1977, 1990, 1995).
Clean Water Act (CWA), 1972	Gave the EPA authority to control industrial discharge to water by imposing discharge requirements to industry, placing special controls on toxic discharge and requiring a variety of safety and construction measures to reduce spills to waterways.
Toxic Substances Control Act (TSCA), 1976	All new (toxic) substances or new uses of substances entering the marketplace are evaluated for health and environmental effects.
Resource Conservation and Recovery Act (RCRA), 1976	Clarified waste disposal issues and established cradle-to-grave control of hazardous waste.
Comprehensive Environmental Response, Compensation, and Liability (CERCLA), 1980	Reauthorized and amended RCRA, clarified responsibility and liability of parties involved in hazardous material management, established Superfund to pay for remediation (by 1984, the EPA identified 378,000 sites requiring corrective action).
Hazardous and Solid Waste Amendments (HSWA), 1984	Step up national efforts to improve hazardous waste management.
Emergency Planning and Community Right to Know Act (EPCRA), 1986, also known as Superfund Amendments and Reauthorization Act (SARA)	Section 313 of Title III of this act includes the Toxics Release Inventory (TRI), which makes hazardous waste and toxins a matter of public record. This act sets fines for violations.
Pollution Prevention Act (PPA), 1990	Establishes hierarchy of Pollution Prevention (PP or P^2) and places source reduction at the head of the list for pollution prevention. Firms that must report under TRI must also report level of pollution-prevention accomplishments.
Examples of Nonlegislative EPA Measures/Actions	
Environmental auditing, 1986	The EPA attempts to formalize procedures for environmental auditing by developing a generic protocol for environmental auditing.
Industrial Toxics Project (33/50 Program), 1991	Companies with large releases of the 17 chemicals of the TRI reported with largest volume releases were asked to target 33% reduction by 1992 and 50% reduction by 1995. This is a voluntary measure. There are hopes to foster a pollution-prevention ethic in business.

[a] After S. T. Fleischmann, "Environmental Aspects of Design," in *ASM Handbook, Vol. 20: Materials Selection and Design*, ASM International, Materials Park, OH, 1997, pp. 131–138.

표 15.10 국가 방출 규제 대상 대기오염 위험 화학물질(NESHAPS)[a]

Asbestos	Rn–222
Benzene	Radionuclides
Beryllium	Copper
Coke oven emissions	Nickel
Mercury	Phenol
Vinyl chloride	Zinc and zinc oxide
Inorganic arsenic	

[a] After S. T. Fleischmann, "Environmental Aspects of Design," in *ASM Handbook, Vol. 20: Materials Selection and Design*, ASM International, Materials Park, OH, 1997, pp. 131-138.

이와 노인이 높은 수준의 매연과 아황산가스 때문에 사망했다. 1970년의 청정공기법(Clean Air Act, CAA) 이래로 EPA는 공기 중 입자 수준을 50 μm로 제한했다. 그러나 건강에 관한 연구에서 조대한 입자는 인체 호흡기에서 안전하게 걸러짐을 알았다. 1987년 이래 EPA는 환경에 문제가 되는 입자의 크기를 직경 10 μm 이하로 제한하고 이것을 간단히 **PM10**이라 부른다. 1990년대 여러 연구에 의해 더 큰 건강

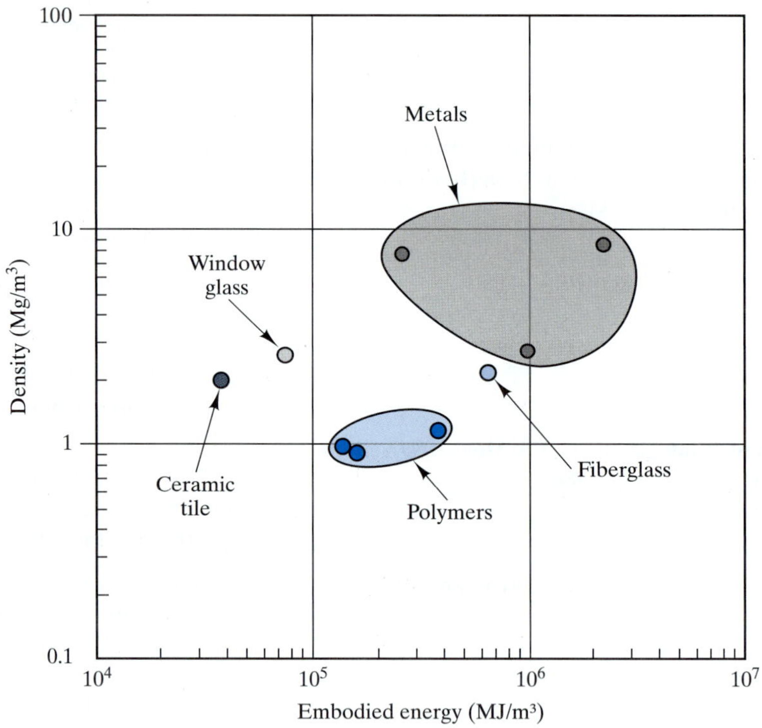

그림 15.31 건축 자재에 대한 밀도 대 내재 에너지의 재료물성도표를 통해 환경 성능을 초기 단계에서 공학설계공정에 통합할 수 있다. [밀도 데이터는 부록 4와 다양한 산업 소스의 요약에서, 내재 에너지 데이터는 EPiC(Environmental Performance in Construction) 데이터베이스에서 가져옴]

표 15.11 도시 환경에서 2.5 μm 이하(PM2.5) 금속 입자 물질의 분포[a]

	Concentration (ng/m^3) for size range:				
	0.069~0.24 μm	0.24~0.34 μm	0.34~0.56 μm	0.56~1.15 μm	1.15~2.5 μm
Vanadium	2.5	6.10	10.5	12.2	8.60
Nickel	1.3	4.40	7.7	4.5	0.50
Zinc	17.6	46.30	140.4	189.4	39
Selenium	<0.3	0.32	3.0	1.4	0.65
Lead	71.4	47.60	59.9	69.9	25.40

[a] Averaged data collected over a 6-day period in November 1987 in Long Beach, California, by T. A. Cahill et al., University of California, Davis.

표 15.12 세계무역센터 붕괴 현장 화재로 유출된 규소와 황 함유 입자의 크기 분포[a]

	Concentration ($\mu g/m^3$) for size range:			
	0.09~0.34 μm	0.34~0.75 μm	0.75~2.5 μm	2.5~12 μm
Si[b]	4.3	2.1	5.5	26.5
S[c]	30.9	13.3	3.7	2.5

[a] 사고 현장의 북북동 방향 1.8 km 지점의 지상 50 m에서 2011년 10월 3일에 수집한 자료의 평균 수치(by T. A. Cahill et al., University of California, Davis)

[b] 연기 내 먼지의 광물 함량 관련

[c] WTC 지하에 저장되어 있던 기름과 연료의 연소에서 발생한 설페이트 관련

상 위험은 더욱 미세한 직경인 2.5 μm 이하(**PM2.5**)의 대기 중 연무에 의한다고 알려졌고, EPA는 1997년에 PM2.5에 대한 배출표준을 도입하였다. 계속되는 연구에 따르면 가장 큰 위험은 크기가 100 nm 미만인 에어로졸로 정의되는 **초미세 입자**(ultrafine particle)에서 기인된다. 산업화된 도시 환경의 PM2.5 내의 미세 금속 입자의 분포에 대한 자세한 예가 표 15.11에 요약되어 있다. 다른 예로 표 15.12는 같은 연구단에서 제시한 뉴욕시의 9/11 테러(2011년 9월 11일) 발생 후 한 달 이내의 자료를 보이고 있다. 이 자료는 12월 중반까지 지속되었던 화재에 의해 발생한 먼지, 진하고 매캐한 연기 등에 대한 환경적 위험성을 알려준다. 규소는 화재에서 발생하는 먼지 속 광물 함량과 조대한 입자의 크기가 큰 부분에서 함량이 많은 것으로 조사되었다. 규소 관련 자료는 세계무역센터(WTC) 건물 아래에 저장되어 있던 많은 양의 디젤 연료와 오일의 연소로부터 형성된 설페이트(sulfate)와 관련이 있고, 위험성이 큰 미세 입자와 연관되어 있다.

재활용과 재사용

주변 환경에 대해 불활성인 물질은 **재활용**(recycling)의 가능성이 있으며 알루미늄 음료캔이 재활용이 가능한 좋은 예이다. 재활용의 정반대 경우로는 완전히 생분해(biodegradable)되는 재료를 들 수 있다. 예를 들어 종이 냅킨은 일시적인 시각적 오

표 15.13 다섯 가지 재료 범주의 재활용 특성

범주	특성
금속	많은 상업용 합금은 재활용 가능함. 알루미늄 캔이 대표적으로 재활용이 가능한 예임. 다른 재료 설계 구성으로 만들어진 재료는 재활용 어려움.
세라믹 및 유리	결정질 세라믹은 일반적으로 재활용되지 않음. 유리 용기는 대부분 재활용 가능함. 이종 재료의 조합으로 이루어진 경우 재활용 어려움.
고분자	열가소성 고분자에 대한 재활용 코드 시스템이 확립되어 있음. 열경화성 고분자는 일반적으로 재활용되지 않음. 열가소성 탄성체 이외의 탄성체는 일반적으로 재활용 어려움.
복합재료	서로 다른 재료의 고유한 미세 규모 조합으로 인해 재활용이 비실용적임.
반도체	표면회로가 제거된 웨이퍼의 재생은 널리 시행되고 있음. 기타 고체 및 화학 폐기물의 관련 재활용은 "Fab" 수준에서 수행됨.

염일 수 있지만 상대적으로 짧은 시간 후에 악화된다. 알루미늄과 같은 재료를 재활용할 때 상당한 에너지 절약과 그에 따른 오염 배출 감소가 있을 수 있다. 재활용과는 다른 개념으로, 재료의 **재사용**(reuse)이 점점 더 강조되고 있다. 실용성이 있는 경우 재료의 재사용은 재처리에 비해 시간, 비용, 에너지 및 자원을 절약할 수 있다.

표 15.13에는 이 책에서 논의한 5개 범주의 공업재료에 대한 재활용 가능성을 종합하여 나타냈다. 금속재료를 살펴보면 알루미늄 합금이 재활용되는 대표적인 예이다. 알루미늄의 재활용 시 소모되는 에너지는 초기 알루미늄 생산 공정과 비교하면 적은 양일 뿐만 아니라 많은 상업용 알루미늄은 불순물 성분을 수용할 수 있도록 설계되어 있다. 또 다른 예로는 철 및 비철 합금을 들 수 있으며 이 중 많은 종류가 재활용이 가능하다. 금속재료의 재활용에서 때로는 합금 개체의 특성보다는 설계 배열상의 결과 때문에 제한을 받게 된다. 이러한 예로는 이 절에 소개했던 아연 도금 강과 비금속 부품에 고정시킨 리벳(rivet)을 들 수 있다. 일반적으로 서로 비슷하지 않은 재료의 조합은 재활용을 어렵게 한다.

전자제품에 사용되는 부품을 연결하기 위해 사용되는 납땜의 사용 증가는 주된 환경오염의 관심사이다. 전자제품이 많이 사용되는 가정과 사무실에 납땜에서 사용되는 독성 물질인 납을 유포하는 결과를 낳게 되며, 짧아지는 전자제품의 제품 수명은 이러한 오염을 가속화한다. 이러한 문제점에 대한 대응책으로 유럽연합과 일본은 납땜 사용에 대한 엄격한 규제 법안을 만들고 있다. 유럽연합에서는 Restriction on Hazardous Substances(RoHS) Directive로 2006년 7월 1일 이후로 납땜 사용 제품의 판매를 금지하고 있으며, 일본은 전기 및 전자 장비 처리 시 원제작자가 재활용에 대한 책임을 지도록 하고 있다. 이러한 규제는 납땜이나 제품 조립에 사용되는 다른 유해 물질을 분리하여 처리하는 작업에 엄청난 규모의 추가 비용을 발생시킨다.

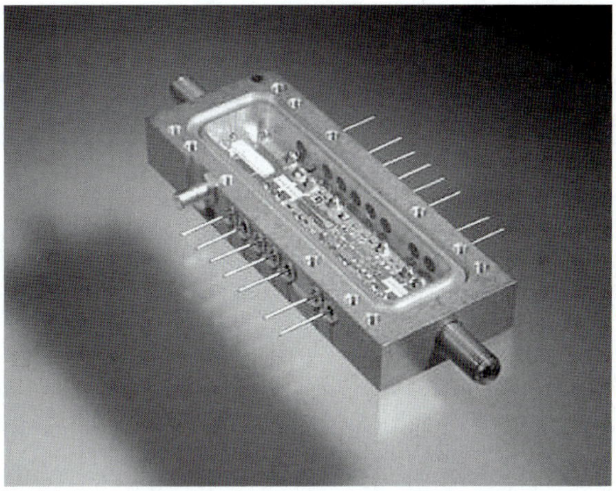

그림 15.32 전형적인 유연 납땜 미세회로 패키지는 무연 합금으로 교체되고 있다. (Courtesy of Michael T. Powers, Agilent Technologies.)

생산자들은 전 세계 시장에서 큰 부분을 점유하는 유럽이나 일본에서 시행되고 있는 안전 관련 규제로 인해 납을 사용하지 않는 접합 물질을 사용하려고 한다. 9장의 납-주석 상태도에 관한 설명에서 납을 포함하는 접합물질의 거동에 대해 다루었다. 납을 제외하면서 납과 같은 접착력을 보이는 합금 조성을 찾으려는 노력을 기울이고 있으며, 대체 물질은 물론 인체에 무해한 물질이어야 한다. 새로 개발되는 접합물질은 기존 특허를 피해가야 하며, 기존 설비를 이용하여 생산이 가능한 공정을 사용하거나, 최소한의 공정 수정으로 제품 생산이 가능해야 한다. 최종적으로 가격 경쟁력도 있어야 한다.

하나의 예로 캘리포니아대학교 데이비스 캠퍼스의 중견 설계 팀은 Agilent Technologies와의 공동 연구를 통해 납을 대체할 수 있는 62Sn-36Pb-2Ag 합금을 개발했다. 연구진은 90Sn-10Au 합금이 납땜 대체 물질로 사용 가능함을 확인했다(그림 15.32). 고가인 금이 납 대신 사용되기는 하지만 그 사용량이 상대적으로 적어 가격 경쟁력을 확보할 수 있다.

유리용기는 알루미늄 캔처럼 재활용이 가능한 것으로 잘 알려져 있다. 재활용될 유리[컬렛(cullet)]와 원료(모래와 나트륨 및 칼슘의 탄산염)를 관례에 따라 배합해 유리용기를 제작하고 이 과정에서 재활용 유리의 사용으로 생산율을 높이고 공해 배출을 감소시킨다. 이러한 장점이 있는 반면 몇몇 제한사항이 있다. 재활용 유리를 사용할 유형(용기 대 판)과 색깔(투명 대 다양한 색깔)별로 세심하게 분류해야 하며, 또한 고분자를 피복시킨 유리용기는 앞서 설명한 바와 같이 서로 다른 재료를 조합한 예로서 재활용을 더욱 힘들게 한다. 유리와는 대조적으로 결정질 세라믹 제품은 일반적으로 재활용되지 않는다. 과거 재사용 이력이 있는 유리병(예: 유리 우유병)은 다양한 음료와 유제품을 병당 평균 5회까지 리필이 가능하도록 만들기 위한 노력

재료의 세계

나노 기술

클린턴 대통령이 2000년 연두교서연설에서 나노 기술의 가능성에 대해 극찬한 사건은 새롭고 흥미로운 나노 기술이라는 개념이 대중에게 소개되는 계기가 되었다. 나노 관련 연구를 수행하던 과학자들은 이 분야에 대한 대중적인 관심을 환영했다. 이 책에서 논의했던 재료의 구조적인 측면은 1~100 nm 수준의 영역(**나노 규모**)을 관찰하는 것이다. 나노 기술은 단순히 나노미터 수준의 현상을 관찰하는 것이 아니라 기능적 공학설계에서 어떠한 방법으로 나노 규모의 현상을 조절할 수 있는가에 관한 연구 분야이다.

나노 기술과 나노 공학에 관한 개념은 1959년 물리학자 Richard Feynman의 'There's Plenty of Room at the Bottom'이라는 주제의 강연에서 시작되었다. 원자 영상과 나노 제작 등과 관련된 선구적인 업적은 2000년 대통령의 나노 관련 연설을 뒷받침하여 관련 분야의 연구 활성화가 본격화되었고, 미국의 U.S. National Nanotechnology Initiative와 유럽과 일본의 유사한 투자를 유도했다. 나노 기술에 대한 좋은 예는 3장에서 소개했던 탄소 나노 튜브(CNT)를 이용하여 복합재료의 성능을 개선한 연구이다. 12장에서는 섬유 강화 복합재료가 연성 기질의 기계적 성질을 개선하는 메커니즘을 나노 측면에서 설명했다. CNT를 이용한 복합재료는 기존의 섬유 강화 복합재료 대비 현격하게 증가한 물성의 재료로 개발되었고, 이 소재는 NASA의 '목성에 대한 주노 임무'에 다양한 구조 재료로 응용되었다. CNT 기반 직포 소재는 우주의 방사선과 전자기장으로부터 전자제품과 케이블을 보호하는 구리의 경량 대체 재료로 사용되었다.

1장에서 언급한 바와 같이 구조와 재료 성질에 관한 연관 연구는 재료과학에서 가장 기본적이고 중요한 분야이다. 이러한 연관 관계는 나노 기술의 발전 없이는 현재와 같이 발전하지 못했을 것이다. 기계적 및 전자기적 성질 외에도, 13장에서 논의했던 양자샘, 양자와이어와 양자점은 반도체 디바이스에서 유례없이 빠른 구동 속도를 구현했다. 또한 양자점은 특성적인 광학적 성질을 나타냄이 발견되었다. 일반적으로, 현재의 디바이스는 소형화되는 경향으로 개발되고 있고, 마이크로미터 크기에서 나노미터 크기로의 개발 분야가 증가하고 있다. 마지막으로, 이 장에서 언급한 바와 같이 나노 입자의 환경 및 생체 안정성에 관한 문제는 나노 기술의 지속적인 발전을 위해 근본적인 관심이 요구되는 분야이다.

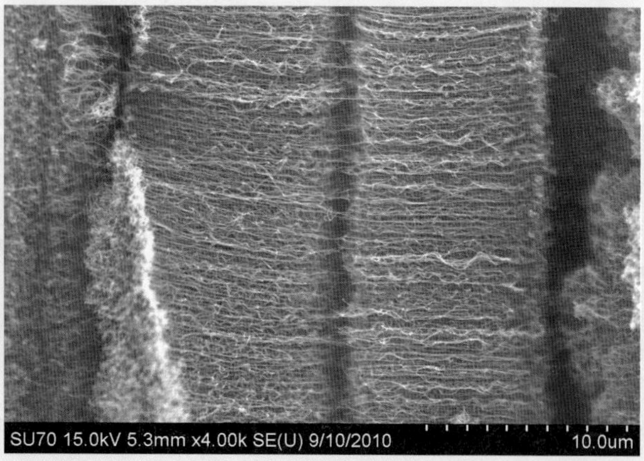

전자현미경으로 분석된 CNT 보강 고분자 복합재료. NASA의 '목성에 대한 주노 임무'에 사용된 구조 재료로 우주의 방사선과 전자기장으로부터 전자제품과 케이블을 보호하는 경량 재료로 사용되었다. (Courtesy of Lockheed Martin Applied NanoStructured Solutions.)

NASA의 '목성에 대한 주노 임무'에 사용된, 장착을 앞둔 보호 기구의 모습 (Courtesy of Lockheed Martin Applied NanoStructured Solutions.)

이 현재 진행되고 있다. 재사용에 대한 소비자의 수용 및 경제적 비용(예: 창고 보관 공간)이 해결해야 할 문제이다.

좀 더 정교한 재활용 시스템이 필요한 예로는 식품용기, 음료용기 등에 사용되는 고분자 제품을 들 수 있다. 실제적으로 고분자의 재활용은 PET, PE(폴리에틸렌) 및 PP(폴리프로필렌)와 같은 열가소성 재료에 대해서만 실용적이고, 또한 분리해내기 어려운 충진제(fillers)의 존재는 재활용을 어렵게 한다. 열경화성 고분자는 일반적으로 재활용이 쉽지 않고 고무의 경우 한번 경화되면 열경화성 고분자로 거동하여 일반적으로 재활용이 불가능하다. 고무 타이어의 경우 재활용이 불가능할 뿐만 아니라 매립을 어렵게 한다. 12.1절에서 설명한 바와 같이 열가소성 탄성체(elastomers)의 주요 장점은 재활용이 가능하다는 점이다. 복합재료의 경우, 재료의 정의에서 판단할 수 있듯 서로 다른 재료의 미세 단위 결합으로 재활용에 어려움이 있다.

반도체 산업을 위한 고품질 실리콘 웨이퍼(silicon wafer)를 생산하는 데 대한 많은 수요와 이와 관련된 비용은 웨이퍼 재생을 위한 중요한 시장을 창출했다. 13.5절에 설명한 정교한 기술에 의해 제작된 표면 회로는 기계적 및 화학적 방법에 의해 제거되고 두께는 다소 얇지만 시험용으로는 적합한 고품질 웨이퍼로 재생된다. 그 외에 반도체 제조 공정은 고체 및 화학물질 폐기물 재활용을 최대화하려는 단속기관에 의해 관리되고 많은 양의 고분자 패키징 재료는 반도체 '제작실(fab labs)'에서 재활용된다.

고형 도시 폐기물 관리에 대한 2016년 IUPAC(International Union of Pure and Applied Chemistry)의 로마 회의에서 재료 재활용 및 재사용의 미래 방향이 제시되었다. 주최 측은 '재활용 및 재사용(recycle and reuse)'에 사용 감소(reduced use)와 재설계(re-design)를 추가한 4R 지침을 제창했다. '사용 감소'는 특히 선진국 사회에서 재료 소비를 제한하기 위한 보다 적극적인 노력을 의미한다. '재설계'는 그림 15.31에 소개된 내재 에너지와 같은 생태학적 고려사항을 공학설계 초기 단계에 포함한다.

요약

앞의 14개 장에서 정의된 많은 재료의 성질은 엔지니어가 주어진 공학설계에서 재료 선택의 가이드로 사용할 설계 파라미터가 된다. 이러한 공학설계 파라미터는 주로 재료의 가공공정에 의존한다.

구조용 재료를 선정할 때 처음 당면하는 문제는 이 책의 11장과 12장에서 약술한 다섯 가지 유형 간의 경쟁이다. 일단 한 가지 범주가 선택되면 특정 재료가 최선의 선택으로 확인되어야 한다. 일반적으로 강도와 연성 사이의 균형이 맞추어져야 한다. 비교적 취약한 세라믹스와 유리는 열에 잘 견디고, 화학적으로 내구성이 있는 성질에 기초를 두어 구조용으로 활용된다. 개선된 인성으로 설계상의 선택폭을 더 넓게 확장시키고 있다. 유리와 고분자는 광학적인 성질 때문에 구조용 재료로 선정될 수 있다. 구조용 재료의 최종 조건은 환경에 의한 열화와 파손 예방이다.

전자 재료의 선택은 세 가지 범주, 즉 전도체, 부도체, 반도체 중 하나에 대한 필요성 정의로부터 시작된다. 반도체의 선택은 점차 복잡하고 소형화되는 전기회로를 이끌어내는 복잡한 공학설계 과정의 일부이다. 재료의 광학적 성질뿐만 아니라 구조용 및 전자 응용 범주도 함께 고려해야 한다. 14장에서 논의했던 금속재료와 세라믹 자성 재료는 특성 자성 분야 응용에 사용되는 재료에서 요구되는 성질을 충분히 만족한다.

광범위한 주위 환경과의 반응은 이 책에서 고려한 공업재료의 용도를 제한한다. 산화는 금속과 대기 중 산소의 직접적인 화학 반응이다. 산화에는 산화물 스케일을 통한 여러 가지 확산모드와 관련된 네 가지 메커니즘이 있다. 코팅이 보호성을 띠는 경향은 Pilling-Bedworth 비, *R*에 의해 예측될 수 있다. *R*값이 1과 2 사이에서 코팅은 상당한 압축응력하에 놓이며 그 결과 보호성을 지닐 수 있다. 보호성 코팅의 익숙한 예로는 양극산화 알루미늄과 스테인리스강이 있다. 비보호성 코팅은 꽉 죄어져 벗겨지는 박리로 알려진 과정이다. 질소, 황, 수소를 포함하여 다른 '대기' 중 기체는 금속에 직접적인 화학 침식을 일으킬 수 있다.

부식은 금속이 액중 환경으로 녹아 들어가는 것이다. 갈바닉 전지는 이온화 경향이 서로 다른 두 금속으로 구성된다. 활성화와 이온화가 잘될수록 금속이 양극이고 부식이 잘된다. 불활성 금속일수록 음극에 사용되고 도금이 잘된다. 반쪽전지 전위의 목록은 상대적인 부식 경향을 보이는 기전력 시리즈(emf series)를 이룬다. 갈바닉 시리즈는 해수와 같은 부식 매체 중에서 상용 합금에 적용되는 더욱 정성적인 목록이다. 금속의 부식은 재료 선택, 설계 선택, 여러 가지 종류의 보호성 코팅, (희생양극이나 인가전압을 사용하는)갈바닉 방식 및 화학적 억제제에 의해 예방될 수 있다. 비금속은 부식에 예민한 금속에 비해 비교적 불활성이지만 직접적인 화학적 침식은 설계 응용에 영향을 줄 수 있다. 습기에 의한 규산염의 침식과 고무의 가황은 좋은 예이다. 모든 재료는 어떤 형태의 방사선에 의해 선택적으로 손상될 수 있다. 마모는 계속적이거나 주기적인 미끄럼과 같은 기계적인 거동의 결과로서 표면재료가 제거되는 현상이다.

엔지니어로서 우리는 환경에 대한 책임을 중시해야 한다. 환경보호국(EPA)과 같은 정부차원의 실체는 방대하게 나열된 규정을 점검한다. 환경을 위한 설계(DFE)는 전체 전문 업무에서 절대 불가결한 부분이 되었다. 유해한 공기오염에 대한 정의는 점차 많은 일반재료 처리공정기술에서 나타나는 부산물인 미세 규모의 입자를 포함시키도록 하고 있으며, 특히 환경 안정성의 관점에서 나노 입자를 이용하는 나노 기술에 대한 관심이 증가하고 있다. 많은 공업재료를 재활용과 재사용함으로써 근본적인 에너지 절약을 이루고 공해 배출을 줄일 수 있다.

주요 용어

갈바닉 부식(galvanic corrosion)
갈바닉 부식 방지법(galvanic protection)
갈바닉 시리즈(galvanic series)
갈바닉 전지(galvanic cell)
기계적 응력(mechanical stress)
기전력 시리즈(electromotive force series)
내재 에너지(embodied energy)
녹(rusting)
녹색공학(green engineering)
농담 전지(concentration cell)
마모(wear)
박리(spalling)
반쪽 전지(half cell)
반쪽 전지 반응(half-cell reaction)
발광 다이오드(light-emitting diode, LED)
방사선(radiation)
보철술(prosthesis)
보호 코팅(protective coating)
부식(corrosion)
부식 마모(corrosive wear)
부식 피로(corrosion fatigue)
산소 농담 전지(oxygen concentration cell)
산화(oxidation)
생물학적 재료(biological material)
생체재료(biomaterial)
설계 선택(design selection)
설계 파라미터(design parameter)
수명주기 평가(life-cycle assessment, LCA)
수소취성(hydrogen embrittlement)
스펙트럼 폭(spectral width)
아연 도금강(galvanized steel)
양극(anode)
양극 반응(anodic reaction)
양극산화 알루미늄(anodized

aluminum)
억제제(inhibitor)
연무(aerosol)
연삭 마멸(abrasive wear)
유기 발광 다이오드(organic light-emitting diode)
음극(cathode)
음극 반응(cathodic reaction)
응력부식 파괴(stress-corrosion cracking)
응력 전지(stress cell)
응착 마멸(adhesive wear)
이온 농담 전지(ionic concentration cell)
인가전압(impressed voltage)
자기 에나멜(porcelain enamel)
재료 선택(materials selection)
재사용(reuse)
재활용(recycling)
전기화학 전지(electrochemical cell)
정전용량 시스템(capacitive system)
초미세 입자(ultrafine particle)
표면 피로 마멸(surface-fatigue wear)
환경영향평가(environmental impact assessment, EIA)
환경을 위한 설계(design for the environment, DFE)
희생 양극(sacrificial anode)
aqueous 부식(aqueous corrosion)
Ashby 도표(Ashby chart)
gaseous reduction
Pilling-Bedworth 비(Pilling-Bedworth ratio)
PM10
PM2.5

참고문헌

ASM Handbook, Vol. 13A: Corrosion: Fundamentals, Testing and Protection; ASM International, Materials Park, OH, 2003.

ASM Handbook, Vol. 20: Materials Selection and Design, ASM International, Materials Park, OH, 1997.

Ashby, M. F., *Materials Selection in Mechanical Design*, 4th ed., Butterworth-Heinemann, Oxford, 2010.

Ashby, M. F., and **D.R.H. Jones,** *Engineering Materials—1 An Introduction to Properties, Application, and Design*, 5th ed., Butterworth-Heinemann, Boston, 2019.

Dorf, R. C., *Electrical Engineering Handbook,* 3rd ed., 6-volume set, CRC Press, Boca Raton, FL, 2006.

Jones, D. A., *Principles and Prevention of Corrosion,* 2nd ed., Prentice-Hall, Upper Saddle River, NJ, 1996.

Rabinowicz, E., *Friction and Wear of Materials,* 2nd ed., John Wiley & Sons, Inc., New York, 1995.

Shackelford, J.F., Y. Han, S. Kim, and **S.H. Kwon,** *CRC Materials Science and Engineering Handbook, 4th ed.,* CRC Press, Boca Raton, FL, 2016.

Was, G. S., *Fundamentals of Radiation Materials Science*, Springer-Verlag, Berlin, 2007.

복습문제

15.1 _ 재료의 성질: 공학설계의 파라미터

D 15.1 정부 계약인이 인장 강도 1,000 MPa, 연신율이 15% 이상인 공구강의 사용을 요청했다. 표 15.1과 15.2에서 어떤 합금이 이 조건을 만족하는가?

15.2 재료과학에서 재료공학으로 넘어가면서 재료의 성질은 __________ 같은 역할을 한다.

D 15.3 아래 두 표의 표준 값을 참고하여 고강도/저연성 적용을 위해 연주철을 선택할 때 만약 인장 강도가 550 MPa, 연신율이 5% 이상인 연철이 요구된다면 표의 어떤 합금이 적합한가?

Grade or class	T.S. (MPa)
Class C	345
Class B	379
Class A	414
65 – 45 – 12	448
80 – 55 – 06	552
100 – 70 – 03	689
120 – 90 – 02	827

Elongation of ductile irons	
Grade or class	**Elongation (%)**
120 − 90 − 02	2
100 − 70 − 03	3
80 − 55 − 06	6
Class B	7
65 − 45 − 12	12
Class A	15
Class C	20

D 15.4 고강도/저연성 적용을 위해 연주철을 선택할 때 인장 강도가 350 MPa, 연신율이 15% 이상인 연철이 요구된다면 표의 어떤 합금이 적합한가?

Grade or class	T.S. (MPa)
Class C	345
Class B	379
Class A	414
65 − 45 − 12	448
80 − 55 − 06	552
100 − 70 − 03	689
120 − 90 − 02	827

Elongation of ductile irons	
Grade or class	**Elongation (%)**
120 − 90 − 02	2
100 − 70 − 03	3
80 − 55 − 06	6
Class B	7
65 − 45 − 12	12
Class A	15
Class C	20

D 15.5 반도체 패키징을 위한 고분자 재료를 선택할 때, 아래 두 표의 표준 값이 유용하다.

Volume resistivity of polymers	
Polymer	**Resistivity ($\Omega \cdot m$)**
Epoxy	1×10^5
Phenolic	1×10^9
Cellulose acetate	1×10^{10}
Polyester	1×10^{10}
Polyvinyl chloride	1×10^{12}
Nylon 6/6	5×10^{12}
Acrylic	5×10^{12}
Polyethylene	5×10^{13}
Polystyrene	2×10^{14}
Polycarbonate	2×10^{14}
Polypropylene	2×10^{15}
PTFE	2×10^{16}

Thermal conductivity of polymers	
Polymer	**Conductivity (J/s · m · K)**
Polystyrene	0.12
Polyvinyl chloride	0.14
Polycarbonate	0.19
Polyester	0.19
Acrylic	0.21
Phenolic	0.22
PTFE	0.24
Cellulose acetate	0.26
Polyethylene	0.33
Epoxy	0.52
Polypropylene	2.2
Nylon 6/6	2.9

만일 체적 저항도가 10^{13} $\Omega \cdot m$이며 이상, 열전도도가 0.25 J/s·m·K 이상의 물성이 요구된다면 이 표에서 어떤 고분자가 적합한가?

D 15.6 반도체 패키징을 위한 고분자 재료를 선택할 때, 다음 두 표의 표준 값이 유용하다. 만일 체적 저항성이 10^{14} $\Omega \cdot m$ 이상, 열전도도가 0.35 J/s·m·K 이상의 물성이 요구된다면 이 표에서 어떤 고분자가 적합한가?

Volume resistivity of polymers	
Polymer	**Resistivity ($\Omega \cdot m$)**
Epoxy	1×10^5
Phenolic	1×10^9
Cellulose acetate	1×10^{10}
Polyester	1×10^{10}
Polyvinyl chloride	1×10^{12}
Nylon 6/6	5×10^{12}
Acrylic	5×10^{12}
Polyethylene	5×10^{13}
Polystyrene	2×10^{14}
Polycarbonate	2×10^{14}
Polypropylene	2×10^{15}
PTFE	2×10^{16}

Thermal conductivity of polymers	
Polymer	**Conductivity (J/s · m · K)**
Polystyrene	0.12
Polyvinyl chloride	0.14
Polycarbonate	0.19
Polyester	0.19
Acrylic	0.21
Phenolic	0.22
PTFE	0.24
Cellulose acetate	0.26
Polyethylene	0.33
Epoxy	0.52
Polypropylene	2.2
Nylon 6/6	2.9

15.7 그림 15.3의 재료물성도표와 부록 4의 데이터를 이용하여 전형적인 고분자 재료와 고분자 기지 복합재료의 차이점에 대해 논하시오.

15.8 그림 15.3의 재료물성도표와 부록 4의 데이터를 이용하여 전형적인 고분자 재료와 금속재료의 차이점에 대해 논하시오.

15.2_구조용 재료의 선택: 사례연구

15.9 Ti-6Al-4V 소재를 이용한 대퇴부 몸통의 1 mm의 틈새 크기를 검사하는 것이 빠른 파괴를 방지하기 위한 방법으로서 타당한가? 표 8.3을 참고하고 200 lb 몸무게의 5배 정도의 갑작스러운 하중이 작용함을 가정한다. 몸통의 단면적은 650 mm^2이다.

15.10 표 6.1에 주어진 항복 강도의 90%까지 하중을 받는 Ti-6Al-4V 항공우주 합금에 대한 검사 프로그램을 고려하자. 표 8.3의 데이터를 사용하여 1 mm의 결함 크기를 감지하는 능력이 빠른 파괴를 방지하는 데 적절한지 결정하시오.

15.11 보잉 767 비행기는 정기 수송선에 케블라 강화 복합소재를 사용했다. 구조물의 무게는 125 kg이다. (a) 동일한 체적의 알루미늄 구조와 비교할 때 무게를 절약할 수 있는 것은 무엇인가? (단순하게 하기 위해 순수한 알루미늄의 밀도를 사용하고, 케블라 복합소재의 밀도는 1.38 Mg/m^3를 이용한다.) (b) 이 소재를 사용함으로써 나타나는 연간 연료 절약은 얼마인가?

15.12 상용 항공기에서 기존의 7075 알루미늄 합금을 Al-Li 합금 프로토타입으로 교체 시 4,158 kg의 질량 감소가 발생한다고 가정할 때 연간 연료 절감 효과는 얼마인가?

15.13 보잉 777 비행기 본체가 다음과 같은 재료로 구성되었다고 한다.

알루미늄 합금 – 70 wt %
복합재료 – 11 wt %
강 – 11 wt %
타이타늄 합금 – 7 wt %
기타 – 1 wt %

알루미늄 합금의 평균 밀도를 2.80 Mg/m^3, 타이타늄 합금의 평균 밀도를 4.40 Mg/m^3, 강의 평균 밀도를 7.80 Mg/m^3, 복합재료의 평균 밀도를 1.50 Mg/m^3라고 가정하자. 기타 소재를 무시했을 때 비행기 본체에 사용된 전체 구조 재료의 평균 밀도를 계산하시오.

15.14 보잉 787 비행기 본체가 다음과 같은 재료로 구성되었다고 한다.

복합재료 – 50 wt %

알루미늄 합금 – 20 wt %
타이타늄 합금 – 15 wt %
강 – 10 wt %
기타 – 5 wt %

알루미늄 합금의 평균 밀도를 2.80 Mg/m^3, 타이타늄 합금의 평균 밀도를 4.40 Mg/m^3, 강의 평균 밀도를 7.80 Mg/m^3, 복합재료의 평균 밀도를 1.50 Mg/m^3라고 가정하자. 기타 소재를 무시했을 때 비행기 본체에 사용된 전체 구조 재료의 평균 밀도를 계산하시오.

15.15 외팔보에서 단순 하중을 고려하자.

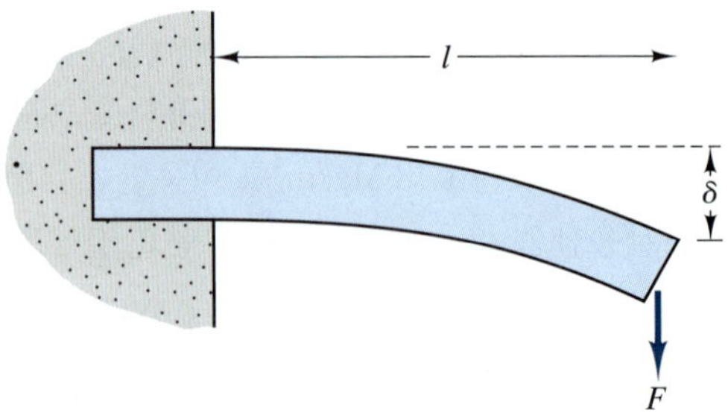

보의 질량은 처짐량 δ와 힘 F에 의해 다음과 같이 나타낼 수 있다.

$$M = (4l^5F/\delta)^{1/2}(\rho^2/E)^{1/2}$$

여기서 밀도는 ρ, E는 탄성계수, 다른 변수는 그림에 나타냈다. 일정한 하중이 주어지면 이 구조체의 질량은 ρ^2/E가 최소화됨에 따라 작아진다. 다음 표에 제시된 데이터를 이용하여 이 구조체의 적용을 위한 최적의 재료를 선택하시오.

Material	**ρ (Mg/m^3)**
1040 carbon steel	7.80
304 stainless steel	7.80
3003-H14 aluminum	2.73
Ti-5Al-2.5Sn	4.46
Reinforced concrete	2.50
Fiberglass	1.80
Carbon fiber-reinforced polymer	1.50

(탄성계수는 표 6.1과 12.7로부터 구할 수 있다. 콘크리트의 저항계수는 47 × 10^3 MPa로 주어진다.)

15.16 외팔보에서 단순 하중을 고려하자.

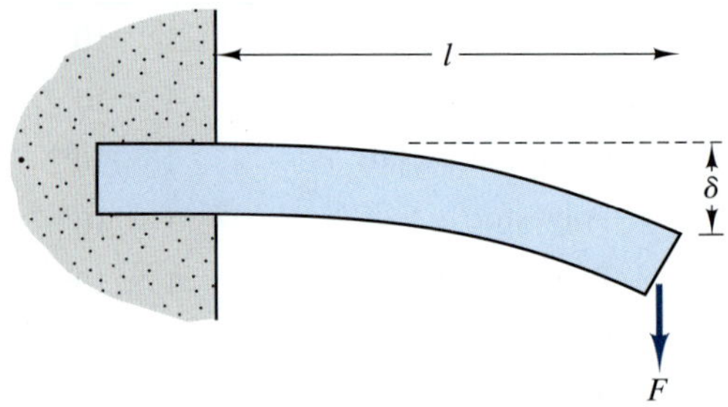

보의 질량은 처짐량 δ와 힘 F에 의해 다음과 같이 나타낼 수 있다.

$$M = (4l^5F/\delta)^{1/2}(\rho^2/E)^{1/2}$$

여기서 밀도는 ρ, E는 탄성계수, 다른 변수는 그림에 나타냈다. 일정한 하중이 주어지면 이 구조체의 질량은 ρ^2/E가 최소화됨에 따라 작아진다. 아래에 제시된 데이터를 이용하여 이 구조체의 적용 시 비용이 최소화된 최적의 재료를 선택하시오.

Material	**ρ (Mg/m^3)**	**Cost ($/kg)**
1040 carbon steel	7.80	0.63
304 stainless steel	7.80	3.70
3003-H14 aluminum	2.73	3.00
Ti-5Al-2.5Sn	4.46	15.00
Reinforced concrete	2.50	0.40
Fiberglass	1.80	3.30
Carbon fiber-reinforced polymer	1.50	70.00

(탄성계수는 표 6.1과 12.7로부터 구할 수 있다. 콘크리트의 저항계수는 47 × 10^3 MPa로 주어진다.)

15.3 _ 전자, 광학, 자성 재료의 선택: 사례연구

D 15.17 다음에 제시된 전형적인 고상 상태의 FET 내 메모리 전지 장치의 설계를 고려하자. 전지는 작은 용량의 콘덴서와 같은 역할을 하는 얇은 SiO_2 막을 포함한다. 콘덴서가 가능한 한 작아지길 원하나 알파 방사선 입자가 5 V의 구동 신호에서 에러를 발생시키지

않으려면 충분히 커야 한다. 이 결과를 보장하려면 콘덴서의 전기용량이 50×10^{-15} coul/volt로 설계조건이 요구된다. 만약 SiO_2의 두께가 1 μm라면 콘덴서를 위한 요구 면적은 얼마인가? (SiO_2의 절연상수는 3.9이며, 13.4절의 전기용량에 대한 논의를 참고한다.)

15.18 발광 다이오드(LED)는 __________와(과) 같은 분야로의 응용이 가능한 대중화된 전자 장치이다.

15.19 표 15.3의 (a) GaP와 (b) GaAsP로 만들어진 LEDs에 부합하는 밴드갭 E_g를 계산하시오.

15.20 표 15.3의 (a) GaAs와 (b) InGaAs로 만들어진 LEDs에 부합하는 밴드갭 E_g를 계산하시오.

15.4_재료와 우리의 환경

15.21 세 가지 철 산화물의 밀도는 각각 FeO(5.70 Mg/m^3), Fe_3O_4(5.18 Mg/m^3), Fe_2O_3(5.24 Mg/m^3)이다. 각 산화물 유형에 따른 Pilling-Bedworth 비를 계산하고 보호 코팅 조성의 영향을 설명하시오.

15.22 SiO_2의 밀도가 2.65 Mg/m^{3}로 주어진다. 실리콘의 Pilling-Bedworth 비를 계산하고, 만약 광물이 산화물일 때 보호 코팅 조성의 영향에 대해 설명하시오.

15.23 실용적인 문제로, 실리콘의 산화는 밀도가 2.20 Mg/m^{3}인 투명한 (유리질의) 실리카 막을 생성한다. 이 경우 Pilling-Bedworth 비를 계산하고 끈끈한 막 조성의 영향에 대해 설명하시오.

15.24 Pilling-Bedworth 비는 금속의 체적을 소모하게 만드는 산화물의 부피 비임을 검증하시오.

15.25 (Ni^{2+}를 만드는)니켈 이온 농담 부식 전지에서 5 mA의 전류가 측정되었다. 양극에서 초당 산화되는 니켈 원자의 양을 구하시오.

15.26 (Ni^{2+}를 만드는)니켈 이온 농담 부식 전지에서 5 mA의 전류가 측정되는 경우 양극에서 초당 환원되는 니켈 원자의 양을 구하시오.

15.27 3가 이온(Cr^{3+})을 만드는 크롬 이온 농담 전지에서 10 mA의 전류가 측정되었다. 양극에서 초당 산화되는 크롬 원자의 양을 구하시오.

15.28 3가 이온(Cr^{3+})을 만드는 크롬 이온 농담 전지에서 10 mA의 전류가 측정되는 경우 양극에서 초당 환원되는 크롬 원자의 양을 구하시오.

15.29 1몰의 이온 용액에 코발트와 크롬 전극이 담겨져 구성된 갈바닉 전지 시편이 있다. (a) 전지의 전위를 계산하시오. (b) 이 전지 시편에서 부식되는 금속은 어떤 것인가?

15.30 1몰의 이온 용액에 알루미늄과 마그네슘 갈바닉 전극이 담겨져 구성된 전지 시편이 있다. (a) 전지의 전위를 계산하시오. (b) 이 전지 시편에서 부식되는 금속은 어떤 것인가?

15.31 다음 갈바닉 전지에서 양극을 식별하고 각 질문에 대답하시오. (a) 구리와 니켈 자신의 표준 이온 용액 속 구리, 니켈 전극, (b) 50:50 비율의 주석-납 합금의 2상 미세구조, (c) 바닷물 속에 잠긴 2024 알루미늄에 결합된(땜질된) 주석 도선, (d) 바닷물 속에 잠긴 passive 316 스테인리스강판의 황동 볼트.

D 15.32 그림 15.21은 미세구조 규모의 갈바닉 전지를 나타낸다. 해양 나침반의 외부 껍질(셸)에 적합한 소재를 선정하려고 할 때, 9장의 구리-아연의 상태도를 이용하여 이 문제를 피할 수 있는 황동의 조성 범위를 결정하시오.

15.33 끓는 물을 이용하는 산소 농담 전지에서 구리-니켈 합금(35 wt % – 65 wt %)이 부식된다. 10 g의 합금을 부식시키기 위해 양극에서 소모되어야 하는 (1 atm에서)산소 기체의 부피를 계산하시오. (2가 이온만 생성된다고 가정한다.)

15.34 식 (15.8)에 의해 구동되는 음극이 존재할 때 산 용액에서 철이 부식된다고 가정하자. 100 g의 철이 부식될 때 생성되는 수소 기체(STP 조건에서)의 부피를 계산하시오.

15.35 그림 15.24에서 도시된 녹슴 메커니즘을 고려할 때 100 g의 녹[$Fe(OH)_3$]이 생성될 때 소모되는 산소 기체(STP 조건에서)의 부피를 계산하시오.

15.36 알루미늄 용기의 파괴 분석에서 부식에 의한 흠집이 발견된다. 흠집의 지름은 평균적으로 0.1 mm이고,

용기의 두께는 1 mm이다. 1년에 걸쳐서 흠집이 점점 성장할 때 (a) 각 흠집에서의 부식 전류를 계산하시오. (b) 부식 전류 밀도를 계산하시오(흠집의 면적으로 정규화했을 때).

D 15.37 새로운 낚시용 선박의 부식 방지 설계에서 아연 희생전극은 1년 동안 평균 2 A의 부식 전류를 준다. 부식 방지를 위한 아연의 요구량은 얼마인가?

D 15.38 바다 철 구조물의 부식 방지 설계에서 마그네슘 희생전극은 2년 동안 평균 1.5 A의 부식 전류를 주는 것을 알 수 있다. 부식 방지를 위한 마그네슘의 요구량은 얼마인가?

D 15.39 대학의 새 공학 연구소 설계에 사용된 전기 아연 도금 강판의 최대 부식 전류 밀도는 5 mA/m^2이다. (a) 1년과 (b) 5년 동안의 부식 방지에 필요한 최소한의 아연 코팅 층의 두께는 얼마인가?

D 15.40 대학의 새 화학 연구소 설계에 사용된 전기 아연 도금 강판의 아연 코팅의 두께는 18 μm이다. 부식 전류 밀도는 4 mA/m^2이다. 이 시스템에 의해 제공되는 내부식성은 얼마 동안 지속되는가?

15.41 다음에 제시된 재료 시스템을 재활용할 때 그 난이도에 대해 논하시오. (a) 고분자 의자 본체에 고정된 철다리 바퀴, (b) 낮은 밀도의 폴리에틸렌으로 제작된 냉동음식 보관용 위생봉지. 자신의 답을 간단히 설명하시오.

15.42 다음에 제시된 재료 시스템을 재활용할 때 그 난이도에 대해 논하고 의견을 설명하시오. (a) 제조 공장에서 전자제품을 운반하는 데 사용되는 고분자 트레이, (b) 금속 호일로 코팅된 고분자로 만들어진 알약 통.

15.43 다음에 제시된 재료 시스템을 재활용할 때 그 난이도에 대해 논하고 의견을 설명하시오. (a) 연필 공장의 고무지우개 파편, (b) 제조 공장의 폴리프로필렌 튜브 파편.

15.44 다음에 제시된 재료 시스템을 재활용할 때 그 난이도에 대해 논하고 의견을 설명하시오. (a) 기숙사 주방에서 배출된 큰 부피의 알루미늄 호일(잘 세척된 상태), (b) 제조 공장의 페놀-포름알데히드 전자 부품 부스러기.

원소의 물리적, 화학적 수치

Atomic number	Element	Symbol	Electronic configuration[a] (number of electrons in each group)																		Atomic mass[a] (amu)	Density of solid[b] (at 20°C) (Mg/m³ = g/cm³)	Crystal structure[c] (at 20°C)	Melting point[d] (°C)	Atomic number
			1*s*	2*s*	2*p*	3*s*	3*p*	3*d*	4*s*	4*p*	4*d*	4*f*	5*s*	5*p*	5*d*	5*f*	6*s*	6*p*	6*d*	7*s*					
1	Hydrogen	H	1																		1.008			−259.34 (T.P.)	1
2	Helium	He	2																		4.003			−271.69	2
3	Lithium	Li	Helium core	1																	6.941	0.533	bcc	180.6	3
4	Berylium	Be		2																	9.012	1.85	hcp	1,289	4
5	Boron	B		2	1																10.81	2.47		2,092	5
6	Carbon	C		2	2																12.01	2.27	hex.	3,826 (S.P.)	6
7	Nitrogen	N		2	3																14.01			−210.0042 (T.P.)	7
8	Oxygen	O		2	4																16.00			−218.789 (T.P.)	8
9	Flourine	F		2	5																19.00			−219.67 (T.P.)	9
10	Neon	Ne		2	6																20.18			−248.587 (T.P.)	10
11	Sodium	Na	Neon core			1															22.99	0.966	bcc	97.8	11
12	Magnesium	Mg				2															24.31	1.74	hcp	650	12
13	Aluminum	Al				2	1														26.98	2.70	fcc	660.452	13
14	Silicon	Si				2	2														28.09	2.33	dia. cub.	1,414	14
15	Phosphorus	P				2	3														30.97	1.82 (white)	ortho.	44.14 (white)	15
16	Sulfur	S				2	4														32.06	2.09	ortho.	115.22	16
17	Chlorine	Cl				2	5														35.45			−100.97 (T.P.)	17
18	Argon	Ar				2	6														39.95			−189.352 (T.P.)	18
19	Potassium	K	Argon core						1												39.10	0.862	bcc	63.71	19
20	Calcium	Ca							2												40.08	1.53	fcc	842	20
21	Scandium	Sc						1	2												44.96	2.99	fcc	1,541	21
22	Titanium	Ti						2	2												47.90	4.51	hcp	1,670	22
23	Vanadium	V						3	2												50.94	6.09	bcc	1,910	23
24	Chromium	Cr						5	1												52.00	7.19	bcc	1,863	24
25	Manganese	Mn						5	2												54.94	7.47	cubic	1,246	25
26	Iron	Fe						6	2												55.85	7.87	bcc	1,538	26
27	Cobalt	Co						7	2												58.93	8.8	hcp	1,495	27
28	Nickel	Ni						8	2												58.71	8.91	fcc	1,455	28
29	Copper	Cu						10	1												63.55	8.93	fcc	1,084.87	29
30	Zinc	Zn						10	2												65.38	7.13	hcp	419.58	30
31	Gallium	Ga						10	2	1											69.72	5.91	ortho.	29.7741 (T.P.)	31
32	Germanium	Ge						10	2	2											72.59	5.32	dia. cub.	938.3	32
33	Arsenic	As						10	2	3											74.92	5.78	rhomb.	603 (S.P.)	33

Atomic number	Element	Symbol	Electronic configuration[a] (number of electrons in each group) 1s	2s	2p	3s	3p	3d	4s	4p	4d	4f	5s	5p	5d	5f	6s	6p	6d	7s	Atomic mass[a] (amu)	Density of solid[b] (at 20°C) (Mg/m³ = g/cm³)	Crystal structure[c] (at 20°C)	Melting point[d] (°C)	Atomic number
34	Selenium	Se						10	2	4											78.96	4.81	hex.	221	34
35	Bromine	Br						10	2	5											79.90			−7.25 (T.P.)	35
36	Krypton	Kr						10	2	6											83.80			−157.385	36
37	Rubidium	Rb											1								85.47	1.53	bcc	39.48	37
38	Strontium	Sr											2								87.62	2.58	fcc	769	38
39	Yttrium	Y									1		2								88.91	4.48	hcp	1,522	39
40	Zirconium	Zr									2		2								91.22	6.51	hcp	1,855	40
41	Niobium	Nb									4		1								92.91	8.58	bcc	2,469	41
42	Molybdenum	Mo									5		1								95.94	10.22	bcc	2,623	42
43	Technetium	Tc									6		1								98.91	11.50	hcp	2,204	43
44	Ruthenium	Ru									7		1								101.07	12.36	hcp	2,334	44
45	Rhodium	Rh								Krypton core	8		1								102.91	12.42	fcc	1,963	45
46	Palladium	Pd									10										106.4	12.00	fcc	1,555	46
47	Silver	Ag									10		1								107.87	10.50	fcc	961.93	47
48	Cadmium	Cd									10		2								112.4	8.65	hcp	321.108	48
49	Indium	In									10		2	1							114.82	7.29	fct	156.634	49
50	Tin	Sn									10		2	2							118.69	7.29	bct	231.9681	50
51	Antimony	Sb									10		2	3							121.75	6.69	rhomb.	630.755	51
52	Tellurium	Te									10		2	4							127.60	6.25	hex.	449.57	52
53	Iodine	I									10		2	5							126.90	4.95	ortho.	113.6 (T.P)	53
54	Xenon	Xe									10		2	6							131.30			−111.7582 (T.P.)	54
55	Cesium	Cs															1				132.91	1.91 (−10°)	bcc	28.39	55
56	Barium	Ba															2				137.33	3.59	bcc	729	56
57	Lanthanum	La													1		2				138.91	6.17	hex.	918	57
58	Cerium	Ce										2					2				140.12	6.77	fcc	798	58
59	Praseodymium	Pr										3					2				149.91	6.78	hex.	931	59
60	Neodymium	Nd										4					2				144.24	7.00	hex.	1,021	60
61	Promethium	Pm									Xenon core	5					2				(145)		hex.	1,042	61
62	Samarium	Sm										6					2				150.4	7.54	rhomb.	1,074	62
63	Europium	Eu										7					2				151.96	5.25	bcc	822	63
64	Gadolinium	Gd										7			1		2				157.25	7.87	hcp	1,313	64
65	Terbium	Tb										9					2				158.93	8.27	hcp	1,356	65
66	Dysprosium	Dy										10					2				162.50	8.53	hcp	1,412	66
67	Holmium	Ho										11					2				164.93	8.80	hcp	1,474	67
68	Erbium	Er										12					2				167.26	9.04	hcp	1,529	68
69	Thulium	Tm										13					2				168.93	9.33	hcp	1,545	69

Atomic number	Element	Symbol	Electronic configuration[a] (number of electrons in each group)																		Atomic mass[a] (amu)	Density of solid[b] (at 20°C) ($Mg/m^3 = g/cm^3$)	Crystal structure[c] (at 20°C)	Melting point[d] (°C)	Atomic number
			1s	2s	2p	3s	3p	3d	4s	4p	4d	4f	5s	5p	5d	5f	6s	6p	6d	7s					
70	Ytterbium	Yb										14					2				173.04	6.97	fcc	819	70
71	Lutetium	Lu										14			1		2				174.97	9.84	hcp	1,663	71
72	Hafnium	Hf										14			2		2				178.49	13.28	hcp	2,231	72
73	Tantalum	Ta										14			3		2				180.95	16.67	bcc	3,020	73
74	Tungsten	W										14			4		2				183.85	19.25	bcc	3,422	74
75	Rhenium	Re										14			5		2				186.2	21.02	hcp	3,186	75
76	Osmium	Os										14			6		2				190.2	22.58	hcp	3,033	76
77	Iridium	Ir										14			9						192.22	22.55	fcc	2,447	77
78	Platinum	Pt										14			9		1				195.09	21.44	fcc	1,769.0	78
79	Gold	Au									Xenon core	14			10		1				196.97	19.28	fcc	1,064.43	79
80	Mercury	Hg										14			10		2				200.59			−38.836	80
81	Thallium	Tl										14			10		2	1			204.37	11.87	hcp	304	81
82	Lead	Pb										14			10		2	2			207.2	11.34	fcc	327.502	82
83	Bismuth	Bi										14			10		2	3			208.98	9.80	rhomb.	271.442	83
84	Polonium	Po										14			10		2	4			(~210)	9.2	monoclinic	254	84
85	Astatine	At										14			10		2	5			(210)			≈302	85
86	Radon	Rn										14			10		2	6			(222)			−71	86
87	Francium	Fr																	1		(223)		bcc	≈27	87
88	Radium	Ra																		2	226.03		bct	700	88
89	Actinium	Ac																	1	2	(227)		fcc	1,051	89
90	Thorium	Th													Radon core				2	2	232.04	11.72	fcc	1,755	90
91	Protoactinium	Pa														2			1	2	231.04		bct	1,572	91
92	Uranium	U														3			1	2	238.03	19.05	ortho.	1,135	92
93	Neptunium	Np														4			1	2	237.05		ortho.	639	93
94	Plutonium	Pu														6				2	(244)	19.82	monoclinic	640	94
95	Americium	Am														7				2	(243)		hex.	1,176	95
96	Curium	Cm														7			1	2	(247)		hex.	1,345	96
97	Berkelium	Bk														9				2	(247)		hex.	1,050	97
98	Californium	Cf														10				2	(251)			900	98
99	Einsteinium	Es														11				2	(254)			860	99
100	Fermium	Fm														12				2	(257)			≈1,527	100
101	Mendelevium	Md														13				2	(258)			≈827	101
102	Nobelium	No														14				2	(259)			≈827	102
103	Lawrencium	Lw														14			1	2	(260)			≈1,627	103
104	Rutherfordium[e]	Rf														14			2	2	(261)				104
105	Dubnium[e]	Db														14			3	2	(262)				105
106	Seaborgium[e]	Sg														14			4	2	(266)				106

Sources: Data from

[a]*Handbook of Chemistry and Physics,* 58th ed., R. C. Weast, Ed., CRC Press, Boca Raton, FL, 1977.

[b]X-ray diffraction measurements are tabulated in B. D. Cullity, *Elements of X-Ray Diffraction,* 2nd ed., Addison-Wesley Publishing Co., Inc., Reading, MA, 1978.

[c]R. W. G. Wyckoff, *Crystal Structure,* 2nd ed., Vol. 1, Interscience Publishers, New York, 1963; and *Metals Handbook,* 9th ed., Vol. 2, American Society for Metals, Metals Park, OH, 1979.

[d]*Binary Alloy Phase Diagrams,* Vols. 1 and 2, T. B. Massalski, Ed., American Society for Metals, Metals Park, OH, 1986. T.P. = triple point. S.P. = sublimation point at atmospheric pressure.

[e]www.webelements.com

부록 2

원소의 원자 및 이온 반지름

Atomic number	Symbol	Atomic radius (nm)	Ion	Ionic radius (nm)
1	H	0.046	H^-	0.154
2	He			
3	Li	0.152	Li^+	0.078
4	Be	0.114	Be^{2+}	0.054
5	B	0.097	B^{3+}	0.02
6	C	0.077	C^{4+}	<0.02
7	N	0.071	N^{5+}	0.01–0.02
8	O	0.060	O^{2-}	0.132
9	F		F^-	0.133
10	Ne	0.160		
11	Na	0.186	Na^+	0.098
12	Mg	0.160	Mg^{2+}	0.078
13	Al	0.143	Al^{3+}	0.057
14	Si	0.117	Si^{4-}	0.198
			Si^{4+}	0.039
15	P	0.109	P^{5+}	0.03–0.04
16	S	0.106	S^{2-}	0.174
			S^{6+}	0.034
17	Cl	0.107	Cl^-	0.181
18	Ar	0.192		
19	K	0.231	K^+	0.133
20	Ca	0.197	Ca^{2+}	0.106
21	Sc	0.160	Sc^{2+}	0.083
22	Ti	0.147	Ti^{2+}	0.076
			Ti^{3+}	0.069
			Ti^{4+}	0.064
23	V	0.132	V^{3+}	0.065
			V^{4+}	0.061
			V^{5+}	~0.04
24	Cr	0.125	Cr^{3+}	0.064
			Cr^{6+}	0.03–0.04

Atomic number	Symbol	Atomic radius (nm)	Ion	Ionic radius (nm)
25	Mn	0.112	Mn^{2+}	0.091
			Mn^{3+}	0.070
			Mn^{4+}	0.052
26	Fe	0.124	Fe^{2+}	0.087
			Fe^{3+}	0.067
27	Co	0.125	Co^{2+}	0.082
			Co^{3+}	0.065
28	Ni	0.125	Ni^{2+}	0.078
29	Cu	0.128	Cu^{+}	0.096
			Cu^{2+}	0.072
30	Zn	0.133	Zn^{2+}	0.083
31	Ga	0.135	Ga^{3+}	0.062
32	Ge	0.122	Ge^{4+}	0.044
33	As	0.125	As^{3+}	0.069
			As^{5+}	~0.04
34	Se	0.116	Se^{2-}	0.191
			Se^{6+}	0.03–0.04
35	Br	0.119	Br^{-}	0.196
36	Kr	0.197		
37	Rb	0.251	Rb^{+}	0.149
38	Sr	0.215	Sr^{2+}	0.127
39	Y	0.181	Y^{3+}	0.106
40	Zr	0.158	Zr^{4+}	0.087
41	Nb	0.143	Nb^{4+}	0.074
			Nb^{5+}	0.069
42	Mo	0.136	Mo^{4+}	0.068
			Mo^{6+}	0.065
43	Tc			
44	Ru	0.134	Ru^{4+}	0.065
45	Rh	0.134	Rh^{3+}	0.068
			Ru^{4+}	0.065
46	Pd	0.137	Pd^{2+}	0.050
47	Ag	0.144	Ag^{+}	0.113
48	Cd	0.150	Cd^{2+}	0.103
49	In	0.157	In^{3+}	0.092
50	Sn	0.158	Sn^{4-}	0.215
			Sn^{4+}	0.074
51	Sb	0.161	Sb^{3+}	0.090
52	Te	0.143	Te^{2-}	0.211
			Te^{4+}	0.089
53	I	0.136	I^{-}	0.220
			I^{5+}	0.094
54	Xe	0.218		
55	Cs	0.265	Cs^{+}	0.165
56	Ba	0.217	Ba^{2+}	0.143
57	La	0.187	La^{3+}	0.122
58	Ce	0.182	Ce^{3+}	0.118
			Ce^{4+}	0.102

Atomic number	Symbol	Atomic radius (nm)	Ion	Ionic radius (nm)
59	Pr	0.183	Pr^{3+}	0.116
			Pr^{4+}	0.100
60	Nd	0.182	Nd^{3+}	0.115
61	Pm		Pm^{3+}	0.106
62	Sm	0.181	Sm^{3+}	0.113
63	Eu	0.204	Eu^{3+}	0.113
64	Gd	0.180	Gd^{3+}	0.111
65	Tb	0.177	Tb^{3+}	0.109
			Tb^{4+}	0.089
66	Dy	0.177	Dy^{3+}	0.107
67	Ho	0.176	Ho^{3+}	0.105
68	Er	0.175	Er^{3+}	0.104
69	Tm	0.174	Tm^{3+}	0.104
70	Yb	0.193	Yb^{3+}	0.100
71	Lu	0.173	Lu^{3+}	0.099
72	Hf	0.159	Hf^{4+}	0.084
73	Ta	0.147	Ta^{5+}	0.068
74	W	0.137	W^{4+}	0.068
			W^{6+}	0.065
75	Re	0.138	Re^{4+}	0.072
76	Os	0.135	Os^{4+}	0.067
77	Ir	0.135	Ir^{4+}	0.066
78	Pt	0.138	Pt^{2+}	0.052
			Pt^{4+}	0.055
79	Au	0.144	Au^{+}	0.137
80	Hg	0.150	Hg^{2+}	0.112
81	Tl	0.171	Tl^{+}	0.149
			Tl^{3+}	0.106
82	Pb	0.175	Pb^{4-}	0.215
			Pb^{2+}	0.132
			Pb^{4+}	0.084
83	Bi	0.182	Bi^{3+}	0.120
84	Po	0.140	Po^{6+}	0.067
85	At		At^{7+}	0.062
86	Rn			
87	Fr		Fr^{+}	0.180
88	Ra		Ra^{+}	0.152
89	Ac		Ac^{3+}	0.118
90	Th	0.180	Th^{4+}	0.110
91	Pa			
92	U	0.138	U^{4+}	0.105

Source: After a tabulation by R. A. Flinn and P. K. Trojan, *Engineering Materials and Their Applications*, Houghton Mifflin Company, Boston, MA, 1975. The ionic radii are based on the calculations of V. M. Goldschmidt, who assigned radii based on known interatomic distances in various ionic crystals.

부록 3

상수값과 변환 계수와 주기율표

Constants

Avogadro's number, N_A	0.6023×10^{24} mol^{-1}
Atomic mass unit (amu)	1.661×10^{-24} g
Electric permittivity of a vacuum, ϵ_0	8.854×10^{-12} C/(V · m)
Electron mass	0.9110×10^{-27} g
Elementary charge, e	0.1602×10^{-18} C
Gas constant, R	8.314 J/(mol · K)
	1.987 cal/(mol · K)
Boltzmann's constant, k	13.81×10^{-24} J/K
	86.20×10^{-6} eV/K
Planck's constant, h	0.6626×10^{-33} J · s
Speed of light (in vacuum), c	0.2998×10^{9} m/s
Bohr magneton, μ_B	9.274×10^{-24} A · m^2
Faraday's constant, F	96,500 C/mol

SI prefixes

giga, G	10^9
mega, M	10^6
kilo, k	10^3
milli, m	10^{-3}
micro, μ	10^{-6}
nano, n	10^{-9}
pico, p	10^{-12}

Conversion factors

Length	1 meter	= 10^{10} Å = 10^9 nm
		= 3.281 ft
		= 39.37 in.
Mass	1 kilogram	= 2.205 lb$_m$
Force	1 newton	= 0.2248 lb$_f$
Pressure	1 pascal	= 1 N/m^2
		= 0.1019×10^{-6} kg$_f$/mm^2
		= 9.869×10^{-6} atm
		= 0.1450×10^{-3} lb$_f$/in.^{2}
Viscosity	1 Pa · s	= 10 poise
Energy	1 joule	= 1 W · s
		= 1 N · m
		= 1 V · C
		= 0.2389 cal
		= 6.242×10^{18} eV
		= 0.7377 ft lb$_f$
Temperature	°C	= K − 273
		= (°F − 32)/1.8
Current	1 ampere	= 1 C/s
		= 1 V/Ω

PERIOD TABLE OF THE ELEMENTS

I A	II A	III B	IV B	V B	VI B	VII B	VIII	VIII	VIII	I B	II B	III A	IV A	V A	VI A	VII A	0
1 H 1.008																	2 He 4.003
3 Li 6.941	4 Be 9.012											5 B 10.81	6 C 12.01	7 N 14.01	8 O 16.00	9 F 19.00	10 Ne 20.18
11 Na 22.99	12 Mg 24.31											13 Al 26.98	14 Si 28.09	15 P 30.97	16 S 32.06	17 Cl 35.45	18 Ar 39.95
19 K 39.10	20 Ca 40.08	21 Sc 44.96	22 Ti 47.90	23 V 50.94	24 Cr 52.00	25 Mn 54.94	26 Fe 55.85	27 Co 58.93	28 Ni 58.71	29 Cu 63.55	30 Zn 65.38	31 Ga 69.72	32 Ge 72.59	33 As 74.92	34 Se 78.96	35 Br 79.90	36 Kr 83.80
37 Rb 85.47	38 Sr 87.62	39 Y 88.91	40 Zr 91.22	41 Nb 92.91	42 Mo 95.94	43 Tc 98.91	44 Ru 101.07	45 Rh 102.91	46 Pd 106.4	47 Ag 107.87	48 Cd 112.4	49 In 114.82	50 Sn 118.69	51 Sb 121.75	52 Te 127.60	53 I 126.90	54 Xe 131.30
55 Cs 132.91	56 Ba 137.33	57 La 138.91	72 Hf 178.49	73 Ta 180.95	74 W 183.85	75 Re 186.2	76 Os 190.2	77 Ir 192.22	78 Pt 195.09	79 Au 196.97	80 Hg 200.59	81 Tl 204.37	82 Pb 207.2	83 Bi 208.98	84 Po (210)	85 At (210)	86 Rn (222)
87 Fr (223)	88 Ra 226.03	89 Ac (227)	104 Rf (261)	105 Db (262)	106 Sg (266)												

58 Ce 140.12	59 Pr 140.91	60 Nd 144.24	61 Pm (145)	62 Sm 150.4	63 Eu 151.96	64 Gd 157.25	65 Tb 158.93	66 Dy 162.50	67 Ho 164.93	68 Er 167.26	69 Tm 168.93	70 Yb 173.04	71 Lu 174.97
90 Th 232.04	91 Pa 231.04	92 U 238.03	93 Np 237.05	94 Pu (244)	95 Am (243)	96 Cm (247)	97 Bk (247)	98 Cf (251)	99 Es (254)	100 Fm (257)	101 Md (258)	102 No (259)	103 Lw (260)

부록 4

재료물성도표

다음 표는 11장과 12장에서 다루는 구조 재료의 주요 특성을 제공하고 있다. 관련 자료는 주로 책 속의 표로 구성되어 있다.

4A. 재료의 물리적 특성
4B. 공업재료의 인장 및 굽힘 실험 결과
4C. 공업재료의 다양한 기계적 특성
4D. 재료의 열적 특성 결과

부록 4A

Physical Properties of Selected Materials

Material	Density [Mg/m^3]	Melting temperature [°C]	Glass transition temperature [°C]
Metals[a]			
Aluminum	2.70	660	
Copper	8.93	1,085	
Gold	19.28	1,064	
Iron	7.87	1,538	
Lead	11.34	328	
Nickel	8.91	1,455	
Silver	10.50	962	
Titanium	4.51	1,670	
Tungsten	19.25	3,422	
Ceramics and glasses[b]			
Al_2O_3	3.97	2,054	
MgO	3.58	2,800	
SiO_2	2.26–2.66	1,726	
Mullite ($3Al_2O_3 \cdot 2SiO_2$)	3.16	1,890	
ZrO_2	5.89	2,700	
Silica glass	2.2		1,100
Soda–lime–silica glass	2.5		450
Polymers[c]			
Epoxy (mineral filled)	1.22		204
Nylon 66	1.13–1.15		66
Phenolic	1.32–1.46		191
Polyethylene (high-density)	0.94–0.97		
Polypropylene	0.90–0.91		
Polytetrafluoroethylene (PTFE)	2.1–2.3		

Source: Data from [a]Appendix 1; [b]D. R. Lide, *Handbook of Chemistry and Physics*, 71st ed., CRC Press, Boca Raton, FL, 1990, ceramic phase diagrams in Chapter 9, and the Corning Glass Works; and [c]J. F. Shackelford, W. Alexander, and J. S. Park, *The CRC Materials Science and Engineering Handbook*, 2nd ed., CRC Press, Boca Raton, FL, 1994, and Figure 6.51.

부록 4B

Tensile and Bend Test Data for Selected Engineering Materials

Material	E [GPa (psi)]	E_{flex} [MPa (ksi)]	E_{Dyn} [MPa (ksi)]	Y.S. [MPa (ksi)]	T.S. [MPa (ksi)]	Flexural strength [MPa (ksi)]	Percent elongation at failure
Metal alloys[a]							
1040 carbon steel	$200(29 \times 10^6)$			600(87)	750(109)		17
8630 low-alloy steel				680(99)	800(116)		22
304 stainless steel	$193(28 \times 10^6)$			205(30)	515(75)		40
410 stainless steel	$200(29 \times 10^6)$			700(102)	800(116)		22
L2 tool steel				1,380(200)	1,550(225)		12
Ferrous superalloy (410)	$200(29 \times 10^6)$			700(102)	800(116)		22
Ductile iron, quench	$165(24 \times 10^6)$			580(84)	750(108)		9.4
Ductile iron, 60–40–18	$169(24.5 \times 10^6)$			329(48)	461(67)		15
3003-H14 aluminum	$70(10.2 \times 10^6)$			145(21)	150(22)		8–16
2048, plate aluminum	$70.3(10.2 \times 10^6)$			416(60)	457(66)		8
AZ31B magnesium	$45(6.5 \times 10^6)$			220(32)	290(42)		15
AM100A casting magnesium	$45(6.5 \times 10^6)$			83(12)	150(22)		2
Ti–5Al–2.5Sn	$107-110(15.5-16 \times 10^6)$			827(120)	862(125)		15
Ti–6Al–4V	$110(16 \times 10^6)$			825(120)	895(130)		10
Aluminum bronze, 9% (copper alloy)	$110(16.1 \times 10^6)$			320(46.4)	652(94.5)		34
Monel 400 (nickel alloy)	$179(26 \times 10^6)$			283(41)	579(84)		39.5
AC41A zinc					328(47.6)		7
50:50 solder (lead alloy)				33(4.8)	42(6.0)		60
Nb–1 Zr (refractory metal)	$68.9(10 \times 10^6)$			138(20)	241(35)		20
Dental gold alloy (precious metal)					310–380(45–55)		20–35
Ceramics and glasses[b]							
Mullite (aluminosilicate)	$50-220(7-32 \times 10^6)$					150–270(22–39)	
Steatite (magnesia aluminosilicate) porcelain	$69(10 \times 10^6)$					140(20)	
Superduty fireclay (aluminosilicate) brick	$97(14 \times 10^6)$					5.2(0.75)	
Alumina	$380(55 \times 10^6)$					276–1,034(40–150)	
Sintered alumina (~5% porosity)	$370(54 \times 10^6)$					210–340(30–49)	
Alumina porcelain (90–95% alumina)	$370(54 \times 10^6)$					340(49)	
Sintered magnesia (~5% porosity)	$210(30 \times 10^6)$					100(15)	
Magnesite (magnesia) brick	$170(25 \times 10^6)$					28(4)	
Sintered spinel (magnesia aluminate)	$240-260(35-38 \times 10^6)$					110–245(16–36)	
Partially stabilized zirconia	$205(30 \times 10^6)$					600–700(87–102)	
Sintered beryllia (~5% porosity)	$310(45 \times 10^6)$					140–280(20–41)	
Silicon carbide	$382-476(55-69 \times 10^6)$					228–862(33–125)	
Hot-pressed boron carbide (~5% porosity)	$290(42 \times 10^6)$					340(49)	
Hot-pressed boron nitride (~5% porosity)	$83(12 \times 10^6)$					48–100(7–15)	
Silica glass	$73(11 \times 10^6)$					104(15)	
Soda–lime–silica glass	$66(10 \times 10^6)$					150(22)	
Borosilicate glass	$60(10 \times 10^6)$					69(10)	

부록 4B

Tensile and Bend Test Data for Selected Engineering Materials (continued)

Material	E [GPa (psi)]	E_{flex} [MPa (ksi)]	E_{Dyn} [MPa (ksi)]	Y.S. [MPa (ksi)]	T.S. [MPa (ksi)]	Flexural strength [MPa (ksi)]	Percent elongation at failure
Polymers[c]							
Polyethylene							
High-density	0.830(0.12 × 10^6)				28(4)		15–100
Low-density	0.170(0.025 × 10^6)				14(2)		90–800
Polyvinylchloride	2.80(0.40 × 10^6)				41(6)		2–30
Polypropylene	1.40(0.20 × 10^6)				34(5)		10–700
Polystyrene	3.10(0.45 × 10^6)				48(7)		1–2
Polyesters		8,960(1,230)			158(22.9)		2.7
Acrylics (Lucite)	2.90(0.42 × 10^6)				55(8)		5
Polyamides (nylon 66)	2.80(0.41 × 10^6)	2,830(410)			82.7(12.0)		60
Cellulosics	3.40–28.0 (0.50–4.0 × 10^6)				14–55(2–8)		5–40
ABS	2.10(0.30 × 10^6)				28–48(4–7)		20–80
Polycarbonates	2.40(0.35 × 10^6)				62(9)		110
Acetals	3.10(0.45 × 10^6)	2,830(410)			69(10)		50
Polytetrafluoroethylene (Teflon)	0.41(0.060 × 10^6)				17(2.5)		100–350
Polyester-type thermoplastic elastomers		585(85)			46(6.7)		400
Phenolics (phenolformaldehyde)	6.90(1.0 × 10^6)				52(7.5)		0
Urethanes					34(5)		
Urea-melamine	10.0(1.5 × 10^6)				48(7)		0
Polyesters	6.90(1.0 × 10^6)				28(4)		0
Epoxies	6.90(1.0 × 10^6)				69(10)		0
Polybutadiene/polystyrene copolymer							
Vulcanized	0.0016(0.23 × 10^3)		0.8(0.12)		1.4–3.0 (0.20–0.44)		440–600
Vulcanized with 33% carbon black	0.003–0.006 (0.4–0.9 × 10^3)		8.7(1.3)		17–28 (2.5–4.1)		400–600
Polyisoprene							
Vulcanized	0.0013(0.19 × 10^3)		0.4(0.06)		17–25 (2.5–3.6)		750–850
Vulcanized with 33% carbon black	0.003–0.008 (0.44–1.2 × 10^3)		6.2(0.90)		25–35 (3.6–5.1)		550–650

부록 4B

Tensile and Bend Test Data for Selected Engineering Materials (continued)

Material	E [GPa (psi)]	E_{flex} [MPa (ksi)]	E_{Dyn} [MPa (ksi)]	Y.S. [MPa (ksi)]	T.S. [MPa (ksi)]	Flexural strength [MPa (ksi)]	Percent elongation at failure
Polychloroprene							
Vulcanized	$0.0016(0.23 \times 10^3)$		0.7(0.10)		25–38 (3.6–5.5)		800–1,000
Vulcanized with 33% carbon black	0.003–0.005 $(0.4–0.7 \times 10^3)$		2.8(0.41)		21–30 (3.0–4.4)		500–600
Polyisobutene/polyisoprene copolymer							
Vulcanized	$0.0010(0.15 \times 10^3)$		0.4(0.06)		18–21 (2.6–3.0)		750–950
Vulcanized with 33% carbon black	0.003–0.004 $(0.4–0.6 \times 10^3)$		3.6(0.52)		18–21 (2.6–3.0)		650–850
Silicones					7(1)		4,000
Vinylidene fluoride/hexafluoropropylene					12.4(1.8)		
Composites[d]							
E-glass (73.3 vol %) in epoxy (parallel loading of continuous fibers)	$56(8.1 \times 10^6)$				1,640(238)		2.9
Al_2O_3 whiskers (14 vol %) in epoxy	$41(6 \times 10^6)$				779(113)		
C (67 vol %) in epoxy (parallel loading)	$221(32 \times 10^6)$				1,206(175)		
Kevlar (82 vol %) in epoxy (parallel loading)	$86(12 \times 10^6)$				1,517(220)		
B (70 vol %) in epoxy (parallel loading of continuous filaments)	210–280 $(30–40 \times 10^6)$				1,400–2,100 (200–300)		
Al_2O_3 (10 vol %) dispersion-strengthened aluminum					330(48)		
W (50 vol %) in copper (parallel loading of continuous filaments)	$260(38 \times 10^6)$				1,100(160)		
W particles (50 vol %) in copper	$190(27 \times 10^6)$				380(55)		
SiC whiskers in Al_2O_3						800(116)	
SiC fibers in SiC						750(109)	
SiC whiskers in reaction-bonded Si_3N_4						900(131)	

[a]From Table 6.1
[b]From Table 6.4
[c]From Tables 6.6 and 6.7
[d]From Table 12.7

부록 4C

Miscellaneous Mechanical Properties Data for Selected Engineering Materials

	Poisson's ratio ν	Brinell hardness number	Rockwell hardness R scale	Charpy impact energy [J(ft · lb)]	Izod impact energy [J(ft · lb)]	K_{IC} (MPa$\sqrt{m}$)	Fatigue limit [MPa (ksi)]
Metals and alloys[a]							
1040 carbon steel	0.30	235		180(133)			280(41)
Mild steel						140	
Medium-carbon steel						51	
8630 low-alloy steel	0.30	220		51(41)			400(58)
304 stainless steel	0.29						170(25)
410 stainless steel		250		34(25)			
L2 tool steel				26(19)			
Rotor steels (A533; Discalloy)						204–214	
Pressure-vessel steels (HY130)						170	
High-strength steels (HSS)						50–154	
Ductile iron	0.29	167		9(7)			
Cast iron						6–20	
Pure ductile metals (e.g., Cu, Ni, Ag, Al)						100–350	
Be (brittle hcp metal)						4	
3003-H14 aluminum	0.33	40					62(9)
2048, plate aluminum				10.3(7.6)			
Aluminum alloys (high strength-low strength)						23–45	
AZ31B magnesium	0.35	73		4.3(3.2)			
AM100A casting magnesium	0.35	53		0.8(0.6)			69(10)
Ti–5Al–2.5Sn	0.35	335		23(17)			410(59)
Ti–6Al–4V	0.33						
Titanium alloys						55–115	
Aluminum bronze, 9% (copper alloy)	0.33	165		48(35)			200(29)
Monel 400 (nickel alloy)	0.32	110–150		298(220)			290(42)
AC41A zinc		91					56(8)
50:50 solder (lead alloy)		14.5		21.6(15.9)			
Nb–1 Zr (refractory metal)				174(128)			
Dental gold alloy (precious metal)		80–90					

부록 4C

Miscellaneous Mechanical Properties Data for Selected Engineering Materials (continued)

	Poisson's ratio ν	Brinell hardness number	Rockwell hardness R scale	Charpy impact energy [J(ft · lb)]	Izod impact energy [J(ft · lb)]	K_{IC} (MPa$\sqrt{m}$)	Fatigue limit [MPa (ksi)]
Ceramics and glasses[b]							
Al_2O_3	0.26					3–5	
BeO	0.26						
CeO_2	0.27–0.31						
MgO						3	
Cordierite ($2MgO \cdot 2Al_2O_3 \cdot 5SiO_2$)	0.31						
Mullite ($3Al_2O_3 \cdot 2SiO_2$)	0.25						
SiC	0.19					3	
Si_3N_4	0.24					4–5	
TaC	0.24						
TiC	0.19						
TiO_2	0.28						
Partially stabilized ZrO_2	0.23					9	
Fully stabilized ZrO_2	0.23–0.32						
Glass-ceramic ($MgO - Al_2O_3 - SiO_2$)	0.24						
Electrical porcelain						1	
Cement/concrete, unreinforced						0.2	
Soda glass ($Na_2O - SiO_2$)						0.7–0.8	
Borosilicate glass	0.20						
Glass from cordierite	0.26						
Polymers[c]							
Polyethylene							
High-density			40		1.4–16 (1–12)	2	
Low-density			10		22(16)	1	
Polyvinylchloride			110		1.4(1)		
Polypropylene			90		1.4–15 (1–11)	3	
Polystyrene			75		0.4(0.3)	2	
Polyesters			120		1.4(1)	0.5	40.7(5.9)
Acrylics (Lucite)			130		0.7(0.5)		
Polyamides (nylon 66)	0.41		121		1.4(1)	3	
Cellulosics			50–115		3–11 (2–8)		

부록 4C

Miscellaneous Mechanical Properties Data for Selected Engineering Materials (continued)

	Poisson's ratio ν	Brinell hardness number	Rockwell hardness R scale	Charpy impact energy [J(ft · lb)]	Izod impact energy [J(ft · lb)]	K_{IC} (MPa$\sqrt{m}$)	Fatigue limit [MPa (ksi)]
ABS			95		1.4–14 (1–10)	4	
Polycarbonates			118		19(14)	1.0–2.6	
Acetals	0.35		120		3(2)		31(4.5)
Polytetrafluoroethylene (Teflon)			70		5(4)		
Polyester-type thermoplastic elastomers							
Phenolics (phenolformaldehyde)			125		0.4(0.3)		
Urethanes							
Urea-melamine			115		0.4(0.3)		
Polyesters			100		0.5(0.4)		
Epoxies			90		1.1(0.8)	0.3–0.5	
Composites[d]							
E-glass (73.3 vol %) in epoxy (parallel loading of continuous fibers)						42–60	
B (70 vol %) in epoxy -(parallel loading of continuous filaments)						46	
SiC whiskers in Al_2O_3						8.7	
SiC fibers in SiC						25.0	
SiC whiskers in reaction-bonded Si_3N_4						20.0	

[a]From Tables 6.3, 6.10, 8.1, 8.3, and 8.4
[b]From Tables 6.5 and 8.3
[c]From Tables 6.6, 6.11, 8.2, and 8.3
[d]From Table 12.7

부록 4D

Thermal Properties Data for Selected Materials

	Specific heat[a] c_p	Linear coefficient of thermal expansion[b] $\alpha[mm/(mm \cdot C) \times 10^6]$			Thermal conductivity[c] $k\,[J/(s \cdot m \cdot K)]$			
	[J/kg · K]	27°C	527°C	0–1000°C	27°C	100°C	527°C	1000°C
Metals[a]								
Aluminum	900	23.2	33.8		237		220	
Copper	385	16.8	20.0		398		371	
Gold	129	14.1	16.5		315		292	
Iron (α)	444				80		43	
Lead	159							
Nickel	444	12.7	16.8		91		67	
Silver	237	19.2	23.4		427		389	
Titanium	523				22		20	
Tungsten	133	4.5	4.8		178		128	
Ceramics and glasses[b]								
Mullite ($3Al_2O_3 \cdot 2SiO_2$)				5.3		5.9		3.8
Porcelain				6.0		1.7		1.9
Fireclay refractory				5.5		1.1		1.5
Al_2O_3	160			8.8		30		6.3
Spinel ($MgO \cdot Al_2O_3$)				7.6		15		5.9
MgO	457			13.5		38		7.1
UO_2				10.0				
ZrO_2 (stabilized)				10.0		2.0		2.3
SiC	344			4.7				
TiC						25		5.9
Carbon (diamond)	519							
Carbon (graphite)	711							
Silica glass				0.5		2.0		2.5
Soda–lime–silica glass				9.0		1.7		
Polymers[c]								
Nylon 66	1,260–2,090	30–31			2.9			
Phenolic	1,460–1,670	30–45			0.17–0.52			
Polyethylene (high-density)	1,920–2,300	149–301			0.33			
Polypropylene	1,880	68–104			2.1–2.4			
Polytetrafluoroethylene (PTFE)	1,050	99			0.24			

[a]From Table 7.1
[b]From Table 7.2
[c]From Table 7.4

부록 5

전자, 광학, 자성 재료의 특성

5A. 상온에서 일부 재료의 전기 전도도

5B. 상온에서 몇몇 일반적인 반도체의 특성

5C. 일부 절연체의 유전 상수와 절연 내력

5D. 광학 재료의 굴절률

5E. 재료에 대한 자성 특성

부록 5A

Electrical Conductivities of Selected Materials at Room Temperature

Material	Conductivity, σ ($\Omega^{-1} \cdot m^{-1}$)
Metals and alloys[a]	
Aluminum (annealed)	35.36×10^6
Copper (annealed standard)	58.00×10^6
Gold	41.0×10^6
Iron (99.9 + %)	10.3×10^6
Lead (99.73 + %)	4.84×10^6
Magnesium (99.80%)	22.4×10^6
Mercury	1.04×10^6
Nickel (99.95% + Co)	14.6×10^6
Nichrome (66% Ni + Cr and Fe)	1.00×10^6
Platinum (99.99%)	9.43×10^6
Silver (99.78%)	62.9×10^6
Steel (wire)	$5.71\text{–}9.35 \times 10^6$
Tungsten	18.1×10^6
Zinc	16.90×10^6
Semiconductors[b]	
Silicon (high purity)	0.40×10^{-3}
Germanium (high purity)	2.0
Gallium arsenide (high purity)	0.17×10^{-6}
Indium antimonide (high purity)	17×10^3
Lead sulfide (high purity)	38.4
Ceramics, glasses, and polymers[c]	
Aluminum oxide	$10^{-10}\text{–}10^{-12}$
Borosilicate glass	10^{-13}
Polyethylene	$10^{-13}\text{–}10^{-15}$
Nylon 66	$10^{-12}\text{–}10^{-13}$

[a]From Tables 13.1 and 13.2
[b]From Tables 13.1 and 13.5
[c]From Table 13.1

부록 5B

Properties of Some Common Semiconductors at Room Temperature

Material	Energy gap, E_g (eV)	Electron mobility, $\mu_e[m^2/(V \cdot s)]$	Hole mobility, $\mu_h[m^2/(V \cdot s)]$	Carrier density, $n_e(= n_h)(m^{-3})$
Elements[a]				
Si	1.107	0.140	0.038	14×10^{15}
Ge	0.66	0.364	0.190	23×10^{18}
III–V Compounds[b]				
AlSb	1.60	0.090	0.040	
GaP	2.25	0.030	0.015	
GaAs	1.47	0.720	0.020	1.4×10^{12}
GaSb	0.68	0.500	0.100	
InP	1.27	0.460	0.010	
InAs	0.36	3.300	0.045	
InSb	0.17	8.000	0.045	13.5×10^{21}
II–VI Compounds[b]				
ZnSe	2.67	0.053	0.002	
ZnTe	2.26	0.053	0.090	
CdS	2.59	0.034	0.002	
CdTe	1.50	0.070	0.007	
HgTe	0.025	2.200	0.016	

[a]From Table 13.5
[b]From Table 13.9

부록 5C

Dielectric Constant and Dielectric Strength for Selected Insulators

Material	Dielectric constant,[a] κ	Dielectric strength,[a] (kV/mm)
Al_2O_3 (99.9%)	10.1	9.1
Al_2O_3 (99.5%)	9.8	9.5
BeO (99.5%)	6.7	10.2
Cordierite	4.1–5.3	2.4–7.9
Nylon 66—reinforced with 33% glass fibers (dry-as-molded)	3.7	20.5
Nylon 66—reinforced with 33% glass fibers (50% relative humidity)	7.8	17.3
Acetal (50% relative humidity)	3.7	19.7
Polyester	3.6	21.7

[a]From Table 13.4

부록 5D

Refractive Index for Selected Optical Materials

Material	Average refractive index
Ceramics and glasses[a]	
Quartz (SiO_2)	1.55
Mullite ($3Al_2O_3 \cdot 2SiO_2$)	1.64
Orthoclase ($KAlSi_3O_8$)	1.525
Albite ($NaAlSi_3O_8$)	1.529
Corundum (Al_2O_3)	1.76
Periclase (MgO)	1.74
Spinel ($MgO \cdot Al_2O_3$)	1.72
Lead Oxide (PbO)	2.61
Zirconium Dioxide (ZrO_2)	2.19
Silica glass (SiO_2)	1.458
Borosilicate glass	1.47
Soda–lime–silica glass	1.51–1.52
$CaO \cdot SiO_2$ glass (39 mol % CaO)	1.59
$PbO \cdot SiO_2$ glass (37 mol % PbO)	1.76
Glass from orthoclase	1.51
Glass from albite	1.49
Polymers[b]	
Polyethylene	
High-density	1.545
Low-density	1.51
Poly(vinyl) chloride	1.54–1.55
Polypropylene	1.47
Polystyrene	1.59
Cellulosics	1.46–1.50
Polyamides (nylon 66)	1.53
Polytetrafluoroethylene (Teflon)	1.35–1.38
Phenolics (phenol-formaldehyde)	1.47–1.50
Urethanes	1.5–1.6
Epoxies	1.55–1.60
Polybutadiene/polystyrene copolymer	1.53
Polyisoprene (natural rubber)	1.52
Polychloroprene	1.55–1.56

[a]From Table 14.1
[b]From Table 14.2

부록 5E

Magnetic Properties Data for Selected Materials

Material	Initial relative permeability (μ_r at $B \sim 0$)	Hysteresis loss (J/m^3 per cycle)	Saturation induction (Wb/m^2)	Maximum BH product $(BH)_{max}(A \cdot Wb/m^3)$
Metals and alloys[a]				
Commercial iron ingot	250	500	2.16	
Fe–4% Si, random	500	50–150	1.95	
Fe–3% Si, oriented	15,000	35–140	2.0	
45 Permalloy (45% Ni–55% Fe)	2,700	120	1.6	
Mumetal (75% Ni–5% Cu–2% Cr–18% Fe)	30,000	20	0.8	
Supermalloy (79% Ni–15% Fe–5%Mo)	100,000	2	0.79	
Amorphous ferrous alloys				
(80% Fe–20% B)		25	1.56	
(82% Fe–10% B–8% Si)		15	1.63	
Samarium–cobalt				120,000–170,000
Neodymium–iron–boron				255,000
Platinum–cobalt				70,000
Alnico				36,000
Cunife				12,000
Ceramics[b]				
Ferroxcube III ($MnFe_2O_4$–$ZnFe_2O_4$)	1,000		0.25	
Vectolite (30% Fe_2O_3–44% Fe_3O_4–26% Cr_2O_3)				6,000

[a]From Tables 14.6 and 14.7

[b]From J. F. Shackelford, "Properties of Materials," in *The Electronics Handbook,* J. C. Whitaker, Ed., CRC Press, Boca Raton, FL, 1996, pp. 2326–2351.

용어 해설

가공 경화(strain hardening) 변형에 의한 금속 합금의 강화(점점 더 조밀해지는 전위의 배열을 통한 전위 운동의 어려움 증가로 인함)

가공 경화 지수(strain-hardening exponent) 소성 변형의 시작점과 네킹 시작점 사이의 진응력 대 진변형 곡선의 log-log 그래프의 기울기. 이 매개변수는 합금의 변형 능력을 나타내는 지표이다.

가단주철(malleable iron) 적당한 연성을 가진 전통적인 형태의 주철. 먼저 백철로 주조한 다음 열처리하여 구상 흑연 침전물을 생성함

가소제(plasticizer) 고분자를 연화하기 위한 첨가제

가시광선(visible light) 사람의 눈으로 감지할 수 있는 전자기 복사 스펙트럼의 부분(파장 범위는 400~700 nm)

가전대(valance band) 고립된 원자의 원자가 전자와 관련된 고체 내에서의 에너지 범위

가황(vulcanization) 가교를 통해 선형 구조의 고분자를 망상 구조의 고분자로 변형하는 것

갈바닉 방지법(galvanic protection) 보호할 구조적 구성요소를 음극으로 하여 부식으로부터 보호되는 설계 구성

갈바닉 부식(galvanic corrosion) 서로 다른 두 금속과 관련된 기전력에 의해 발생하는 부식

갈바닉 시리즈(galvanic series) 해수와 같은 수성 환경에서 금속 합금의 상대적 부식 거동을 체계적으로 나열한 목록

갈바닉 전지(galvanic cell) 부식 및 관련 전류가 서로 다른 두 금속의 접촉으로 인해 발생하는 전기화학 전지

강(steel) 최대 약 2.0 wt %의 탄소를 함유한 철 합금

강성 계수(modulus of rigidity) '전단 계수' 참고

강유전체(ferroelectirc) 외부의 인가된 전기장하에서 자발적 분극을 보여주는 물질

강자성(ferromagnetism) 자기장 세기가 가해짐에 따라 유도가 급격히 증가하는 현상

강화 유리(tempered glass) 외부 표면을 잔류 압축 상태로 만드는 열처리 과정을 포함하는 강화 유리

강화제(reinforcement) 강화된 강도와 강성을 가진 고분자를 제작하는 첨가제(예: 유리섬유)

개시제(initiator) 부가중합을 시작하는 화합물

게이트(gate) 전계 효과 트랜지스터의 간운대 영역(그림 13.46 참고)

게터링(gettering) 소자 회로가 만들어지는 실리콘 웨이퍼 영역에서 산소를 포착하고 제거하는 데 사용되는 과정

격자면(lattice plane) 결정격자가 이루는 면

격자 방향(lattice direction) 결정격자의 방향

격자 변수(lattice parameter) '격자 상수' 참고

격자 상수(lattice constant) 단위정 각 방향의 크기 및 결정학 축 간의 각도

격자 위치(lattice position) 그림 3.22에서 보이듯, 결정학적 격자 내 점의 일반적인 표기

격자 전이(lattice translation) 인접한 단위정 안의 동일한 위치를 연결하는 벡터

격자점(lattice point) 3차원 공간에서 주기적으로 분포하는 이론적인 점의 집합의 하나

결맞는(coherent) 광파의 위상이 동일한 광원

결어긋난(incoherent) 광파의 위상이 서로 같지 않은 광원

결정격자(crystal lattice) 3차원 공간에서 (동등한 위치를 가진) 점의 14가지 배열

결정계(crystal system) 3차원 공간을 채우기 위해 쌓을 수 있는 7개의 교유한 단위정 모양

결정립(grain) 다결정 미세구조를 이루는 단결정

결정립계(grain boundary) 다결정 미세구조에서 인접한 두 결정립 사이의 불일치 영역

결정립계 전위(grain-boundary dislocation, GBD) 정합성을 이루는 부분을 분리하는 결정립계 내의 선 결함

결정립계 확산(grain-boundary diffusion) 결정립계 영역의 상대적으로 열린 구조를 따라 발생하는 향상된 원자 흐름

결정립도(grain-size number) 식 (4.1)에 표현된 미세구조의 평균 결정립 크기를 나타내는 지수

결정립 성장(grain growth) 고체 상태 확산으로 인한 다결정 미세구조의 평균 입자 크기 증가

결정질 세라믹(crystalline ceramic) 주로 결정질 원자 구조를 갖는 세라믹 재료

결정체(crystalline) 규칙적이고 반복적인 패턴으로 배열된 구성 원자를 갖는 것

결정화 유리(glass-ceramic) 유리의 제어된 실투에 의해 생성되는 미세 결정립의 결정질 세라믹

결함 유도 파괴(flaw-induced fracture) 기존 결함에의 응력 집중으로 인해 발생하는 급격한 파괴

결합각(bond angle) 3개의 인접한 원자에 의해 형성되는 각도

결합길이(bond length) 결합된 2개의 인접한 원자 또는 이온 사이의 중심 간 거리

결합력(bonding force) 두 원자 또는 이온 사이의 거리를 함수로 하여 표시된 순 인력(또는 반발력)

결합에너지(bonding energy) 두 원자 또는 이온 사이의 거리를 함수로 하여 표시된 인력(또는 반발)의 순 에너지

경각 경계(tilt boundary) 2개의 인접한 결정립에서 공통 결정학적 방위의 기울기와 관련된 결정립계(그림 4.18 참고)

경납땜(brazing) 납땜 금속은 녹으나 접합되는 부분은 녹지 않는 금속 부품 접합

경도(hardness) 압입에 대한 재료의 저항

경자석(hard magnet) 도메인 벽이 상대적으로 쉽게 움직이지 않는 자석

경화능(hardenability) 퀜칭에 의해 경화되는 강의 상대적인 능력

계면강도(interfacial strength) 복합재료의 기지와 강화제 사이의 결합 강도

고갈 영역(exhaustion range) 불순물 도핑된 전자가 모두 전도대로 전이하여 n형 반도체에서 전도도가 거의 상수가 되는 온도 영역

고강도 저합금 강[high-strength, low-alloy(HSLA) steel] 상대적으로 강도가 높지만 비탄소 첨가량이 5 wt % 미만인 강

고령토(kaolinite) 그림 3.15에서 보여주는 규산염 결정 구조

고분자(polymer) 긴 사슬 혹은 망상 구조의 분자로 이루어진 유기 엔지니어링 재료

고분자 기지 복합재료(polymer matrix composite) 강화 물질이 고분자 기지에 분산되어 있는 복합재료

고분자분자(polymeric molecule) 동일한 빌딩 블록(mer)이 반복적으로 연결된 긴 사슬 또는 망상 분자

고상선(solidus) 상태도에서 그 선 아래에서는 하나 또는 그 이상의 고체상만 존재하는 선

고속 파괴(fast fracture) '결함 유도 파괴' 참고

고용 경화(solution hardening) 고용 형성으로 인한 소성 변형의 제한과 관련된 재료의 기계적 강화

고용체(solid solution) 하나 이상의 종류의 원자가 원자 규모에서 혼합된 고체 상태

고용체 강화(solution hardening) 형성된 고용체로 인한 소성 변형의 제한과 관련된 재료의 기계적 강화

고유 게터링(intrinsic gettering) 집적 회로가 개발되는 표면 영역 아래에 SiO_2 침전물을 형성하기 위해 실리콘 웨이퍼를 열처리함으로써 실리콘 장치에서 산소를 포착하는 것

고합금강(high-alloy steel) 5 wt% 이상의 비탄소가 첨가된 철 합금

공공(vacancy) 결정 구조의 비어 있는 원자 자리

공공 이동(vacancy migration) 원자 확산 과정에서 결정 구조의 큰 왜곡 없이 발생하는 공공의 이동

공구강(tool steel) 다른 재료를 절단, 형성 혹은 성형하는 데 사용되는 철 합금

공석 상태도(eutectoid diagram) 공석 반응이 있는 2원 상태도[식 (9.4), 그림 9.18 참고]

공액선(tie line) 상태도의 2상 영역 경계에서 2개의 상의 성분을 연결하는 수평선(일정한 온도에 해당)(그림 9.6 참고)

공유 결합(covalent bond) 원자 사이의 전자 공유를 통하여 형성된 1차적 화학 결합

공정(processing) 공학적 응용에 적합한 형태로 재료를 만드는 과정

공정 반응(eutectic reaction) 식 (9.3)에 요약된 대로, 온도가 낮아짐에 따라 하나의 액체상이 두 종류의 고체상으로 변태하는 반응

공정 상태도(eutectic diagram) 공정 반응이 있는 2원 상태도

공정 온도(eutectic temperature) 2원계가 완전히 녹는 최저 온도(그림 9.11 참고)

공정 조성(eutectic composition) 2원계가 완전히 녹는 최소 온도에서의 조성(그림 9.11 참고)

공중합체(copolymer) 두 가지 이상의 단량체가 하나의 사슬을 구성하는 고분자

공칭 변형률(engineering strain) 시편 길이의 증가량을 원래(응력이 없는 상태의) 길이로 나눈 값

공칭 응력(engineering stress) 시편에 가해진 하중을 원래(응력이 없는 상태의) 면적으로 나눈 값

과공석 조성(hypereutectoid composition) 공석보다 높은 조성

과공정 조성(hypereutectic composition) 공정보다 높은 조성

과시효(overaging) 석출물이 조대한 분산물로 합쳐질 때까지 시효 경화 과정을 계속하면 전위 장벽이 덜 효과적이며 경도가 떨어진다.

광발광(photoluminescence) 광자에 의한 발광

광섬유(optical fiber) 디지털 광 펄스를 낮은 손실로 전송할

수 있는 작은 직경의 유리섬유(그림 14.16 참고)

광자(photon) 주어진 전자기 복사 파장에 해당하는 에너지를 가진 입자성 에너지

광재료(photonic material) 신호 전달이 전자 재료의 전자가 아닌 광자에 의해 이루어지는 광학 재료

광전도체(photoconductor) 광자에 노출되어 전자-정공 쌍이 생성되는 반도체

광학적 특성(optical property) 빛과 상호작용하는 본질과 관련된 물질의 특성

교차 결합(cross-linking) 화학적 결합에 의한 인접 고분자 구성 분자의 선형적 연결. 그림 6.46의 고무에서의 가황 방식 참조

교환 상호작용(exchange interaction) 근접 원자가 정렬된 자기 모멘트를 가지도록 유도하는 근접 원자의 근접 전자스핀 사이의 현상

구역 정제법(zone refining) 9장의 '재료의 세계'에 설명된 것처럼, 위상 평형 원리를 사용하여 막대로 만든 재료를 따라 유도 코일을 통과시켜 재료를 정제하는 기술

굴절률(refractive index) 식 (14.4)로 정의되는 기본적인 광학적 특성

굽힘 강도(flexural strength) 굽힘 시험에서 측정된 재료의 파손 응력[식 (6.10) 참고]

굽힘 계수(flexural modulus) 굽힘 시험에서 측정된 재료의 강성[식 (6.12) 참고]

굽힘 탄성 계수(modulus of elasticity in bending) '굽힘 계수' 참고

귀금속(precious metal) 금, 백금 및 이것의 합금과 같이 일반적으로 내식성 금속 및 합금

규산염(silicate) SiO_2를 주성분으로 하는 세라믹 화합물

규산염유리(silicate glass) SiO_2를 주성분으로 하는 비정질 고체

규칙 고용체(ordered solid solution) 용질 원자가 규칙적인 패턴을 가지고 배열을 이루는 고용체(그림 4.3 참고)

규토(silica) 실리콘 다이옥사이드. 그림 3.13에 나타낸 다양한 안정된 결정 구조의 한 종류

균일 핵생성(homogeneous nucleation) 완전히 균질한 매질 내에서 발생하는 새로운 상의 석출

그래프트 공중합체(graft copolymer) 하나 이상의 구성요소가 주요 고분자 사슬에 그래프트된 공중합체

그램-원자(gram-atom) 주어진 원소의 Avogadro 원자 수

그룹(group) 주기율표의 동일한 세로 열에 있는 화학 원소

극 도면(polar diagram) 표면에서 반사된 빛의 강도 도면(그림 14.7 참고)

극성분자(polar molecule) 영구 쌍극자 모멘트를 갖는 분자

근사 정형공정(near net-shape processing) 최종 형상 작업을 최소화할 목적의 재료 가공

금속 결합(metallic bond) 비편재화된 전자의 비방향성 공유를 포함하는 1차적 화학 결합

금속 기지 복합재료(metal-matrix composite) 강화 물질이 금속 기지에 분산되어 있는 복합재료

금속성(metallic) 금속의 연성 및 전기전도성 특성 등 다양한 특성을 갖는 소재

금속성 자석(metallic magnet) 주로 자기 특성을 엔지니어링 금속 합금

급냉 응고합금(rapidly solidified alloy) 금속 응고 공정으로 형성된 금속 합금

기계적 응력(mechanical stress) 금속 부식의 원인(그림 15.25 참고)

기상 증착(vapor deposition) 기체 상태에서 재료를 만드는 것을 포함하는 반도체 소자 공정 기술

기전력 시리즈[electromotive force (EMF) series] 표 15.6에 요약된 반쪽 전지 반응 전압의 체계적인 목록

기지(matrix) 강화 분산상이 분산되어 있는 복합 재료의 연속적인 부분

나선 전위(screw dislocation) Burgers 벡터가 전위선에 평행한 선 결함

나일론(nylon) 중요한 엔지니어링 고분자의 한 종류

난반사(diffuse reflection) 표면 거칠기로 인한 빛의 반사(그림 14.6 참고)

납땜(soldering) 접합되는 부분을 녹이지 않고 각 부품의 표면에 용융물 접착에 의한 금속 부품의 접합

내연제(flame retardant) 고분자의 가연성을 줄이기 위해 사용되는 첨가제

내열 금속(refractory metal) 고온에 강한 금속 및 합금(예: 몰리브덴)

내재 에너지(embodied energy) 재료의 전체 수명주기 동안 관련된 모든 에너지 소비의 합계

내화물(refractory) 많은 보통의 세라믹 산화물과 같은 고온 내성 재료

내화물재료(refractory) 많은 일반적인 세라믹 산화물과 같은 고온 내성 재료

냉간 가공(cold work) 상대적으로 낮은 온도에서 금속에 기계적 변형을 가하는 것

녹색 공학(green engineering) 환경친화적인 공학

녹슴(rusting) 철 합금의 일반적인 부식 과정(그림 15.24 참고)

농담 전지(concentration cell) '이온 농담 전지' 참고

농도 기울기(concentration gradient) 주어진 확산종의 거리에 따른 농도 변화

다기능성(polyfunctional) 3개 이상의 반응기를 가지는 단량체 또는 고분자

다이아몬드 입방 구조(diamond cubic) 그림 3.20에서 보여주는 공유 결합을 가진, 단일 원소로 이루어지는 중요한 결정 구조

다이오드(diode) 전류 흐름을 양의 전압(순방향 바이어스) 적용으로 제한하는 간단한 전자 장치

단계-굴절률 광섬유(step-index fiber) 코어/피복막 계면에서 굴절률이 급격히 감소하는 광섬유(그림 14.17 참고)

단계 성장(step growth) 단량체 간의 반응에서 작은 분자가 제거되면서 고분자가 형성되는 중합 과정

단량체(monomer) 유사한 분자와 결합하여 고분자 분자를 형성하는 개별 단위의 분자

단련 공정(wrought process) 초기 주조 단계 후 비교적 단순한 최종 형태로 합금을 압연 또는 단조

단련 합금(wrought alloy) 초기 주조 작업 후 비교적 단순한 최종 형태로 압연 혹은 단조된 금속 합금

단범위 규칙(short-range order, SRO) 유리의 국부적인 '단위체' 구조(동일한 조성의 단위 결정 구조와 비교 가능)

단색(monochromatic) 단일 파장의 방사선

단순 단위정(primitive unit cell) 단위정 모서리에만 원자가 있는 결정 구조

단위정(unit cell) 이 구조 단위의 병진을 반복함으로써 3차원 결정 구조를 형성한다.

단일 모드 광섬유(single-mode fiber) 빛이 광섬유 축과 대체로 평행하게 진행하는 좁은 코어를 가진 광섬유(그림 14.17 참고)

도메인(domain) (강유전성 재료에서)공통의 전기 쌍극자 정렬 또는 (강자성 재료에서)공통의 자기 모멘트 정렬의 미시 영역

도메인 벽(domain wall) 'Bloch 벽' 참고

도체(conductor) 상당한 수준의(예: 전도도가 $10^{+4}\ \Omega^{-1} \cdot m^{-1}$ 이상인) 전기 전도도를 가진 물질

도펀트(dopant) 불순물 반도체에 의도적으로 추가된 불순물

동위원소(isotope) 양성자의 수는 같지만 중성자의 수가 다른 두 가지 이상의 화학 원소 형태

동적 탄성 계수(dynamic modulus of elasticity) 진동하는 하중하에서 고분자 재료의 강성을 나타내는 매개변수

동종 에피텍시(homo epitaxy) 기판과 본질적으로 동일한 재료의 박막 증착

동질 용융(congruent melting) 고체에서 녹아서 액체가 될 때 조성이 변하지 않는 경우

드레인(drain) 전계 효과 트랜지스터에서 전하 운반자를 받는 영역

등변형(isostrain) 기지와 분산상의 변형률이 동일한 복합재료에 대한 하중 조건

등온 변태 선도(isothermal transformation diagram) 'TTT 선도' 참고

등응력(isostress) 기지와 분산상의 응력이 동일한 복합재료에 대한 하중 조건

딱딱한 구(hard sphere) 고정된 반지름을 가진 구형 입자로서의 원자(또는 이온) 모델

레이저(laser) 방사선의 유도 방출에 의한 광 증폭을 기반으로 하는 결맞는 광원

리소그래피(lithography) 집적 회로 공정에 적용되는 인쇄 기법

마그네토플럼바이트(magnetoplumbite) 자기적으로 '단단한' 세라믹. 육각형의 결정 구조와 화학 조성은 같은 이름의 광물과 유사하다.

마르텐사이트(martensite) 오스테나이트의 퀜칭과 관련된 비확산 변형에 의해 생성된 침상 또는 침상 미세구조를 갖는 철-탄소 고용상

마르텐사이트 변태(martensitic transformation) 오스테나이트의 퀜칭에 의한 마르텐사이트 형성과 일반적으로 연관된 무확산 변태

마르텐사이트 스테인리스강(martensitic stainless steel) 마르텐사이트 상이 우세한 내식성 철 합금

마르템퍼링(martempering) 결정학적 변화와 관련된 응력을 줄이기 위해 마르텐사이트 변태 범위를 통한 느린 냉각을 포함하는 강의 열처리

마모(wear) 기계적 작용의 결과로 인한 표면 물질의 제거

마모 파괴(wearfailure) 접촉면에서의 마모 부스러기와 같은 표면과 관련되어 발생하는 손상 현상

망상공 중합체(network copolymer) 3개 이상의 반응기를 가지는 2개 이상의 단량체로부터 형성된 고분자와 그 결과로 생성된 망상 분자 구조

망상분자구조(network molecular structure) 그림 12.7에 모식된 망상 형태의 고분자 구조

망상 수식체(network modifier) 산화물 다면체를 형성하지 않아 유리의 망상 구조를 깨뜨리는 산화물

망상 조직 이론(random network theory) 단순한 산화물 유리를 '단위체'의 무작위한 연결로 나타낼 수 있다는 설명

망상 형성체(network former) 산화물 다면체를 형성하는 산

화물로 유리의 망상 구조를 형성함

맴돌이 전류(eddy current) 도체의 변동 전류. 자석의 AC 애플리케이션에서 에너지 손실의 원인

머(mer) 고분자를 형성하는 반복 단위

면간 간격(interplanar spacing) 인접한 두 결정면에서 원자의 중심 간 거리

면 결함(planardefect) 결정 구조에서 2차원적 무질서(예: 결정립계)

면 밀도(planar density) 결정 구조에서 주어진 면에서 단위 면적당 원자의 개수

면심 입방(face-centered cubic) 그림 3.6에서 보여주는 금속에서 흔한 결정 구조

면의 집합(family of planes) 구조적으로 동일한 결정학적 면의 집합

몰(mole) 화합물의 구성단위에서 Avogadro의 원자 또는 이온 수(예: 1몰의 Al_2O_3에는 2몰의 Al^{3+} 이온과 3몰의 O^{2-} 이온이 포함됨)

무게 대 강도 비(strength-to-weight ratio) '비강도' 참고

무질서한 움직임(random-walk) 각 단계에서의 이동 방향이 무작위하게 선택되는 원자의 이동 현상(그림 5.6 참고)

무확산 변태(diffusionless transformation) 확산 메커니즘이 없기 때문에 본질적으로 시간에 독립적인 상 변태

미세구조 형성(microstructural development) 열 이력의 결과로 재료의 미세구조에서 조성 및 상의 분포의 변화

미세회로(microcircuitry) 제어된 확산에 의해 반도체 기판에 생성된 미세 규모의 전기회로

박리(spalling) 큰 압축 응력으로 인한 금속의 산화물 코팅의 좌굴 및 박리

반경비(radius ratio) 작은 이온의 반지름을 큰 이온의 반지름으로 나눈 값. 이 비율은 더 작은 이온에 인접할 수 있는 더 큰 이온의 수를 결정함

반도체(semiconductor) 절연체와 도체 사이의 전기 전도도를 가진 물질(전도도가 $10^{-4}\ \Omega^{-1}\cdot m^{-1}$에서 $10^{+4}\ \Omega^{-1}\cdot m^{-1}$ 사이)

반발력(repulsive force) 인접한 원자의 (음)전자 궤도와 (양)핵 모두의 유사한 전하 간의 반발로 인한 힘

반사 법칙(reflection rules) 주어진 구조에서 어떤 결정면이 엑스선 회절을 일으키는지에 대한 요약(표 3.4 참고)

반사율(reflectance) 계면에서 반사되는 빛의 비율[식 (14.5) 참고]

반응 억제제(inhibitor) 주어진 환경에서 부식 속도를 감소시키는 작은 농도로 사용되는 물질

반자성(diamagnetism) 1보다 약간 낮은 상대 투자율을 가지게 하는 자기 거동

반쪽 전지(half cell) 전기화학 전지의 양극 또는 음극 절반

반쪽 전지 반응(half-cell reaction) 전기 화학 전지의 양극 또는 음극 절반과 관련된 화학 반응

반투명(translucency) 산란되어 흐릿한 이미지를 전송

반평행 스핀 쌍(antiparallel spin pairing) 페리자성 물질에서 원자의 자기 쌍극자 방향이 정반대로 정렬

발광(luminescence) 광자 흡수에 의한 가시광선 광자의 재방출

발광 다이오드(light-emitting diode, LED) 그림 15.11에 표시된 전기 광학 장치

방사능(radiation) 물질에 대한 환경적 손상의 원인이 될 수 있는 다양한 광자 및 원자 규모 입자

방향의 집합(family of directions) 구조적으로 동인한 결정학적 방향의 집합

배위수(coordination number, CN) 기준 이온(또는 원자)을 둘러싸고 있는 인접한 이온(또는 원자)의 수

백주철(white cast iron) 백색의 결정질 파단면이 특징적인 단단하고 부서지기 쉬운 형태의 주철

버키볼(buckyball) 벅민스터풀러렌 C_{60}의 별명

버키튜브(buckytube) 육각형 탄소 고리로 구성된 원통형 벅민스터풀러렌 분자

벅민스터풀러렌(buckminsterfullerene) 초기 풀러렌 C_{60}과 유사한 측지 돔의 발명가인 R. Buckminster Fuller의 이름을 따서 명명된 탄소 분자

벌크 비정질합금(bulk amorphous alloy) 여러 합금 원소를 포함하는 재료의 급속 냉각으로 3차원의 큰 치수를 갖는 비정질 금속

법랑(porcelain enamel) 부식 환경으로부터 금속을 보호하기 위해 금속 기판에 규산염 유리 코팅

베이나이트(bainite) 페라이트와 시멘타이트의 매우 미세한 침상 미세 조직(그림 10.9 참고)

베이스(base) 트랜지스터의 에미터와 컬렉터 사이의 중간 영역

변태 인성(transformation toughening) 부분적으로 안정된 지르코니아에서 응력에 의해 정방정상 조직이 단사정상으로 변태하는 것을 포함하는 파괴 인성 향상 메커니즘

변환기(transducer) 어떤 형태의 에너지를 다른 형태로 바꾸는 소자

보자력 장(coercive field) 분극된 강유전체를 0 분극으로 되돌리는 데 필요한 역전계의 크기. 또한 자화된 강자성체를 0 유도로 되돌리는 데 필요한 역자기장의 크기

보호 코팅(protective coating) 금속과 부식성 환경 사이의 장

벽

복합 단위정(nonprimitive unit cell) 단위정 모서리 외에도 단위정 내에 원자가 있는 결정 구조

복합재료(composite) 금속, 세라믹(및 유리) 및 고분자 범주의 개별 재료를 미시적으로 조합하여 구성된 재료

복합 파괴(complex failure) 두 가지 다른 파괴 메커니즘이 순차적으로 작동하는 파괴 현상

부가 중합(addition polymerization) '사슬 성장' 참고

부분 안정화 지르코니아(partially stabilized zirconia) 2상 미세구조를 생성하는 두 번째 성분(예: CaO)이 첨가된 ZrO_2 세라믹. PSZ에서 일부 ZrO_2가 풍부한 상의 보유는 변형 강화 메커니즘 허용

부식(corrosion) 수용액 환경에서 금속의 용해

부식 마모(corrosive wear) 부식성 환경에서 미끄러지면서 발생하는 마모

부식 피로(corrosion fatigue failure) 주기적인 응력과 부식성 환경의 결합 작용으로 인한 금속 파단

부식 피로 파괴(corrosion-fatigu efailure) 주기적인 응력과 부식 환경의 결합 작용에 의한 금속 재료의 파괴 현상

부피 확산(bulk diffusion) '부피 확산(volume diffusion)' 참고

부피 확산(volume diffusion) 몇몇 결함 기구를 통해 재료의 결정 구조 내에서 발생하는 원자 흐름

분말 야금(powder metallurgy) 미세 결정립 분말로부터 고체 상태 결합으로 다결정 제품을 만드는 금속 가공 기술

분산강화금속(dispersion strengthened metal) 15 vol % 미만의 산화물 입자(직경 0.01~0.1마이크론)가 금속에 분산되어 있는 복합재료

분자 빔 에피텍시(molecular-beam epitaxy, MBE) 아주 잘 제어된 초진공 증착 공정

분출 셀(effusion cell) 증착 공정을 위한 원자(또는 분자) 공급원을 제공하는 저항 가열로

분해 전단 응력(resolved shear stress) 슬립계에서 작용하는 응력[식 (6.14) 참고]

불규칙 고용체(random solid solution) 용질 원자가 불규칙하게 배열된 고용체(그림 4.3 참고)

불균일 핵생성(heterogeneous nucleation) 외부 표면과 같은 일부 구조적 불완전성에서 발생하는 새로운 상의 석출

불변점(invariant point) 상태도에서 자유도가 0인 지점

불순물 반도성(extrinsic semiconduction) 불순물 첨가에 의한 반도체 거동

불연속섬유[discrete (chopped) fiber] 작게 분쇄된 섬유로 보강된 복합재료

불투명(opacity) 이미지가 전혀 투과되지 않음

붕규산염 유리(borosilicate glass) 주요 성분인 B_2O_3와 함께 주로 실리카로 구성된 내구성이 높은 상업용 유리 제품

블렌드(blend) 2종류 이상의 고분자의 혼합체(그림 12.4 참고)

블로성형(blow molding) 열가소성 고분자 성형의 한 종류

블록공중합체(block copolymer) 하나의 고분자 사슬에 두 종류 이상의 고분자가 블록 형태로 결합된 공중합체

비강도(specific strength) 단위 밀도당 강도

비규산염 산화물 세라믹(nonsilicate oxide ceramic) 주로 실리카 외의 산화물로 구성된 세라믹 재료

비규산염 유리(nonsilicate glass) 주로 실리카 외의 화합물로 구성된 유리

비금속(nonmetallic) 고분자와 세라믹과 같은 금속이 아닌 재료

비산화물 세라믹(nonoxide ceramic) 주로 산화물 외의 화합물로 구성된 세라믹 재료

비열(specificheat) 단위 질량을 가진 물질의 온도를 1 K(1°C) 올리기 위해 필요한 열량('열용량' 참고)

비저항(resistivity) 시편의 구조에 따라 정규화된 전기 저항에 대한 물질의 특성

비저항의 온도 계수(temperature coefficient of resistivity) 온도에 대한 금속 저항의 의존성을 나타내는 계수[식 (13.9) 참고]

비정질(noncrystalline) 긴 범위에서의 질서도가 유지되지 못하는 원자 구조

비정질 고체(noncrystalline solid) 장범위의 결정학적 규칙성이 없는 고체

비정질 반도체(amorphoussemi conductor) 장범위의 결정학적 규칙성이 없는 반도체

비철 합금(nonferrous alloy) 주로 철 이외의 원소를 구성된 금속 합금

비파괴 시험(nondestructive testing) 공업재료를 사용성의 손상 없이 평가하는 방법

비편재화된 전자(delocalized electron) 많은 수의 인접한 원자와 결합할 가능성이 동등한 전자

비화학양론적 화합물(nonstoichiometric compound) 이온의 전하의 변화에 따라 화학 원소의 비율이 변하는 화학적 화합물(예: $Fe_{1-x}O$)

사슬 성장(chain growth) 이중 결합을 가지는 단량체가 빠른 속도로 고분자로 성장하는 단계

사출성형(injection molding) 열가소성 고분자 성형의 한 종류

산소 농담 전지(oxygen concentration cell) 부식 및 관련 전류

가 기체 산소 농도의 차이로 인해 발생하는 전기화학 전지

산화(oxidation) 금속과 대기 산소의 반응

산화물 유리(oxide glass) 하나 이상의 산화물을 주성분으로 가지고 있는 비정질 고체

상(phase) 미세구조가 화학적 및 구조적으로 균일한 부분

상대 투자율(relative permeability) 고체의 투자율을 진공 투자율로 나눈 값

상부 항복점(upper yield point) 저탄소강에서 관찰되는 응력-변형률 곡선의 탄성 영역으로부터의 독특한 변환 점

상 영역(phase field) 상태도에서 어떤 상이 존재하는 영역

상유전성(paraelectric) 인가된 전압하에서 약간의 분극을 가짐(그림 13.23의 점선 참고)

상자성(paramagnetism) 자기장이 가해질 때(진공에 비해) 유도가 약간 증가하는 자기 거동(그림 14.23 참고)

상태(state) 미세구조와 관련된 상태 변수의 그래픽 표현

상태도(phase diagram) 미세구조와 관련된 상태 변수의 그래픽 표현

상태 변수(state variables) 일반적으로 특정 온도 및 조성에 의해 정의되는 물질의 상태

상태점(state point) 주어진 상태를 정의하는 온도와 조성 값

색(color) 파장이 400~700 nm인 전자기 스펙트럼의 다양한 각각의 부분과 관련된 시각적 감각

생물 재료(biological material) 뼈와 같은 자연 발생 구조 재료

생체모조 공정(biomimetic processing) 조개껍데기 형성 등 자연적인 공정을 모방하는 세라믹 제조 기술

생체재료(biomaterial) 생물학적 또는 의료용으로 제작된 공업재료

서멧(cermet) 세라믹과 금속으로 구성된 복합재료

석기 시대(Stone Age) 인류의 조상, 즉 유인원이 돌을 깎아서 사냥용 무기를 만들던 시대. 이 시대는 250만 년 전으로 거슬러 올라감

석류석(garnet) 천연 보석 석류석과 유사한 결정 구조를 가진 페리자성 세라믹

석출 경화(precipitation hardening) 전위 이동을 방해하는 (경도 증가) 2차상의 석출

석출 경화스테인리스강(precipitation-hardened stainless steel) 석출 경화에 의해 강화된 내식성 철 합금

선 결함(linear defect) 기계적인 변형과 본질적으로 관련된 결정 구조의 1차원적 결함('전위' 참고)

선 밀도(linear density) 결정 구조에서 주어진 방향을 따라 단위 길이당 원자 개수

선형 분자구조(linear molecular structure) 2개의 반응기를 가지는 단량체에 의해서 형성된 고분자 구조(그림 12.5 참고)

선형 열팽창 계수(linear coefficient of thermal expansion) 온도 상승에 따른 치수 변화를 나타내는 재료 매개변수[식 (7.4) 참고]

설계 선택(design selection) 부식 방지 방법(예: 대면적 음극 옆에 소면적 양극 피하기)

설계 파라미터(design parameter) 주어진 공학적 응용에 대해 주어진 공업재료를 선택하기 위한 기초 역할을 하는 재료 속성

섬아연광(zinc blende) 그림 3.21에서 보여주는 화합물 결정 구조

섬유강화 복합재료(fiber-reinforced composite) 강화재 분산상이 섬유인 복합재료

성분(component) (Al 또는 Al_2O_3와 같은)구별되는 화학적 본질

세라믹(ceramic) 비금속 무기 재료

세라믹 기지 복합재료(ceramic matrix composite) 강화재 분산상이 세라믹인 복합재료

세라믹 자석(ceramic magnet) 주로 자기 특성을 기반으로 하는 공학 애플리케이션을 가진 세라믹 재료

소결(sintering) 고체 상태 확산에 의한 분말 입자의 결합

소다-석회-규산 유리(soda-lime-silica glass) 나트륨, 칼슘 및 산화규소로 구성된 비정질 고체. 대부분의 창과 유리 용기가 이 범주에 속함

소성(firing) 일반적으로 1,000°C 이상 고온으로 원료를 가열하는 세라믹 가공

소성 변형(plastic deformation) 원자 간 결합이 뒤틀리고 인접 원자와 다시 형성되는 식으로 일어나는 영구적 변형

소스(source) 전계 효과 트랜지스터에서 전하 운반자를 제공하는 영역

소자(device) 기능적 전자 설계(예: 트랜지스터)

속도론(kinetics) 시간에 의존하는 상 변태 과정

수명주기 과세(life-cycle assessment, LCA) 주어진 제품 설계의 환경 및 에너지 영향에 대한 '요람에서 무덤까지'의 평가

수소 가교(hydrogen bridge) 인접한 물 분자의 두 영구 쌍극자 사이에 형성된 2차적 결합

수소 취성(hydrogen embrittlement) 수소 기체가 금속에 침투하여 취성 수소화물 화합물을 형성하는 환경 파괴의 형태

순방향 바이어스(forward bias) 정류기에서 전하 운반자의 흐름을 증가시키는 전위의 방향

순수 산화물(pure oxide) 비교적 낮은 불순물 수준(전형적으

로 1 wt % 미만)을 갖는 세라믹 화합물

스파크 플라스마 소결(spark plasma sintering, SPS) '저장 활용 소결 기술' 참고

스펙트럼폭(spectral width) 파장 범위

슬립계(slip system) 전위 이동에 관련된 결정학적 면과 방향족의 조합

슬립 주조(slip casting) 분말-물 혼합물(슬립)을 다공성 금형에 붓는 세라믹을 위한 가공 기술

시효경화(age hardening) '석출 경화' 참고

실리카(silica) 이산화규소. 그림 3.1과 같이 다양한 안정적인 결정 구조 중 하나

쌍극자(dipole) 2차 결합과 관련된 양전하와 음전하의 비대칭 분포

쌍극자 모멘트(dipole moment) 쌍극자에서 양전하와 음전하 중심 사이의 분리 거리와 전하의 곱

쌍정 경계(twin boundary) 구조적으로 서로 거울상인 두 결정 영역을 분리하는 평면 결함 (그림 4.14 참고)

아공석 조성(hypoeutectoid composition) 공석보다 낮은 조성

아연 도금강(galvanized steel) 부식 방지 목적으로 아연 코팅된 강철

안료(pigment) 고분자용 불용성 착색 첨가제

안정제(stabilizer) 고분자의 분해를 감소시키는 첨가제

압전 결합 계수(piezoelectric coupling coefficient) 압전 변환기에 의해 전기 에너지가 기계적 에너지로 변하는 비율

압전성(piezoelectricity) 기계적 압력 인가에 대한 전기적 반응

압전 현상(piezoelectric effect) 응력을 인가함에 따라 물질 내에 측정 가능한 전압 변화가 생성되는 것

압축성형(compression molding) 열경화성 고분자 성형의 한 종류

압출성형(extrusion molding) 열가소성 고분자 성형의 한 종류

액상선(liquidus) 상태도에서 이 선 위에서는 단일 액체상이 존재함

액정 디스플레이(liquid crystal display, LCD) 액정(막대 모양의 고분자 분자로 구성)을 사용한 광학 장치로 전압으로 분자 배향성을 방해함으로써 가시적인 문자를 생성함

액체 침식 파괴(liquid-erosion failure) 액체에 의해 재료가 제거되는 마모 손상의 특별한 형태

양극(anode) 전기화학 전지에서 산화되어 외부 회로에 전자를 제공하는 전극

양극 반응(anodic reaction) 전기화학 전지의 양극에서 일어나는 산화 반응

양극산화알루미늄(anodized aluminum) Al_2O_3 보호층이 있는 알루미늄 합금

양극 접합 트랜지스터(bipolar junction transistor, BJT) 그림 13.45의 p-n-p 트랜지스터와 같은 샌드위치 형태

양성자(proton) 원자핵에 위치한 양전하를 가지는 아원자 입자

양이온(cation) 양전하를 가지는 이온

양자선(quantum wire) 물질의 2차원이 양자 우물과 같은 수준인 아주 가는 선의 반도체 물질

양자 우물(quantum well) 반도체의 얇은 층으로 파동성 전자가 그 층 안에 가두어지게 만든 층

양자점(quantum dot) 물질의 3차원이 모두 양자 우물과 같은 수준인 아주 작은 반도체 물질

어닐링(annealing) 재료를 부드럽게 하거나 응력을 완화하기 위한 일반적인 목적의 열처리

어닐링점(annealing point) 유리가 $10^{13.4}$ P의 점성을 갖고 내부 응력이 15분 안에 완화될 수 있는 온도

억셉터 준위(acceptor level) p형 반도체에서 가전대 근처에 있는 에너지 준위(그림 13.37 참고)

에나멜(enamel) 금속 기판 위 유리 코팅

에너지대(energy band) 고립된 원자의 에너지 준위와 관련된 고체 내의 전자 에너지 범위

에너지대 간격(energy band gap) 가전대보다 높고 전도대보다 낮은 에너지 범위

에너지 샘(energy trough) '에너지 우물' 참고

에너지 손실(energy loss) 강자성 물질의 이력곡선 내의 영역

에너지 우물(energy well) 그림 2.18의 결합 에너지 곡선에서 최소 에너지 주변 영역

에너지 준위(energy level) 전자와 핵 사이의 고정 결합 에너지

에미터(emiter) 트랜지스터에서 전하 운반자의 원천 역할을 하는 영역

에어로졸(aerosol) 부유입자

에피텍시(epitaxy) 기판과 박막 사이의 특정 결정학적 관계는 유지하면서 하나의 반도체 위에 다른 반도체 박막을 기르는 것과 관련된 기상 증착 기술

엑스선 복사(x-radiation) 1 nm 정도의 파장을 갖는 전자기 스펙트럼 부분. 엑스선 광자는 내부 궤도 간 전자 전이에 의해 생성됨

엑스선 탐상법(x-radiography) 엑스선의 감쇠를 이용하여 재료의 결함을 감지하는 비파괴 검사법의 유형

엑스선 회절(x-ray diffraction) 원자 구조에 의한 엑스선 광자의 강화된 산란. Bragg 법칙은 이 현상에서 얻을 수 있는

구조적 정보를 나타냄

엔지니어링 플라스틱(engineering polymer) 기존 금속 합금이 사용되었던 구조적 응용 분야의 후보가 되기에 충분한 강도와 강성을 가진 고분자

역방향 바이어스(reverse bias) 정류기에서 전하 운반자의 흐름이 최소가 되도록 인가하는 전압의 방향

역압전 현상(reverse piezoelectric effect) 인가된 전압에 의해 물질 내에서의 두께 변화가 만들어짐

연삭 마모(abrasive wear) 거칠고 단단한 표면이 부드러운 표면에서 미끄러질 때 발생하는 마모. 홈과 마모 입자는 부드러운 표면에 형성됨

연성(ductility) 변형 능력(파손 시 연신율은 하나의 정량적 척도)

연성철(ductile iron) 플레이크가 아닌 구상 흑연 석출물로 인해 비교적 연성이 있는 주철의 한 형태

연성-취성 천이 온도(ductile-to-brittle transition temperature) bcc 합금의 파괴가 취성(낮은 온도에서)에서 연성(높은 온도에서)으로 변하는 좁은 온도 영역

연성 파괴(ductile fracture) 탄성 한계를 넘어선 후에 발생하는 금속 재료의 파괴 현상

연속 냉각 변태(CCT) 선도[continuous cooling transformation (CCT) diagram] 온도 및 시간 축을 사용하여 비등온 조건에서 변태 백분율을 나타낸 그래프

연속섬유(continuous fiber) 기지 재료 내에서 끊김이 없는 복합 강화 섬유

연자석(soft magnet) 상대적으로 움직이기 쉬운 도메인 벽을 가진 자석

연한 구(soft sphere) 외부 궤도 전자 밀도가 고정된 반경에만 제한되지 않는다는 것을 인정하는 원자(또는 이온) 모델

연화 온도(softening temperature) 재료가 열팽창 실험에서 더 이상 탐침의 무게를 지지할 수 없는 온도

연화점(softening point) 유리의 점도가 $10^{7.6}$ P인 작업 범위의 하단 온도

열가소성 고분자(thermoplastic polymers) 가열하면 녹으면서 변형이 가능한 고분자

열가소성 탄성체(thermoplastic elastomer) 가열하면 변형이 가능한 고무와 같은 탄성체

열간 등압성형(hot isostatic pressing, HIP) 고온과 등압 성형 압력을 결합한 분말 야금 기술

열경화성 고분자(thermosetting polymers) 가열하여도 녹지 않아서 변형이 불가능한 고분자

열용량(heat capacity) 1 g의 원자(원소의 경우) 또는 1몰(화합물의 경우)의 온도를 1 K(1°C) 올리기 위해 필요한 열량 ('비열' 참고)

열적 진동(therma lvibration) 절대 영도 이상의 온도에서 고체 원자가 주기적으로 진동하는 현상

열적 활성화(thermal activation) 에너지 장벽이 열에너지에 의해 극복되는 원자 규모의 과정

열전대(thermocouple) 온도를 측정하기 위한 간단한 전기 회로(그림 13.14 참고)

열전도도(thermal conductivity) 식 (7.5)에 정의된 열전달 속도와 온도 구배 간의 관계에서의 비례 상수

열처리(heat treatment) 원하는 미세구조를 생성하는 데 필요한 온도 대 시간 이력

열충격(thermal shock) 온도 변화(갑작스러운 냉각과 같은)의 결과로 재료가 파괴(부분 또는 전체)되는 것

염료(dye) 고분자용 수용성 유기 착색제

염화나트륨(sodium chloride) 그림 3.10에서 보여주는 간단한 화합물 결정 구조

염화 세슘(cesium chloride) 그림 3.9에서 보여주는 간단한 화합물 결정 구조

영구 자석(permanent magnet) 한번 자화되면 자성을 유지하는 일반적으로 단단한 강철의 자석

오스테나이트(austenite) 철 또는 강철의 면심입방체 상

오스테나이트 스테인리스강(austenitic stainless steel) 면심입방체(γ) 상이 지배적인 내식성 철 합금

오스템퍼링(austempering) 베이나이트를 완전히 형성하기에 충분한 시간 동안 마르텐사이트 변태 범위 바로 위를 유지하는 것과 관련된 강의 열처리(그림 10.20 참고)

완화 시간(relaxation time) 고분자에서 응력이 초기 응력의 0.37배($= 1/e$)의 값으로 떨어지는 데 필요한 시간

외적 게터링(extrinsic gettering) 실리콘 소자에서 전위를 '게터링 위치'로 만들기 위해 기계적 손상을 사용한 산소 포착

용매(solvent) 용액의 매체가 되어 용질을 녹이는 물질

용융 금속 취화(liquid-metal embrittlement) 낮은 녹는점을 갖는 금속성 액체에 의해 표면을 처리해준 재료가 항복 응력 이하에서 파괴되거나 연성을 잃어버리는 방식으로 열화되는 현상

용융 범위(melting range) 유리의 점성이 50~500 P 사이가 되는 온도 범위

용융점(melting point) 가열 시 고체에서 액체로의 상변태가 일어나는 온도

용융 주조(fusion casting) 금속 주조와 유사한 세라믹 가공 기술

용접(welding) 접합부 부근의 국부적 용융에 의한 금속 부품

접합

용질(solute) 용매에 녹아 용액을 형성하는 종

용체화 처리(solution treatment) 2상 미세구조를 단상 영역으로 가열함

우선 배향성 미세구조(preferred-orientation microstructure) 냉간 압연의 결과로 미세구조의 인접 입자에서 주어진 결정학적 방향으로의 정렬

원자가(valence) 이온의 전자 전하

원자가 전자(valence electron) 원자 결합에 참여하는 외부 궤도 전자. 반도체에서 원자가 밴드의 전자

원자 반경(atomic radius) 원자핵에서 최외각 전자 궤도까지의 거리

원자 번호(atomic number) 원자핵의 양성자 수

원자 질량(atomic mass) 원자 질량 단위로 표시되는 개별 원자의 질량

원자 질량 단위(atomic mass unit, AMU) 1.66×10^{-24} g과 동일. 양성자 또는 중성자의 질량과 거의 동일

원자 충진도(atomic packing factor, APF) 단위정 내의 원자가 차지하는 부피의 비율

웨이퍼(wafer) 고순도 재료의 원통형 단결정에서 만든 얇은 조각. 일반적으로 실리콘

위스커(whisker) 고강도 복합 강화상 역할을 하는 거의 완벽한 결정 구조를 가진 작은 단결정 섬유

유기 발광다이오드(organic light-emitting diode, OLED) 발광 재료로 반도체 거동을 가진 저분자량 고분자 재료를 사용하는 발광 다이오드

유동 속도(drift velocity) 전기전도성 물질에서 전하 운반자의 평균 속도

유리(glass) 특별한 조건이 없는 경우, 결정질 세라믹에 필적하는 화학적 조성을 갖는 비결정질 고체

유리섬유(fiberglass) 유리섬유로 강화된 고분자 기지 복합재료

유리 용기(glass container) 무게비로 약 15% Na_2O, 10% CaO, 75% SiO_2로 구성된 일반적인 가정용 제품

유리 전이 온도(glass transition temperature) 이 온도보다 클 때 유리가 과냉각된 액체가 되고, 작을 때는 단단한 고체가 된다.

유리질 규산(vitreous silica) 거의 순수한 SiO_2로 된 산업용 유리

유리 형성(glass forming) 유리 가공 기술

유약(glaze) 옹기와 같은 세라믹에 적용되는 유리 코팅

유전 강도(dielectric strength) 유전체가 '절연 파괴'되어 전도성 물질이 되게 만드는 한계 전압 기울기

유전 상수(dielectric constant) 평행판 커패시터의 정전용량이 진공 대신에 유전체를 삽입했을 때 증가하는 정도를 나타내는 상수

유전율(electric permittivity) 식 (13.11)에서 정의된, 전기장 세기와 전하 밀도 간의 관계에서의 비례 상수

유전체(dielectric) 전기적으로 부도체인 물질

육방 조밀 충진(hexagonal close packed) 그림 3.7에서 보여주는 금속에서 흔한 결정 구조

율속 단계(rate-limiting step) 순차적 단계를 포함하는 과정에서 가장 느린 단계. 전체 과정의 속도는 이 기구에 의해 결정된다.

음극(cathode) 외부 회로에서 전자를 받아들이는 전기화학 전지의 전극

음극 반응(cathodic reaction) 전기화학 전지의 음극에서 일어나는 환원 반응

음이온(anion) 음전하를 가지는 이온

응력 강도 인자(stress intensity factor) 기계적 하중 조건하에서 재료 내 기존의 균열 팁에 부하되는 기계적인 응력의 정도를 나타내는 매개변수

응력 부식 균열(stress-corrosion cracking, SCC) 항복 응력 이하에서의 비주기성 인장 응력이 상대적으로 강하지 않은 화학 조건에서 파괴의 개시나 전파를 야기하는 기계 및 화학적 파괴 메커니즘

응력 완화(stress relaxation) 특정 고분자에서 일정한 변형률 하에서 시간이 지남에 따라 재료에 가해지는 응력이 기하급수적으로 떨어지는 기계적 현상[식 (6.17) 참고]

응력 전지(stress cell) 금속 시료 내 기계적 응력 정도의 변화로 인해 부식이 발생할 수 있는 전기화학 전지

이기능성(bifunctional) 2개의 기능기를 가지는 단량체 또는 고분자

이력곡선(hysteresis loop) 재료 특성(예: 유도)의 도면이 독립변수(예: 자기장 강도)를 변화시킬 때 그 전에 측정된 값을 따르지 않는 그래프

이력 효과(hysteresis) 독립변수(자기장 강도 등)를 원래대로 되돌릴 시 원래의 경로를 따라가지 않는 물성(자기 유도 등)

이방성(anisotropic) 방향에 따라 다른 성질을 가지는 속성

이송성형(transfer molding) 열경화성 고분자 성형의 한 종류

이온(ion) 중성 원자에 전자가 추가되거나 제거되어 전하를 가지는 종류

이온 결합(ionic bond) 원자 간의 전자의 이동으로 인하여 생기는 1차적 화학 결합

이온 농담 전지(ionic concentration cell) 부식 및 관련 전류가

이온 농도의 차이로 인해 발생하는 전기화학 전지

이온 반경(ionic radius) '원자 반경' 참고(이온 반경은 물론 중성 원자가 아닌 이온과 관련이 있음)

이온 충진도(ionic packing factor) 세라믹의 단위정 내 여러 양이온과 음이온이 차지하는 부피의 비율

이종 에피텍시(hetero epitaxy) 기판과는 상당히 다른 성분의 박막 증착

이중 결합(double bond) 두 쌍의 원자가 전자의 공유로 생긴 결합

이질 용융(incongruent melting) 고체에서 녹아서 액체가 될 때 조성이 변하는 경우

인가전압(impressed voltage) 전기화학적 반응으로 인해 외부 전압을 반대 전압으로 사용하는 부식 방지 방법

인공 보철술(prosthesis) 누락된 신체 부위를 교체하기 위한 장치

인광(phosphorescence) 약 10 나노초 이후에 광자 방출이 발생하는 발광('형광' 참고)

인성(toughness) 응력-변형률 곡선의 전체 면적

인장 강도(tensile strength, T.S.) 인장 시험 중 재료가 겪는 최대 공칭 응력

일반 상태도(general diagram) 9.2절에서 설명한 간단한 유형의 반응 중 하나 이상을 포함하는 2원 상태도

일반적인 항복(general yielding) 항복 응력에서의 소성 변형 때문에 발생하는 재료의 느린 '파괴'

임계 분해 전단 응력(critical resolved shear stress) 슬립계에서 전위 운동에 의한 슬립을 일으키기 위해 도달해야 하는 응력

임계 자기장(critical magnetic field) 그 이상의 자기장이 가해지면 물질의 초전도성이 멈추는 값

임계 전단 응력(critical shear stress) 전위가 없는 결정에서 전단을 일으키기 위해 도달해야 하는 이론적 응력

임계 전류 밀도(critical current density) 해당 전류 이상으로 흐르면 물질이 더 이상 초전도성을 가지지 않는 전류

입방 조밀 충진(cubic close packed) '면심 입방' 참고

입자 복합재료(particulate composite) 상대적으로 큰 분산 입자(직경이 수 마이크론 이상)의 농도가 25 vol %를 초과하는 복합재료

자기 모멘트(magnetic moment) 전자스핀과 관련된 자기 쌍극자

자기 유도(induction) 주어진 장기장의 세기에 따른 자력의 정도를 나타내는 매개변수

자기장(magnetic field) 전류에 의해 생성되는 물리적 인력이 있는 영역(그림 14.20 참고)

자기장 세기(magnetic field strength) 자기장의 세기

자기전달고온 합성(self-propagating high-temperature synthesis, SHS) 반응을 유지하며 최종 제품을 생산하기 위해 특정 화학반응에 의해 방출되는 열을 포함하는 재료 가공

자기확산(self-diffusion) 동종 원소로만 이루어진 상 내부에서의 원자 규모 이동

자성(magnetism) 강자성체의 예와 같이, 특정 물질의 인력과 관련된 물리적 현상

자성 세라믹(magnetic ceramic) 자성 기반의 공학적 응용성을 갖는 세라믹 재료

자속 밀도(flux density) 자기 유도의 크기

자속선(magnetic flux line) 자기장의 표현

자유도(degrees of freedom) 평형 상태의 미세구조를 지정하는 데 사용할 수 있는 독립변수의 수

자유 전자(free electron) 금속에서의 전도성 전자

자철광(magnetite) 자기 거동을 갖는 오래된 중요한 철 화합물(Fe_3O_4)

자화량(magnetization) 고체의 자기 유도와 관련된 매개변수 [식 (14.12) 참고]

작업 범위(working range) 유리 제품의 모양이 형성되는 온도 범위(점도 범위 10^4~10^8 P에 해당)

잔류 응력(residual stress) 가해준 모든 응력이 제거된 후 구조 재료 내에 남아 있는 응력

잔류 자기 유도(remanent induction) (강자성 물질에서)인가된 전압이 제거된 후에도 남아 있는 자기 유도

장범위 규칙(long-rangeorder, LSO) 유리가 아닌 결정의 구조적 특징

재결정(recrystallization) 냉간 가공된 미세구조에서 응력 없는 새로운 미세구조 핵 생성 및 성장(그림 10.30 참고)

재결정 온도(recrystallization temperature) 원자 이동도가 활발하여 재결정을 일으켜 기계적 특성에 영향을 미치기에 충분한 온도. 온도는 절대 융점의 약 1/3에서 1/2이다.

재료 선택(materials selection) 전체 공학설계 공정의 중요한 구성요소라고 할 수 있는 결정

재사용(reuse) 재처리와 관련된 시간, 돈, 에너지 및 자원을 피하기 위해 재료를 두 번 이상 사용하는 재활용의 대안

재활용(recycling) 상대적으로 불활성인 공업재료의 재처리

저장 활용 소결 기술(field-assisted sintering technique, FAST) 외부 전류를 직접 인가하여 시료를 가열하는 소결 기술. 그 결과 공정은 일반적으로 기존의 소결에 비해 실질적으로 감소된 온도 및 시간에서 수행될 수 있다.

저합금강(low-alloy steel) 5 wt % 미만의 비탄소 첨가물을 함유한 철 합금

저항(resistance) 전류의 흐름을 방해하는 물질의 특성

적층(laminate) 직물을 기지로 적층한 섬유 강화 복합 구조

적층 제조(additive manufacturing, AM) 그물 모양 제품을 한 층 한 층 쌓아 제조하기 위한 3차원 프린팅을 포함하는 재료 가공 기술

전계 효과 트랜지스터(field-effect transistor, FET) 그림 13.46의 고체형 증폭기

전기발광(electroluminescence) 전자에 의한 발광

전기음성도(electro negativity) 원자의 전자를 잡아당기는 능력

전기적 전도(electrical conduction) 어떤 종류이든 전하 운반자의 움직임에 의해 측정할 수준의 전도도를 가짐

전기화학전지(electrochemical cell) 연결된 양극 및 음극 전극 반응을 제공하는 시스템

전단 계수(shear modulus) 순수 전단 응력하에서의 탄성 계수[식 (6.8) 참조]

전단 변형(shear strain) 순수 전단 응력에 의해 생성된 탄성 변위[식 (6.7) 참조]

전단 응력(shear stress) (인가된 하중과 평행한)단위 면적당 하중[식 (6.6) 참조]

전도대(conduction band) 고립된 원자의 비어 있는 에너지 준위와 관련된 고체 내에서의 에너지 범위

전도도(conductivity) 비저항의 역수

전도 전자(conduction electron) 반도체에서 음전하 운반자('전도대'도 참고)

전류(current) 전기 회로에서 전하 운반자의 흐름

전압(voltage) 전위 차

전위(dislocation) 결정질 고체의 선 결함

전위 상승(dislocation climb) 크리프 변형의 메커니즘으로서 확산에 의해 전위가 인접 슬립면으로 이동하는 것

전율 고용체(complete solid solution) 모든 비율에서 완전히 용해될 수 있는 두 가지 성분을 가지고 있는 2성 상태도

전이 금속(transition metal) I A족과 II A족의 강한 전기 양성도에서 I B족과 II B족의 조금 더 전기 음성도를 가진 쪽으로 변하는 주기율표 영역에 있는 원소

전자(electron) 양전하를 띤 핵 주위의 궤도에 위치한 음전하를 띤 아원자 입자

전자 궤도(electron orbital) 원자에서 양의 핵에 대한 음전하의 위치

전자 밀도(electron density) 전자 궤도의 음전하 농도

전자 세라믹(electronic ceramic) 주로 전자 물성 기반의 공학적 응용성을 갖는 세라믹 재료

전자스핀(electron spin) 전자의 고유 각운동량과 관련된 상대론적 효과. 쉽게 이해하기 위해 회전하는 행성의 운동에 비유할 수 있다.

전자 전도(electronic conduction) 특히 전자의 움직임에 의해 측정할 수 있는 수준의 전도도를 가짐

전자-정공 쌍(electron-hole pair) 전자가 가전대에 전자 정공을 남기면서 전도대의 에너지 준위로 전이할 때 생성되는 2개의 전하 운반자(전도대 전자와 가전대 정공)

전하 밀도(charge density) 단위 부피당 전하 운반자의 수

전하 운반자(charge carrier) 물질에서 전기가 전도되도록 하는 원자 수준의 종류

절연체(insulator) 낮은 수준(예: 전도도가 $10^{-4}\ \Omega^{-1}\cdot m^{-1}$ 이하)의 전기 전도도를 가진 물질

점격자(point lattice) '결정격자(Bravais 격자)' 참고

점 결함(pointdefect) 주로 고체의 확산과 관련된 결정 구조의 0차원적 무질서

점성(viscosity) 식 (6.19)에 정의된 전단력과 속도 구배 사이의 관계에서의 비례 상수

점성 변형(viscous deformation) 유리 전이 온도 이상에서 유리 및 고분자와 관련된 액체와 같은 기계적 거동

점진-굴절률 광섬유(graded-index fiber) 코어 내에서 굴절률의 변화가 포물선 형태인 광섬유(그림 14.17 참고)

점탄성 변형(viscoelastic deformation) 유체와 같은(점성) 및 고체와 같은(탄성) 특성을 모두 포함하는 기계적 거동

점토(clay) 주로 함수 알루미노실리케이트로 구성된 미세한 결정립의 토양

접착제(adhesive) 열가소성 수지의 분자 사슬 사이에 작용하는 것과 유사한 2차 힘에 의해 2개의 고체를 연결하는 역할을 하는 열경화성 고분자

정공(electron hole) 전자구름 내에서 없어진 전자. 양전하를 가지는 전하 운반자

정류기(rectifier) '다이오드' 참고

정미 형상공정(net-shape processing) 후속 형상 작업이 불필요한 재료 가공

정반사(specular reflection) '평균' 표면에 대한 하나의 방향으로의 빛의 반사

정상 상태 확산(steady-state diffusion) 시간에 의해 변하지 않는 물질 이동

정적 피로(static fatigue) 주기적으로 응력을 가했을 때 세라믹이나 유리에서 강도의 열화가 나타나는 현상

정전용량 시스템(capacitive system) 유리 기판의 얇은 층에 저장된 전하가 디스플레이 화면의 각 모서리에서 약간 다른 전하 감소에 의해 손가락의 터치 위치를 감지할 수 있도록 하는 스마트폰 및 태블릿용 터치스크린 기술을 가능

하게 하는 메커니즘

정지제(terminator) 사슬 성장 반응에서 진행되는 고분자의 중합을 종료시키는 화합물

정합 계면(coherent interface) 기지 조직과 석출물의 결정 구조가 연장하여 유지되는 계면

제어된 실투(controlled devitrification) 유리가 미세한 결정립의 결정질 세라믹으로 변하는 결정화 유리 가공 기술

졸-겔 공정(sol-gel processing) 유기금속 용액으로 비교적 낮은 온도에서 고밀도의 세라믹과 유리 형성 기술

주기율표(periodic table) 화학적으로 유사한 그룹을 나타내는 원자의 체계적인 그래픽 배열(그림 2.2 참고)

주조(casting) 용융액을 주형에 붓고 응고시키는 재료 가공 기술

주철(cast iron) 2 wt % 이상의 탄소를 함유한 철 합금

준안정(metastable) 실제 평형을 나타내지는 않지만 어느 정도 시간 동안 안정적인 상태

중간체(intermediate) 유리에서 망상 형성체와 망상 수식체 사이의 구조적 역할을 하는 산화물

중간 화합물(intermediate compound) 2원계에서 두 성분 사이에 형성되는 화합물

중범위 규칙(medium-range order) 비정질 재료에서 수 나노미터 범위에서 나타나는 구조적 규칙성

중성자(neutron) 순전하가 없고 원자핵에 위치한 아원자 입자

중합도(degree of polymerization) 하나의 고분자 사슬 안에 존재하는 단량체의 평균 수

중합반응(polymerization) 단량체가 고분자로 성장되어 가는 화학 반응

증폭기(amplifier) 전류를 증가시키는 전자 소자

지렛대 법칙(lever rule) 기계적 성질의 지렛대 원리에서 질량들의 관계와 유사하게 설명할 수 있는, 2상 미세구조에 존재하는 각 상의 양을 계산할 수 있는 법칙[식 (9.9), 식 (9.10) 참고]

지수앞 상수(preexponential constant) Arrhenius 방정식의 지수 항 앞에 나타나는 온도 독립 항[식 (5.1) 참고]

직접 디지털 제조(direct digital manufacturing, DDM) 디지털 방식으로 직접 제조하는 기술

직포(woven fabric) 그림 12.14와 같은 구조를 가지는 복합 강화 섬유

진성 반도체(intrinsic semiconduction) 어떤 불순물의 첨가와도 무관한 반도체 거동

질량 균형(mass balance) 2원 미세구조에서 두 상의 상대적인 양을 계산하는 방법('지렛대 법칙' 참고)

집적 회로(integrated circuit, IC) 단결정 칩 내에 수많은 요소를 제공하기 위해 확산 가능한 n형 및 p형 도펀트의 정확한 패턴을 적용하여 생성된 정교한 전기 회로

집합구조 미세구조(textured microstructure) 선택적 방향성을 가진 미세구조

집합 복합재료(aggregate composites) 분산된 미립자(섬유상이 아닌) 상으로 강화된 재료

착색제(colorant) 고분자에 색상을 부여하는 첨가제

창유리(window glass) 무게비로 약 15% Na_2O, 10% CaO, 75% SiO_2를 함유한 일반 구조 재료

철 합금(ferrous alloy) 주로 철로 구성된 합금

철기 시대(Iron Age) 대략 기원전 1000년부터 기원전 1년까지의 기간. 철 합금은 유럽에서 도구와 무기 제작에 사용되었던 청동을 대부분 대체함

첨단 복합재료(advanced composites) 상대적으로 높은 모듈러스 섬유를 가진 합성 섬유 강화 복합재료. 섬유 모듈러스는 일반적으로 E-glass보다 높음

청동(bronze) 높은 내식성과 강도를 제공하는 주석, 알루미늄, 실리콘 및 니켈과 같은 원소를 포함하는 구리 합금

청동기 시대(Bronze Age) 대략 기원전 2000년부터 기원전 1000년까지의 기간. 금속 시대의 기원

체심 입방(body-cetered cubic) 그림 3.5에서 보여주는 금속에서 흔한 결정 구조

초미세입자(ultrafine particle) 크기가 100 nm 미만인 부유 입자상 물질

초석(proeutectoid) 공석 온도 이상의 온도 범위에서 고체 침전물에 의한 상

초소성 성형(superplastic forming) 고온에서 특정 미세 결정립의 합금으로부터 복잡한 형상의 금속 부품을 형성하는 기술

초음파 검사(ultrasonic testing) 고진동수의 음파를 사용하여 재료의 결함을 감지하는 비파괴 검사법의 유형

초전도 자석(superconducting magnet) 초전도성 물질로 만든 자석

초전도체(superconductor) 높은 온도에서는 낮은 성능의 도체이지만, 온도를 임계 온도 이하로 낮추면 0의 비저항을 가지는 물질

초정(proeutectic) 공정 온도 이상의 온도 범위에서 고체 침전물에 의한 상

초합금(superalloy) 고온에서 특히 고강도를 갖는 다양한 종류의 금속

최외각 전자각(orbital shell) 주어진 궤도에 존재하는 전자의 확률적 위치

축전기(capacitor) 2개의 전극과 그 사이에 유전체로 만든 소자

축합중합(condensation polymerization) '단계 성장' 참고

충격 에너지(impact energy) 충격 하중을 가했을 때 표준 시험 시편을 파괴시키기까지 필요한 에너지

충진제(filler) 비교적 불활성인 첨가제로 고분자의 치수 안정성과 비용 절감을 제공

취성(brittle) 변형성 부족

취성 파괴(brittle fracture) 기계적 변형 이후 상당한 연성 없이 일어나는 파괴 또는 연성을 띠지 않는 재료가 변형에 의해 파괴되는 현상

치환형 고용체(substitutional solid solution) 용질 원자가 용매 원자를 대체 하여 결정격자 자리에 위치하는 한 종류 이상의 원자의 조합

침입형 고용체(interstitial solid solution) 용매의 결정 구조의 침입형 위치에 존재하는 용질 원자와 한 종류 이상의 원자의 조합

침입형 원자(interstitialcy) 완전한 결정 구조에서는 원자가 차지할 수 없는 침입형 자리에 있거나, 완전한 결정 구조에서 하나의 원자 자리에 2개의 원자가 들어가게 된 상태에서의 잉여 원자

침탄(carburization) 합금을 경화하기 위해 강철 표면으로 탄소 원자를 확산시키는 과정

칩(chip) 그 위에 제어된 확산에 의해 전기 회로가 생성되는 결정질 반도체의 얇은 조각

칼날 전위(edge dislocation) Burgers 벡터가 전위선에 수직인 선 결함

컬렉터(collector) 트랜지스터에서 전하 운반자를 받는 영역

케블라(kevlar) 첨단 복합재료 시스템에 널리 사용되는 파라아라미드 섬유의 DuPont의 상표명

코런덤(corundum) 그림 3.14에서 보여주는 화합물 결정 구조

코사인 법칙(cosine law) 식 (14.6)에서 정의한, 완전히 '거친' 표면에서 빛의 산란을 설명하는 표현

크리프(creep) 상대적으로 높은 온도 및 일정한 하중하에서 긴 시간이 지나며 발생하는 (영구적) 변형

크리프 곡선(creep curve) 크리프 변형을 받는 재료의 변형률 대 시간을 나타낸 그래프(그림 6.32 참고)

크리프와 응력 파괴 파손(creep and stress-rupture failures) 상대적으로 높은 온도(장기간 일정한 하중하에서)에서의 소성 변형에 따른 재료 파괴 현상

탄성 계수(modulus of elasticity) 응력-변형률 곡선의 탄성 영역에서 기울기

탄성고분자(elastomer) 탄성 계수 대 온도 그래프에서 고무와 같은 거동을 보이는 평탄한 영역이 두드러지는 고분자

탄성 변형(elastic deformation) 원자 결합의 신장으로 인한 일시적 변형(그림 6.18 참고)

탄성체(elastomer) 온도에 대한 탄성 계수의 관계에서 고무와 유사한 고분자

탄소강(carbon steel) 명목 불순물 수준과 탄소를 주요 조성 변수로 하는 철 합금

탄소-탄소 복합재료(carbon-carbon composite) 특별히 높은 탄성계수와 강도를 가진 고급 복합재료 시스템

템퍼링(tempering) 마르텐사이트가 재가열 되는 그림 10.17과 같은 강철의 열 이력

템퍼링된 마르텐사이트(tempered martensite) 더 부서지기 쉬운 마르텐사이트 상을 가열하여 생성된 $\alpha + Fe_3C$ 미세구조

투명(transparency) 선명한 이미지 전송

투자율(permeability) 자기장의 세기와 자기 유도 간의 비례 상수[식 (14.8)과 (14.10) 참고]

트랜지스터(transistor) 고체형 증폭기

특성 평균화(property averaging) 개별 상의 속성의 기하학적 평균으로 복합재료의 전체 속성(예: 탄성 계수) 결정

파괴 방지(failure prevention) 미래의 재난을 방지하기 위해 파괴 분석으로 얻어지는 지식을 응용하는 것

파괴 분석(failure analysis) 공업재료의 파괴를 특성화하는 체계적인 방법론

파괴 역학(fracture mechanics) 기존에 결함을 갖는 구조 재료의 파괴 분석

파괴 인성(fracture toughness) 균열의 끝 지점에서 파괴가 발생하는 데 필요한 응력 강도의 임계 값

파단 계수(modulus of rupture) '굽힘 강도' 참고

펄라이트(pearlite) 철과 탄화철의 2상 공석 미세구조(그림 9.2 참고)

페라이트(ferrite) 상온에서 순수한 철의 bcc 구조를 기반으로 한 철 합금. 또한 역스피넬 구조를 기반으로 한 페리자성 세라믹

페라이트스테인리스강(ferritic stainless steel) 체심 입방(α) 상이 우세한 내식성 철 합금

페리자성(ferrimagnetism) 반평행 스핀 쌍을 일부 포함한, 강자성과 유사한 자기적 거동

편석 계수(segregation coefficient) 식 (13.22)에 정의된 고체 및 액체 용액상의 포화 불순물 농도의 비율

펼쳐진 길이(extended length) 가능한 한 직선으로 뻗어 있는 고분자 분자의 길이(그림 12.9 참고)

평균 자유도(mean free path) 전자파가 충돌하지 않고 이동할 수 있는 평균 거리

평균자승-평방근 길이(root-mean square length) 무작위로 감긴 고분자 분자의 끝 사이의 분리 거리[식 (12.4) 및 그림 12.8 참고]

포정 반응(peritectic reaction) 식 (9.5)에 정리된 것처럼, 온도를 높임에 따라 고체가 액체와 다른 조성의 고체로 변태하는 반응

포정 상태도(peritectic diagram) 포정 반응을 포함한 2원 상태도[식 (9.5), 그림 9.22 참고]

포토레지스트(photoresist) 리소그래피 공정에 사용되는 고분자 재료

포화 분극(saturation polarization) 최대 도메인 성장에 의한 강유전체의 분극(그림 13.24 참고)

포화 영역(saturation range) p형 반도체에서 억셉터 에너지 준위가 모두 전자로 포화되어 전도도가 상대적으로 상수가 되는 온도 영역

포화 자기 유도(saturation induction) 강자성 물질에서 최대 인가 자기장에 의한 최대 자기 유도 값

폴리에틸렌(polyethylene, PE) 가장 널리 사용되는 고분자 재료. 단위 셀 구조는 그림 3.19 참고

표면 광택(surface gloss) 주어진 표면에서 난반사가 아닌 정반사 상태

표면-피로 마모(surface-fatigue wear) 트랙 위에서 재료가 반복적으로 미끄러지거나 굴러갈 때 발생하는 마모

표면 확산(surface diffusion) 재료 표면의 상대적으로 열린 구조를 따라 발생하는 향상된 원자 흐름

표점 거리(gage length) 기계적 시험 시편에서 가장 단면적이 작은 영역

플라스틱(plastic) '고분자' 참고

풀러렌(fullerene) '벅민스터풀러렌' 참고

피로(fatigue) 인장 강도 미만의 주기적인 응력하에서 재료가 파괴되는 일반적인 현상

피로 강도(fatigue strength) 주기적인 응력하에서 금속 재료가 파괴되는 응력의 하한

피로 곡선(fatigue curve) 파괴까지의 주기 횟수 대비 응력을 나타내는 그래프(그림 8.10 참고)

피로 파괴(fatigue failure) '조개껍데기'와 유사한 파괴면을 만들어내는 느린 균열 성장속도 메커니즘에 의한 금속의 파괴

하부 항복점(lower yield point) 저탄소강 등에서 일반적인 소성 변형이 시작되는 지점(그림 6.10 참고)

하이브리드(hybrid) 단일 복합재료에 사용하기 위해 두 가지 이상 유형의 강화 섬유를 사용한 직물

합금(alloy) 한 원소 이상으로 이루어진 금속

항복 강도(yield strength) 그림 6.4와 같이 Hooke의 법칙 거동의 대략적인 상한과 관련된 재료의 강도

항복점(yield point) '상부 항복점' 참고

핵(nucleus) 전자가 공전하는 원자 구조의 중심핵

핵생성(nucleation) 석출과 같은 상 변태의 첫 번째 단계(그림 10.2 참고)

핵 세라믹(nuclear ceramic) 원자력 산업에 주된 공학적 응용성을 갖는 세라믹 재료

형광(fluorescence) 광자 방출이 빠르게(약 10 나노초 미만) 발생하는 발광

형석(fluorite) 그림 3.11에서 보여주는 화합물 결정 구조

혼성화(hybridization) 초기에 다른 수준(s형 및 p형)에서 4개의 등가 전자 에너지 준위(sp^3형) 형성

혼합복합재료(aggregate composite) 분산된 미립자(섬유상이 아닌) 상으로 강화된 재료

혼합 전위(mixed dislocation) 칼날 전위와 나선 전위의 특성을 모두 가진 전위(그림 4.13 참고)

홍연석(cristobalite) 그림 3.12에서 보여주는 화합물 결정 구조

화이트웨어(white ware) 전형적으로 백색과 미세한 결정립의 미세구조를 갖는 상업용 소성 세라믹. 예를 들면 타일, 도기 및 자기 등

화학강화유리(chemically strengthened glass) 유리 표면의 나트륨 양이온을 크기가 더 큰 칼륨 양이온으로 대체하여 규산염 네트워크로 압축 응력을 주어 강화한 파손 방지 유리

화학적 기상 증착(chemical vapor deposition, CVD) 특정 화학 반응을 통해 집적 회로를 제조할 때 사용되는 재료의 얇은 층을 제작하는 것

화합물 반도체(compound semiconductor) 단일 원소가 아니라 화합물로 만들어진 반도체

확산(diffusion) 원자 또는 분자가 농도가 높은 영역에서 낮은 영역으로 이동하는 현상

확산 계수(diffusion coefficient) 식 (5.8)에 표현된, 유량과 농도 구배 간 관계에서의 비례 상수

확산 변태(diffusional transformation) 원자 확산 메커니즘으로 인한 시간 의존성이 강한 상 변태

확산율(diffusivity) '확산 계수' 참고

환경영향평가(environmental impact assessment, EIA) 주요 문제를 식별할 목적으로 공학 공정과 관련된 배출의 잠재적 영향에 대한 평가

환경 설계(design for the environment, DFE) 공학설계 과정

에서 환경 관련 문제를 포함한 설계

활성화 에너지(activation energy) 주어진 과정 혹은 반응에서 원자가 극복해야 하는 에너지 장벽

황동(brass) 아연을 치환 용질로 사용하는 가장 일반적인 구리 합금

회복(recovery) 미세구조 변화 없이 원자 이동도가 충분하여 재료의 연화가 일어나기에 충분한 초기 상태

회절(diffraction) 간격이 방사선의 파장과 거의 같은 규칙적으로 배열되어 있는 산란 중심부에 의한 방사선의 방향성을 가진 산란('엑스선 회절'도 참고)

회절각(diffraction angle) Bragg 각의 두 배(그림 3.32)

회절기(diffractometer) 분말 시료의 엑스선 회절 패턴을 얻기 위한 전자 기계 스캐닝 장치

회주철(gray cast iron) 특징적인 취성에 기여하는 날카로운 흑연 조각을 포함하는 주철의 한 형태

희생 전극(sacrificial anode) 부식으로부터 구조 금속을 보호하기 위해 상대적으로 저렴한 재료를 사용함(그림 15.29 참고)

1-2-3 초전도체(1-2-3 superconductor) 가장 흔히 연구되는 세라믹 초전도, $YBa_2Cu_3O_7$ 재료. 이름은 앞 세 금속 이온의 아래 첨자에서 유래한다.

1차 결합(primary bond) 인접한 원자 간의 외부 궤도 전자 이동 또는 공유로 인해 발생하는 상대적으로 강한 결합

2원 상태도(binary diagram) 2개의 성분을 가진 상태도

2차 결합(secondary bond) 전자 이동 또는 공유가 없는 상태의 원자 간 결합

aqueous 부식(aqueous corrosion) 금속의 수용액 환경하에서의 용해

Arrhenius 그래프(Arrhenius plot) 절대 온도의 역수($1/T$)에 대한 ln(반응 속도)의 세미로그 그래프. 그래프의 기울기는 속도 메커니즘의 활성화 에너지를 의미한다.

Arrhenius 방정식(Arrhenius equation) 확산과 같은 열 활성화 과정에 대한 일반화된 표현[식 (5.1) 참고]

Ashby 도표(Ashby chart) 다양한 범주의 구조 재료 가운데 유사한 경향이 있는 재료 속성 연결 쌍이 서로에 대해 도식화되어 있는 도표

Atactic 고분자 측쇄의 3차원적인 위치가 규칙성이 없는 배열

Avogadro 수(Avogadro's number) 물질 그램당 원자 질량 단위의 수(0.6023×10^{24})

Bernal 모형(Bernal model) 비정질 금속의 원자 구조를 연결된 다면체의 집합으로 나타낸 모형(그림 4.20 참고)

Bloch 벽(Bloch wall) 인접한 도메인을 나누는 좁은 영역으로 자기 모멘트의 방향이 점진적으로 변화함(그림 14.29 참고)

Bohr 마그네톤(Bohr magneton) 자기 모멘트의 단위($= 9.27 \times 10^{-24}$ ampere · m^2)

Bragg 각(Bragg angle) 엑스선 회절이 일어나는 엑스선과 결정면과의 각도(그림 3.32 참고)

Bragg 방정식(Bragg equation) 'Bragg 법칙' 참고

Bragg 법칙(Bragg's law) 주어진 결정면에 의한 엑스선 회절 조건을 정의하는 관계[식 (3.5)]

Bravais 격자(Bravais lattice) '결정격자' 참고

Brinell 경도 값(Brinell hardness number, BHN) 표 6.9에 정의된 압입 시험에서 얻어지는 매개변수

Burgers 벡터(Burgers vector) 전위 주변에 생긴 계단식 폐곡선을 완성시키는 데 필요한 변위 벡터

Charpy 시험(Charpy test) 충돌 에너지를 평가하는 방법(그림 8.1 참고)

Coulomb 인력(coulombic attraction) 반대 부호의 전하를 가진 입자 간 결합하려는 성향

Debye 온도(Debye temperature) 일정한 부피에서의 열용량 값인 C_v가 약 $3R$에서 수평을 이루는 온도(R는 기체 상수)

donor 준위(donor level) n형 반도체에서 전도대 근처의 에너지 준위(그림 13.32 참고)

E-glass 복합재 응용 분야에 가장 일반적으로 사용되는 유리섬유 조성물(표 12.1 참고)

Fermi 준위(Fermi level) 0 K에서 가전대의 전자가 가지는 가장 높은 에너지

Fermi 함수(Fermi function) 주어진 전자 에너지 준위가 채워지는 정도를 나타내는 온도 종속 함수[식 (13.7) 참고]

Fick의 제1법칙과 제2법칙(Fick's first and second law) 확산 흐름에 대한 기본적인 수학적 설명[식 (5.8), (5.9) 참고]

Fourier 법칙(Fourier's law) 식 (7.5)에 표현된 열전달 속도와 온도 구배 사이의 관계

Frenkel 결함(Frenkel defect) 공공-침입형 원자의 결합으로 이루어진 결함(그림 4.9 참고)

Fresnel 공식(Fresnel's formula) 식 (14.5)로 표현되는, 계면에서 반사된 빛의 비율로 굴절률로 표현됨

gaseous reduction 인접한 금속의 부식을 유발할 수 있는 음극 반응

Gaussian 오차 함수(Gaussian error function) '종 모양' 곡선의 적분에 기반한 수학적 함수. 많은 확산 관련 문제의 해에 나타난다.

Gibbs 상 법칙(Gibbs phase rule) 식 (9.1)로 표현되는, 미세구조와 상태 변수 사이의 일반적인 관계

Griffith 균열 모형(Griffith crack model) 취성 재료의 균열 끝

부분에 집중되는 응력 예측 모형

Guinier-Preston(G.P.) 구역(Guinier-Preston zone) Al-Cu 합금의 석출 초기 단계에서 발달된 구조(그림 10.28 참고)

Hirth-Pound 모형(Hirth-Pound model) 결정 재료 표면에서 돌출된 형태를 가지는 원자 모형(그림 4.16 참고)

Hooke의 법칙(Hooke's law) 탄성 변형 중 응력과 변형률 간의 선형 관계식[식 (6.3) 참고]

Hume-Rothery 규칙(Hume-Rothery rules) 금속 고용체에서 완전한 혼합을 위하여 만족해야 하는 4개의 규칙

Hund의 법칙(Hund's rule) 주어진 궤도에서 전자쌍은 주어진 에너지 준위의 모든 종류가 단일 전자를 가질 때까지 지연되는 경향

II-VI 화합물(II-VI compound) 주기율표의 II족의 금속성 원소와 VI족의 비금속성 원자가 만드는 화합물. 많은 경우 반도체임

III-V 화합물(III-V compound) 주기율표의 III족의 금속성 원소와 V족의 비금속성 원자가 만드는 화합물. 많은 경우 반도체임

Isotactic 고분자 측쇄의 3차원적인 위치가 연속적으로 항상 동일 위치에 있는 배열

IZOD 시험(Izod test) 일반적으로 고분자 재료에 적용하는 충돌 시험법

Jominy 시험(Jominy end-quench test) 서로 다른 강의 경화성을 비교하기 위한 표준화된 실험

Josephson 접합(Josephson junction) 초전도층을 가운데에 두고 양쪽에 얇은 막으로 구성된 소자

Joule 발열(Joule heating) 전류 흐름에 대한 저항으로 인한 재료 가열. 강자성 물질의 에너지 손실원

Knudsen 셀(Knudsen cell) '분출 셀' 참고

Maxwell-Boltzmann 분포(Maxwell-Boltzmann distribution) 기체 상태 분자의 상대적 분포에 대한 설명

Miller-Bravais 지수(Miller-Bravais indices) 육방정계에서 결정면을 특정하는 데 사용되는 네 자리 정수 집합

Miller 지수(Miller indices) 결정면을 특정하는 데 사용하는 정수 집합

Moore의 법칙(Moore's law) 집적 회로의 역사 대부분 동안 적용된 법칙으로 단일 칩에서 생산되는 트랜지스터의 수는 2년마다 대략 두 배씩 증가한다는 것(그림 13.51 참고)

***n*형 반도체**(*n*-type semiconductor) 전기 전도도가 음전하 전달자에 의해 결정되는 불순물 반도체

Ohm의 법칙(Ohm's raw) 전기 회로에서 전압, 전류, 저항 간의 관계[식 (13.1) 참고]

***p-n* 접합**(*p-n* junction) 고체 전자 소자에서 *p*형 물질과 *n*형 물질의 인접 영역 간의 경계

***p*형 반도체**(*p*-type semiconductor) 불순물 반도체 중 전기 전도도가 양전하 전달자에 의해 결정되는 반도체

Pauli 배타 원리(Pauli exclusion principle) 2개의 전자가 같은 상태에 있을 수 없다는 양자역학적인 개념

Pilling-Bedworth 비(Pilling-Bedworth ratio) 산화에 의해 소비된 금속 부피에 대한 생성된 산화물 부피의 비율[식 (15.2) 참고]

PM10 직경 10 μm 미만의 공기 중 입자상 물질

PM2.5 직경 2.5 μm 미만의 공기 중 입자상 물질

Poisson 비(Poisson's ratio) 인장 응력에 의해 재료가 늘어날 때 이 방향에 수직으로 수축하는 정도와 관련 있는 기계적 성질

Rockwell 경도(Rockwell hardness) 표 6.9에 정의된 일반적인 기계적 매개변수

Schottky 결함(Schottky defect) 반대로 대전된 이온 공공의 쌍(그림 4.9 참고)

Seebeck 전위(Seebeck potential) 다른 두 온도에서 서로 다른 금속으로 만든 열전대로 인한 유도 전압(그림 13.14 참고)

Seebeck 효과(Seebeck effect) 온도 차이의 결과로 간단한 전기 회로에서 유도 전압이 발생하는 것

Syndiotactic 고분자 측쇄의 3차원적인 위치가 연속적으로 항상 반대 위치에 있는 배열

TTT 선도(TTT diagram) 온도 대 시간의 도표 위에 변태 백분율을 도시한 것(그림 10.6 참고)

van der Waals 결합(van der Waals bond) '2차 결합' 참고

Young률(Young's modulus) '탄성 계수' 참고

Zachariasen 모형(Zachariasen model) 그림 4.19(b)와 같이 망상 조직 이론의 시각적 정의

연습문제와 복습문제 해답

제2장

PP 2.1 **(a)** 3.38×10^{10} atoms; **(b)** 2.59×10^{10} atoms

PP 2.2 3.60 kg

PP 2.3 **(a)** 19.23 mm; **(b)** 26.34 mm

PP 2.4 **(b)** Mg: $1s^2 2s^2 2p^6 3s^2$, Mg^{2+}: $1s^2 2s^2 2p^6$; O: $1s^2 2s^2 2p^4$; O^{2-}: $1s^2 2s^2 2p^6$; **(c)** Ne for both cases of Mg^{2+} and O^{2-}

PP 2.5 **(a)** $F_c = 20.9 \times 10^{-9}$ N; **(b)** $F_R = -F_c = -20.9 \times 10^{-9}$ N

PP 2.6 **(a)** $\sin(109.5°/2) = R/(r + R)$ or $r/R = 0.225$; **(b)** $\sin 45° = R/(r + R)$ or $r/R = 0.414$

PP 2.7 CN = 6 for both cases

PP 2.8

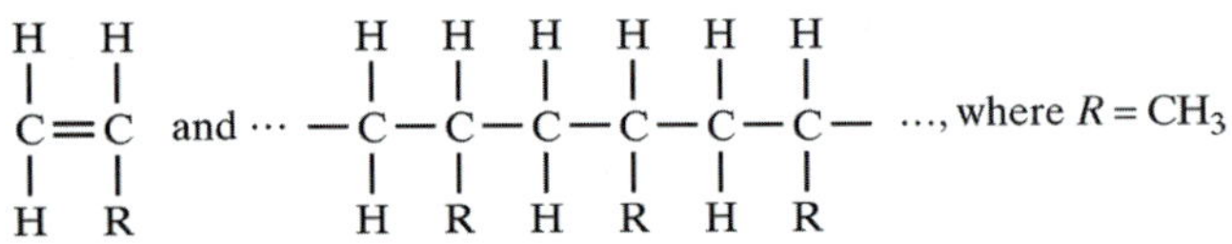

PP 2.9 Same as for Practice Problem 2.8, except $R = C_6H_5$

PP 2.10 **(a)** 60 kJ/mol; **(b)** 60 kJ/mol

PP 2.11 794

PP 2.12 A greater degree of covalency in the Si–Si bond provides even stronger directionality and a lower coordination number.

2.1 10.4×10^{21} atoms

2.3 3.31×10^{15} atoms Si and 6.62×10^{15} atoms O

2.5 0.921×10^{12} atoms Al and 1.38×10^{12} atoms O

2.7 **(a)** 0.372×10^{24} molecules O_2; **(b)** 0.617 mol O_2

2.9 **(a)** 1.41 g; **(b)** 6.50×10^{-4} g

2.15 -1.49×10^{-9} N

2.17 -8.13×10^{-9} N

2.23 Pink

2.25 22.1×10^{-9} N

2.27 **(b)** 1.645

2.33 335 kJ/mol

2.35 60,068 amu

2.37 12.0 kJ

2.49 392 m^2/kg

2.51 2.77×10^{23} atoms/(m^3 atm)

제3장

PP 3.2 **(a)** $a = (4/\sqrt{3})r$; **(b)** $a = 2r$

PP 3.3 7.90 g/cm^3

PP 3.4 **(a)** 0.542; **(b)** 0.590; **(c)** 0.627

PP 3.5 3.45 g/cm^3

PP 3.6 5.70×10^{24}

PP 3.7 Directionality of covalent bonding dominates over efficient packing of spheres

PP 3.8 5.39 g/cm^3

PP 3.9 **(a)** Body-centered position: $\frac{1}{2}\frac{1}{2}\frac{1}{2}$; **(b)** same; **(c)** same

PP 3.10 **(a)** 000, $\frac{1}{2}\frac{1}{2}\frac{1}{2}$, 111; **(b)** same; **(c)** same

PP 3.12 **(a)** $\langle 100 \rangle$ = [100], [010], [001] $[\bar{1}00]$, $[0\bar{1}0]$, $[00\bar{1}]$

PP 3.13 **(a)** 45°; **(b)** 54.7°

PP 3.16 **(a)** 4.03 atoms/nm; **(b)** 1.63 atoms/nm

PP 3.17 **(a)** 7.04 atoms/nm^2; **(b)** 18.5 atoms/nm^2

PP 3.18 $(1.21\ Ca^{2+} + 1.21\ O^{2-})$/nm

PP 3.19 10.2 $(Ca^{2+}$ or $O^{2-})$/nm^2

PP 3.20 2.05 atoms/nm

PP 3.21 7.27 atoms/nm^2

PP 3.22 78.5°, 82.8°, 99.5°, 113°, 117°

3.7 1.74 g/cm^3

3.9 0.588

3.15 1.24 eV

3.17 0.12

3.19 0.468

3.25 octahedron

3.27 $[\bar{1}10]$, $[1\bar{1}0]$, $[\bar{1}01]$, $[10\bar{1}]$, $[01\bar{1}]$, and $[0\bar{1}1]$

3.31 $(01\bar{1}0)$, $(0\bar{1}10)$, $(10\bar{1}0)$, $(\bar{1}010)$, $(1\bar{1}00)$, and $(\bar{1}100)$

3.33 **(a)** $[100]$, $[010]$, $[\bar{1}00]$, $[0\bar{1}0]$; **(b)** $[100]$, $[\bar{1}00]$

3.35 **(a)** 000, $\frac{1}{2}\frac{1}{2}1$, 112

3.37 $[\bar{1}10]$ or $[1\bar{1}0]$

3.41 **(a)**

$$\langle 112 \rangle = [112], [121], [211], [\bar{1}\bar{1}\bar{2}], [\bar{1}\bar{2}\bar{1}], [\bar{2}\bar{1}\bar{1}]$$
$$[11\bar{2}], [12\bar{1}], [21\bar{1}], [\bar{1}\bar{1}2], [\bar{1}\bar{2}1], [\bar{2}\bar{1}1]$$
$$[1\bar{1}2], [1\bar{2}1], [2\bar{1}1], [\bar{1}1\bar{2}], [\bar{1}2\bar{1}], [\bar{2}1\bar{1}]$$
$$[\bar{1}12], [\bar{1}21], [\bar{2}11], [1\bar{1}\bar{2}], [1\bar{2}\bar{1}], [2\bar{1}\bar{1}]$$

3.43 000, $\frac{2}{3}\frac{1}{3}\frac{1}{2}$

3.45 000, $\frac{1}{2}\frac{1}{2}0$

3.49 8 tetrahedral sites and 4 octahedral sites

3.51 $(1.05\ U^{4+} + 2.11\ O^{2-})/\text{nm}$

3.55 $6.56\,(Zn^{2+}$ or $S^{2-})/\text{nm}^2$

3.57 (110), (200), (211)

3.61 99.4°, 117.0°, 138.1°

3.65 32.3°, 34.6°, 36.8°

3.67 37.1°, 43.1°, 62.6°, 75.0°, 79.0°, 94.5°

3.69 Bcc

3.71 38.44°, 44.83°, 65.19°

제4장

PP 4.1 No, % radius difference $>$ 15%

PP 4.2 **(b)** Roughly 50% too large

PP 4.3 $5.31 \times 10^{25}\ \text{m}^{-3}$

PP 4.4 0.320 nm

PP 4.5 **(a)** 16.4 nm; **(b)** 3.28 nm

PP 4.6 $G = 7+$

PP 4.7 0.337

4.1 Rule number 3 (electronegativities differ by 27%), rule number 4 (valences are different)

4.3 Rule number 2 (different crystal structures), rule number 3 (electronegativities differ by 19%), possibly rule number 4 (same valences shown in Appendix 2, although Cu^{+} is also stable)

4.9 0%

4.11 $0.6023 \times 10^{24}\ Mg^{2+}$ vacancies

4.13 **(a)** 8.00×10^{-6} at %; **(b)** 7.69×10^{-6} wt %

4.15 **(a)** 8.00×10^{-6} at %; **(b)** 8.83×10^{-6} wt %

4.17 $5.00 \times 10^{21}\ \text{m}^{-3}$

4.19 $0.269 \times 10^{24}\ \text{m}^{-3}$

4.21 **(a)** 2.67; **(b)** 1.33

4.23 **(a)** 3.00; **(b)** 2.67

4.25 ≈ 5.6

4.29 0.264 nm

제5장

PP 5.1 $0.572\ \text{kg}/(\text{m}^4 \cdot \text{s})$

PP 5.2 **(a)** 1.25×10^{-4}; **(b)** 9.00×10^{-8}; **(c)** 1.59×10^{-12}

PP 5.3 $6.52 \times 10^{19}\ \text{atoms}/(\text{m}^2 \cdot \text{s})$

PP 5.4 **(a)** 0.79 wt % C; **(b)** 0.34 wt % C

PP 5.5 **(a)** 0.79 wt % C; **(b)** 0.34 wt % C

PP 5.6 970°C

PP 5.7 $2.88 \times 10^{-3}\ \text{kg/h}$

PP 5.8 21.9 mm

5.1 500 kJ/mol

5.3 290 kJ/mol

5.17 $4.10 \times 10^{-15}\ \text{m}^2/\text{s}$

5.19 $1.65 \times 10^{-13}\ \text{m}^2/\text{s}$

5.21 264 kJ/mol

5.23 Al^{3+} diffusion controlled ($Q = 477$ kJ/mol)

5.25 $0.324 \times 10^{-3}\ \text{kg/m}^2 \cdot \text{h}$

5.27 12.0×10^{12} atoms/s

5.29 86.6 kJ/mol

제6장

PP 6.1 **(d)** 193×10^3 MPa (28.0×10^6 psi); **(e)** 275 MPa (39.9 ksi); **(f)** 550 MPa (79.8 ksi); **(g)** 30%

PP 6.2 **(a)** 1.46×10^{-3}; **(b)** 2.84×10^{-3}

PP 6.3 9.9932 mm

PP 6.4 **(a)** 80 MPa; **(b)** 25 MPa

PP 6.5 80.1 MPa

PP 6.6 3.57×10^{-5}

PP 6.7 **(a)** 0.2864 nm; **(b)** 0.2887 nm

PP 6.8 **(a)** 0.345 MPa (50.0 psi); **(b)** 1.88 MPa (273 psi)

PP 6.9 4.08 mm

PP 6.10 **(a)** 1.47×10^{-3}% per hour; **(b)** 1.48×10^{-2}% per hour; **(c)** 9.98×10^{-2}% per hour

PP 6.11 **(a)** $\approx$550°C; **(b)** $\approx$615°C

PP 6.12 **(a)** 83.2 days; **(b)** 56.1 days

PP 6.13 511 to 537°C

6.1 108 GPa

6.5 3.14×10^5 N ($7.06 \times 10^4\ \text{lb}_f$)

6.7 **(a)** 2.96 MPa; **(b)** 2.39×10^{-5}

6.13 31.3 GPa

6.15 **(a)** 29.7 MPa; **(b)** 5.10×10^4 N

6.17 4.69 μm

6.19 8,970 MPa

6.21 **(a)** 1.11 GPa; **(b)** 1.54 GPa

6.23 97.5 MPa

6.27 0.136 MPa

6.29 20.4 MPa

6.31 $(1\bar{1}1)[110]$, $(\bar{1}11)[110]$, $(11\bar{1})[101]$, $(\bar{1}11)[101]$, $(11\bar{1})[011]$, $(1\bar{1}1)[011]$

6.39 400 ± 140 MPa

6.41 26.7 MPa

6.43 Rockwell B99

6.45 Y.S. = 400 MPa, T.S. ≅ 550 MPa

6.47 347 BHN

6.49 **(a)** 252 kJ/mol; **(b)** 1.75×10^{-5}% per hour

6.53 **(a)** 30.3 hr; **(b)** 303 hr

6.55 1.88×10^{-6} mm/mm/hr

6.57 **(a)** 247 days; **(b)** **(i)** 0.612 MPa, **(ii)** 0.333 MPa, **(iii)** 0.171 MPa

6.61 **(a)** 405 kJ/mol; **(b)** 759 to 1,010°C; **(c)** 1,120 to 1,218°C

제7장

PP 7.1 392 J/kg · K ≈ 385 J/kg · K

PP 7.2 0.517 mm

PP 7.3 1.86×10^6 J/m^2 · s

PP 7.4 670°C

PP 7.5 As partially stabilized zirconia can withstand a quench of approximately 500°C, the quench of 400°C should be tolerable

7.1 **(a)** 66.6 kJ; **(b)** 107 kJ; **(c)** 282 kJ

7.3 2,940

7.5 10.07 mm

7.7 49.4°C

7.9 −11.7 kW

7.11 −43.7 kW

7.13 258 to 1,140 MPa (compressive)

7.15 35.6 MPa (compressive)

7.17 −277 MPa

7.19 TSR = 5.70×10^3 J/s · m for silica glass and 0.0107×10^3 J/s · m for fireclay refractory, consistent with the physical data

7.21 −1.12 kW

7.23 155 times

제8장

PP 8.1 ≤0.20%

PP 8.2 **(a)** 12.9 mm; **(b)** 2.55 mm

PP 8.3 **(a)** 169 MPa; **(b)** 508 MPa

PP 8.4 77.5 MPa

PP 8.5 **(a)** 213 s; **(b)** 11.6 s

PP 8.6 **(a)** 0.289; **(b)** 1.19×10^{-27}

8.1 1,040 carbon steel, 8,630 low-alloy steel, L2 tool steel, ductile iron, Nb–1Zr

8.5 ≥11.3 mm

8.9 Yes

8.11 57 μm ≤ a ≤ 88 μm

8.13 286 μm

8.21 18.3 MPa

8.23 52.8%

8.25 91°C

8.27 **(a)** 1.75×10^6 per year; **(b)** 17.5×10^6 over 10 years

8.29 32.4 hr

8.31 6.67 MPa

8.33 $12.50^{+0.14}_{-0.13}$ mm

8.35 0.43 mm to 0.68 mm

8.37 0.046%

제9장

PP 9.1 **(a)** 2; **(b)** 1; **(c)** 0

PP 9.2 The first solid to precipitate is β; at the peritectic temperature, the remaining liquid solidifies, leaving a two-phase microstructure of solid solutions β and γ

PP 9.3 m_L = 952 g, m_{SS} = 48 g

PP 9.4 m_α = 831 g, m_{Fe3C} = 169 g

PP 9.5 38.5 mol % monoclinic and 61.5 mol % cubic

PP 9.6 **(a)** 667 g; **(b)** 0.50

PP 9.7 60.8 g

PP 9.9 **(a)** ≈680°C; **(b)** solid solution β with a composition of ≈100 wt % Si; **(c)** 577°C; **(d)** 84.7 g; **(e)** 13.0 g Si in eutectic α, 102.0 g Si in eutectic β, 85.0 g Si in proeutectic β

PP 9.11 **(a)** For 200°C; **(i)** liquid only, **(ii)** L is 60 wt % Sn, **(iii)** 100 wt % L; for 100°C, **(i)** α and β, **(ii)** α is $\approx$5 wt % Sn, β is $\approx$99 wt % Sn, **(iii)** 41.5 wt % α; 58.5 wt % β; **(b)** For 200°C, **(i)** α and liquid, **(ii)** α is $\approx$18 wt % Sn, L is $\approx$54 wt % Sn, **(iii)** 38.9 wt % α, 61.1 wt % L; for 100°C, **(i)** α and β, **(ii)** α is $\approx$5 wt % Sn, β is $\approx$99 wt % Sn, **(iii)** 62.8 wt % α, 37.2 wt % β

PP 9.12 0 mol % Al_2O_3 = 0 wt % Al_2O_3, 60 mol % Al_2O_3 = 71.8 wt % Al_2O_3, 44.5 mol % SiO_2 = 36.1 wt % SiO_2, 55.5 mol % mullite = 63.9 wt % mullite

9.3 **(a)** 2; **(b)** 1; **(c)** 2

9.17 **(a)** m_L = 1 kg, m_α = 0 kg; **(b)** m_L = 667 g, m_α = 333 g; **(c)** m_L = 0 kg, m_α = 1 kg

9.21 **(a)** m_L = 50 kg; **(b)** m_α = 20.9 kg, m_β = 29.1 kg; **(c)** m_α = 35.4 kg, m_β = 14.6 kg; **(d)** m_α = 50 kg; **(e)** m_α = 39.9 kg, m_β = 10.1 kg; **(f)** m_α = 33.2 kg, m_β = 16.8 kg

9.23 760 g

9.25 3 kg

9.27 58.3 mol % SiO_2 and 41.7 mol % mullite

9.29 **(a)** Periclase (ss) and spinel (ss), periclase is $\approx$100 mol % MgO and spinel is $\approx$50 mol % alumina, 1 wt % periclase and 99 wt % spinel; **(b)** spinel (ss) with 50.3 mol % alumina, 100 wt % spinel (ss)

9.33 18.6 wt % SiO_2

9.35 **(a)** β; **(b)** $\approx$60 % B

9.37 **(a)** 0.258; **(b)** 0.453

9.39 0.928

9.53 2.3 kg

9.55 **(a)** $\approx$920°C; **(b)** α with a composition of $\approx$30 wt % Zn; **(c)** = 903°C; **(d)** $\approx$700°C to $\approx$220°C

9.59 **(a)** $\approx$1,030°C; **(b)** α, $\approx$12 wt % Zn; **(c)** $\approx$1,012°C; **(d)** from $\approx$1,012°C to below 0°C

9.61 m_α = 58.2 g, m_β = 58.8 g

제10장

PP 10.1 582°C

PP 10.2 **(a)** $\approx$1 s (at 600°C), $\approx$80 s (at 300°C); **(b)** $\approx$7 s (at 600°C), $\approx$1,500 s = 25 min (at 300°C)

PP 10.3 **(a)** $\approx$10% fine pearlite + 90% γ; **(b)** $\approx$10% fine pearlite + 90% bainite; **(c)** $\approx$10% fine pearlite + 90% martensite (including a small amount of retained γ)

PP 10.4 >90% for 0.5 wt % C, $\approx$20% for 0.77 wt % C, 0% for 1.13 wt % C

PP 10.5 **(a)** $\approx$15 s; **(b)** $\approx 2\frac{1}{2}$ min; **(c)** $\approx$1 hour

PP 10.6 **(a)** $\approx$7°C/s (at 700°C); **(b)** $\approx$2.5°C/s (at 700°C)

PP 10.7 **(a)** Rockwell C38; **(b)** Rockwell C25; **(c)** Rockwell C21.5

PP 10.8 **(a)** 7.55%; **(b)** 7.55%

PP 10.10 62 wt %

10.1 8.43×10^{12}

10.3 32.9 kJ/mol

10.5 $-2\sigma/\Delta G_v$

10.9 **(a)** 100% bainite; **(b)** austempering

10.11 **(a)** 100% bainite; **(b)** >90% martensite, balance retained austenite

10.13 **(b)** $\approx$710°C; **(c)** coarse pearlite

10.23 **(a)** >$\approx$10°C/s (at 700°C); **(b)** <$\approx$10°C/s (at 700°C)

10.25 84.6% increase

10.27 Rockwell C53

10.31 Alloys 4340 and 9840

10.33 $\approx$400°C

10.35 98.0 kJ/mol

10.37 No

10.39 31% CW

10.41 185 kJ/mol

10.43 **(a)** 503°C; **(b)** 448°C; **(c)** 521°C

10.45 475 kJ/mol

10.47 62.6 kJ/mol

제11장

PP 11.1 2.75 Mg/m^3 (3003 Al), 2.91 Mg/m^3 (2048 Al)

PP 11.2 14.8 wt % Na_2O, 9.4 wt % CaO, 1.1 wt % Al_2O_3, 74.7 wt % SiO_2

PP 11.3 **(a)** 34 < % Ni < 79; **(b)** 34% Ni alloy

PP 11.4 **(a)** 63%; **(b)** 86%

PP 11.5 845 kg

PP 11.6 876°C to 934°C

11.1 **(a)** 7.85 Mg/m^3; **(b)** 99.7%

11.3 **(a)** 5.94%; **(b)** 4,158 kg
11.5 332 kg
11.7 10.1 Mg/m^3
11.9 72.4 wt % Al_2O_3, 27.6 wt % SiO_2
11.11 36.1 wt % SiO_2, 63.9 wt % mullite
11.13 0.346 kg
11.15 13.7 wt % Na_2O, 9.9 wt % CaO, 76.4 wt % SiO_2
11.17 42.2 kg
11.19 1.30 nm
11.21 0.0425 μm
11.23 4.0 vol %
11.27 **(a)** 450 MPa; **(b)** 8%
11.31 1,587°C
11.33 512°C
11.35 22.6 g
11.37 Sintered beryllia and possibly sintered spinel
11.39 60.3 g

제12장

PP 12.1 **(a)** 0.243 wt %; **(b)** 0.121 wt %
PP 12.2 833
PP 12.3 **(a)** 15.5%; **(b)** 33.3%
PP 12.4 3.37 g
PP 12.5 1.49 Mg/m^3
PP 12.6 **(a)** 1.82 Mg/m^3; **(b)** 2.18 Mg/m^3
PP 12.7 14.1 Mg/m^3
PP 12.8 39.7×10^3 MPa
PP 12.9 0.57 W/(m·K)
PP 12.10 3.2 to 38% error
PP 12.11 6.40×10^6 mm (epoxy), 77.8×10^6 mm (composite)
12.1 21,040 amu
12.3 1.35 g
12.5 35.8 wt %
12.7 34,060 amu
12.9 612
12.11 0.552
12.13 101 nm
12.15 152 nm
12.17 **(a)** 50,010 amu; **(b)** 4.87 nm; **(c)** 126 nm
12.19 393
12.23 3.61×10^{25} amu
12.25 0.0426
12.27 **(a)** 49.7 wt %; **(b)** 1.53 Mg/m^3
12.29 43.3%
12.33 23.0 wt %
12.35 1.50 Mg/m^3
12.37 119,100 amu
12.39 370 kg
12.41 9.58 Mg/m^3
12.43 289×10^3 MPa
12.45 286×10^3 MPa
12.49 49.2×10^3 MPa
12.51 0.34 W/(m·K)
12.53 0.38% error
12.55 4.1 to 16% error
12.57 (69.3 to 104) $\times 10^6$ mm
12.59 7.96×10^6 mm
12.63 94.2×10^6 mm which is 9.52 times that for 1040 steel
12.65 12.8×10^6 kJ
12.67 Acrylics, polyamides, polycarbonates
12.69 $0.341 \le v_{clay} \le 0.504$

제13장

PP 13.1 **(a)** 1.73 V; **(b)** 108 mV
PP 13.2 8.17×10^{23} electrons
PP 13.3 6.65×10^{23} atoms
PP 13.4 1.59 hr
PP 13.5 2.11×10^{-44}
PP 13.6 2.32×10^{-9}
PP 13.7 **(a)** $34.0 \times 10^6\ \Omega^{-1} \cdot m^{-1}$; **(b)** $10.0 \times 10^6\ \Omega^{-1} \cdot m^{-1}$
PP 13.8 $43.2 \times 10^{-9}\ \Omega \cdot m$
PP 13.9 7 mV
PP 13.10 $1.30 \times 10^{-8} A/m^2$
PP 13.11 1.034×10^{-7} C · m
PP 13.13 **(a)** $3.99 \times 10^{-4}\ \Omega^{-1} \cdot m^{-1}$; **(b)** $2.50 \times 10^3\ \Omega \cdot m$
PP 13.14 **(a)** $24.8\ \Omega^{-1} \cdot m^{-1}$
PP 13.15 $474\ \Omega^{-1} \cdot m^{-1}$
PP 13.16 5.2×10^{21} atoms/m^3($\ll 20 \times 10^{24}$ atoms/m^3)
PP 13.17 8.44×10^{-8}
PP 13.18 **(a)** $135\ \Omega^{-1} \cdot m^{-1}$
PP 13.19 **(a)** 16.6 ppb; **(b)** 135°C; **(c)** $55.6\ \Omega^{-1} \cdot m^{-1}$
PP 13.20 4.07×10^{21} atoms/m^3
PP 13.21 $2.20 \times 10^4\ \Omega^{-1} \cdot m^{-1}$

PP 13.22 0.9944 (electrons), 0.0056 (holes)
PP 13.23 1.31 parts per billion (ppb) Al
13.1 **(a)** 55.0 A; **(b)** 3.14×10^{-9}A; **(c)** 7.85×10^{-19}A
13.3 **(a)** 33.3 m/s; **(b)** 18.0 μs
13.5 4.71 Ω
13.7 734 m
13.9 994°C
13.11 **(a)** 0.0353; **(b)** 0.0451
13.13 9.55×10^{-20} (for GaP), 3.75×10^{-13} (for GaAs), 1.79×10^{-6} (for GaSb)
13.15 34.8 mV
13.17 36.9 mV
13.19 ≈500°C
13.21 8.80 m
13.27 ≈2,210
13.31 2.89×10^{-5} C/m^2
13.33 1.20×10^{-4} C/m^2
13.35 4.03×10^{-4} C/m^2
13.39 109 MPa
13.43 5.2×10^{-10}
13.45 **(a)** 0.657 (electrons), 0.343 (holes); **(b)** 0.950 (electrons), 0.050 (holes)
13.47 $1.74 \times 10^4\ \Omega^{-1} \cdot \text{m}^{-1}$
13.51 4.77%
13.53 **(a)** 9.07×10^{-6} mol %; **(b)** 4.54×10^{21} atoms/m^3 ($\ll 1{,}000 \times 10^{24}$ atoms/m^3)
13.55 **(a)** Electron hole; **(b)** 3.29×10^{18}m^{-3}; **(c)** 7.6 m/s
13.65 317 K (= 44°C), taking room temperature as 300 K
13.67 **(a)** 1.11×10^{-10} K; **(b)** 9.31×10^{-7} K; **(c)** 289 K
13.73 7.5 K
13.75 0.1°C
13.77 0.973 (electrons), 0.027 (holes)
13.79 2.76 ppm
13.83 **(a)** 10^3 m/s; **(b)** 7.14×10^3 V/m; **(c)** 5.14 gigahertz
13.89 38 million (19% higher than the actual number)
13.91 $38.1 \times 10^6\ \Omega^{-1} \cdot \text{m}^{-1}$

제14장

PP 14.1 1.77 eV
PP 14.2 66.1°
PP 14.3 **(a)** 0.0362; **(b)** 0.0222
PP 14.4 0.0758
PP 14.5 1,240
PP 14.6 697 nm
PP 14.7 87.0°
PP 14.8 464 nm
PP 14.9 $B = 0.253$ Wb/m^2, $M = 1.0 \times 10^3$ A/m
PP 14.11 **(a)** 0.65 Wb/m^2; **(b)** 4.57×10^5 A/m
PP 14.12 8 μ_B
PP 14.13 1.26×10^5 A/m
PP 14.14 44 J/m^3
PP 14.15 ≈3.3 J/m^3
PP 14.16 0.508 (Fe^{3+}), 0.591 (Ni^{2+})
PP 14.17 **(a)** 0; **(b)** 80 μ_B; **(c)** 0.89
14.1 **(a)** 4.318×10^{14} s^{-1}; **(b)** 1.786 eV
14.3 16.9% smaller
14.5 **(a)** 40.98°; **(c)** 41.47°
14.7 34.0%
14.9 40.8°
14.11 323 nm
14.13 2,594
14.15 7.14
14.17 822 nm
14.19 4.87 μs
14.21 400 nm $\leq \lambda \leq$ 549 nm
14.23 $B = 0.251$ Wb/m^2, M = 10 A/m
14.27 **(a)** 0.99995; **(b)** diamagnetism
14.29 **(b)** 0.36 Wb/m^2; **(c)** −25 A/m
14.31 **(b)** 0.92 Wb/m^2; **(c)** −18 A/m
14.35 **(a)** 40μ_B; **(b)** 6.04×10^5A/m
14.37 24 μ_B
14.39 **(a)** 0.591; **(b)** 0.432
14.41 2.64 kW/m^3
14.45 4.02 kW/m^3
14.47 1.50 kW/m^3
14.55 **(a)** 38×10^4 A-turns/m; **(b)** 14% error
14.57 **(a)** 2.4 kW/m^3; **(b)** soft

제15장

PP 15.1 S7 fan cooled from 940°C and single tempered at 540°C; S7 fan cooled from 940°C and single tempered at 425°C
PP 15.2 $15.2 \times 10^6$1

PP 15.3 697 nm

PP 15.4 **(a)** 1.75; **(b)** yes

PP 15.5 $3.13 \times 10^{16}\ s^{-1}$

PP 15.6 **(a)** Zinc corroded; **(b)** 1.100 V

PP 15.7 0.0323 m^3

15.1 S5 oil quenched from 870°C and single tempered at 650°C; L2 oil quenched from 855°C and single tempered at 540°C

15.3 80–55–06

15.5 Polyethylene and polypropylene

15.9 Adequate

15.11 **(a)** 120 kg; **(b)** 9.96×10^4 l (per aircraft)

15.13 2.80 Mg/m^3

15.15 Carbon fiber-reinforced polymer

15.17 $1.45 \times 10^{-9} m^2$

15.19 **(a)** 2.19 eV; **(b)** 1.91 to 2.10 eV

15.21 1.78 (FeO), 2.10 (Fe_3O_4), 2.15 (Fe_2O_3)

15.23 2.27

15.25 $1.56 \times 10^{16}\ s^{-1}$

15.27 $2.08 \times 10^{16}\ s^{-1}$

15.29 **(a)** 0.467 V; **(b)** Cr

15.31 **(a)** nickel; **(b)** tin-rich phase; **(c)** 2024 aluminum; **(d)** brass

15.33 $2.54 \times 10^{-3}\ m^3$

15.35 0.0157 m^3

15.37 21.8 kg

15.39 **(a)** 7.50 μm; **(b)** 37.5 μm

15.41 **(a)** difficult; **(b)** easy

15.43 **(a)** difficult; **(b)** easy

찾아보기